Du même auteur, chez le même éditeur :

L'Épée de Vérité :
1. *La Première Leçon du sorcier* (2003)
2. *La Pierre des Larmes* (2003)
3. *Le Sang de la Déchirure* (2004)
4. *Le Temple des Vents* (2005)
5. *L'Âme du Feu* (2006)
6. *La Foi des Réprouvés* (2007)
7. *Les Piliers de la Création* (2007)
8. *L'Empire des vaincus* (2008)

www.bragelonne.fr

Terry Goodkind

# *Le Sang de la Déchirure*

L'Épée de Vérité – livre trois

Traduit de l'anglais (États-Unis) par Jean Claude Mallé

Bragelonne

Collection dirigée par Stéphane Marsan et Alain Névant

Titre original : *Blood of the Fold*



1re édition : août 2004
2e tirage : septembre 2004
3e tirage : octobre 2004
4e tirage : août 2005
5e tirage : janvier 2006
6e tirage : août 2006
7e tirage : juin 2007
8e tirage : septembre 2008

Illustration de couverture :
© Keith Parkinson

Carte :
© Terry Goodkind

ISBN : 978-2-914370-88-2

Bragelonne
35, rue de la Bienfaisance – 75008 Paris

E-mail : info@bragelonne.fr
Site Internet : http://www.bragelonne.fr

*À Ann Hansen,*
*la lumière dans l'obscurité*

REMERCIEMENTS

Comme d'habitude, tous mes remerciements à ceux qui m'ont aidé : mon directeur d'ouvrage, James Frankel, pour sa façon très subtile de mettre sans cesse la barre un peu plus haut ; ma directrice d'ouvrage anglaise, Caroline Oakley, et toute l'équipe d'Orion, pour leur engagement permanent sous la bannière de l'excellence ; James Minz, pour sa superbe contribution ; Linda Quinton et le département du marketing et des ventes de Tor, pour leurs passions et leurs triomphes ; Tom Doherty, pour sa confiance, qui m'aide à travailler comme un fou dès que j'y pense ; Jeri, pour son soutien indéfectible ; enfin, merci aux âmes de Richard et de Kahlan, qui continuent à m'inspirer.

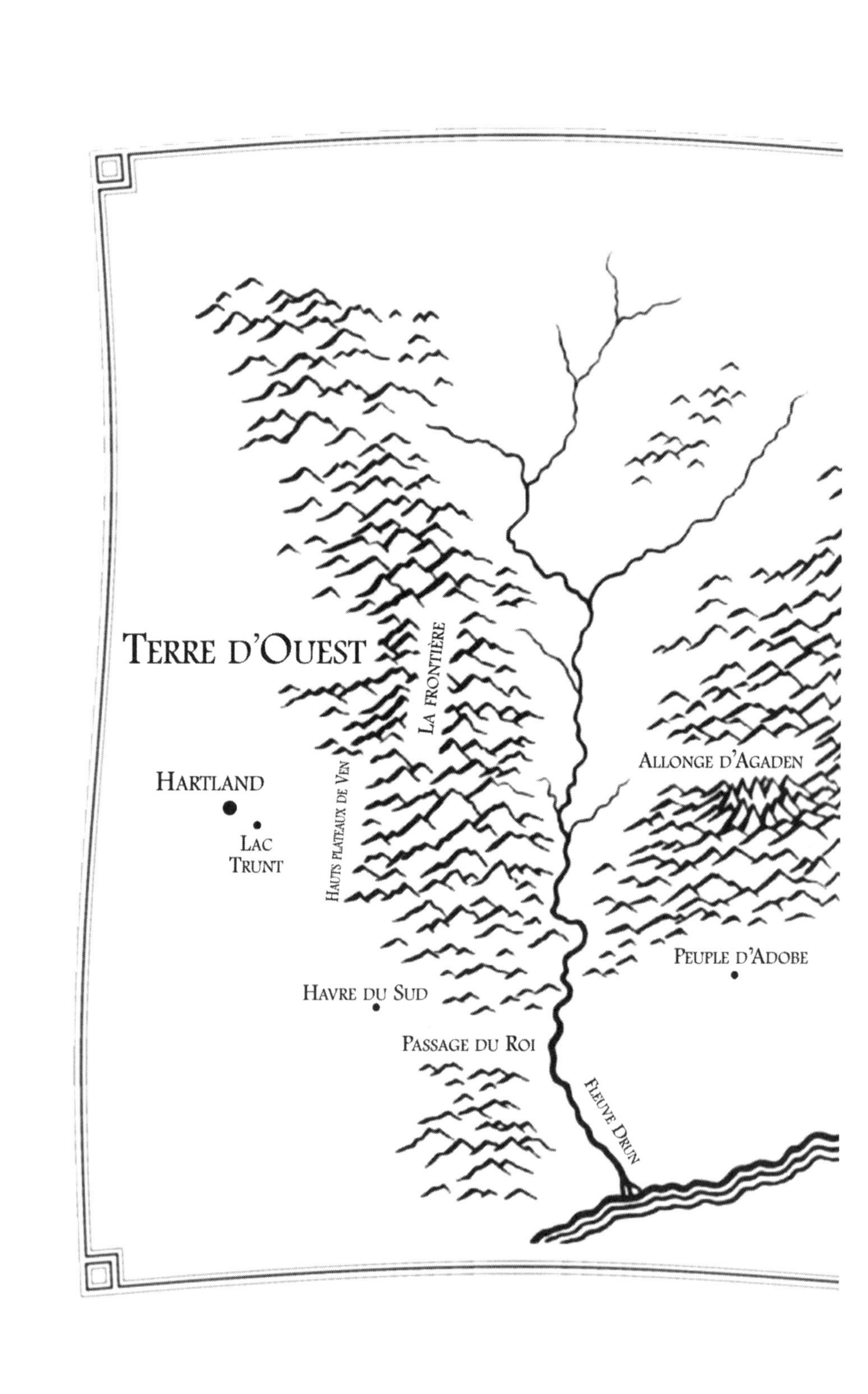

Terre d'Ouest
La Frontière
Hartland
Lac Trunt
Hauts plateaux de Ven
Allonge d'Agaden
Peuple d'Adobe
Havre du Sud
Passage du Roi
Fleuve Drun

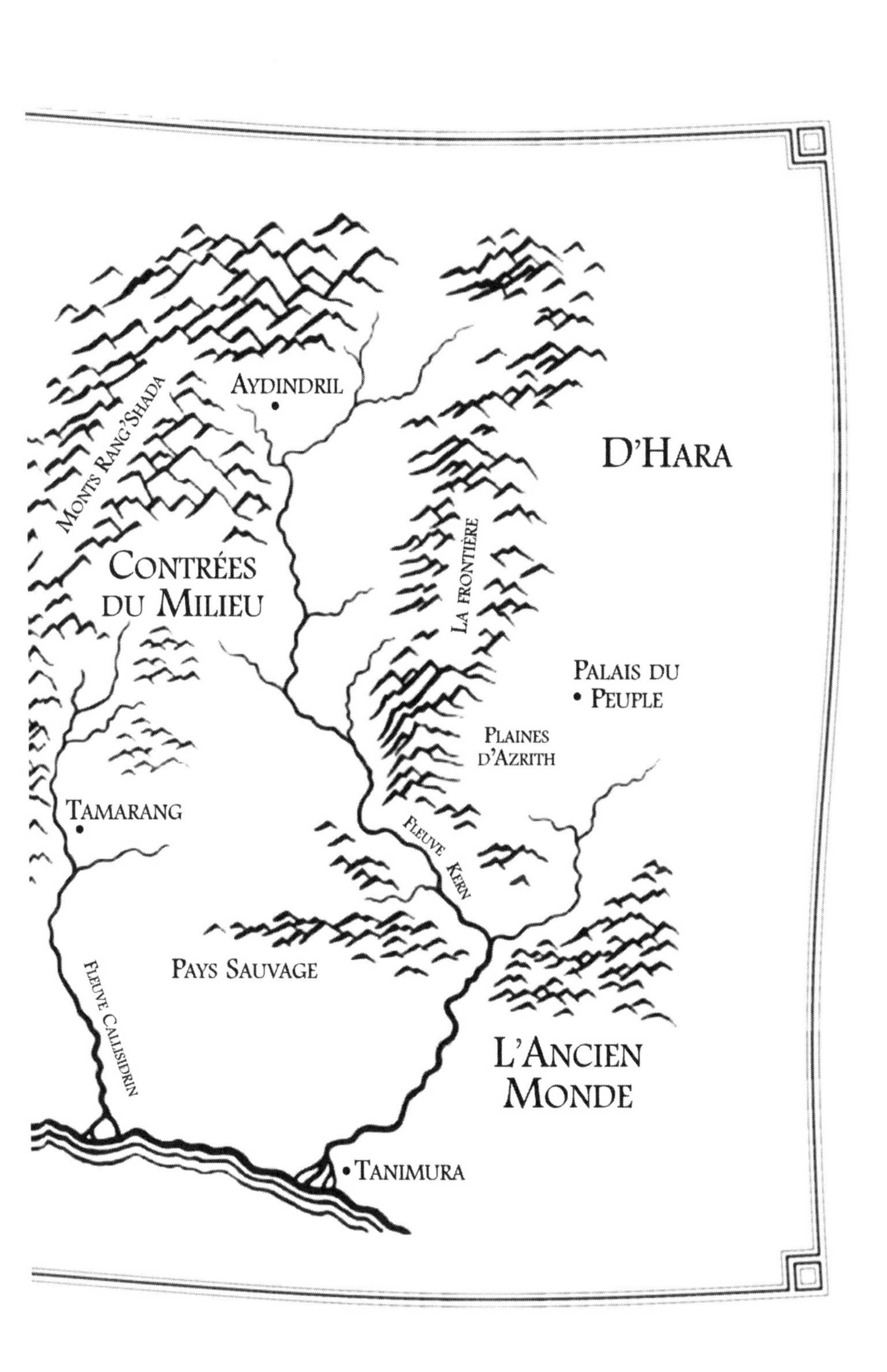
Aydindril
Monts Rang'Shada
D'Hara
La Frontière
Contrées du Milieu
Palais du Peuple
Plaines d'Azrith
Tamarang
Fleuve Kern
Pays Sauvage
Fleuve Callisidrin
L'Ancien Monde
Tanimura

# Chapitre premier

À la même seconde, les six femmes se réveillèrent en hurlant de douleur. Dans la petite cabine des officiers, où régnait une obscurité totale, sœur Ulicia entendit ses compagnes lutter pour reprendre leur souffle. Elle tenta de déglutir, soucieuse de réguler sa propre respiration, et fit la grimace quand sa gorge la brûla atrocement. Si ses paupières étaient humides, ses lèvres lui parurent tellement sèches qu'elle dut les humecter, affolée à l'idée qu'elles se craquellent et saignent.

Un homme tapait à la porte, ses cris atteignant les oreilles de la sœur comme un bourdonnement étouffé. Elle ne tenta pas de se concentrer pour comprendre ce qu'il beuglait, car cela n'avait aucune importance.

Une main tendue vers le centre de la cabine, Ulicia laissa jaillir de son Han – l'essence même de la vie et de l'esprit – une onde de chaleur qui s'infiltra dans la lampe à huile qu'elle savait accrochée à une poutre. La mèche s'enflamma et lâcha une volute de suie qui ondula au gré du mouvement de balancier imprimé à la lampe par le roulis.

Entièrement nues – comme Ulicia – les autres femmes s'assirent sur leurs couchettes, fascinées par la pâle lumière jaune qui dansait devant leurs yeux. On eût dit qu'elles cherchaient dans cette lueur le salut… ou l'assurance d'être toujours vivantes en un monde où la lumière existait encore.

À la vue de la flamme, une larme roula sur la joue d'Ulicia. Cette obscurité l'avait étouffée, comme si on lui avait jeté sur la poitrine une tonne de terreau gras et humide.

La literie était imbibée de sa sueur glaciale. Ici, tout était en permanence mouillé dans l'air saturé d'iode. Sans parler des trombes d'eau qui s'écrasaient régulièrement sur le pont et s'infiltraient à travers les planches. Depuis combien de temps Ulicia n'avait-elle plus senti contre sa peau le contact d'un vêtement ou d'un drap sec ? Une éternité, lui semblait-il…

La sœur détestait ce navire, avec son éternelle moiteur, sa puanteur et le maudit tangage qui lui retournait l'estomac. Ravalant une remontée de bile, elle se consola en pensant qu'il fallait au moins être vivant pour haïr les êtres ou les choses. Et avoir survécu était un coup de chance...

Ulicia se frotta les yeux et tendit la main. Comme elle s'en doutait, ses doigts étaient poisseux de sang. Stimulées par son courage, certaines de ses compagnes l'imitèrent. Toutes avaient les paupières, les arcades sourcilières et les joues zébrées de griffures. La punition pour avoir essayé de s'ouvrir les yeux avec les ongles ! Une vaine tentative d'échapper au piège du sommeil, loin d'un rêve qui n'en était pas un.

Ulicia lutta pour s'éclaircir les idées. Il *devait* s'agir d'un cauchemar. Elle détourna les yeux de la flamme et regarda ses compagnes. Assise en face d'Ulicia, sur la couchette du bas, sœur Tovi, une vieille femme grassouillette au visage ridé, affichait une expression résolument morose. Sur la couchette d'à côté, ses cheveux gris bouclés en bataille, sœur Cecilia, d'habitude si soignée et souriante, était verdâtre de peur. Ulicia se pencha un peu pour jeter un coup d'œil au-dessus d'elle. Recroquevillée sur la couchette du haut, sœur Armina, bien moins âgée que Tovi et Cecilia – et encore très séduisante, comme Ulicia, d'un rien son aînée – ressemblait à une momie. D'une main tremblante, elle aussi essuya le sang qui lui empoissait les paupières.

Au-dessus de Tovi et de Cecilia, les deux plus jeunes sœurs, imbues d'elles-mêmes comme il convient à des parangons de beauté, n'étaient pas plus vaillantes que les autres. Les joues lacérées, Nicci paraissait infiniment vieille avec ses cheveux blonds collés sur son crâne par la sueur et le sang. Ses superbes mèches noires emmêlées, Merissa serrait convulsivement une couverture sur sa poitrine nue. Pas par pudeur, mais parce qu'elle frissonnait de terreur.

Leurs aînées maniaient en expertes un pouvoir aux angles arrondis entre le marteau et l'enclume de l'expérience. Détentrices d'une puissance aussi rare que sombre, Nicci et Merissa faisaient montre d'une subtilité innée qu'aucune expérience au monde ne saurait conférer. Remarquablement rusées pour leur âge, elles ne se laissaient jamais abuser par les manières de grand-mère poule de Cecilia ou de Tovi. Malgré leur jeunesse triomphante et leur confiance sans limite, elles savaient que leurs quatre compagnes – en particulier Ulicia – les tailleraient sans mal en pièces si l'envie leur en prenait.

Étrangement, cela ne diminuait en rien leur importance. À leur façon, elles comptaient parmi les femmes les plus extraordinaires qui aient jamais arpenté le monde. Et le Gardien les avait choisies à cause de leur insatiable désir de domination.

Les voir dans un tel état accablait Ulicia. Mais le pire restait la terreur de Merissa, la sœur la plus impassible, dépourvue d'émotions et impitoyable qu'elle eût connue. Un être au cœur de glace noire...

En cent soixante-dix ans, Merissa n'avait pas versé l'ombre d'une larme. Et voilà qu'elle sanglotait comme une enfant !

Tout bien pesé, Ulicia fut revigorée par l'abjecte faiblesse de ses compagnes. À vrai dire, c'était même un spectacle satisfaisant. Elle les commandait, et se montrait logiquement plus forte qu'elles...

L'homme continuait de tambouriner à la porte, résolu à savoir ce qui se passait. Pourquoi les passagères avaient-elles crié ?

— Fichez-nous la paix ! lança Ulicia, ravie de trouver un exutoire à sa colère. Si nous avons besoin de vous, nous vous appellerons !

Le marin battit en retraite dans la coursive en marmonnant des imprécations très vite inaudibles. Dans le silence revenu – à quelques craquements de bois près, car le navire essuyait du gros temps – les sanglots de Merissa résonnaient comme un tocsin.

— Arrête de pleurnicher ! cracha Ulicia.

— Ça n'a jamais été ainsi, se défendit Merissa. (Tovi et Cecilia approuvèrent d'un hochement de tête.) Je lui ai obéi en tout. Pourquoi nous a-t-il fait ça ? Je n'ai pas failli à mon devoir.

— Si c'était le cas, tu serais au même endroit que Liliana. Et nous aussi.

— Tu as également vu Liliana ? demanda Armina. Elle était...

— Je l'ai vue, coupa Ulicia, son ton égal dissimulant une indicible terreur.

— Liliana avait déçu le maître, rappela Nicci en écartant de son front une mèche de cheveux blonds tachés de sang.

— Et elle paye le prix de son échec, lâcha Merissa, l'angoisse presque disparue de ses yeux. Pour l'éternité ! (À l'évidence, le cœur de glace noir battait de nouveau fièrement dans sa poitrine et la haine, dans son regard, remplaçait la terreur.) Elle a ignoré vos ordres et ceux du Gardien, sœur Ulicia. C'est elle qui a saboté nos plans. Tout est sa faute !

La stricte vérité. Sans Liliana, les six femmes n'auraient pas été coincées dans ce fichu rafiot. Au souvenir de l'arrogance de cette idiote, Ulicia s'empourpra. Désireuse de récolter toute la gloire, Liliana avait mérité son sort. Pourtant, en repensant à ses tourments, dont elle avait été témoin, Ulicia ne put s'empêcher de déglutir péniblement. Cette fois, elle ne remarqua même pas qu'elle avait la gorge en feu...

— Que devons-nous faire ? demanda Cecilia avec un sourire d'enfant punie. Faut-il obéir à cet... homme ?

Du revers de la main, Ulicia essuya son front ruisselant de sueur. Si ce qu'elle avait vu était vrai, elles ne pouvaient pas s'offrir le luxe d'hésiter. Mais il restait possible qu'il se soit agi d'un cauchemar. Jusque-là, à part le Gardien, personne ne lui était jamais apparu dans le rêve qui n'en était pas un. Un cauchemar, oui, c'était sûrement ça...

Au pied de la couchette, un énorme cafard pataugeait dans le pot de chambre. Bien que fascinée par ses évolutions, Ulicia releva soudain les yeux.

— Un homme ? Tu n'as pas vu le Gardien ?

— Non, répondit Cecilia. C'était Jagang.

Tovi porta sa main gauche à ses lèvres pour embrasser son annulaire – un geste censé attirer la protection du Créateur. Et une habitude acquise dès son premier jour de noviciat... Les six femmes avaient appris à se « signer » ainsi tous les matins, dès le lever, et chaque fois qu'elles étaient en difficulté. Comme les autres, Tovi avait dû répéter ce rituel des milliers de fois sans y penser. Toute Sœur de la Lumière étant fiancée au Créateur – et soumise à sa volonté – c'était une façon de renouveler quotidiennement son engagement.

Pour des traîtresses comme les six femmes, ce rituel risquait d'avoir des conséquences... surprenantes. Selon certaines superstitions, la mort punissait toute servante du Gardien qui se laissait aller à y sacrifier spontanément. Prudentes, les Sœurs de l'Obscurité s'en abstenaient aussi souvent que possible. S'il semblait douteux que la colère du Créateur s'abatte sur elles en cas de « transgression », celle du Gardien ne les épargnerait sûrement pas.

Prenant conscience de son inconséquence, Tovi éloigna vivement sa main de ses lèvres.

— Vous avez toutes vu Jagang ? demanda Ulicia. (Les cinq sœurs acquiescèrent. Ce n'était pas une bonne nouvelle, mais il restait une étincelle d'espoir...) Bien, l'empereur vous est apparu. Ça ne signifie rien... Tovi, a-t-il dit quelque chose ?

La vieille femme saisit sa couverture et se la remonta jusqu'au menton.

— Nous étions toutes assises en demi-cercle, nues, comme toujours quand le Gardien exige de nous voir. Mais Jagang est venu à sa place.

Au-dessus d'Ulicia, Armina ne put étouffer un sanglot.

— Silence ! Tovi, cesse de trembler et répète-moi les paroles de l'empereur.

— Il a dit que nos âmes lui appartenaient, fit Tovi en baissant les yeux. Nous sommes devenues ses marionnettes, et nous devons répondre sur-le-champ à sa convocation. Sinon, a-t-il ajouté, le sort de Liliana nous paraîtra enviable. Car le faire attendre est un crime... (Elle leva sur Ulicia des yeux pleins de larmes.) Ensuite, il m'a donné un avant-goût de ce que je subirai s'il m'arrivait de lui déplaire.

Glacée jusqu'aux os, Ulicia s'aperçut qu'elle aussi avait remonté sa couverture au ras de son cou. Mobilisant sa volonté, elle la reposa sur ses genoux.

— Armina, tu as fait la même expérience ?

— Oui.

— Et toi, Cecilia ?

— Oui...

Ulicia regarda ses deux jeunes compagnes, en face d'elle, qui avaient déjà réussi – un exploit ! – à reprendre leur contenance coutumière.

— Avez-vous entendu le même discours ?

— Oui, répondit simplement Nicci.

— Au mot près, confirma Merissa avec un calme souverain. Et c'est à Liliana que nous devons ça !

— Si le Gardien est mécontent de nous, avança Cecilia, il nous a peut-être provisoirement offertes à l'empereur. Une sorte d'épreuve, avant de regagner ses faveurs...

— J'ai juré de servir le Gardien, dit Merissa, le dos bien droit et le regard glacial. S'il faut lécher les pieds de cette brute de Jagang pour satisfaire le maître, je le ferai sans hésiter.

Dans le rêve qui n'en était pas un, un peu avant de s'en aller, l'empereur avait ordonné à Merissa de se lever. Tendant la main, il lui avait serré un sein si fort qu'elle en avait vacillé sur ses jambes. Un coup d'œil sur le mamelon droit tuméfié de la sœur confirma à Ulicia qu'il ne s'était pas agi d'un cauchemar.

— Si nous le faisons attendre, dit Merissa sans daigner couvrir sa nudité, il a promis que nous le regretterions...

Ulicia avait aussi entendu ça. Pendant toute la scène, Jagang avait été méprisant vis-à-vis du Gardien. Comment avait-il pu prendre la place du maître dans le rêve qui n'en était pas un ? Au fond, la réponse importait peu ! Jagang avait réussi, elles pouvaient toutes en témoigner, et il n'était plus question de « cauchemar ».

La petite étincelle d'espoir mourut. Ulicia aussi avait eu un avant-goût de la punition qui les attendait en cas de désobéissance. Le sang, sur ses yeux, attestait de son désir d'échapper à cette cruelle leçon...

Tout ça était vraiment arrivé, et elles n'avaient plus le choix...

Ulicia sentit une sueur glacée dégouliner entre ses seins. Il importait de se presser ! Le moindre retard, et...

Elle se leva d'un bond.

— Ce bateau doit faire demi-tour ! cria-t-elle en ouvrant la porte de la cabine. Demi-tour, vous dis-je !

La coursive était déserte. Sans cesser de crier, Ulicia s'engagea dans l'escalier. Les autres sœurs la suivirent, frappant frénétiquement à toutes les cabines. Quelles idiotes ! Seul le timonier pouvait faire changer de cap à un bateau, et elles ne le trouveraient pas là !

Ouvrant la porte, la sœur sortit sur le pont. À la lumière grisâtre de l'aube, sous un ciel plombé, le navire luttait contre une tempête. Alors qu'il chevauchait la crête d'une vague dans une gerbe d'écume, il bascula de l'autre côté, comme s'il plongeait dans un puits d'obscurité. Déséquilibrées, les cinq compagnes d'Ulicia déboulèrent plus vite que prévu sur le pont battu par les embruns.

— Demi-tour ! cria Ulicia à quelques marins éberlués.

Éructant des imprécations, elle courut vers la poupe. Les autres sœurs sur les talons, elle approcha de la barre. Le timonier, emmitouflé dans son manteau, sondait la mer. La lumière d'une lampe filtrait du compartiment ouvert, à ses pieds, où quatre colosses luttaient pour maîtriser le gouvernail.

Des marins se rassemblèrent autour du timonier barbu et regardèrent les six femmes, bouche bée.

— Quelle mouche vous pique, tas de crétins ? cria Ulicia dès qu'elle eut repris son souffle. Seriez-vous sourds ? Je vous ai ordonné de faire demi-tour !

Soudain, la sœur comprit ce qui se passait. Six femmes nues, en pleine tempête, sur le pont d'un bateau...

Royale comme si elle avait été vêtue d'un manteau d'hermine, Merissa vint se placer à côté d'Ulicia.

— Eh bien, fit un matelot en lorgnant les appas de la jeune sœur, on dirait que ces dames ont envie de s'amuser un peu.

Superbement hautaine, Merissa foudroya le mufle du regard.

— Mon corps est à moi, et personne n'a le droit de le lorgner sans mon autorisation. Détourne immédiatement le regard, si tu tiens à garder tes yeux dans leurs orbites !

Si l'homme avait eu le don, et une maîtrise égale à celle d'Ulicia, il aurait senti l'air crépiter de pouvoir autour de Merissa. Pour ces rustres, elles étaient de nobles et riches dames embarquées dans un étrange voyage. Aucun marin ne connaissait leur véritable identité. Y compris le capitaine Blake, qui les prenait pour des Sœurs de la Lumière – une information qu'Ulicia lui avait ordonné de garder pour lui.

— Ne joue pas les vertus offensées, ma poule, répondit le type avec un sourire lubrique. Sans avoir une idée derrière la tête, vous ne vous exhiberiez pas comme ça devant nous.

L'air grésilla autour de Merissa. Aussitôt, une fleur de sang s'épanouit sur l'entrejambe du pantalon de l'homme. Criant de douleur, il dégaina son coutelas, brailla qu'il allait se venger, et avança.

— Vermine puante, susurra Merissa avec un sourire dédaigneux, laisse-moi te confier aux bons soins de mon maître…

Comme un melon pourri martelé de coups de bâtons, la tête de l'homme explosa. La violence de l'impact magique le faisant basculer par-dessus le bastingage, il glissa le long de la coque, y laissa une traînée de sang, et disparut instantanément dans les eaux noires.

Les autres marins, une demi-douzaine, en restèrent pétrifiés.

— Si vous voulez garder vos yeux, siffla Merissa, admirer vos chaussures paraît une idée judicieuse.

Les matelots acquiescèrent, trop révulsés pour parler. Involontairement, l'un d'eux laissa courir son regard le long du corps de la Sœur de l'Obscurité. Comme beaucoup trop d'hommes, la seule existence d'un interdit l'incitait à le braver. Terrifié, il balbutia des excuses. Trop tard. Une décharge de pouvoir aussi tranchant qu'une hache de guerre lui fit sauter le haut du crâne, au niveau des yeux. Comme son malheureux collègue, il bascula par-dessus le bastingage et tomba à la mer.

— Merissa, souffla Ulicia, je crois que ça suffit… Ces hommes auront retenu la leçon.

Entourée d'un halo de Han, les yeux plus froids que jamais, la jeune sœur se tourna vers sa compagne.

— Je ne permettrai plus que ces porcs nous reluquent !

— Nous avons besoin d'eux pour naviguer… et nous sommes pressées, au cas où tu l'aurais oublié.

Merissa toisa les marins comme s'ils étaient des cafards grouillant à portée de ses talons.

— Bien sûr, ma sœur… Nous devons rentrer chez nous le plus vite possible.

Sentant un regard peser sur sa nuque, Ulicia se retourna et vit le capitaine Blake, debout derrière elles, pétrifié d'horreur.

— Capitaine, ce bateau doit faire demi-tour !

— Vous voulez rebrousser chemin ? (L'homme se passa la langue sur les lèvres, soudain très sèches.) Pourquoi ?

— Blake, vous avez reçu une fortune pour nous conduire à bon port. Ne vous ai-je pas dit que les questions étaient exclues du contrat ? Et que je vous écorcherais vif si vous violez cette règle ? Défiez-moi, et vous verrez que je ne suis pas aussi clémente que Merissa. Quand je tue, l'agonie est lente et douloureuse… À présent, virez de bord !

Blake ne se le fit pas dire deux fois.

— On vire de bord, tas de feignants ! lança-t-il à ses marins. (Il se tourna vers le timonier.) Maître Dempsey, supervisez la manœuvre. (L'homme ne bougea pas, sonné par les derniers événements.) Au travail, Dempsey ! Et vite !

Blake enleva son bicorne miteux et s'inclina devant Ulicia, attentif à la regarder dans les yeux… et surtout pas ailleurs.

— À vos ordres, ma sœur… Nous contournerons la grande barrière et mettrons le cap sur l'Ancien Monde.

— Pas question de *contourner*, capitaine. Nous n'avons pas de temps à perdre.

— Impossible ! s'écria Blake, si troublé qu'il serra les poings et écrabouilla son bicorne. On ne peut pas traverser la barrière !

— Elle n'existe plus, dit Ulicia. Aucun obstacle ne nous ralentira. Calculez un cap direct, et en avant toute !

— La grande barrière aurait disparu ? Une curieuse nouvelle… D'ailleurs, comment le savez-vous ?

— Encore des questions, petit homme ?

— Je… je n'oserais pas, ma sœur. Si vous dites que la barrière n'existe plus, je vous crois sur parole. Et tant pis si j'ignore comment c'est arrivé ! Au fond, qui suis-je pour vous le demander ? Allons-y pour un cap direct ! (Le capitaine remit son bicorne froissé.) À tribord toute, maître Dempsey !

Le timonier baissa les yeux sur les marins qui maniaient le gouvernail.

— Vous êtes sûr, capitaine ?

— Ne discutez pas mes ordres, ou vous rentrerez à la nage !

— Compris, chef ! Marins, parés à la manœuvre ! Et n'économisez pas l'huile de coude ! Tous aux agrès !

— Les Sœurs de la Lumière ont des yeux derrière la tête, lança Ulicia, assez fort pour que tous l'entendent. Ne laissez pas traîner les vôtres où il ne faut pas, si vous tenez à la vie.

Avant de se mettre à l'ouvrage, les matelots acquiescèrent nerveusement.

Dès que les sœurs furent de retour dans leur minuscule cabine, Tovi, qui tremblait de froid, s'emmitoufla dans sa couverture.

— Il y a beau temps que de jeunes gaillards ne m'avaient plus reluquée comme ça…, soupira-t-elle. (Elle se tourna vers Nicci et Merissa.) Profitez de l'admiration des hommes tant que vous la méritez encore.

— Ce n'était pas toi qu'ils regardaient, lâcha Merissa en sortant son chemisier d'un coffre en bois rangé au fond de la cabine.

— Nous le savons, ma sœur, fit Cecilia avec un sourire maternel. Tovi voulait souligner que nous vieillirons comme tout le monde, maintenant que le sortilège du Palais des Prophètes ne nous protège plus. Vous aurez beaucoup moins de temps que nous pour profiter de votre jeunesse.

— Quand nous aurons regagné notre place à la droite du maître, fit Merissa, il me laissera conserver ma beauté.

— Et moi, j'aimerais qu'il me la rende, souffla Tovi, une lueur mauvaise brillant dans ses yeux d'habitude si bienveillants.

— Tout ça, c'est la faute de Liliana, dit Armina en se laissant tomber sur une couchette. Sans elle, nous n'aurions pas été contraintes de quitter le palais. Le Gardien ne nous aurait pas livrées à Jagang, et il nous comblerait toujours de ses faveurs.

En silence, les six sœurs allèrent récupérer leurs vêtements dans le coffre. Un étrange ballet, dans une pièce aussi exiguë où éviter de se donner des coups de coude était un petit exploit.

— Je suis prête à tout pour rentrer dans les grâces du maître, dit Merissa en s'habillant. (Elle jeta un regard noir à Tovi.) En récompense, comme promis, je conserverai ma jeunesse.

— Nous voulons toutes la même chose, ma sœur, fit Cecilia en glissant un bras dans la manche de sa tunique marron. Hélas, pour l'instant, le Gardien entend que nous servions Jagang...

— Est-ce vraiment sa volonté ? demanda Ulicia.

— Sinon, pourquoi nous aurait-il livrées à lui ? répliqua Merissa en cherchant sa robe pourpre dans le coffre.

— *Livrées* ? répéta Ulicia. Voilà ce que tu crois ? Moi, je pense que c'est plus compliqué que ça. L'empereur Jagang a agi de sa propre volonté.

— Il aurait défié le Gardien ? demanda Nicci. Pour satisfaire ses ambitions ?

L'oreille tendue, les quatre autres sœurs cessèrent de s'habiller.

— Réfléchis un peu, fit Ulicia en tapotant d'un index le crâne de sa jeune compagne. Dans le rêve qui n'en est pas un, le Gardien n'est pas venu à nous. C'est la première fois que ça arrive. Si le maître voulait nous punir en nous livrant à Jagang, n'aurait-il pas tenu à nous le dire ? Et à nous manifester son mécontentement ? Cette façon d'agir ne lui ressemble pas. C'est Jagang qui tire les ficelles !

— Mais c'est Liliana qui nous a fourrées dans ce pétrin, fit Armina en sortant du coffre sa robe bleue un ton plus claire que celle d'Ulicia, mais beaucoup moins sophistiquée.

— Tu en es sûre ? demanda Ulicia avec un petit sourire. Liliana était ambitieuse, c'est vrai. Le Gardien a dû vouloir en tirer parti, et elle l'a déçu. Elle n'est pas responsable de nos malheurs.

— Bien sûr..., fit Nicci en finissant de nouer le corset de sa robe noire. C'est le garçon !

— Le garçon ? répéta Ulicia en secouant la tête. Aucun « garçon », comme tu dis, n'aurait pu abattre la barrière et ruiner les plans que nous ourdissons depuis tant d'années. Grâce aux prophéties, nous savons toutes qui il est... (Ulicia dévisagea tour à tour ses compagnes.) Nous sommes dans une position très délicate, mes sœurs. Si nous ne rentrons pas dans les grâces du maître, Jagang nous tuera dès qu'il n'aura plus besoin de nous. Exilées dans le royaume des morts, nous ne serons plus d'aucune utilité au Gardien. Et s'il est furieux contre nous, les sévices de l'empereur ressembleront à des caresses...

Alors que le bateau craquait et gémissait sous les assauts de la tempête, les cinq femmes réfléchirent au petit discours d'Ulicia. Elles retournaient dans l'Ancien Monde pour servir un homme qui n'hésiterait pas à les éliminer dès qu'elles ne lui seraient plus d'aucune utilité. Et s'opposer à Jagang ne leur semblait même pas *envisageable*...

— Garçon ou pas, lâcha Merissa, c'est lui le responsable. Dire qu'il était à notre merci ! Pourquoi n'avoir pas disposé de lui quand nous le pouvions ?

— Liliana a essayé, avec l'espoir de lui voler son pouvoir, rappela Ulicia. Mais elle a pris trop de risques, et cette fichue épée lui a transpercé le cœur. Il faudra être plus rusées qu'elle, mes sœurs. Alors, nous aurons le pouvoir du « garçon » et le Gardien se délectera de son âme.

— En attendant, gémit Armina, une larme roulant sur sa joue, n'y a-t-il pas un moyen d'échapper à…

— Tu peux te passer de sommeil ? coupa Ulicia. Tôt ou tard, nous nous endormirons, et Jagang nous remettra la main dessus.

— Pour le moment, nous devons obéir, renchérit Merissa. Mais ça ne nous empêche pas d'utiliser nos cerveaux…

— Tu as raison…, fit Ulicia. Même si Jagang croit nous tenir, nous ne sommes pas nées d'hier. En réfléchissant, et en puisant dans notre expérience, nous serons moins dociles qu'il l'espère.

— C'est vrai, souffla Tovi, le regard brûlant de haine, nous avons vécu très longtemps. Ce ne sera pas le premier sanglier que nous jetterons à terre avant de l'éventrer…

— Étriper des cochons est sans doute amusant, dit Nicci, mais Jagang est l'instrument de notre punition, pas sa cause. Quant à Liliana, cessons de gaspiller notre colère sur elle. Cette idiote a déjà payé ! Nous connaissons toutes le vrai coupable, et c'est lui qui devra subir nos foudres.

— Bien raisonné, ma sœur, approuva Ulicia.

— Je me baignerai dans le sang de ce jeune homme, dit Merissa en massant distraitement son sein droit blessé. Et il sera encore vivant pour regarder !

— Le Sourcier a attiré le malheur sur nos têtes, renchérit Ulicia. Pour expier ce crime, il perdra son don, sa vie et son âme.

# Chapitre 2

Richard venait de prendre une cuillerée de soupe aux épices quand un grognement menaçant retentit.

Le front plissé, il se tourna vers Gratch.

Les yeux aux paupières tombantes du garn émirent une vive lueur verte. Aux aguets, il sondait la pénombre, entre les colonnes qui se dressaient au pied du somptueux escalier.

Le monstre apprivoisé eut un rictus qui dévoila ses énormes crocs. S'avisant qu'il avait toujours la bouche pleine, Richard avala la soupe chaude.

Le grognement du garn devint plus rauque – un bruit de gorge qui évoquait le craquement d'une porte de donjon restée fermée pendant un siècle.

Richard croisa le regard inquiet de maîtresse Sanderholt. Chef cuisinière du Palais des Inquisitrices, la vieille femme se méfiait toujours du garn malgré les déclarations rassurantes du Sourcier. Et le comportement de Gratch n'arrangeait rien.

Maîtresse Sanderholt était venue apporter au jeune homme un nouveau bol de soupe et une miche de pain frais. Désireuse de s'asseoir un moment sur les marches, pour parler de Kahlan avec son visiteur, elle avait été refroidie par la présence du garn, qui venait de rejoindre son ami humain. À grand renfort de palabres, le Sourcier avait pu la convaincre de rester.

Gratch avait tendu l'oreille en entendant le nom de la Mère Inquisitrice. Autour du cou, avec la dent d'Écarlate, il portait une mèche de cheveux de la jeune femme. En la lui donnant, Richard avait précisé que Kahlan et lui s'aimaient. L'Inquisitrice serait donc l'amie du garn, comme son amoureux. Fasciné, le monstre s'était assis pour entendre toute l'histoire.

Sans raison apparente, son humeur avait changé. À présent, l'air sauvage, il regardait fixement quelque chose que Richard ne voyait pas.

— Pourquoi se comporte-t-il comme ça ? demanda maîtresse Sanderholt.

— Je n'en sais trop rien, admit Richard. (Voyant la vieille femme froncer les sourcils, il sourit et haussa les épaules.) Il a dû repérer un lapin… Les garns ont une excellente vision nocturne, et ce sont de sacrés chasseurs ! (Maîtresse Sanderholt ne semblant pas rassurée, il continua :) Gratch ne mange pas les humains, vous savez. Et il ne leur fait pas de mal non plus. Il n'y a rien à craindre, je vous le jure…

» Gratch, arrête de grogner, tu fais peur à notre hôtesse…

— Richard, souffla la vieille femme, les garns ne sont pas des animaux de compagnie. Il est impossible de se fier à eux…

— Gratch n'est pas un « animal de compagnie ». C'est mon ami, et je le connais depuis qu'il est haut comme trois pommes. Enfin, disons… hum… quand il mesurait la moitié de ma taille. Il est mignon comme un chaton.

— Si tu le dis, fit maîtresse Sanderholt avec un sourire dubitatif. Mais… (Elle écarquilla les yeux.) Il ne comprend pas mes paroles, n'est-ce pas ?

— Je n'en suis pas si sûr, avoua Richard. Parfois, son intelligence m'étonne.

Concentré à l'extrême sur l'odeur ou l'image de quelque chose qu'il n'aimait pas du tout, Gratch ne s'intéressait plus à la conversation des humains. Richard se souvenait de l'avoir entendu grogner ainsi un jour. Dans quelles circonstances ? Il tenta de le déterminer, mais l'image mentale se dérobait à lui. Plus il essayait, et plus elle s'obscurcissait.

— Gratch ? demanda-t-il en saisissant le bras musclé du garn. Que se passe-t-il ?

Les muscles tendus, le monstre ne réagit pas. Au fil de sa croissance, la lueur verte de ses yeux avait gagné en intensité. Ce soir, elle était plus vive et plus féroce que jamais.

Richard sonda aussi la pénombre. Il n'y avait personne autour des colonnes ou le long des murs du palais.

Un lapin, sans nul doute… Gratch en raffolait.

L'aube approchait, colorant l'horizon de violet et de pourpre. À l'ouest, de rares étoiles brillaient encore dans le ciel. Avec les premières volutes de lumière, une brise étonnamment chaude pour cette fin d'hiver ébouriffa la fourrure du garn et fit voleter la cape très particulière du Sourcier.

Pendant son séjour dans l'Ancien Monde, avec les Sœurs de la Lumière, Richard s'était aventuré dans le bois de Hagen. L'endroit grouillait de mriswiths, des créatures mi-hommes mi-reptiles. Après en avoir tué un, le jeune homme avait découvert les étranges propriétés de sa cape. Ce vêtement se fondait si bien à son environnement que le mriswith, ou Richard quand il le portait et se concentrait, devenait invisible. Et indétectable, même par un sorcier… Pour une raison inconnue, le Sourcier n'était pas frappé de cette « cécité » magique. Un heureux hasard qui lui avait sauvé la vie.

Gratch grognait toujours après son lapin, un comportement dont Richard n'était pas d'humeur à s'inquiéter. La veille, son angoisse et son désespoir s'étaient évaporés dès qu'il avait appris que Kahlan n'avait pas péri sur l'échafaud. Sa bien-aimée était bien vivante, et il avait passé la nuit avec elle, dans un étrange lieu entre les mondes. Ce matin, béat de joie, il souriait à la vie sans même s'en apercevoir. Du coup, Gratch et son lapin lui passaient largement au-dessus de la tête…

Encore que… Le bruit de gorge du garn l'agaçait, et maîtresse Sanderholt semblait le trouver très inquiétant.

— Tais-toi, Gratch ! Tu viens d'engloutir un gigot de mouton et la moitié d'une miche de pain. Ne me dis pas que tu as encore faim !

Sans cesser de sonder les ténèbres, le garn baissa d'un ton, comme s'il voulait obéir – sans grande conviction, toutefois.

Richard jeta un coup d'œil à la ville qui ne tarderait pas à s'éveiller. Pour l'heure, son plan consistait à se dénicher un cheval afin d'aller rejoindre Kahlan et Zedd. Son vieil ami – et incidemment son grand-père – lui manquait presque autant que la jeune femme. Les trois mois de séparation semblaient des années.

Zedd était un sorcier du Premier Ordre. À la lumière de ses récentes découvertes sur lui-même, Richard avait beaucoup de questions à lui poser. Mais alors qu'il se préparait à partir, maîtresse Sanderholt était arrivée avec sa soupe et son pain. Joyeux ou pas, le jeune homme avait une faim de loup...

Il regarda derrière lui, au-delà des lignes élégantes du Palais des Inquisitrices. Construite à flanc de montagne, à même la roche, la Forteresse du Sorcier écrasait le paysage avec ses murs de pierre noire, ses remparts, ses tours, ses passerelles et ses ponts-levis. Une piste partait de la ville, serpentait dans la montagne et traversait un pont avant de s'engouffrer sous une arche défendue par une herse. La gueule presque toujours fermée de la Forteresse ! Combien de salles contenait cette gigantesque structure ? Des milliers, sans doute...

Impressionné par le monstre de pierre, Richard s'emmitoufla dans sa cape et détourna le regard.

Kahlan avait vécu dans cette ville, au cœur du Palais des Inquisitrices, jusqu'à l'été précédent, où elle avait traversé la frontière, passant en Terre d'Ouest pour se lancer à la recherche de Zedd. Et y rencontrer Richard...

Bien avant la naissance du Sourcier, quand il vivait encore dans les Contrées du Milieu, Zedd résidait dans la Forteresse du Sorcier. Plus tard, Kahlan y avait passé beaucoup de temps à étudier. Selon ses récits, l'endroit était aussi sinistre qu'il le paraissait ce matin-là, à la lueur grisâtre de l'aube...

Richard sourit de nouveau quand une image s'imposa à son esprit : Kahlan, petite fille et déjà concentrée sur sa formation d'Inquisitrice. Il la vit courir dans les couloirs du palais, arpenter ceux de la Forteresse, y croiser des sorciers, puis marcher dans les rues, au milieu de ses concitoyens...

Depuis, Aydindril était tombée sous le joug de l'Ordre Impérial. Enchaînée, la ville n'était plus le cœur du pouvoir des Contrées du Milieu.

Grâce à un de ses « trucs de sorcier » – sa façon de qualifier la magie – Zedd avait hypnotisé les habitants d'Aydindril et leurs nouveaux maîtres. Convaincus que Kahlan avait été décapitée en place publique, leurs ennemis les avaient laissés quitter la ville. Et désormais, plus personne ne les poursuivrait.

Proche de Kahlan depuis le jour de sa naissance, maîtresse Sanderholt avait manqué défaillir de joie en apprenant la vérité.

À ce souvenir, le sourire de Richard s'élargit.

— Quel genre de petite fille était Kahlan ? demanda-t-il.

— Toujours très sérieuse, répondit maîtresse Sanderholt, les yeux brillant de tendresse. Une enfant hors du commun qui est devenue une femme magnifique et indomptable… Ce n'était pas seulement le pouvoir qui la distinguait, comprends-tu ? Elle avait un caractère très spécial…

» Aucune de ses compagnes ne s'étonna de sa nomination au poste de Mère Inquisitrice. Et toutes furent ravies, car elle privilégiait le dialogue, pas l'autorité. Mais dès qu'on la combattait à tort, elle se révélait plus dure que l'acier. Dans l'histoire, pas une Mère Inquisitrice ne fut son égale sur ce point ! Et je n'ai jamais rencontré une de ses collègues qui aime autant les peuples des Contrées du Milieu. Pour moi, la côtoyer fut toujours un honneur. (Plongée dans ses souvenirs, maîtresse Sanderholt rit doucement – un son affirmé qui démentait son apparente fragilité.) Même le jour où je lui ai flanqué une fessée parce qu'elle m'avait chipé un canard rôti !

Ravi d'entendre parler des petits forfaits de Kahlan, Richard sourit de toutes ses dents.

— Vous n'avez pas hésité à punir une Inquisitrice ? Elle était jeune, et pourtant…

— Si je l'avais outrageusement dorlotée, sa mère m'aurait fichue à la porte. Nous devions la traiter avec respect, mais équitablement.

— A-t-elle pleuré ? demanda Richard avant de mordre son morceau de pain.

Un vrai délice ! De la farine de froment complète avec un rien de mélasse pour relever le goût.

— Non, répondit maîtresse Sanderholt. Mais elle a paru surprise, parce qu'elle ne se sentait pas coupable. Dès que j'ai eu fini de la corriger, elle s'est expliquée très posément. Bon, voilà toute l'histoire…

La vieille cuisinière prit une grande inspiration.

— Une femme accompagnée de deux gamins attendait devant les portes du palais, en quête d'un pigeon à plumer. Quand Kahlan est sortie pour aller à la Forteresse, comme tous les jours, la femme l'a abordée et lui a raconté une histoire larmoyante. En bref, elle avait besoin d'or pour nourrir ses enfants. Kahlan lui a dit de ne pas bouger, puis elle est partie voler mon fameux canard rôti. Selon elle, ce n'était pas d'or que la pauvre mère avait besoin, mais de nourriture. Elle a fait asseoir les petits sur les marches, et ils ont dévoré le canard. Furieuse, la femme a crié que Kahlan était une sale égoïste, avec tout cet or caché dans le palais…

» Pendant que la petite me racontait son histoire, une patrouille de la Garde Nationale est entrée dans la cuisine avec la mendiante et ses deux petits. Ces hommes avaient entendu les insultes, et ils étaient intervenus. Deux minutes plus tard, la mère de Kahlan a déboulé dans la cuisine, intriguée par ce raffut. Comme tu t'en doutes, la femme était effondrée : arrêtée par la Garde et interrogée par la Mère Inquisitrice en personne !

» Kahlan a de nouveau raconté son histoire. Puis sa mère a écouté la version de la mendiante. Ensuite, elle a déclaré ceci : « Quand on choisit d'aider quelqu'un, on le prend sous son aile et on continue jusqu'à ce qu'il soit tiré d'affaire. » Le lendemain, Kahlan est allée d'un palais à un autre, sur l'avenue des Rois, les gardes forçant la femme à la suivre. Ta bien-aimée a tapé à toutes les portes pour savoir si quelqu'un avait besoin d'une servante. Elle n'a eu aucun succès, car sa protégée était une ivrogne notoire.

» Très gênée d'avoir puni Kahlan sans la laisser s'expliquer, j'ai contacté une amie à moi, chef cuisinière dans une des ambassades. Même si elle n'était pas du genre commode, j'ai quand même pu la convaincre d'embaucher la mendiante. Kahlan n'en a jamais rien su… La femme a gardé très longtemps son emploi, mais elle n'est jamais revenue rôder autour du Palais des Inquisitrices. Devenu adulte, son plus jeune fils s'est engagé dans la Garde Nationale. L'été dernier, quand les D'Harans ont attaqué, il a été blessé. Et il n'a pas survécu plus d'une semaine…

Richard aussi avait combattu D'Hara – et finalement tué son dirigeant, Darken Rahl. Même s'il continuait à regretter qu'un tel homme l'ait engendré, il ne se sentait plus coupable d'appartenir à sa lignée. Les crimes du père, il le savait à présent, ne retombaient pas sur les épaules du fils, et il ne pouvait blâmer sa mère d'avoir été violée par Darken Rahl. Son père adoptif, George Cypher, l'avait aimé comme un authentique géniteur. Et Richard, s'il avait su la vérité, à l'époque, ne l'en aurait pas moins adoré.

Le jeune homme était un sorcier, il ne pouvait plus le nier. Le don, qu'on appelait aussi le Han, lui avait été transmis par deux familles : celle de Zedd, du côté maternel, et celle de Darken Rahl, du côté paternel. Cet héritage lui conférait un type de pouvoir qu'aucun sorcier n'avait détenu depuis des millénaires. Une combinaison de la Magie Additive et de la Magie Soustractive ! Rien que ça…

Richard ne savait pas grand-chose, voire rien du tout, de la magie. Mais Zedd l'aiderait à contrôler son don et à l'utiliser au service des autres.

— Ça ressemble bien à la Kahlan que je connais, dit-il.

Maîtresse Sanderholt hocha mélancoliquement la tête.

— Elle s'est toujours sentie responsable des peuples des Contrées. Leur trahison lui a brisé le cœur…

— Tous ne l'ont pas vendue, j'en suis sûr, dit Richard. Mais c'est à cause de ça que vous devez tenir votre langue. Pour que Kahlan soit en sécurité, personne ne doit savoir qu'elle est vivante.

— Je t'ai donné ma parole, Richard… De toute façon, les traîtres ne penseront bientôt plus à elle. S'ils ne reçoivent pas très vite leur or, ils se révolteront.

— C'est pour ça que tant de gens étaient massés devant le palais, hier ?

— Oui… Ils s'y croient autorisés, parce qu'un représentant de l'Ordre Impérial leur a promis une distribution de pièces d'or. Aujourd'hui, cet homme est mort, mais ses paroles leur semblent gravées dans le marbre. Comme si l'or leur appartenait par magie ! Si nos nouveaux maîtres ne vident pas le trésor pour les satisfaire, les émeutiers raseront le palais afin de récupérer leur dû.

— Et si cette promesse avait été un leurre ? avança Richard. Les troupes de l'Ordre prévoient peut-être de garder cet or, et elles défendront le palais pour préserver leur butin.

— Tu as sans doute raison… À ce propos, je me demande ce que je fiche encore là. Je n'ai aucune envie de voir l'Ordre Impérial investir le palais, et l'idée de travailler pour ces chiens me répugne. J'aurais intérêt à me chercher une place quelque part où l'Ordre n'a pas fourré ses sales pattes. Mais ça me semble si bizarre. Quitter un endroit où j'ai passé la plus grande partie de ma vie…

Richard regarda de nouveau la ville. Avait-il raison de fuir, et de livrer ainsi le fief ancestral des Inquisitrices aux brutes de l'Ordre Impérial ? Mais comment empêcher ça ? De plus, ces bandits devaient déjà être à sa recherche. Mieux valait filer tant qu'ils étaient désorientés par la mort brutale de leurs chefs. Il n'aurait su conseiller une marche à suivre à maîtresse Sanderholt, mais la sienne était limpide. Partir et rejoindre ses amis !

Le grognement de Gratch devint soudain un rugissement animal qui fit froid dans le dos au Sourcier et l'arracha à sa réflexion. Alors que le garn se levait lentement, Richard sonda de nouveau les environs. En vain.

Perché sur une colline, le Palais des Inquisitrices offrait une vue d'ensemble de la cité. Si des troupes patrouillaient le long des murs d'Aydindril et dans ses rues, pas un soldat ne menaçait de s'approcher du coin où les deux humains et le garn s'étaient installés. Et à l'endroit que fixait Gratch, on n'apercevait pas âme qui vive...

Richard se leva et posa la main sur la garde de son épée, histoire de se rassurer. S'il dépassait d'une bonne tête la plupart des hommes, le garn était bien plus grand que lui. Malgré sa jeunesse, le monstre frôlait les sept pieds de haut et il devait peser une fois et demie le poids de son ami humain. Et ce n'était pas fini. Adulte, Gratch aurait encore grandi d'un bon pied. Voire davantage...

À dire vrai, le Sourcier n'était pas un expert en matière de garns à queue courte. Les rares qu'il avait croisés s'étaient acharnés à avoir sa peau, un comportement qui ne favorisait pas le dialogue... Pour se défendre, le jeune homme avait dû abattre la mère de Gratch. Ensuite, bien malgré lui, il avait adopté le petit orphelin. Au fil du temps, une véritable amitié était née entre eux.

Sous la peau rose translucide du ventre de Gratch, des muscles noueux se tendirent. Concentré, les pattes le long du corps et les oreilles aplaties, le garn n'avait jamais affiché une telle férocité, même face à une proie.

Richard sentit tous les poils de sa nuque se hérisser. Bon sang, quand avait-il vu son ami se comporter ainsi ? Oubliant les délicieuses images de Kahlan dont il s'était délecté, le Sourcier se concentra sur le moment présent.

À côté de lui, maîtresse Sanderholt regardait tour à tour Gratch et la zone d'ombre qu'il surveillait. Malgré son aspect fragile, la cuisinière n'avait rien d'une faible femme. Pourtant, si ses mains n'avaient pas été bandées, Richard aurait parié qu'elle se les serait tordues d'angoisse.

Soudain, le Sourcier se sentit vulnérable au milieu de cet escalier géant. Scrutant les ombres, près des colonnes, le long des murs et autour des élégants belvédères qui se dressaient un peu partout dans les jardins, il ne vit rien, sinon quelques flocons de neige qui flottaient paresseusement au vent.

Les yeux douloureux à force de les plisser, le Sourcier dut se rendre à l'évidence : il n'y avait rien...

... De visible !

Richard entendit un signal d'alarme retentir dans sa tête et dans son corps. Pas seulement à cause de la tension de Gratch. Cela venait de son Han et envahissait chaque fibre de son être. Depuis peu, son pouvoir prenait le relais de ses autres sens dès qu'ils ne se chargeaient pas de l'avertir d'un danger. Et le phénomène se produisait à l'instant même.

Le désir de fuir avant qu'il ne soit trop tard lui déchira les entrailles. Il voulait rejoindre Kahlan, pas se fourrer de nouveau dans de sales draps ! Trouver un cheval et filer, voilà ce qu'il devait faire ! Ou mieux encore, partir en courant et s'occuper plus tard de se procurer une monture.

Gratch s'accroupit, les ailes déployées, prêt à décoller. Il retroussa les babines, de la buée montant d'entre ses crocs, et rugit plus fort.

Richard sentit un fourmillement familier courir le long de ses bras. Son souffle s'accéléra, le sentiment d'être en danger étant devenu une *certitude*.

— Maîtresse Sanderholt, dit-il, vous devriez rentrer. Je passerai vous voir tout à l'heure, après...

Richard n'acheva pas sa phrase. Entre les colonnes, il venait de capter un mouvement, comme les ondulations de l'air chaud au-dessus d'un feu. Rien de tangible, mais...

S'il avait bien vu quelque chose, de quoi s'agissait-il ? Un peu de neige soulevée par le vent ? Sans doute, puisqu'il n'y avait plus rien.

Soudain, la vérité explosa dans son crâne comme de l'eau froide qui jaillit d'une craquelure, dans une rivière glacée. Maintenant, il se rappelait quand il avait entendu Gratch grogner ainsi.

Il saisit la garde de son épée.

— Allez-y ! souffla-t-il à maîtresse Sanderholt. Vite !

Sans hésiter, la vieille femme commença à gravir les marches.

Richard dégaina l'Épée de Vérité. Une unique note métallique retentit dans la nuit.

Comment pouvaient-*ils* être là ? C'était inconcevable ! Pourtant, il n'y avait pas de doute...

— Viens danser avec moi, la mort, je suis prêt, murmura Richard.

Comme toujours, le contact de l'épée le plongeait dans une fureur meurtrière. Et les paroles qu'il venait de prononcer ne lui appartenaient pas. Venues de l'arme, elles lui étaient soufflées par les esprits de tous les Sourciers qui l'avaient précédé. À ces instants, Richard comprenait leur sens profond. Une prière au message très simple : « Puisque tu peux mourir aujourd'hui, fais de ton mieux tant que tu respires encore. »

Ces mots avaient un autre sens. Ils étaient un cri de guerre !

Gratch s'éleva dans les airs, les battements de ses ailes faisant voleter la neige et la cape de son ami.

Avant qu'ils se matérialisent, Richard sentit ses ennemis et les vit en esprit comme s'ils se dressaient déjà devant lui.

Gratch piqua vers le pied des marches. Au moment où il atteignait les colonnes, leurs adversaires devinrent visibles. Des écailles, des griffes et des capes blanches sur le fond blanc de la neige...

Un blanc aussi pur que la prière d'un enfant...

Des mriswiths !

# Chapitre 3

Réagissant à la menace, les mriswiths, encore en cours de matérialisation, se ruèrent sur le garn. La rage de l'Épée de Vérité submergea Richard quand il vit que son ami était en danger. Il dévala les marches, avide de combattre.

Dans une cacophonie de cris et de grognements, Gratch lacérait les monstres à grands coups de griffes et de crocs. Bien que visibles, les mriswiths restaient difficiles à distinguer sur le fond blanc de la neige et des marches de marbre. Apparemment, ils étaient une dizaine, tous vêtus de cuir blanc sous leurs capes. Ceux que Richard avait vus dans le bois de Hagen étaient noirs. Rien d'étonnant, connaissant les pouvoirs de caméléons de ces créatures... Une peau lisse et tendue couvrait leur tête jusqu'au ras du cou, où un réseau serré d'écailles les remplaçait. Leur gueule dépourvue de lèvres révélait des rangées de crocs pointus comme des aiguilles. Dans leurs pattes griffues et palmées, ils serraient la garde de longs couteaux à trois lames. Pour que les frappes soient plus dévastatrices, des extensions en acier arrimaient l'arme à leur poignet.

Leurs yeux de fouine, brillants de haine, ne perdaient pas l'ombre d'un mouvement du garn déchaîné.

Rapides et souples, ils tournaient autour de Gratch, leur cape blanche flottant sur leurs épaules. Les plus agiles parvenaient à éviter les attaques du garn – parfois d'un rien. Les autres succombaient entre ses griffes, décapités ou éventrés. Au pied des combattants, la neige était imbibée de sang.

Concentrés sur le garn, les monstres ne s'aperçurent pas de l'arrivée du Sourcier. Jusque-là, il n'avait jamais combattu plus d'un mriswith à la fois, et chaque victoire lui avait coûté de gros efforts. Porté par la rage de la magie, il ne s'arrêta pas à ce détail, car une unique chose comptait à ses yeux : aider Gratch !

Avant qu'ils aient eu le temps de se tourner vers la menace suivante, Richard élimina deux monstres d'un seul coup d'épée. Alors que leurs hurlements d'agonie lui perçaient les tympans, il sentit une présence derrière lui, en haut de l'escalier, et se retourna juste à temps pour découvrir trois nouveaux adversaires. Eux aussi dévalaient les marches... que maîtresse Sanderholt n'avait pas fini de gravir. Terrifiée de voir qu'ils lui barraient le chemin, la vieille femme fit demi-tour et tenta de les distancer. Mais elle n'y parviendrait pas, comprit Richard, et il était trop loin pour intervenir.

D'un revers de l'épée, le Sourcier éventra un mriswith qui menaçait de lui sauter dessus.

— Gratch ! cria-t-il. Gratch !

Abandonnant le monstre dont il venait de déchiqueter le cou, le garn regarda son ami.

— Protège-la ! cria Richard, sa lame pointée vers la vieille cuisinière.

Le garn analysa la situation en une fraction de seconde. Il décolla, survola les dépouilles de ses proies, frôla le crâne de Richard, qui par bonheur s'était baissé, et se propulsa vers le milieu de l'escalier. Au moment où les lames des mriswiths s'abattaient, il prit dame Sanderholt entre ses bras couverts de fourrure et la souleva du sol. Les ailes déployées, il vira abruptement avant que le poids de l'humaine ne le ralentisse trop et plana au-dessus des mriswiths qui continuaient à descendre les marches. Arrivé au niveau du sol, il s'arrêta un instant, déposa maîtresse Sanderholt et se rua de nouveau dans la mêlée.

Richard se prépara à affronter les trois monstres qui venaient d'atteindre le pied de l'escalier. Envahi par la colère de l'épée, il se fondit dans sa magie et ne fit plus qu'un avec les esprits de tous ceux qui avaient manié l'arme avant lui. L'heure de danser avec les morts avait sonné !

Les mriswiths remontèrent quelques marches et se déployèrent pour attaquer selon plusieurs angles. Avec une froide efficacité, Richard pointa sa lame vers celui qui lui faisait directement face.

— Non ! crièrent les deux autres monstres.

Richard en resta bouche bée. Il ignorait que ces créatures pouvaient parler. Immobiles, elles rivaient sur lui leurs minuscules yeux de reptile. Pressées d'affronter le garn, elles désiraient contourner le Sourcier, pas ferrailler contre lui. Le jeune homme gravit quelques marches pour leur barrer le passage. Feintant à gauche, il pivota et frappa la créature campée sur sa droite. L'Épée de Vérité pulvérisa les trois lames du couteau que le monstre brandit pour se défendre. Rapide comme l'éclair, le mriswith esquiva le coup suivant du Sourcier, qui lui aurait fait sauter la tête des épaules. Encouragée par ce succès, la créature attaqua… avec un peu trop d'optimisme. Alors qu'elle levait son second couteau, le Sourcier frappa, lame à l'horizontale, et lui trancha la gorge.

Le mriswith s'écroula, son sang souillant un peu plus la neige.

Alors que Richard se préparait à son duel suivant, un des deux monstres se jeta sur son dos, le fit basculer en avant et dégringola les dernières marches avec lui. L'Épée de Vérité et un des couteaux du mriswith, lâchés par leurs propriétaires, rebondirent sur le marbre, hors de portée, et s'enfoncèrent dans la neige.

Les bras autour de la poitrine de Richard, le mriswith serrait de toutes ses forces pour lui couper le souffle et lui briser les côtes.

Bien qu'il ne vît pas son arme, le Sourcier sentait sa magie. La localisant, à demi enfouie sous la neige, il tenta de ramper pour la récupérer. Mais le monstre, affreusement lourd, l'empêcha de bouger. Et avancer à la force des poignets, sur un sol aussi glissant, était impossible. Richard devrait se passer de son arme.

Ses forces décuplées par la colère, il réussit à se relever. Sans le lâcher, le monstre lui faucha les jambes, le faisant s'écraser tête la première dans la neige.

Sûr de son triomphe, le monstre approcha un couteau de la gorge du vaincu.

Richard se hissa sur un seul bras, et, de sa main libre, saisit le poignet du monstre. Basculant en arrière, légèrement sur le côté, il fit levier sur le membre de la créature – dans le sens inverse de l'articulation. Leur limite de résistance atteinte, les os du mriswith craquèrent puis se brisèrent net.

Richard dégaina sa dague et la plaqua sur la poitrine de la créature. Comme son porteur, sa cape prit une écœurante teinte verdâtre.

— Qui t'envoie ? demanda le Sourcier.

N'obtenant pas de réponse, il plia vicieusement le bras cassé du mriswith.

— Qui t'envoie ?

— Celui qui marche dans les rêves...

— Qui est-ce ? Et de quelle mission t'a-t-il chargé ?

Le mriswith tourna au jaune maladif et tenta encore de se dégager.

— Les yeux verts ! hurla-t-il.

Déséquilibré par un coup violent dans le dos, Richard bascula sur le côté. Une main griffue se posa sur la tête du mriswith, la tirant en arrière. En un éclair, des crocs s'enfoncèrent dans sa gorge et la déchiquetèrent.

Sonné, le Sourcier tenta de reprendre son souffle.

Quand le garn plongea sur lui, il eut le réflexe de lever les bras, et l'impact lui arracha sa dague de la main. Gratch pesa de tout son poids sur sa proie, menaçant de lui briser les deux poignets. Conscient qu'il aurait eu plus de succès s'il essayait d'empêcher une montagne de s'écrouler sur lui, le Sourcier regarda les crocs du garn approcher de sa gorge.

— Gratch, cria-t-il, c'est moi, Richard ! C'est fini, mon ami ! Calme-toi !

La gueule grimaçante recula lentement. Exhalant un nuage de buée qui empestait le sang de mriswith, Gratch cligna des yeux, désorienté.

— Gratch, c'est moi ! répéta Richard.

Le garn relâcha sa pression et un sourire remplaça son rictus haineux. Des larmes dans les yeux, il enlaça le Sourcier et le serra contre sa poitrine.

— Grrrratch aaaime Raaach aard...

— Je t'aime aussi, vieux frère ! haleta Richard en tapotant le dos de son ami.

Toujours bouleversé, le garn aida le jeune homme à se relever puis l'inspecta soigneusement pour s'assurer qu'il était indemne. Soulagé que son compagnon humain aille bien – ou de s'être arrêté avant de le tailler en pièces – il soupira d'aise.

Richard aussi se félicitait que ce soit terminé. N'éprouvant plus la colère de l'épée, ni la fureur mêlée de peur du combat, il sentit soudain la douleur, dans ses muscles – si terrible qu'on eût dit qu'une montagne lui était vraiment tombée dessus.

Heureux d'avoir survécu à un combat de plus, le Sourcier s'inquiétait toujours de la stupéfiante métamorphose du garn. Un être si doux, soudain transformé en un tueur sauvage...

Le jeune homme regarda le tas de cadavres déchiquetés. Gratch n'avait pas fait ça tout seul… Et il s'étonnait peut-être aussi d'avoir vu son ami humain, d'habitude si gentil, devenir une machine à tuer. Bref, comme le Sourcier, le garn avait réagi en fonction de la menace. Il n'y avait pas de quoi en faire un drame…

— Tu savais qu'ils étaient là, pas vrai ?

Le garn hocha la tête et lâcha un grognement affirmatif pour dissiper toute équivoque. La dernière fois que Richard l'avait vu aussi rageur – et la seule ! – c'était à la lisière du bois de Hagen, quelque temps plus tôt. À coup sûr parce qu'il avait senti les mriswiths.

Selon les Sœurs de la Lumière, ces monstres s'autorisaient parfois des raids hors de leur fief. Et les sorciers, comme les Sœurs, ne réussissaient pas à les détecter avant qu'il ne soit trop tard. Bien entendu, aucun n'avait jamais survécu à une rencontre avec un mriswith…

Richard échappait à cette cécité magique parce qu'il était le premier sorcier, depuis trois mille ans, à contrôler les deux variantes de pouvoir. Mais Gratch, à sa connaissance, n'en avait aucun.

— Tu les voyais, c'est ça ? demanda le Sourcier.

Le garn désigna les cadavres, l'air interloqué.

— Tu as raison, je les vois aussi… Mais je parlais du moment où tu grognais, pendant que je conversais avec maîtresse Sanderholt. Tu les voyais déjà ? (Gratch secoua la tête.) Donc, tu les entendais, ou tu captais leur odeur ?

Le garn réfléchit, le front comiquement plissé, puis secoua de nouveau la tête.

— Alors, comment as-tu pu savoir qu'ils étaient là *avant* qu'ils ne deviennent visibles ?

Gratch fronça ses énormes sourcils et haussa les épaules, navré de ne pas savoir s'expliquer.

— Tu veux dire que tu les as *sentis* avant de les voir ? Quelque chose en toi t'a prévenu de leur présence ?

Un grand sourire récompensa la sagacité de Richard…

... Qui n'en fut pas beaucoup plus avancé. Ils avaient tous les deux fait la même expérience, c'était sûr. Mais Gratch ne détenait pas le don. En théorie, il n'aurait pas dû pouvoir…

Richard n'alla pas plus loin dans cette voie. L'explication était sans doute très simple. Tous les animaux sentaient des choses que les humains ne percevaient pas. Les loups, par exemple, repéraient un chasseur longtemps avant qu'il ne les ait vus. Et un forestier remarquait rarement la présence d'un daim dans des broussailles avant qu'il n'en jaillisse, jugeant que l'intrus approchait trop de son refuge. En règle générale, les bêtes avaient des sens plus affûtés que ceux des hommes. Et les prédateurs battaient tous les records ! L'instinct de Gratch, un chasseur-né, lui avait été bien plus utile, aujourd'hui, que la magie du Sourcier.

Maîtresse Sanderholt approcha et posa une main bandée sur le bras du garn.

— Gratch, merci beaucoup… (Elle se tourna vers Richard et souffla :) J'aurais juré qu'il allait me tuer… (Elle désigna les cadavres déchiquetés.) J'ai vu des garns faire ça à des humains. Quand il m'a arrachée du sol, j'ai cru que ma dernière heure avait sonné. Mais j'avais tort, parce qu'il est différent de ses semblables. (La cuisinière regarda de nouveau son sauveur.) Je te dois la vie. Merci encore...

Gratch sourit de tous ses... crocs... et son admiratrice ne put s'empêcher de sursauter.

— Arrête ça, mon vieux, dit Richard, tu lui fiches encore la trouille !

Le jeune monstre obéit de mauvaise grâce. Convaincu d'être mignon à croquer, il se désolait que le commun des mortels ne partage pas toujours son point de vue.

— Il n'y a pas de mal, fit maîtresse Sanderholt en gratouillant le bras du garn. Son sourire vient du cœur, et il est très pur... à sa façon. Mais je n'ai pas encore l'habitude.

Gratch sourit de nouveau et battit des ailes pour manifester sa joie. D'instinct, la vieille cuisinière recula d'un pas. Bien qu'elle sache désormais que ce garn-là n'était pas dangereux pour les humains, les vieux conditionnements avaient la peau dure.

Gratch avança vers la vieille femme pour la serrer contre lui. Certain qu'elle ferait un arrêt du cœur si cela se produisait, Richard retint son exubérant compagnon.

— Il vous aime beaucoup, maîtresse Sanderholt. Vous prendre dans ses bras lui ferait plaisir, mais je crois que vos remerciements suffiront.

— Pas du tout ! s'exclama la cuisinière. (Elle tendit les bras et sourit.) Viens, mon petit...

Rayonnant de joie, Gratch enlaça la vieille femme, la souleva du sol et... lui arracha un cri de surprise.

— Tout doux, vieux frère..., souffla le Sourcier.

Quand le garn la reposa sur la terre ferme, maîtresse Sanderholt rajusta dignement son châle sur ses épaules osseuses.

— Tu avais raison, Richard. Ce n'est pas un animal de compagnie, mais un véritable ami.

Gratch hocha joyeusement la tête, ses oreilles frémissant d'allégresse tandis qu'il battait des ailes.

Richard approcha d'un cadavre et lui retira sa cape blanche, moins souillée de sang que les autres. Priant maîtresse Sanderholt de l'assister, il lui fit signe de se placer devant la porte en chêne d'un petit bâtiment de pierre. Puis il lui mit la cape sur les épaules, capuche relevée.

— Pensez à la couleur du bois, derrière vous. Tenez la cape serrée sous votre menton, et fermez les yeux, si ça peut vous aider. À présent, imaginez que vous vous fondez dans la porte. Vous prenez sa couleur, et vous ne faites plus qu'une avec elle...

— Que signifient ces bêtises, Richard ?

— Je veux savoir si vous devenez invisible, comme les mriswiths.

— Invisible ?

— Essayez, pour me faire plaisir...

Résignée, maîtresse Sanderholt ferma les yeux et se concentra.

Rien ne se produisit. Le Sourcier attendit, mais la cape resta désespérément blanche.

— Alors, j'étais invisible ? demanda la vieille femme en rouvrant les yeux.

— Non..., soupira Richard.

— Je m'en doutais un peu... Mais comment ces hommes-serpents s'y prennent-ils ? (Elle fit tomber la cape de ses épaules et frissonna de dégoût.) Et pourquoi aurais-je dû me volatiliser ?

— Ces monstres se nomment des mriswiths. Les capes sont la source de leur pouvoir. J'ai cru que ça marcherait pour vous... (Maîtresse Sanderholt lui jetant un regard dubitatif, Richard ajouta :) Je vais vous montrer.

Il releva la capuche de sa propre cape et prit la place de la cuisinière devant la porte. Dès qu'il se concentra, le vêtement imita la couleur du bois. Combinée à celle du Sourcier, la magie de la cape enveloppa les parties exposées de son corps, et il disparut.

Quand Richard s'écarta de la porte, le tissu adopta la couleur du mur – blanc crème avec des zones plus foncées autour des joints. Le vêtement magique imitait à la perfection tous les fonds, aussi complexes fussent-ils. La pauvre maîtresse Sanderholt devait avoir l'impression de regarder à travers le jeune homme.

En réalité, elle fixait toujours la porte, car elle ne l'avait pas vu bouger. À l'inverse de Gratch, dont les yeux verts ne le quittaient pas. Nerveux, le garn grogna sourdement.

Richard relâcha sa concentration. Dès qu'il abaissa sa capuche, la cape redevint noire.

— C'est moi, Gratch, ne t'en fais pas...

Maîtresse Sanderholt sursauta et tourna la tête, surprise que le jeune homme ait changé de position. Le garn cessa de grogner, parut un peu perdu, puis éclata de rire, ravi par ce nouveau jeu.

— Richard, comment as-tu fait ça ? demanda la vieille femme.

— C'est la cape... Mais elle ne m'a pas vraiment rendu invisible. Il s'agit plutôt d'une illusion d'optique. Le vêtement se confond avec son environnement... Pour que ça marche, il faut que son porteur contrôle la magie. Ce n'est pas votre cas, je le sais. Moi, je suis né avec le don. (Le Sourcier désigna les mriswiths morts.) On devrait brûler leurs capes, pour qu'elles ne tombent pas entre de mauvaises mains. Gratch, tu veux bien m'aider à les ramasser ?

— Richard, dit maîtresse Sanderholt, n'est-il pas dangereux d'utiliser les vêtements de ces créatures ?

— Dangereux ? (Le Sourcier se gratta pensivement le menton.) Je ne vois pas en quoi... Ces capes se contentent de changer de couleur. Comme un caméléon, en somme.

Malgré ses mains bandées, la vieille femme aida Richard à faire un ballot avec les vêtements magiques.

— J'ai vu des caméléons, dit-elle. Une des plus grandes merveilles conçues par le Créateur. Il t'a sans doute accordé ce fabuleux pouvoir parce que tu as le don. Une bénédiction, Richard, qui nous a sauvé la vie.

Gratch approcha et tendit à la vieille femme les dernières capes pour qu'elle les ajoute au ballot de Richard.

L'angoisse lui serrant soudain la poitrine, le jeune homme se tourna vers le garn.

— Tu sens d'autres mriswiths ? demanda-t-il.

Gratch donna la toute dernière cape à maîtresse Sanderholt, sonda longuement les alentours puis fit non de la tête.

— Une excellente nouvelle, soupira Richard, soulagé. Tu as idée d'où ils venaient ?

Le garn recommença son manège. Son regard se posa un moment sur la Forteresse du Sorcier, mais il finit par hausser les épaules, désolé de ne pas pouvoir aider son ami.

Richard se tourna de nouveau vers la ville, où des soldats de l'Ordre Impérial continuaient à patrouiller. À ce qu'on disait, il y avait dans cette armée des membres de plusieurs nations. Mais la plupart des soudards, reconnaissables à leur uniforme noir, étaient des D'Harans.

Le Sourcier noua solidement son ballot et le jeta sur le sol.

— Maîtresse Sanderholt, demanda-t-il, qu'est-il arrivé à vos mains ?

La vieille femme baissa les yeux sur les bandages maculés de taches de sauces et de traînées de suie.

— Ces brutes m'ont arraché les ongles avec une pince. Pour me forcer à témoigner contre la Mère Inquisitrice... Ma chère petite Kahlan...

— Et vous avez cédé ? lança Richard. (Il s'empourpra, conscient que sa question pouvait être mal comprise.) Désolé, j'ai parlé avant de réfléchir. Personne n'a le droit d'exiger que quelqu'un résiste à la torture. De toute façon, ces porcs se fichent de la vérité. Et Kahlan a dû comprendre que vous ne l'aviez pas *vraiment* trahie.

— J'ai d'abord refusé de l'accabler... Elle a très bien compris, comme tu dis, et m'a ordonné de témoigner contre elle pour qu'on ne me fasse plus de mal. Mais proférer ces mensonges fut un cauchemar.

— Je suis né avec le don... Hélas, j'ignore comment l'utiliser. Sinon, je tenterais de vous soulager. Désolé... J'espère au moins que la douleur s'atténue.

— Aydindril étant occupée par l'Ordre Impérial, j'ai bien peur qu'elle augmente encore.

— Les D'Harans vous ont torturée ?

— Non, c'est un sorcier keltien qui a donné l'ordre. Lors de son évasion, Kahlan l'a tué. Mais la majorité des soldats sont des D'Harans.

— Et comment ont-ils traité les habitants de la ville ?

Maîtresse Sanderholt se passa les mains sur les bras, comme si elle grelottait de froid. Richard pensa à lui poser sa cape sur les épaules. Mais il se ravisa, et l'aida plutôt à remonter son châle, qui avait encore glissé.

— Les D'Harans ont conquis Aydindril cet automne. Les combats furent très durs. Depuis qu'ils ont écrasé toute résistance, ils ne sont pas si cruels que ça, à part quelques dérapages. Peut-être pour ne pas dévaloriser leur prise de guerre...

— C'est bien possible... Ont-ils aussi investi la Forteresse du Sorcier ?

Maîtresse Sanderholt jeta un coup d'œil à l'imposant édifice.

— Je ne crois pas... Des sortilèges la protègent, et les militaires d'harans redoutent la magie.

— Que s'est-il passé après la guerre contre D'Hara ?

— Nos ennemis, comme beaucoup d'autres peuples, ont pactisé avec l'Ordre Impérial. Les Keltiens ont peu à peu pris le pouvoir, même si les D'Harans continuent à leur fournir l'essentiel de la logistique et des troupes. Les Keltiens n'ont pas peur de la magie. Le prince Fyren et son sorcier ont plié le Conseil à leur volonté. Après la mort de Fyren, du sorcier et de tous les conseillers, il est difficile de dire qui commande. Les D'Harans, je suppose. Bref, nous sommes toujours à la merci de l'Ordre Impérial. Sans la Mère Inquisitrice et sans le grand sorcier, notre avenir est très sombre. Je sais que Kahlan a dû fuir pour sauver sa tête, mais...

La vieille femme hésitant, Richard acheva sa phrase.

— ... Depuis la création des Contrées du Milieu, et la fondation d'Aydindril, seules des Mères Inquisitrices y ont exercé le pouvoir.

— Tu connais notre histoire ?

— Kahlan m'en a raconté une partie. Elle a le cœur brisé d'avoir abandonné sa ville. Maîtresse Sanderholt, nous ne laisserons pas Aydindril entre les mains de l'Ordre, et nous lui arracherons aussi les Contrées du Milieu. Vous avez ma parole.

— Ce qui était n'est plus..., soupira la vieille femme. L'Ordre Impérial réécrira l'histoire, et les Contrées sombreront dans l'oubli. Richard, je sais que tu as hâte de partir d'ici. Rejoins Kahlan et trouvez-vous un endroit paisible où vivre heureux. Ne pensez pas avec amertume à tout ce qui a été perdu. Quand tu verras ta bien-aimée, dis-lui que la foule qui se réjouissait en assistant à son « exécution » ne représente pas tout son peuple. Beaucoup de braves gens ont pleuré sa mort. Depuis qu'elle est partie, j'ai eu le temps de voir la réalité sous toutes ses facettes. Comme partout, il y a des êtres méprisables en Aydindril. Mais on y trouve toujours des cœurs purs qui ne l'oublieront pas. Même si nous sommes désormais des sujets de l'Ordre Impérial, le souvenir des Contrées du Milieu ne s'effacera pas de nos esprits.

— Merci, maîtresse Sanderholt. Kahlan sera contente de savoir que des hommes et des femmes lui restent fidèles, et chérissent encore les Contrées. Mais ne vous découragez pas. Tant que nous refuserons de courber l'échine, il y aura de l'espoir. Et nous finirons par vaincre.

La vieille femme sourit. Dans ses yeux, Richard lut pourtant un désespoir infini. Elle ne croyait pas un mot de ce qu'il venait de dire. Vivre sous le joug de l'Ordre, même peu de temps, était assez atroce pour souffler jusqu'à la dernière étincelle d'espoir. À présent, il comprenait pourquoi elle était restée en Aydindril. Où aurait-elle pu aller, de toute façon ?

Richard retrouva son épée dans la neige et essuya la lame sur la tunique de cuir d'un mriswith décapité. Puis il la remit au fourreau.

Entendant des murmures dans leur dos, le Sourcier et sa compagne se retournèrent. En haut des marches, un petit groupe d'aides cuisiniers, l'air incrédule, regardaient le carnage...

... Et Gratch !

Un homme avait ramassé un des couteaux à trois lames. L'air pensif, il le faisait tourner entre ses mains. Peu désireux d'approcher du garn, il fit signe à maîtresse Sanderholt de le rejoindre. Agacée, la vieille femme lui ordonna de descendre jusqu'à elle.

Voûté par une vie de dur labeur – plus que par l'âge, même si ses cheveux grisonnaient – il dévala les marches en se déhanchant, comme s'il portait un sac de grain sur les épaules. Arrivé devant maîtresse Sanderholt, il la salua d'une rapide révérence. Puis son regard vola nerveusement de Gratch à Richard.

— Que se passe-t-il, Hank ?

— Nous avons des problèmes, maîtresse Sanderholt.

— J'ai mes propres soucis, en ce moment… Vous n'êtes pas fichus de défourner le pain sans mon aide ?

— Bien sûr que si, maîtresse… Mais nos problèmes ont un rapport avec ces… hum… (Il désigna les mriswiths déchiquetés.) créatures.

— Que veux-tu dire ? demanda Richard.

Hank baissa les yeux sur l'épée du Sourcier… et les releva très vite.

— Je crois que…

Gratch ayant cru malin de lui sourire, le pauvre homme ne parvint plus à articuler un mot.

— Hank, dit Richard, regarde-moi ! (Il attendit que l'aide cuisinier obéisse.) Ce garn ne te fera pas de mal, et les « créatures » sont des mriswiths. Gratch et moi les avons tuées, d'accord ? À présent, parle-nous de tes problèmes.

Hank essuya sur son pantalon ses mains moites de sueur.

— Ces couteaux à trois lames… J'en ai ramassé un, et… Eh bien, je crois qu'ils ont servi à… (Il hésita.) La panique se répand comme une traînée de poudre, maîtresse Sanderholt. Des gens sont morts, le ventre ouvert par des armes à trois lames.

— La signature des mriswiths, fit Richard. On ne les voit pas venir et ils éviscèrent leurs proies. Où et quand a-t-on trouvé ces cadavres ?

— Partout en ville, aux premières lueurs de l'aube. J'en ai déduit qu'il y avait plusieurs tueurs. À voir tous ces… mriswiths… morts, je n'en doute plus. Les cadavres sont disposés comme les rayons d'une roue dont le moyeu serait… le palais. Les monstres ont tué tous ceux qu'ils ont trouvés sur leur chemin : les hommes, les femmes et même les chevaux. Les soldats sont furieux, parce qu'ils ont perdu des camarades. Ils redoutent une attaque massive. Un mriswith a chargé une petite foule, dans une rue. Pour passer, il a fait un massacre ! Un autre s'est introduit dans le palais. Il a tué une servante, deux gardes et Jocelyne.

Maîtresse Sanderholt ferma les yeux et murmura une prière.

— Je suis navré, maîtresse… Au moins, Jocelyne n'a pas souffert. Elle est morte sur le coup…

— Il y a d'autres victimes dans notre équipe ?

— Non. Jocelyne faisait une course quand c'est arrivé. Aucun monstre ne s'est infiltré dans les cuisines.

Sous le regard inquiet de Gratch, Richard leva les yeux vers la Forteresse. Au sommet de la montagne, la neige semblait rose à la lumière de l'aube. Un goût amer dans la gorge, le Sourcier regarda de nouveau la cité.

— Hank ?

— Messire ?

— Recrute quelques hommes et transportez les mriswiths devant la porte principale du palais. Alignez-les bien proprement, et plantez les têtes coupées sur des piques. Débrouillez-vous pour que toute personne qui entre ici soit obligée de zigzaguer entre les cadavres.

Hank se racla la gorge, comme s'il voulait protester. Un nouveau regard sur l'épée du Sourcier l'en dissuada.

— À vos ordres, messire !

Il s'inclina devant maîtresse Sanderholt et courut chercher de l'aide pour remplir sa mission.

— Les mriswiths ont sûrement des pouvoirs magiques, expliqua Richard. Ma petite « exposition » dissuadera peut-être les D'Harans d'investir le palais. Provisoirement, en tout cas.

— Richard, es-tu le seul capable de sentir ces créatures avant qu'il ne soit trop tard ?

— Non. On me l'a fait croire, mais ce n'était pas vrai. Gratch les repère aussi, et il semble même plus efficace que moi, à ce jeu...

— L'Ordre Impérial voue aux gémonies la magie et ceux qui la pratiquent. L'homme que le mriswith a appelé « celui qui marche dans les rêves » a peut-être chargé les monstres d'éliminer tous les sorciers.

— Pas mal raisonné... Mais où voulez-vous en venir ?

— Zedd est un sorcier. Kahlan aussi détient une forme de pouvoir...

Richard frémit en entendant la vieille femme exprimer ses propres angoisses à voix haute.

— Je sais, mais j'ai une idée... Pour le moment, je m'occuperai de ce qui se passe ici. L'Ordre Impérial va trop loin !

— Et tu crois pouvoir l'arrêter ? Je ne veux pas t'offenser, mais tu ignores comment utiliser ton don. Il nous faudrait un vrai sorcier, et tu n'en es pas un. Pars tant que c'est encore possible.

— Pour me cacher où ? Si les mriswiths m'ont débusqué ici, ils me retrouveront partout ! (Sentant qu'il s'empourprait, le jeune homme se détourna.) Je sais bien que je ne suis pas un sorcier...

— Alors, que comptes-tu faire ?

— La Mère Inquisitrice Kahlan, au nom des Contrées du Milieu, a déclaré la guerre à l'Ordre Impérial. Le but de l'Ordre est d'éradiquer la magie pour mieux dominer les peuples. Si nous ne combattons pas, tous ceux qui ont un pouvoir mourront, et les gens normaux seront réduits en esclavage. Les Contrées et les autres pays ne connaîtront plus la paix tant que l'Ordre n'aura pas été écrasé !

— Richard, il y a des milliers de soldats en ville. Qu'espères-tu accomplir, seul contre tous ?

Las de ne jamais savoir quelle catastrophe l'attendait au tournant, le Sourcier en avait assez qu'on l'emprisonne, qu'on le torture, qu'on lui mente et qu'on se serve de lui. Et il ne supportait plus de voir mourir des innocents.

Il devait agir.

Bien que n'étant pas un sorcier, il en connaissait plusieurs ! Zedd était à quelques semaines de cheval, au sud-ouest. Il admettrait que débarrasser au plus vite Aydindril des soudards de l'Ordre était une priorité. Comme protéger la Forteresse. Si ce sanctuaire était détruit, combien de trésors seraient à jamais perdus ?

Si ça ne suffisait pas, le Sourcier irait dans l'Ancien Monde, au Palais des Prophètes, où il trouverait de l'aide. Son ami Warren, par exemple… Même s'il n'était pas complètement formé, il connaissait la magie et saurait l'utiliser. Mieux que Richard, en tout cas.

Sœur Verna aussi viendrait à son secours. Moins puissantes que les sorciers, les Sœurs de la Lumière contrôlaient cependant assez de magie pour être redoutables. Hélas, seule Verna était fiable. Et peut-être aussi la Dame Abbesse, Annalina… Bien qu'il détestât sa façon de lui cacher des informations, et d'altérer la vérité pour arriver à ses fins, il la savait dépourvue de malveillance. Avec des moyens discutables, cette femme servait néanmoins une juste cause. Et elle ne lui tournerait pas le dos.

Enfin, il restait Nathan. Ayant passé la plus grande partie de sa vie au palais, sous la protection d'un sortilège, le Prophète frôlait les mille ans d'existence. Comment imaginer ce qu'un homme pareil pouvait savoir ?

Nathan avait vu du premier coup d'œil que Richard était un sorcier de guerre – le premier depuis des lustres. Il l'avait aidé à comprendre sa propre nature et à l'accepter. S'il lui demandait son assistance, il ne refuserait pas. D'autant plus qu'il était un Rahl – donc un lointain ancêtre du Sourcier.

— En ce moment, marmonna Richard, les agresseurs dictent les règles du jeu. Je dois changer ça.

— Comment ? demanda maîtresse Sanderholt.

— Il faut que je les surprenne…

Richard laissa courir ses doigts sur la garde de son épée. Il suivit le tracé du mot « Vérité », tissé en fils d'or le long de la poignée, et sentit la magie remonter dans son bras.

— Je porte l'Épée de Vérité, qui me fut remise par un authentique sorcier. Le Sourcier a une mission à accomplir, et il ne se dérobera pas.

Pensant aux malheureux éventrés par les mriswiths, Richard se laissa emporter par la fureur que lui communiquait son arme.

— Je jure, murmura-t-il, de donner des cauchemars à celui qui marche dans les rêves !

# Chapitre 4

— Mes bras me démangent, se plaignit Lunetta. Il y a beaucoup de pouvoir, ici...

Tobias Brogan jeta un coup d'œil derrière son épaule. Les lambeaux de tissus multicolores qui « habillaient » la vieille femme volaient au vent tandis qu'elle se grattait frénétiquement. Au milieu des soldats revêtus d'armures et de cottes de mailles rutilantes, une cape pourpre sur les épaules, la silhouette grotesque de Lunetta évoquait un épouvantail perché sur un cheval. Ses bajoues ballottaient au rythme de ses contorsions, et ses lèvres retroussées révélaient une bouche à la denture pourrissante.

Dégoûté, Brogan détourna les yeux. Lissant son impressionnante moustache, il contempla un moment la Forteresse du Sorcier, nichée à flanc de montagne. Les premiers rayons de soleil de cette fin d'hiver se reflétaient sur la pierre sombre de l'édifice, ajoutant à son aspect sinistre.

— De la magie, seigneur général, insista Lunetta. Vous pouvez me croire, il y en a dans le coin. Et très puissante...

La vieille folle continua à marmonner au sujet de ses fichues démangeaisons.

— Tais-toi, *streganicha* ! Un crétin congénital n'aurait pas besoin de tes misérables pouvoirs pour savoir qu'une aura de magie enveloppe Aydindril.

Sous ses paupières tombantes, les yeux de la femme brillèrent de sauvagerie.

— Mais vous n'avez jamais vu une magie comme celle-là, dit-elle d'une voix trop fluette pour le reste de sa personne, uniformément boursouflée. Et moi non plus... J'en sens aussi au sud-ouest, pas seulement ici.

Sans cesser de grommeler, Lunetta se gratta de plus belle.

Brogan survola du regard la foule qui se pressait dans la rue, puis étudia d'un œil critique les superbes palais alignés dans l'avenue des Rois, comme l'appelaient les indigènes. Ces bâtiments étaient conçus pour impressionner le badaud, censé être ébahi par la richesse, la puissance et le bon goût de leurs propriétaires. Tous arboraient de majestueuses colonnades, des façades richement ornementées, des fenêtres tape-à-l'œil et des toits tarabiscotés.

Des paons de pierre occupés à faire la roue ! conclut Brogan, écœuré. L'art du gaspillage et de l'ostentation poussé à son maximum...

Dans le lointain, Tobias aperçut le Palais des Inquisitrices, avec ses tours et ses colonnes dix fois plus prétentieuses que les autres. Avec sa pierre aussi blanche que la neige, ce lieu impie tentait de se dissimuler derrière une illusoire pureté.

Ses doigts osseux caressant l'étui à trophées accroché à sa ceinture, Brogan écrasa de son mépris ce sanctuaire de la perversité, instrument de l'ignoble domination de la magie sur l'authentique foi.

— Seigneur général, insista Lunetta, m'avez-vous entendue ?

Brogan se retourna sur sa selle, ses bottes impeccablement cirées craquant contre le cuir de ses étriers.

— Galtero ! appela-t-il.

Coiffé d'un casque orné de crins de cheval teints en rouge, pour rappeler les capes de soldats, le colonel aux yeux noirs froids comme la mort lâcha ses rênes d'une main et approcha de son chef au petit trot.

— Général ?

— Si ma sœur refuse de se taire quand je le lui ordonne, bâillonnez-la !

Lunetta jeta un regard dubitatif au colosse qui chevauchait désormais près d'elle, éblouissant dans son armure polie. Tentée de continuer à ronchonner, elle baissa les yeux sur les armes accrochées à la ceinture du militaire, les releva pour croiser son regard de tueur et préféra ne pas insister.

— Pardonnez-moi, seigneur général, dit-elle sans cesser de se gratter.

Histoire de prouver sa bonne volonté, elle inclina humblement la tête.

Galtero fit faire un écart à son hongre gris. Effrayée, la jument baie de Lunetta manqua s'emmêler les jambes.

— Silence, *streganicha !*

Tremblant sous l'insulte, la femme foudroya le mufle du regard. Mais sa rébellion ne dura pas, et elle se ratatina sur sa selle.

— Je ne suis pas une sorcière, marmonna-t-elle.

Galtero leva un sourcil, la réduisant définitivement au silence. Le colonel était un homme de devoir. Si on lui donnait l'ordre de l'égorger, le lien familial qui unissait Lunetta au général ne retiendrait pas sa main. Cette femme était une *streganicha* souillée par le démon. S'il le fallait, Galtero, comme les autres hommes, la saignerait à blanc sans l'ombre d'une hésitation. Car la mission passait avant les considérations sentimentales. Et Lunetta était un témoignage vivant de la perversité du Gardien, qui adorait frapper les justes et souiller les plus nobles familles.

Sept ans après la naissance de la *streganicha*, le Créateur avait réparé cette injustice avec la venue au monde de Tobias, destiné à purifier ce que le Gardien avait corrompu. Hélas, il était trop tard pour la mère des deux enfants, qui sombrait déjà dans la folie. L'année de ses huit ans, son père poussé au tombeau par le déshonneur et sa mère définitivement aliénée, le futur général avait hérité d'un fardeau écrasant : gérer le « don » de sa sœur, à défaut de *la* contrôler.

À cette époque, Lunetta l'adorait. Tobias s'était servi de son amour pour la convaincre de satisfaire aux exigences du Créateur. Devenu son guide en matière de morale, il lui avait transmis les enseignements que les membres du cercle royal lui prodiguaient. Lunetta avait toujours eu besoin d'un tuteur. Âme innocente victime d'une malédiction qui la dépassait, elle était incapable de la combattre – et moins encore de s'en libérer.

Avec une ardeur impitoyable, et un entêtement admirable, Brogan avait lavé l'honneur de sa famille, sali par la présence en son sein d'une magicienne. Ce travail de longue haleine avait porté ses fruits, réduisant ses détracteurs au silence. Le stigmate transformé en glorieux étendard, Tobias était devenu le plus exalté parmi les exaltés !

Il adorait sa sœur au point de l'égorger lui-même, s'il le fallait, pour l'arracher aux tentacules du Gardien. Oui, pour la soustraire à la corruption suprême, s'il n'était plus possible de la *contenir*, le général était prêt à tuer l'être qu'il aimait le plus au monde. Aussi cruel que ce fût, Lunetta cesserait de vivre le jour où elle ne l'aiderait plus à arracher le mal à la racine en démasquant les messagers du fléau. Pour l'heure, malgré la souillure qui la rongeait de l'intérieur, celle qu'il appelait la « vieille sorcière » continuait à lui être utile.

Lunetta ne ressemblait pas à grand-chose dans son costume d'épouvantail. Étrangement, ses haillons bariolés étaient son ultime joie, au point qu'elle les avait surnommés les « mignons ». Mais se fier aux apparences aurait été une erreur, car le Gardien l'avait dotée d'un pouvoir et d'une force considérables. Dont son frère, lutteur infatigable, l'avait peu à peu débarrassée.

Toutes les créations du Gardien souffraient du même défaut. Avec de l'ingéniosité, les vrais dévots pouvaient les retourner contre lui. Car pour lutter contre l'impiété, le Créateur leur fournissait toujours les bonnes armes – à condition de faire l'effort de les chercher et d'être assez audacieux pour les utiliser. Cette aptitude, une manifestation supérieure de la sagesse, avait séduit Tobias dès sa rencontre avec les héros de l'Ordre Impérial. Assez intelligents pour comprendre le paradoxe ultime, ils avaient osé se servir de la magie afin de débusquer et de détruire l'impiété.

Comme Brogan, l'Ordre se servait des *streganicha*. Apparemment, ses membres les appréciaient et leur faisaient confiance. À dire vrai, Brogan n'aimait pas que les sorciers soient autorisés à se promener librement, à collecter des informations et à émettre des suggestions. Mais s'ils se retournaient contre la cause, eh bien, il avait toujours Lunetta à ses côtés…

Sœur ou pas, côtoyer ainsi le mal le révulsait.

Alors que l'aube se levait à peine, les rues grouillaient déjà de monde. Devant chaque ambassade, des soldats de toutes les origines montaient la garde. D'autres hommes, essentiellement des D'Harans, patrouillaient en ville. Aux aguets, ils semblaient attendre à tout moment une attaque surprise.

Officiellement, ces militaires contrôlaient la situation. Enclin à ne rien croire sur parole, Brogan avait organisé ses propres patrouilles, la nuit précédente. Selon ses officiers, il n'y avait aucun « résistant » – le nom pompeux que se donnaient les indigènes rebelles – aux alentours d'Aydindril.

Brogan adorait arriver quand on l'attendait le moins, et avec davantage d'hommes que prévu. Une sage précaution, au cas où *il* devrait prendre les événements en main. Ce matin, cinq cents guerriers l'accompagnaient. S'il découvrait que les choses n'allaient pas bien en ville, le gros de son armée les rejoindrait. Une force en mesure d'écraser n'importe quelle insurrection, comme elle l'avait déjà prouvé.

Si les D'Harans n'avaient pas été ses alliés, leur nombre aurait inquiété Brogan. Bien qu'il eût toute confiance en ses soldats, seuls les vaniteux livraient bataille quand les chances étaient égales. Pour ferrailler lorsqu'elles étaient contre soi, il fallait être un imbécile ! Deux catégories d'hommes que le Créateur ne portait pas dans son cœur.

Levant une main, Tobias fit ralentir la colonne pour laisser passer une patrouille de D'Harans qui traversait la rue. Il trouva inconvenant que ces soldats avancent en formation de bataille sur la voie publique. Mais ces brillants guerriers, dans une ville conquise, en étaient peut-être réduits à effrayer les badauds et les tire-laine à grand renfort de manifestations de force.

Armes au poing, l'air pas commode, les D'Harans ne quittèrent pas les cavaliers des yeux, guettant tout signe d'hostilité. Brogan s'étonna qu'ils marchent ainsi, acier au clair. Décidément, ces gaillards étaient du genre prudent...

Ne se laissant pas impressionner, ils ne daignèrent pas accélérer le rythme. Tobias eut un sourire satisfait. Des hommes de moindre valeur auraient allongé le pas...

Leurs armes, essentiellement des épées et des haches, ne brillaient pas au soleil comme des diamants. Cette sobriété volontaire les rendait plus menaçantes encore – des outils de mort choisis pour leur efficacité, pas pour en mettre plein la vue aux civils.

Vingt fois moins nombreux que les cavaliers, les soldats en uniforme de cuir noir regardèrent leurs armures polies avec une suprême indifférence. En règle générale, le métal scintillant et les armes rutilantes étaient l'apanage des chefs vaniteux. Dans ce cas précis, cela témoignait du sens de la discipline de Brogan, et de son souci pointilleux du détail. Mais les D'Harans l'ignoraient sûrement. Là où Tobias et ses fidèles étaient mieux connus, un coup d'œil sur leurs capes pourpres suffisait à faire blêmir les hommes les plus costauds. Et en voyant briller leurs armures, la plupart de leurs ennemis détalaient sans demander leur reste...

Alors qu'ils traversaient les monts Rang'Shada, après avoir quitté Nicobarese, Brogan et ses fidèles avaient croisé une armée de l'Ordre Impérial essentiellement composée de D'Harans.

Brogan avait été impressionné par le général Riggs, qui s'était montré très ouvert à ses conseils et à ses suggestions. Fasciné par le bonhomme, Tobias lui avait laissé une partie de ses forces pour l'aider à conquérir plus vite les Contrées du Milieu. En route pour Ebinissia, la capitale de Galea, Riggs et ses braves étaient chargés de soumettre la cité à l'Ordre Impérial. Le Créateur en soit loué, ils avaient réussi.

Les D'Harans étaient connus pour ne pas aimer la magie, et cela plaisait à Brogan. En revanche, qu'ils en aient peur le dégoûtait. Pour le Gardien, la sorcellerie était un moyen de s'introduire dans le monde des vivants. S'il était juste de redouter le Créateur, il convenait d'éradiquer la magie, puisqu'elle combattait dans le camp du royaume des morts.

Pendant longtemps – jusqu'à la chute de la frontière, au printemps précédent – D'Hara avait été isolée des Contrées du Milieu. Pour Brogan, ces pays et leurs habitants étaient un nouveau territoire attendant qu'on lui dispense la lumière. Et probablement qu'on le purifie...

Darken Rahl, le maître de D'Hara, avait fait disparaître la frontière pour permettre à ses troupes d'envahir les Contrées du Milieu et de conquérir Aydindril – entre autres cités. S'il s'était davantage intéressé aux affaires humaines, Rahl aurait tenu les Contrées sous sa coupe avant que quiconque ait pu lever une armée contre lui. Mais sa funeste passion pour la magie avait précipité sa perte. Après son assassinat par un prétendant au trône – à en croire les rumeurs –, les forces d'haranes s'étaient unies à l'Ordre Impérial.

Il n'y avait plus en ce monde un endroit sûr pour l'antique religion agonisante qu'on nommait la « magie ». Le règne de l'Ordre Impérial commençait, et la gloire du Créateur guiderait les hommes. Ses prières ayant été exaucées, Tobias Brogan remerciait chaque jour le Créateur de l'avoir fait naître à une époque où il pourrait participer à la plus belle aventure de tous les temps. Acharné à la perte de la magie blasphématoire, il chevaucherait à la tête des justes pour livrer l'ultime bataille entre le bien et le mal. L'histoire était en marche, et Tobias jouait les éclaireurs pour elle...

Récemment, le Créateur était venu le visiter dans ses rêves pour le féliciter de l'œuvre qu'il avait entreprise. Craignant de paraître présomptueux, Brogan n'en avait pas parlé à ses hommes. Être distingué par le Créateur paraissait assez satisfaisant comme cela... Mais il en avait informé Lunetta, qui n'en était toujours pas revenue. Après tout, le Créateur daignait rarement s'adresser à un de Ses enfants...

La patrouille ayant fini de traverser, Brogan talonna légèrement son cheval. Aucun D'Haran n'avait daigné se retourner pour voir si les cavaliers se montraient menaçants, ou s'ils faisaient mine de suivre le détachement. Mais tenir ce comportement pour de la négligence eût été du crétinisme, et Tobias n'avait rien d'un idiot.

La colonne reprit son chemin. Alors que la foule s'écartait respectueusement, Brogan reconnut les uniformes de certains soldats postés devant les palais : des Sandariens, des Jariens et des Keltiens. Ne voyant pas l'ombre d'un Galeien, il conclut que Riggs et ses hommes avaient fait de l'excellent travail à Ebinissia.

Dès qu'il aperçut des uniformes de son pays, Tobias fit signe à une escouade de se lancer au galop. Leurs capes pourpres flottant au vent – un moyen imparable de s'identifier – les cavaliers dépassèrent les fantassins, les piquiers et les porte-étendard, puis prirent rapidement de l'avance sur leur chef. Les sabots ferrés de leurs montures martelant le marbre, ils s'engagèrent dans l'immense escalier du Palais de Nicobarese, un édifice aussi pompeux que les autres avec ses colonnes cannelées en marbre marron à veinures blanches – un matériau rarissime directement importé des montagnes de l'est de Nicobarese. Un exemple de plus du gaspillage et de la prétention qui donnaient la nausée à Brogan...

Les soldats de l'armée régulière en poste devant l'ambassade sursautèrent en reconnaissant les cavaliers. Alors qu'ils s'empressaient de les saluer, le bras quelque peu tremblant, les hommes aux capes pourpres les forcèrent à s'écarter pour céder le passage à leur général.

Au sommet de l'escalier, Brogan mit pied à terre entre deux statues de guerriers montés sur des étalons cabrés. Accordant à peine un regard à ces monuments de mauvais goût en pierre couleur peau de chamois, il tendit les rênes de son cheval à un garde au teint cendreux.

Tobias contempla la ville et son regard s'attarda longuement sur le Palais des Inquisitrices. Il était de très bonne humeur, un événement de plus en plus rare, ces derniers temps...

Mais ne contemplait-il pas l'aube d'une nouvelle ère ?

— Longue vie au roi ! lança le garde quand Tobias se retourna.

— Il est un peu tard pour le lui souhaiter, j'en ai peur...

— Que voulez-vous dire, messire ? osa demander le soldat, la tête baissée en signe de respect.

— Le roi, répondit Tobias en lissant sa moustache, ne méritait pas l'amour que nous lui portions. Sa vraie nature révélée, il a brûlé pour expier ses péchés. À présent, soldat, occupe-toi de mon cheval. (Il fit signe à un autre garde.) Toi, va prévenir les cuisiniers que je meurs de faim. Surtout, qu'ils ne me fassent pas attendre, ou il leur en cuira !

Le soldat partit au pas de course.

— Galtero ! appela Tobias. (Toujours à cheval, le colonel approcha de son supérieur.) Prends la moitié des hommes, et ramène-moi cette garce. Après m'être restauré, je la ferai passer en jugement.

Du bout des doigts, le général tapota l'étui accroché à sa ceinture. Bientôt, il ajouterait à sa collection une pièce de choix – la plus belle qu'on puisse imaginer. À cette idée, il eut un sourire qui déforma la vieille cicatrice, au coin de sa bouche, mais n'eut pas d'écho dans ses yeux noirs.

Tobias Brogan serait le principal artisan du redressement moral du monde. Et il s'en rengorgeait d'avance.

— Lunetta... (Plus que jamais semblable à un épouvantail, la sœur de Tobias contemplait le Palais des Inquisitrices... en se grattant un bras.) Lunetta !

— Oui, seigneur général ?

Tobias rejeta sa cape en arrière et remit bien droit l'insigne de son grade.

— Viens manger avec moi. J'ai un nouveau rêve à te raconter...

— Vraiment, général ? Je brûle de l'entendre, vous savez... C'est un tel honneur pour moi...

— Ça, tu peux le dire... (Ils franchirent les grandes portes ridiculement ornées et entrèrent dans le palais.) Nous devons aussi parler, et il faudra que tu m'écoutes attentivement. Tu le feras, n'est-ce pas ?

— Comme toujours, général !

Brogan s'arrêta devant une fenêtre munie d'un somptueux rideau bleu. Sortant son couteau, il coupa une large bande de tissu, sur le bord, là où pendaient des pompons en fils d'or.

Très excitée, Lunetta se passa la langue sur les lèvres et sautilla d'impatience.

— Un nouveau « mignon » pour toi, très chère.

Ravie, Lunetta s'empara de la bande de tissu, l'admira un instant, puis, la posant partout sur son corps, tenta de déterminer le meilleur endroit où l'ajouter à son pathétique accoutrement.

— Merci, seigneur général. Il est magnifique.

Sa sœur sur les talons, Brogan avança dans le grand couloir au sol couvert d'un magnifique tapis. Daignant à peine jeter un coup d'œil à la collection de portraits royaux, il grogna de mépris en découvrant les dorures des portes et les cadres des miroirs en or massif.

Un serviteur en tenue blanche et marron conduisit le général et sa compagne jusqu'à la salle à manger. Rentrant les épaules comme s'il s'attendait à recevoir des coups, l'imbécile s'inclinait platement tous les deux pas en débitant des compliments minables.

Tobias Brogan n'était pas le genre d'homme dont la carrure impressionnait d'emblée les gens. Pourtant, les serviteurs, les gardes et les officiels du palais – souvent en train de finir de boutonner leur veste – qui déboulèrent dans le couloir, anxieux de voir ce qui se passait, blêmirent en reconnaissant le chef suprême du Sang de la Déchirure.

Sur un mot de lui, les messagers du fléau – qu'ils fussent des mendiants, des soldats, des nobles ou des rois – finissaient sur le bûcher pour expier leurs crimes.

# Chapitre 5

Hypnotisée par les flammes, sœur Verna vit jaillir de leurs profondeurs d'éphémères filaments aux couleurs brillantes et des rayons vacillants illusoires – tels des doigts enlacés pour exécuter une étrange danse – qui tourbillonnèrent dans l'air, firent voleter les vêtements des officiants et diffusèrent une chaleur qui les aurait forcés à reculer sans la protection de leurs boucliers.

À l'horizon, un soleil rouge sang émergea enfin, noyant sous sa lumière les langues de feu du bûcher funéraire où deux corps finissaient de se consumer.

Dans l'assistance, quelques Sœurs de la Lumière sanglotaient encore. Verna, elle, avait déjà versé toutes les larmes de son corps.

Une centaine de garçons et de jeunes hommes faisaient cercle autour du bûcher en compagnie de deux cents sœurs et novices. À part la sœur et le « sujet » restés au palais pour y monter une garde symbolique – et la malheureuse folle enfermée pour son bien dans une pièce vide protégée par un bouclier – tous les résidents du Palais des Prophètes, massés sur la colline qui dominait Tanimura, étaient venus voir les flammes se lancer fièrement vers le ciel.

Dans cette foule, chacun se sentait plus solitaire que jamais, muré dans un monde intérieur où il n'existait plus que l'introspection et la prière. Comme il convenait, personne n'avait dit un mot pendant la cérémonie.

Verna avait mal au dos après une nuit passée à se recueillir devant les cadavres. Depuis le crépuscule, priant sans relâche, ils étaient tous restés là, s'acharnant à maintenir sur les dépouilles la protection symbolique d'un bouclier collectif.

Un roulement de tambour incessant montait de la ville, à leurs pieds. Au moins, ils étaient assez loin pour qu'il ne leur agresse pas les tympans.

Aux premières lueurs de l'aube, le bouclier abaissé, chaque sœur avait propulsé vers le bûcher une étincelle de son Han. Alimentées par la magie, les flammes avaient dévoré les rondins soigneusement empilés et les deux cadavres – l'un minuscule et l'autre bien plus grand que la moyenne – enveloppés dans un linceul.

Pour conduire la cérémonie selon les règles, il avait fallu consulter les grimoires conservés dans les catacombes. Car depuis près de huit cents ans – sept cent quatre-vingt-onze pour être précis – aucune Dame Abbesse n'avait plus quitté ce monde.

Selon les textes, ce rituel funéraire était réservé à la Dame Abbesse, dont l'âme irait directement se réfugier sous l'aile protectrice du Créateur. Par un vote, les sœurs avaient décidé d'accorder le même privilège à l'homme qui s'était si vaillamment battu pour tenter de la sauver. Le livre précisant que le scrutin devait être unanime, des débats houleux avaient précédé son organisation.

Comme le prescrivait le rituel, dès que la lumière du Créateur eut totalement dominé celle du feu, les sœurs rappelèrent à elles leur Han. Aussitôt, le bûcher s'éteignit, laissant pour unique témoignage de la cérémonie quelques rondins à demi calcinés et un tas de cendres.

Portée par le vent, la fumée se dissipa dans un ciel radieux.

C'était fini. De la Dame Abbesse Annalina et du Prophète Nathan, il ne restait plus rien.

En silence, les sœurs s'éloignèrent, seules ou en compagnie d'un jeune homme ou d'une novice qu'elles tentaient de réconforter. Comme des âmes en peine, elles descendirent lentement vers la ville et le Palais des Prophètes – un foyer que leur mère à tous venait de quitter pour toujours.

En baisant son annulaire gauche, un ultime hommage aux disparus, Verna pensa que la communauté, avec Nathan, avait également perdu son père.

Les mains croisées, la sœur regarda ses collègues s'éloigner. Avant sa mort, elle n'avait pas pu faire la paix avec la Dame Abbesse. Annalina s'était servie d'elle, puis l'avait humiliée et punie alors qu'elle obéissait à *ses* ordres et accomplissait scrupuleusement son devoir. Bien qu'au service exclusif du Créateur, comme toutes les sœurs, et consciente qu'Annalina avait agi au nom d'un intérêt supérieur, Verna avait souffert qu'on utilise sa loyauté pour la manipuler. Incidemment, ça l'avait fait passer pour une sacrée crétine !

Blessée par Ulicia, une Sœur de l'Obscurité, Annalina était restée dans le coma trois semaines avant d'expirer. Et Verna aurait tant aimé pouvoir lui parler une dernière fois...

Nathan n'avait pas quitté le chevet de la Dame Abbesse. Acharné à la sauver, il était allé au-delà de ses possibilités, y laissant sa santé et finalement sa vie.

Le Prophète avait toujours été une force de la nature, en tout cas aux yeux de Verna. Mais à près de mille ans, on ne résistait sans doute plus aussi bien à certaines épreuves... Sans compter qu'il avait dû beaucoup vieillir pendant la vingtaine d'années où elle avait cherché Richard, avant de l'amener enfin au palais.

Verna sourit en pensant au jeune homme, qui lui manquait beaucoup. Bien sûr, il lui avait mené la vie dure, mais lui aussi était une victime des plans tortueux de la Dame Abbesse. Conscient que Verna avait simplement fait son devoir, il ne lui avait jamais tenu rigueur des actes discutables qu'elle s'était autorisés à l'occasion.

Verna eut les larmes aux yeux à l'idée que Kahlan, la bien-aimée du Sourcier, était sans doute morte sur l'échafaud, comme le lui avait montré une insoutenable prophétie. Cependant, il y avait un petit espoir... Armée d'une indestructible détermination, Annalina avait orchestré dans l'ombre la vie de beaucoup de gens. Si elle avait vraiment agi pour le bien des enfants du Créateur, pas pour satisfaire ses ambitions personnelles, il se pouvait que...

— Vous avez l'air furieuse, ma sœur, murmura soudain une voix.

Arrachée à sa sombre méditation, Verna se retourna et découvrit le jeune Warren, les mains glissées dans les manches de sa tunique violette.

Regardant autour d'elle, la sœur s'aperçut qu'ils étaient seuls sur la colline. Très loin en contrebas, les autres n'étaient plus que de minuscules points noirs...

— Sans doute parce que je le suis, Warren...

— Pour quelle raison, ma sœur ?

Avant de répondre, Verna lissa sa jupe noire, un peu plissée sur les hanches.

— Peut-être parce que je m'en veux... (Gênée, la sœur ajusta son châle bleu sur ses épaules, puis tenta de changer de sujet.) Tu es si jeune, Warren... Enfin, je veux dire que tu commences à peine tes études. Te voir sans Rada'Han ne cesse pas de m'étonner.

Mal à l'aise, Warren se gratta le cou, ceint par un collier durant la majeure partie de sa vie.

— Ma jeunesse est très relative, dit-il. Au palais, à cause du sortilège, je passe pour un gamin. En réalité, j'ai cent cinquante-sept ans, ma sœur. Ceci posé, je vous suis reconnaissant de m'avoir retiré mon collier. Ces derniers mois, le monde a tellement changé...

— Je vois ce que tu veux dire... Et Richard me manque aussi.

— Vraiment ? Décidément, ce n'est pas une personne ordinaire... Je n'arrive toujours pas à croire qu'il a réussi à contrarier les plans du Gardien. Pour l'empêcher de quitter le royaume des morts, il a dû vaincre le fantôme de son père et rapporter la Pierre des Larmes là où elle doit être. Sinon, les morts auraient envahi le monde des vivants. Pour être franc, le jour du solstice d'hiver, je n'en menais pas large.

— Moi non plus, avoua Verna. Mais n'oublie pas que tu as beaucoup aidé Richard. Je suis fière de toi, Warren. (Elle dévisagea le jeune homme souriant, étonné qu'il ait si peu changé au fil des années.) Et ta décision de rester au palais, même si tu n'as plus ton collier, me comble de joie. Surtout maintenant que le Prophète nous a quittés...

Warren tourna la tête vers le bûcher.

— J'ai passé la plus grande partie de ma vie dans les catacombes, à étudier les prédictions. Et je n'ai jamais su que le Prophète en chair et en os qui vivait au palais en délivrait régulièrement. Si on me l'avait dit, j'aurais pu suivre son enseignement. Une formidable occasion perdue...

— Nathan était un homme dangereux. Aucune sœur ne le comprenait vraiment, et toutes se méfiaient de lui. Pourtant, nous avons peut-être eu tort de t'empêcher de le voir. Si nous avions su ce qui se préparait, nous t'aurions sans doute ordonné de le côtoyer.

— C'est trop tard, maintenant...

— Warren, je sais que tu aimerais découvrir le monde, à présent que le Rada'Han ne te retient plus ici. Mais tu as choisi de rester, afin d'étudier encore. Le palais n'a plus de Prophète, et tu as des aptitudes certaines en la matière. Un jour, tu pourrais remplacer Nathan.

Warren tourna la tête vers la cité et chercha du regard les tours du palais.

— Les prophéties me fascinent depuis toujours, ma sœur. Récemment, j'ai commencé à les comprendre mieux que n'importe qui de ma connaissance. Mais il y a un monde entre les interpréter et les délivrer.

— Il faut du temps, mon ami. Quand Nathan avait ton âge, il ne devait pas être plus compétent que toi. Si tu continues d'étudier, d'ici quatre ou cinq siècles, tu seras un aussi grand Prophète que lui.

— C'est vrai, mais je n'ai jamais mis le nez hors du palais... On dit qu'il y a des livres passionnants dans la Forteresse du Sorcier, en Aydindril. Et partout ailleurs ! Richard est sûr que j'en trouverai au Palais du Peuple de D'Hara. J'ai soif d'apprendre, et les connaissances sont éparpillées dans le vaste monde.

Verna fit rouler ses épaules pour les dénouer un peu.

— Warren, le Palais des Prophètes est défendu par un sortilège. Si tu t'en vas, tu vieilliras comme les gens normaux. Regarde ce qui m'est arrivé en une petite vingtaine d'années ! Nous n'avons qu'un an d'écart, tu le sais. Pourtant, tu ressembles à un jeune homme à marier, et moi à une vieille dame qui fera bientôt sauter son petit-fils sur ses genoux. À présent que je suis de retour, je vieillirai moins vite, mais ce qui est perdu ne reviendra plus...

— Vous n'avez pas tant de rides que ça, ma sœur, dit Warren en baissant les yeux.

Verna ne put s'empêcher de sourire.

— Tu sais, je m'étais entichée de toi, à une époque...

Soufflé, Warren recula d'un pas.

— De moi ? C'est une blague... Quand ?

— Oh, ça ne date pas d'hier... Une bonne centaine d'années, en fait. Tu étais si studieux et si intelligent. Tes belles boucles blondes et tes yeux bleus me donnaient des palpitations cardiaques !

— Sœur Verna ! s'écria Warren, rouge comme une pivoine.

— Tout ça est bien loin, mon ami, et nous étions si jeunes... Une passade, voilà tout ! Aujourd'hui, tu as l'air d'un adolescent dont je pourrais être la mère. Mon séjour hors du palais m'a fait vieillir de plus d'une manière... Dans le monde extérieur, tu auras quelques décennies pour apprendre, puis tu mourras de vieillesse. Ici, le temps ne te manquera pas, et un jour, nous aurons un nouveau Prophète. Qui nous empêche de faire venir à toi les livres dont tu rêves ?

» Depuis la disparition de la Dame Abbesse et de Nathan, tu es notre seul expert en prophéties. Nous avons besoin de toi !

— J'y réfléchirai, ma sœur, dit Warren en contemplant, au loin, les tours et les toits du palais.

— C'est tout ce que je te demande...

— Que va-t-il se passer, maintenant ? Qui remplacera Annalina ?

Au cours des recherches, dans les anciens textes, ils avaient découvert que nommer une nouvelle Dame Abbesse n'était pas une affaire facile.

— Le savoir et l'expérience sont les principales qualités requises. Nous devrons choisir entre les sœurs les plus âgées. Leoma Marsick me paraît une excellente candidate. Mais il y a aussi Philippa, Dulcina, et bien entendu, sœur Maren. Je pourrais citer trente noms. Mais une dizaine de postulantes à peine ont leur chance.

— Je suppose que vous avez raison…

Verna savait que les grandes manœuvres étaient commencées. Les candidates devaient jouer des coudes pour arriver en tête de liste. Et les sœurs de moindre importance avaient sûrement déjà choisi leur championne. Espérant recevoir un poste influent en récompense, elles mèneraient inlassablement campagne pour leur favorite. À mesure que certaines postulantes perdraient leurs chances de réussir, leurs anciennes fidèles seraient courtisées par les sœurs encore bien placées. Le résultat de cette foire d'empoigne affecterait le palais durant plusieurs siècles. À n'en pas douter, la bataille serait âpre.

— Penser à ce qui nous attend me donne des sueurs froides, admit Verna. Mais le processus de sélection doit être rigoureux, pour que la plus forte triomphe. Tout ça prendra du temps, Warren. Des mois, peut-être bien un an…

— Qui soutiendrez-vous, ma sœur ?

— Moi ? Ne te laisse pas abuser par les rides ! Je suis une des plus jeunes sœurs, et mon opinion n'aura aucune influence.

— À mon avis, vous devriez vous en mêler quand même. (Warren baissa la voix, bien qu'il n'y eût personne autour d'eux.) N'oubliez pas les six Sœurs de l'Obscurité qui se sont enfuies par la mer…

— Quel rapport avec l'identité de la nouvelle Dame Abbesse ?

— Qui nous assure que toutes les Sœurs de l'Obscurité sont parties ? Il peut en rester dix, vingt ou même cent. Sœur Verna, vous êtes la seule que je ne soupçonnerais pas d'être à la solde de Celui Qui N'A Pas De Nom. Il vous revient d'empêcher qu'une Sœur de l'Obscurité dirige le palais.

— Je n'ai pas ce pouvoir, Warren. Mon opinion ne compte pas, et mes collègues pensent que toutes les Sœurs de l'Obscurité ont quitté les lieux.

— Vous ne partagez pas leur optimisme ?

— J'admets qu'il peut rester des Sœurs de l'Obscurité parmi nous. Mais c'est improbable, et il y a d'autres considérations importantes à prendre en compte quand on…

— Épargnez-moi le bla-bla que les Sœurs de la Lumière affectionnent tant. Nous parlons d'un sujet important.

— Warren, n'oublie pas que tu es un étudiant face à une sœur confirmée !

— Je ne vous manque pas de respect… Richard m'a appris à défendre mes convictions quoi qu'il en coûte. De plus, vous m'avez enlevé le Rada'Han, et nous sommes quasiment du même âge. Bref, nous pouvons parler en égaux.

— Tu restes un étudiant qui…

— ... en sait plus long que quiconque sur les prophéties ! Dans ce domaine, ma sœur, c'est vous l'étudiante. Je ne conteste pas votre supériorité sur certains sujets, comme l'usage du Han, alors acceptez la mienne sur d'autres points ! Vous m'avez enlevé le collier parce qu'il vous semblait injuste de garder quelqu'un prisonnier. Je respecte votre savoir, et je sais quel bien vous avez fait, mais je ne suis plus sous la coupe des Sœurs de la Lumière. Ne comptez pas sur ma soumission…

— Un cou de taureau se cachait donc sous le Rada'Han…, soupira Verna. Qui l'aurait parié ? Tu as raison, Warren, je pense qu'il reste des adeptes du Gardien parmi nous.

— Des adeptes ? Vous ne pensez pas qu'aux sœurs, n'est-ce pas ? Certains jeunes sorciers, selon vous...

— As-tu oublié Jedidiah ? coupa Verna.

— Non..., souffla Warren, soudain un peu vert.

— Pourquoi aurait-il été le seul traître ? S'il y en avait un, il peut y en avoir d'autres.

— Sœur Verna, qu'allons-nous faire ? Si une Sœur de l'Obscurité devient Dame Abbesse, ce sera un désastre. Il faut empêcher ça !

— Comment savoir si une candidate est vendue au Gardien ? Et de quelle manière la combattre ? Ces femmes contrôlent la Magie Soustractive. Pas nous... Même si nous les démasquons, nous serons impuissants. Cela reviendrait à plonger la main dans un sac, les yeux fermés, pour attraper une vipère par la queue.

— Je n'avais pas vu les choses sous cet angle...

— Ne désespère pas ! Nous trouverons un moyen. Et le Créateur consentira peut-être à nous aider.

— Nous devrions aller voir Richard et lui demander son soutien. Après tout, c'est lui qui a mis en déroute les six Sœurs de l'Obscurité. Celles-là ne nous embêteront plus. Il leur a appris à redouter le Créateur, et elles n'oublieront pas la leçon.

— À cause de lui, Annalina a été blessée. Elle a fini par périr, et Nathan aussi. La mort marche aux côtés de cet homme.

— Mais ce n'est pas lui qui la dispense, objecta Warren. Richard est un sorcier de guerre. Combattre pour aider les gens est sa mission. S'il n'était pas intervenu, la Dame Abbesse et Nathan auraient péri quand même, et beaucoup d'autres innocents avec eux.

— Là encore, tu as raison, admit Verna. (Elle posa une main sur le bras de Warren, et le serra très fort.) Nous devons tous beaucoup à Richard. Mais il y a un monde entre le chercher... et le trouver. Mes rides en sont un cruel témoignage. (Verna lâcha le bras de son compagnon.) Nous devons compter sur nous-mêmes, Warren. Et avoir au plus vite une idée.

— Je sais par où commencer, ma sœur. Dans les prophéties, beaucoup de passages concernent le règne de la future Dame Abbesse.

Ils retournèrent en ville, où les roulements de tambours continuaient. Un son grave et lancinant qui tapait vite sur les nerfs. Et qui était conçu pour ça, supposa Verna.

Les joueurs de tambours et leurs gardes étaient arrivés trois jours avant la mort d'Annalina. En un éclair, ils s'étaient installés un peu partout à Tanimura. Depuis, leur musique agressait jour et nuit les oreilles des citadins. Histoire de ne pas s'interrompre plus de quelques secondes, les joueurs se relayaient toutes les huit heures.

Les nerfs en pelote, les habitants se comportaient comme des assiégés. À croire qu'un désastre se tapissait dans les ombres, attendant le moment idéal pour frapper. Dans les rues où on n'entendait plus de rires ni de cris, un silence inhabituel – n'étaient les tambours – alourdissait encore l'atmosphère.

À la périphérie de la ville, les miséreux se terraient dans leurs abris de fortune. Autour des lavoirs et des feux de cuisson, des lieux de réunion traditionnels, on n'apercevait pas âme qui vive. Debout sur le seuil de leur boutique, ou derrière leurs étals, les commerçants ne cachaient pas leur mauvaise humeur. Leurs rares clients achetaient le strict nécessaire, sans même prendre le temps de marchander. Accrochés aux jupes de leur mère, les enfants, pour une fois, n'essayaient pas de se défiler en douce. Quant aux joueurs de dés ou de cartes, ils avaient déserté les porches et les terrasses des tavernes.

Dans le lointain, la cloche du Palais des Prophètes sonnait le glas toutes les cinq minutes, rappelant aux citadins que la Dame Abbesse était passée de vie à trépas. Depuis la veille, ce son sinistre ajoutait à la nervosité générale...

Les tambours, sans aucun rapport avec la fin d'Annalina, annonçaient l'arrivée prochaine de l'empereur.

Verna remarqua les regards troublés des passants qu'elle croisait. Compatissante, elle accorda la bénédiction du Créateur aux malheureux qui approchèrent d'elle, en quête de consolation.

— Avant mon départ, il y avait des rois, dit-elle à Warren. L'Ordre Impérial n'existait pas. Qui est son chef ?

— Il se nomme Jagang. Voilà une quinzaine d'années, ses troupes ont commencé à annexer les royaumes. (Warren se massa pensivement les tempes.) Je ne sortais pas souvent des catacombes, donc beaucoup de détails m'échappent... Mais l'Ordre Impérial a très vite dominé l'Ancien Monde. Cela dit, Jagang n'a jamais été un problème, en tout cas à Tanimura. Il ne s'occupe pas des affaires du palais. En retour, il nous demande la même neutralité.

— Que vient-il faire ici ?

— Je n'en sais rien... Il veut peut-être connaître cette partie de son empire.

Après avoir béni une femme émaciée, Verna enjamba prudemment une ornière de chariot et reprit son chemin.

— J'aimerais qu'il arrive, pour que ces tambours cessent de nous casser les oreilles. Voilà quatre jours que ça dure. Il ne devrait plus tarder.

Warren regarda autour de lui avant de murmurer :

— Les gardes du palais sont des soldats de l'Ordre Impérial. L'empereur nous les prête généreusement, car il n'autorise pas la présence en ville d'autres militaires que les siens. J'ai parlé à un de ces hommes. Selon lui, si les tambours annoncent la venue de Jagang, ça ne veut pas dire qu'il sera là bientôt. Quand il est passé à Breaston, la « musique » l'a précédé pendant six mois.

— Six mois de ce vacarme ? C'est ce qui nous attend ?

— Peut-être pas... Jagang peut arriver demain, ou l'année prochaine. Il ne daigne jamais préciser une date.

— Eh bien, s'il ne se presse pas un peu, les Sœurs de la Lumière feront taire ces tambours.

— Je n'y verrais pas d'inconvénient... Mais vexer Jagang ne semble pas judicieux. On dit qu'il a levé la plus importante armée de l'histoire. Y compris au moment de la grande guerre qui a séparé l'Ancien Monde du Nouveau...

— Pourquoi aurait-il besoin d'une force pareille ? s'étonna Verna. Si tous les royaumes sont sous sa coupe, il n'a plus rien à craindre. À mon avis, ce sont des vantardises de soldats.

— Les gardes prétendent avoir vu cette armée de leurs yeux. Des soldats d'un bout à l'autre de l'horizon... Que ferons-nous quand Jagang et ses hordes débouleront ici ?

— Le Palais des Prophètes ne s'est jamais mêlé de politique.

— Et vous n'êtes pas du genre à trembler devant les puissants.

— Nous servons le Créateur, pas l'empereur. Le palais sera encore debout longtemps après sa mort.

Ils marchèrent quelques instants en silence. Puis Warren se racla la gorge.

— Au début de ma formation, quand vous étiez encore une novice... Eh bien, j'avais un faible pour vous.

— Tu te fiches de moi ?

— Pas du tout... (Warren s'empourpra.) J'adorais vos boucles brunes. Vous étiez plus intelligente que les autres, et tellement maîtresse de votre Han. À mes yeux, vous étiez la meilleure, et j'aurais voulu travailler avec vous.

— Pourquoi ne me l'as-tu pas demandé ?

— Vous sembliez si assurée, si confiante... Moi, je ne l'ai jamais été. Et Jedidiah vous fascinait. À côté de lui, je ne valais rien. Vous m'auriez ri au nez.

S'avisant qu'elle se lissait coquettement les cheveux, la sœur laissa retomber son bras.

— Et je l'aurais peut-être fait... Les jeunes gens sont si bêtes !

Une femme approcha, un enfant dans les bras. Verna s'arrêta pour les bénir, n'écouta pas les remerciements de la malheureuse et reprit son chemin.

— Si tu partais une vingtaine d'années, pour étudier tes fameux livres, à ton retour, nous aurions l'air d'avoir le même âge. Alors, tu oserais me prendre la main, comme j'avais tant envie que tu le fasses, jadis.

Warren ne répondit pas, car quelqu'un, dans la foule, les appelait en gesticulant.

— N'est-ce pas Kevin Andellmere, un garde du palais ? dit Verna.

— Oui... Je me demande pourquoi il a l'air si troublé.

Haletant, Andellmere évita un petit garçon et s'immobilisa devant Verna.

— Ma sœur, je vous cherche depuis un moment. On veut vous voir au palais. Sur-le-champ !

— Qui me demande ? Et pourquoi ?

— Les Sœurs de la Lumière vous réclament. Sœur Leoma m'a tiré par l'oreille et ordonné de vous ramener. Si je ne me dépêchais pas, a-t-elle ajouté, je regretterais d'être venu au monde. Il doit y avoir un problème...

— De quel genre ?

— J'ai demandé, mais elle m'a foudroyé du regard, vous savez, ce truc que font les sœurs quand elles n'ont aucune envie de répondre.

— On devrait y aller... Sinon, elles t'écorcheront vif et utiliseront ta peau pour se faire un étendard.

Le jeune soldat pâlit comme s'il prenait Verna au mot.

# Chapitre 6

Sur le pont de pierre qui traversait le fleuve Kern pour rallier l'île Kollet, où se dressait le Palais des Prophètes, les sœurs Philippa, Dulcinia et Maren se tenaient épaule contre épaule, ramassées sur elles-mêmes comme des faucons qui observent l'approche d'une bande de rongeurs. Les poings sur les hanches, elles semblaient au moins aussi féroces que les terribles oiseaux de proie.

Verna et Warren s'engagèrent sur le pont. Soulagé d'avoir accompli sa mission, le soldat Andellmere s'éclipsa sans demander son reste.

Dulcinia, une sœur aux cheveux gris, se pencha en avant quand Verna s'immobilisa devant elle.

— Où étais-tu ? Tout le monde a attendu à cause de toi.

En fond sonore, les tambours continuaient leur travail de sape sur les nerfs de Verna, qui fit un effort pour les chasser de son esprit.

— Je me promenais, histoire de réfléchir tranquillement à l'avenir du palais et à l'œuvre du Créateur. Désolée, mais je ne pensais pas que la foire d'empoigne commencerait alors que les cendres d'Annalina ne sont pas encore froides.

— Ne le prends pas sur ce ton avec nous, Verna, ou tu auras tôt fait de redevenir une novice ! Désormais, tu vis de nouveau au palais. Respecte les règles et montre à tes supérieures la déférence qui leur est due.

Dulcinia se redressa, comme si elle rétractait ses griffes, à présent qu'elle avait délivré son message. À l'évidence, elle estimait que le débat était clos. Sœur Maren, une montagne de graisse à la langue de vipère, sourit de satisfaction. Ses pommettes proéminentes et ses mâchoires étroites lui donnant un air exotique, Philippa, une des plus grandes sœurs du palais, riva ses yeux noirs réprobateurs sur Verna.

— Mes supérieures ? Sous le regard du Créateur, nous sommes toutes égales.

— Égales ? répéta Maren, agacée. Voilà un concept intéressant... Si nous convoquions une assemblée générale pour évaluer ton comportement, tu verrais à quel point tu es « égale » ! Ensuite, tu serais de nouveau affectée aux corvées, avec mes novices. Et cette fois, Richard ne serait pas là pour te sauver la mise.

— Vraiment, sœur Maren ? Vous voyez donc les choses ainsi… (Warren vint se placer derrière Verna.) Corrigez-moi si je me trompe, mais il me semble que c'est vous qui m'avez « sauvé la mise ». En priant le Créateur, vous aviez découvert, paraît-il, que je Le servirais mieux si on me rendait mon titre de sœur. Et voilà que ce serait l'œuvre de Richard ? Aurais-je manqué quelque chose ?

— Tu oses mettre en doute ma parole ? (Maren serra les poings à s'en faire blanchir les phalanges.) Je punissais des novices insolentes deux cents ans avant ta naissance ! Comment te permets-tu…

— Ma sœur, coupa Verna, vous avez raconté deux versions du même événement. Les deux ne pouvant pas être vraies, il y en a automatiquement une fausse. Et vous voilà prise en flagrant délit de mensonge ! Avouez que c'est étonnant, pour une personne chargée de l'éducation des novices. Et pour une Sœur de la Lumière, qui devrait détester le mensonge… encore plus que l'irrévérence. Quelle punition ma « supérieure », et celle de tant de jeunes esprits, s'infligera-t-elle pour se racheter ?

— Eh bien, voilà au moins quelqu'un qui n'a pas froid aux yeux, lâcha Dulcinia. À ta place, sœur Verna, j'oublierais sur-le-champ mon intention de m'aligner dans la compétition qui se prépare. Sinon, quand sœur Leoma en aura fini avec toi, il ne restera pas assez de tes os pour qu'elle se fasse un cure-dent avec !

— Ainsi, vous allez soutenir Leoma, susurra Verna. Ou tentez-vous, en réalité, de monter un coup tordu pour l'éliminer de la compétition et vous laisser le champ libre ?

— Ça suffit ! coupa Philippa avec une calme autorité. Nous avons des affaires urgentes à régler. Finissons-en avec ces enfantillages et occupons-nous de désigner une nouvelle Dame Abbesse.

— Qui prétend que ce sont des enfantillages ? lâcha Verna, les poings sur les hanches.

Philippa se tourna gracieusement vers le palais, sa robe jaune, aussi simple qu'élégante, lui faisant une traîne.

— Suis-nous, Verna. Tu nous as assez retardées comme ça. À présent, nous allons pouvoir passer aux choses sérieuses. Quant à ton insolence, nous nous en occuperons plus tard…

Les deux autres sœurs suivirent leur compagne. Après un échange de regards perplexes, Verna et Warren leur emboîtèrent le pas.

— Sœur Verna, souffla Warren, vous réussiriez à gâcher la bonne humeur d'une journée ensoleillée ! La vie était si paisible, ici, depuis vingt ans, que j'ai oublié les dégâts que peut faire votre langue de vipère. Pourquoi ces provocations gratuites ? Vous aimez fiche le bazar partout ? (Verna le foudroyant du regard, il préféra changer de sujet.) Que font-elles ensembles, ces trois-là ? Elles devraient s'affronter ouvertement…

Verna jeta un coup d'œil aux sœurs, s'assurant qu'elles étaient trop loin pour entendre.

— Pour planter un couteau entre les omoplates d'un adversaire, il faut d'abord s'approcher de lui…

Dans le palais, les trois sœurs s'arrêtèrent abruptement devant les portes en noyer de la grande salle d'apparat. Surpris, Verna et Warren faillirent les percuter.

Comme ses compagnes, Philippa se retourna. Puis elle plaqua un index sur la poitrine du futur sorcier. Lui agitant l'autre devant le nez, elle lâcha :

— Tout ça ne te regarde pas... Et quand nous aurons choisi une nouvelle Dame Abbesse, tu recevras un nouveau Rada'Han – ou tu partiras à tout jamais ! Pas question d'accueillir des garçons sans les contrôler comme il faut...

Verna glissa discrètement une main dans le dos de Warren pour l'empêcher de s'en aller.

— Je lui ai enlevé son collier en usant de mon autorité de Sœur de la Lumière. Cet acte a bénéficié à notre communauté et au palais. Nous ne reviendrons pas dessus.

— Nous en débattrons plus tard, dit Philippa. Ce n'est pas le moment...

— Bien parlé ! approuva Dulcinia. Nous avons beaucoup mieux à faire.

— Suis-nous, Verna, conclut Philippa.

L'air perdu et la tête rentrée dans les épaules, Warren regarda les trois sœurs utiliser leur Han pour ouvrir les portes. Dès qu'elles firent mine de franchir le seuil, Verna bondit pour entrer à leurs côtés, pas derrière elles, comme un petit chien docile. Dulcinia grogna de mécontentement, Maren fit son « regard qui tue » – tant redouté des novices – mais ne protesta pas, et Philippa se fendit d'un petit sourire approbateur. Ainsi, tout témoin de la scène aurait le sentiment qu'elle avait ordonné à Verna de marcher à son niveau.

Dans le déambulatoire de la grande salle, sœur Leoma attendait entre deux colonnes blanches ornées de lettres capitales en or. Environ de la taille de Verna, sa crinière de cheveux blancs raides nouée par un unique ruban doré, elle portait une longue robe marron d'une frappante simplicité.

Au-delà de la colonnade, sous un immense dôme dont les vitraux composaient une impressionnante fresque – le Créateur, entouré de ses servantes –, deux étages de balcons aux balustrades sculptées faisaient le tour de la pièce circulaire. Des sœurs et des novices s'y pressaient, le regard rivé sur les femmes debout au niveau du sol. Toutes étaient des doyennes parvenues au sommet de la hiérarchie de leur ordre.

Au centre de la pièce, à l'aplomb de l'image scintillante du Créateur, un petit piédestal blanc brillait faiblement sous une lumière qui semblait venir de nulle part. Les Sœurs de la Lumière avaient formé un cercle, aussi loin que possible du piédestal. Une sage précaution, pensa Verna, si sa lueur était bien ce qu'elle pensait. Un petit objet, impossible à identifier, reposait au sommet du piédestal...

— Je suis ravie que tu nous aies rejointes, ma sœur, dit Leoma.

— C'est ce que je crois ? demanda sans détour Verna.

Un sourire creusa davantage les multiples rides de la vieille Leoma.

— Si tu fais allusion à une Toile de Lumière, c'est de ça qu'il s'agit. À mon avis, moins de la moitié d'entre nous ont le pouvoir – et le talent – d'en invoquer une. Impressionnant, non ?

— Je n'ai jamais vu ce piédestal ici. À quoi sert-il ? Et qu'y a-t-il dessus ?

— Il était là quand nous sommes revenues des funérailles, répondit Philippa, sa superbe soudain envolée. Il nous attendait.

— Et l'objet posé dessus ? insista Verna.

— C'est la bague de la Dame Abbesse, dit Leoma. Celle qui symbolise sa charge.

— La bague de la Dame Abbesse ? Au nom de la Création, pourquoi est-elle là ?

— Une bonne question..., souffla Philippa.

Verna crut voir une lueur d'inquiétude dans ses yeux noirs.

— Ne faudrait-il pas l'enlever de là ? avança-t-elle.

— Approche du piédestal et essaye, lui conseilla Dulcinia. (Puis elle souffla :) Tu m'en diras des nouvelles, petite...

— Nous ne savons rien, déclara Leoma. À notre retour, le bijou et son piédestal étaient là. Malgré nos efforts, il fut impossible d'en approcher. Face à un bouclier si spécial, nous avons jugé sage de ne pas aller plus loin avant de savoir si l'une d'entre nous peut le traverser. Toutes les sœurs ont tenté leur chance et échoué. À part toi, Verna.

— Que se passe-t-il quand on tente d'approcher ?

Dulcinia et Maren détournèrent les yeux, gênées.

— Ce n'est pas plaisant du tout, répondit Philippa en soutenant le regard de Verna.

Cette réponse n'étonna pas la sœur. La surprise était plutôt qu'il n'y ait pas eu de blessées.

— Activer une Toile de Lumière à un endroit où des innocents risquent de la percuter... Pour moi, c'est un comportement criminel, mes sœurs.

— Tu vas trop vite en besogne, dit Leoma. N'oublie pas dans quel endroit nous sommes ! L'équipe d'entretien a découvert le piédestal – sans l'approcher, par bonheur.

Depuis, toutes les sœurs avaient en vain tenté leur chance. Car récupérer la bague, dans ces circonstances, aurait été un net avantage à l'orée de la lutte pour le pouvoir qui s'annonçait.

— Sœur Leoma, avez-vous essayé d'unir vos Han, pour vider le bouclier de sa puissance ?

— Non. D'abord, chacune d'entre nous doit tenter sa chance, au cas où la Toile de Lumière serait destinée à une sœur en particulier. Je ne vois pas très bien quel objectif ça viserait. Mais si cette hypothèse s'avérait, ce que tu suggères risquerait de détruire le bijou protégé par le bouclier. Tu seras la dernière à passer, Verna. Nous avons même fait venir sœur Simona...

— Elle va mieux ?

Leoma leva les yeux vers l'image du Créateur.

— Elle entend toujours des voix. La nuit dernière, pendant que nous assistions aux funérailles, elle a de nouveau eu ces étranges rêves.

— Verna, intervint Dulcinia, approche-toi du piédestal. Quand tu auras échoué, nous passerons à la suite...

Elle foudroya Leoma et Philippa du regard, leur indiquant que l'heure n'était plus aux bavardages. Comme à son habitude, Philippa ne broncha pas et ne daigna pas émettre un commentaire. Leoma fit la moue et Maren jeta un coup d'œil impatient au piédestal, où les attendait l'objet de tous leurs désirs.

— Verna, ma chère, rapporte-nous la bague, si tu en es capable. Si tu échoues, comme le pense Dulcinia, nous unirons nos Han pour neutraliser le bouclier. Allez, mon enfant, ne perdons plus de temps.

Pour une fois, Verna décida de ne pas faire d'esclandre. Une autre sœur n'avait aucune raison, et pas davantage le droit, de l'appeler « mon enfant ». Et il ne faudrait pas que ça se reproduise trop souvent. Mais Leoma, à son âge, pouvait se permettre ce genre de privautés. À petite dose, toutefois...

Levant les yeux, Verna vit ses amies – Amelia, Phoebe et Janet – lui sourire pour l'encourager.

Mâchoires serrées, elle avança d'un pas décidé.

Que faisait la bague de la Dame Abbesse sous une Toile de Lumière, le bouclier le plus dangereux qui fût ? Quelque chose clochait... Et s'il s'agissait d'un piège tendu par une Sœur de l'Obscurité ? Verna en sachant trop long, une Toile de Lumière conçue pour la tuer aurait été la solution idéale.

Elle ralentit un peu. Si son intuition était bonne, elle risquait d'être carbonisée d'une seconde à l'autre.

Quand elle atteignit la lisière de la Toile, Verna vit briller l'anneau d'or de la bague. Prête à vivre – au minimum – une expérience déplaisante, elle avança encore... et se sentit enveloppée par une douce chaleur.

Qui se transformerait bientôt en fournaise ?

Non... Elle continua d'avancer, et rien ne se passa.

De petits cris, dans l'assistance, lui apprirent que personne n'était allé aussi loin qu'elle. Hélas, ça ne garantissait pas qu'elle atteindrait vivante le piédestal...

Et pourtant, comme dans un rêve, il fut bientôt devant elle, si violemment illuminé que le reste de la pièce en disparaissait.

La bague reposait sur une feuille de parchemin pliée et scellée à la cire – avec le sceau du bijou, bien entendu.

Quelques lignes tracées d'une écriture élégante attirèrent l'attention de Verna. Écartant la bague du bout d'un index, elle se pencha pour les lire.

*« Si tu veux sortir vivante de cette Toile, passe la bague à l'annulaire de ta main gauche, embrasse-la, puis brise le sceau et lis le texte que j'ai rédigé.*

*Dame Abbesse Annalina Aldurren »*

Verna contempla ces quelques mots, qui semblèrent attendre qu'elle se décide. C'était bien l'écriture d'Annalina, mais cela ne prouvait rien. S'il s'agissait d'un faux fabriqué par une Sœur de l'Obscurité, suivre ces instructions pouvait la tuer. Sinon, y désobéir lui coûterait la vie. Elle réfléchit un moment, cherchant une troisième solution. Rien ne lui vint.

Quand elle prit la bague, des cris de surprise retentirent dans la salle. Orné d'un motif solaire, le bijou, patiné par l'âge, était chaud au toucher, comme s'il brûlait d'un feu intérieur. À l'évidence, ce n'était pas une contrefaçon, et l'instinct de Verna lui confirmait ses observations.

Elle relut le petit message.

*« Si tu veux sortir vivante de cette Toile, passe la bague à l'annulaire de ta main gauche, embrasse-la, puis brise le sceau et lis le texte que j'ai rédigé.*

*Dame Abbesse Annalina Aldurren* »

Verna mit la bague à son annulaire gauche et l'embrassa en récitant une prière silencieuse au Créateur, pour qu'il la guide et lui donne de la force. Aussitôt, un rayon de lumière jaillit du plafond, l'enveloppant et la faisant cligner des yeux. Autour d'elle, l'air sembla bourdonner.

D'autres cris retentirent dans la salle que Verna ne voyait plus.

Dès qu'elle eut pris le parchemin, le bourdonnement se fit plus fort. Au lieu de fuir à toutes jambes, comme elle en mourait d'envie, elle brisa le sceau.

La lumière qui jaillissait de l'image du Créateur, au-dessus d'elle, devint aveuglante.

Verna déplia le parchemin.

— Je dois lire ce texte, annonça-t-elle, sinon, je ne survivrai pas...

Un grand silence suivit cette déclaration.

— Voilà ce qu'il dit : « Pour toutes celles qui sont présentes, et celles qui ne le sont pas, voici mes dernières volontés. »

Dérangée par des cris de surprise, Verna marqua une courte pause.

— « Les temps sont difficiles, et le palais ne peut pas s'offrir le luxe d'une guerre de succession. Pour empêcher ça, j'utiliserai mes prérogatives de Dame Abbesse, telles qu'elles figurent dans les textes canons du palais. La sœur qui me remplacera se tient devant vous, la bague de sa charge passée à l'annulaire gauche. Les Sœurs de la Lumière lui obéiront en tout, comme elles m'obéissaient. Le sort que j'ai jeté sur le bijou fut tissé avec l'aide du Créateur. Si vous ne vous pliez pas à ma volonté, ce sera à vos risques et périls. »

Verna s'arrêta le temps de reprendre son souffle.

« Nouvelle Dame Abbesse, tu as mission de défendre le Palais des Prophètes et la cause qu'il incarne. Puisse la Lumière te protéger et te guider pour l'éternité.

» Écrit de ma propre main, avant de quitter ce monde pour m'asseoir à la droite du Créateur. Dame Abbesse Annalina Aldurren. »

Avec un roulement de tonnerre qui fit trembler le sol, le rayon lumineux mourut en même temps que la lueur de la Toile.

Verna Sauventreen vit de nouveau les visages de ses collègues. La stupéfaction passée, elles tombèrent à genoux l'une après l'autre pour saluer leur nouvelle Dame Abbesse.

— C'est impossible..., murmura Verna.

Comme un automate, elle se dirigea vers la sortie sans s'apercevoir que la feuille de parchemin avait glissé de ses doigts gourds. Plusieurs sœurs s'en approchèrent lentement, la ramassèrent et se la firent passer, avides de lire de leurs propres yeux le testament d'Annalina Aldurren.

Quatre sœurs se relevèrent avant que Verna ait atteint la porte. Maren, blanche comme un linge... Dulcinia, empourprée, les yeux écarquillés. Philippa, ouvertement consternée...

... Et Leoma, un sourire maternel sur les lèvres.

— Vous aurez besoin de conseils et de suggestions, sœur... Dame Abbesse Verna Sauventreen. (La difficulté qu'elle eut à prononcer ces mots gâcha son méritoire sourire.) Nous vous aiderons de toutes nos forces, sans cesse disponibles pour répondre à vos appels. Car nous sommes nées pour servir.

— Merci..., répondit distraitement Verna en sortant.

Warren l'attendait dans le couloir. Dès qu'elle eut fermé les portes, il s'agenouilla devant elle.

— Dame Abbesse, je vous salue... (Il eut un sourire complice.) J'ai écouté à la porte, donc je sais tout.

— D'accord, mais ne m'appelle plus jamais comme ça !

— Pourquoi ? C'est votre titre, à présent.

Verna se détourna et partit à grandes enjambées, ravie de constater que son cerveau fonctionnait de nouveau.

— Suis-moi ! lança-t-elle à Warren.

— Où ça ?

— Tu verras bien...

Ils sortirent du palais, Verna refusant toujours d'en dire davantage. Devant l'édifice, les novices et les jeunes hommes, informés par une sonnerie de cloches de la nomination de la nouvelle Dame Abbesse, reconnurent la bague et s'inclinèrent.

Verna ne leur accorda pas un regard, et ignora aussi les gardes qui la saluèrent quand elle traversa le pont, Warren à ses côtés. Sur l'autre rive, elle descendit jusqu'à la berge et remonta le sentier qui serpentait entre les joncs. Warren devant accélérer le pas pour ne pas la perdre de vue, elle passa devant les docks déserts – à cette heure, les pêcheurs sillonnaient déjà le fleuve Kern – et ne s'arrêta pas avant d'avoir atteint une petite crique où l'eau bouillonnait.

Les poings sur les hanches, Verna riva son regard sur le fleuve.

— Si cette vieille folle n'était pas morte, je jure que je l'étranglerais de mes propres mains !

— De qui parlez-vous ? demanda Warren.

— De la Dame Abbesse ! Si elle n'était pas assise à la droite du Créateur, elle verrait de quel bois je me chauffe !

— Un spectacle que je ne voudrais pas manquer, Dame Abbesse.

— Ne m'appelle pas comme ça, t'ai-je dit !

— C'est pourtant votre titre...

Verna prit le futur sorcier par les épaules.

— Warren, il faut que tu me sortes de là !

— Pourquoi ? Tout ça est merveilleux, et...

— Je refuse cette nomination ! Tu connais les livres, dans les catacombes, et tu as étudié les lois du palais. Il doit y avoir un moyen de me sortir de ce pétrin ! Trouve une idée pour empêcher ça !

— Comment empêcher ce qui est déjà fait ? De toute façon, il ne pouvait rien arriver de mieux. À propos, pourquoi m'avez-vous amené ici ?

— Réfléchis, fit Verna en lâchant son ami. Pense à la mort d'Annalina...

— Elle a été tuée par Ulicia, une des Sœurs de l'Obscurité. C'est normal, puisqu'elle les combattait.

— Je t'ai dit de réfléchir, bon sang ! On l'a assassinée parce qu'elle m'a dit un jour, dans son bureau, qu'il y avait des Sœurs de l'Obscurité au palais. Ulicia, une de ses assistantes, a tout entendu. La pièce était protégée par un bouclier, mais j'ignorais, à l'époque, que nos ennemies contrôlaient la Magie Soustractive. Ulicia nous a espionnées malgré le bouclier, et elle a décidé d'éliminer Annalina. Ici, nous verrions toute personne assez près pour nous entendre. Et le bruit de l'eau couvre celui de nos voix.

— Je comprends... Mais l'eau porte aussi les sons très loin, Dame Abbesse !

— Arrête de m'appeler comme ça, bon sang ! Avec les tambours, l'eau sera un atout de plus, si nous parlons doucement. Au palais, ce sujet devra être tabou. Pour l'évoquer, il faudra sortir et dénicher des coins comme celui-là. Bon, à présent, écoute-moi : tu dois trouver un moyen de me tirer de là !

— Allez-vous arrêter de répéter cette ânerie ! Vous êtes plus qualifiée pour ce poste que les autres sœurs. En plus de l'expérience, la Dame Abbesse doit être dotée d'un pouvoir exceptionnel.

— Et alors ?

— Dans les catacombes, j'ai accès à tout. Y compris aux rapports. Quand vous avez capturé Richard, les deux autres sœurs sont mortes en vous transmettant leur Han. Vous avez donc trois fois plus de pouvoir que vos compagnes.

— Ce n'est pas une condition suffisante, Warren...

— J'ai consulté les textes, bien entendu... Vous remplissez *toutes* les conditions, ma sœur. Cette nomination devrait vous soulager. Les choses ne pouvaient pas mieux tourner.

— Aurais-tu perdu ton cerveau en même temps que le Rada'Han ? Pourquoi devrais-je me réjouir d'être bombardée Dame Abbesse ?

— Parce que nous pourrons débusquer les Sœurs de l'Obscurité. Et les écraser, grâce à l'autorité que vous conférera ce poste. Une situation idéale !

— Il n'y a rien d'idéal là-dedans ! explosa Verna en levant les bras au ciel. Le manteau du pouvoir entrave autant les mouvements que le collier dont tu fus si content de te débarrasser.

— Que voulez-vous dire ?

— La Dame Abbesse est prisonnière de son autorité. As-tu souvent croisé Annalina ? Non, bien sûr ! Parce qu'elle était confinée dans son bureau, où elle supervisait l'administration du palais. Elle devait s'occuper d'un millier de choses, répondre à des centaines de questions, surveiller l'évolution des sœurs, des novices et des futurs sorciers. Sans parler de ses ennuis avec Nathan ! Cet homme était une calamité. Il fallait le tenir constamment à l'œil.

» Annalina n'aurait pas pu rendre une visite surprise à une sœur, ou à un jeune garçon. Les malheureux auraient paniqué, se demandant ce qu'ils avaient fait de mal. Et qui les avait dénoncés. Le moindre mot de la Dame Abbesse passe pour un discours lourd de sens. Le pire, c'est qu'elle n'y peut rien. Dans sa position, il est impossible de se comporter normalement face aux autres.

» Dès qu'elle sort de ses quartiers, on l'accable d'un cérémonial pompeux. S'il lui prend l'envie de dîner avec les sœurs, toutes les conversations s'arrêtent. Muettes comme des carpes, les convives prient pour qu'elle ne les regarde pas, et, surtout, qu'elle ne les invite pas à sa table.

— Je n'avais pas vu les choses sous cet angle…

— Si tes soupçons sur les Sœurs de l'Obscurité sont exacts – je n'ai pas dit que c'était le cas ! – exercer le pouvoir m'empêchera de les démasquer.

— Ça n'a pas gêné Annalina…

— Tu veux connaître le fond de ma pensée ? Si elle n'avait pas été Dame Abbesse, elle aurait découvert le complot bien plus tôt, quand il était possible de l'étouffer dans l'œuf. Les Sœurs de l'Obscurité n'auraient pas assassiné nos garçons pour leur voler leur Han. Moins puissantes, elles auraient été faciles à vaincre. Annalina a agi trop tard, et ça lui a coûté la vie.

— Sachant que vous n'êtes pas dupe, vos ennemies se trahiront peut-être… C'est un grand avantage.

— S'il reste des Sœurs de l'Obscurité au palais, elles savent que j'ai contribué à la chute de leurs six compagnes. Ma nomination les réjouira, parce qu'elle me lie les mains.

— Elle vous donnera aussi des possibilités que vous n'auriez pas sinon…

Verna leva de nouveau les bras au ciel.

— C'est faux ! Je serai piégée, et les fidèles du Gardien auront les coudées franches. Warren, cherche dans les livres un moyen de me sortir de ce pétrin !

— Dame Abbesse…

— Cesse de m'appeler comme ça, te dis-je !

— C'est votre titre, et je ne saurais vous en priver…

— Annalina demandait à ses amis de l'appeler Anna. Je t'ordonne d'utiliser mon prénom pour t'adresser à moi !

Warren réfléchit quelques instants.

— Nous sommes amis, c'est vrai…

— Warren, nous sommes beaucoup plus que cela ! Tu es la seule personne de confiance qu'il me reste. Et si tu voulais bien me tutoyer, ça me comblerait d'aise.

— Ce sera donc « Verna »… Eh bien, Verna, vous… tu… as raison, je connais très bien les textes. Tu remplis toutes les conditions, et ta jeunesse n'est pas un obstacle. La tradition en sera un peu écornée, mais on ne trouve aucune prescription au sujet de l'âge dans les grimoires. De plus, tu détiens trois Han, et aucune Sœur de la Lumière ne peut prétendre être ton égale. C'est capital, car le pouvoir, en termes de magie, est une condition essentielle…

— Warren, gémit Verna, trouve une astuce !

— Il n'y en a pas ! Les textes sont clairs, et une loi interdit à la Dame Abbesse de démissionner. Seule la mort la libère de sa charge. À part la résurrection d'Annalina, en supposant qu'elle réclame son poste, tu n'as pas de porte de sortie.

Verna comprit enfin qu'elle était piégée.

— Depuis toujours, cette femme m'empoisonne la vie ! Même en cendres, elle continue de me manipuler. Si je pouvais lui tordre le cou…

— Verna, dit Warren, une main sur le bras de son amie, voudrais-tu qu'une Sœur de l'Obscurité dirige le palais ?

— Bien sûr que non !

— Anna l'aurait-elle désiré ?

— Non, mais je ne vois pas...

— Tu me fais confiance, coupa Warren, alors écoute-moi, et pense à Anna. Elle aussi était piégée. Aux portes de la mort, elle a opté pour la meilleure solution possible : se fier à l'unique personne dont elle était sûre.

Verna plongea son regard dans celui du futur sorcier. Puis elle s'assit sur un rocher et se prit la tête à deux mains.

— Cher Créateur, soupira-t-elle, suis-je donc si égoïste ?

— Têtue comme une mule, parfois, dit Warren en prenant place à côté de la Dame Abbesse. Mais jamais égoïste...

— Elle devait se sentir si seule... Au moins, à la fin, Nathan était à ses côtés...

Après un long silence, Warren leva les yeux vers son amie.

— Verna, nous sommes dans de sales draps, non ?

— Une montagne d'ennuis nous attend, enveloppés dans un paquet-cadeau avec une antique bague en or...

# Chapitre 7

Richard bâilla à s'en décrocher les mâchoires. Par réflexe, il se couvrit pudiquement la bouche d'une main.

Sa nuit blanche l'avait d'autant plus épuisé qu'il manquait de sommeil depuis près de deux semaines. En ajoutant le combat contre les mriswiths, il était vidé au point que chaque enjambée lui coûtait un effort. Les narines agressées par la puanteur des rues, puis caressées, deux pas plus loin, par d'agréables parfums, il avançait dans un labyrinthe d'avenues et d'étroits passages, attentif à raser les murs et à ne pas trop se mêler à la foule. Suivre l'itinéraire indiquée par maîtresse Sanderholt se révélant compliqué, il était peut-être bien perdu...

Pour un guide, ne jamais s'égarer était une affaire d'honneur. Grand expert de la forêt, Richard estimait pardonnable de ne pas trouver son chemin dans une aussi vaste cité. De toute façon, il n'exerçait plus sa profession et doutait d'y revenir un jour.

Au moins, malgré les pièges tendus par les bâtiments et les ruelles – une jungle très particulière, mais aussi dangereuse que la vraie –, il n'avait pas perdu de vue la position du soleil, et le sud-est, en ville comme à la campagne, restait le sud-est. Utilisant comme points de repère les plus hauts bâtiments – une méthode éprouvée, même s'il l'avait jusque-là employée avec des arbres – le Sourcier avançait vers sa destination sans trop se soucier des rues qu'il empruntait ou non.

La foule lui donnait le tournis ! Tous les trois pas, des colporteurs aux frusques élimées beuglaient les mérites des pots de racines séchées, des pigeons, des poissons ou des anguilles qu'ils vendaient à la criée. Des marchands de charbon de bois les bousculaient avec leur charrette, beuglant plus fort qu'eux pour mieux faire connaître leur prix à la livre – toujours fabuleusement compétitif. Vêtus de couleurs vives, les maîtres fromagers ajoutaient à la cacophonie... et à la puanteur.

Richard passa devant des boucheries où des carcasses de cochons, de moutons et de cerfs, pendues à des crochets, attiraient des escadrilles de mouches bourdonnantes. À côté, des négociants proposaient une multitude de variantes de sel, du plus petit grain au plus gros, indispensable pour la conservation de la viande.

Les boutiques s'alignaient avec une affligeante monotonie, étalage infini de miches de pain, de tartes, de pâtisseries, de volailles plumées, de sacs d'épices ou de grain, de tonneaux de vin ou de bière... D'autres objets, à l'utilité moins évidente, retenaient l'attention des badauds, enclins à se lamenter sur leurs prix, comme si on avait voulu les égorger sur-le-champ.

Une étrange sensation, au creux de son ventre, avertit soudain Richard qu'il était suivi.

Sa fatigue oubliée, il se retourna et étudia une multitude de visages, dont aucun ne lui était familier. Histoire de ne pas se faire remarquer, il s'était arrangé pour que sa cape dissimule l'Épée de Vérité. Les soldats d'harans qui grouillaient dans les rues s'étaient laissé abuser, même si certains le suivaient des yeux, alarmés par des indices qu'ils ne parvenaient pas à définir.

Richard pressa le pas.

La sensation était si ténue, dans son ventre, qu'il se demanda si ses ennemis éventuels n'étaient pas trop loin pour qu'il puisse les voir. De toute manière, comment les aurait-il reconnus ? Chaque passant pouvait être un ennemi...

Prudent, il leva les yeux vers les toits, mais ne distingua pas l'ami qui le suivait bel et bien. Se repérant aux rayons du soleil, il en profita pour vérifier sa position.

Arrêté au coin d'une rue, il regarda défiler une interminable procession de badauds, attentif à tout détail qui lui semblerait anormal. Personne ne lui accorda un regard, et il ne vit rien d'inquiétant.

— Un gâteau au miel, mon seigneur ? demanda soudain une petite voix.

Se retournant, Richard découvrit une fillette affublée d'un manteau deux fois trop grand pour elle. Debout derrière un étal branlant, elle devait avoir une dizaine d'années.

— Un quoi ? s'étonna le Sourcier.

La petite fille désigna son étalage.

— Un gâteau au miel, mon seigneur... C'est ma grand-mère qui les fait. Ils sont délicieux, et je les vends un sou la pièce. Vous en prenez un ? Vous ne serez pas déçu...

Derrière l'enfant, une vieille femme replète enveloppée d'une couverture marron mitée était assise sur une planche posée à même la neige. Elle sourit au jeune homme, qui lui répondit distraitement, car son pressentiment le travaillait toujours.

Il sonda une dernière fois la rue, expira à fond, lâcha un nuage de buée, et plongea la main gauche dans sa poche. Ayant très peu mangé pendant son voyage vers Aydindril – deux semaines de cheval ! – il avait en permanence un petit creux.

— Je ne suis pas un seigneur, dit-il en sortant une pièce d'argent de sa poche.

De son séjour au Palais des Prophètes, il lui restait une confortable collection de pièces d'or et d'argent. Mais rien d'aussi dérisoire qu'un sou, évidemment...

— Quelqu'un qui porte une aussi belle arme est sûrement un seigneur, fit la petite en désignant la garde de l'Épée de Vérité.

La vieille femme cessa de sourire et se leva lentement.

Richard rabattit sa cape sur le riche fourreau et la garde de l'arme. Puis il tendit la pièce à l'enfant, qui la regarda fixement.

— Je n'ai pas de quoi vous rendre la monnaie. En fait, je ne saurais même pas calculer ce que je vous dois. Mon seigneur, c'est la première pièce d'argent que je vois de ma vie.

— Je ne suis pas un seigneur, répéta le Sourcier. Mon nom est Richard, et je viens d'avoir une idée. Si tu gardais la pièce en guise d'avance ? Comme ça, chaque fois que je passerai ici, tu me donneras un gâteau, jusqu'à épuisement de mon crédit.

— Merci, mon sei... je veux dire, Richard.

L'enfant tendit la pièce à sa grand-mère, qui l'examina d'un œil critique.

— Je n'en ai jamais vu de pareilles. Tu dois venir de loin, mon garçon.

La vieille femme n'avait aucun moyen de déterminer la provenance de la pièce, puisque l'Ancien et le Nouveau Monde étaient séparés depuis quelque trois mille ans.

— Ça, vous pouvez le dire ! Mais l'argent reste l'argent...

— Vous l'avez prise, ou on vous l'a donnée, mon seigneur ? demanda la femme, ses yeux bleus délavés par le temps rivés dans ceux du Sourcier.

— Pardon ?

— Je parle de votre épée, messire. Vous l'a-t-on remise, ou l'avez-vous prise à quelqu'un ?

Richard comprit enfin. En principe, le Sourcier devait être nommé par un sorcier. Zedd ayant fui les Contrées du Milieu depuis longtemps, l'arme était devenue un trophée pour ceux qui avaient les moyens de se l'offrir – ou assez de tripes pour la voler. Ces imposteurs avaient valu une réputation sulfureuse à l'Épée de Vérité. Sans scrupule, ils utilisaient sa magie à des fins égoïstes, se fichant des intentions de ceux qui lui avaient instillé leur pouvoir. Depuis des décennies, Richard était le premier Sourcier de Vérité désigné par un sorcier. Conscient de la puissance de la magie, et des responsabilités qui en découlaient, il était un *authentique* Sourcier.

— Un membre du Premier Ordre me l'a remise, répondit-il.

La vieille femme resserra les pans de la couverture sur son opulente poitrine.

— Un Sourcier, souffla-t-elle. Que les esprits soient bénis ! Un véritable Sourcier !

Dépassée par la conversation, la fillette jeta un dernier coup d'œil à la pièce, nichée dans la paume de sa grand-mère, puis tendit à Richard le plus gros gâteau disponible.

Il la remercia d'un sourire.

La vieille femme se pencha sur l'étalage et baissa la voix :

— Tu es venu nous débarrasser de la vermine ?

— Quelque chose comme ça, oui... (Richard mordit dans le gâteau.) Tu ne m'as pas menti, ma chérie. C'est délicieux.

— Je te l'avais dit ! Grand-mère fait les meilleurs gâteaux au miel de la rue Stentor.

La rue Stentor... Par hasard, il avait trouvé la bonne artère. « Juste après le marché de la rue Stentor », lui avait dit maîtresse Sanderholt.

— De quelle vermine parlez-vous ? demanda-t-il à la vieille femme.

— Mon fils et la mère de la petite nous ont abandonnées pour aller camper devant le palais et attendre la distribution d'or. Je leur ai dit de travailler, au lieu de rêver, mais ils m'ont traitée de vieille folle. À les en croire, on leur donnera bien plus de pièces qu'ils n'en gagneront en une vie de labeur. Et ils estiment juste de recevoir leur dû.

— En quoi est-ce leur « dû » ? demanda Richard.

— Au palais, quelqu'un a dit qu'il en allait ainsi. Beaucoup d'imbéciles l'ont cru, car ça encourageait leur tendance naturelle à la paresse. Mon fils a toujours eu les côtes en long... Les jeunes sont comme ça. Ils attendent que tout leur tombe rôti dans la bouche, plutôt que de subvenir à leurs besoins. Ces idiots se battent pour savoir qui sera le premier à recevoir la manne. Les plus faibles y ont déjà perdu la vie.

» Avec ces chimères, de moins en moins de gens travaillent, et les prix ne cessent de monter. Aujourd'hui, nous avons du mal à nous payer assez de pain. Voilà les résultats de la cupidité ! Mon fils travaillait pour Chalmer, le boulanger. À présent, il ne fait plus rien, et la petite a le ventre creux. Heureusement, elle ne rechigne pas à l'effort. Grâce à mes gâteaux, nous survivons tant bien que mal. Je ne la laisserai pas traîner dans la rue, comme tant de gamins, de nos jours...

» La vermine, Sourcier, ce sont ceux qui nous dépouillent, puis promettent de nous rendre un dixième de leur butin, histoire que nous soyons éperdus de reconnaissance. Oui, ceux qui incitent les braves gens à la paresse, afin de pouvoir les diriger comme un troupeau de moutons. Ceux qui nous volent notre liberté et notre façon de vivre ! Même une vieille idiote comme moi le sait : les paresseux ne pensent pas par eux-mêmes, ils pensent à eux-mêmes. Les manipuler est un jeu d'enfant. Qui sait où va le monde, mon pauvre garçon ?

Quand la vieille femme se tut, Richard désigna la pièce d'argent, toujours nichée dans la paume de son interlocutrice.

— Je vous serais très reconnaissant d'oublier, pour le moment, à quoi ressemble mon épée.

— Bien entendu, mon seigneur. Pour toi, je ferais n'importe quoi. Que les esprits du bien te protègent ! Et quand tu écraseras la vermine, donne-lui un coup de talon pour moi !

Richard continua un moment son chemin. Puis il s'assit sur un tonneau, près de l'entrée d'une ruelle, et mordit de nouveau dans son gâteau. Si la pâtisserie se révéla délicieuse, il n'était pas d'humeur à l'apprécier, et elle ne faisait rien pour dissiper l'angoisse qui lui nouait l'estomac. Ce n'était pas la même sensation que lorsqu'il avait senti les mriswiths, constata-t-il. Plutôt celle qu'il éprouvait toujours quand on l'espionnait. À ces moments-là, sa nuque se hérissait et il avait des fourmis dans les bras...

Il étudia les passants. Aucun ne semblait s'intéresser à lui.

Après avoir léché le miel, sur ses doigts, il repartit et tenta de se frayer un chemin entre les carrioles, les chariots et les citadins qui couraient en tous sens. Parfois, l'exercice était aussi périlleux que remonter une rivière à contre-courant. Et le vacarme ambiant – une cacophonie de cris, de grincements, de craquements et de roulements indéfinissables – lui tapait sur les nerfs. Habitué au silence de la forêt, il souffrait d'entendre des centaines de voix brailler dans une mosaïque de langues qu'il ne comprenait pas. Sans parler des bruits de sabots, des crissements des axes des chariots, du chuintement de la neige piétinée...

Comparée aux énormes cités qu'il avait visitées depuis son départ de Terre d'Ouest, Hartland, la capitale, était une petite ville provinciale où il faisait bon vivre.

Richard se languissait de sa forêt. Kahlan avait promis de venir un jour la découvrir avec lui. Il sourit en pensant aux merveilleux endroits qu'il lui montrerait : les vues panoramiques, les chutes d'eau vertigineuses, les cols de montagne qu'il était seul à connaître. Kahlan en serait éblouie, il n'en doutait pas une seconde. Et pour la première fois, ils seraient totalement heureux ensemble, sans rien pour leur empoisonner la vie.

Son sourire s'élargit quand il pensa à celui que sa bien-aimée lui réservait exclusivement. Son « sourire spécial Richard », comme elle disait.

La jeune femme lui manquait terriblement. S'il s'était écouté, il serait parti la rejoindre immédiatement. Mais d'abord, il avait des affaires à régler en Aydindril…

Entendant crier, Richard leva les yeux et s'aperçut que des cavaliers fonçaient droit sur lui. Plongé dans ses pensées, il avait marché sans regarder où il allait.

— Tu es aveugle ! cria le chef du détachement. Quel crétin congénital se précipite dans les jambes d'une colonne de cavaliers !

Richard regarda autour de lui. Les passants s'étaient écartés, faisant mine de n'avoir jamais eu l'intention de traverser la rue – aujourd'hui ou jamais ! S'efforçant d'agir comme si les soldats n'existaient pas, ils tentaient de se rendre invisibles.

Richard jeta un coup d'œil à l'officier qui venait de l'insulter. Un instant, il songea à se rendre lui aussi invisible – pour de bon ! – avant que quelqu'un ne soit blessé. Mais il se souvint de la Deuxième Leçon du Sorcier : « Les pires maux découlent des meilleures intentions. » Comme il avait payé pour le savoir, dès qu'on recourait à la magie, les résultats risquaient d'être désastreux. Le pouvoir, éminemment dangereux, devait être utilisé avec modération. Dans le cas présent, de banales excuses seraient plus prudentes… et efficaces.

— Désolé, messire. J'avais la tête ailleurs. Veuillez me pardonner.

Richard n'avait jamais vu des soldats de ce type. La colonne parfaitement alignée, les chevaux ne bronchaient pas, supportant fièrement le poids de leurs cavaliers vêtus d'armures rutilantes. Toutes les armes de ces hommes brillaient au soleil comme des diamants. Chacun portait une cape pourpre qui tombait impeccablement sur les flancs de son étalon blanc. On eût dit un régiment en attente d'inspection royale.

L'officier lâcha la bride de son cheval d'une main et se pencha vers le Sourcier.

— Écarte-toi de notre chemin, abruti, ou les sabots de nos chevaux te réduiront en bouillie ! À mon avis, ce ne sera pas une grande perte.

Richard reconnut l'accent du militaire. C'était le même que celui d'Adie, la dame des ossements. Il ignorait de quel pays elle était originaire, mais ce type était à l'évidence un compatriote à elle.

— Je me suis déjà excusé, fit le jeune homme en reculant d'un pas. J'ignorais que vous aviez un problème urgent à régler.

— Combattre le Gardien est toujours une urgence !

— Je ne vous contredirai pas sur ce point, fit Richard en continuant à reculer. Je suis sûr qu'il se cache sous un porche, attendant que vous veniez l'« écrabouiller ».

Vous feriez mieux d'y aller, le devoir vous appelle !

Les yeux noirs de l'officier lancèrent des éclairs. Essayant d'étouffer son sourire, Richard se demanda s'il apprendrait un jour à ne plus être aussi caustique. Ce devait être à cause de sa grande taille, se consola-t-il.

Il n'avait jamais aimé se battre. En vieillissant, il était devenu la cible favorite des fiers-à-bras désireux de s'affirmer. Avant d'avoir reçu l'Épée de Vérité, et découvert grâce à elle que lâcher la bonde à sa colère était parfois indispensable, il s'était aperçu qu'un peu d'humour pouvait arrondir bien des angles et désarmer les brutes les plus belliqueuses. Confiant en sa force, il avait lentement glissé de l'humour à l'ironie mordante. Souvent, c'était plus fort que lui, et sa langue bougeait plus vite qu'il réfléchissait.

— Tu parles bien, l'ami, dit l'officier. Serais-tu inspiré par le Gardien ?

— Je vous assure, mon seigneur, que nous combattons le même ennemi.

— Les sbires du Gardien portent souvent l'arrogance comme un masque.

Au moment où Richard se préparait à battre en retraite, pour éviter des ennuis inutiles, le militaire fit mine de sauter à terre.

Soudain, d'énormes battoirs s'abattirent sur les épaules du Sourcier et le soulevèrent de terre. Coincé entre deux colosses, Richard se résigna à attendre la suite des événements.

— Reprends ton chemin, soldat d'opérette, dit le géant de droite au cavalier. Cette histoire ne te regarde pas.

Richard essaya de tourner la tête pour voir qui le tenait ainsi. Du coin de l'œil, il aperçut le cuir sombre typique de l'uniforme des D'Harans.

— Nous combattons dans le même camp, mon frère, dit le cavalier, un pied déjà hors de son éperon. Cet individu doit être interrogé, et une bonne leçon d'humilité ne lui ferait pas de mal. Nous nous en chargerons, si tu...

— Du vent, je t'ai dit !

Richard voulut émettre un commentaire de son cru. Aussitôt, le bras droit incroyablement musclé du D'Haran de droite jaillit de sous sa cape en laine marron foncé. Alors qu'une main se plaquait sur sa bouche, Richard aperçut une bande de métal hérissée de piques, juste au-dessus du coude de son agresseur. Ces armes originales servaient à éventrer un adversaire lors d'un corps à corps. De surprise, le Sourcier faillit en avaler sa langue.

Si la majorité des soldats d'harans étaient grands, ces deux-là les dépassaient tous d'une bonne tête. Et il ne s'agissait pas de membres de l'armée régulière. Richard avait vu des gaillards de ce genre, équipés d'armes similaires. Darken Rahl, de son vivant, ne se déplaçait jamais sans deux gardes du corps à ses basques.

Les colosses maintenaient sans effort le Sourcier. Pendant son voyage vers Aydindril, pour rejoindre Kahlan, il avait très peu mangé et dormi. Le combat contre les mriswiths avait achevé de l'épuiser. Et le surplus d'énergie que l'angoisse lui fournissait ne suffirait pas contre ces deux montagnes de muscles.

L'officier leva l'autre jambe pour mettre pied à terre.

— Ce prisonnier est à nous, dit-il. Nous l'interrogerons, et s'il est au service du Gardien, il passera aux aveux.

Le D'Haran de gauche intervint pour la première fois.

— Descends de ton cheval, l'ami, et je te couperai la tête pour jouer au ballon avec. Nous traquons ce type depuis longtemps, et c'est *notre* proie. Quand nous en aurons fini avec lui, tu pourras interroger son cadavre, si ça t'amuse.

S'interrompant au milieu de son mouvement, le cavalier regarda les deux colosses.

— Comme je te l'ai dit, mon frère, nous sommes dans le même camp. Pourquoi nous affronter alors que nous combattons les séides du Gardien ?

— Si tu as des objections, dégaine ton épée. Sinon, fous le camp !

Les cavaliers - près de deux cents - étudièrent impassiblement les deux D'Harans. Considérant le rapport de force, pourquoi auraient-ils hésité ? À moins que... La ville grouillait de soldats d'harans qui risquaient de débouler pour prêter main-forte à leurs compatriotes.

L'officier ne parut pas s'inquiéter de cette possibilité.

— Vous n'êtes que deux, mon frère. Les statistiques ne sont pas bonnes.

Le D'Haran de gauche étudia un moment la colonne de cavaliers. Puis il cracha sur le sol, au pied du cheval de son interlocuteur.

— Tu as raison, soldat d'opérette ! Mon ami Egan ne se mêlera pas du combat, pour égaliser les chances pendant que je m'occuperai de toi et de tes clowns emplumés. Mais réfléchis bien, *mon frère*, parce que tu seras le premier à crever, si tes bottes touchent le sol.

L'officier évalua du regard ses deux adversaires. Jurant dans sa barbe, il se laissa retomber sur sa selle.

— Nous avons une mission importante à remplir. Ce crétin nous ferait perdre du temps. Gardez-le, si vous y tenez tellement !

Sur un geste de son chef, la colonne se lança au galop, manquant renverser Richard et ses ravisseurs.

Alors qu'ils le portaient comme un vulgaire sac de patates, le Sourcier tenta de poser la main sur la garde de son épée. N'y parvenant pas, il leva les yeux vers les toits... et ne vit rien.

Les citadins détournèrent le regard, anxieux de ne pas s'impliquer dans une sale histoire. Tandis que les D'Harans traînaient Richard au milieu de la rue, les badauds s'écartèrent, pressés de retourner à leurs occupations. Dans le vacarme de la ville, les cris de rage du jeune homme étaient aussi efficaces que des couinements de souris.

Il ne parvint pas à saisir son arme, ni à planter ses talons dans la neige pour ralentir les deux tueurs qui le conduisaient vers le lieu de son exécution.

À tout hasard, il se débattit, espérant gagner assez de temps pour trouver une idée de génie. Hélas, les D'Harans s'engagèrent dans une allée obscure, entre une auberge et un autre bâtiment aux volets fermés.

Devant eux, dans les ombres, quatre silhouettes emmitouflées dans des manteaux à capuche attendaient leur victime...

# Chapitre 8

Avec une douceur étonnante, les D'Harans posèrent Richard sur le sol. Dès que ses pieds entrèrent en contact avec les pavés, il laissa glisser sa main sur la garde de son épée.

Ses deux ravisseurs écartèrent les jambes, les mains dans le dos. L'attitude classique des soldats au repos.

Les quatre silhouettes avancèrent lentement vers leur proie.

Jugeant que la fuite serait préférable à une bataille rangée, Richard ne dégaina pas son épée. Plongeant sur le côté, il fit un roulé-boulé sur la neige, se releva souplement et se plaqua contre un mur. Le souffle coupé par l'impact, il s'enveloppa dans sa cape, se concentra et disparut en un clin d'œil.

Se défiler pendant qu'il était invisible serait un jeu d'enfant. Le temps de reprendre sa respiration, et il détalerait sans demander son reste.

Les quatre tueurs continuèrent d'avancer, leurs manteaux s'ouvrant pour révéler des uniformes de cuir de la même couleur que ceux des soldats d'harans. Sur le ventre, ces femmes – reconnaissables à certaines rondeurs caractéristiques – portaient un croissant et une étoile jaunes.

La vérité explosa dans l'esprit de Richard. Combien de fois avait-il appuyé son visage, ruisselant de sang, contre ces infâmes symboles. Pétrifié, il ne dégaina pas son épée et ne songea même plus à respirer.

Des Mord-Sith !

Celle qui devait être la chef abaissa sa capuche pour libérer sa chevelure blonde tressée en une unique natte. Ses yeux bleus sondèrent le mur où Richard se tapissait.

— Maître Rahl ? Où êtes-vous ?

— Cara ? C'est toi ?

Alors qu'il relâchait sa concentration pour redevenir visible, l'enfer se déchaîna.

Toutes griffes dehors, Gratch atterrit devant les Mord-Sith. Les deux colosses dégainèrent aussitôt leurs épées. Malgré des réflexes hors du commun, ils furent battus d'un souffle par les femmes, qui brandirent instantanément leurs Agiels. En dépit de leur aspect inoffensif de simples lanières de cuir rouge tressé, ces armes pouvaient faire des ravages. Ayant été dressé par un de ces atroces objets, Richard était bien placé pour le savoir.

Le Sourcier plongea sur le garn et le poussa contre le mur opposé avant que ses six adversaires aient pu attaquer. Décidé à mourir pour le défendre, Gratch écarta son ami.

— Ça suffit ! cria Richard. Arrêtez-vous tous !

Les six humains et le jeune monstre se pétrifièrent. À vrai dire, le Sourcier ignorait qui aurait remporté le combat, et il ne tenait pas à le découvrir. Saisissant l'occasion qui s'offrait à lui, le dos tourné au garn, il tendit une main pour arrêter les hostilités.

— Gratch est mon ami, et il voulait me protéger. Si vous ne bougez plus, il ne vous fera pas de mal.

Le garn ceintura le Sourcier, le tira à lui et le serra contre la peau rose translucide de son abdomen. Ravi, il émit un grognement affectueux – et pourtant tout ce qu'il y avait de dissuasif pour les six ennemis potentiels du Sourcier.

— Maître Rahl, dit Cara tandis que les deux colosses rengainaient leurs lames, nous sommes également ici pour vous protéger.

Richard baissa le bras.

— Tout va bien, Gratch. Je les connais… Tu as fait ce que je te demandais, et ça mérite des félicitations. À présent, calme-toi.

Le garn se fendit d'un ronronnement qui fit vibrer les murs, autour d'eux. Richard estima que son ami avait toutes les raisons d'être satisfait. Comme il le lui avait dit, Gratch l'avait suivi en volant de toit en toit et ne s'était pas montré tant que tout se passait bien. Du travail parfait, puisque le jeune homme ne l'avait pas aperçu jusqu'à ce qu'il leur saute dessus.

— Cara, que fiches-tu ici ?

La Mord-Sith toucha le bras de Richard, presque étonnée de découvrir qu'il était en chair et en os. Après lui avoir tapoté l'épaule, elle sourit de toutes ses dents.

— Darken Rahl lui-même ne parvenait pas à se rendre invisible. Il commandait aux monstres, comme vous, mais ça…

— Je ne commande pas Gratch, il n'est pas un monstre, et je ne suis pas vraiment… Hum… Je répète : Cara, que fais-tu ici ?

— Je vous protège, maître…

Richard désigna les deux hommes.

— Et eux ? Ils ont parlé de me tuer.

Les colosses ne bougèrent pas plus que des chênes centenaires.

— Maître Rahl, dit l'un d'eux, nous donnerions nos vies pour vous défendre.

— Nous vous avions presque rattrapé, expliqua Cara, quand ces cavaliers de fantaisie ont failli vous renverser. J'ai dit à Egan et Ulic de vous récupérer en douceur, pour que vous ne soyez pas blessé. Si ces imbéciles avaient compris que nous venions vous sauver, ils auraient tenté de vous abattre. Nous ne voulions courir aucun risque.

Richard étudia les deux gardes du corps aux cheveux blonds. Leurs uniformes de cuir, comme une seconde peau, sculptaient harmonieusement leurs muscles saillants. Sur la poitrine, gravées dans le cuir, ils portaient la lettre « R » et deux épées croisées – le blason de la Maison Rahl. L'un des deux approuva du chef le discours de Cara. La Mord-Sith et ses « collègues » l'ayant aidé à vaincre Darken Rahl, deux semaines plus tôt, à D'Hara, Richard ne vit pas de raison d'avoir des soupçons.

Quand il avait libéré ces pauvres femmes de leur fardeau, le Sourcier ne s'était pas douté qu'elles décideraient de devenir ses gardes du corps. Et il n'y avait pas eu moyen de les faire changer d'avis.

Une des Mord-Sith appela doucement Cara et désigna l'entrée de la ruelle. Les badauds ralentissaient quand ils passaient devant l'étrange petit groupe, et ils ouvraient des yeux ronds comme des billes. Egan et Ulic se campèrent face à la rue, dissuadant les citadins de continuer ce manège.

— L'endroit n'est pas sûr, dit Cara en prenant le bras de Richard, un peu au-dessus du coude. Suivez-nous, maître Rahl.

Sans attendre de réponse, elle tira le jeune homme au fond de la ruelle. Voyant que Gratch s'inquiétait, le Sourcier lui fit signe que tout allait bien.

Cara souleva un volet et pria son maître de la précéder. Ils entrèrent dans une pièce où trois bougies brûlaient sur une table couverte de poussière entourée de plusieurs bancs et d'un fauteuil. Dans un coin, Richard remarqua une impressionnante pile d'équipements divers.

Gratch plia ses ailes et réussit à passer – de justesse, toutefois. Il se campa près du Sourcier et regarda calmement les Mord-Sith et les deux colosses. Sachant qu'il était l'ami de maître Rahl, ils ne s'inquiétèrent pas qu'un garn leur tienne compagnie dans un petit espace clos.

— Cara, que fais-tu ici ? répéta Richard.

La Mord-Sith plissa le front comme si elle le trouvait un peu obtus.

— Nous sommes venus vous protéger, comme je l'ai déjà dit. (La Mord-Sith s'autorisa un sourire malicieux.) Apparemment, nous sommes arrivées à pic. Maître Rahl devrait se contenter d'être la magie qui s'oppose à la magie, et nous laisser être l'acier qui affronte l'acier. (Elle désigna ses trois compagnes.) Au Palais du Peuple, je n'avais pas eu le temps de faire les présentations. Voilà mes sœurs d'Agiel : Hally, Berdine et Raina.

À la pâle lumière des bougies, Richard dévisagea les trois Mord-Sith. Très pressé quand il les avait rencontrées, il se souvenait uniquement de Cara, leur porte-parole, à qui il avait plaqué un couteau sur la gorge en attendant d'être convaincu par ses propos. Comme sa chef, Hally était blonde, grande, et elle avait de très beaux yeux bleus. Berdine aussi – mais sa chevelure tirait plus sur le châtain. Très brune, Raina avait le regard perçant caractéristique des Mord-Sith. Face à ces femmes, on éprouvait toujours le sentiment d'avoir l'âme exposée à tous les vents… Les iris noirs de Raina accentuaient cette impression.

Richard ne baissa pourtant pas les yeux.

— Vous étiez avec les Mord-Sith qui m'ont aidé à traverser le Palais du Peuple en toute sécurité ? (Les trois femmes acquiescèrent.) Alors, soyez assurées de ma reconnaissance éternelle. Où sont vos compagnes ?

— Au palais, répondit Cara, au cas où vous y seriez revenu. Le général en chef Trimack a insisté pour qu'Ulic et Egan nous accompagnent. Ils appartiennent à votre garde personnelle, maître Rahl. Nous sommes partis une heure après vous, avec l'intention de vous rattraper. Nous n'avons pas traîné, et pourtant, vous avez pris un jour d'avance sur nous.

— J'étais un peu pressé, fit Richard en ajustant son baudrier.

— Maître Rahl, aucun de vos exploits ne nous surprend, car vous êtes capable de tout.

Richard regarda autour de lui.

— Que faites-vous dans cette pièce ? demanda-t-il.

Cara retira ses gants et les jeta sur la table.

— C'est notre quartier général, maître. Nous l'avons choisi parce qu'il est près de celui de l'armée d'harane.

— On m'a dit qu'il était dans un grand bâtiment, au-delà du marché.

— C'est exact, nous avons vérifié.

— J'y allais quand vous m'avez trouvé. Vous avoir à mes côtés ne sera pas un désavantage. (Richard desserra le col de sa cape et se gratta la nuque.) Comment m'avez-vous repéré dans une ville aussi grande ?

Si les deux hommes ne bronchèrent pas, les quatre femmes froncèrent les sourcils.

— Vous êtes maître Rahl, répondit simplement Cara.

— Et alors ?

— Le lien…, dit Berdine. (L'air perplexe de Richard la déconcerta.) Nous sommes liées à maître Rahl.

— Je ne comprends pas ce que ça veut dire… Et quel rapport avec ma question ?

Les Mord-Sith se regardèrent, dubitatives.

— Vous êtes le seigneur Rahl, maître suprême de D'Hara. Et nous sommes des D'Haranes. C'est pourtant simple, non ?

Richard se passa une main dans les cheveux et soupira, exaspéré.

— J'ai grandi en Terre d'Ouest, séparé de D'Hara par deux frontières. Jusqu'à leur disparition, j'ignorais tout de votre pays et de Darken Rahl. Y compris qu'il était mon père. (Les six D'Harans écarquillèrent les yeux.) Il a violé ma mère, qui ne m'en a jamais rien dit. Lui-même a appris la vérité le jour de sa mort. Comprenez-vous, à présent ? Vos histoires de lien me dépassent.

Les deux hommes ne bronchèrent toujours pas. Les yeux brillants, les Mord-Sith dévisagèrent longuement Richard, sondant son âme. Regrettaient-elles de lui avoir juré fidélité ?

Soudain, il trouva étrange d'avoir raconté tant de choses intimes à des gens qu'il ne connaissait pas.

— Je ne sais toujours pas comment vous m'avez trouvé, dit-il.

Alors que Berdine enlevait sa cape et la jetait sur la pile d'équipements, Cara posa une main sur l'épaule du Sourcier et l'encouragea à prendre le fauteuil. Au grincement qu'il produisit quand il obéit, il redouta de finir les fesses par terre, mais il se trompait.

Cara se tourna vers les deux colosses.

— Puisqu'il est encore plus fort chez vous, je propose que vous expliquiez à maître Rahl ce qu'est le lien. Ulic, tu veux bien t'en charger ?

— Oui, mais par où commencer ?

Richard ne laissa pas Cara répondre.

— J'ai des choses importantes à faire, et le temps presse. L'essentiel suffira. Alors, ce lien ?

— Je vais vous répéter ce qu'on nous enseigne, annonça Ulic.

Richard fit signe au garde du corps de s'asseoir. Il détestait devoir lever les yeux sur un orateur, surtout quand il s'agissait d'une montagne de muscles. Jetant un coup d'œil derrière lui, il vit que Gratch se léchait avec enthousiasme – sans quitter les humains du regard.

Richard lui fit un sourire rassurant. Le garn n'était pas habitué à être entouré d'hommes et de femmes, et il faudrait qu'il s'y fasse, considérant les plans du Sourcier.

Gratch sourit et pointa les oreilles pour mieux entendre. Mais que comprenait-il vraiment ? Richard aurait donné cher pour le savoir.

— Il y a très longtemps..., commença Ulic une fois assis.

— Combien de temps ? coupa Richard.

En réfléchissant, le garde du corps caressa distraitement la poignée du couteau glissé à sa ceinture. Quand il parla, sa voix grave sembla assez puissante pour pouvoir souffler la flamme des bougies.

— C'était au début de l'histoire de D'Hara... Il y a des millénaires de ça...

— Et que s'est-il passé alors ?

— Le lien est né à cette époque. Le premier maître Rahl a ensorcelé le peuple afin de le protéger.

— De le dominer, tu veux dire ? lança Richard.

— Non... Il s'agissait d'un pacte... La Maison Rahl serait la magie, et le peuple deviendrait l'acier. Une protection mutuelle, garantie par le lien...

— Un sorcier n'a pas besoin de l'acier pour se défendre. Sa magie lui suffit.

L'uniforme d'Ulic craqua quand il posa un coude sur son genou.

— Vous contrôlez la magie, maître, dit-il, soudain très solennel. Vous protège-t-elle en toute circonstance ? Vous devez dormir de temps en temps, et vous n'avez pas d'yeux derrière la tête pour voir qui menace de vous planter un couteau entre les omoplates. Face à trop d'adversaires, il est impossible de jeter des sorts assez rapidement... Et les sorciers aussi meurent quand on leur coupe la gorge. Bref, vous avez besoin de nous !

— Admettons... À présent, quel est le rapport entre ce « lien » et moi ?

— Le pacte magique unit les D'Harans au seigneur Rahl. Quand il meurt, le lien se transmet à son héritier, s'il a le don. Alors, le pouvoir le relie à son peuple. Tous les D'Harans le sentent. Dès la naissance, ils le comprennent d'instinct. Grâce au lien, ils reconnaissent maître Rahl, et ils captent sa présence quand il est près d'eux. Voilà comment nous vous avons trouvé. Dès que vous êtes à proximité, nous le sentons.

Richard agrippa les accoudoirs du fauteuil et se pencha en avant.

— Dois-je comprendre que tous les D'Harans me « captent » et savent où je suis ?

— Non... C'est plus compliqué que ça...

Le front plissé par la concentration, Ulic glissa un doigt sous son col pour se gratter l'épaule.

— Avant tout, dit Berdine, volant au secours du pauvre garde du corps, nous devons reconnaître le nouveau maître Rahl. Il ne s'agit pas seulement de l'*identifier* sur le plan physique, mais d'accepter solennellement son autorité. Quand je parle de solennité, ne pensez pas que j'évoque un protocole ou une cérémonie. Tout se déroule dans notre cœur, où nous *comprenons* et *accueillons* le nouveau maître. Cela peut aller contre nos désirs profonds, comme ce fut le cas pour nous avec Darken Rahl. Pourtant, malgré nos réticences, nous avons dû l'accepter et nous plier à sa loi.

— En somme, c'est une affaire de foi.

— Très bien vu, dit Egan tandis que tous ses compatriotes acquiesçaient. Une fois que nous avons reconnu sa domination, et tant qu'il vit, nous sommes liés au maître Rahl en titre. Quand il meurt, le lien est transféré au nouveau seigneur. En tout cas, c'est censé fonctionner comme ça. Cette fois, quelque chose est allé de travers et Darken Rahl, ou son spectre, est resté en partie présent dans ce monde.

— Le portail..., dit Richard en se redressant sur son fauteuil. Les boîtes d'Orden sont un passage vers le royaume des morts. Elles étaient dans le Jardin de la Vie, et l'une d'elles est restée ouverte. Il y a deux semaines, je suis retourné au Palais du Peuple pour la refermer et renvoyer à jamais Darken Rahl dans le domaine maudit du Gardien.

— Après sa mort, au début de l'hiver, dit Ulic, quand vous avez pris la parole devant le Palais du Peuple, beaucoup de D'Harans, parmi votre auditoire, ont cru que vous étiez le nouveau maître Rahl. Mais pas tous... Certains sont restés liés – et loyaux – à Darken Rahl. C'est sûrement à cause du portail dont vous avez parlé. À ma connaissance, ce n'était jamais arrivé...

» Plus tard, quand vous êtes revenu pour vaincre l'esprit de votre père, en usant de magie, vous avez aussi écrasé les officiers renégats qui ne reconnaissaient pas votre autorité. En chassant de ce monde le spectre de Darken Rahl, vous avez brisé l'emprise qu'il exerçait encore sur ces hommes, et convaincu tout le palais que vous étiez bien le nouveau maître Rahl. Désormais, là-bas, tout le monde est lié à vous.

— Et c'est normal, déclara Raina. Vous êtes un sorcier, maître Rahl. La magie qui s'oppose à la magie... Les D'Harans, votre peuple, sont l'acier qui affronte l'acier.

Richard regarda la Mord-Sith dans les yeux.

— Cette histoire de lien, de magie et d'acier me fait tourner la tête... Vous me traitez de sorcier, mais j'ignore en quoi ça consiste. Et je suis incapable d'utiliser la magie.

Les quatre femmes se regardèrent, soufflées, puis éclatèrent d'un rire forcé, comme si elles estimaient indispensable de se réjouir quand leur maître plaisantait.

— Ce n'est pas une blague, dit Richard. Je ne contrôle pas du tout mon don.

Hally tapota l'épaule du jeune homme, puis elle désigna Gratch.

— Les monstres vous obéissent, comme à Darken Rahl. Nous ne pouvons pas les dompter, seigneur. Et vous communiquez avec ce garn !

— Ça n'a rien à voir... Je l'ai sauvé quand il était bébé, puis élevé parce que sa mère avait péri. Avec le temps, nous sommes devenus amis. Il n'y a rien de magique là-dedans.

— C'est ce que vous pensez, maître Rahl, dit Hally. Mais nous serions tous incapables d'apprivoiser un garn.

— Comme je l'ai dit...

— Vous êtes devenu invisible devant nos yeux, rappela Cara, qui n'avait plus aucune envie de rire. Prétendrez-vous que ce n'est pas grâce à la magie ?

— Non... Mais ça ne marche pas comme vous l'imaginez. Et ce serait une erreur de penser que...

— Seigneur Rahl, lâcha Cara, pour vous, ça n'a rien de miraculeux, parce que vous avez le don. Notre point de vue est différent. Croyez-vous que nous pourrions aussi être invisibles ?

— J'en doute... Mais ça ne prouve rien, parce que les choses ne sont pas aussi simples que ça.

Raina riva sur le Sourcier le regard noir typique des Mord-Sith agacées d'entendre des dénégations absurdes. Bien qu'il ne fût plus prisonnier du Palais du Peuple, et qu'il sût que ces femmes étaient ses alliées, le jeune homme en resta muet.

— Maître Rahl, dit Raina d'une voix douce qui résonna pourtant dans toute la pièce, au Palais du Peuple, vous avez combattu le fantôme de Darken Rahl – un sorcier très puissant venu du royaume des morts pour conquérir le monde des vivants. Feu maître Rahl n'avait aucune existence physique. C'était un esprit animé par la magie. Pour terrasser un pareil démon, il faut lui opposer un pouvoir équivalent.

» Pendant la bataille, vous avez envoyé des éclairs magiques qui ont détruit les chefs rebelles. Tous ceux qui n'étaient pas déjà liés à vous le sont devenus ce jour-là. Et nous n'avions jamais vu un tel pouvoir déferler sur le Palais du Peuple. C'était incroyable !

Raina se pencha sur le Sourcier, une passion très inhabituelle pour une Mord-Sith faisant trembler sa voix.

— Il s'agissait de magie, seigneur Rahl ! Nous allions être aspirés dans le royaume des morts, et vous nous avez sauvés. Comme le stipule notre pacte, votre magie s'est opposée à la magie. Vous êtes le nouveau maître, et nous donnerions nos vies pour vous.

Richard s'avisa qu'il serrait très fort la garde de son épée, les lettres d'or du mot « Vérité » s'enfonçant douloureusement dans sa chair. Au prix d'un violent effort, il réussit à détourner son regard de celui de Raina et fit face aux autres D'Harans.

— Tout ça est vrai, mais bien moins simple que vous le croyez. Ne pensez surtout pas que j'ai agi ainsi en *sachant comment !* C'est arrivé malgré moi ! Darken Rahl a étudié toute sa vie pour devenir un brillant sorcier. Je suis un néophyte, et vous attendez trop de moi...

— C'est faux, dit Cara. Nous comprenons que vous devez en apprendre plus sur la magie. Où serait le mal ? Approfondir ses connaissances est toujours une bonne chose. Plus savant, vous nous protégerez mieux.

— Ça ne marche pas comme ça...

— Quoi que l'on sache, dit Cara, une main rassurante posée sur l'épaule de Richard, il reste toujours de nouvelles choses à apprendre. L'omniscience n'existe pas. Et ça n'a aucune importance : vous êtes maître Rahl et nous devons vous servir. Si nous étions tous d'accord pour qu'il en soit autrement, ça ne changerait rien.

Soudain, Richard éprouva un grand calme qui le surprit lui-même. Pourquoi s'acharner à convaincre ses compagnons qu'ils se trompaient ? Il avait besoin de leur aide, et leur loyauté lui serait précieuse un jour où l'autre.

— Vous m'avez aidé au Palais du Peuple, et probablement sauvé la vie, tout à l'heure. Mon seul souci est que vous ne me surestimiez pas, car je refuse de vous décevoir. Soyez à mes côtés parce que vous jugez ma cause juste. Pas en raison d'un lien magique qui vous réduit en esclavage !

— Seigneur Rahl, dit Raina d'une voix hésitante que Richard ne lui avait pas encore entendue, nous étions liées à Darken Rahl. Sans avoir le choix, comme aujourd'hui. Il nous a arrachées à nos familles, dressées et employées comme...

Richard se leva et plaqua un index sur les lèvres de la Mord-Sith.

— Je sais tout ça... Mais c'est fini. À présent, vous êtes libres.

Cara saisit le jeune homme par sa chemise et le tira vers elle.

— Ne comprenez-vous pas ? Même si nous détestions Darken Rahl, il fallait le servir à cause du lien. Et c'était bien de l'esclavage ! Que vous soyez omniscient ou non nous indiffère. Le lien existe, et pour la première fois de notre vie, ce n'est pas un fardeau. Sans la magie, nous vous suivrions quand même. Ça, c'est la liberté !

— Nous sommes ignorants en matière de magie, renchérit Hally, mais nous pouvons vous enseigner à devenir un bon maître Rahl. (Le sourire de la jeune femme fit briller son regard, révélant l'être humain caché derrière la Mord-Sith.) Former et éduquer n'est-il pas le but d'une Mord-Sith ? (Le sourire s'évanouit.) La durée de votre voyage vers la connaissance n'importe pas ! Et ce n'est sûrement pas une raison pour vous abandonner en chemin !

Nerveux, Richard se passa une main dans les cheveux. Les propos de ses compagnons le touchaient, mais leur dévotion aveugle le mettait mal à l'aise.

— Accompagnez-moi si tel est votre désir... Tant que vous garderez à l'esprit que je ne suis pas un grand sorcier, tout ira bien. Si je maîtrise un peu la magie, par exemple celle de mon arme, je nage dès qu'il s'agit d'utiliser mon don. Chaque fois que j'y ai recouru, c'était à l'aveuglette, et les esprits du bien m'ont systématiquement aidé. (Richard marqua une courte pause.) Denna est parmi eux, désormais...

Les quatre femmes sourirent, chacune à sa façon très particulière. Denna, elles le savaient, avait dressé Richard avant qu'il la tue pour s'échapper du palais. En lui ôtant la vie, il l'avait libérée de son lien avec Darken Rahl – et du monstre qu'elle était devenue à son corps défendant. Même si l'esprit de Denna était à présent en paix, le Sourcier n'oublierait jamais le prix qu'il avait dû payer : faire virer au blanc la lame de l'Épée de Vérité et assassiner une femme avec la facette de la magie qui n'était qu'amour, compassion et pardon...

— Qui peut se plaindre d'avoir les esprits du bien de son côté ? déclara Cara – parlant à l'évidence au nom de tous ses compagnons. Je me réjouis de savoir que Denna les a rejoints.

Richard baissa les yeux pour se dérober aux regards des quatre femmes. Désireux de bannir les souvenirs qui le hantaient, il changea abruptement de sujet.

— En ma qualité de Sourcier de Vérité, j'entendais rendre visite au chef des soldats d'harans d'Aydindril. Une tâche urgente m'attend. Je ne comprends rien à votre histoire de lien, mais je crois que le Sourcier se félicitera de vous avoir à ses côtés.

— Heureusement que nous l'avons trouvé à temps, fit Berdine en secouant la tête.

Ses trois compagnes acquiescèrent.

— Que veut dire cette phrase énigmatique ? demanda Richard.

— Simplement que ces soldats ne savent pas encore que vous êtes le nouveau maître Rahl, répondit Cara.

— Je suis le Sourcier, et c'est bien plus important que votre maître Rahl. N'oubliez pas que j'ai tué l'ancien, comme ma mission me l'imposait. Cela dit, j'informerai les chefs d'harans que je suis *aussi* l'héritier de Darken Rahl. Ensuite, je leur demanderai de me prêter allégeance. Et ils obéiront d'autant plus facilement que...

— Vous retrouver à temps était un sacré coup de chance ! lança Berdine dans un éclat de rire.

— Je tremble en pensant que nous sommes passées à un cheveu de le perdre, renchérit Raina.

— De quoi parlez-vous, à la fin ? Ces officiers sont des D'Harans. Grâce au lien, ils...

— Ne perdez pas de vue, coupa Ulic, qu'il faut d'abord comprendre et accueillir le nouveau maître Rahl. Ces hommes ne l'ont pas fait. De toute façon, la force du lien varie en fonction des individus.

— D'abord, on me dit qu'ils me suivront, soupira Richard. La minute d'après, on prétend le contraire !

— Vous devez d'abord les unir à vous, seigneur Rahl, dit Cara. Si vous y parvenez, car le sang du général Reibisch n'est pas pur.

— Et c'est censé signifier quoi ? demanda Richard.

— Maître Rahl, fit Egan en avançant d'un pas, au commencement des temps, quand le premier seigneur Rahl nous a liés à lui, D'Hara n'avait rien à voir avec ce que vous connaissez aujourd'hui. C'était un royaume parmi d'autres, comme dans les Contrées du Milieu.

Richard se souvint du cours d'histoire des Contrées que lui avait donné Kahlan, le jour de leur rencontre. Alors qu'ils étaient assis autour d'un feu, à l'abri d'un pin-compagnon, encore tremblants de leur rencontre avec un garn, la Mère Inquisitrice s'était efforcée d'éclairer la lanterne de son « sauveur ».

— Le père de Darken Rahl, Panis, a forcé tous les royaumes à courber l'échine sous son joug. D'Hara est devenu une sorte d'empire...

— C'est exactement ça, dit Egan. Aujourd'hui, tous ceux qui se vantent d'être des D'Harans ne descendent pas des premiers représentants de ce peuple – ceux qui reçurent le lien. Avec le temps, les populations se sont mélangées. Certains individus ont un peu de sang d'haran. D'autres, comme Ulic et moi, ne sont pas métissés du tout. Enfin, beaucoup de nos compatriotes n'ont pas une goutte de sang d'haran dans les veines. Et ceux-là sont insensibles au lien...

» Comme son père avant lui, Darken Rahl s'était entouré d'hommes qui partageaient sa passion dévorante du pouvoir. La plupart de ces D'Harans, des sang-mêlé, n'avaient rien de « pur », sinon leur ambition.

— Le général en chef Trimack, et les soldats de la Première Phalange sont sûrement des D'Harans de souche. (Richard désigna Ulic et Egan.) Comme les gardes du corps de Darken Rahl, je suppose ?

— À l'instar de son père, répondit Ulic, Darken Rahl, en matière de sécurité, se fiait exclusivement à des D'Harans de souche. Il utilisait les sang-mêlé et les « sans-lien » pour les guerres de conquête et le maintien de l'ordre dans son empire.

— Et le général… comment s'appelle-t-il, déjà ?

— Reibisch…

— C'est ça… Qu'en est-il exactement de lui ?

— C'est un sang-mêlé, répondit Berdine. Vous aurez du mal avec lui, mais si vous vous faites reconnaître, le lien s'établira. Quand un chef est soumis au seigneur Rahl, la plupart de ses hommes le deviennent aussi, parce qu'ils lui font aveuglément confiance. Si vous dominez Reibisch, la garnison d'Aydindril sera à vous. Même les « sans-lien » vous obéiront, parce qu'ils sont loyaux à leur chef.

— Alors, je dois convaincre Reibisch que je suis le nouveau maître Rahl.

— C'est là que nous vous serons utiles ! jubila Cara. Le général en chef Trimack nous a chargées de vous donner quelque chose. Hally, montre son cadeau à maître Rahl.

La Mord-Sith défit les premiers boutons de sa tunique de cuir et tira un étui à parchemin d'entre ses seins. Elle le tendit à Richard, qui en sortit une feuille enroulée et étudia son cachet de cire doré : un crâne sur fond d'épées croisées.

— Et alors ? demanda Richard.

— Le général Trimack voulait vous aider, dit Hally. C'est le sceau personnel du chef de la Première Phalange. Le document est de sa main. Il l'a rédigé devant moi, et m'a priée de vous le remettre. On y lit que vous êtes le nouveau maître Rahl. La Première Phalange et toutes les troupes de D'Hara, précise-t-il, vous ont reconnu et prêté allégeance. Ces hommes sont prêts à mourir pour vous permettre d'accéder au pouvoir… Trimack promet aussi de terribles représailles contre ceux qui voudraient vous barrer le chemin.

— Hally, je meurs d'envie de t'embrasser ! s'exclama Richard.

La Mord-Sith se pétrifia.

— Seigneur Rahl, vous nous avez libérées… La soumission n'est plus de mise.

Hally se tut et s'empourpra, comme ses trois compagnes. Puis elle baissa les yeux et murmura :

— Veuillez me pardonner, maître. Si vous désirez jouir de nos corps, ils sont à vous…

— Hally, fit Richard en relevant du bout d'un index le menton de la jeune femme, c'était simplement une image ! Vous n'êtes plus des esclaves, bon sang ! Et le maître Rahl qui se tient devant vous est aussi le Sourcier de Vérité. Je veux que vous épousiez ma cause, pas ma personne. Ne craignez jamais que je vous reprenne votre liberté.

— Merci, seigneur Rahl.

— À présent, allons voir le général Reibisch ! lança Richard en brandissant le message de Trimack. Quand il m'aura juré allégeance, je…

— Seigneur Rahl, dit Berdine, le texte du général en chef est censé vous aider. Il ne réglera pas seul le problème…

— Quand cesserez-vous de me brandir une carotte sous le nez pour la retirer aussitôt ? Que devrais-je faire ? Un foutu tour de magie ?

Les quatre femmes hochèrent la tête, soulagées qu'il ait enfin compris leur plan.

— Pardon ? s'étrangla le Sourcier. Pour montrer patte blanche, je devrai jouer les sorciers devant Reibisch ?

— Ce message vous facilitera la tâche, convint Cara, mais il ne vous mâchera pas le travail. Au palais, les ordres de Trimack ont valeur de loi. Ce ne sera pas le cas pour une armée en campagne. Ici, la loi se nomme Reibisch. Vous devez le convaincre de vous obéir.

» Ce général et ses hommes ne sont pas de doux agneaux. Il faudra leur apparaître comme l'incarnation ultime du pouvoir et de la puissance. Pour qu'ils acceptent le lien, une démonstration de force ne sera pas de trop. Comme au Palais du Peuple... N'oubliez pas : c'est une affaire de foi. Quelques mots griffonnés sur un parchemin ne suffisent pas quand on ambitionne de renverser une montagne...

— Fichue magie..., marmonna Richard.

Il se massa le visage pour dissiper sa confusion et sa fatigue.

Nommé par un sorcier, il était le véritable Sourcier, et c'était sa parole qui avait valeur de loi. Il devait agir en Sourcier, parce qu'il savait comment s'y prendre. En revanche, avec la magie...

D'accord, mais si les D'Harans d'Aydindril se ralliaient à lui...

Malgré sa faiblesse, une idée ne quittait jamais son esprit : il devait mettre Kahlan en sécurité. Pour ça, il lui fallait se fier à sa tête, pas à son cœur. Partir sur-le-champ à la recherche de l'Inquisitrice n'avait aucun sens. Pour la protéger, il fallait d'abord subjuguer les D'Harans.

— Vous avez apporté vos uniformes de cuir rouge ? demanda-t-il aux Mord-Sith en se levant.

Ces tenues étaient en principe réservées aux séances de dressage. Sur du cuir rouge, les taches de sang se voyaient beaucoup moins... Bien entendu, ce n'était jamais celui de la Mord-Sith qui coulait...

— Nous n'allons nulle part sans ces uniformes, répondit Hally avec un sourire presque timide.

— Vous avez une idée, maître Rahl ? lança Cara.

— Oui... Ces types ont besoin d'une démonstration de force ? Ils veulent que la magie leur en mette plein la vue ? Eh bien, ils en auront pour leur argent ! (Le Sourcier leva un index menaçant.) Vous devrez m'obéir au doigt et à l'œil. Pas d'initiatives idiotes, compris ? Je ne vous ai pas libérées pour que vous vous fassiez étriper sous mes yeux.

— Les Mord-Sith, fit Hally, le visage dur, ne meurent jamais de vieillesse dans leur lit, un dentier posé dans un gobelet sur la table de chevet.

Dans les yeux bleus de la jeune femme, Richard vit passer l'ombre de la folie qui avait transformé ces quatre malheureuses en machines à torturer des innocents. Ayant vécu une partie de leur calvaire, il n'avait pas besoin d'un dessin pour savoir qu'on en arrivait vite à s'habituer à la démence. Et à vivre chaque jour en sa compagnie...

— Si tu péris, mon amie, qui me protégera ?

— S'il faut se sacrifier, nous y sommes prêtes. Sinon, il n'y aurait déjà plus de seigneur Rahl à défendre… (Contre toute attente, Hally sourit tendrement.) Nous voulons vous voir mourir dans votre lit, seigneur, vieux et aussi édenté que possible. Que devons-nous faire ?

Un instant, le doute manqua submerger Richard. Était-il frappé de la même folie que ces femmes ? L'ambition l'aveuglait-elle ?

Non. Il n'avait pas le choix. Et son intervention sauverait beaucoup de vies – sans en coûter plus que de raison.

— Mettez vos uniformes rouges, dit Richard aux sœurs de l'Agiel. Nous attendrons dehors pendant que vous vous changez. Après, je vous exposerai mon plan.

Il se détourna pour partir, mais Hally le retint au vol.

— Maintenant que nous vous avons trouvé, pas question de vous perdre de vue. Ne bougez pas d'ici pendant que nous nous habillons. Mais tournez-nous le dos, si ça peut soulager votre pudeur.

Richard suivit ce conseil, contrairement aux deux gardes du corps. Agacé, il leur fit signe de l'imiter. Se fichant des humaines, belles ou non, Gratch adopta la même position que son ami.

— Nous sommes ravies que vous ayez décidé de prendre en main la garnison, dit Cara. Avec une armée autour de vous, personne n'osera vous nuire. Quand vous en aurez terminé ici, nous partirons pour D'Hara, où vous ne risquerez plus rien.

— Nous ne retournerons pas au palais, fit Richard. J'ai d'autres plans en cours. Très importants…

— Quels plans, seigneur ? demanda Raina.

— Quel peut être l'objectif de maître Rahl, selon toi ? J'ai l'intention de conquérir le monde !

# Chapitre 9

Ils n'eurent pas besoin de se frayer un chemin dans la foule, qui s'éparpilla devant eux comme un troupeau de moutons attaqué par une horde de loups. Alors que des mères affolées couraient avec leurs enfants dans les bras, des hommes trop pressés s'étalaient face dans la neige, des colporteurs abandonnaient leurs étalages et toutes les portes des boutiques se refermaient précipitamment.

Richard jugea que cette panique était un bon signe. Au moins, ils ne passaient pas inaperçus. Somme toute, ça n'avait rien d'étonnant quand on arpentait les rues en compagnie d'un garn de sept pieds de haut. À l'évidence, Gratch s'amusait comme un petit fou. Ne partageant pas son enthousiasme juvénile, ses compagnons affichaient sans détour leur morosité.

Le garn avançait sur les talons de son ami. Ulic et Egan ouvraient la marche, Berdine et Cara couvraient le flanc gauche du Sourcier, Hally et Raina se chargeant du droit. Cette configuration n'avait rien d'accidentel. Bien au contraire…

Ulic et Egan avaient insisté pour flanquer maître Rahl, car c'était le privilège, et le devoir, de ses gardes du corps. Les Mord-Sith avaient protesté, assurant qu'elles devaient être l'ultime ligne de défense de Richard. Par bonheur, Gratch s'était montré d'une grande souplesse – tant qu'on ne l'éloignait pas trop de son humain favori.

Richard avait dû hausser le ton pour que la dispute ne dégénère pas. Ulic et Egan, avait-il décrété, marcheraient en tête pour dégager le chemin, si cela s'imposait. Les Mord-Sith assureraient la protection latérale et Gratch jouerait l'arrière-garde – une position essentielle pour la sécurité du groupe. Chacun pensant qu'il occuperait le poste clé de la formation, les « belligérants » s'étaient calmés.

Les deux gardes du corps avaient rejeté leur cape en arrière, histoire d'exhiber les cercles de métal qui entouraient leurs bras musclés. En revanche, ils portaient leurs épées au fourreau, pour ne pas trop en faire. Les Mord-Sith, en uniforme rouge, l'étoile et le croissant jaunes se détachant sur leur abdomen, brandissaient leurs Agiels dans leurs poings également gantés de rouge.

Richard savait ce que leur coûtait cette démonstration de force. Même pour une Mord-Sith, tenir un Agiel était une abominable torture. Détenteur de celui de Denna, qui l'avait supplié de le garder en mémoire d'elle, le jeune homme souffrait mille morts dès qu'il le saisissait. Cara, Raina, Berdine et Hally devaient être à l'agonie. Mais les Mord-Sith étaient entraînées à supporter la douleur, et elles s'en faisaient même une fierté.

Richard avait vainement tenté de les convaincre de renoncer à leurs Agiels. Il aurait sans doute pu le leur ordonner, mais ce serait revenu à les priver de la liberté qu'il venait de leur accorder. Cette idée le répugnait. La décision devait venir d'elles, et il doutait qu'elles la prennent un jour. Depuis qu'il portait l'Épée de Vérité, il savait que les désirs d'une personne pouvaient contredire ses principes. Détestant l'arme, il avait voulu s'en débarrasser, dégoûté par les horreurs qu'elle le forçait à commettre et par les tourments qu'elle lui infligeait. Mais chaque fois qu'on avait voulu la lui prendre, il avait lutté pour la conserver.

Une bonne soixantaine de soldats grouillaient autour du bâtiment carré de deux étages qui abritait le quartier général d'haran. Dans le lot, seuls six hommes, campés devant l'entrée, occupaient un poste en accord avec la rigueur militaire habituelle dans ce genre d'endroit. Sans ralentir le pas, Richard et ses compagnons fendirent cette foule indisciplinée et s'engagèrent dans l'escalier. Les hommes qui s'y affairaient s'écartèrent, stupéfaits par l'étrange petit groupe.

Ils ne paniquèrent pas comme les civils, en ville, mais reculèrent en bon ordre. Ceux qui hésitèrent, foudroyés du regard par les quatre Mord-Sith, jugèrent plus sage de ne pas insister, même si certains posèrent la main sur la garde de leur épée.

— Laissez passer le seigneur Rahl ! beugla Ulic, histoire de rajouter à leur confusion.

Les soldats reculèrent encore. Prudents, certains se fendirent d'une révérence, au cas où...

Dans son cocon de concentration, Richard contemplait ce spectacle.

Sans que quiconque ait l'idée de les arrêter, voire de leur demander ce qu'ils fichaient là, les huit compagnons gravirent les marches qui conduisaient à une banale porte de fer. Sur le palier, un grand garde – environ la taille de Richard – s'avisa enfin que ces « visiteurs » se comportaient comme en terrain conquis. À toutes fins utiles, il se campa devant la porte.

— Vous devez attendre...

— Laisse passer maître Rahl, triple crétin ! beugla Egan sans ralentir le pas.

— Quoi ? s'étrangla l'homme, les yeux rivés sur les cercles de métal hérissés de piques du garde du corps.

Toujours au pas de course, Egan écarta de son chemin l'importun, qui bascula du palier. Deux de ses compagnons s'écartèrent à la hâte et les trois autres s'empressèrent d'ouvrir la porte.

Richard fit la moue. Il avait prévenu ses compagnons, Gratch compris, qu'il ne voulait pas de violences inutiles. Apparemment, celle qu'ils jugeaient indispensable avait de quoi lui faire froid dans le dos.

Attirés par le tumulte, des soldats accouraient dans le couloir faiblement éclairé où Richard et son escorte s'engagèrent. Dès qu'ils virent Egan et Ulic, avec leur équipement de tueurs, ils portèrent la main à leurs armes. Un grognement de Gratch et quelques regards noirs des Mord-Sith les incitèrent à ne pas les dégainer.

— Général Reibisch..., lâcha Ulic.

Quelques soldats avancèrent, menaçants.

— Le seigneur Rahl veut voir le général Reibisch, précisa Egan, admirable d'autorité sereine. Où est-il ?

Soupçonneux, l'homme soutint le regard de son interlocuteur et ne répondit pas.

Un officier au visage grêlé par la petite vérole slaloma entre ses soldats pour approcher des intrus.

— Que se passe-t-il ?

Il fit un pas de plus – sans doute un de trop – et brandit un index menaçant vers eux. À la vitesse de l'éclair, Raina lui abattit son Agiel sur l'épaule, le forçant à tomber à genoux. D'un coup de poignet, la Mord-Sith fit glisser l'instrument de torture jusqu'à la nuque de l'officier, qui brailla comme un cochon à l'abattoir. Ébranlés, ses hommes reculèrent encore.

— Tu réponds aux questions, lâcha Raina, Mord-Sith jusqu'au bout des ongles, et tu n'en poses pas. Sinon, gare à toi !

Elle appuya un peu plus sur l'Agiel, se délecta des cris de sa victime, puis se pencha sur elle dans un craquement de cuir rouge.

— Je te donne encore une chance. Où est le général Reibisch ?

L'officier leva un bras tremblant. Non sans peine, il parvint à le tendre vers un couloir.

— Porte... au bout... du... couloir.

— Merci, susurra Raina avant de retirer son Agiel.

L'homme s'écroula comme une marionnette dont on vient de couper les fils.

Richard ne prit pas la peine de briser sa concentration pour plaindre le militaire. Aussi douloureux que fût le contact d'un Agiel, Raina n'avait pas frappé pour tuer, et il finirait par se remettre. Même si ses soldats, les yeux écarquillés, le pensaient visiblement à l'article de la mort.

— Inclinez-vous tous devant maître Rahl ! ordonna la Mord-Sith.

— Maître Rahl ? répéta une voix angoissée.

— Oui, maître Rahl ! dit Hally en désignant Richard.

Les soldats en restèrent bouche bée. Raina claqua des doigts et pointa un index vers le sol. Dès que les hommes se furent agenouillés, Richard et ses compagnons s'engagèrent dans le couloir, histoire de ne pas leur laisser le temps de réfléchir. Certains se relevèrent et les suivirent, épée au clair.

Au bout du corridor, Ulic ouvrit la porte d'une pièce au plafond étonnamment haut. Sur les murs nus, on voyait encore des traces de la peinture bleue couverte de blanc de chaux pour donner aux lieux un aspect plus militaire. Pour passer la porte, Gratch dut se baisser et se tortiller.

Richard se força à ignorer le pressentiment qui lui nouait les entrailles. Il eut néanmoins l'impression d'entrer dans un nid de vipères...

Dans la salle, trois rangs de soldats d'harans en armes barraient le chemin aux intrus. Un mur d'acier, de muscles et de visages fermés... Derrière ces défenseurs,

Richard aperçut une longue table placée devant une série de fenêtres donnant sur une cour intérieure enneigée. Au-delà du mur d'enceinte, on apercevait les tours du Palais des Inquisitrices, et, plus loin encore, plaquée à la montagne, la forme massive et noire de la Forteresse du Sorcier.

Assis derrière la table, des hommes à la mine sévère étudiaient les « visiteurs ». Sur leurs bras couverts par les manches de leurs cottes de mailles, le Sourcier distingua les cicatrices nettes et propres qui devaient leur tenir lieu de galons. Le comportement de ces gaillards lui confirma cette déduction : en bons officiers, ils rivaient sur les nouveaux venus des regards qui brillaient d'arrogance et d'indignation.

Le D'Haran assis au centre de cet aréopage se balança sur sa chaise et croisa ses bras musclés. Y voyant plus de scarifications que sur ceux des autres, Richard comprit qu'il s'agissait du général. À moitié dissimulée par sa barbe rousse, une cicatrice – laissée par une arme, celle-là – courait de sa tempe gauche à sa mâchoire.

— Nous venons voir le général Reibisch, dit Hally aux soldats. Écartez-vous, ou nous nous chargerons de vous faire détaler.

Le chef des gardes tendit un bras vers la Mord-Sith.

— Femme, tu vas…

Hally flanqua à l'impudent un formidable revers de sa main gantée de cuir renforcé d'acier. Nonchalant, Egan releva un coude, percuta l'épaule du sous-officier et la lui entailla. Dans le même mouvement, il saisit l'homme par les cheveux, lui renversa la tête en arrière et, de l'autre main, lui comprima la trachée-artère.

— Si tu veux mourir, dis encore un mot !

Le sous-officier serra si fort les lèvres qu'elles virèrent au blanc. Furieux, ses hommes firent mine d'avancer. Aussitôt, quatre Agiels se levèrent, les menaçant de l'enfer.

— Qu'ils viennent donc, dit le général barbu.

Les gardes s'écartèrent juste assez pour laisser passer une seule personne. Cara et ses compagnes jouant agressivement de l'Agiel, ils consentirent à contrecœur à élargir la brèche.

Egan lâcha le sous-officier, qui se laissa tomber à genoux, haletant et toussant comme un perdu.

Dans le couloir, d'autres soldats arrivèrent, tous armés jusqu'aux dents.

Le général cessa de se balancer sur sa chaise. Très calme, il posa les mains sur la table, entre deux piles de documents.

— Que voulez-vous ? demanda-t-il.

Flanquée d'Ulic et d'Egan, Hally avança jusqu'à la table.

— Vous êtes bien le général Reibisch ?

Le barbu hocha la tête. Hally le salua en inclinant imperceptiblement la sienne. Même devant une reine, Richard n'avait jamais vu une Mord-Sith se fendre d'un signe de respect plus ostensible.

— Nous vous apportons un message du général Trimack, qui commande la Première Phalange. Darken Rahl n'est plus, et son spectre a été renvoyé dans le royaume des morts par son successeur.

— Vraiment ? fit le général, pas plus impressionné que ça.

Hally tira l'étui à parchemin de sous sa tunique, en sortit la missive et la tendit à Reibisch. Après un bref coup d'œil au sceau, il le brisa, recommença à se balancer et lut rapidement le texte.

— Tout ce monde pour me livrer un message ? dit-il en laissant retomber sur le sol les pieds de sa chaise.

Hally posa ses mains gantées sur la table et se pencha en avant.

— Nous vous avons aussi amené le seigneur Rahl, général.

— Intéressant... Et où est-il, à cette heure ?

— Devant vous, général, répondit sèchement Hally.

Reibisch étudia le petit groupe d'intrus. Assez logiquement, son regard s'attarda un moment sur le garn.

La Mord-Sith se redressa et tendit un bras vers Richard.

— J'ai l'honneur de vous présenter le seigneur Rahl, maître absolu de D'Hara et de son peuple.

Des murmures coururent dans la salle, les hommes du premier rang passant le mot à ceux de derrière.

Perplexe, Reibisch dévisagea les trois autres Mord-Sith.

— L'une d'entre vous prétend être le seigneur Rahl ?

— Bien sûr que non ! ricana Cara. (Elle aussi désigna Richard.) Le voilà !

Le général écarquilla les yeux... et explosa.

— J'ignore à quoi vous jouez, mais ma patience est à bout !

À cet instant, Richard abaissa la capuche de sa cape et relâcha sa concentration. Sous les yeux de Reibisch et de ses hommes, il se matérialisa comme par... magie.

Les soldats crièrent, reculèrent encore ou tombèrent à genoux.

— Je suis le seigneur Rahl, dit simplement Richard.

Un silence de mort tomba sur la salle. Puis, sans crier gare, le général éclata de rire en tapant du poing sur la table. Certains de ses soldats l'imitèrent, sans trop savoir pourquoi, sinon que se comporter comme son chef ne pouvait jamais faire de mal.

Reibisch reprit son sérieux et se leva.

— Un truc impressionnant, jeune homme ! Manque de chance, j'en ai vu à profusion depuis mon arrivée en Aydindril. Un jour, un type m'a amusé en faisant sortir des oiseaux de sa braguette ! (Reibisch se rembrunit.) Un instant, j'ai failli te croire. Mais un tour de passe-passe ne suffira pas à me convaincre. Trimack s'est fait avoir, tant pis pour lui ! Moi, je ne m'incline pas devant les prestidigitateurs.

Tous les regards braqués sur lui, Richard ne broncha pas, solide comme un roc... et très occupé à trouver une idée de génie. Désorienté par l'hilarité du général, il n'en eut aucune. De toute façon, ce type était incapable de distinguer la vraie magie de l'illusion. À cours de ressources, le Sourcier tenta au moins de parler avec une confiance souveraine.

— Je suis Richard Rahl, le fil de Darken Rahl. Depuis sa mort, c'est moi le nouveau maître. Si tu veux conserver ton poste, général, incline-toi devant moi et reconnais-moi pour ce que je suis. Sinon, je te ferai remplacer.

— Montre-moi plutôt un autre truc, ricana Reibisch. S'il m'amuse, ta troupe et toi aurez droit à une petite pièce, avant d'être fichus dehors. Sais-tu que ta témérité m'impressionne, mon garçon ? À défaut d'autre chose, bien sûr...

Les soldats approchèrent – l'air menaçant, une fois le choc passé.

— Le seigneur Rahl ne fait pas de « trucs » ! lâcha Hally.

Les mains sur la table, Reibisch se pencha vers elle.

— Ton costume est très convaincant, ma poulette, mais à ta place, j'éviterai de jouer avec ça... Si une vraie Mord-Sith te met la main dessus, tu passeras un mauvais quart d'heure. Ces femmes prennent leur profession très au sérieux...

Hally abattit son Agiel sur la main du général. Hurlant de douleur, il recula, la mine blafarde, et dégaina un couteau.

Le grognement de Gratch fit vibrer les vitres. Ses yeux verts brillant de fureur, il sortit ses griffes et ses ailes se déployèrent comme des voiles gonflées par la tempête. Les soldats reculèrent en dégainant leurs armes.

Richard se maudit intérieurement. La situation lui échappait, et il se maudissait de ne pas avoir assez réfléchi avant d'agir. Certain que son invisibilité suffirait à subjuguer les D'Harans, il n'avait pas daigné cogiter un plan de secours. Comment s'y prendre pour sortir vivants de ce bâtiment ? Et même s'ils y parvenaient, ce serait au prix d'un bain de sang dont il ne voulait pas. Cette stupide affaire de « maître Rahl » était censée sauver des gens, pas provoquer un massacre.

Autour de lui, tout le monde beuglait...

Avant de comprendre ce qu'il faisait, Richard dégaina son épée, sa note métallique couvrant le vacarme. Envahi par la magie de l'arme, le Sourcier s'abandonna à la fureur qui déferla en lui, plus brûlante que la chaleur de mille feux. N'ayant plus le choix, il ne tenta pas de maîtriser cette tempête désormais si familière. Bouillant de rage, il laissa les esprits de tous ses prédécesseurs planer avec lui sur le vent de la colère.

— Tuez ces imposteurs ! cria Reibisch en donnant des coups de couteau dans le vide.

Alors qu'il sautait par-dessus la table et fondait sur Richard, un coup de tonnerre retentit dans la salle. Des éclats de verre volèrent dans toutes les directions, tels un essaim d'insectes affolés.

Richard s'accroupit au moment où Gratch se jetait sur lui pour le protéger. D'autres éclats de verre et des fragments de meneaux frôlèrent leurs crânes en sifflant. Les officiers assis derrière la table se jetèrent sur le sol, souvent trop tard pour éviter d'être blessés. Ébahi, Richard comprit que les fenêtres venaient d'imploser.

Dans la pluie de verre, des formes encore indistinctes apparurent, étrange mélange d'ombre et de lumière. À travers la rage de son épée, le Sourcier sentit ses nouveaux adversaires une fraction de seconde avant de les voir.

Des mriswiths !

La bataille éclata. Le crâne ouvert, un des officiers s'écrasa sur la table, inondant les documents de sang. Tandis qu'Ulic faisait voler deux soldats en arrière, Egan en propulsa deux autres par-dessus la table...

Richard s'isola de la mêlée et chercha à atteindre le centre de son être, où tout était sérénité. Le vacarme lui semblant soudain très lointain, il se toucha le front avec sa lame, et implora l'Épée de Vérité de le servir fidèlement.

Seuls les mriswiths l'intéressaient. C'étaient eux qu'il voulait tailler en pièces, et personne d'autre.

Le plus proche lui tournait le dos, prêt à bondir sur un malheureux soldat. Hurlant de rage, Richard déchaîna le courroux de l'Épée de Vérité. La lame décrivit un arc de cercle en sifflant, percuta sa cible et donna à la magie le sang qu'elle était avide de boire. Proprement décapité, le mriswith s'écroula, ses couteaux à trois lames glissant sur le sol.

Alors que le Sourcier se tournait vers son adversaire suivant, Hally bondit devant lui, résolue à le protéger. Continuant à pivoter, il donna un coup d'épaule à la Mord-Sith pour l'écarter de son chemin, frappa et éventra le deuxième monstre avant que la tête du premier ait atterri sur le sol.

Une brume de sang jaillit devant lui, rideau rouge qui se dissipa en un clin d'œil.

Fou de rage, le Sourcier ne faisait désormais plus qu'un avec sa lame, les esprits qui l'habitaient et la magie dont elle vibrait. Ainsi que le nommaient les anciennes prophéties en haut d'haran, il était devenu *fuer grissa ost drauka.*

Le messager de la mort...

Sans cela, ses amis n'auraient eu aucune chance de s'en tirer vivants. Mais ce genre de raisonnement était désormais hors de sa portée, et plus rien ne comptait, sinon l'atroce euphorie de danser une nouvelle fois avec les morts.

Bien que le troisième monstre fût marron foncé – la couleur du cuir, présente partout autour de lui – Richard le repéra alors qu'il fondait sur un groupe de soldats. En un éclair, il bondit dans son dos et lui enfonça sa lame entre les omoplates.

Le cri d'agonie du monstre, très court, fut suivi par un silence stupéfait.

Pétrifiés, les combattants fixaient le messager de la mort sans en croire leurs yeux.

Richard dégagea sa lame du cadavre, qui s'écroula sur un coin de la table. Avec un craquement sinistre, le vieux meuble se fendit en deux et s'écrasa sur le sol.

Les dents serrées, Richard pointa son épée sur un des hommes qu'il venait de sauver. La lame rouge de sang s'arrêta à un pouce de sa gorge, avide de fendre plus de chair et d'os pour éliminer définitivement la menace.

Alors, le Sourcier reconnut le général Reibisch, qui avait osé rire de lui quelques minutes plus tôt. Voyant pour la première fois qui se tenait *vraiment* devant lui, l'homme reconnut enfin la magie qui brillait dans les yeux de Richard. Et comme tous ceux qui tentaient de contempler le soleil en face, il en fut aveuglé.

Personne n'osa dire un mot. De toute manière, le messager de la mort n'aurait pas entendu, trop concentré sur l'être misérable désormais à la merci de son arme et de sa vengeance. Immergé dans un océan bouillonnant de magie et de haine, le Sourcier se demanda un instant s'il parviendrait un jour à revenir à la surface...

Reibisch se jeta à genoux. Son regard fou remonta le long de la lame de l'Épée de Vérité, avide de se planter dans celui du nouveau seigneur de D'Hara.

— Maître Rahl nous guide ! récita-t-il. Maître Rahl nous dispense son enseignement ! Maître Rahl nous protège ! À sa lumière, nous nous épanouissons. Dans sa bienveillance, nous nous réfugions. Devant sa sagesse nous nous inclinons. Nous existons pour le servir et nos vies lui appartiennent.

Ce n'étaient pas les piteux mensonges d'un lâche désireux de sauver sa peau, mais le cri du cœur d'un homme qui vient de voir un spectacle qu'il n'aurait jamais cru contempler.

Lors de sa captivité, au Palais du Peuple, Richard avait ânonné ces phrases un nombre incalculable de fois. Chaque matin et chaque après-midi, pendant deux heures, tous les fidèles devaient se prêter à ce qui était pour lui une mascarade. Et lors de sa rencontre avec Darken Rahl, il avait dû, parce qu'on le lui ordonnait, psalmodier cette obscène litanie.

L'entendre sortir des lèvres du général lui donnait la nausée. En même temps, une autre part de lui en était comme soulagée…

— Seigneur Rahl, souffla Reibisch, vous m'avez sauvé la vie. Vous nous avez tous sauvés ! Merci, oh oui, merci !

S'il cédait à l'envie qui le tenaillait – égorger cet imbécile ! – Richard savait que la lame s'arrêterait à un souffle de sa peau. Car Reibisch n'était plus une menace contre lui, ni même un ennemi. Et l'Épée de Vérité, sauf lorsqu'elle virait au blanc, refusait de frapper un innocent…

La rage de la magie, cependant, était aveugle, et tenter de la nier dépassait toutes les tortures que le jeune homme avait endurées. Il y parvint pourtant assez pour rengainer l'arme. Comme toujours, dès qu'il l'eut lâchée, la fureur s'évanouit en un clin d'œil.

Richard regarda autour de lui, hébété comme s'il émergeait d'un cauchemar. Le cadavre d'un officier gisait sur les débris de la table. Sur le sol couvert d'éclats de verre et de feuilles de parchemin, le sang des mriswiths s'étalait en de larges flaques d'où montait une ignoble puanteur. Dans la salle et dans le couloir, tous les soldats s'étaient agenouillés.

— Tout le monde va bien ? demanda le Sourcier d'une voix rauque à force d'avoir hurlé. Il y a d'autres blessés ?

Personne ne répondit. Quelques soldats arboraient des coupures qui leur feraient un mal de chien mais ne mettraient pas leur vie en danger. Haletant, les mains écorchées et rouges de sang, Ulic et Egan se tenaient fièrement debout parmi les D'Harans agenouillés. Présents au Palais du Peuple, deux semaines plus tôt, ils avaient déjà vu leur nouveau maître en action…

Gratch, les ailes repliées, souriait de tous ses crocs. Il y avait au moins un être, ici, pensa Richard, lié à lui par l'amitié. Et cela lui réchauffait le cœur…

Le garn avait tué un mriswith, et Richard trois. Par bonheur, les monstres n'avaient pas fait d'autres victimes que l'officier. Un coup de chance, car les choses auraient pu tourner beaucoup plus mal…

Cara, Berdine et Raina en seraient quittes pour quelques coupures, comme pas mal de soldats.

Derrière le cadavre éventré d'un mriswith, Richard vit soudain Hally, pliée en deux, les bras plaqués sur l'abdomen. Son Agiel pendant à la chaîne qui le reliait à son poignet, elle avait le teint cireux.

Alors, Richard découvrit ce que le cuir rouge lui avait caché jusque-là. Hally se vidait de son sang, qui formait une flaque à ses pieds.

Le jeune homme bondit, prit la Mord-Sith dans ses bras et la posa doucement sur le sol.

— Hally ! Par les esprits du bien, que t'est-il arrivé ?

Une question dont Richard connaissait déjà la réponse. Les mriswiths éventraient leurs adversaires, afin qu'ils agonisent très lentement.

Cara, Berdine et Raina vinrent s'agenouiller près de leur sœur d'Agiel.

— Seigneur Rahl..., souffla Hally.

— Hally... Je suis navré... Je n'aurais pas dû te laisser...

— Non... Écoutez-moi... Je n'étais pas assez concentrée, et ce monstre a frappé si vite... Pourtant, quand il m'a blessée... j'ai pu... m'approprier sa magie. Un instant, avant que vous le tuiez, j'ai détenu son pouvoir...

Quand on utilisait la magie contre elles, les Mord-Sith étaient capables de l'absorber, laissant leur adversaire sans défense. Quelques mois plus tôt, Denna avait employé cette tactique pour capturer le Sourcier.

— Hally, je n'ai pas été assez rapide...

— Le don... C'était le don...

— Quoi ?

— Sa magie était la même que la vôtre... Le don...

— Le don ? Merci de m'en avertir, mon amie. J'aurai une dette envers toi...

Hally parvint à lever une main. Agrippant la chemise de Richard, elle le tira vers lui.

— Seigneur Rahl, merci de m'avoir... rendu ma liberté. Même pour peu de temps... ça valait la peine. (La Mord-Sith tourna les yeux vers ses compagnes.) Protégez-le...

Sur ses mots – un cri d'amour, pour une femme si longtemps contrainte à torturer les autres – Hally riva de nouveau les yeux sur Richard... et rendit son dernier soupir.

Le Sourcier la serra contre lui, des larmes ruisselant sur ses joues, comme pour s'excuser d'être incapable de lui rendre la vie.

Gratch caressa le front de la morte du bout d'une griffe et Cara posa une main sur celle de Richard.

— Je ne voulais pas que l'une d'entre vous meure, souffla le jeune homme. Sur les esprits du bien, je jure que je ne le voulais pas !

— Nous le savons, seigneur Rahl, dit Raina. C'est pour ça que nous devons vous protéger.

Richard se pencha sur Hally pour que ses compagnes ne voient pas l'affreuse blessure qui l'avait tuée. Avisant une cape de mriswith, non loin de là, il voulut la ramasser mais se ravisa.

— Donne-moi ton manteau, dit-il à un soldat.

L'homme retira le vêtement comme s'il était en flammes. Le Sourcier ferma les yeux d'Hally puis la recouvrit délicatement, les dents serrées pour ne pas vomir.

— Elle aura des funérailles dignes d'elle, seigneur Rahl, dit Reibisch, debout près de Richard. (Il désigna la table brisée.) Comme ce pauvre Edward...

Les yeux fermés, le Sourcier pria les esprits du bien de prendre soin de l'âme de la morte. Puis il se releva lentement.

— Après les dévotions...

— Pardon, maître Rahl ?

— Elle s'est battue pour moi, et elle est morte en tentant de me protéger. Avant qu'elle se repose à jamais, je veux que son esprit sache que sa mort n'a pas été inutile. Hally et... Edward... recevront un ultime hommage en début de soirée, après les dévotions.

Cara approcha du Sourcier et murmura :

— Maître Rahl, les dévotions complètes sont obligatoires à D'Hara, mais pas pour une armée en campagne. Ici, une courte prière, comme celle que vous a adressée le général, est suffisante. C'est la coutume...

Reibisch acquiesça, un peu gêné. Tous les regards rivés sur lui, Richard inspecta la salle. Derrière les soldats, du sang de mriswiths souillait les murs naguère immaculés.

— Je me fiche de ce qui suffit ou non, dit-il en fixant de nouveau le général. Aujourd'hui, vous organiserez des dévotions *complètes*. Ensuite, revenez à votre coutume, si ça vous chante... Mais cet après-midi, j'exige que tous les D'Harans présents en Aydindril se plient à ma volonté.

— Seigneur Rahl, fit Reibisch en se tortillant la barbe, nous avons beaucoup de soldats sur place. Il faudra tous les prévenir, et...

— Vos excuses ne m'intéressent pas, général Reibisch. Un chemin difficile s'ouvre devant nous. Si vous calez devant le premier obstacle, comment puis-je vous faire confiance pour la suite ?

Le général jeta un rapide coup d'œil à ses officiers, histoire de les prévenir qu'il allait les embarquer avec lui dans cette galère. Puis il chercha le regard de Richard et se tapa du poing sur le cœur.

— Sur mon honneur de soldat – l'acier qui affronte l'acier –, je jure d'exécuter les ordres de maître Rahl. Cet après-midi, tous les D'Harans célébreront sa gloire naissante en lui consacrant des dévotions complètes. (Reibisch tourna la tête vers un cadavre de mriswith.) Je n'ai jamais entendu parler d'un maître Rahl qui manie l'acier aux côtés de ses hommes. On aurait juré que les esprits eux-mêmes guidaient votre main. (Le général se racla la gorge.) Si je puis me permettre, seigneur, quel chemin difficile s'ouvre devant nous ?

— Je suis un sorcier de guerre qui combat avec toutes ses armes. La magie comme l'acier...

— Oui, seigneur... Mais... hum... ma question ?

— Je viens d'y répondre, général.

Reibisch s'autorisa un sourire en coin qui en disait long.

Sans le vouloir, Richard baissa une dernière fois les yeux sur la dépouille d'Hally. Le manteau ne parvenait pas à dissimuler entièrement son abdomen déchiqueté. Face à un mriswith, Kahlan aurait encore moins de chance de s'en tirer. De nouveau, le Sourcier dut lutter pour ne pas vomir.

— Elle est morte comme elle l'aurait souhaité, seigneur Rahl, murmura Cara. Une fin digne d'une Mord-Sith.

Richard essaya de se souvenir du sourire d'Hally, qu'il avait si peu connue. Il n'y parvint pas, incapable de voir autre chose, même en pensées, que ce ventre lacéré d'où s'échappaient du sang et des entrailles.

Il serra les poings pour chasser sa nausée et se tourna vers les trois Mord-Sith survivantes.

— Sur les esprits du bien, je jure de vous voir mourir dans vos lits, vieilles et aussi édentées que possible. Il vaut mieux vous en faire une raison tout de suite !

# Chapitre 10

En se lissant la moustache, Tobias Brogan regarda Lunetta du coin de l'œil. La voyant hocher imperceptiblement la tête, il la gratifia d'une moue dégoûtée. De sa bonne humeur, déjà si rare, il ne restait plus trace. L'homme ne mentait pas, ça ne faisait aucun doute, car Lunetta ne se trompait jamais sur ce genre de choses. Et pourtant, ce n'était pas la vérité. Brogan n'était pas dupe…

Il leva les yeux sur le type debout devant lui, de l'autre côté d'une table assez longue pour accueillir soixante-dix convives.

— Merci, dit-il avec un sourire courtois. Vous m'avez été très utile.

Inquiet, l'homme jeta un coup d'œil aux soldats en armures rutilantes qui l'entouraient.

— C'est tout ce que vous voulez entendre ? Vous m'avez fait venir jusqu'ici pour apprendre ce que tout le monde sait ? Je l'aurais dit à vos hommes, s'ils m'avaient posé la question…

Brogan se força à continuer de sourire.

— Veuillez me pardonner ces désagréments… Mais vous étiez au service du Créateur. Et au mien. (Le sourire s'effaça malgré tous les efforts de Tobias.) À présent, retirez-vous.

L'homme ne se méprit pas sur lc regard que lui lança Brogan. Ravi de sauver sa peau, il s'inclina brièvement et battit en retraite vers la sortie.

Brogan pianota sur l'étui accroché à sa ceinture, puis il tourna la tête vers Lunetta.

— Tu es sûre ?

— Il dit la vérité, seigneur général, comme les autres. Je connais mon art, aussi ignominieux que vous le jugiez.

Quand elle pratiquait son « art », comme elle osait l'appeler, Lunetta était auréolée d'une confiance qui donnait la nausée à son frère.

— Ce n'est pas la vérité ! cria Tobias en frappant du poing sur la table.

Dans les yeux de Lunetta, rivés sur lui, il crut apercevoir l'image ricanante du Gardien.

— Ai-je dit que c'était vrai, seigneur général ? Cet homme vous a répété ce qu'il *croit* être la vérité.

Tobias aurait volontiers giflé la vieille folle. Oser lui assener de telles banalités ! Après une vie consacrée à chasser les démons, leurs ruses lui étaient tellement familières… Et il connaissait trop bien la magie. Sa proie était si près qu'il sentait presque sa puanteur…

Les rayons du soleil déclinant filtraient par la fente des rideaux brodés d'or. Une ligne oblique lumineuse caressait le pied d'un fauteuil, courait le long du tapis bleu roi aux riches motifs et venait finir sa course près d'une longue table somptueuse. Le repas de midi avalé sur le pouce, histoire de ne pas perdre de temps, était déjà oublié depuis des heures. Pourtant, malgré ses efforts, Tobias n'était pas plus avancé qu'au début des auditions. Et la frustration lui nouait les entrailles.

D'habitude, Galtero avait le génie de lui amener des témoins dignes d'intérêt. Ceux-là s'étaient révélés inutiles. Tobias se demanda ce que son bras droit avait découvert. La cité était en ébullition, et le général détestait que la populace s'agite sans qu'il sache pourquoi. Le désordre pouvait être une arme puissante, mais il détestait avancer à l'aveuglette.

Et Galtero aurait dû être revenu depuis un bon moment.

Tobias se cala dans son fauteuil de cuir et appela un des soldats qui montait la garde devant la porte.

— Ettore, Galtero est-il rentré ?

— Non, seigneur général.

Encore jeune, et un peu trop pressé de s'illustrer dans le combat contre le mal, Ettore était néanmoins intelligent et loyal. Qualité essentielle, il ne reculait pas devant la brutalité quand il avait affaire aux sbires du Gardien. Un jour, il compterait parmi les meilleurs chasseurs de messagers du fléau…

— Combien de témoins reste-t-il ? demanda Tobias en massant discrètement son dos douloureux.

— Deux, seigneur général.

— Fais entrer le suivant, dans ce cas !

Alors qu'Ettore s'éclipsait, Tobias regarda sa sœur, debout près d'un mur, de l'autre côté de la frontière symbolique matérialisée par le rayon de soleil.

— Tu es sûre de ne pas te tromper, n'est-ce pas ?

— Oui, seigneur général, répondit Lunetta en jouant distraitement avec les bandes de tissu de son accoutrement.

Exaspéré, Brogan soupira puis tourna la tête vers la porte. Ettore venait d'entrer, traînant derrière lui une femme émaciée qui ne semblait pas ravie d'être là.

Tobias afficha son sourire le plus engageant. Un bon chasseur ne montrait jamais ses griffes à la proie avant qu'il ne soit trop tard pour elle…

— Qu'est-ce que ça signifie ? demanda la femme en se dégageant de la prise d'Ettore. On m'a amenée ici contre ma volonté, et j'ai croupi toute la journée dans une pièce sombre. De quel droit enlevez-vous les braves gens ?

— Ce doit être un malentendu, mentit Brogan. Veuillez accepter mes excuses… Notre seul objectif est de poser quelques questions à des personnes que nous jugeons fiables. Et intelligentes. Parce que beaucoup de gens, dans cette ville, seraient incapables de reconnaître le bas du haut... Vous semblez plutôt vive d'esprit, et...

— C'est pour ça qu'on m'a enfermée ? demanda la femme en se penchant au-dessus de la table. Est-ce le sort que le Sang de la Déchirure réserve à ceux qui lui paraissent dignes de confiance ? D'après ce qu'on dit, votre... organisation... se soucie peu de poser des questions, et encore moins d'entendre les réponses. Les rumeurs lui suffisent, tant qu'elles lui permettent d'envoyer des innocents six pieds sous terre.

Brogan sentit tressauter les muscles de ses joues. Il parvint pourtant à maintenir son sourire.

— Ce sont des mensonges, très chère dame. Le Sang de la Déchirure est en quête de vérité, et de rien d'autre. Comme vous, ses membres servent le Créateur et accomplissent sa volonté. À présent, si vous voulez bien me répondre, vous serez très vite de retour chez vous, c'est promis.

— Ramenez-moi sur-le-champ à la maison ! En Aydindril, une ville libre, aucun pouvoir n'a le droit d'enlever les citoyens pour les interroger. Et rien ne m'oblige à vous répondre.

— C'est exact, noble dame, admit Brogan, toujours aussi mielleux. Nous n'avons aucun droit sur vous, et nous n'en revendiquons pas. En revanche, l'aide de personnes humbles et honnêtes, comme vous, nous est précieuse. Si vous nous l'accordez, soyez sûre que vous sortirez d'ici avec notre bénédiction... et notre estime.

— Si ça me permet de quitter ce palais, grogna la femme, finissons-en au plus vite ! (Visiblement furieuse, elle roula des épaules pour empêcher son châle de laine de glisser.) Que voulez-vous savoir ?

Tobias changea de position, afin de pouvoir s'assurer d'un coup d'œil que Lunetta restait concentrée.

— Noble dame, les Contrées du Milieu ont été ravagées par la guerre, et nous cherchons à savoir si les sbires du Gardien tirent les ficelles des conflits qui continuent à fleurir un peu partout. Des membres du Conseil ont-ils parlé contre le Créateur ?

— Ils sont tous morts.

— Nous l'avons entendu dire, mais le Sang de la Déchirure ne se contente jamais de rumeurs. Nous voulons des preuves et des témoignages irréfutables.

— La nuit dernière, j'ai vu leurs cadavres dans la salle du Conseil.

— Vraiment ? Voilà qui met un terme au débat ! Enfin, nous tenons la vérité de la bouche d'une femme honorable présente sur les lieux. Très chère, vous nous avez déjà beaucoup aidés... Qui les a tués ?

— Je n'ai pas vu l'assassin.

— Avez-vous entendu un conseiller discourir contre la paix dispensée par le Créateur ?

— Ils critiquaient celle qu'imposait l'Alliance des Contrée du Milieu. À mes yeux, c'est la même chose, présentée d'une façon différente. Ils voulaient faire croire que le blanc était noir, et vice-versa...

Tobias leva un sourcil, feignant d'être fasciné.

— Les serviteurs du Gardien utilisent souvent cette tactique. Le bien passe pour le mal, et le mal devient bénéfique... (Brogan leva une main et l'agita nonchalamment.) Y avait-il un pays plus acharné que les autres à briser la paix ?

— Tous, y compris le vôtre, semblaient pressés de réduire le monde en esclavage sous le joug de l'Ordre Impérial.

— Esclavage ? On dit plutôt que l'Ordre Impérial veut unir les pays et donner à l'homme sa juste place dans le monde. Et tout cela selon la volonté du Créateur.

— On dit n'importe quoi… L'Ordre Impérial fait flèche de tout bois pour conquérir et dominer, rien de plus.

— Je n'avais jamais entendu ce son de cloche… Très chère, ce sont des informations précieuses. (Brogan s'adossa à son fauteuil, croisa les jambes et posa les mains sur ses genoux.) Pendant que les conseillers complotaient, que faisait la Mère Inquisitrice ?

— Son travail, comme d'habitude… (La femme hésita.) Loin d'ici…

— Je vois. Est-elle revenue ?

— Oui.

— À son retour, a-t-elle tenté de réunifier les Contrées du Milieu ?

— Bien sûr ! Vous le savez, et vous n'ignorez pas non plus ce que ces gens lui ont fait. N'essayez pas de nier…

Brogan jeta un coup d'œil à Lunetta, qui ne quittait pas la femme du regard. Parfait…

— À ce sujet, j'ai entendu des rumeurs contradictoires… Si vous avez assisté à ces événements, cela dissiperait la confusion. Étiez-vous là, noble dame, à un moment… capital ?

— J'ai vu l'exécution de la Mère Inquisitrice, si c'est le sens de votre question.

— C'est bien ce que je craignais… Elle est donc morte ?

— Oui.

— Comment ?

— Que vous importent les détails ?

— Noble dame, depuis des milliers d'années, ce sont les Inquisitrices, et particulièrement la Mère Inquisitrice, qui assurent l'unité des Contrées du Milieu. Nous avons tous connu la paix et la prospérité sous le règne d'Aydindril. Après la disparition de la frontière, quand a éclaté la guerre contre D'Hara, j'ai eu peur pour les Contrées…

— Dans ce cas, pourquoi ne pas être venu à notre aide ?

— Je l'aurais tant voulu… Hélas, le roi a interdit que le Sang de la Déchirure intervienne. J'ai protesté, bien sûr, mais un souverain a toujours le dernier mot. Nicobarese a beaucoup souffert sous le règne de cet homme. Plus tard, nous avons percé à jour ses sinistres plans. Apparemment, ses conseillers et lui préméditaient de nous réduire en esclavage, comme vous l'avez dit, gente dame. Le roi étant démasqué – car c'était un messager du fléau – et puni, j'ai conduit mes hommes ici, pour les mettre à la disposition des Contrées du Milieu, du Conseil et de la Mère Inquisitrice.

» À mon arrivée, des soldats d'harans grouillaient partout, même s'ils n'étaient plus en guerre contre nous. On m'a appris que l'Ordre Impérial avait volé au secours des Contrées. En chemin, et depuis que je suis ici, les rumeurs les plus folles ont atteint mes oreilles. On prétend que les Contrées sont tombées, qu'elles sont unies, que les conseillers sont morts, qu'ils ont survécu et se cachent... On dit que les Keltiens ont pris le pouvoir, puis que c'est les D'Harans, ou l'Ordre Impérial. On raconte que les Inquisitrices sont toutes mortes, comme les sorciers, puis que tous se portent comme un charme. Que dois-je croire, chère amie ?

» Si la Mère Inquisitrice n'avait pas péri, nous pourrions l'aider et la protéger. Nicobarese n'est pas un pays riche, mais nous ferons tout pour défendre les Contrées, si c'est possible...

La femme se détendit un peu.

— Certaines de ces choses sont vraies... Pendant la guerre, toutes les Inquisitrices ont succombé, à l'exception de la première d'entre elles. Les sorciers ont connu le même sort. Ensuite, après la fin de Darken Rahl, les D'Harans, les Keltiens et d'autres peuples se sont alliés à l'Ordre Impérial. La Mère Inquisitrice est revenue pour tenter de sauver l'unité des Contrées. Les conseillers félons l'ont condamnée à mort, et elle a été décapitée.

— Une bien triste nouvelle, souffla Brogan. J'avais espéré qu'il s'agissait de mensonges. Nous avons besoin d'elle ! Vous êtes sûre qu'elle est morte ? On peut toujours se tromper... La Mère Inquisitrice a un pouvoir. Ne s'est-elle pas échappée dans un nuage de fumée, ou une illusion de ce genre ?

— Non. Elle est morte.

— Pourtant, certains prétendent l'avoir vue vivante, sur l'autre rive du fleuve Kern.

— Des racontars de crétins ! J'ai vu sa tête tomber de ses épaules...

— Un autre rapport annonce qu'elle a fui vers le sud-ouest. Il reste un peu d'espoir...

— Faux ! Une dernière fois, j'ai vu sa tête se détacher de son corps ! Elle est morte, c'est sûr. Si vous voulez aider les Contrées, faites ce qu'il faut pour les réunifier.

Avant de répondre, Tobias étudia un moment le visage fermé de la femme.

— Bien sûr, vous avez raison... Ce sont d'atroces nouvelles, hélas confirmées par un témoignage au-dessus de tout soupçon. Merci, chère dame, d'une assistance qui sera plus précieuse que vous le croyez. Je réfléchirai au moyen d'utiliser mes troupes au mieux...

— C'est tout vu ! Chassez l'Ordre Impérial d'Aydindril, puis boutez-le hors des Contrées du Milieu.

— Vous le jugez si dangereux ?

La femme leva ses deux mains bandées.

— Ces porcs m'ont arraché les ongles pour me forcer à mentir.

— Quelle horreur ! Et que vous a-t-on contrainte à dire ?

— Que le blanc est noir, et vice-versa. Comme le fait le Sang de la Déchirure.

Brogan sourit, feignant d'être amusé par le courage de son interlocutrice.

— Merci de votre aide, noble dame. Vous êtes loyale aux Contrées du Milieu, et ça me touche beaucoup. En revanche, la façon dont vous jugez le Sang de la Déchirure me désole. N'écouteriez-vous pas trop les rumeurs ? Car il n'y a rien de vrai là-dedans, je vous l'assure...

» Bien, j'ai peur de vous avoir déjà pris trop de temps. Bonne fin de journée.

La femme foudroya Tobias du regard et sortit comme une furie. En d'autres circonstances, ses demi-mensonges et son arrogance lui auraient coûté beaucoup plus que ses ongles. Pour avoir poursuivi d'autres proies dangereuses, Brogan savait que la patience était toujours récompensée. L'enjeu était assez élevé pour qu'il supporte un temps l'insolence d'une vieille folle. Sans le vouloir, elle lui avait fourni des informations précieuses. En la laissant partir, il éviterait que le gibier devine qu'il avait flairé sa piste.

Tobias se tourna vers Lunetta et s'autorisa enfin à croiser son regard.

— Elle a dit des mensonges, seigneur général. En les dissimulant derrière un écran de vérité…

Galtero avait vraiment déniché une perle rare !

— Quels mensonges ? demanda Tobias, anxieux d'entendre sa sœur confirmer ses soupçons.

— Il y en a deux, qu'elle protège comme elle défendrait un trésor royal.

— Parle !

— *Primo*, son histoire d'exécution de la Mère Inquisitrice est fausse.

— Je le savais ! jubila Tobias. En l'entendant, j'ai deviné qu'elle mentait. (Les yeux clos, il remercia le Créateur.) Et *secundo ?*

— Elle sait que la Mère Inquisitrice s'est enfuie vers le sud-ouest. À part ça, tout ce qu'elle a dit était vrai.

Sa bonne humeur revenue, Tobias se frotta les mains de plaisir. La chance du chasseur lui souriait de nouveau. Il avait une piste !

— M'avez-vous entendue, seigneur général ? demanda Lunetta.

— Oui, j'ai très bien compris. La Mère Inquisitrice est vivante et elle a fui vers le sud-ouest. Bon travail, Lunetta. Le Créateur sera content de toi quand je Lui raconterai…

— Je parlais de ma dernière phrase, seigneur général.

— Pardon ?

— Elle a dit que les conseillers défunts étaient des traîtres. C'est vrai. Que l'Ordre Impérial rêve de conquête et de domination. C'est encore vrai. Comme l'histoire de ses ongles, arrachés pour qu'elle consente à mentir. Et comme son jugement sur le Sang de la Déchirure, qui tue des innocents sur la foi de simples rumeurs…

— Le Sang de la Déchirure combat le mal ! cria Brogan en se levant d'un bond. Comment oses-tu dire le contraire, ignoble *streganicha* ?

— Ai-je affirmé que c'était la vérité ? Mais elle le pense réellement…

Tobias se rassit. Au fond, pourquoi aurait-il gâché son triomphe à cause des imbécillités de Lunetta ?

— Elle pense des bêtises, et tu le sais. (Il pointa un index menaçant sur sa sœur.) Pour t'apprendre à distinguer le bien du mal, j'ai passé plus de temps que ta pauvre carcasse ne le méritait. N'oublie jamais ça !

— Oui, seigneur général, je ne valais pas la peine que vous vous êtes donnée. Pardonnez-moi. Mais c'étaient ses pensées, pas les miennes…

Brogan cessa de regarder sa sœur et décrocha l'étui de sa ceinture. Il le posa devant lui, lui donnant une pichenette pour qu'il soit impeccablement aligné sur le bord de la table. Oubliant l'insolence de Lunetta, il réfléchit à la suite des événements.

Il allait demander qu'on serve à dîner quand il se souvint du dernier témoin. Maintenant qu'il connaissait la vérité, d'autres interrogatoires seraient superflus. Mais on gagnait toujours à être minutieux.

— Ettore, va chercher le dernier...

Brogan regarda Lunetta, qui reprit position contre son mur. Elle avait bien travaillé, mais tout gâché en le provoquant. Même si le démon qui l'habitait en était responsable, il lui en voulait de ne pas lutter plus énergiquement contre son influence. Avait-il été trop gentil avec elle, quelques heures plus tôt ? Dans un moment de faiblesse, pour qu'elle partage sa joie, il lui avait offert un « mignon ». S'était-elle crue autorisée, du coup, à donner libre cours à son insolence ? Eh bien, elle avait fait erreur...

Tobias se cala dans son fauteuil et croisa les mains sur la table. Pensant au trophée qu'il récolterait bientôt, il n'eut aucun mal, cette fois, à sourire au nouveau témoin.

Quand il leva les yeux, il manqua tressaillir en découvrant devant lui une fillette vêtue d'un manteau deux fois trop grand pour elle. Derrière l'enfant, entre deux gardes, une vieille femme enveloppée dans une couverture miteuse avançait d'une démarche vacillante.

— Vous habitez une jolie maison, mon seigneur, dit la petite fille. Et il y fait bien chaud... Nous avons aimé y passer la journée. Pourrons-nous un jour vous rendre votre hospitalité ?

La vieille femme ponctua ce discours d'un sourire édenté.

— Je suis ravi que vous ayez eu chaud, et je me réjouirai si toi et ta...

Tobias regarda la vieille.

— C'est ma grand-mère, seigneur.

— ... toi et ta grand-mère consentiez à répondre à quelques questions.

— Des questions ? répéta la vieille femme. Seigneur, ce jeu-là peut être dangereux...

— Dangereux ? (Tobias se massa pensivement le front.) Je cherche la vérité, noble dame. Répondez sincèrement, et il ne vous arrivera rien de fâcheux. Je vous en donne ma parole.

— Dangereux pour vous, mon seigneur, corrigea la vieille. Vous risquez de ne pas aimer les réponses, ou de leur accorder trop d'importance...

— Permettez-moi d'en être seul juge...

— Comme il vous plaira, seigneur. (La vieille se gratta le nez.) Alors, ces questions ?

— Noble dame, comme vous le savez, les Contrées du Milieu ont été ravagées par la guerre, et nous cherchons à savoir si les sbires du Gardien tirent les ficelles des conflits qui continuent à fleurir un peu partout. Des membres du Conseil ont-ils parlé contre le Créateur ?

— Ils viennent rarement débattre de théologie avec de vieilles marchandes ambulantes, mon seigneur. Et aucun ne serait assez stupide pour se vanter en public de ses liens avec le royaume des morts, s'il en avait...

— Hum... Avez-vous entendu des échos de ce qu'ils auraient pu dire ?

— Vous vous intéressez aux ragots qui courent dans la rue Stentor, seigneur ? Dites-moi quel sujet vous passionne, et je vous en servirai treize à la douzaine !

— Je me moque des ragots, noble dame. Seule la vérité compte à mes yeux.

— Pourtant, si vous saviez... On entend de telles choses, de nos jours, qu'on regrette de ne pas être sourd.

Excédé, Tobias se racla la gorge.

— J'ai eu mon compte de rumeurs, ces derniers temps, et la coupe est pleine. Dites-moi ce qui se passe vraiment en Aydindril. Il paraît que les conseillers ont été assassinés, et que la Mère Inquisitrice a fini sur l'échafaud.

— Un homme de votre rang, seigneur, ne peut-il pas aller au palais et demander une audience au Conseil ? Ce serait plus rapide, pour vérifier, que d'interroger de pauvres gens qui vous répètent des ouï-dire... Rien ne vaut la vérité qu'on voit de ses propres yeux.

— Je n'étais pas là le jour de la prétendue exécution de la Mère Inquisitrice.

— C'est surtout ça qui vous intéresse ? Pourquoi ne pas l'avoir dit tout de suite ? J'ai su qu'on l'avait décapitée, mais je n'étais pas présente. Ma petite-fille, en revanche... Tu veux raconter au seigneur, ma chérie ?

— Oui, grand-mère ! J'ai tout vu, mon seigneur. Ils lui ont coupé la tête, à ras du cou !

Brogan feignit de se rembrunir.

— C'est ce que je redoutais... Ainsi, elle est morte.

— Je n'ai pas dit ça, fit la fillette en secouant la tête. J'ai vu cette scène, ce n'est pas la même chose...

— Que veux-tu dire ? (Tobias tourna la tête vers la vieille femme.) Expliquez-moi !

— C'est très simple, seigneur. Aydindril n'a jamais manqué de magie, mais ce jour-là, elle en était saturée. Quand ce pouvoir-là est dans le coup, on ne peut pas se fier à ses yeux. Ma petite-fille n'est pas bien vieille, mais elle est assez futée pour savoir ça. Un homme qui exerce votre profession devrait le savoir aussi...

— Saturée de magie ? Cette force maléfique ? Que sais-tu des sbires du Gardien ?

— Ce sont des monstres, seigneur. Mais la magie, en soi, n'est pas malfaisante.

— La magie est l'arme impure du Gardien !

— Seigneur, diriez-vous que le couteau à garde d'argent pendu à votre ceinture est l'arme du Gardien ? S'il sert à menacer ou à blesser un innocent, on peut affirmer que celui qui le manie est un agent du mal. Mais si on l'utilise pour défendre la vie face à un fanatique, quel que soit son rang dans la société, il devient l'instrument du bien. En soi, l'arme n'est rien. Parce que n'importe qui peut la brandir.

» C'est pareil pour la magie. Quand son but est de châtier, elle devient l'incarnation même de la vengeance.

— Admettons... La magie présente en ville est-elle maléfique ou bénéfique ?

— Les deux... Cette cité est un centre de pouvoir, et elle abrite la Forteresse du Sorcier. Les Inquisitrices et les sorciers la dirigent depuis des milliers d'années. Le pouvoir, seigneur, attire le pouvoir. Un conflit est en cours. Des monstres couverts d'écailles, les mriswiths, se matérialisent un peu partout pour éventrer les gens. Une terrible malédiction s'il en fût jamais ! D'autres créatures rôdent dans nos rues pour s'emparer des téméraires qui sortent après le coucher du soleil. La nuit, le vent de la magie noire souffle partout...

» Chez nous, seigneur, un enfant fasciné par le feu risque de finir carbonisé. À sa place, je serais prudent, et je partirais au plus vite, avant d'avoir mis une main dans les flammes.

» Et ça vous arrivera, si vous continuez à enlever les gens et à les interroger sous l'œil de la magie.

— Et que savez-vous exactement de la magie, noble dame ? demanda Brogan.

— Une question ambiguë, seigneur. Pouvez-vous être plus précis ?

Tobias se tut un instant et s'efforça d'analyser les divagations de la vieille pour séparer le bon grain de l'ivraie. Il avait déjà eu affaire à des gens comme elle. Elle tentait de l'embrouiller, de lui faire perdre le fil...

Il se força de nouveau à sourire.

— Eh bien, par exemple, votre petite-fille affirme avoir vu tomber la tête de la Mère Inquisitrice. Pourtant, ça ne veut pas dire qu'elle soit morte. Selon vous, la magie peut tout expliquer. J'avoue que cette théorie m'intrigue. La magie est capable d'abuser les gens, je le sais, mais en général, il s'agit de choses sans grande importance. Pas de révoquer la mort !

— Révoquer la mort ? Le Gardien en a le pouvoir...

Brogan se tendit comme un arc.

— Dois-je comprendre qu'il a ramené à la vie la Mère Inquisitrice ?

— Bien sûr que non, seigneur ! Vous n'écoutez pas les gens, et ça vous jouera un mauvais tour, un jour. Vous avez parlé de révoquer la mort, et j'ai dit que le Gardien devait détenir ce pouvoir. Notez qu'il s'agit d'une supposition. Étant le maître des morts, il est logique de postuler qu'il...

— Assez de bavardage ! La Mère Inquisitrice est-elle morte, ou vivante ?

— Comment le saurais-je, seigneur ?

Brogan serra les dents de rage.

— Tu as dit que son exécution ne prouvait pas qu'elle avait perdu la vie.

— On revient à notre point de départ ? Eh bien, la magie peut tromper des témoins, même nombreux... Bien entendu, ça ne veut pas dire qu'elle l'a fait... Quand j'ai émis l'hypothèse que c'était arrivé, vous avez parlé de révoquer la mort. Ce sont deux choses bien distinctes...

— Femme, comment la magie peut-elle tromper ainsi les gens ? explosa Tobias.

La vieille dame ajusta sa couverture, qui avait tendance à glisser de ses épaules.

— En lançant un sort de mort, seigneur.

Brogan regarda Lunetta. Les yeux rivés sur la vieille, elle se grattait frénétiquement les bras.

— Un sort de mort ? Dis-moi ce que c'est !

— Hélas, je n'ai jamais vu personne en... exécuter... (la vieille rit de sa bonne blague)... un. Mon témoignage vaut ce qu'il vaut, mais si vous souhaitez entendre des informations de seconde main, je suis à votre disposition.

— Je t'écoute ! Cesse de tourner autour du pot !

— Comprendre le concept de mort exige de se livrer à une démarche spirituelle, seigneur. Quand nous voyons un corps privé de son âme, nous déduisons qu'il s'agit d'un cadavre, parce qu'on nous a formés à raisonner ainsi. Un sort de mort convainc les gens qu'ils ont devant eux une enveloppe charnelle abandonnée par son esprit.

Donc un cadavre, si vous voyez ce que je veux dire…

La vieille femme secoua la tête, comme si elle était à la fois amusée et scandalisée.

— Un sort très dangereux, croyez-moi… Il faut que les esprits acceptent de veiller sur l'âme pendant que le sortilège est lancé. Si quelque chose se passe mal, l'âme en question sera à tout jamais prisonnière du royaume des morts. Une manière très désagréable de passer de vie à trépas. Quand tout va bien, et si les esprits consentent à rendre ce qu'on leur a confié, la personne continue à vivre et tous ceux qui la voient la croient morte. Comme vous voyez, c'est très risqué. À ma connaissance, personne n'a jamais tenté l'aventure…

Brogan tenta d'assembler dans son esprit les pièces du puzzle. Combinant ses connaissances antérieures et celles qu'il avait acquises ce jour, il s'efforça de reconstituer une « image » cohérente.

Oui, ça se précisait. La Mère Inquisitrice avait pu recourir à ce sort pour échapper à la justice. Mais il lui avait fallu des complices…

La vieille femme prit la fillette par l'épaule et fit mine de tourner les talons.

— Merci pour la chaleur, mon seigneur, mais vos questions décousues me fatiguent, et j'ai du pain sur la planche.

— Qui peut lancer un sort de mort ?

— Un sorcier, seigneur. À condition d'avoir un formidable pouvoir et des connaissances hors du commun.

— Y a-t-il un sorcier de cette envergure en Aydindril ?

Les yeux lançant des éclairs, la vieille glissa une main sous sa couverture, et en sortit une pièce d'argent qu'elle jeta sur la table.

Brogan la ramassa et l'étudia, surpris de ne pas la reconnaître.

— J'ai posé une question, la vieille, et j'attends toujours la réponse !

— Vous la serrez entre vos doigts, seigneur…

— D'où vient cette pièce ? On voit un grand bâtiment, du côté face…

— Oui, seigneur. C'est le Palais des Prophètes, le paradis ou l'enfer des sorciers, selon les cas…

— Le Palais des Prophètes ? Dis-m'en plus, femme !

— Demandez plutôt à votre magicienne, seigneur !

Sur un dernier sourire, la vieille se détourna.

— Personne ne t'a donné la permission de partir, harpie édentée ! cria Brogan en se levant d'un bond.

— C'est le foie, mon seigneur…

— Quoi ?

— J'adore manger du foie cru… Avec le temps, ça finit par faire tomber les dents.

Alors que Tobias s'empourprait, prêt à étrangler la vieille folle, Galtero entra, dépassa les deux visiteuses sans leur accorder un regard, et salua hâtivement son chef.

— Seigneur général, j'ai des nouvelles…

— Oui, oui… Plus tard…

— Mais…

Un index levé, Brogan ordonna le silence à son second. Puis il se tourna vers Lunetta.

— Alors ?

— Tout était vrai, seigneur général. Comme un insecte aquatique, elle s'est contentée de raser la surface de la mare, sans aller au fond des choses. Mais elle n'a pas menti. Elle en sait plus long qu'elle en dit, bien sûr…

Brogan fit signe à Ettore d'approcher.

— Seigneur général ? lança-t-il en accourant.

— Je crois que nous tenons un messager du fléau… Aimerais-tu prouver que tu es digne de porter la cape pourpre ?

— C'est mon plus cher désir, seigneur général !

— Rattrape cette vieille buse et fais-la emprisonner. Je la soupçonne d'être un messager du fléau.

— Et la fillette, seigneur ?

— Es-tu aveugle, soldat ? De toute évidence, c'est le familier de cette servante du Gardien. De plus, voudrais-tu qu'elle coure partout en ville, criant que le Sang de la Déchirure détient injustement sa « grand-mère » ? La cuisinière a des amis, et on remarquerait sa disparition. Pour le moment, inutile de nous attirer des ennuis. Les deux autres vivent dans la rue, et personne ne se souciera de leur sort. Tu as compris ?

— Oui, seigneur général. Je m'en occupe sur-le-champ.

— Je veux l'interroger le plus tôt possible. La petite aussi. Assure-toi qu'elles soient prêtes à me répondre.

— Elles vous diront tout, seigneur, assura Ettore avec un sourire cruel. Sur le Créateur, je jure qu'elles seront disposées à parler.

Dès que le jeune soldat fut sorti, Galtero avança vers la table, impatient de parler.

Brogan se rassit et souffla d'une voix distraite :

— Galtero, tu as été excellent, comme d'habitude. Tes témoins correspondaient à mes critères de qualité.

Tobias poussa la pièce d'argent, ouvrit son étui à trophées et le vida sur la table. Avec une étrange tendresse, il disposa les reliques en cercle, caressant la chair jadis vivante…

Sa précieuse collection de mamelons gauches – le plus près du cœur des messagers du fléau – prélevés avec assez de peau pour porter le nom tatoué du « donneur »… Tous les messagers du fléau qu'il avait démasqués ne « voyageaient » pas avec lui. Il réservait cet honneur aux plus importants et aux plus vils serviteurs du Gardien…

Rangcant un par un ses trophées dans l'étui, Brogan se réjouit de lire les noms de tous les traîtres au Créateur qu'il avait soumis à la purification du feu. Il se rappelait chaque traque, les péripéties de la capture, et le moindre détail de l'interrogatoire. De la fureur passa dans son regard au souvenir des crimes que ces monstres avaient fini par lui avouer. Par bonheur, justice avait été faite…

Mais son plus beau trophée restait encore à gagner : la Mère Inquisitrice !

— Galtero, j'ai retrouvé sa trace… Rassemble les hommes. Nous partirons sur-le-champ.

— Seigneur général, vous devriez d'abord écouter mes nouvelles…

# Chapitre 11

— Ce sont les D'Harans, seigneur général.

Brogan referma son précieux étui et leva les yeux vers Galtero.

— Quoi, les D'Harans ?

— Il y a quelques heures, je me suis douté que quelque chose se préparait. Une étrange agitation régnait en ville, tandis que les D'Harans se rassemblaient.

— Où ça ? demanda Brogan.

— Devant le Palais des Inquisitrices, seigneur général. Au milieu de l'après-midi, ils ont commencé à déclamer leur litanie…

— Tu te souviens de ce qu'ils disaient ?

Galtero plissa le front, un pouce passé dans son ceinturon.

— Ça a duré deux heures, largement de quoi apprendre leur prière par cœur ! À genoux, face contre terre, ils psalmodiaient : « Maître Rahl nous guide ! Maître Rahl nous dispense son enseignement ! Maître Rahl nous protège ! À sa lumière, nous nous épanouissons. Dans sa bienveillance, nous nous réfugions. Devant sa sagesse nous nous inclinons. Nous existons pour le servir et nos vies lui appartiennent. »

— Tous les D'Harans ont sacrifié à ce rituel, dis-tu ? Combien sont-ils ?

— Beaucoup plus que nous le pensions, seigneur général. L'esplanade du palais était noire de monde, et ça débordait dans les jardins, sur les places et même dans les rues… Ils se tenaient épaule contre épaule, comme s'ils voulaient tous être aussi près que possible du Palais des Inquisitrices. J'estime qu'ils sont environ deux cent mille en Aydindril. Presque tous massés devant le palais… En voyant ça, les citadins ont paniqué.

» Je suis sorti de la ville, pour découvrir un spectacle identique : des D'Harans prosternés qui déclamaient les mêmes mots. Seigneur, j'ai poussé mon cheval pour couvrir le plus de terrain possible. À des lieues à la ronde, je n'ai pas vu un seul D'Haran debout ! Et aucun n'a levé les yeux sur mon passage.

— Ce « maître Rahl » doit être ici. C'est la seule explication.

— Il est bien là, seigneur. Je l'ai vu surveiller ses adorateurs, debout sur l'escalier du palais. Il est resté jusqu'à la fin du rituel, vénéré comme s'il était le Créateur en personne.

Brogan eut une moue dégoûtée.

— J'ai toujours pensé que les D'Harans étaient des païens. Prier ainsi devant un simple mortel... Que s'est-il passé ensuite ?

— Après la cérémonie, dit Galtero, l'air vidé par sa chevauchée, ils se sont congratulés un bon moment, comme si on venait de les délivrer de l'emprise du Gardien. Pendant qu'ils beuglaient de joie, j'ai eu le temps de parcourir une bonne demi-lieue pour revenir au palais. Les D'Harans se sont tus quand deux cadavres ont été déposés sur un bûcher, au milieu de l'esplanade. Maître Rahl les a regardés brûler jusqu'au bout, puis il a assisté à la levée des cendres.

— Tu l'as vu de près ?

— Les D'Harans m'auraient empêché d'approcher, seigneur. J'ai jugé plus prudent de ne pas les déranger pendant leur rituel...

— Tu as bien fait... Sacrifier ta vie pour savoir à quoi il ressemble n'aurait servi à rien.

— D'autant plus, seigneur, que vous le verrez bientôt de vos yeux. Vous êtes... hum... invité au palais.

— Je n'ai pas le temps d'aller faire des ronds de jambes devant un chef d'haran. Nous devons traquer la Mère Inquisitrice, au cas où tu l'aurais oublié !

Galtero sortit une feuille de parchemin de sa poche et la tendit à son chef.

— À mon retour, des D'Harans ont tenté d'entrer dans l'ambassade. Je les en ai empêchés, et ils m'ont donné cette lettre pour vous.

Brogan lut les quelques lignes visiblement rédigées à la hâte.

« *Le seigneur Rahl invite au palais les dignitaires, les diplomates et les officiels de tous les royaumes. Leur présence est requise sur-le-champ.* »

Tobias froissa la lettre et la laissa tomber à ses pieds.

— C'est moi qui convoque les gens, pas le contraire. Et une fois encore, je n'ai pas le temps d'aller faire des ronds de jambes...

— Je me suis tenu le même raisonnement, seigneur. En promettant de vous remettre l'invitation, j'ai précisé au capitaine du détachement que nous étions trop occupés pour assister à une réception. Il a répondu que maître Rahl voulait voir tout le monde, et qu'il en cuirait à Nicobarese si nous nous dérobions.

Brogan ne parut pas impressionné.

— Personne ne prendra le risque de semer le trouble en Aydindril parce que nous refusons d'obéir aux injonctions d'un nouveau chef tribal.

— Seigneur général, l'avenue des Rois grouille de D'Harans, et ils encerclent toutes les ambassades. Le capitaine qui m'a remis le message est là pour nous « escorter » jusqu'au Palais des Inquisitrices. Si nous ne sortons pas très vite, il a promis de venir nous chercher. Et pour ça, a-t-il conclu, il peut mobiliser jusqu'à dix mille soldats. Ces hommes, seigneur, ne sont pas des commerçants et des fermiers enrôlés de force depuis quelques mois. Il s'agit de militaires de carrière, durs et déterminés.

» Les braves du Sang de la Déchirure pourraient les mettre en déroute, j'en suis sûr, mais nous sommes venus ici avec à peine cinq cents hommes, et le gros de nos forces est trop loin pour nous aider. Si nous tentons une sortie, les D'Harans nous massacreront. *Idem* si nous restons ici...

Brogan regarda Lunetta, toujours debout contre son mur. Elle jouait avec ses « mignons », ignorant superbement la conversation. Brogan était en infériorité numérique, mais il lui restait sa sœur...

Il ne comprenait rien à cette histoire de « seigneur Rahl », et ça ne l'inquiétait pas. D'Hara était désormais sous la coupe de l'Ordre Impérial. Rahl tentait sûrement d'obtenir une meilleure position au sein de l'Ordre. Sans doute un de ces chiens qui aspiraient au pouvoir sans se soucier des exigences morales qui allaient avec.

— Très bien... De toute façon, la nuit approche, et il est trop tard pour partir. Nous irons au palais, nous ferons des courbettes à maître Rahl, puis nous boirons son vin en savourant sa nourriture. À l'aube, nous laisserons Aydindril aux bons soins de l'Ordre Impérial, et nous nous lancerons sur la piste de la Mère Inquisitrice. (Brogan fit signe à sa sœur.) Lunetta, tu nous accompagnes...

— Et comment la trouverez-vous, seigneur général ? demanda la *streganicha* en se grattant un bras. Je parle de la Mère Inquisitrice, bien sûr...

Tobias se leva.

— Elle est au sud-ouest. Nous avons assez d'hommes pour la débusquer.

— Vraiment ? (Après avoir utilisé son pouvoir, Lunetta était toujours un rien insolente.) Et comment la reconnaîtrez-vous ?

— C'est la Mère Inquisitrice, pauvre folle ! Il serait impossible de ne *pas* la reconnaître !

Lunetta osa regarder son frère dans les yeux.

— La Mère Inquisitrice est morte. Les cadavres ne marchent pas dans les rues...

— Elle est vivante ! La cuisinière le sait, tu l'as dit toi-même.

— Si la vieille femme n'a pas menti, et qu'on a lancé un sort de mort, dans quel but l'a-t-on fait ? Dites-le à Lunetta, seigneur général.

— L'objectif était de convaincre les gens de sa mort, pour qu'elle puisse s'échapper.

Lunetta eut un petit sourire.

— Donc, ils ne l'ont pas vue fuir ? C'est exactement pour ça que vous ne la trouverez pas !

— Arrête de jouer les mystérieuses et dis-moi où tu veux en venir !

— C'est pourtant simple... Si quelqu'un a jeté un sort de mort sur la Mère Inquisitrice, c'est pour dissimuler son identité. Sinon, ça n'aurait pas de sens... Et ça explique aussi comment elle a pu s'enfuir. Personne ne l'a reconnue, et vous ne la reconnaîtrez pas non plus.

— Peux-tu neutraliser ce sort ?

— Seigneur général, j'ignore tout de ce type de magie...

C'était vrai, admit Brogan, et très fâcheux.

— Mais tu as un pouvoir... Donne-moi un moyen de l'identifier.

Lunetta secoua la tête.

— Seigneur, je ne sais pas comment repérer les fils d'une Toile de Sorcier spécifiquement tissée pour cacher quelqu'un. Tout ce que je peux affirmer, c'est que nous ne reconnaîtrons pas la Mère Inquisitrice.

— Tu dois trouver une solution ! C'est pour ça que je t'ai gardée en vie.

— Seigneur, la vieille femme a dit que seul un sorcier pouvait jeter un sort pareil. Je ne suis pas assez puissante pour repérer les fils de sa Toile, et encore moins pour voir à travers une illusion aussi sophistiquée.

— Voir à travers une illusion... Ce devrait être possible, mais comment ?

— Un papillon se laisse prendre au piège d'une toile d'araignée parce qu'il ne voit pas ses fils. Nous sommes dans le même cas que les témoins de la fausse exécution. Les fils ne nous apparaissent pas, et je ne peux rien y faire.

— Un sorcier..., souffla Brogan. (Il désigna la pièce d'argent, sur la table.) Quand j'ai demandé à la vieille buse s'il y en avait un en Aydindril, elle m'a donné cette pièce. Dessus, il y a l'image d'un bâtiment.

— Le Palais des Prophètes, souffla Lunetta.

— Oui. Elle m'a dit de te demander des explications. Comment pourrais-tu en avoir ? Quelqu'un t'a parlé de cet endroit ?

— Peu après ta naissance, fit Lunetta, les yeux baissés, maman a évoqué un lieu où les magiciennes...

— Les *streganicha*, corrigea Brogan.

— ... entraînent les futurs sorciers.

— Alors, c'est la maison du mal, lâcha Brogan. (Lunetta se ratatina sur elle-même.) Pourquoi notre mère connaissait-elle son existence ?

— Maman est morte, Tobias. Laisse-la en paix...

— Nous en reparlerons plus tard... (Brogan tira sur la veste de son uniforme, rectifia la position de son insigne et ramassa sa cape pourpre.) La vieille voulait dire qu'il y a en Aydindril un sorcier formé dans ce lieu impie. (Il se tourna vers Galtero.) Heureusement, Ettore est en train de l'interroger. Elle n'a pas tout dit, je le sens dans la moelle de mes os.

— Nous devrions aller à notre... rendez-vous, seigneur général.

— Avant de sortir, nous passerons voir Ettore.

Un feu brûlait dans la cheminée de la petite pièce où Ettore s'occupait de ses deux prisonnières. Torse nu et ruisselant de sueur, le jeune soldat était occupé à choisir un outil parmi les lames et les piques disposées sur le manteau de la cheminée. Dans les flammes, des tisonniers chauffaient au rouge, augurant bien de la suite des événements.

Réfugiée dans un coin de la salle, la vieille femme protégeait la fillette d'un bras tremblant.

— Elle te résiste ? demanda Brogan en entrant, flanqué par Lunetta et Galtero.

— Son arrogance s'est volatilisée dès qu'elle a compris que nous détestions ça. Les messagers du fléau réagissent toujours ainsi face à la puissance brute du Créateur.

— Galtero, ma sœur et moi allons devoir nous absenter. Les autres resteront ici, au cas où tu aurais besoin d'aide. (Brogan baissa les yeux sur les tisonniers.) À mon retour, je veux que la vieille parle. Je me fiche de ce qu'il adviendra de l'enfant, mais garde sa grand-mère en vie. Et brise sa volonté !

Ettore salua son chef avec enthousiasme.

— Sur le Créateur, je jure qu'elle avouera ses crimes, seigneur général.

— Parfait. J'ai encore des questions à lui poser, et il me faut des réponses.

— Je ne vous dirai plus rien ! lança la vieille femme.

Ettore la regardant par-dessus son épaule, elle se rencogna dans son coin sombre.

— Tu changeras d'avis avant l'aube, vieille sorcière ! Pour t'y inciter, je commencerai par la petite servante du Gardien que tu sembles tant aimer. En la voyant souffrir, tu imagineras ce qui t'attend.

La gamine se serra plus fort contre sa grand-mère.

— Ettore, tu veux que je t'assiste ? demanda Lunetta en se grattant un bras. Seigneur général, je serai plus utile ici…

— Non. Tu dois m'accompagner. Galtero, je te félicite de m'avoir amené cette femme.

— C'est un hasard, seigneur. Je ne l'aurais pas remarquée si elle n'avait pas tenté de me vendre des gâteaux au miel. Quelque chose en elle a éveillé mes soupçons.

— Les messagers du fléau sont attirés par le Sang de la Déchirure comme les papillons par les flammes. Ils nous défient parce qu'ils croient que le Gardien les protégera. Face à notre justice, ils perdent vite leur foi. Cette femme fera un trophée sans grande valeur, mais le Créateur se réjouira de sa fin.

# Chapitre 12

– Arrête de te gratter ! grogna Tobias. Les gens vont croire que tu as des puces... Sur l'esplanade du palais, entre deux rangées de soldats d'harans en armes, les dignitaires des différents royaumes descendaient de leurs superbes carrosses pour s'engager dans l'escalier d'honneur.

— Je ne peux pas m'en empêcher, seigneur, gémit Lunetta. Depuis notre arrivée en Aydindril, mes bras me démangent atrocement.

Les nobles visiteurs ne se privaient pas de regarder la sœur de Brogan. Dans ses haillons multicolores, on eût dit une lépreuse venue assister à un couronnement.

Lunetta ne se formalisait pas d'être ainsi le centre de l'attention. Croyait-elle que tous ces gens l'admiraient ? C'était bien possible... Des dizaines de fois, elle avait refusé les robes décentes, voire seyantes, que Tobias entendait lui offrir. Comparées à ses « mignons », elle les tenait pour des guenilles. Constatant que les bandes de tissu lui occupaient l'esprit, et l'éloignaient du Gardien, Tobias n'avait plus insisté. D'autant plus qu'il y avait, à bien y réfléchir, quelque chose de blasphématoire à rendre séduisante une personne touchée par le démon.

Les dignitaires portaient leurs plus beaux atours. Certains avaient une épée au côté. Des armes d'apparat, sans nul doute, qu'ils n'avaient sans doute jamais dégainées sous le coup de la peur ou de la colère. Les nombreuses dames présentes, en robe du soir et plus lestées de bijoux qu'un prisonnier l'est de ses chaînes, semblaient excitées d'être invitées au palais. Celles-là n'avaient pas dû avoir besoin qu'on les menace pour accourir, avides de roucouler devant le nouveau seigneur Rahl.

— Si tu ne cesses pas de te gratter, fit Tobias, je t'attacherai les mains dans le dos.

Lunetta laissa retomber ses bras le long du corps... et s'immobilisa en poussant un petit cri.

Tobias et Galtero virent ce qui l'avait effrayée. Des cadavres empalés sur des piques, des deux côtés de la promenade... En approchant, Brogan découvrit qu'il ne s'agissait pas d'hommes, mais de créatures couvertes d'écailles – à coup sûr, nées de l'imagination impie du Gardien. Une atroce puanteur montait de ces charognes, obligeant tous les invités à retenir leur souffle.

L'« exposition » était très variée : des corps entiers, des troncs sans tête, des crânes hideux... À l'évidence, ces monstres étaient morts lors d'une bataille. Certains avaient le ventre ouvert, leurs entrailles exposées à la vue de tous.

Brogan eut l'impression d'avancer dans une galerie consacrée au mal, vers les portes du royaume des morts.

Les autres invités finirent par se couvrir le nez avec tout ce qu'ils avaient à portée de la main. Quelques femmes s'évanouirent, aussitôt secourues par des serviteurs qui les éventèrent avec des mouchoirs ou leur frottèrent un peu de neige sur le front.

Quelques « convives » s'étaient arrêtés pour contempler l'atroce spectacle, les yeux ronds. Les autres continuaient à avancer, tremblant si fort que Tobias entendait claquer leurs dents. Le temps de traverser ce corridor des horreurs, tous eurent perdu leur bonne humeur, remplacée par une sourde angoisse...

Tobias trouva ces pantins révoltants.

Un diplomate blanc comme un linge ayant posé la question, un D'Haran expliqua que les monstres avaient attaqué la ville. Par bonheur, maître Rahl s'était chargé de les tailler en pièces. À cette nouvelle, les invités recouvrèrent un peu de leurs dispositions festives. Rassurés sur leur sort, ils s'ébaubirent de pouvoir rencontrer le nouveau seigneur de D'Hara, un gentilhomme doublé d'un héros de légende...

Galtero s'approcha de son chef et souffla :

— Quand je suis sorti, avant le début de la cérémonie, quelques soldats m'ont conseillé d'être prudent. Des monstres presque invisibles ont tué beaucoup de leurs camarades et de citadins... À mon avis, nous venons de voir ce qu'il en reste...

— Quel heureux hasard, n'est-ce pas ? Le seigneur Rahl est arrivé juste à temps pour sauver la ville en massacrant ces créatures...

— Des mriswiths, dit Lunetta.

— Quoi ?

— La vieille femme a dit que c'étaient des mriswiths.

— Oui, tu as raison, elle les a appelés comme ça.

Les invités passèrent entre les grandes colonnes blanches qui encadraient l'entrée du palais. Toujours entre deux rangées de soldats, ils franchirent les portes sculptées et débouchèrent dans un grand hall éclairé par des fenêtres aux vitres bleu clair disposées entre d'autres colonnes blanches surmontées de lettres capitales en or.

Tobias sentit qu'il s'enfonçait dans le ventre du démon. Les invités, s'ils avaient su, auraient tremblé plus violemment, dans ce temple de l'hérésie, que devant les charognes puantes.

Après avoir traversé des pièces et des couloirs lestés d'assez de granit et de marbre pour construire une montagne, ils franchirent de lourdes portes en chêne et entrèrent dans une gigantesque salle au plafond en forme de dôme décoré d'une fresque géante. Des fenêtres rondes, sur le périmètre du dôme, laissaient apercevoir le ciel vespéral lourd de nuages. Au milieu de la salle, sur une estrade en demi-cercle, des fauteuils vides attendaient derrière un splendide lutrin sculpté.

Tout autour de la pièce, des arches donnaient accès aux escaliers couverts qui conduisaient à des balcons à colonnades munis de balustrades en chêne poli. Des gens s'y pressaient – pas des nobles empoudrés, remarqua Tobias, mais des membres du peuple en habits de tous les jours.

Les autres invités virent aussi ces gueux et leur jetèrent des regards désapprobateurs. Comme pour éviter d'être reconnus plus tard, et punis d'avoir osé assister à un événement si mondain, ces malheureux s'éloignèrent de la balustrade, cherchant refuge dans la pénombre. Selon la coutume, un homme de l'envergure du seigneur Rahl devait être présenté à la noblesse avant que les gens ordinaires aient le droit de poser un œil sur lui.

Se désintéressant des misérables, les invités se répartirent par petits groupes sur le sol de marbre lustré par les ans. Chaque clan restant à bonne distance des autres, tous s'efforcèrent de ne pas côtoyer les deux membres du Sang de la Déchirure. Experts en matière d'hypocrisie, ils firent mine d'agir ainsi par le plus grand des hasards. Une discrimination en douceur, en quelque sorte...

Murmurant entre eux, ils attendaient impatiemment leur hôte, aucun ne daignant accorder un coup d'œil au somptueux décor du Palais des Inquisitrices. Tobias ne fut pas étonné de les voir ainsi blasés. À coup sûr, ils n'en étaient pas à leur première visite, et le général savait reconnaître des courtisans quand il en voyait. Ceux d'Aydindril ressemblaient comme des frères à la horde de bouffons sirupeux qui entouraient naguère son propre roi.

Lunetta se tenait dans l'ombre de son frère. Très vaguement intéressée par les merveilles architecturales, elle continuait à dédaigner les regards pleins de mépris qui se posaient encore sur elle – de plus en plus rares, cependant, car les invités, anxieux de voir enfin le nouveau maître Rahl, ne s'intéressaient plus guère au vieil épouvantail debout entre deux membres du Sang de la Déchirure.

Galtero balayait la grande salle du regard. Insensible à son opulence, il étudiait les invités, notait la position des gardes et enregistrait soigneusement celle des sorties. Car les épées que Tobias et lui portaient n'avaient rien d'armes de cérémonies...

Malgré sa répulsion instinctive, Tobias s'émerveillait d'être à l'endroit précis où les Mères Inquisitrices et les sorciers avaient tiré les ficelles des Contrées du Milieu. Ici, au fil des millénaires, le Conseil avait assuré l'unité des Contrées, préservant au passage la domination de la magie. Oui, c'était de ce lieu que les tentacules du Gardien jaillissaient pour se répandre dans le monde !

L'unité avait éclaté et la magie, privée de ses protecteurs, ne régnait plus sur les hommes. Son ère était révolue, comme celle des Contrées du Milieu. Bientôt, le palais grouillerait d'hommes en cape pourpre, et les chefs du Sang de la Déchirure siégeraient sur l'estrade. Inexorablement, les événements avançaient vers une fin heureuse.

Un couple approcha du général – délibérément, constata-t-il. Affublée d'un absurde chignon de cheveux noirs d'où dépassaient des boucles qui encadraient son visage peinturluré, la femme se pencha vers Tobias.

— C'est incroyable, non ? On nous invite, et il n'y a pas l'ombre d'un buffet...

Elle lissa la guipure de sa robe canari et ses lèvres rouge sang dessinèrent un sourire pendant qu'elle attendait en vain une réponse.

— Ne même pas nous offrir un verre de vin…, continua-t-elle. C'est d'une telle vulgarité, surtout après une convocation si pressante. Imaginez que je n'ai pas eu le temps de dîner ! Après ça, que ce rustre n'espère plus me voir à une de ses soirées !

— Vous connaissez le seigneur Rahl ? demanda Tobias.

— Je l'ai peut-être rencontré, mais ça m'est sorti de l'esprit. (La femme chassa un grain de poussière imaginaire de son épaule nue, juste pour mieux exhiber les bagues qui brillaient à ses doigts et devaient se voir de l'autre bout de la salle.) Je viens si souvent festoyer au palais que j'oublie tous les gens qui se précipitent pour m'être présentés. Depuis l'assassinat du prince Fyren, le duc Lumholtz et moi sommes les plus sérieux candidats à la succession…

La bouche en cul-de-poule, elle ajouta :

— En revanche, je suis sûre de n'avoir jamais croisé de membres du Sang de la Déchirure au palais. Après tout, le Conseil vous a toujours tenu pour une organisation… hum… officieuse. Ne croyez pas que j'approuve cette décision, mais il vous avait interdit, me semble-t-il, d'exercer vos talents ailleurs que dans votre pays natal. Évidemment, aujourd'hui, tous les conseillers sont morts. Assassinés ici même, alors qu'ils débattaient de l'avenir des Contrées du Milieu. Quelle horreur… (La duchesse marqua une courte pause.) Quel bon vent vous amène ici, messire ?

Derrière le couple, Tobias vit des soldats commencer à fermer les portes. Lissant sa moustache, il prit la tangente pour se rapprocher de l'estrade.

— J'ai été « invité », comme vous…

La duchesse Lumholtz lui colla aux basques.

— D'après ce que j'ai entendu, l'Ordre Impérial apprécie beaucoup le Sang de la Déchirure…

Vêtu d'un manteau bleu brodé d'or qui ajoutait à son autorité naturelle, le duc écoutait ce dialogue d'une oreille distraite. À sa chevelure noire et à ses épais sourcils, Tobias aurait parié qu'il s'agissait d'un Keltien. Ce royaume avait été prompt à rallier l'Ordre Impérial, et ses ressortissants tenaient à garder une position élevée au sein de l'organisation destinée à dominer le monde. Bien entendu, ils savaient que le Sang de la Déchirure avait l'oreille de l'Ordre…

— Je suis surpris, noble dame, que votre volubilité vous laisse le temps d'entendre quelque chose…

La duchesse s'empourpra. Tobias échappa à la cinglante repartie qu'elle préparait, car la foule, autour d'eux, s'agita soudain. Trop petit pour voir au-dessus des têtes, il ne s'inquiéta pas, certain que le seigneur Rahl, s'il venait d'arriver, ne tarderait pas à monter sur l'estrade. Dans cette éventualité, il avait choisi la position idéale : assez près pour évaluer le gaillard sans se faire remarquer. Contrairement aux autres invités, il avait compris qu'il ne s'agissait pas d'une soirée comme les autres. La nuit serait sûrement orageuse, et s'il pleuvait des éclairs, il ne tenait pas à être l'arbre le plus exposé. À l'inverse des idiots qui l'entouraient, Brogan savait reconnaître les moments où la prudence s'imposait…

Au milieu de la salle, des nobliaux s'écartaient à la hâte pour laisser passer une colonne de soldats d'harans. Des piquiers les suivaient, en rang par deux et assez écartés pour former un couloir de muscles et d'acier parfaitement dégagé.

Les premiers soldats se déployèrent devant l'estrade avec une précision qui impressionna Brogan. Des officiers supérieurs les rejoignirent et se placèrent devant eux. Par-dessus la tête de Lunetta, Tobias croisa le regard déterminé de Galtero. Ce n'était décidément pas une soirée festive...

La foule caquetait, impatiente de voir la suite. Captant des bribes de phrases, Tobias apprit que ce type de démonstration était sans précédent au Palais des Inquisitrices. Des dignitaires rouges comme des tomates échangeaient des propos indignés sur cet usage indigne de la force dans une salle réservée à des négociations courtoises et feutrées.

Tobias devina l'objectif du seigneur Rahl et le jugea logique. Jusque-là, les D'Harans n'avaient jamais rechigné à se dévouer pour l'Ordre Impérial. Dans les montagnes, Brogan et ses hommes avaient croisé une force, essentiellement d'harane, qui cheminait vers Ebinissia. Les D'Harans avaient pris Aydindril, s'étaient chargés d'y maintenir le calme, puis avaient remis les rênes du pouvoir à l'Ordre. Pour leurs alliés, ils avaient exposé leurs poitrines aux lames des rebelles pendant que d'autres – en particulier les Keltiens, comme le duc Lumholtz – s'étaient accrochés à leurs positions privilégiées, se contentant de transmettre les ordres avec l'espoir que les D'Harans se feraient massacrer.

Le seigneur Rahl, en récompense, allait réclamer une place prépondérante au sein de l'Ordre. Et pour l'obtenir, il ferait pression sur les dignitaires qu'il avait convoqués.

Tobias regretta presque qu'il n'y ait pas eu de buffet. Il aurait aimé voir tous ces crétins s'étouffer avec leur nourriture en entendant le discours de leur hôte.

Les deux D'Harans qui s'engagèrent entre le mur de piquiers étaient si grands que Brogan les vit approcher de loin, par-dessus les chignons et les chapeaux ridicules. Quand ils furent à quelques pas de l'estrade, impressionnants avec leurs cuirasses, leurs cottes de mailles et leurs bras musclés ceints d'une bande de métal, Galtero souffla :

— J'ai déjà vu ces deux hommes...

— Où ?

— Quelque part dans la rue...

Tobias manqua sursauter quand il découvrit les trois femmes en uniforme de cuir rouge qui emboîtaient le pas aux deux colosses. D'après ce qu'il avait entendu dire, elles devaient être des Mord-Sith. De véritables fléaux pour les magiciens de tout poil qui les affrontaient. Par le passé, il avait tenté d'engager une de ces exterminatrices. Hélas, on lui avait conseillé de s'abstenir. Exclusivement fidèles au maître de D'Hara, elles détestaient qu'on leur fasse des propositions, de quelque nature fussent-elles. Et les acheter se révélait impossible.

L'assistance n'était pas au bout de ses frayeurs. Derrière les Mord-Sith, une bête monstrueuse avançait en exhibant ses griffes et ses crocs. Tobias lui-même tressaillit. Les garns à queue courte, des brutes assoiffées de sang, dévoraient tout ce qui leur tombait sous la patte. Depuis la disparition de la frontière, au printemps, ils posaient sans cesse des problèmes au Sang de la Déchirure. Pourtant, ce garn-là marchait paisiblement derrière les Mord-Sith. Alors qu'il s'assurait de la présence de son épée, à son côté, Tobias vit que Galtero prenait la même précaution.

— Seigneur général, gémit Lunetta en se grattant frénétiquement un bras, je voudrais partir. S'il vous plaît...

Brogan tira sa sœur par le poignet et souffla, les dents serrées :

— Concentre-toi sur maître Rahl, si tu ne veux pas que je te mette au rebut. Et cesse de te gratter !

Il tordit le poignet de Lunetta, qui en eut les larmes aux yeux.

— Oui, seigneur général...

— Écoute bien ce qu'il dira...

Les deux colosses montèrent sur l'estrade et se placèrent chacun à un bout. Les Mord-Sith se répartirent entre eux, laissant au centre une place vide réservée au seigneur Rahl. Le garn, lui, se campa derrière les fauteuils.

La Mord-Sith blonde la plus proche du lutrin foudroya la foule du regard, la réduisant au silence.

— Peuples des Contrées du Milieu, annonça-t-elle, je vous présente le seigneur Rahl.

À côté d'elle, l'air ondula. Une cape noire se matérialisa, s'ouvrit et révéla l'homme qu'elle enveloppait.

Les courtisans les plus proches de l'estrade reculèrent en blêmissant. Derrière eux, des cris retentirent. Puis vinrent des appels au secours adressés au Créateur ou aux esprits.

Alors que quelques nobliaux se jetaient à genoux, ceux qui n'étaient pas pétrifiés dégainèrent leurs épées – dont les lames n'avaient pas dû voir souvent le jour face au danger.

Un officier d'haran ordonna calmement qu'on veuille bien remettre cette quincaillerie au fourreau. À contrecœur, les hommes obéirent.

Les yeux rivés sur Rahl, Lunetta se grattait à s'en écorcher vive. Brogan ne l'en empêcha pas. Sa propre peau le démangeait, irritée par la promiscuité de la magie.

Quand le silence fut revenu, l'homme prit la parole.

— Je suis Richard Rahl, celui que les D'Harans appellent « maître Rahl ». D'autres peuples me donnent des noms différents. Des prophéties antérieures à la fondation des Contrées du Milieu m'ont également baptisé à leur façon. (Il s'écarta du lutrin pour se placer entre les Mord-Sith.) Mais je suis venu vous parler de l'avenir, pas du passé.

Un peu plus petit que les deux colosses, Rahl était un grand gaillard musclé et étonnamment jeune. Ses vêtements – une chemise sombre, une cape, des bottes et un pantalon noirs – semblaient d'une modestie curieuse pour quelqu'un qui se faisait appeler « seigneur ». Malgré le fourreau en or et en argent qui battait son flanc, il ressemblait à un banal forestier. Cela dit, il avait l'air épuisé, comme si trop de responsabilités pesaient sur ses épaules.

Rompu au combat lui-même, Tobias comprit aussitôt que cet homme – avec sa grâce féline et sa façon si naturelle de porter une arme – ne devait pas être pris à la légère. Sa lame ne lui servait pas à parader, mais à trancher la chair. Et on voyait sur son visage qu'il avait derrière lui une longue suite de décisions désespérées, prises dans des situations tragiques, auxquelles il avait immanquablement survécu. Malgré son humilité apparente, une aura d'autorité l'enveloppait et chacun de ses gestes attirait irrésistiblement l'attention.

Dans la salle, la plupart des femmes, le premier choc passé, commençaient déjà à lui sourire en battant des cils. Habituées à faire la roue devant les puissants, elles se seraient comportées ainsi face à un homme beaucoup moins beau que Richard Rahl. Mais sans doute avec moins de sincérité...

Rahl ne sembla pas remarquer leur manège.

Brogan s'intéressa surtout à ses yeux, les miroirs de l'âme d'un homme, et un des rares indices qui ne trompaient jamais sur sa vraie nature.

Quand Rahl promena son regard sur la salle, des dignitaires reculèrent d'instinct et d'autres se pétrifièrent. Une fraction de seconde, Tobias put river ses yeux dans ceux du maître de D'Hara. Ce bref contact fut suffisant pour confirmer ses soupçons : cet homme était mortellement dangereux !

Trop jeune pour être vraiment à l'aise devant une foule, il appartenait cependant au type de guerriers qui combattent jusqu'à leur dernière goutte de sang. Ou qui escaladent une falaise vertigineuse pour ne pas laisser fuir un ennemi...

— Je le connais aussi..., souffla Galtero.

— Encore ? Et comment ?

— Ce matin, alors que je cherchais des témoins, il a traversé la rue devant moi. Je voulais vous l'amener, mais les deux grands types sont venus à sa rescousse.

— Dommage... Voilà qui aurait été...

Troublé par le silence qui régnait dans la salle, Tobias n'acheva pas sa phrase et leva les yeux. Le seigneur Rahl le regardait de nouveau, tel un prédateur qui cherche à hypnotiser sa proie.

Ensuite, il étudia Lunetta, qui se pétrifia. Puis, contre toute attente, un sourire timide fleurit sur ses lèvres.

— Parmi toutes les dames présentes, déclara le seigneur Rahl, c'est vous qui portez la plus jolie robe.

Lunetta rayonna et son frère faillit éclater de rire. Rahl venait de délivrer un message sans ambiguïté aux autres femmes : à ses yeux, leur statut social ne comptait pas. Brogan commençait à s'amuser franchement. Avec un type de cet acabit parmi ses chefs, l'Ordre Impérial ne serait peut-être pas si mal loti que ça.

— L'Ordre Impérial, continua Rahl, pense qu'il est temps, pour le monde, d'être uni sous une seule bannière : la sienne ! À l'en croire, la magie est responsable de toutes les misères de l'homme. Il l'accuse d'être le vecteur de la propagation du mal et proclame que son temps est révolu.

Quelques nobles approuvèrent gravement. D'autres marmonnèrent leur scepticisme. La majorité, comme souvent, resta silencieuse.

Le seigneur Rahl posa un bras sur le dossier du plus grand fauteuil, celui du centre.

— Au nom de l'universalisme de sa vision, et de sa prétendue mission divine, l'Ordre entend priver toutes les nations de leur souveraineté. Les peuples, unis sous un seul étendard, avanceront vers l'avenir sous sa coupe bienveillante.

Rahl marqua une pause et en profita pour sonder la foule du regard.

— La magie n'est pas la source du mal. C'est un épouvantail que l'Ordre brandit pour justifier sa quête de suprématie.

Des murmures coururent dans l'assistance, vite suivis par des disputes à voix basse. La duchesse Lumholtz avança, réduisant les contestataires au silence. Avant de s'incliner devant Rahl, elle le gratifia d'un sourire carmin.

— Seigneur Rahl, vos propos sont du plus haut intérêt, mais un membre éminent du Sang de la Déchirure (elle désigna Tobias) affirme que la magie est la création du Gardien.

Brogan ne dit rien et ne broncha pas. Rahl évita de le regarder, les yeux toujours rivés sur la duchesse.

— Si un enfant naissait avec le pouvoir, le traiteriez-vous de démon ?

Levant une main, la duchesse ordonna le silence à la foule qui s'excitait de nouveau, derrière elle.

— Selon le Sang de la Déchirure, la magie est le fruit du Gardien. Donc, et dans tous les cas, l'incarnation absolue du mal.

Dans la salle, et au balcon, des voix saluèrent bruyamment cette prise de position. Cette fois, Rahl lui-même leva une main pour les faire taire.

— Le Gardien est le destructeur de la vie, l'ennemi de la lumière et le souffle même de la mort. Le Créateur, à travers Sa puissance et Sa majesté, a donné naissance à tout ce qui existe.

La foule approuva unanimement cette profession de foi.

— En conséquence, continua Rahl, prétendre que la magie est le fruit du Gardien est un blasphème. Peut-il donner le jour à un enfant ? Lui prêter le pouvoir de créer est la pire hérésie qui soit. Une atteinte à ce qui fait la grandeur du Créateur et le rend digne de notre vénération.

Dans un silence de mort, Rahl inclina la tête, comme s'il voulait parler à l'oreille de la duchesse.

— Êtes-vous devant moi, noble dame, pour avouer que vous êtes une hérétique ? Ou pour accuser des innocents d'hérésie, histoire de consolider votre pouvoir ?

Rouge comme une pivoine, la duchesse recula et vint se placer à côté de son mari. Hors de lui, le duc pointa un index sur Rahl.

— Vos péroraisons subtiles ne changeront rien à la réalité ! L'Ordre Impérial combat le Gardien, et il désire nous unir pour que nous l'aidions à vaincre. Ensuite, tous les peuples, qui n'en feront plus qu'un, prospéreront ensemble. La magie prive l'humanité de ce droit au bonheur. Je suis keltien, et fier de l'être, mais il est temps d'aller au-delà de la notion de « royaume ». Isolés, nos pays sont bien trop vulnérables. Au fil de nos négociations, les émissaires de l'Ordre nous sont apparus comme des hommes civilisés, dignes et réellement attachés à la cause de la paix.

— Un noble idéal, répondit Rahl, imperturbable. Exactement celui que défendait le Conseil des Contrées du Milieu… et que vous avez jeté aux orties.

— L'Ordre Impérial est différent. Il nous offre une véritable force, et une paix durable.

— Les cimetières sont effectivement très paisibles, mon cher duc… (Maître Rahl foudroya Lumholtz du regard. Sans adoucir son expression, il se tourna vers la foule.) Il y a quelque temps, une armée de l'Ordre s'est enfoncée au cœur des Contrées du Milieu pour se gagner des alliés. Elle a réussi à convaincre beaucoup d'hommes, qui furent placés sous le commandement d'un général d'haran nommé Riggs. Des officiers de toutes les nationalités l'entouraient, et un sorcier keltien, Slagle, lui prêtait main-forte.

» Plus de cent mille soldats ont déferlé sur Ebinissia, la capitale de Galea. L'Ordre Impérial, comme de coutume, a demandé aux citadins de rejoindre ses rangs. Mais le peuple de Galea, habitué à répondre « présent » chaque fois qu'un danger menaçait les Contrées, a refusé de violer son serment de fidélité au Conseil.

Le duc fit mine d'intervenir. Pour la première fois, le seigneur Rahl haussa le ton, menaçant, et l'en dissuada.

— L'armée de Galea s'est battue jusqu'au dernier homme. Ensuite, le sorcier a utilisé son pouvoir pour ouvrir des brèches dans le mur d'enceinte, et les soudards de l'Ordre ont fondu sur leur proie. Les derniers défenseurs éliminés, ces chiens ne se sont pas contentés de conquérir la cité. Comme une horde de loups, ils l'ont mise à sac, violant, torturant et égorgeant ses habitants.

Les mâchoires serrées, Rahl se pencha en avant et brandit un index accusateur vers le duc.

— L'Ordre Impérial n'a pas laissé un survivant. Les vieux, les jeunes, les nouveau-nés – tous massacrés ! Ces soudards sont allés jusqu'à empaler les femmes enceintes pour tuer leurs petits avec elles...

Rouge de colère, le seigneur Rahl frappa du poing sur le lutrin. Dans la foule, tout le monde sursauta.

— En agissant ainsi, l'Ordre a montré ce que valaient ses beaux discours. Ces forbans ont perdu le droit de nous donner des leçons de morale, car ils n'ont ni foi ni loi. Leur seul but est de dominer les peuples. Et la tuerie d'Ebinissia est un avertissement pour ceux qui envisageraient de résister.

» Rien n'arrêtera ces fous, ni les frontières ni la raison ! Quelle éthique pourraient avoir des hommes qui éventrent des bébés ? Que nul, ici, n'ose se dresser devant moi pour dire le contraire, car il n'y a pas d'arguments en faveur de l'Ordre Impérial. Ces gens ont montré les crocs que dissimulaient leurs sourires. Aucune de leurs paroles, désormais, ne mérite d'être entendue, puisque le mensonge est leur fonds de commerce !

Rahl prit une grande inspiration, histoire de se calmer un peu.

— À Ebinissia, les victimes et les bourreaux ont beaucoup perdu en très peu de temps. Les victimes ont été privées de leur vie, et les bourreaux de leur humanité. Aujourd'hui, il n'est plus question de les écouter, et moins encore de les croire. Ces meurtriers et tous ceux qui se joindront à eux sont à tout jamais mes ennemis !

— Qui sont vraiment ceux que vous nommez des « chiens » ? demanda une voix. De votre propre aveu, beaucoup de D'Harans ont participé au massacre. Et toujours de votre propre aveu, vous êtes le maître de D'Hara ! Au printemps, quand la frontière a disparu, les D'Harans nous ont attaqués et ils ont commis le genre d'atrocités que vous venez de décrire. Aydindril fut épargnée, mais beaucoup d'autres cités ont subi le même sort qu'Ebinissia. Sans l'intervention de l'Ordre, à l'époque ! En quoi êtes-vous meilleur que vos adversaires, seigneur Rahl ? Et pourquoi vous croire, plutôt qu'eux ?

— Ce que vous dites est exact, concéda Rahl. À l'époque, D'Hara était sous la coupe de Darken Rahl, mon père, qui fut toujours un étranger pour moi. Il ne m'a pas élevé, ni enseigné sa philosophie. Son but ressemblait à celui de l'Ordre Impérial : conquérir et dominer à n'importe quel prix ! La seule différence ? Il s'agissait, pour lui, d'une quête personnelle, pas d'ambitions collectives. À part ça, il n'a jamais hésité à recourir à la force et à la magie, comme le général Riggs et ses semblables.

» Je combats tout ce que Darken Rahl incarnait. Aucune monstruosité ne l'arrêtait. Pour arriver à ses fins, il a torturé et tué des milliers d'innocents. Et comme l'Ordre, il entendait éradiquer la magie, afin qu'on ne l'utilise pas contre lui.

— Et vous êtes comme lui !

— Non ! Régner ne m'intéresse pas, et j'ai pris les armes parce que je pouvais aider à vaincre l'oppression. Aux côtés des Contrées du Milieu, j'ai lutté contre mon père. À la fin, je l'ai tué pour le punir de ses crimes. Et quand il a recouru à la magie noire pour revenir du royaume des morts, j'ai mobilisé mon pouvoir pour le renvoyer chez le Gardien. Ensuite, j'ai scellé le portail qui permettait à ses sbires de passer dans notre monde.

Brogan serra les dents. Il avait entendu tant de messagers du fléau, soucieux de cacher leur vraie nature, régaler leur auditoire de leurs exploits imaginaires contre les agents du Gardien. D'instinct, il savait reconnaître, sous le masque du héros, le démon au cœur impur qui se réjouissait de sa propre duplicité. Souvent trop lâches pour se montrer à visage découvert, les séides du Gardien aimaient se dissimuler derrière des fables édifiantes.

S'il n'avait pas dû nettoyer une kyrielle de poches de perversion, Brogan serait arrivé plus tôt en Aydindril. Hélas, il avait traversé en chemin des villes et des villages qui s'étaient révélés, sous leur vernis de piété, des nids de malfaisance. Convenablement interrogés, les plus hautains parangons de vertu finissaient par avouer leur hérésie. Brisés, ils livraient enfin les noms des *streganicha* et des messagers du fléau qui les avaient patiemment convertis au mal.

Face à une telle souillure, une purification par le feu s'imposait. Après le passage du Sang de la Déchirure, il ne restait plus rien de ces repaires du Gardien – pas même une pancarte pour rappeler qu'ils s'étaient dressés là un jour.

Le Sang de la Déchirure avait accompli le travail du Créateur, et cela lui avait coûté du temps et des efforts.

L'esprit en effervescence, Brogan revint au présent.

— J'ai relevé ce défi, disait Rahl, parce qu'on m'a mis d'autorité une épée dans le poing. Ne me jugez pas en fonction des actes de mon père, mais pensez plutôt à ce que j'ai fait. Aucun innocent n'a péri de ma main. En va-t-il de même avec l'Ordre Impérial ? Jusqu'à ce que j'abuse de la confiance des honnêtes gens, je mérite que vous m'écoutiez avec un esprit ouvert.

» Regarder les méchants triompher, les bras ballants, n'est pas dans ma nature. Je combattrai avec toutes mes armes, y compris la magie. Choisissez le camp des meurtriers, et vous n'aurez aucune pitié à attendre de ma lame.

— Nous voulons seulement la paix ! cria un homme.

— Moi aussi ! Je rêve de retourner dans ma chère forêt et d'y mener la vie simple que j'aime tant. Hélas, c'est aussi impossible que de retrouver l'innocence bénie de l'enfance. Car des responsabilités pèsent sur mes épaules. Celui qui abandonne des innocents en danger devient le complice de leurs agresseurs. Voilà pourquoi je me battrai jusqu'au bout...

Rahl posa de nouveau sa main sur le dossier du siège central.

— Regardez le Prime Fauteuil de la Mère Inquisitrice ! Pendant des millénaires, ces femmes ont dirigé les Contrées du Milieu d'une main bienveillante. Elles ont lutté pour préserver l'unité des royaumes et la liberté de leur population. Récemment, le Conseil a comploté contre la paix dont cette salle, ce palais et la ville entière ont toujours été les garants. Vous qui parlez d'unité et de paix avec des trémolos dans la voix, n'oubliez jamais cela : ces traîtres ont condamné la Mère Inquisitrice et ils l'ont livrée au bourreau.

Rahl dégaina lentement son épée et la posa sur le lutrin, où tout le monde pourrait la voir.

— Comme je vous l'ai dit, je porte beaucoup de noms. Depuis le printemps, où je fus choisi par le Premier Sorcier, je suis aussi le Sourcier de Vérité, légitime détenteur de l'Épée de Vérité. La nuit dernière, avec cette lame, j'ai exécuté les conseillers félons.

» Vous êtes les représentants des différents royaumes des Contrées du Milieu. La Mère Inquisitrice vous a donné une chance de rester unis, mais vous lui avez tourné le dos...

— Nous n'approuvions pas toutes les décisions du Conseil, lança un homme que Tobias ne parvint pas à repérer. Beaucoup d'entre nous voudraient que les Contrées retrouvent leur unité, et qu'elles se dressent contre l'envahisseur.

Cette déclaration fut soutenue par la majorité de la foule. Mais certains hommes ne desserrèrent pas les dents...

— Il est trop tard pour ça, répondit le seigneur Rahl. Vous avez laissé passer votre chance... La Mère Inquisitrice a souffert de vos dissensions et de votre entêtement dans l'erreur. Ce ne sera pas mon cas...

— De quoi parlez-vous, à la fin ? explosa le duc Lumholtz. Un D'Haran n'a rien à dire sur la politique des Contrées du Milieu. Tout ça nous regarde !

— Les Contrées du Milieu n'existent plus. Je les dissous devant vous, à cet instant précis. Désormais, chaque pays est livré à lui-même.

— Les Contrées du Milieu ne sont pas votre jouet !

— Pas plus que celui de Kelton, qui rêvait de les diriger.

— Comment osez-vous nous accuser de...

— Du calme, duc ! coupa le seigneur Rahl. Vous n'êtes pas plus cupides que beaucoup d'autres... Combien d'entre vous brûlaient d'envie d'éliminer les Mères Inquisitrices et les sorciers, histoire de s'approprier le butin ?

— C'est la vérité..., souffla Lunetta à l'oreille de son frère.

Qui la fit taire d'un regard glacial.

— Les Contrées du Milieu ne toléreront pas qu'on se mêle de leurs affaires ! cria une autre voix.

— Vous ne m'avez pas bien compris, dirait-on... Les Contrées sont dissoutes.

(Rahl jeta à la foule un regard si noir que Brogan lui-même en eut le souffle coupé.) Je suis venu vous exposer les conditions de votre reddition.

L'assemblée n'en supporta pas davantage. Le poing levé, des hommes rouges de fureur bombardèrent d'injures le fou qui osait les défier ainsi.

Le duc Lumholtz ramena le silence puis se retourna vers l'estrade.

— J'ignore quelle idée bizarre vous est passée par la tête, jeune homme, mais sachez que cette ville est sous le commandement de l'Ordre Impérial. Des accords satisfaisants ont été signés, et nous ne reviendrons pas dessus. Les Contrées survivront, leur unité assurée par l'Ordre, et ne se vendront jamais à des rapaces comme D'Hara.

La foule menaçant de déferler sur l'estrade, les Mord-Sith brandirent leurs Agiels, les soldats dégainèrent leurs lames, les piquiers brandirent les leurs, et le garn déploya ses ailes. Pour faire bonne mesure, il rugit, dévoilant ses crocs.

Le seigneur Rahl ne broncha pas. Son enthousiasme douché, la foule recula.

— Vous avez eu une chance de préserver les Contrées, et qu'en avez-vous fait ? D'Hara ne plie plus l'échine sous le joug de l'Ordre Impérial, et je tiens Aydindril !

— Foutaises ! cria le duc. Les Keltiens ont des troupes en ville, comme la plupart des autres royaumes, et elles ne vous laisseront pas faire.

— Encore une fois, vous réagissez trop tard... (Rahl tendit un bras.) Puis-je vous présenter le général Reibisch, commandant de toutes les forces d'haranes du secteur ?

Musclé, la barbe rousse et le visage barré d'une cicatrice, l'officier monta sur l'estrade. Il se tapa du poing sur le cœur pour saluer Rahl et se tourna vers l'assistance.

— Nos troupes contrôlent et encerclent Aydindril. Mes hommes sont cantonnés ici depuis des mois. Libérés du joug de l'Ordre Impérial, nous sommes de nouveau d'authentiques D'Harans dévoués corps et âme au seigneur Rahl.

» Ces derniers temps, mes petits gars se sont ennuyés ferme. Si vous voulez vous battre, j'en serai ravi. Maître Rahl nous a ordonné de ne pas commencer la tuerie, et nous lui obéirons. En revanche, s'il faut nous défendre, nous mettrons volontiers la main à la pâte. Occuper cette ville m'a franchement assommé. Le genre de mission trop subtile pour moi... Éventrer des crétins, ça, c'est vraiment dans mes cordes !

» Tous vos royaumes ont au moins un régiment chargé de défendre leur ambassade. À mon avis, si vous vous organisez bien, en oubliant vos querelles, il me faudra un jour, deux au maximum, pour vous écrabouiller. Après, nous serons tranquilles, puisque les D'Harans ne font jamais de prisonniers.

Reibisch s'inclina devant Rahl et s'écarta.

Les cris reprenant, le seigneur leva une main.

— Silence ! cria-t-il. (Étant instantanément obéi, il continua :) Je vous ai invités ici pour vous exposer ma vision des choses. Quand votre reddition sera acquise, je m'intéresserai à la vôtre. Pas avant !

» L'Ordre Impérial voulait régner sur D'Hara et sur les Contrées. Je lui ai repris D'Hara, et D'Hara lui reprend Aydindril.

» Ne rêvez plus à l'occasion que vous n'avez pas saisie... À présent, voilà vos options. Vous pouvez choisir le camp de l'Ordre Impérial. Sous sa bannière, vous n'aurez aucun droit et rien à dire. La magie disparaîtra, à l'exception de celle qui assurera votre servitude. Devenus des esclaves, vous souffrirez jour après jour sans espoir que les choses changent.

» L'autre solution est de vous en remettre à D'Hara. Bien que soumis à nos lois, vous aurez très vite votre mot à dire, car nous ne souhaitons pas anéantir la diversité qui fit la force des Contrées. Vous disposerez du fruit de votre labeur, libres de commercer et de prospérer tant que vous ne violerez pas la loi et respecterez les droits des autres. La magie ne disparaîtra pas et vos enfants naîtront dans un monde libre où tout sera possible.

» Et quand nous en aurons fini avec l'Ordre Impérial, la paix régnera à jamais.

» Bien entendu, tout cela a un prix : votre souveraineté ! D'Hara ne touchera pas à vos frontières et à vos cultures, mais vous n'aurez plus d'armées autonomes. Les seuls soldats autorisés – une force commune – défileront sous l'étendard de D'Hara. Il n'y aura en aucun cas un Conseil de royaumes indépendants. J'ai parlé de reddition, et c'est bien de cela qu'il s'agit. Chaque royaume consentira à payer la paix à ce prix. Ainsi, il prouvera sa bonne foi.

» Comme avec Aydindril, pas question qu'un seul pays supporte le poids financier de la liberté. Tous s'acquitteront des impôts indispensables à l'entretien d'une défense commune. Il n'y aura pas d'autre dîme, et chacun réglera la même somme.

Les dignitaires crièrent qu'on voulait les détrousser, ou pire, les étrangler. D'un regard, le seigneur Rahl les força à ravaler leurs hurlements.

— Ce qui ne coûte rien ne vaut rien... Aujourd'hui, en contemplant les flammes d'un bûcher funéraire, cette vérité m'est revenue à l'esprit. La liberté a un prix. En vous partageant équitablement la charge, vous serez conscients de sa valeur... et prêts à tout pour la défendre.

Au balcon, une émeute menaçait d'éclater. Les petites gens criaient qu'on leur avait promis de l'or, pas de nouveaux impôts à payer. Fous furieux, des hommes exigeaient qu'on leur donne leur dû immédiatement.

Le seigneur Rahl leva de nouveau une main, les réduisant au silence.

— Un homme vous a promis de l'or sans rien demander en échange, c'est vrai. Hélas, il est mort. Si ça vous chante, déterrez-le et présentez-lui vos doléances. Les soldats qui se battront pour votre liberté ont besoin de vivres et d'équipements, et il n'est pas question qu'ils les volent. Ceux d'entre vous qui ont de la nourriture à vendre ou des services à proposer seront bien rémunérés. Les autres participeront à l'effort commun en servant sous les drapeaux ou en payant des impôts.

» Quels que soient ses moyens, tout citoyen devra s'impliquer dans la défense de sa liberté. Cette loi ne connaîtra pas d'exception !

» Si elle vous déplaît, quittez Aydindril et rejoignez les rangs de l'Ordre Impérial. N'hésitez pas à lui demander votre or, puisqu'un de ses membres vous l'a promis. Mais ne comptez pas sur moi pour la distribution...

» Le choix est simple : avec ou contre nous ! Et si vous êtes avec nous, il faudra nous aider. Avant de décider de partir, réfléchissez bien, car si vous vous lassez des bons soins de l'Ordre, vous devrez, pour revenir parmi nous, payer le double d'impôts pendant dix ans.

Des cris d'angoisse montèrent du balcon. Au premier rang de la foule, devant l'estrade, une femme prit la parole d'une voix geignarde.

— Et si nous refusons de choisir ? Combattre est contre nos principes. Être tranquilles et nous occuper de nos affaires, voilà ce qui nous intéresse. Qu'arrivera-t-il si nous optons pour cela ?

— Avez-vous l'arrogance de vous croire supérieure à nous parce que vous refusez de lutter pour mettre un terme aux tueries ? Nous croyez-vous assez idiots pour consentir tous les sacrifices, pour que vous vous félicitiez de vivre selon vos principes ? Manier une épée n'est pas la seule manière de contribuer à notre effort. Mais vous n'y couperez pas ! Soignez les blessés, aidez les familles des soldats, participez à la construction et à l'entretien des routes d'approvisionnement... Il y a une multitude de moyens, et je n'en impose aucun. Bien entendu, vous payerez aussi l'impôt, car il n'y aura pas de passe-droit.

» Si vous refusez de vous rendre, vous serez seuls. L'Ordre Impérial rêve de conquérir le monde. Faute d'un autre moyen de l'en empêcher, je dois avoir la même ambition. Tôt ou tard, vous vivrez sous le règne d'un des deux camps. Priez pour que ce ne soit pas le mauvais...

» Les royaumes qui refuseront de se soumettre subiront un blocus et resteront isolés jusqu'à ce que nous ayons le temps de les conquérir – ou que l'Ordre s'en soit chargé. Aucun de nos alliés n'aura le droit de commercer avec ces peuples, sous peine d'être accusé de trahison. Et bien entendu, il leur sera interdit de traverser nos territoires.

» Mon offre d'aujourd'hui comporte des avantages, puisque vous vous joindrez à nous sans subir de sanctions. Dès son expiration, si vous refusez, il deviendra nécessaire de vous conquérir. Nous le ferons, n'en doutez pas, et nos conditions, cette fois, seront drastiques. Les peuples ainsi soumis payeront trois fois plus que les autres et ce pendant trente ans. Cela suffira, car il serait injuste que la prochaine génération souffre des fautes de celle-ci. Les pays voisins prospéreront pendant que vous stagnerez, écrasés de charges. Votre royaume finira par s'en relever, mais je doute que vous viviez assez longtemps pour en profiter.

» N'oubliez pas : je veux balayer de la surface du monde les bouchers qui ont osé se baptiser l'« Ordre Impérial ». Si vous les soutenez, d'une manière ou d'une autre, vous partagerez leur sort. Et il n'y aura pas de pitié.

— Vous ne réussirez pas ! lança une voix anonyme dans la foule. Nous vous en empêcherons.

— Les Contrées du Milieu sont désunies et c'est irréparable. Sinon, c'est moi qui me serais allié à elles. Hélas, le passé est mort...

» Mais l'esprit des Contrées survivra chez tous ceux d'entre nous qui ont mesuré sa valeur. La Mère Inquisitrice voulait livrer une guerre sans merci à l'Ordre Impérial. Honorez-la et respectez les idéaux des Contrées en prenant la seule bonne décision : vous en remettre à D'Hara. Si vous choisissez l'Ordre, ça reviendra à piétiner tout ce qui fit la grandeur des Contrées.

» Une armée de soldats galeiens, commandée par la reine en personne, a traqué les bouchers d'Ebinissia et les a exterminés. Cette femme nous a montré que l'Ordre Impérial n'était pas invincible.

» J'épouserai bientôt la reine de Galea, Kahlan Amnell, unissant ainsi nos deux peuples. Ainsi, je montrerai à tous que je ne couvrirai aucun crime, même s'ils ont été commis par des D'Harans. Galea et D'Hara seront les deux premiers membres de la nouvelle union, car Galea se soumettra à D'Hara. Mon mariage avec la reine prouvera qu'il s'agit d'une alliance fondée sur le respect mutuel, sans conquête sanglante ni lutte pour le pouvoir, dont le seul but est de bâtir une nouvelle vie, meilleure que jamais. La reine désire autant que moi anéantir l'Ordre Impérial. Et cette femme a un cœur de fer…

Des questions et des exigences fusèrent de toute part, le balcon se montrant tout aussi impérieux que la salle.

— Assez ! cria le seigneur Rahl. (Le silence se fit aussitôt.) J'en ai déjà trop entendu. Le marché est entre vos mains. N'allez surtout pas croire que je vous laisserai agir comme vous aimiez tant le faire à l'époque des Contrées. Jusqu'à votre reddition, je vous tiens pour des ennemis potentiels. Vos soldats nous remettront leurs armes, de gré ou de force, et ils resteront sous la surveillance des troupes d'haranes qui encerclent désormais vos palais.

» Chaque représentation enverra une petite délégation dans son pays pour transmettre mon message. Ne jouez pas aux plus malins, car un retard injustifié risque de vous coûter cher. Enfin, inutile de me présenter des contre-propositions, car je ne les étudierai pas. Chaque royaume, grand ou petit, sera traité de la même manière. Ceux qui se soumettront seront accueillis les bras ouverts, avec l'espoir qu'ils contribueront à l'effort commun. (Il leva les yeux vers le balcon.) Vous avez aussi des responsabilités : aidez-nous à survivre, ou quittez la ville.

» Je ne prétends pas que ce sera facile, car nous affrontons un ennemi sans conscience. Les monstres que vous avez vus dehors ont tenté de nous attaquer. Pensez au sort qui fut le leur, quand vous réfléchirez à mes paroles.

» Si vous optez pour l'Ordre Impérial, je demanderai aux esprits d'être plus compatissants avec vous dans l'autre monde que je le serai dans celui-là…

» À présent, vous pouvez disposer.

# Chapitre 13

— Le seigneur Rahl veut vous parler, dit un des gardes qui avaient croisé leurs piques devant la porte.

Tous les autres « invités » étaient partis.

Brogan s'était attardé pour voir si des dignitaires solliciteraient un entretien privé avec Rahl. La plupart s'étaient éclipsés sans demander leur reste. Certains, comme il l'avait prévu, avaient tenté leur chance. Rabroués par les gardes, ils avaient fini par filer. Et le balcon aussi était désert.

Encadrant Lunetta, Brogan et Galtero, suivis par des gardes, approchèrent de l'estrade où le seigneur Rahl, assis dans le fauteuil placé à droite de celui de la Mère Inquisitrice, les regardait avancer, l'air impassible.

Il restait peu de soldats, puisqu'il n'y avait plus personne à contrôler. Debout près de l'estrade, le général Reibisch semblait toujours tendu. Les deux colosses et les trois Mord-Sith n'avaient pas non plus relâché leur concentration. Le garn, toujours à son poste, riva ses yeux verts brillants sur les trois inconnus qui marchaient vers son ami.

— Laissez-nous, dit Reibisch aux derniers soldats.

Ils saluèrent Rahl et leur chef et obéirent sur-le-champ.

Dès que la porte se fut refermée sur eux, le seigneur étudia Brogan, puis Galtero. Enfin, il posa les yeux sur Lunetta.

— Bonjour ! Je m'appelle Richard. Et toi ?

— Lunetta, seigneur Rahl.

La vieille femme se fendit d'une révérence si maladroite qu'elle en gloussa elle-même.

Galtero frémit quand le maître tourna de nouveau la tête vers lui.

— Désolé de vous avoir rudoyé, ce matin, seigneur Rahl…

— C'est oublié… (Rahl eut un petit sourire.) Vous voyez comme il est facile de s'excuser ?

Galtero ne dit rien. Son sourire volatilisé, Rahl regarda Brogan.

— Seigneur Général, je veux savoir pourquoi vous avez enlevé des citadins.

— Seigneur Rahl, d'où tenez-vous cette information ? Nous n'avons rien fait de tel.

— À mon avis, général, vous n'êtes pas homme à tolérer les réponses évasives. Cela nous fait au moins un point commun.

— Seigneur Rahl, il doit y avoir un malentendu… En arrivant en ville, pour nous joindre à la cause de la paix, le désordre qui y régnait nous a désorientés. Pour en savoir plus, et évaluer le danger, j'ai invité quelques personnes à venir me parler. C'est tout…

— Un seul sujet vous intéressait : l'exécution de la Mère Inquisitrice. Pourquoi ?

— Toute ma vie, je l'ai tenue pour l'incarnation de l'autorité dans les Contrées du Milieu. Apprendre qu'on l'avait peut-être décapitée m'a troublé.

— La moitié des citadins ont assisté à l'exécution. En vous promenant une heure dans les rues, vous auriez tout su. Pourquoi avoir enlevé des gens pour les interroger ?

— Eh bien, les témoins ont toujours des versions différentes, et ils les racontent plus facilement quand on leur parle en privé.

— Une exécution est une exécution. Quelles « versions » peut-on imaginer ?

— De l'autre bout d'une esplanade, comment dire qui a mis sa tête sur le billot ? Seuls les… spectateurs… les plus proches ont vu le visage de la condamnée. Et beaucoup n'étaient pas à même de la reconnaître. (L'expression de Rahl ne s'adoucissant pas, Brogan enchaîna très vite :) Pour tout dire, j'espérais qu'il s'était agi d'une mise en scène.

— Une mise en scène ? Tous les témoins ont vu la tête de la Mère Inquisitrice se détacher de ses épaules.

— Parfois, les gens *croient* voir quelque chose. Je me disais, en cas de mystification, que la Mère Inquisitrice aurait ainsi eu le temps de fuir. Comprenez-vous, elle a toujours lutté pour la paix. Si elle était encore en vie, les peuples des Contrées y verraient un symbole encourageant. Nous avons besoin d'elle ! Et j'étais prêt à lui offrir ma protection…

— Oubliez vos espoirs et concentrez-vous sur l'avenir.

— Seigneur Rahl, n'avez-vous donc pas entendu les rumeurs qui la prétendent vivante et libre ?

— Rien de pareil n'est arrivé à mes oreilles. Au fait, vous connaissiez la Mère Inquisitrice ?

— Bien sûr ! fit Brogan en se forçant à sourire béatement. Elle est souvent venue à Nicobarese.

— Vraiment ? À quoi ressemble-t-elle ?

— Elle était… elle avait… (Tobias avait bien rencontré la Mère Inquisitrice. Pourtant, il ne se souvenait plus de son apparence.) La décrire n'est pas facile, et je ne suis pas très doué pour ce genre de choses…

— Dites-moi au moins son nom.

— Son nom ?

— Oui. Vous devez le connaître, puisque vous la fréquentiez.

— Hum… Attendez un peu…

Tobias fronça les sourcils, stupéfait. Comment était-ce possible ? Il traquait la pire ennemie de la piété, le symbole même de la magie destructrice – une femme qu'il rêvait de juger et de punir plus que n'importe quel agent du Gardien. Et voilà qu'il avait oublié son apparence et son nom !

Absurde…

Soudain, il comprit : le sort de mort ! Lunetta lui avait dit qu'il ne reconnaîtrait pas sa proie. Il n'aurait jamais cru que le sort effacerait de son esprit le nom de la Mère Inquisitrice, mais c'était la seule explication.

Tobias sourit et haussa les épaules.

— Désolé, seigneur Rahl, mais avec tout ce que vous avez dit ce soir, j'ai l'esprit franchement confus. (Il se tapota la tempe.) Je deviens vieux, et ça ne marche plus très bien, là-dedans…

— Résumons-nous : vous enlevez des gens avec l'espoir d'apprendre que la Mère Inquisitrice n'est pas morte. Soit… Vous brûlez, dites-vous, de la protéger. Là encore, je veux bien… Mais oublier son nom et son apparence ? Vous en conviendrez, général : à mes oreilles, votre « ça ne marche plus très bien là-dedans » sonne comme un doux euphémisme. Permettez-moi d'insister : tant que vous y êtes, oubliez aussi votre absurde quête et souciez-vous de l'avenir de Nicobarese.

Brogan sentit les muscles de ses joues tressaillir quand il se força de nouveau à sourire.

— Seigneur Rahl, vous ne comprenez donc pas ? Si elle était vivante, cela vous aiderait beaucoup. En admettant que vous la convainquiez du bien-fondé de votre plan, et de votre sincérité, elle accepterait sans doute de vous soutenir. Imaginez qu'elle se charge de transmettre votre message aux royaumes ? Les peuples seraient bien plus enclins à l'écouter. En dépit des apparences, et des désastreuses décisions du Conseil – qui m'ont révolté, sachez-le – la Mère Inquisitrice continue d'être respectée dans nos pays. Avoir son aval serait pour vous un avantage majeur. Et si vous parveniez en plus à obtenir sa main, quel coup de génie ce serait !

— Je suis fiancé à la reine de Galea, rappela Richard.

— Alors, oublions ça… Mais elle peut quand même vous aider, si elle est vivante. (Brogan passa un index sur la cicatrice qui courait au coin de sa bouche et dévisagea maître Rahl.) Pensez-vous que ce soit possible ?

— Je n'étais pas là à l'époque, mais on m'a dit que des milliers de personnes l'ont vue périr sur l'échafaud. Ces gens pensent qu'elle est morte. Même si vous avez raison de penser qu'elle serait une alliée précieuse, si elle avait survécu, la question n'est pas là. Alors, je vous pose celle qui compte : pouvez-vous m'expliquer pourquoi tous ces témoins se tromperaient ?

— Eh bien, non, mais je crois que…

Rahl tapa du poing sur le lutrin, faisant sursauter jusqu'aux deux colosses.

— J'en ai assez entendu ! Ai-je l'air assez idiot pour me détourner d'une cause essentielle – la paix ! – au profit de vagues spéculations ? Espérez-vous obtenir je ne sais quels privilèges en me donnant un moyen d'affermir ma domination sur les peuples des Contrées ? Votre royaume sera traité comme les autres, quoi qu'il arrive.

— Bien entendu, seigneur Rahl. Je n'avais pas l'intention de…

— Si vous continuez à courir après un fantôme au lieu de vous occuper de l'avenir de votre pays, vous finirez avec mon épée dans le cœur, sachez-le !

— J'ai compris, seigneur Rahl. Nous allons partir sur-le-champ livrer votre message à Nicobarese.

— Pas question ! Vos hommes et vous ne bougerez pas d'ici.

— Mon roi doit être informé de…

— Votre roi est mort ! (Rahl leva un sourcil ironique.) Ou le croyez-vous vivant, peut-être caché en compagnie de la Mère Inquisitrice ?

Lunetta gloussa bêtement. D'un regard noir, Brogan la réduisit au silence. S'avisant que son sourire s'était effacé, il se força à en afficher un autre, plus proche du rictus…

— Un nouveau roi montera bientôt sur le trône. Il en va ainsi dans mon pays : un monarque règne sur ses sujets. Et c'est à lui, seigneur Rahl, que j'entendais livrer votre message.

— À quoi bon, puisque le nouveau monarque sera votre marionnette ? Ce voyage est inutile, général. Vous resterez dans votre palais jusqu'à ce que vous ayez décidé d'accepter mes conditions.

— Comme il vous plaira, seigneur Rahl, capitula Brogan avec un grand sourire.

Il fit mine de dégainer le couteau pendu à sa ceinture. Aussitôt, une Mord-Sith lui brandit son Agiel à un pouce du visage. Brogan se pétrifia sous le regard bleu de la femme.

— C'est une coutume de mon pays, seigneur Rahl. Je ne voulais pas vous menacer, mais vous remettre mon couteau en gage d'allégeance. J'obéirai à vos ordres, seigneur, et je le manifeste en vous rendant symboliquement les armes. Puis-je le faire, à présent ?

Les yeux bleus de la Mord-Sith restèrent rivés dans ceux du général.

— C'est bon, Berdine…, dit Rahl.

La femme recula à contrecœur, le regard mauvais. Brogan dégaina son couteau et le posa, garde en avant, sur le rebord du lutrin. Rahl le prit pour le mettre sur l'accoudoir de son fauteuil.

— Merci, général…

Brogan tendit une main, paume ouverte.

— Qu'y a-t-il encore ? soupira Rahl.

— Toujours la coutume, seigneur… Chez moi, lorsqu'on se défait de son couteau à garde d'argent, il est d'usage que le récipiendaire, en témoignage de bonne volonté et de paix, donne une pièce en échange. En somme, de l'argent contre de l'argent… et de l'honneur contre de l'honneur.

Sans quitter Brogan du regard, Rahl réfléchit un moment, puis il sortit une pièce d'argent de sa poche. Tobias la prit et la glissa dans la sienne – non sans lui avoir jeté un coup d'œil, et avoir reconnu le Palais des Prophètes sur une des faces.

— Merci d'avoir respecté mes coutumes, seigneur Rahl, fit-il en s'inclinant. Si vous n'avez plus besoin de moi, je vais me retirer pour réfléchir à votre discours.

— Je n'avais pas tout à fait fini, général. Selon certains, le Sang de la Déchirure n'est pas le meilleur ami de la magie. Que fait une magicienne à vos côtés ?

— Lunetta ? C'est ma sœur, seigneur Rahl. Elle me suit partout, et je l'aime beaucoup, pouvoir ou non… À votre place, je n'accorderais pas d'importance aux propos de la duchesse Lumholtz. C'est une Keltienne, et ce royaume est étroitement lié à l'Ordre Impérial.

— Les Keltiens ne sont pas les seuls à parler de vous en ces termes, général.

Brogan serra discrètement les poings. Il aurait donné cher pour mettre la main sur cette fichue cuisinière et lui couper la langue !

— Tout à l'heure, seigneur, vous avez demandé qu'on vous juge selon vos actes, pas sur les rumeurs qui courent à votre sujet. Me refuserez-vous ce privilège ? Ce que vous entendez ou non ne dépend pas de moi, mais ma sœur a le don, et je ne l'ai pas reniée pour autant.

— Pourtant, des membres du Sang de la Déchirure ont participé au massacre d'Ebinissia…

— Aux côtés de beaucoup de D'Harans, seigneur. Tous les bouchers d'Ebinissia sont morts. Si j'ai bien compris, votre offre de ce jour nous proposait de prendre un nouveau départ. Chacun d'entre nous, corrigez-moi si je me trompe, a la possibilité d'accepter la main que vous lui tendez.

— Vous ne faites pas erreur, général. Encore une chose, avant de vous laisser partir… J'ai combattu les sbires du Gardien, et je continuerai. En les affrontant, j'ai découvert qu'ils n'avaient pas besoin de se tapir dans les ombres pour ne pas être vus. Il peut s'agir de la personne qu'on soupçonne le moins. Pire encore, il arrive qu'elle serve les intérêts du Gardien sans même le savoir.

— J'ai cru également comprendre qu'il en allait ainsi, seigneur, dit Tobias en s'inclinant.

— Assurez-vous que l'ombre que vous chassez n'est pas celle que vous projetez…

Perplexe, Brogan fronça les sourcils. Le seigneur Rahl avait dit une multitude de choses qu'il n'avait pas aimées. C'était la première qu'il ne comprenait pas…

— Je connais la nature du mal que je traque, seigneur. Ne vous inquiétez pas pour moi.

Brogan se détourna, puis, se ravisant, regarda par-dessus son épaule.

— Puis-je vous féliciter de votre prochain mariage avec la reine de Galea ? Décidément, mon cerveau a des ratés, et je ne parviens plus à retenir les noms. Veuillez me pardonner, mais comment s'appelle-t-elle ?

— La reine Kahlan Amnell.

— Bien sûr… Kahlan Amnell. Un nom qui ne sortira plus de ma mémoire…

# Chapitre 14

Richard regarda longuement les lourdes portes de chêne après qu'elles se furent refermées. Il jugeait rafraîchissant qu'une personne soit assez candide pour venir au Palais des Inquisitrices, au milieu de tant de beau monde, vêtue d'un costume multicolore d'épouvantail. Les nobles avaient sûrement pris Lunetta pour une folle. Jetant un coup d'œil à sa tenue, simple et d'une propreté douteuse, le Sourcier se demanda si les courtisans ne l'avaient pas considéré lui aussi comme un dément. Ce qu'il était peut-être, tout bien pesé…

— Seigneur Rahl, demanda Cara, comment avez-vous vu que c'était une magicienne ?

— Son Han l'enveloppait. Ne l'as-tu pas lu dans ses yeux ?

L'uniforme de cuir rouge craqua quand la Mord-Sith se pencha par-dessus le lutrin et souffla :

— Nous l'aurions démasquée si elle avait tenté d'utiliser son pouvoir contre nous. Pas avant, hélas… Et que signifie ce mot, « Han » ?

— Il désigne son pouvoir, répondit Richard en étouffant un bâillement. La force même de la vie. Bref, sa magie.

— Vous avez un pouvoir, donc le voir était facile. Ce n'est pas notre cas.

Richard répondit d'un grognement distrait, puis caressa du pouce la garde de son épée.

Au fil du temps, presque à son insu, il avait acquis l'aptitude à reconnaître la magie chez les autres. Dès qu'ils l'utilisaient, il le voyait dans leurs yeux. Bien que le pouvoir fût différent en chaque individu, il existait une sorte de « point commun » qu'il identifiait sans peine. Était-ce parce qu'il avait le don, comme le suggérait Cara ? Ou parce qu'il avait croisé le regard sans âge caractéristique de la magie chez tant de ses pratiquants : Kahlan, Adie la dame des ossements, Shota la voyante, Du Chaillu la femme-esprit des Baka Ban Mana, Darken Rahl, sœur Verna, la Dame Abbesse Annalina et tant d'autres Sœurs de la Lumière ?

Les sœurs étaient des magiciennes, et leur regard brillait chaque fois qu'elles communiquaient avec leur Han. À ces moments-là, Richard voyait quasiment l'air crépiter d'énergie autour d'elles. Certaines de ces femmes avaient tant de pouvoir que sa nuque se hérissait dès qu'elles passaient à côté de lui.

Lunetta avait eu le même regard... et son Han l'enveloppait. Cela ne faisait pas de doute. Mais pourquoi était-elle restée là, sans rien faire, et pourtant en communion avec son Han ? En général, les magiciennes ne le dévoilaient pas ainsi sans une bonne raison. Comme Richard, qui ne dégainait pas l'Épée de Vérité à tort et à travers... Cela dit, Lunetta s'était peut-être simplement amusée à montrer son pouvoir, telle une enfant malicieuse. Et cette hypothèse collait bien avec son curieux accoutrement...

Pourtant, le Sourcier n'y croyait pas une seconde.

Selon lui, Lunetta l'avait sondé pour savoir s'il disait la vérité. Une idée inquiétante, même s'il ne se sentait pas assez expert en magie pour affirmer que c'était possible. Jusque-là, les magiciennes avaient toujours paru lire en lui comme dans un livre ouvert. Dès qu'il mentait, cela leur sautait aux yeux, comme si ses cheveux avaient soudain pris feu. Soucieux de ne courir aucun risque, il s'était forcé à ne pas mentir devant Lunetta, surtout au sujet de la mort présumée de Kahlan.

Brogan avait fait montre d'un grand intérêt pour la Mère Inquisitrice. Richard aurait aimé croire à son discours laudateur, qui semblait relativement sensé. Hélas, il n'y parvenait pas. S'inquiéter pour Kahlan l'amenait-il à douter de tout, au mépris du bon sens ?

— Cet homme ressemble à un vautour qui cherche un cadavre à survoler, dit-il à voix haute – sans l'avoir vraiment voulu.

— Maître Rahl, voulez-vous que nous lui coupions les ailes ? demanda aussitôt Berdine. (D'un coup sec, elle propulsa dans son poing l'Agiel qui pendait au bout d'une chaîne, à son poignet.) Histoire qu'il perde de l'altitude...

Les deux autres Mord-Sith eurent un ricanement approbateur.

— Non, fit Richard d'une voix lasse. J'ai donné ma parole... Aujourd'hui, j'ai demandé à ces gens de prendre une décision qui changera à jamais leur vie. En contrepartie, je dois respecter mes engagements et leur laisser le temps de réfléchir. S'ils comprennent que c'est la voie de la paix, dans le respect de l'intérêt général, j'aurai gagné mon pari.

Gratch bâilla à s'en décrocher les mâchoires, dévoilant ses impressionnantes rangées de crocs. Puis il s'assit à même le sol, derrière le fauteuil du Sourcier.

Richard espéra que le garn n'était pas aussi épuisé que lui.

Mains dans le dos et relativement décontractés, Ulic et Egan semblaient se désintéresser de la conversation. Aussi immobiles que les colonnes, autour d'eux, ils restaient cependant aux aguets, sondant tous les recoins de la salle bien qu'elle fût désormais déserte.

— Seigneur Rahl, demanda Reibisch en caressant distraitement d'un pouce le socle en or d'une lampe, vous avez dit que nos hommes ne s'empareront pas du butin qu'ils ont pourtant mérité. C'était un mensonge ?

— Non. Nos ennemis se comportent ainsi, pas nous. Nous combattons pour la liberté, pas pour nous remplir les poches.

Richard plongea son regard dans celui du général, qui détourna légèrement la tête avant d'acquiescer.

— Vous avez des objections ?

— Aucune, seigneur Rahl…

Le Sourcier se radossa à son siège.

— Reibisch, depuis que je suis assez vieux pour qu'on se fie à moi, j'ai toujours exercé la profession de guide forestier. Ce n'est pas une formation idéale pour diriger une armée, et j'ai conscience de mes lacunes. Bref, votre aide me serait très précieuse.

— Mon aide ? Comment pourrais-je vous être utile, seigneur Rahl ?

— En me faisant profiter de votre expérience. J'aimerais connaître vos opinions, pas vous entendre répéter à longueur de journée des « Oui, seigneur Rahl » sans conviction. Nous ne serons pas toujours d'accord, et je me mettrai sans doute en colère, mais vous ne serez jamais puni pour avoir été franc. Si vous me désobéissez, vous perdrez vite votre poste. Mais contester mes ordres ne vous vaudra pas la disgrâce. C'est pour de telles libertés que nous nous battons…

Le général croisa les mains dans son dos. Sous sa cotte de mailles, les muscles de ses bras se gonflèrent et le Sourcier, sous les cercles de métal, aperçut les scarifications blanches qui signalaient son grade.

— Les soldats d'harans mettent à sac les villes vaincues. C'est la coutume, et mes hommes entendent qu'elle soit respectée.

— Vos anciens chefs ont pu tolérer ces pratiques, voire les encourager. Ce ne sera pas mon cas.

— Comme il vous plaira, seigneur Rahl, fit Reibisch avec un soupir qui se passait de commentaires.

Richard se massa longuement les tempes. Le manque de sommeil finissait par lui donner la migraine…

— Ne comprenez-vous pas ? Il ne s'agit pas de conquérir et de piller. Nous sommes là pour lutter contre l'oppression.

Reibisch posa un pied sur le barreau doré d'un fauteuil et glissa un pouce dans sa ceinture.

— Je ne vois pas vraiment la différence… Le maître Rahl pense toujours qu'il a raison, et il rêve de conquérir le monde. Vous êtes bien le fils de votre père, et une guerre reste une guerre. Les motifs d'un conflit ne changent rien pour les soldats. Ils se battent parce qu'on le leur ordonne, comme ceux de l'autre camp. Les nobles causes n'ont aucun sens pour un homme qui joue de l'épée en tentant de garder la tête sur les épaules.

Richard tapa du poing sur le lutrin. Aussitôt, Gratch ouvrit les yeux, prêt à l'action. Du coin de l'œil, le Sourcier vit les trois Mord-Sith approcher.

— Les hommes qui ont traqué les bouchers d'Ebinissia agissaient pour une « noble cause ». C'est elle, pas la cupidité, qui leur a donné la force de vaincre. Cinq mille bleus galeiens qui n'avaient jamais combattu, contre le général Riggs et cinquante mille vétérans endurcis ! Devinez qui a gagné ?

— Des bleus, dites-vous ? Seigneur, vous faites sûrement erreur. J'ai connu Riggs, et c'était un sacré bon officier, à la tête de soldats redoutables. J'ai reçu des rapports au sujet de ces batailles, et ils ne sont pas avares de détails macabres sur le sort qu'ont connu ces braves en tentant de se sortir du piège des montagnes. Seule une force supérieure a pu les anéantir ainsi.

— Riggs devait être moins bon que vous le pensiez. À vos témoignages indirects, général, je peux opposer le récit d'une personne présente sur les lieux. Cinq mille Galeiens, presque tous des gamins, sont passés à Ebinissia après le massacre. Ils ont poursuivi Riggs et l'ont vaincu. Quand ce fut terminé, il restait moins de mille jeunes gens et pas un survivant des forces du général !

Richard préféra ne pas mentionner l'intervention de Kahlan. Si elle n'avait pas été là pour les former, puis les commander lors des premiers raids, les Galeiens se seraient fait étriper en moins de vingt-quatre heures. Cela dit, sans leur détermination à venger des innocents, ces braves garçons n'auraient jamais eu le courage d'écouter la Mère Inquisitrice et de combattre à un contre dix...

— Voilà ce que des hommes peuvent faire quand ils luttent pour une juste cause, général. On appelle ça la « motivation »...

— Les D'Harans sont des guerriers-nés, seigneur. Ils savent tout de la guerre, et c'est beaucoup plus simple que ça : tuer avant d'être tué, un point c'est tout ! Le camp qui l'emporte défendait la bonne cause, et le perdant avait tort. Il n'y a pas d'autres règles. Les « causes » font partie du butin des vainqueurs. Quand une armée a détruit ses adversaires, les chefs écrivent de gros livres pour parler de justice et de droit. À l'occasion, ils font d'émouvants discours sur le sujet. Si les soldats ont bien fait leur boulot, il ne reste pas un seul ennemi pour les contredire. Jusqu'à la prochaine guerre, bien sûr !

Accablé, Richard se passa une main dans les cheveux. Qu'espérait-il accomplir si ceux qui combattaient à ses côtés ne croyaient pas en ses principes ?

Au-dessus de lui, sur la fresque du dôme, Magda Searus, la première Mère Inquisitrice, et son sorcier, Merritt, le regardaient d'un air qu'il jugea désapprobateur.

— Général, ce soir, j'ai tenté de convaincre ces gens qu'il fallait en finir avec les tueries. Il est impératif que la paix et la liberté s'enracinent durablement dans nos terres ! Je sais que ça semble paradoxal, mais vous devez comprendre ! Si nous nous comportons honorablement, tous les royaumes intègres qui rêvent de paix et de liberté se joindront à nous. Quand ils verront que nous luttons pour arrêter les massacres, pas pour dominer et piller, ils marcheront à nos côtés et les forces de la paix seront invincibles.

Richard venait de déclarer publiquement qu'il entendait conquérir le monde. Ensuite, il avait précisé pourquoi il agirait ainsi. Et voilà que ses propres partisans tenaient ses propos pour des paroles creuses !

Quel crétin il faisait ! Un guide forestier, même bombardé Sourcier, n'avait rien d'un meneur d'hommes. Et avoir le don ne l'autorisait pas à se croire apte à modifier l'histoire...

Le don... Bon sang, il ne savait même pas comment s'en servir !

Un imbécile arrogant qui prenait ses désirs pour la réalité, voilà ce qu'il était !

Depuis combien de temps n'avait-il plus dormi ? Dans cet état de fatigue, penser logiquement devenait impossible.

Une chose restait claire dans son esprit : régner ne l'intéressait pas ! Si les horreurs finissaient par s'arrêter, il aspirait à mener une petite vie paisible près de Kahlan. La nuit précédente, passée dans ses bras, avait été la plus belle de son existence. Il brûlait d'en connaître d'autres...

— Seigneur, dit Reibisch, je ne me suis jamais battu pour une cause, à part le lien qui m'unit au maître Rahl en titre. Il serait peut-être temps d'essayer votre façon de penser...

Richard se pencha en avant, le front plissé.

— Vous dites ça pour me faire plaisir ? Ou le pensez-vous vraiment ?

— Eh bien, les esprits savent que personne ne voudrait le croire, mais les soldats aspirent à la paix plus que n'importe qui ! Mais nous n'osons même pas y rêver. À force de voir des tueries, on finit par penser qu'elles ne cesseront jamais. Si on se penche trop sur la question, on se ramollit, et c'est le premier pas vers une mort certaine. Mais quand on paraît avide de combattre, ça donne à réfléchir à l'adversaire, et il hésite à porter le premier coup... C'est le paradoxe dont vous parliez tout à l'heure.

» Les batailles et les massacres rongent lentement l'esprit d'un soldat. Est-il un monstre incapable de faire autre chose que tuer ? A-t-il d'autres perspectives que d'obéir aux ordres et d'éventrer son prochain ? La folie guette en permanence les guerriers, seigneur Rahl. Ceux que vous appelez les « bouchers d'Ebinissia » ont peut-être simplement fini par perdre la raison.

» En vous suivant, seigneur, nous mettrons sans doute un terme aux conflits. Quand il a abattu tous ceux qui en voulaient à sa peau, un soldat espère pouvoir rengainer définitivement son épée. En réalité, personne n'abomine autant la guerre que ceux qui la font. Hélas, qui voudra croire ça ?

— Moi, dit simplement Richard.

— Seigneur, il est rare de rencontrer un homme qui connaît le véritable prix du sang versé. Les gens glorifient la guerre ou déclarent qu'elle les dégoûte. Les deux attitudes sont commodes, quand on ignore le poids de la culpabilité et des responsabilités. Vous êtes un expert dans l'art de tuer, maître Rahl. Je suis ravi de découvrir que vous n'y prenez aucun plaisir.

Richard détourna la tête et laissa son regard errer entre les colonnes de marbre où régnait une pénombre à la mélancolie étrangement consolante. Comme il l'avait dit à son auditoire, un peu plus tôt, il était mentionné dans les prophéties. Une des plus vieilles, en haut d'haran, l'appelait *fuer grissa ost drauka* : le messager de la mort. Ce nom pouvait avoir trois sens. D'abord, qu'il était celui qui unirait le royaume des morts et le monde des vivants en déchirant le voile. Ensuite, qu'il pouvait ranimer les esprits des morts – et il le faisait chaque fois qu'il utilisait la magie de son arme. Enfin, plus simplement, qu'il était un tueur...

Berdine flanqua soudain une tape dans le dos de son maître, l'arrachant à sa méditation.

— Nous n'étions pas au courant, pour votre mariage, seigneur ! J'espère que vous avez prévu de prendre un bain avant la nuit de noces. Sinon, votre belle vous chassera de son lit !

Les trois femmes rirent de bon cœur.

À sa grande surprise, Richard trouva l'énergie de leur sourire.

— Je ne suis pas le seul à puer plus fort qu'un cheval !

— Si nous en avons terminé, seigneur Rahl, dit Reibisch, je demande l'autorisation de me retirer. Tant de choses exigent mon attention… (Le général se gratta pensivement la barbe.) Avant de vivre en paix, combien de gens devrons-nous tuer, d'après vous ? J'aimerais bien, un jour, pouvoir dormir sans gardes du corps autour de ma tente – et sans redouter de me réveiller avec un couteau entre les omoplates.

— Si tous nos ennemis se rendent, nous n'aurons pas besoin de combattre. On peut toujours l'espérer…

— Bien sûr ! Mais je vais quand même ordonner à mes gars d'affûter leurs épées, au cas où. Vous savez combien de royaumes composent les Contrées du Milieu ?

— À vrai dire, non, admit Richard après une courte réflexion. Tous ne sont pas assez grands pour être représentés en Aydindril, mais ça ne les empêche pas d'avoir des armées. La reine de Galea nous rejoindra bientôt, et elle en sait beaucoup plus long que moi sur le sujet. Avec son aide, tout ira bien.

— Dès ce soir, je tenterai de désarmer les diverses gardes palatiales avant qu'elles aient eu le temps de s'organiser. Cette méthode limitera les effusions de sang. Mais j'ai peur qu'il y ait au moins une révolte avant la fin de la nuit.

— Concentrez-vous surtout sur le palais de Nicobarese, général. Il ne faut pas que Brogan quitte la ville. Je ne lui fais pas confiance, mais j'ai juré de lui donner les mêmes chances qu'aux autres.

— Compris, seigneur.

— Reibisch, dites aux hommes de se méfier de sa sœur…

Richard éprouvait une étrange sympathie pour Lunetta. Touché par son cœur apparemment enfantin, il avait aimé son regard. Mais ce n'était pas le moment de s'attendrir.

— S'ils tentent une sortie, assurez-vous que des archers soient en position de les cribler de flèches. Et pas de pitié pour la vieille femme, au cas où elle utiliserait sa magie !

Richard détestait déjà sa position de chef. Pour la première fois, il allait envoyer à la bataille des hommes qui n'en reviendraient peut-être pas. Hélas, comme le lui avait dit un jour la Dame Abbesse, les sorciers devaient utiliser les gens pour accomplir ce qui devait être accompli.

Reibisch jeta un dernier coup d'œil aux deux gardes du corps, au garn et aux trois Mord-Sith.

— En cas de besoin, dit-il, un millier d'hommes seront réveillés et prêts à intervenir.

— Vous devriez dormir un peu, seigneur Rahl, conseilla Cara dès que le général fut parti. Une Mord-Sith est bien placée pour voir qu'un homme va craquer. Après une bonne nuit de sommeil, vous pourrez bien mieux réfléchir à la façon de conquérir le monde.

— Non, je n'ai pas fini… Avant de me coucher, il faut que j'écrive une lettre.

— Un mot d'amour pour votre promise ? demanda Berdine.

— Quelque chose comme ça, oui…

— Alors, nous allons vous aider. Il faut beaucoup de doigté pour faire battre plus fort le cœur d'une femme et l'inciter à oublier qu'on a rudement besoin d'un bain !

Raina rejoignit ses sœurs d'Agiel près du lutrin.

— Oui, seigneur, nous allons vous apprendre à être un époux parfait. Et vous vous réjouirez d'avoir des conseillères aussi efficaces à portée de la main.

— Si vous ne nous écoutez pas, menaça Berdine, nous donnerons à votre reine quelques trucs à nous, histoire qu'elle vous mène par le bout du nez !

Richard tapota la jambe de la Mord-Sith pour qu'elle s'écarte du petit meuble dont il voulait explorer les tiroirs. Dans celui du bas, il trouva assez de parchemin pour rédiger ses mémoires, si l'envie lui en prenait.

— Pourquoi n'iriez-vous pas au lit ? demanda-t-il en cherchant une plume et de l'encre. Vous avez chevauché à bride abattue pour me rattraper, et je doute que vous ayez dormi beaucoup plus que moi, ces derniers temps.

— Nous monterons la garde quand vous ronflerez comme un sonneur, maître, dit Cara, feignant l'indignation. Les femmes sont beaucoup plus fortes que les hommes, c'est bien connu !

Denna avait souvent répété ces mots à Richard, lors de sa captivité au Palais du Peuple. Et elle ne plaisantait pas...

Les trois Mord-Sith ne baissaient jamais leur garde en public. En petit comité, elles se détendaient un peu, mais uniquement avec Richard, la seule personne qui leur inspirât confiance. En matière de rapports sociaux, elles avaient encore beaucoup à apprendre. Était-ce pour cela qu'elles refusaient de renoncer à leurs Agiels ? Ayant toujours été des Mord-Sith, avaient-elles peur de ne pas savoir faire autre chose ?

Avant que Richard le referme, Cara jeta un coup d'œil dans le tiroir. Puis, d'un coup de tête, elle propulsa sa natte blonde derrière son dos.

— Cette reine doit vous aimer beaucoup, seigneur, pour vouloir vous livrer son royaume... Je me demande si je me résoudrais à ça, même pour un homme comme vous. À mon avis, c'est mon promis qui devrait se soumettre à moi...

Richard trouva enfin l'encre et la plume qu'il cherchait.

— Elle m'aime beaucoup, c'est vrai. Quant à la reddition de son royaume, eh bien... hum... je ne lui ai pas encore posé la question.

— Elle n'est pas au courant de cette partie de votre plan ? s'étonna Cara.

— C'est aussi pour ça que je veux lui écrire, avoua Richard en débouchant l'encrier. Que diriez-vous de vous taire un peu, histoire de me laisser travailler ?

Sincèrement inquiète, Raina s'accroupit à côté du fauteuil de Richard.

— Et si elle annulait votre union ? En général, les reines sont plutôt fières. Elle risque de ne pas apprécier votre projet...

Richard eut soudain les entrailles nouées par l'angoisse. La situation était bien pire que ça. Les Mord-Sith ne mesuraient pas l'étendue du problème. Il n'allait pas demander à une simple reine de lui livrer son royaume – mais à la Mère Inquisitrice de lui céder son pouvoir sur les Contrées du Milieu !

— Elle désire autant que moi en finir avec l'Ordre Impérial. Cette femme a combattu avec une détermination qui ferait pâlir de jalousie une Mord-Sith. Elle veut la paix, comme moi, et elle m'aime. Je suis sûr qu'elle comprendra que j'agis pour le bien de tous.

— Sinon, soupira Raina, nous serons là pour vous défendre.

Richard lui jeta un regard si noir qu'elle tituba comme s'il l'avait giflée.

— N'envisagez jamais de toucher un cheveu de Kahlan ! Si vous refusez de la protéger, autant sortir de ce palais et aller vous engager dans l'Ordre Impérial. Désormais, sa vie devra vous paraître aussi précieuse que la mienne ! Jurez-le sur le lien qui nous unit !

— Je le jure, seigneur Rahl, souffla Raina.

Le Sourcier se tourna vers les deux autres femmes.

— Jurez aussi !

— Je le jure, seigneur Rahl, dit Cara.

— Moi aussi, seigneur, murmura Berdine.

Richard regarda Ulic et Egan.

— Nous le jurons, seigneur ! lancèrent-ils à l'unisson.

— Très bien..., fit Richard, de nouveau serein.

Il posa une feuille de parchemin sur le lutrin et tenta de réfléchir. Tout le monde pensait que la Mère Inquisitrice était morte. S'il révélait la vérité, quelqu'un risquait de vouloir achever le sale travail du Conseil.

À présent, s'il s'expliquait bien, elle comprendrait son plan, et il n'y aurait pas de problèmes.

Sentant peser sur lui le regard de Magda Searus, le Sourcier n'osa pas relever les yeux, comme s'il redoutait que Merritt lui lance une boule de feu pour le punir de son audace.

Il fallait que Kahlan le croie ! Ne lui avait-elle pas dit un jour qu'elle mourrait pour le protéger, si cela devait aider à sauver les Contrées du Milieu ? Pour son peuple, elle était prête à tous les sacrifices...

— La reine est-elle jolie ? demanda Cara avec un sourire malicieux. Et coquette ? Seigneur, elle ne nous obligera pas à porter des robes, après votre mariage ? Nous obéirons, bien sûr, mais ce n'est pas un accoutrement pour des Mord-Sith !

Richard soupira intérieurement. Avec leur humour, les trois femmes essayaient maladroitement d'alléger l'atmosphère. Un instant, il se demanda combien d'hommes elles avaient tué...

Il se reprit aussitôt. C'était injuste, surtout de la part du messager de la mort. Et une des Mord-Sith était tombée pour lui, aujourd'hui. Contre un mriswith, la pauvre Hally n'avait jamais eu sa chance.

Et Kahlan ne l'aurait pas davantage...

Il devait l'aider, c'était la seule idée qui lui venait à l'esprit. Et chaque minute qui passait risquait d'être fatale.

Le Sourcier devait se presser, mais il ne fallait pas confondre vitesse et précipitation. D'abord, il ne devait pas laisser filtrer que la reine Kahlan était aussi la Mère Inquisitrice. Car si la lettre tombait entre de mauvaises mains, ce serait une catastrophe...

Entendant la porte grincer, Richard releva les yeux.

— Berdine, où vas-tu donc comme ça ?

— Me trouver un lit, seigneur... Nous monterons la garde à tour de rôle, et j'ai besoin de repos. (Une main sur la hanche, la Mord-Sith fit tourner son Agiel autour de son poignet.) Contrôlez-vous, maître Rahl ! Bientôt, vous aurez une épouse dans votre lit. Alors, vous pouvez bien attendre un peu…

Richard ne put s'empêcher de sourire, séduit par l'humour à froid de la Mord-Sith.

— Selon Reibisch, un millier d'hommes montent la garde. Il est inutile de…

— Maître Rahl, fit Berdine, je sais que vous en pincez pour moi, mais arrêtez de me reluquer les fesses, et écrivez votre fichue lettre !

Alors que la porte se fermait, Richard commença à se tapoter une dent avec le bout de sa plume.

— Seigneur, dit Cara, pensez-vous que la reine sera jalouse de nous ?

— Pourquoi le serait-elle ? répliqua distraitement le Sourcier. Il n'y a aucune raison…

— Faut-il comprendre que vous ne nous trouvez pas séduisantes ?

Richard foudroya la Mord-Sith du regard et désigna la porte.

— Vous deux, montez la garde devant la porte, histoire que personne ne vienne égorger votre cher maître Rahl. Si vous tenez vos langues, comme Ulic et Egan, vous pourrez rester dans la salle. Sinon, vous irez protéger ma précieuse personne dans le couloir…

Feignant l'indignation, les deux Mord-Sith obéirent en riant sous cape, ravie que maître Rahl soit entré dans leur petit jeu. Au fond, qu'elles aiment les taquineries n'avait rien d'étonnant, après ce qu'elles avaient vécu sous le règne de son prédécesseur. Hélas pour elles, il avait des soucis plus pressants en tête.

Richard contempla sa feuille blanche et tenta de réfléchir malgré son épuisement. Alors qu'il trempait sa plume dans l'encrier, Gratch se blottit contre lui et lui posa une patte sur le genou.

*Très chère reine…*, écrivit le Sourcier de la main droite, la gauche tapotant gentiment l'impressionnant battoir du garn.

# Chapitre 15

– Tu es sûre d'avoir exécuté mes ordres ? demanda Tobias Brogan alors que Lunetta, Galtero et lui slalomaient entre les congères à la pâle lueur de la lune.

— Oui, seigneur général. Croyez-moi, ils sont ensorcelés.

Derrière eux, les lumières du Palais des Inquisitrices et des autres bâtiments du centre-ville avaient depuis longtemps disparu, voilées par la tempête de neige venue des montagnes pendant qu'ils écoutaient le seigneur Rahl exposer ses absurdes prétentions.

— Alors, où sont-ils, Lunetta ? Si tu les perds, et qu'ils meurent de froid, je serais très mécontent de toi.

— Je sais où ils sont, seigneur général. Aucun risque que je les perde... (Lunetta s'arrêta et huma le vent.) Par là...

Brogan et Galtero se regardèrent, dubitatifs, puis suivirent la vieille femme le long de ruelles obscures, derrière l'avenue des Rois. De temps en temps, à la faveur d'une trouée dans le rideau de neige, les lumières vacillantes du palais leur permettaient de s'orienter...

Au loin, Tobias entendit les cliquetis caractéristiques d'un détachement de soldats en armure. Partout, les D'Harans prenaient position pour affermir leur prise sur Aydindril. À leur place, il aurait agi de la même manière, frappant avant que ses ennemis aient eu le temps de réfléchir.

— Tu as écouté attentivement, j'espère ? demanda Brogan en chassant de sa moustache un flocon de neige irrespectueux.

— Oui, seigneur général. Hélas, je ne peux rien vous dire...

— Rahl est un homme comme les autres ! Trop occupée à te gratter les bras, je suis sûr que tu ne te concentrais pas assez.

— Vous vous trompez, seigneur général. J'ignore pourquoi, mais il est très différent, au contraire. Je n'ai jamais senti une magie pareille. Alors, déterminer s'il mentait ou non... Mon pouvoir n'en sait rien, même si je crois qu'il disait la vérité.

(Lunetta secoua la tête comme si elle n'en revenait pas.) Je n'ai pas pu percer ses boucliers. D'habitude, aucun obstacle ne me résiste : l'air, l'eau, la terre, le feu, la glace, l'esprit... Mais là...

Tobias eut un vague sourire. Il n'avait pas besoin du pouvoir impie de sa sœur, parce qu'il savait déjà tout...

Lunetta continua à radoter sur le seigneur Rahl et sa magie. Effrayée, ses bras la démangeant comme jamais, la vieille folle répétait en boucle qu'elle voulait fuir cet endroit maudit au plus vite.

Brogan l'écouta d'une oreille distraite. Dès qu'il aurait pris certaines mesures, sa chère sœur se réjouirait, car ils quitteraient aussitôt Aydindril.

— Pourquoi renifles-tu sans cesse ? demanda-t-il à Lunetta.

— Je me repère à l'odeur, seigneur général. Pour trouver le tas d'ordures.

Tobias saisit la vieille démente par le col.

— Des ordures ? Tu les as entraînés près d'un tas de détritus ?

Lunetta se dégagea et sourit.

— Oui, seigneur général... Personne ne devait rôder autour de l'endroit choisi, avez-vous dit. Mais dans une ville inconnue, comment trouver un lieu sûr où les envoyer ? Heureusement, j'ai remarqué le tas d'ordures, quand nous marchions vers le Palais des Inquisitrices. La nuit, personne ne traîne à côté de déchets de cuisine.

Une décharge... Tobias n'en croyait pas ses oreilles.

— Lunetta la cinglée..., marmonna-t-il.

— Par pitié, Tobias, ne m'appelle pas comme ça ! s'écria sa sœur.

— Bon sang, vas-tu enfin me dire où ils sont !

— C'est par là, seigneur général, fit Lunetta en pressant le pas. Vous verrez... Nous ne sommes plus très loin.

En avançant, Tobias réfléchit et changea de position sur la question. Tout bien pesé, un tas d'ordures conviendrait parfaitement à ce qu'il avait en tête.

— Lunetta, tu ne me mens pas au sujet de Rahl, n'est-ce pas ? Si tu faisais ça, je ne te pardonnerais jamais.

La vieille femme s'arrêta et regarda son frère, des larmes dans les yeux.

— Seigneur général, c'est la pure vérité. J'ai tout essayé, mais ça n'a rien donné.

Tobias regarda un long moment la *streganicha* en larmes. Tout ça n'avait aucune importance, puisqu'il savait...

— N'en parlons plus, finit-il par lâcher. Allons-y, à présent. Tu as intérêt à ne pas les avoir perdus...

Soudain rayonnante, Lunetta s'essuya les joues, fit demi-tour et partit à grandes enjambées.

— Par là, seigneur général ! Vous allez voir ! Je sais où ils sont.

Tobias suivit sa sœur en soupirant. La neige s'entassait de plus en plus. Au rythme où elle continuait à tomber, les rues risquaient d'être bloquées. Encore un détail sans importance, puisque les choses évoluaient dans le bon sens. Mais ce Rahl, quel imbécile, au fond ! Imaginer que le seigneur général du Sang de la Déchirure rendrait les armes comme un vulgaire messager du fléau travaillé au fer rouge !

— Nous y sommes presque, seigneur général, annonça Lunetta.

Malgré le vent, Tobias sentit le tas d'ordure un bon moment avant de le voir.

— Bon, où sont-ils ? demanda-t-il quand ils atteignirent le monticule de déchets puants vaguement éclairé par les lumières lointaines du palais.

À certains endroits, les détritus fumaient encore et la neige fondait dès qu'elle s'y posait. Avec ces vapeurs méphitiques, le lieu semblait encore plus impie – une antichambre du démon d'où l'idée même de pureté était bannie.

— Alors, où sont-ils ? répéta Brogan, les poings sur les hanches.

Lunetta se campa derrière son frère pour qu'il la protège des bourrasques.

— Attendez ici, seigneur général. Ils viendront à vous.

Brogan baissa les yeux et découvrit dans la neige un chemin proprement dégagé.

— Un sort de cercle ? demanda-t-il.

— Oui, répondit Lunetta. Vous avez juré de me punir s'ils s'en allaient. Pour éviter ça, j'ai lancé sur eux un sort de cercle. Ils ne pourront pas fuir, aussi vite qu'ils aillent...

Tobias sourit. Contre toute attente, la journée finissait bien. Elle n'avait pas été avare en obstacles, mais avec l'aide du Créateur, nul doute qu'il les surmonterait. Pour l'heure, il avait les choses en main. Bientôt, Rahl saurait que personne ne pouvait imposer sa volonté au Sang de la Déchirure.

Dans la pénombre, Brogan aperçut d'abord l'ourlet d'une robe jaune soulevé par le vent. Son mari un demi-pas derrière elle, sur sa droite, la duchesse Lumholtz avançait d'une démarche assurée vers le tas d'ordures. Quand elle vit qui l'attendait au bord du chemin, elle se rembrunit et resserra les pans de son manteau couvert de neige.

— Que je suis content de vous revoir ! lança Tobias avec un grand sourire. Bien le bonsoir, noble dame. Et à vous aussi, cher duc.

Méprisante, la duchesse releva le menton. Son mari foudroya du regard Tobias, Galtero et Lunetta, comme s'il les défiait d'oser lui barrer la route. La tête haute, les deux idiots continuèrent leur chemin et s'enfoncèrent dans l'obscurité.

Tobias en ricana de jubilation.

— Vous voyez, seigneur général ? triompha Lunetta. Ils sont à votre disposition, comme promis.

Peu après, la robe jaune apparut de nouveau. Cette fois, quand elle vit les trois silhouettes qui l'attendaient, la duchesse plissa le front. En dépit de son maquillage outrancier, la « noble dame » restait séduisante. Encore jeune, elle n'avait plus rien d'une femme-enfant, et tout en elle – le visage comme la silhouette – témoignait d'une maturité épanouie et consciente de l'être.

Le duc posa une main sur la garde de son épée. Aussi ornée qu'elle fût, cette arme, comme celle de Rahl, n'était pas là seulement pour en imposer. Kelton produisait les meilleures lames des Contrées et ses habitants, en particulier les nobles, se rengorgeaient de leur expertise à l'escrime.

— Général Bro...

— Seigneur général, noble dame.

— Seigneur général Brogan, nous rentrons chez nous, et je vous suggère de cesser de nous suivre. Par une nuit pareille, vous seriez bien mieux au chaud...

Derrière Tobias, Galtero se délecta de voir la guipure de la dame onduler sur sa poitrine au rythme de sa respiration accélérée par la colère. Remarquant son manège, la duchesse resserra les pans de son manteau. Empourpré, le duc tendit le cou vers Galtero.

— Cessez de reluquer ma femme, messire ! grogna-t-il. Si je vous taillais en pièces, mes chiens se régaleraient de vos morceaux les plus intimes !

Galtero soutint en silence le regard furieux de l'homme, qui le dépassait d'une bonne tête.

— Bonne nuit, général, souffla la duchesse.

Convaincu de se diriger vers le palais, le couple repartit... pour faire un nouveau tour du tas d'ordure. Pris dans un sort de cercle, il n'irait nulle part, condamné à tourner en rond jusqu'à la fin des temps.

Brogan aurait pu arrêter ces deux pantins dès leur première apparition. Mais pourquoi se priver du plaisir de les voir de plus en plus perplexes à chaque fois ? Même s'ils tentaient de comprendre pourquoi trois fâcheux se dressaient régulièrement sur leur chemin, leurs esprits, embrumés par le sortilège, ne leur fourniraient aucune solution.

Au passage suivant, ils blêmirent puis s'empourprèrent à l'unisson. Poings sur les hanches, la duchesse se campa devant Brogan, sa guipure comme prise de frénésie.

— Comment oses-tu, misérable ver de terre..., commença-t-elle.

Avec un grognement de rage, Tobias saisit à deux mains la guipure blanche et tira de toutes ses forces, déchirant le devant de la robe jaune. Dénudée jusqu'à la taille, la duchesse tenta de dissimuler ses appas derrière ses bras croisés.

Lunetta leva une main et marmonna une incantation. Son épée à demi sortie du fourreau, le duc s'immobilisa, aussi rigide qu'une statue de pierre. Impuissant, il dut regarder Galtero rabattre dans son dos les bras de la duchesse, soudain aussi impuissante qu'un papillon épinglé sur une planche.

Les mamelons durcis par le froid, elle cambra le dos quand Galtero accentua sa pression.

N'ayant plus de couteau, Brogan dégaina son épée.

— Comment m'as-tu appelé, déjà, sale petite pute ?

— Je n'ai rien dit ! cria la duchesse en secouant frénétiquement la tête. Rien du tout !

— Voilà une baudruche qui se dégonfle bien vite, dirait-on...

— Que voulez-vous ? Je ne suis pas une messagère du fléau ! Laissez-moi partir !

— Je sais que tu n'es pas une messagère du fléau, lâcha Brogan. En général, ils ne sont pas aussi ridiculement pompeux. Mais ça ne te rend pas moins méprisable. Ou moins utile...

— C'est mon mari ! Oui, le duc ! Ce maudit messager du fléau ! Épargnez-moi, et je vous révélerai ses crimes.

— Le Créateur n'a rien à faire des fausses confessions, petite putain ! Mais tu le serviras quand même. (Tobias eut un rictus sinistre.) Tu l'honoreras en te pliant à ma volonté.

— Jamais… je… (Galtero accentua sa pression juste ce qu'il fallait.) D'accord, d'accord ! Ne me faites pas de mal, et je vous obéirai.

— Tu exécuteras mes ordres à la lettre ? grogna Brogan, le visage à un pouce de celui de sa proie.

— Oui. C'est ju-juré…, balbutia la duchesse en tentant en vain de reculer.

— Les serments d'une chienne comme toi ne valent rien ! cracha Tobias. Combien de fois t'es-tu parjurée dans ta misérable existence ? Mais je sais que tu m'obéiras, parce que tu n'as pas le choix.

Tobias recula, pinça entre son pouce et son index le mamelon gauche de la duchesse et tira dessus. Alors qu'elle hurlait de douleur, les yeux écarquillés, il leva son épée et trancha net la chair rosée.

Brogan posa le mamelon sectionné dans la paume de Lunetta, qui referma les doigts dessus et baissa les paupières, immergée dans un océan de magie. Les douces syllabes d'une antique incantation se mêlèrent aux rugissements du vent et aux cris de la duchesse, toujours prisonnière des bras de Galtero.

La voix de Lunetta monta d'un ton et elle leva la tête vers le ciel d'encre. Les yeux toujours clos, elle lança un sort qui l'enveloppa puis s'enroula autour de la femme debout devant elle. Comme s'ils planaient sur les ailes du vent, des mots venus du fond des âges tourbillonnèrent dans l'air glacial.

— *Au nom du ciel et de la terre,*
*Par la feuille et par la racine,*
*Le feu, la glace et la lumière,*
*L'air, le vent, la nuit et la bruine,*
*Je prends l'esprit de cette femme,*
*Et cueille les fruits de son âme.*
*Qu'elle soit mienne jusqu'au jour*
*Où ses os deviendront poussière*
*Son cœur se taisant pour toujours*
*Dans les entrailles de l'enfer.*
*Jusqu'à sa fin qu'elle me soit*
*Aussi loyale que mon ombre*
*Et que jamais je ne la voie*
*Poser sur moi un regard sombre.*

Lunetta continua à incanter, passant à une voix de gorge sépulcrale.

— *Poules et coqs, grand bézoard*
*Mijote le ragoût d'esclave !*
*Fiel de taureau, sang de lézard*
*Infuse le brouet d'esclave !*

Alors que ses paroles étaient emportées par la bourrasque, Lunetta passa sa main vide au-dessus de la tête de la duchesse et serra contre son cœur celle qui tenait le lambeau de chair encore sanguinolent.

Dame Lumholtz frissonna quand des tentacules de magie s'enroulèrent autour d'elle puis s'insinuèrent sous sa peau. Lorsqu'ils se refermèrent sur son âme, l'enserrant à jamais, elle se convulsa si violemment que Galtero eut du mal à ne pas la lâcher.

Puis elle cessa de se débattre, vidée de son énergie.

— Elle est désormais ma chose, dit Lunetta en ouvrant la main. Et je vous transmets mon pouvoir sur elle. (La *streganicha* posa dans la main de son frère le mamelon à présent desséché.) Seigneur général, cette femme sera votre marionnette jusqu'à la fin de sa vie.

Brogan ferma le poing sur son nouveau trophée. Les yeux vitreux, du sang coulant de sa blessure, la duchesse semblait sur le point de perdre connaissance.

— Arrête de trembler ! ordonna Tobias en serrant très fort la précieuse relique.

La duchesse se calma aussitôt. Quand elle les leva sur son nouveau maître, ses yeux avaient recouvré leur limpidité et leur éclat.

— Je suis à vos ordres, seigneur général.

— Lunetta, lâcha Tobias, soigne-la !

Sous le regard lubrique de Galtero, la vieille magicienne entoura de ses mains le sein ensanglanté de la duchesse. Son mari, toujours pétrifié, écarquilla les yeux devant ce spectacle troublant. Paupières baissées, Lunetta récita un sort de guérison. Du sang filtra entre ses doigts tandis que la plaie se refermait lentement.

En attendant que sa sœur en ait terminé, Brogan s'abandonna à une agréable rêverie. Décidément, le Créateur veillait sur ses véritables enfants. Après avoir si bien commencé, cette journée avait failli tourner au désastre. Mais sa fin prouvait que les champions du Créateur ne connaissaient jamais la défaite. Bientôt, Rahl découvrirait quel sort guettait les adorateurs du Gardien. Et l'Ordre Impérial, dûment impressionné, mesurerait enfin la valeur du chef suprême du Sang de la Déchirure.

Galtero aussi s'était bien comporté. Il avait mérité un petit quelque chose en guise de récompense…

Lunetta essuya le sang avec un pan du manteau de la duchesse, puis écarta les mains pour dévoiler un sein aussi parfait que son voisin, n'était l'absence de mamelon.

Un trophée que Brogan ajouterait de très bon cœur à sa collection…

— Seigneur général, dit la magicienne en désignant le duc, dois-je lui faire subir le même traitement ?

— Non, la duchesse suffira… Mais ce triste sire jouera un rôle dans mon plan. (Tobias toisa sinistrement le duc.) Cette ville n'est pas sûre… Comme l'a dit le seigneur Rahl, elle grouille de monstres qui adorent étriper d'innocents citoyens. Quelle horreur ! Dommage que Rahl ne soit pas là pour vous épargner ce sort, messire…

— Je m'occupe de lui immédiatement, seigneur général, dit Galtero.

— Non, j'ai très envie de m'en charger… Que dirais-tu de divertir la duchesse, pendant que je m'amuse un peu avec son mari ?

Galtero regarda sa future proie en se mordillant la lèvre inférieure.

— C'est une idée qui me plaît bien, seigneur général, dit-il. Merci beaucoup. (Il dégaina son couteau et le tendit à Brogan.) Vous en aurez besoin… Selon les soldats, ces monstres éviscèrent leurs victimes avec une arme à trois lames. Donc, n'oubliez surtout pas de faire trois incisions !

Tobias remercia son colonel, toujours remarquablement précis et minutieux. Le regard de la duchesse passait sans cesse de l'un à l'autre de ses tortionnaires, mais elle n'osait plus rien dire.

— Tu veux que je la force à coopérer ? demanda Brogan à Galtero.

— À quoi ça servirait, seigneur général ? Il vaut mieux qu'elle apprenne une deuxième leçon cette nuit.

— Comme il te plaira, mon ami. (Brogan regarda la duchesse.) Très chère, je ne me servirai pas de mon pouvoir sur vous. N'hésitez pas à exprimer vos véritables sentiments à ce bon Galtero. À mon avis, ça le stimulera…

Dame Lumholtz cria quand le colonel lui passa un bras autour de la taille.

— Nous devrions nous enfoncer dans l'obscurité, tendre amie… Je ne voudrais surtout pas heurter votre sensibilité en vous laissant assister aux… hum… mésaventures de votre époux.

— Vous n'oserez pas ! Dans la neige, je vais mourir gelée. Je dois exécuter la volonté du seigneur général. Et si je gèle…

— Aucun danger, très chère, dit Galtero en flattant la croupe de la duchesse. Couchée sur le tas d'ordures, vous serez bien au chaud.

La dame tentant de se débattre, le colonel lui plaqua les bras contre le torse et la tira par les cheveux.

— C'est une fort jolie créature, Galtero, dit Tobias. Ne va surtout pas me l'abîmer, et veille à ne pas être trop long. J'ai du travail pour elle, figure-toi. Dans ses nouvelles fonctions, elle devra y aller moins fort sur le maquillage. Mais douée comme elle l'est pour cet exercice, elle pourra toujours se peindre un mamelon sur le sein gauche…

» Quand j'en aurai fini avec le duc, et toi avec elle, Lunetta lui jettera un autre sort. Très rare et très puissant, tu peux me croire !

Lunetta caressa ses « mignons » sous le regard dur de son frère.

Elle avait deviné ce qu'il voulait…

— Pour faire ça, dit-elle, j'aurai besoin d'un objet que le seigneur Rahl a touché.

— Il m'a donné une pièce, souviens-toi, fit Brogan en tapotant sa poche.

— Ça conviendra…

Insensible à ses cris et à ses contorsions, Galtero entraîna la duchesse vers le tas d'ordures.

Brogan brandit le couteau devant les yeux écarquillés du duc.

— Messire, il est temps de jouer votre rôle dans les plans grandioses du Créateur…

# Chapitre 16

Sous l'œil attentif de Gratch, penché sur son épaule, Richard fit couler une large traînée de cire rouge sur la feuille de parchemin soigneusement pliée. Posant la chandelle, il prit son épée et roula la garde dans la cire jusqu'à ce que les six lettres du mot « Vérité » y soient imprimées. Ainsi, Kahlan et Zedd sauraient de qui venait ce message.

Assis aux deux extrémités de l'estrade, Egan et Ulic sondaient la salle déserte comme si une armée menaçait d'y faire éruption à tout instant. En règle générale, les deux gardes du corps préféraient rester debout. Certain qu'ils étaient épuisés, Richard avait insisté pour qu'ils adoptent une position plus confortable. Quand ils s'étaient écriés qu'ils réagiraient moins vite en cas de problème, le Sourcier leur avait rappelé que les mille hommes chargés de surveiller le palais feraient assez de boucan, en cas d'attaque, pour qu'ils aient le temps de se lever et de dégainer leurs armes. À court d'arguments, les deux colosses avaient capitulé.

Cara et Raina défendaient la porte, debout et fières de l'être. Lorsque Richard leur avait proposé de s'asseoir, elles s'étaient contentées de le toiser, menton levé, puis d'affirmer qu'Ulic et Egan, à côté d'elles, étaient de petites natures. Occupé à rédiger sa lettre, le Sourcier, pour éviter une polémique, leur avait ordonné de rester debout. Fatiguées comme elles l'étaient, leurs réflexes ralentis, elles pourraient ainsi intervenir plus vite en cas de danger. Depuis, elles le foudroyaient du regard. Mais il les avait surprises à échanger des sourires en coin. Et si ces petits jeux leur plaisaient, quel mal y avait-il à ça ?

Darken Rahl avait établi avec ces femmes une relation de maître à esclave. Essayaient-elles, face à son successeur, de savoir jusqu'où elles pouvaient aller ? Bien qu'il n'écartât pas cette hypothèse, Richard les croyait plutôt ravies de se comporter enfin comme des êtres libres – y compris en cédant parfois à leur fantaisie.

À moins qu'elles tentent de déterminer s'il était sain d'esprit… À ce jeu-là, les Mord-Sith étaient des expertes. Même s'il se désolait qu'elles puissent le croire fou, elles avaient raison : c'était le genre de chose qu'on devait savoir sur un chef.

Le Sourcier espérait que Gratch se sentait un peu plus frais que ses compagnons humains. Le garn l'ayant rejoint le matin, il ignorait s'il avait bien dormi ou non. Mais à voir briller ses yeux verts, il semblait en bonne forme. Prédateurs essentiellement nocturnes, les garns retrouvaient toute leur vivacité au coucher du soleil. Enfin, en principe...

Richard tapota la patte couverte de fourrure de son ami.

— Gratch, suis-moi.

Le garn suivit son compagnon jusqu'à l'entrée d'un des escaliers couverts qui conduisaient au balcon.

Les quatre anges gardiens de Richard firent mine de leur emboîter le pas. Il les en découragea d'un geste – suffisant pour Egan et Ulic, mais pas pour les deux Mord-Sith, qui passèrent outre.

Éclairé seulement par deux lampes, à l'entrée, l'escalier obscur qu'ils gravirent donnait sur un balcon à la balustrade de chêne poli. Au-dessus d'une avancée de marbre blanc, des grandes fenêtres rondes s'alignaient à intervalles réguliers sur toute la circonférence de la salle. Derrière la plus proche, Richard aperçut le ciel noir où tourbillonnaient des flocons de neige. Le mauvais temps risquait d'être un problème...

Les fenêtres, montées sur des charnières, étaient actionnées par un levier en laiton. Richard testa celui qui se trouvait devant lui, se réjouit que le mécanisme fonctionnât et se tourna vers son ami.

— Gratch, ouvre bien tes oreilles, c'est très important.

Le garn plissa le front de concentration. Sur les dernières marches de l'escalier, dans l'ombre, Cara et Raina tendirent aussi l'oreille.

Richard caressa la mèche de cheveux pendue au cou de Gratch.

— Ce sont les cheveux de Kahlan, tu t'en souviens ? (Le jeune monstre hocha la tête.) Mon vieux, elle est en danger ! À part nous deux, personne ne sent venir les mriswiths.

Le garn grogna puis se couvrit les yeux avec les pattes et regarda entre ses griffes – sa façon de signaler l'approche des monstres invisibles.

— Tu as tout compris, mon ami. Kahlan ne les sentira pas, et ils la tueront.

Gratch émit un bruit de gorge dubitatif. Puis il s'illumina, comme touché par la grâce. Saisissant d'une main la mèche de cheveux, il se martela la poitrine de l'autre.

Richard sourit, émerveillé par l'intelligence de son ami.

— Encore une fois, tu as deviné mes pensées, vieux frère ! Je partirais bien la rejoindre, pour la protéger moi-même, mais je risque d'arriver trop tard. Si tu pouvais me transporter, ce serait idéal, mais tu n'es pas assez gros pour ça. Donc, ce sera à toi de voler au secours de Kahlan !

Gratch sourit pour manifester son approbation. Puis il comprit toutes les implications de cette affaire et enlaça impulsivement le Sourcier.

— Grrrratch aaaime Raaach aard.

— Je t'aime aussi, Gratch, souffla le Sourcier en tapotant le dos de son ami.

Pour lui sauver la vie, Richard avait dû chasser le garn des environs du Palais des Prophètes. Gratch n'ayant pas compris pourquoi il l'avait traité ainsi, le jeune homme lui avait promis de ne plus jamais recommencer.

Il serra le garn dans ses bras et le repoussa gentiment.

— Écoute-moi bien, Gratch, et cesse de pleurer. Je ne te chasse pas, je t'envoie près d'une personne que j'aime, et qui t'aimera aussi. Mon rêve, vieux frère, c'est que nous soyons ensemble, tous les trois. Alors, j'attendrai ici que tu me la ramènes. Après, la vie sera merveilleuse !

Peu convaincu, Gratch fronça les sourcils.

— Imagine : à ce moment-là, tu auras deux amis ! Et même trois, parce que tu connaîtras Zedd, mon grand-père. Il t'adorera et ce sera réciproque. Tout le monde se bagarrera avec toi, et on s'amusera sans arrêt...

Sentant que le garn allait lui sauter dessus – car les joutes amicales étaient son plus grand plaisir dans la vie – Richard tendit un bras pour le tenir à distance.

— Gratch, pour le moment, je suis trop inquiet pour jouer avec toi. Mes autres amis sont en danger, comprends-tu ? Si je risquais de mourir, tu aurais envie de batifoler au lieu de voler à mon secours ?

Le garn réfléchit un moment puis secoua la tête. Richard l'étreignit de nouveau, tout aussi ému que lui par leur séparation éminente. Quand il le lâcha, Gratch déploya fougueusement ses ailes.

— La neige ne t'empêche pas de voler ? (Le garn secoua la tête.) Même de nuit ?

Le jeune monstre haussa les épaules, comme si c'était une question stupide.

— Parfait ! Écoute-moi bien, et tu sauras où trouver Kahlan. Je t'ai appris les points cardinaux, tu te rappelles ? Le nord, le sud et les deux autres... Kahlan est au sud-ouest. (Richard voulut tendre un bras dans cette direction, mais son ami fut plus rapide.) Très bien ! Elle est par là, Gratch. En chemin vers une ville, elle s'éloigne de nous. Elle pensait que je la rejoindrais, mais je ne peux pas partir d'ici. Donc, il faut qu'elle revienne.

» Encore une chose, mon ami : Kahlan n'est pas seule. Un vieil homme aux cheveux blancs l'accompagne. C'est Zedd, dont je t'ai déjà parlé. Et il y a d'autres personnes avec elle. Des humains. Beaucoup d'humains ! Tu comprends ?

Gratch fit la grimace. Pour une fois, il était dépassé.

Richard se massa le front. Malgré sa fatigue, il devait trouver un moyen de s'expliquer, et...

— Comme ce soir ! lança soudain Cara. Dites-lui que c'est comme ce soir, quand vous parliez devant tous ces gens.

— Oui, c'est ça ! (Richard désigna la salle, en contrebas.) Tu te souviens des humains qui m'écoutaient ? Eh bien, il y en aura au moins autant avec Kahlan.

Gratch grogna pour indiquer qu'il avait compris. Soulagé, le Sourcier lui tapota gentiment la poitrine.

Puis il lui tendit la lettre.

— Tu lui donneras ce message, et elle saura que faire. Il faut qu'elle l'ait, c'est très important !

Le garn prit la feuille de parchemin du bout d'une griffe.

— Non, tu ne peux pas la porter comme ça. Tu risques de la perdre, et que se passera-t-il si tu as besoin de tes griffes ? De plus, la neige détrempera l'encre, et Kahlan ne pourra rien lire...

Le Sourcier se tut, à la recherche d'une idée de génie. Mais dans son état de fatigue...

— Seigneur Rahl...

Richard se retourna et vit que Raina lui tendait un objet. En le prenant, il reconnut l'étui de cuir d'où la Mord-Sith avait sorti la lettre du général Trimack.

— Merci, Raina...

Avec un petit sourire satisfait, la jeune femme haussa modestement les épaules.

Richard glissa le message qui contenait tous ses espoirs – et ceux du monde – dans l'étui et passa la lanière de cuir au cou de Gratch, ravi de cet ajout à sa collection de colifichets.

— Vieux frère, il se peut que Kahlan ne soit pas avec tous ces gens. Je n'ai aucun moyen de savoir ce qu'il lui arrivera jusqu'à ce que tu la retrouves, et tu auras peut-être plus de mal que prévu à la localiser.

Le garn caressa fièrement la mèche de cheveux. Richard l'avait vu attraper au vol une chauve-souris, par une nuit sans lune. Il repérerait sans mal des humains, mais comment saurait-il que c'était les bons ?

— Gratch, tu n'as jamais vu Kahlan, je sais... Mais elle a de longs cheveux, à l'inverse de la plupart des autres femmes, et je lui ai parlé de toi. Quand elle te verra, elle n'aura pas peur, et elle t'appellera par ton nom. Ce sera le meilleur moyen de la reconnaître : ton nom !

Estimant qu'il avait reçu assez d'instructions, Gratch sauta sur place en battant des ailes, pressé de partir et de ramener Kahlan à son ami.

Richard ouvrit la fenêtre. Alors que des flocons s'engouffraient dans la salle, les deux compagnons s'étreignirent une dernière fois.

— Elle s'éloigne d'ici depuis deux semaines, et elle continuera jusqu'à ce que tu la rejoignes. Il te faudra peut-être des jours, alors, ne te décourage pas. Surtout, ne prends pas de risques inutiles. Je veux que tu reviennes entier, pour qu'on puisse se battre comme des chiffonniers. Compris ?

Gratch lâcha un grognement joyeux et sauta sur le rebord de la fenêtre.

— Grrrratch aaaime Raaach aard.

— Je t'aime aussi, fit Richard en agitant la main. Bon voyage, et sois prudent...

Le garn salua son ami, décolla, et disparut très vite dans la nuit. Devant le ciel d'un noir d'encre, le Sourcier se sentit plus seul que jamais. Les gens qui l'entouraient ne pouvaient rien y changer. Présents à ses côtés parce qu'ils étaient liés à lui, croyaient-ils à la cause qu'il défendait ? Hélas, c'était impossible à dire...

Kahlan avait quitté Aydindril depuis deux semaines. Il en faudrait une – voire deux, en cas de difficultés – à Gratch pour la rattraper. Bref, dans le meilleur des cas, Kahlan et Zedd ne seraient pas de retour en Aydindril avant un bon mois, et sans doute plus. Et il se languissait déjà de ses amis !

Leur séparation avait déjà trop duré, mais il devrait prendre son mal en patience, comme toujours...

Richard referma la fenêtre et se tourna vers les deux Mord-Sith.

— Gratch est vraiment votre ami..., souffla Cara.

La gorge trop nouée pour se risquer à parler, le Sourcier hocha lentement la tête.

Après un bref regard à Raina, Cara se lança :

— Seigneur Rahl, nous avons débattu entre nous, et décidé que vous seriez plus en sécurité en D'Hara. Nous laisserons un régiment ici pour accueillir votre reine et l'escorter ensuite jusqu'au Palais du Peuple.

— Combien de fois devrai-je répéter que c'est hors de question ? L'Ordre Impérial veut conquérir le monde. L'en empêcher est mon devoir de sorcier.

— Alors que vous ne savez pas comment utiliser votre don ? À quoi sert un sorcier qui ignore tout de la magie ?

— Je n'y connais rien, c'est vrai, mais Zedd m'apprendra tout ce qu'il faut. Dès son arrivée, nous nous mettrons au travail, et l'Ordre Impérial ne pourra pas s'emparer du monde.

— Les gens rêvent toujours de ce qu'ils n'ont pas, fit Cara, et l'Ordre n'échappe pas à cette règle. Mais vous n'êtes pas obligé de rester ici pour le combattre. Qui vous empêche de diriger la guerre à distance ? Quand les délégations reviendront et vous remettront la reddition de leurs chefs, les Contrées du Milieu seront à vous. Alors, vous régnerez sur le monde sans devoir prendre le moindre risque. De toute façon, une fois les royaumes sous votre coupe, l'Ordre aura perdu la partie.

— Vous ne comprenez pas..., dit Richard en s'engageant dans l'escalier. C'est plus compliqué que ça. L'Ordre Impérial s'est gagné des alliés partout dans le Nouveau Monde.

— Le Nouveau Monde ? répéta la Mord-Sith alors que Raina et elle emboîtaient le pas à leur maître. Qu'est-ce que c'est ?

— Il est composé de Terre d'Ouest, ma patrie, des Contrées du Milieu et de D'Hara.

— À mes yeux, c'est le monde tout court, objecta Cara.

— Ainsi parle un poisson dans son bocal, dit Richard. Tu crois que l'univers se réduit à ce que tu connais ? Qu'il n'y a rien au-delà des océans ou des chaînes de montagnes ?

— Seuls les esprits savent ce qu'il en est, déclara Cara en s'arrêtant au pied des marches. Qu'en pensez-vous, seigneur ? Il y aurait d'autres pays au-delà des nôtres ? Des... bocaux... inconnus ? Un peu partout ?

— Je n'en sais rien..., avoua Richard. Mais j'ai une certitude : au sud se dresse l'Ancien Monde !

— Là-bas, il n'y a que des terres ravagées, fit Raina en croisant les bras.

— Je connais ces étendues désertes, Raina. Jusqu'à récemment, on les nommait la vallée des Âmes Perdues. D'un océan à l'autre, une barrière – les Tours de la Perdition – interdisait à quiconque de traverser la vallée. Ces tours ont été érigées il y a trois mille ans par des sorciers incroyablement puissants. Ainsi défendu, l'Ancien Monde a fini par disparaître de nos mémoires. Mais il existe bel et bien.

— Comment le savez-vous ? demanda Cara.

Le Sourcier entreprit de traverser la salle, et les deux femmes le suivirent.

— J'ai vécu quelque temps à Tanimura, une ville de l'Ancien Monde qui abrite le Palais des Prophètes.

— Vraiment ? lança Raina, dubitative. (Elle échangea un regard inquiet avec

Cara.) Si personne ne peut traverser, comment avez-vous fait pour passer ?

— C'est une longue histoire… Pour résumer, des femmes très spéciales, les Sœurs de la Lumière, m'ont amené à Tanimura. Pour franchir la barrière, il faut avoir le don, mais pas trop puissant, sinon on est détruit par les sortilèges. Personne d'autre ne peut traverser – enfin, ne *pouvait*, car la barrière n'existe plus. Une bonne et une mauvaise chose, puisque l'Ordre Impérial vient de l'Ancien Monde. Le voyage sera long, mais ses hordes déferleront tôt ou tard sur nous.

— Et pourquoi cette… barrière… a-t-elle disparu après trois mille ans d'existence ? demanda Cara, de plus en plus soupçonneuse.

Richard s'éclaircit la gorge tout en montant sur l'estrade.

— J'ai peur que ce soit ma faute… J'ai détruit les sortilèges. Il n'y a plus de barrière, et la vallée des Âmes Perdues est redevenue une prairie verdoyante.

— Tu entends ça, Raina ? lança Cara à sa compagne. Et il voudrait nous faire croire qu'il ne connaît rien à la magie !

— Si je comprends bien, seigneur Rahl, dit Raina, vous êtes responsable de cette guerre. Sans vous, elle n'aurait pas été possible.

— Non… Mais j'ai déjà dit que c'est une longue histoire. (Nerveux, Richard se passa une main dans les cheveux.) Avant même la disparition de la barrière, l'Ordre s'était infiltré dans le Nouveau Monde. Il y avait recruté des alliés, et le massacre d'Ebinissia est antérieur à la destruction des Tours de la Perdition. À présent, il n'y a plus rien pour retenir ou ralentir ces soudards. Ne les sous-estimez surtout pas. Ils ont des sorciers et des magiciennes dans leurs rangs, et leur but ultime est de détruire la magie.

— Seigneur Rahl, fit Cara, ça n'a aucun sens ! Pourquoi engager des sorciers quand on rêve d'anéantir la magie ?

— Vous voulez tous que je sois la magie qui s'oppose à la magie, n'est-ce pas ? Pour quelle raison ? (Il désigna Ulic, puis Egan.) Parce que ces hommes sont l'acier qui affronte l'acier, et rien d'autre. Pour détruire la magie, il faut y recourir ! Prenez votre exemple… Les Mord-Sith ont un pouvoir. Et pourquoi, selon vous ? Afin de combattre celui des autres. Votre variante du don vous permet de voler la magie d'un adversaire et de la retourner contre lui. C'est l'objectif de l'Ordre Impérial. Les sorciers qui le servent sont des outils, comme vous, lorsque vous torturiez les ennemis de Darken Rahl.

» Nous avons tous les trois des pouvoirs, et l'Ordre voudra tôt ou tard nous éliminer. À cause du « lien », tous les D'Harans risquent un jour de devenir les cibles de l'Ordre, s'il décide d'exterminer la vermine magique. Un jour ou l'autre, ces fous écraseront D'Hara comme ils ont écrasé les Contrées du Milieu.

— L'armée d'harane leur bottera les fesses ! intervint soudain Ulic, l'air sûr de lui comme s'il venait de prédire que le soleil se lèverait le lendemain matin.

— Avant mon arrivée, rappela Richard, D'Hara avait pactisé avec l'Ordre Impérial au point de raser Ebinissia en son nom. En Aydindril, nos troupes n'étaient-elles pas dirigées par les chefs de l'Ordre Impérial ?

Il y eut un long silence gêné.

— Dans la confusion de la guerre, dit enfin Cara, comme si elle pensait tout haut, certains de nos soldats, loin du pays, ont dû sentir que le lien était brisé. Cela s'est produit au palais, quand vous avez tué Darken Rahl. Sans un nouveau maître Rahl pour les guider, ces hommes ont dû errer comme des âmes en peine. Ils se sont alliés à l'Ordre parce qu'il leur fallait un guide, à un moment décisif de leur vie. Maintenant, c'est terminé ! Nous avons un nouveau seigneur et le lien sera restauré chez tous les D'Harans.

— C'est ce que j'espère, admit Richard en se laissant tomber sur le Prime Fauteuil.

— Raison de plus pour retourner en D'Hara ! insista Raina. Si nous vous protégeons comme il le faut, le lien revivra dans tous les cœurs, et nos compatriotes cesseront de se rallier à l'Ordre Impérial. Mais si vous mourez, brisant de nouveau le lien, nos troupes iront de nouveau jurer allégeance à l'Ordre. Laissons les Contrées livrer les batailles qui les concernent. Les sauver de leur propre bêtise n'entre pas dans nos attributions.

— Tous les habitants des Contrées le payeront tôt ou tard de leur vie, dit Richard. Avant de périr, ils vivront les mêmes atroces expériences que vous, sous le joug de Darken Rahl. Tant qu'il y aura une chance d'empêcher ça, nous ne pourrons pas rester les bras croisés. Il faut agir avant que les Contrées du Milieu se soient choisies un nouveau maître !

— Esprits du bien, souffla Cara, il n'y a pas pire fléau qu'un homme dévoué à une juste cause ! Seigneur, rien ne vous oblige à être l'âme de la résistance.

— Si je refuse de jouer ce rôle, répondit Richard, nous vivrons bientôt tous sous la domination de l'Ordre Impérial. Jusqu'à la fin des temps, le monde appartiendra à un ramassis de soudards. Et ne vous faites pas d'illusions : ça ne finira jamais, parce que les despotes ne se lassent pas de la tyrannie.

Un long silence suivit cette affirmation sinistre.

Richard se radossa dans son fauteuil, si fatigué qu'il doutait pouvoir garder longtemps les yeux ouverts. Pourquoi s'épuisait-il à vouloir convaincre ces gens ? À l'évidence, ils ne comprenaient pas ce qu'il tentait de faire. Ou ils s'en fichaient royalement !

— Nous ne voulons pas vous perdre, seigneur Rahl, dit Cara en se penchant vers lui. Ni revenir à ce qu'étaient nos vies avant vous. (La Mord-Sith semblait au bord des larmes.) Nous aimons faire des choses simples, comme plaisanter et rire. Naguère, c'était impossible. Au moindre faux pas, nous risquions d'être battues, ou pire encore. Savez-vous ce que c'est, vivre en permanence avec la peur ? Aujourd'hui, tout a changé, et nous refusons de revenir en arrière. Si vous sacrifiez votre vie pour les Contrées du Milieu, votre successeur…

La Mord-Sith se tut. La suite allait de soi.

— Cara… et tous les autres… écoutez-moi bien. Si nous ne faisons rien, c'est ce qui arrivera au bout du chemin. Ne le voyez-vous pas ? Si je n'unis pas les Contrées pour les diriger d'une main de fer – mais au nom de la justice – l'Ordre Impérial les grignotera morceau après morceau. Et après, ce sera le tour de D'Hara, puis du monde entier. Je ne lutte pas parce que j'en ai envie, mais parce que je suis le mieux placé pour réussir. Si je me dérobe, aucun lieu ne sera plus sûr pour moi. Mes ennemis me débusqueront, et ils me tueront.

» La conquête et le pouvoir ne m'intéressent pas. Mon seul désir, c'est d'avoir une famille et de vivre en paix.

» Pour atteindre ce but, je dois d'abord montrer aux Contrées que nous sommes forts, et qu'il n'y aura pas de favoritisme ni de tricherie. Il ne s'agira pas d'une alliance de fortune, solidaire uniquement quand c'est pratique. Nous nous serrerons les coudes les bons comme les mauvais jours, c'est impératif ! Nos partenaires doivent croire que nous luttons pour la justice, et qu'ils peuvent nous rejoindre en toute sécurité. Certains d'avoir leur place à nos côtés, ils sauront qu'ils ne devront plus jamais se battre seuls lorsqu'il faudra prendre les armes pour défendre la liberté. Bref, nous devons être puissants et leur inspirer confiance. Sinon, ils nous tourneront le dos.

Personne n'émit de commentaires. Richard s'adossa à son fauteuil, et ferma les yeux. À coup sûr, ces gens le prenaient pour un fou. S'inquiéter de ce qu'ils pensaient ou pas était une perte de temps. Il donnerait des ordres, et tous obéiraient, que ça leur plaise ou non !

— Seigneur Rahl, dit enfin Cara, écoutez-moi bien ! (Richard ouvrit les yeux : campée devant lui, l'air pas commode, la Mord-Sith le foudroyait du regard.) Je ne changerai pas les couches de votre rejeton, je ne lui donnerai pas de bain, je ne le lui taperai pas dans le dos pour qu'il fasse son rot, et je ne gazouillerai pas devant lui comme une imbécile !

Un sourire flotta soudain sur les lèvres du jeune homme, ramené à son passé par cette déclaration péremptoire...

Un jour, en Terre d'Ouest, avant que cette horrible aventure ait commencé, la sage-femme, dans tous ses états, était venue chercher Zedd. Elayne Seaton, une fille à peine plus âgée que Richard, mettait au monde son premier enfant, et cela ne se passait pas très bien. Le dos tourné à Richard, la femme avait débité son discours à Zedd entre deux halètements.

Avant de savoir qu'il était son grand-père, Richard tenait Zedd pour son meilleur ami. Comme tout le monde, il ignorait que le vieil homme était un sorcier, le prenant pour un sage quasiment omniscient qui savait lire dans les nuages, guérir la plupart des maladies, déterminer où il fallait creuser un puits et dire quand il convenait de préparer une tombe. Comme de juste, c'était aussi un expert en matière d'accouchements.

Richard connaissait bien Elayne. Elle lui avait appris à danser, pour qu'il puisse inviter une jeune fille à la fête du solstice d'été. Élève studieux, il s'était acharné jusqu'à ce qu'une réalité déplaisante douche son enthousiasme. Serait-il capable de tenir une femme dans ses bras sans la casser en deux ? Tout le monde lui rappelait sans cesse qu'il était fort et devait prendre garde à ne pas blesser les gens. Ayant changé d'avis, il avait tenté de se défiler. Hilare, Elayne l'avait enlacé et entraîné dans une gigue endiablée en sifflotant un air joyeux.

En matière de naissance, le jeune homme était parfaitement ignare. Après avoir entendu le discours de la sage-femme, il ne se sentait aucune envie d'approfondir ses connaissances. S'approchant de la porte, il allait sortir, décidé à s'éloigner autant que possible de la maison d'Elayne, quand Zedd, sa sacoche de potions à la main, l'avait rattrapé par la manche.

— Viens avec moi, mon garçon. Je sens que tu pourrais m'être utile.

Richard s'était défendu, arguant qu'il ignorait tout des joies de l'enfantement. Mais quand le vieil homme avait une idée en tête, mieux valait essayer de négocier avec une pierre.

— On ne sait jamais, Richard, avait-il dit en poussant le jeune homme vers la porte, tu pourrais apprendre une ou deux choses…

Henry, le mari d'Elayne, était parti avec une équipe qui collectait de la glace pour les auberges. Avec le mauvais temps, il n'était pas encore revenu de ses livraisons, dans les villes voisines.

Des femmes avaient investi la demeure des Seaton, toutes massées dans la chambre d'Elayne. Zedd avait ordonné à son jeune ami de s'occuper du feu et de faire bouillir de l'eau. L'attente, avait-il prévenu, risquait d'être longue.

Assis dans la cuisine froide, le front ruisselant de sueur, Richard avait serré les poings en écoutant les cris les plus horribles qu'il ait jamais entendus. Entre deux hurlements, la sage-femme et ses compagnes prodiguaient à la pauvre Elayne des encouragements qui ne semblaient pas avoir beaucoup d'effet.

Le jeune homme avait attisé le feu et fait fondre de la neige dans une grande bouilloire, afin d'avoir un prétexte pour sortir. Pensant que ses deux amis, avec un nouveau-né, auraient besoin de plus de bois, il en avait débité un bon stère. En pure perte : les cris d'Elayne lui perçaient toujours les tympans. Et ils lui glaçaient les sangs. Moins à cause de la douleur qu'ils exprimaient que de la panique qu'on y entendait…

Richard savait qu'Elayne allait mourir. Sinon, la sage-femme n'aurait pas été chercher Zedd. N'ayant jamais vu de cadavre, il refusait que le premier soit celui de son amie, dont il se souvenait encore du rire, lors de leur fameuse leçon de danse. Avec quelle grâce elle avait fait mine de ne pas voir qu'il était rouge jusqu'aux oreilles !

Assis à la table, le regard dans le vide, le jeune homme avait longuement pensé au monde, décidément impitoyable pour tous les êtres vivants. Puis un dernier cri avait retenti, plus terrible que tous les autres, le faisant frissonner d'angoisse. Quand le hurlement s'était tu – ou plutôt étranglé –, Richard avait plissé les paupières pour retenir ses larmes.

Dans le sol gelé, creuser une tombe serait quasiment impossible. Mais pour Elayne, s'était-il juré, il réussirait envers et contre tout. Pas question de garder jusqu'au printemps son corps gelé dans la remise du croque-mort ! Avec sa force, il parviendrait à vaincre la terre, même s'il lui fallait un mois pour ça ! Après tout, Elayne lui avait appris à danser…

Zedd était soudain sorti de la chambre, un minuscule fardeau dans les bras.

— Richard, viens par ici, avait-il dit. (Tendant à son protégé une sorte de petit singe rouge qui battait des bras et des jambes, il avait lâché :) Lave-le en douceur, fiston.

— Pardon ? Comment veux-tu que je fasse ça ?

— Avec de l'eau chaude, bien sûr ! Fichtre et foutre, mon garçon, tu en as fait bouillir, non ? (Richard désigna la bouilloire.) Parfait. Mais ne l'ébouillante pas, surtout ! Un bain tiède, voilà ce qu'il lui faut. Quand tu auras fini, enveloppe-le dans cette couverture et ramène-le dans la chambre.

— Zedd… pourquoi ne pas demander aux femmes ? Elles ont l'habitude. Pas moi ! Par les esprits, ne peuvent-elles pas s'en charger ?

Ses cheveux blancs en bataille, Zedd avait foudroyé le jeune homme du regard.

— Si j'avais voulu qu'elles le fassent, fiston, je leur aurais demandé.

Il était retourné dans la chambre, claquant la porte derrière lui. Paralysé, Richard n'avait d'abord pas bougé, craignant d'écrabouiller le petit singe rouge. Bon sang, comment pouvait-on être aussi minuscule ?

Puis le jeune homme avait souri – la dernière réaction qu'il aurait cru avoir. Il tenait dans ses bras une personne – un nouvel esprit venu au monde. Une sorte très particulière de magie…

Quand il avait ramené le nouveau-né, propre comme un sou neuf, dans la chambre, Richard avait failli éclater en sanglots en découvrant qu'Elayne était toujours de ce monde.

— Elayne, tu es une sacrée bonne danseuse, avait-il dit, incapable de trouver autre chose à déclarer. Mais comment as-tu réussi une telle merveille ? C'est incroyable !

Autour du lit, les femmes l'avaient regardé comme s'il était l'idiot du village.

— Un jour, c'est toi qui apprendras la danse à Bradley, avait soufflé Elayne, souriante malgré son épuisement.

Elle avait tendu les bras, rayonnante, quand Richard s'était penché pour lui donner le bébé.

— Eh bien, fiston, tu y es arrivé ! avait lancé Zedd. Tu as appris quelque chose, au moins ?

Aujourd'hui, Bradley avait dix ans et il appelait le jeune homme « oncle Richard »…

Savourant le silence, le Sourcier émergea lentement du passé et réfléchit à ce que lui avait dit Cara.

— Tu pouponneras, Cara, que ça te plaise ou non… Et tant pis si je dois vous l'ordonner à toutes ! Vous sentirez une nouvelle vie palpiter entre vos bras, et vous découvrirez une autre magie que celle de vos Agiels. Quand vous changerez l'enfant, avant de le baigner, de le nourrir et de lui taper dans le dos, vous saurez que quelqu'un en ce monde a besoin de votre tendresse et de vos soins, et que j'ai assez confiance pour vous confier mon enfant. Enfin, vous gazouillerez, de gré ou de force, et vous rirez de joie en pensant à un avenir radieux. Avec un peu de chance, vous oublierez les gens que vous avez tués…

» Si le reste vous dépasse, comprenez au moins cette partie de mes motivations. Ce n'est pas trop compliqué, non ?

Richard se laissa aller dans son siège, autorisant ses muscles à se détendre pour la première fois depuis des heures. Bercé par le silence, il pensa à Kahlan et laissa son esprit dériver.

— Si vous vous faites tuer en essayant de changer le monde, seigneur Rahl, souffla Cara, des sanglots dans la voix, je vous casserai tous les os de mes propres mains !

Perdu dans la contemplation des points lumineux qui dansaient sous ses paupières closes, Richard sentit qu'il souriait.

Il était assis sur le Prime Fauteuil, à l'endroit même où Kahlan avait longtemps dirigé les Contrées du Milieu. Sur sa nuque, il sentait peser les regards de Magda Searus et de Merritt, qui l'avaient entendu, un peu plus tôt, prononcer l'arrêt de mort de l'alliance qu'ils avaient forgée au nom de la paix et de la justice.

Richard s'était engagé dans cette guerre sous la bannière des Contrées du Milieu. Aujourd'hui, il commandait ses anciens ennemis et il venait de plaquer son épée sur la gorge de ses alliés.

En un jour, il avait mis le monde sens dessus dessous…

Dissoudre les Contrées du Milieu était la bonne solution, il le savait. Mais qu'en penserait Kahlan ? Elle l'aimait et comprendrait sûrement… Enfin, il fallait l'espérer !

Et Zedd, qu'en dirait-il ?

Les mains posées sur les accoudoirs du Prime Fauteuil, il imagina que Kahlan l'enlaçait, comme la nuit précédente, dans cet étrange lieu entre les mondes. De sa vie, il n'avait jamais été plus heureux. Et personne ne l'avait aimé aussi fort…

Il crut entendre une voix lui conseiller de se trouver un lit.

Un peu trop tard, puisqu'il dormait déjà…

# Chapitre 17

Les centaines – voire les milliers – de soudards d'harans qui encerclaient son palais ne parvinrent pas à gâcher la bonne humeur de Tobias Brogan. Les choses évoluaient merveilleusement bien. Pas comme il le prévoyait le matin, mais quelle importance ?

Les sbires de Rahl laissèrent entrer Brogan et ses compagnons sans les ennuyer. Mais ils les avertirent qu'ils seraient avisés de ne pas sortir pendant la nuit.

Leur arrogance l'irrita un instant. Il l'oublia vite, trop intéressé par les sujets qu'Ettore « travaillait » pour s'indigner vraiment du manque de diplomatie de ces brutes. À coup sûr, il obtiendrait toutes les réponses à ses questions, car le jeune homme était doué pour ce genre de mission. Même sans les conseils éclairés d'un frère plus expérimenté – la première fois qu'il travaillait en solo ! – Ettore aurait sûrement réussi à briser la résistance de la vieille folle.

Tobias secoua la neige de sa cape sur le tapis rubis et or. Sans prendre la peine de s'essuyer les pieds, il traversa les antichambres impeccablement briquées, puis s'engagea dans le dédale de couloirs qui conduisait à l'escalier. Les corridors aux boiseries dorées éclairées par la lumière vacillante des lustres en cristal grouillaient de gardes en cape pourpre qui s'empressèrent de saluer leur chef. Très concentré, Tobias ne daigna pas leur accorder un hochement de tête.

Galtero et Lunetta sur les talons, il gravit les marches deux par deux. Contrairement aux murs du niveau principal, ornés de portraits de souverains et de tapisseries illustrant leurs exploits, pour la plupart imaginaires, ceux du sous-sol, en pierre brute, étaient aussi déprimants pour l'œil que glaciaux au toucher. Mais la pièce où allaient entrer Brogan, Galtero et Lunetta serait délicieusement chaude…

Tout en lissant sa moustache, Tobias eut une grimace dégoûtée, car son corps lui faisait un mal de chien. Avec l'âge, le froid devenait le pire ennemi des articulations. Agacé, il s'ordonna d'oublier ces viles contingences et de se focaliser sur sa mission sacrée. Cette nuit, le Créateur ne lui avait pas ménagé son aide, et il fallait en tirer profit.

Dans le donjon, les couloirs ne grouillaient plus de soldats du Sang de la

Déchirure. Une démarche logique, puisqu'on ne pouvait pas, de là, entrer ou sortir du palais. Toujours sur ses gardes, Galtero s'arrêta devant la porte de la salle d'interrogatoire et sonda le corridor, à droite et à gauche. Lunetta attendit patiemment qu'il en ait terminé. Félicitée par Tobias, tout particulièrement pour son dernier sort, elle rayonnait, fidèle reflet de la jubilation de son frère.

Tobias entra dans la pièce et aperçut Ettore, un grand sourire sur les lèvres.

Une expression des plus étranges, pour un cadavre...

Le jeune homme était suspendu à une corde attachée aux deux extrémités du tisonnier qui lui traversait le crâne au niveau des oreilles. Ses pieds oscillaient au-dessus d'une flaque de sang déjà coagulé.

On lui avait tranché la gorge avec une précision chirurgicale. Au-dessous de la plaie, il ne lui restait plus un pouce de peau. Sur le sol, proprement rangées, gisaient des bandelettes d'épiderme encore suintantes de sang.

Juste au-dessus des côtes, une autre incision barrait la cage thoracique du malheureux. Elle avait servi à lui retirer le foie, posé sur les dalles à ses pieds.

Le cadavre portait quelques traces de morsures sur les flancs. D'un côté, la chair avait été déchiquetée par des dents d'adulte. De l'autre, une bouche plus petite s'était contentée de la mâchouiller.

Brogan se retourna, cria de rage et gifla Lunetta, qui valsa en arrière et percuta le mur, près de la cheminée, avant de glisser mollement sur le sol.

— C'est ta faute, maudite *streganicha* ! Tu aurais dû rester ici avec Ettore ! Ce garçon avait encore besoin d'aide !

Les poings sur les hanches, le seigneur général pivota de nouveau et regarda le cadavre écorché du jeune homme qu'il avait jugé à tort si prometteur. Ettore avait de la chance d'être mort. S'il lui était resté un souffle de vie, Brogan l'aurait achevé de ses mains pour le punir d'avoir laissé la vieille sorcière échapper à un juste châtiment. Permettre l'évasion d'un messager du fléau était inexcusable. Un authentique chasseur de démons aurait tué son prisonnier avant de mourir, même s'il avait fallu pour cela lui déchiqueter la gorge avec ses dents. Et le sourire moqueur d'Ettore faisait enrager Tobias.

— Tu nous as trahis, Ettore ! cria-t-il en giflant le mort. Je te chasse du Sang de la Déchirure, et je te condamne à une éternité de déshonneur. Ton nom sera rayé des registres, comme si tu n'avais jamais existé !

— Je t'avais bien dit que je devais rester, souffla Lunetta en se relevant péniblement. Et je te l'avais demandé, Tobias !

— Ne te cherche pas d'excuses, vermine ! Si tu savais à quel point cette vieille était dangereuse, tu aurais dû insister !

— Je l'ai fait, se défendit Lunetta en essuyant ses larmes de douleur. Et tu... vous m'avez ordonné, seigneur général, de venir avec vous.

Tobias ne prit pas la peine de répondre.

— Galtero, va préparer des chevaux ! lâcha-t-il.

Il aurait pu égorger Lunetta sur-le-champ ! Voir son sang s'ajouter à celui d'Ettore eût été un plaisir. Au nom du Créateur, il en avait assez du pouvoir impie de cette chienne ! À cause d'elle, il avait perdu des informations précieuses. Car la vieille vendeuse de gâteaux, à l'évidence, aurait eu beaucoup de choses à lui dire.

— Combien de chevaux, seigneur général ? demanda le colonel.

Brogan regarda sa sœur essuyer le sang qui ruisselait sur sa joue. Il aurait adoré la tuer. L'étriper, même, pour mieux se défouler.

— Trois..., répondit-il à contrecœur.

Avant de sortir, Galtero prit une matraque sur le présentoir d'instruments de torture. Apparemment, les gardes n'avaient pas vu la vieille femme, mais cela ne voulait rien dire, quand on avait affaire à un messager du fléau. Elle pouvait encore rôder dans le donjon, et le colonel n'avait pas besoin d'un dessin pour savoir qu'il fallait la capturer vivante.

Lui trancher la tête d'un coup d'épée aurait été improductif. Si elle était prise, l'heure de la vengeance sonnerait tôt ou tard. Mais d'abord, elle devrait parler...

— Tu sens sa présence dans les environs ? demanda Brogan à sa sœur.

Lunetta secoua la tête. D'ailleurs, elle ne se grattait pas les bras...

Même sans les D'Harans massés autour du palais, chercher quelqu'un, avec cette tempête de neige, aurait été impossible. De plus, Brogan avait un plus gros gibier à traquer. Sans parler du problème que lui posait le seigneur Rahl.

Si la vieille tombait entre ses mains, Tobias saurait lui faire payer ses crimes. Sinon, il n'avait pas de temps à consacrer à une chasse qui serait très probablement infructueuse. Les messagers du fléau couraient les rues. Alors, celui-là ou un autre, où était la différence ? Le chef du Sang de la Déchirure avait des tâches plus urgentes, et une priorité qu'il ne devait jamais perdre de vue : servir le Créateur.

Lunetta approcha de son frère, lui passa un bras autour de la taille, lui caressa la poitrine de sa main libre et constata que son cœur, sous l'effet de la rage, battait comme un tambour.

— Il est tard, Tobias..., souffla-t-elle. Viens au lit. Aujourd'hui, tu t'es épuisé à œuvrer pour la gloire du Créateur. Laisse-moi m'occuper de toi, et tu ne le regretteras pas. (Brogan ne desserra pas les dents.) Galtero a eu son plaisir, et je te donnerai le tien. Si tu veux, je me lancerai un sort de séduction... S'il te plaît !

Tobias réfléchit un moment.

— Nous n'avons pas le temps. Il faut partir au plus vite ! Lunetta, j'espère que tu retiendras la leçon de cette nuit. Je ne tolérerai plus que tu te comportes mal.

— J'ai compris, seigneur général. Je m'améliorerai, vous verrez. Oh, oui, je ferai de mon mieux...

Tobias ramena sa sœur dans la salle où ils avaient interrogé les témoins. Après avoir récupéré son étui à trophées, il fit mine de sortir, mais se ravisa. La pièce d'argent que lui avait donnée la vieille harpie n'était plus là !

— Après mon départ, personne n'est entré ici ? demanda-t-il à un des soldats qui gardaient la porte.

— Nous n'avons pas vu âme qui vive, seigneur général.

Pourtant, la vieille était venue, et elle avait repris la pièce, histoire de lui laisser un message qui se passait de commentaire...

En chemin, il ne perdit pas de temps à interroger les sentinelles. Ces hommes-là aussi n'auraient rien vu. La sorcière et son familier étaient loin, désormais. Il devait les chasser de son esprit pour se concentrer sur ce qu'il devait absolument faire – et le plus vite possible !

Tobias gagna l'arrière du palais et entrouvrit le portail de la grande cour qui donnait sur les écuries. Galtero devait déjà avoir choisi trois robustes chevaux et réuni les provisions nécessaires pour le voyage.

Avec l'obscurité et la neige, le seigneur général et sa sœur avaient de bonnes chances de ne pas être repérés par les D'Harans. Et si cette partie-là du plan fonctionnait, le reste serait bien moins difficile...

Brogan n'avait rien dit à ses hommes. La traque de la Mère Inquisitrice commencerait dès ce soir, et une colonne n'aurait aucune chance de passer inaperçue. En cas de bataille, les braves du Sang de la Déchirure seraient massacrés jusqu'au dernier. Non qu'ils fussent moins compétents que les D'Harans. Mais à un contre dix, ils n'auraient aucune chance. Ici, ils pourraient toujours occuper l'ennemi, et ils ne risquaient pas de lui livrer des informations qu'ils ne détenaient pas...

Poussant un peu plus le portail, Tobias regarda prudemment dehors. Il n'y avait rien, à part les flocons de neige qui dansaient à la lueur des quelques lampes allumées derrière les fenêtres du deuxième étage. Les éteindre aurait été judicieux, s'il n'en avait pas eu besoin pour s'orienter dans cet environnement inconnu.

— Reste près de moi, Lunetta. Si nous rencontrons des soldats, ils tenteront de nous empêcher de partir. Il ne faut pas que ça arrive, sinon, la Mère Inquisitrice nous échappera.

— Mais, seigneur général...

— Silence ! Si on nous intercepte, je compte sur toi pour forcer le passage. Compris ?

— Face à beaucoup de soldats, je pourrai seulement...

— Ne me pousse pas à bout ! Tu as promis de t'améliorer, et je t'offre une occasion de le faire. Ne me déçois pas, cette fois...

— Oui, seigneur général, chuchota Lunetta en resserrant les pans de son ridicule accoutrement.

Brogan souffla la lampe de l'entrée puis tira sa sœur dehors. Galtero devait les attendre, prêt au départ. S'ils réussissaient à atteindre les écuries, les D'Harans seraient impuissants quand ils en sortiraient sur leurs montures. Avec le rideau de neige, ces crétins n'auraient pas le temps de réagir !

L'optimisme de Brogan fut vite douché. Des silhouettes apparurent devant lui, identifiables malgré les flocons qui tourbillonnaient de plus en plus follement. Des D'Harans !

Reconnaissant le seigneur général, ils dégainèrent leurs armes et appelèrent des renforts à tue-tête. Malgré les hurlements du vent, certains de leurs camarades entendirent et accoururent.

— Lunetta, fais quelque chose ! Ils vont nous encercler !

La *streganicha* commença à réciter un sort, mais il était déjà trop tard. Les D'Harans chargeaient, et une flèche frôla la joue de Tobias. Une bourrasque, plus forte que les autres, avait miraculeusement dévié le projectile pendant son vol...

Miraculeusement ? Non, bien sûr, car c'était l'œuvre du Créateur, acharné à protéger son plus fidèle serviteur.

Lunetta se baissa pour éviter une nouvelle flèche...

Tobias dégaina son épée et songea un instant à battre en retraite dans le palais. Mais ce chemin-là aussi était barré par des D'Harans.

Trop occupée à esquiver les volées de flèches, Lunetta ne pourrait pas lancer un sort de protection. Les dés étaient jetés, et Brogan avait tout perdu…

Soudain, les projectiles cessèrent de siffler à leurs oreilles. Tout autour de Tobias, des cris retentirent alors que les D'Harans tombaient comme des mouches, s'écrasant dans la neige tête la première. Les survivants, comme s'ils étaient devenus fous, flanquaient de grands coups d'épée dans le vide…

… Un vide qui les coupait en deux sans pitié !

Brogan plissa les yeux pour mieux voir. Les D'Harans s'écroulaient les uns après les autres, le ventre ouvert. Et il n'y avait personne en face d'eux !

Le seigneur général ne bougea plus, craignant que les tueurs invisibles décident de s'en prendre à lui.

— Créateur bien-aimé, souffla-t-il, épargne-moi, car j'œuvre pour Ta Gloire !

Des soldats continuaient à courir vers les écuries, immanquablement fauchés par les exterminateurs sans substance. Une bonne centaine de cadavres gisaient déjà sur la neige, abattus avec une brutalité et une efficacité dont Brogan n'avait jamais été témoin.

Il s'accroupit et rentra la tête dans les épaules.

Peu à peu, il distingua les silhouettes qui taillaient en pièces les D'Harans. Ces hommes en cape blanche, rapides comme l'éclair, se confondaient avec les tourbillons de neige, donnant l'impression à leurs adversaires qu'ils affrontaient des fantômes. Mais ils étaient bien vivants, et plus féroces qu'aucun guerrier que Brogan eût jamais rencontré.

Pas un seul D'Haran ne battit en retraite. Un entêtement admirable, lorsqu'on n'avait aucune chance de se sortir vivant d'une bataille. Quant au crétinisme dont ce comportement témoignait, c'était une autre affaire…

Le silence revint, n'étaient les hurlements du vent. Les hommes de Rahl avaient combattu et connu la défaite. N'en voyant plus un debout, Tobias laissa errer son regard sur les cadavres que la neige aurait recouverts dans moins d'une heure.

Les hommes en cape blanche, aussi légers que le vent, avancèrent vers Brogan, qui sentit la garde de son épée glisser de ses doigts gelés. Il voulut crier à Lunetta de jeter un sort, mais sa voix s'étrangla dans sa gorge quand il vit mieux les fabuleux guerriers.

Ce n'étaient pas des hommes du tout !

Ces créatures de l'enfer aux bras musclés couverts d'écailles blanches brandissaient des couteaux à trois lames dégoulinant de sang. Sous leurs capuches, Tobias aperçut des têtes rondes parfaitement chauves à la peau lisse tendue à craquer.

Les abominations rivèrent leurs yeux de fouine sur le seigneur général et sa sœur.

Brogan avait vu leurs semblables devant le Palais des Inquisitrices. La sinistre collection du seigneur Rahl, constituée à la pointe de l'épée…

Des mriswiths !

Mais comment Rahl, ou quiconque d'autre, avait-il pu venir à bout de ces combattants d'élite ?

Un des monstres s'arrêta à trois pas de Tobias.

— Partir..., dit-il d'une voix sifflante.

— Pardon ? s'étrangla Brogan.

— Fuir ! cria le monstre en zébrant l'air avec son étrange couteau. S'évader !

— Pourquoi ? Je veux dire, pour quelle raison êtes-vous venus à notre secours ?

— Celui qui marche dans les rêves veut que vous partiez d'ici, dit le monstre. (Sa bouche sans lèvres se fendit, sans doute pour imiter un sourire.) Partez avant que d'autres soldats arrivent. Vite !

— Mais...

Le mriswith s'enveloppa dans sa cape, se détourna et disparut dans les tourbillons de neige. Les yeux plissés, Brogan ne distingua plus aucun de leurs sauveteurs.

Pourquoi ces monstres l'avaient-ils aidé ? Au nom de quoi avaient-ils massacré ses ennemis ? Et quel intérêt avaient-ils à le savoir libre ?

Soudain, la vérité se déversa en lui comme une source agréablement chaude. Quel idiot il était ! Le Créateur lui avait envoyé du secours, ça sautait aux yeux ! Malgré leur aspect déconcertant, les mriswiths étaient des champions du bien !

Enfin, tout devenait limpide ! Rahl avait tué des mriswiths au nom du Gardien, son maître. Donc, ces « monstres » n'étaient pas maléfiques. Sinon, le nouveau seigneur de D'Hara aurait combattu à leurs côtés !

Tout se tenait. « Celui qui marche dans les rêves » entendait sauver Brogan. Et qui rendait visite au général dans ses songes ? Le Créateur, évidemment...

— Lunetta, dit Tobias en se tournant vers sa sœur, recroquevillée derrière lui, tu sais que le Créateur vient souvent me parler dans mes rêves. C'est lui qui nous a envoyé ces guerriers ! Tu as entendu ce que celui-là a dit, n'est-ce pas ? Le Créateur est venu à mon secours.

La vieille femme écarquilla les yeux.

— Seigneur général, Il est intervenu en votre faveur pour ruiner les plans du Gardien ! Le Créateur en personne veille sur vous. Un grand avenir vous attend, c'est une certitude !

Tobias retrouva son épée, à demi enfouie sous la neige. Ravi, il se releva et bomba le torse.

— Tu as raison, Lunetta. J'ai accompli Sa volonté, et en retour, Il m'offre Sa protection. À présent, il faut nous hâter, comme Ses messagers nous l'ont conseillé. Pour servir Sa gloire, nous devons partir d'ici.

Alors que Tobias avançait dans la neige, slalomant entre les cadavres, une grande silhouette se dressa soudain devant lui.

— Eh bien, général, on s'offre une petite promenade ? Et toi, magicienne, tu veux me jeter un sort ?

Tobias tenait toujours son épée, mais il comprit qu'il ne serait pas assez rapide.

Un bruit d'os qui se brisent le fit sursauter. L'ombre qui lui barrait le chemin s'écroula, révélant Galtero, son gourdin au poing.

— Colonel, tu t'es montré digne de ton grade, cette nuit, soupira Brogan.

Le Créateur venait de leur offrir un inestimable trophée. Une fois encore, il se vérifiait que rien ne restait jamais hors d'atteinte des vrais croyants. Par bonheur,

Galtero avait eu la présence d'esprit d'utiliser son gourdin, pas une lame...

Le crâne de leur proie saignait, mais elle respirait toujours.

— Eh bien, voilà une nuit des plus fructueuses, se réjouit Tobias. Lunetta, avant de guérir cette vermine, tu as un travail à accomplir pour glorifier le Créateur.

La *streganicha* se pencha sur la silhouette inconsciente et passa une main dans ses cheveux châtains poisseux de sang.

— Je devrais peut-être commencer par le sort de guérison. Galtero ne connaît pas sa force...

— D'après ce que j'ai entendu dire, chère sœur, ce ne serait pas judicieux... La thérapie attendra... (Brogan se tourna vers Galtero et désigna les écuries.) Les chevaux sont prêts ?

— Oui, seigneur général. Ils n'attendent plus que nous.

Tobias tira de sa ceinture le couteau que le colonel lui avait remis.

— Dépêchons-nous, Lunetta. L'émissaire du Créateur a dit que nous devions fuir. (Il se pencha et fit rouler leur proie sur le dos.) Ensuite, nous nous lancerons à la poursuite de la Mère Inquisitrice.

— Seigneur général, ne vous ai-je pas répété que le sort de mort nous empêchera de l'identifier ? Il est impossible de voir les fils d'une pareille Toile. Nous ne la reconnaîtrons pas, Tobias !

— Tu te trompes, très chère, répondit Brogan avec un rictus qui tordit étrangement la cicatrice, au coin de sa lèvre. J'ai vu tes fameux fils. La Mère Inquisitrice se nomme Kahlan Amnell !

# Chapitre 18

Comme elle l'avait redouté, Verna était prisonnière.

Après avoir dûment paraphé un document comptable assommant, elle passa au suivant, l'air accablé.

Prisonnière de son poste, dans une cage de paperasses, voilà ce qu'elle était…

Bâillant à s'en décrocher les mâchoires, elle étudia une nouvelle liste de chiffres. Les dépenses du palais… Chacune exigeait son approbation, plus un paraphe pour en attester. Pourquoi était-ce indispensable ? À dire vrai, ça restait un mystère pour Verna. Après quelques jours d'exercice du pouvoir, elle ne s'était pas privée de gémir contre cette perte de temps. Les yeux baissés, et en chuchotant pour ne pas embarrasser la Dame Abbesse, les sœurs Leoma, Dulcinia et Philippa lui avaient assuré qu'il s'agissait d'une tâche essentielle. Sans lésiner sur les détails, elles lui avaient décrit les conséquences catastrophiques qu'entraînerait la fin brutale du petit jeu des paraphes. Cesser de s'acquitter d'un travail si facile, et si bénéfique pour les autres, eût été d'un rare égoïsme.

Si Verna décidait quand même de ne plus vérifier les comptes, un déluge de récriminations la guettait.

*Dame Abbesse, dès que nos fournisseurs sauront que vous ne les surveillez plus, ils gonfleront leurs factures pour escroquer le palais. Et les Sœurs de la Lumière passeront pour des écervelées qui jettent l'argent par les fenêtres… De plus, sans directives venant de vous, le service comptable refusera de débloquer les paiements. Voulez-vous affamer les familles d'honnêtes travailleurs privés du juste fruit de leur labeur ? Auriez-vous le cœur de condamner des enfants à la misère ? Pour échapper à quelques heures de travail quotidien, êtes-vous prête à devenir la Dame Abbesse la plus décriée de l'histoire ?*

Verna soupira et s'attaqua aux dépenses des écuries : le foin, le grain, le salaire du maréchal-ferrant, l'entretien de la sellerie, le remplacement de la sellerie perdue… On avait également dû réparer une stalle, ravagée par un étalon fou furieux, et refaire à neuf une clôture brisée par plusieurs chevaux affolés qui avaient quitté leur enclos en pleine nuit.

Le personnel des écuries aurait besoin d'une bonne mise au point – avec toute la fermeté requise. Une telle série de négligences n'était pas excusable…

Avec un autre soupir, Verna trempa sa plume dans l'encrier, parapha le récapitulatif et le rangea dans le grand registre qui occupait une bonne moitié de son bureau.

À cet instant, quelqu'un frappa à sa porte.

Déjà concentrée sur le document suivant – la facture à rallonge d'un boucher – Verna ignora l'interruption.

Le montant à payer la fit sursauter. Par le Créateur, le Palais des Prophètes était une véritable pompe à finances !

On frappa de nouveau.

Dulcinia, ou Philippa, devait attendre derrière la porte, les bras chargés d'une nouvelle cargaison de mémos à parapher de toute urgence. Hélas, Verna ne parvenait pas à suivre le rythme, et les documents en souffrance s'accumulaient. Comment Annalina avait-elle pu survivre à ce traitement pendant tant d'années ?

Verna frémit intérieurement. Et si c'était plutôt Leoma, venue porter à son attention une autre calamité provoquée par les « décisions et les déclarations irréfléchies » de la nouvelle Dame Abbesse ? Si elle ne répondait pas, la fâcheuse, qui qu'elle fût, finirait peut-être par se décourager.

Verna avait nommé deux administratrices : Phoebe, sa plus vieille amie, et l'inévitable sœur Dulcinia, qui avait réclamé le poste, arguant à juste titre que son expérience était un atout majeur. En même temps, cela permettrait à la Dame Abbesse de la tenir à l'œil…

Leoma et Philippa, bombardées « conseillères de confiance » se retrouvaient également prises dans les rets de Verna, qui ne se fiait pas le moins du monde à elles. Ni à toutes les autres sœurs, d'ailleurs…

Pourtant, jusque-là, les deux femmes s'étaient montrées soucieuses de défendre au mieux les intérêts de la Dame Abbesse et du palais. Au grand dam de Verna, qui aurait adoré les prendre en défaut.

On frappa encore, poliment, mais avec insistance.

— Oui ? Qu'y a-t-il ?

La porte s'entrouvrit assez pour laisser passer la tête blonde de Warren, tout sourire en découvrant l'expression maussade de son amie. Derrière lui, Verna vit Dulcinia tendre le cou pour voir où en était la Dame Abbesse dans son duel contre la comptabilité.

Warren entra et balaya du regard la pièce obscure, récemment rénovée. Après le combat perdu d'Annalina contre les Sœurs de l'Obscurité, le bureau avait été livré à une horde d'ouvriers résolus à le remettre en état au plus vite, histoire de faciliter la vie à la nouvelle Dame Abbesse. Verna avait vu la facture, assez élevée pour lui donner de l'urticaire.

Warren vint se camper devant le grand bureau en noyer.

— Bonsoir, Verna. On dirait que tu travailles comme une bête… Des problèmes vitaux, je suppose, pour que tu veilles si tard ?

Les lèvres pincées, Verna voulut se fendre d'une tirade rageuse. Mais Dulcinia l'en empêcha. Avant de refermer la porte sur le visiteur, elle tendit un peu plus le cou et lança :

— Dame Abbesse, j'ai classé les mémos du jour. Dois-je vous les apporter ? Je suppose que vous avez presque fini de parapher le grand livre...

Avec un sourire mauvais, Verna fit signe à son assistante d'approcher. Inquiète, Dulcinia regarda Warren, hésita un moment puis avança en recoiffant à la hâte sa chevelure grise quelque peu en bataille.

— Puis-je vous aider, Dame Abbesse ?

— Oui, ma sœur, fit Verna en croisant les mains sur la table. Une femme de votre expérience n'aura sans doute pas de mal à résoudre une petite énigme... (Elle prit un rapport, sur la pile.) Votre mission vous conduira aux écuries, où nous avons un problème mystérieux...

— Voilà qui semble dans mes cordes, se rengorgea Dulcinia.

— Parfait... Il semble, ma sœur, que nous ayons perdu des chevaux.

Dulcinia se pencha un peu et baissa la voix, imitant à merveille une indulgence toute maternelle.

— Si nous parlons du même rapport, Dame Abbesse, les bêtes, effrayées par on ne sait quoi, se sont enfuies de leur enclos. Et on ne les a pas encore toutes retrouvées, voilà tout...

— Je sais tout cela, ma sœur... Pourtant, j'aimerais que maître Finch m'explique comment il a pu perdre la trace de ces chevaux.

— Excusez-moi, Dame Abbesse, mais je ne comprends pas...

— Vraiment ? Vous m'étonnez... Auriez-vous oublié que nous vivons sur une île ? Puisqu'aucun garde n'a vu ces chevaux traverser un pont, comment ont-ils pu se volatiliser ? À cette époque de l'année, les pêcheurs écument nuit et jour le lac, qui regorge d'anguilles. D'après ce que je sais, ils n'ont pas vu d'étalon traverser à la nage. Alors, où sont-ils ?

— Ils se sont enfuis, Dame Abbesse. Je suis sûre que...

— Et si ce bon maître Finch les avait vendus ? susurra Verna. L'histoire de la fuite couvrirait à merveille sa malversation...

— Dame Abbesse, vous n'accuseriez pas cet homme de...

Verna tapa du poing sur le bureau et se leva d'un bond.

— Il manque aussi de la sellerie, ma sœur ! Les chevaux se seraient-ils harnachés avant de s'enfuir ? Ces animaux ont souvent de drôles d'idées, mais quand même...

— Eh bien... hum..., fit Dulcinia, blanche comme un linge. Je vais...

— ... Filer aux écuries et avertir maître Finch que je me pencherai de nouveau sur la question dans deux jours. Si les chevaux ne sont pas reparus d'ici là, je retiendrai leur prix sur son salaire. Pour la sellerie, c'est sa peau qui nous fournira une partie du cuir de remplacement !

Dulcinia s'inclina et sortit en trombe. Dès que la porte se fut refermée sur elle, Warren éclata de rire.

— On dirait que le métier rentre, mon amie !

— Fais attention à ce que tu dis, Warren ! explosa Verna. Je ne suis pas d'humeur à me laisser marcher sur les pieds.

— Du calme, Verna, dit le futur sorcier, son hilarité douchée. Il s'agit simplement de quelques chevaux... Finch les retrouvera. Ce n'est pas une raison de pleurer !

Surprise, Verna porta une main à sa joue et découvrit qu'elle était humide. Soupirant de lassitude, elle se laissa retomber sur son fauteuil.

— Désolée, Warren. Je n'aurais pas dû crier comme ça… C'est sûrement la fatigue et la frustration…

— Verna, je ne t'ai jamais vue perdre pied à cause de pareilles bêtises. Tout ça pour quelques documents ?

— Quelques documents ? répéta la Dame Abbesse, rouge comme une tomate. Regarde cette montagne de mémos ! Je suis prisonnière entre ces quatre murs, à me demander si on me facture au juste prix le nettoyage et l'enlèvement du fumier ! Tu as une idée de la quantité d'excréments que produisent nos chevaux ? Et de la nourriture qu'ils engloutissent pour mieux nous empuantir ?

— Eh bien, j'admets que…

— Et le beurre ?

— Pardon ?

— Oui, le beurre ! (Verna prit un autre mémo dans la pile.) Nos réserves sont rances, et nous devons les renouveler. Avant, je dois déterminer si le crémier pratique des prix assez intéressants pour devenir notre fournisseur exclusif.

— Ce sont des sujets importants, il faut en convenir…

Verna s'empara d'un autre rapport.

— Et les maçons ? Que dis-tu des maçons, mon bon Warren ? Le toit du réfectoire fuit et il faut le réparer. Mais il y a une affaire de tuiles fracassées par un éclair. Sur une sacrée surface, selon le devis. Il faudra dix ouvriers à plein-temps pendant deux semaines ! Rien que ça… Et qui doit donner l'accord et débloquer les fonds ? La Dame Abbesse, bien entendu !

— Quand les gens travaillent, il faut bien les payer…

Verna caressa du bout de l'index l'antique bague passée à son annulaire gauche.

— Je m'étais juré, si j'arrivais un jour au pouvoir, de modifier le comportement des Sœurs de la Lumière, pour qu'elles servent mieux le Créateur. Et voilà ce qui m'attendait, mon ami. Consulter des documents nuit et jour, jusqu'à ce que mes yeux louchent !

— Tout ça doit être important…

— Important ? (Avec une révérence volontairement exagérée, Verna saisit un nouveau document.) Voyons ça… Deux de nos jeunes « sujets », ivres morts, ont mis le feu à une auberge. L'incendie a été maîtrisé, mais l'établissement a subi des dégâts et nous demande de payer. (Elle reposa le dossier.) Il faudra que j'aie une longue conversation avec ces deux jeunes gens…

— C'est sans doute la bonne chose à faire, Verna…

La Dame Abbesse s'empara d'un nouveau mémo.

— Le feu d'artifice continue ! La facture d'une couturière, pour les tenues des novices. Mais il y a mieux ! (Elle prit un nouveau document.) Du sel ! Savais-tu qu'il en existe trois sortes ?

— Verna, je…

Prise de frénésie, la Dame Abbesse continua son petit jeu.

— Et celui-là ? (Elle agita la facture avec une gravité parfaitement imitée.) Des fossoyeurs, à présent !

— Quoi ?

— Deux fossoyeurs, te dis-je, qui exigent d'être payés. (Verna plissa le front.) À voir ce qu'ils demandent, leurs tombes doivent être les plus confortables du monde.

— Verna, je crois que tu es restée enfermée trop longtemps. Un peu d'air frais te ferait du bien. Que dirais-tu d'une promenade ?

— C'est une blague ? Warren, je suis débordée !

— La position assise est très mauvaise pour la circulation. Tu as besoin de bouger un peu. (Warren regarda la porte avec une insistance presque comique à force d'être lourde de sous-entendus.) Alors, qu'en penses-tu ?

Verna comprit enfin. Mais si Dulcinia lui avait obéi, il ne restait plus que Phoebe dans le bureau attenant au sien. Son amie Phoebe...

— Eh bien, répondit-elle, se souvenant qu'elle ne pouvait se fier à personne, faire quelques pas me détendrait un peu...

Warren contourna le bureau et prit la Dame Abbesse par le bras.

— Dans ce cas, qu'attendons-nous ?

Verna se dégagea et foudroya du regard l'impudent. Les dents serrées, elle lâcha d'une voix faussement conciliante :

— Rien. Nous y allons...

Dès que la porte s'ouvrit, Phoebe se leva d'un bond pour saluer la Dame Abbesse.

— Vous avez besoin de quelque chose ? Une assiette de soupe ? Un peu de thé ?

— Phoebe, combien de fois devrais-je te dire d'arrêter ces simagrées ! À force de t'incliner dès que j'apparais, tu te feras un tour de reins !

— Oui, Dame Abbesse, souffla la sœur en s'inclinant de plus belle. (Consciente de sa bévue, elle s'empourpra.) Je veux dire... Désolée... Veuillez me pardonner...

Verna mobilisa toute la patience dont elle était encore capable.

— Phoebe, nous nous connaissons depuis notre arrivée au palais. Quand nous étions novices, nous avons souvent écopé de la corvée de vaisselle en punition de... (Verna s'interrompit, soudain consciente de la présence de Warren.) J'ai oublié nos méfaits, mais une certitude demeure : nous sommes de vieilles amies. Tu pourrais t'en souvenir, de temps en temps ?

— Bien sûr... Verna.

Phoebe vira au cramoisi. Même si elle le lui avait ordonné, appeler la Dame Abbesse par son nom lui semblait un petit blasphème.

Dès qu'ils furent dans le couloir, Warren voulut connaître la raison des corvées de vaisselle.

— J'ai oublié, mentit Verna. (Elle jeta un coup d'œil à droite et à gauche pour s'assurer que le corridor était désert.) Quelle idée as-tu derrière la tête ?

— Faire une petite balade, c'est tout... (Warren inspecta à son tour le couloir.) J'ai pensé que la Dame Abbesse aimerait rendre visite à sœur Simona.

De surprise, Verna faillit se prendre les pieds dans un tapis. Depuis des semaines, la pauvre Simona, l'esprit troublé – une sombre histoire de cauchemars – était enfermée dans une pièce protégée par un bouclier. Ainsi, elle ne risquait pas de se blesser ni de faire du mal à un innocent.

— Je suis allé la voir récemment..., souffla Warren.

D'un index, il désigna le sol. Verna comprit qu'il voulait lui indiquer les catacombes.

— Et comment allait-elle ?

Alors qu'ils franchissaient une intersection, le futur sorcier inspecta les couloirs de droite et de gauche. Puis il jeta un nouveau coup d'œil derrière son épaule.

— On ne m'a pas laissé entrer...

Dehors, il pleuvait à verse. Verna se coiffa de son châle et avança bravement, soucieuse de ne pas glisser sur le chemin pavé qui serpentait dans l'herbe gorgée d'eau. Autour d'eux, la lumière des fenêtres se reflétait sur la surface criblée de gouttelettes des bassins d'agrément.

Les gardes postés devant les portes des quartiers de la Dame Abbesse saluèrent les deux amis quand ils s'engagèrent dans une promenade couverte.

Tandis que Warren se secouait comme un chat mouillé, Verna essora son châle et le remit sur ses épaules. Sur les côtés, le passage était protégé par un simple treillis de vignes. En l'absence de vent, cet écran suffisait à arrêter l'eau.

L'endroit était désert. Et le bâtiment suivant, l'infirmerie, se dressait à une distance respectable.

Verna se laissa tomber sur un banc de pierre. Visiblement prêt à repartir, son compagnon l'imita néanmoins. Sentir sa chaleur, près d'elle, fit un bien fou à la Dame Abbesse. Après sa réclusion volontaire, l'odeur de la terre mouillée lui caressait délicieusement les narines.

Verna n'avait jamais été folle des endroits clos. Fascinée par les grands espaces, elle adorait dormir à la belle étoile et tenir ses réunions de travail dans un bosquet ou au milieu d'un champ. Hélas, cette époque de sa vie était révolue. Un beau jardin s'étendait devant son bureau. Prise par ses occupations, elle n'avait pas eu le temps de mettre le nez dehors pour l'admirer...

Dans le lointain, les tambours continuaient de rouler, tels les battements de cœur d'une bête maléfique géante...

— Je viens d'utiliser mon Han, annonça Warren. Il n'y a personne dans les environs...

— Tu as appris à repérer les adeptes de la Magie Soustractive ?

— Je n'avais pas pensé à ça...

— Bon, que me veux-tu ?

— Tu es sûre que nous sommes seuls ?

— Comment le saurais-je ?

— Bien répondu... (Le futur sorcier regarda autour de lui et déglutit péniblement.) Ces derniers temps, j'ai beaucoup lu, Verna. Et je crois que nous devrions aller voir Simona.

— Tu me l'as déjà dit. Sans préciser pourquoi.

— Certaines de mes lectures traitaient des rêves...

Verna tenta de croiser le regard de son ami, mais il faisait trop sombre.

— Simona en fait de terribles..., dit-elle.

Elle sentait la hanche de Warren contre la sienne. Le pauvre diable tremblait de froid.

*Seulement de froid ?* se demanda Verna.

Sans réfléchir, elle passa un bras autour des épaules de Warren et l'attira contre elle.

— Verna, je me sens si seul... J'ai peur de parler aux autres, et je jurerais qu'ils passent leur temps à m'espionner. Je redoute qu'on me demande sur quoi je travaille, pour quelle raison et sur les ordres de qui. En trois jours, je ne t'ai vue qu'une fois, et je ne peux me confier à personne d'autre.

— Je sais, Warren, souffla Verna en tapotant le dos de son ami. J'avais envie de te parler, mais avec tout ce travail...

— Tes ennemies te gardent peut-être occupée pour pouvoir vaquer tranquillement à leurs complots.

— C'est bien possible... Warren, je suis terrorisée aussi. Mon poste me dépasse, et je redoute de précipiter le palais à sa perte si je ne m'acquitte pas de mes devoirs. Du coup, je n'ose pas dire non à Leoma, Philippa, Dulcinia ou Maren. Elles tentent de me conseiller, et si elles sont pour de bon dans notre camp, négliger leurs suggestions risque d'être une grosse erreur. Et quand une Dame Abbesse se trompe, tout le monde paye la note ! Et si elles sont contre moi, eh bien, ce qu'elles me forcent à faire ne semble pas dangereux. Lire des rapports n'a jamais nui à personne.

— Sauf si ça sert à détourner ton attention des choses vraiment importantes.

Verna tapota le dos de Warren puis le repoussa doucement.

— Je sais... Désormais, nous nous « promènerons » aussi souvent que possible. L'air frais me fait vraiment du bien.

— Tu m'en vois ravi, Verna. (Warren se leva et tira sur sa tunique.) Allons voir ce que devient Simona.

L'infirmerie comptait parmi les plus petits bâtiments du complexe de l'île Kollet. Grâce à leur Han, les Sœurs de la Lumière soignaient la plupart de leurs affections bénignes. En général, les maladies qu'elles ne parvenaient pas à traiter seules les conduisaient rapidement au tombeau. Du coup, l'infirmerie abritait essentiellement des membres malades du personnel ou des vieillards. Ayant passé leur vie au service du palais, ces malheureux n'avaient plus personne pour s'occuper d'eux.

C'était également là qu'on enfermait les fous, pratiquement hors d'atteinte des capacités de guérison du Han.

Devant la porte, Verna alluma une lampe avec son pouvoir et la prit pour éclairer leur chemin le long du couloir qui conduisait aux chambres. Quelques-unes étaient occupées, comme en témoignaient les quintes de toux et les reniflements qui filtraient sous la porte.

Au bout de l'aile des malades et des indigents, Verna et Warren durent traverser trois portails immatériels défendus par des boucliers de différentes natures. Les meilleurs champs de force pouvant être neutralisés par les sœurs et les sorciers – même déments –, la quatrième porte, en fer, était fermée par un énorme verrou bardé de sortilèges défensifs. De l'autre côté, le sorcier le plus puissant du monde aurait été incapable d'utiliser son pouvoir pour l'ouvrir. Si Verna ignorait les détails de la Toile en question, elle connaissait son principe de fonctionnement : plus on se servait de magie, plus le verrou tenait en place ! Installé par trois sœurs, ce mécanisme résistait à tous les assauts lancés par un seul prisonnier...

Les deux soldats en faction devant la porte se mirent au garde-à-vous dès qu'ils aperçurent la Dame Abbesse et son compagnon. Inclinant la tête, ils ne s'écartèrent pas pour autant. Après les avoir salués gaiement, Warren leur fit signe de les laisser passer.

— Désolé, fiston, mais personne n'a le droit d'entrer.

Les yeux rivés sur le garde, Verna écarta son ami et avança d'un pas.

— C'est vrai, « fiston » ? demanda-t-elle. (L'homme hocha la tête.) Et qui a donné cet ordre ?

— Le capitaine, ma sœur. J'ignore d'où il le tient, mais ça doit être d'une de vos collègues très haut placée.

Furieuse, Verna brandit sa bague devant les yeux du soldat.

— Plus haut placée que moi, vous croyez ?

— Bien sûr que non, Dame Abbesse, balbutia l'homme, les yeux ronds. Veuillez m'excuser, je ne vous avais pas reconnue.

— Combien de « patients » y a-t-il derrière cette porte ?

— Un seul, Dame Abbesse. Une sœur...

— Et quelqu'un s'occupe d'elle en ce moment ?

— Non. Les sœurs qui la soignent se retirent pour la nuit...

Une fois qu'ils eurent franchi la porte, et furent hors de portée d'oreille des deux gardes, Warren s'autorisa une petite plaisanterie.

— Tu vois, cette vieille bague a fini par t'être utile !

Verna s'arrêta, l'air intrigué.

— Selon toi, Warren, comment ce bijou est-il arrivé sur son piédestal, après les funérailles ?

Le futur sorcier voulut continuer à sourire, mais le cœur n'y était plus.

— Eh bien, c'est sans doute très simple... mais je n'en sais rien ! Et toi ?

— Une Toile de Lumière protégeait le piédestal et la bague. Ce type de sort n'est pas à la portée de tout le monde. D'après toi, Annalina ne se fiait qu'à moi. Alors, qui a-t-elle chargé d'organiser cette mise en scène ?

— Je n'en ai pas la moindre idée, avoua Warren. Elle n'aurait pas pu s'en occuper elle-même ?

— Depuis son bûcher funéraire ?

— Bien sûr que non ! Mais elle peut avoir tissé la Toile, puis avoir demandé à quelqu'un de la mettre en place. Tu sais, comme quand on ensorcelle un banal bâton pour qu'un profane puisse allumer une lampe avec. J'ai vu des sœurs le faire pour éviter aux domestiques de se déplacer avec des chandelles dont la cire chaude leur coule sur les doigts et tache le sol.

Verna leva sa lampe pour pouvoir regarder le futur sorcier dans les yeux.

— Warren, c'est une hypothèse brillante !

— Merci... Mais la question demeure : qui l'a fait ?

— Peut-être un serviteur qu'elle jugeait fiable... Un homme ou une femme sans pouvoir qui ne risquait pas de détourner le sort à son avantage... (Ils s'arrêtèrent devant une porte.) Bon sang, il faut que j'aille jeter un coup d'œil là-dedans !

Des éclairs filtraient de sous la porte de la cellule de sœur Simona. Le bouclier qui défendait le battant crépitait chaque fois que ces minuscules langues d'énergie entraient en contact avec lui. Pour le moment, il avait encore le dessus, dissipant la magie qui l'attaquait.

Simona tentait de se libérer...

Chez une folle, ce comportement n'avait rien d'étonnant. Mais pourquoi n'y parvenait-elle pas ? Car le bouclier, devant sa porte, était un des plus simples qui soit. En général, on l'utilisait pour assigner à résidence de très jeunes apprentis sorciers punis pour quelque broutille.

Verna se laissa submerger par son Han et traversa le champ de force. Warren sur les talons, elle frappa à la porte. Aussitôt, les éclairs s'évanouirent.

— Simona ? C'est Verna Sauventreen. Tu te souviens de moi, n'est-ce pas ? Je peux entrer ?

N'obtenant pas de réponse, la Dame Abbesse tourna la poignée et poussa le battant, sa lampe tendue à bout de bras pour dissiper les ténèbres.

Près d'une paillasse, non loin d'un pot de chambre, une cruche, un morceau de pain et un fruit reposaient sur un plateau. À part cela, il n'y avait rien dans la chambre.

— Laisse-moi en paix, démon ! cria la femme recroquevillée dans un coin.

— Simona, tout va bien... C'est moi, Verna. Et Warren, mon ami. N'aie pas peur.

La recluse battit des paupières, comme si elle regardait le soleil en face. Verna cacha la lampe dans son dos pour ne pas l'aveugler.

— Verna ? C'est vraiment toi ?

— Oui...

Simona embrassa plusieurs fois son annulaire gauche en psalmodiant des remerciements au Créateur. Puis elle rampa jusqu'à Verna, saisit l'ourlet de sa robe et le baisa avec la même frénésie.

— Merci d'être venue ! (Elle se releva d'un bond.) Vite ! Nous devons nous enfuir !

Verna prit la pauvre femme par les épaules et la fit s'asseoir sur sa paillasse. Puis elle lissa doucement ses cheveux gris en bataille...

... Et se pétrifia.

Simona avait un collier autour du cou ! Voilà pourquoi elle n'avait pas réussi à briser le bouclier. De sa vie, Verna n'avait jamais vu une sœur porter un Rada'Han. Les garçons et les jeunes hommes devaient s'y résigner, mais ce spectacle-là la révoltait. Dans un lointain passé, lui avait-on enseigné, il était arrivé qu'on traitât ainsi des sœurs devenues folles. Pour les contrôler, car un esprit dérangé, chez un pratiquant de la magie, pouvait faire autant de ravages que la foudre qui tombe sur une place de marché grouillante de monde.

Malgré tout, ce traitement était... scandaleux.

— Simona, tu es en sécurité, au palais, sous l'œil bienveillant du Créateur. Il ne peut rien t'arriver.

— Je dois m'enfuir ! Verna, je t'en supplie. Il faut que je parte d'ici.

— Pourquoi, mon amie ?

— Parce qu'il va venir ! répondit Simona en essuyant ses larmes.

— Qui ?

— L'homme qui hante mes nuits. Celui qui marche dans les rêves.

— Qui est-il ?

— Le Gardien !

— Celui qui marche dans les rêves serait le Gardien ?

Simona acquiesça avec tant de vigueur que Verna eut peur qu'elle se déboîte le cou.

— Parfois, oui... À d'autres moments, c'est le Créateur.

— Pardon ? souffla Warren en se penchant vers la démente.

— C'est toi ? Es-tu déjà là ?

— Ma sœur, je suis Warren, un étudiant...

— Alors, tu devrais fuir aussi, dit Simona en portant une main à ses lèvres desséchées. Il vient, et il veut s'emparer de tous ceux qui ont le don.

— Tu le vois en rêve ? demanda Verna. (Simona hocha frénétiquement la tête.) Et que fait-il ?

— Il me tourmente, il me blesse... (Quêtant la protection du Créateur, Simona embrassa plusieurs fois son annulaire.) Il me demande de renier mon serment, et il me donne des ordres. C'est un démon, Verna ! Parfois, il adopte l'apparence du Créateur pour se jouer de moi, mais je le reconnais ! C'est le mal incarné !

Verna prit la pauvre femme dans ses bras.

— C'est un cauchemar, Simona. Celui qui marche dans les rêves n'existe pas. Tout ça n'est pas réel.

— Non ! C'est un rêve... et en même temps, c'est réel ! Il arrive ! Nous devons fuir !

— Comment sais-tu qu'il va venir ?

— Parce qu'il me l'a dit !

— Dans un rêve, ma pauvre chérie ! En ce moment, tu es réveillée, et personne ne viendra.

— Verna, les rêves sont réels. Je le sais même quand je suis réveillée.

— Pourtant, quand tu ne dors pas, le démon ne parle pas dans ta tête. Alors, comment sais-tu qu'il approche ?

— J'entends le roulement de tonnerre qui l'annonce ! (Simona regarda Warren, puis chercha de nouveau le regard de Verna.) Je ne suis pas folle ! N'entendez-vous pas les tambours !

— Bien sûr que nous les entendons, ma sœur..., répondit Warren avec un sourire rassurant. Mais ils n'ont rien à voir avec vos rêves. Ils annoncent l'arrivée imminente de l'empereur.

— L'empereur ? répéta Simona en se touchant de nouveau les lèvres.

— Oui, le maître de l'Ancien Monde. Il vient nous rendre visite, et les tambours sont là pour nous le rappeler...

— L'empereur...

— Oui. Il s'appelle Jagang.

Simona cria de terreur et courut se réfugier dans un coin de la chambre.

Hurlant comme si on la poignardait à mort, elle battit si follement des mains que Verna bondit vers elle et tenta de l'empêcher de se faire mal.

— Simona, tu es en sécurité avec nous. Que t'arrive-t-il ?

— C'est lui ! Celui qui marche dans les rêves se nomme Jagang ! Laissez-moi partir avant qu'il n'arrive, je vous en supplie !

Simona se leva et courut dans la chambre comme une bête fauve dans sa cage. Des éclairs crépitèrent autour d'elle, arrachant la peinture des murs, telles des griffes lumineuses et sans substance. Échappant à Verna et à Warren, la folle tenta de sortir de sa prison, ne trouva pas d'issue et finit par se cogner la tête contre les murs. Aussi frêle qu'elle fût, elle semblait avoir la force de dix hommes.

À contrecœur, Verna dut se résoudre à utiliser le Rada'Han pour la contrôler.

Quand elle fut calme, Warren s'occupa de soigner son front blessé en plusieurs endroits.

Verna se souvint d'un sort destiné à apaiser les très jeunes garçons lors de leur arrivée au palais. Traumatisés d'être séparés de leurs parents, les pauvres avaient souvent des cauchemars. Leur permettre de retrouver un sommeil paisible les aidait à surmonter le choc.

La Dame Abbesse saisit à deux mains le collier de Simona et laissa son Han se déverser dans le corps de la malheureuse. Aussitôt, sa respiration ralentit, et elle plongea dans un sommeil que Verna lui souhaita sans rêve.

Quand ils furent sortis, la porte refermée, la Dame Abbesse s'y appuya et regarda son ami.

— Tu as obtenu les réponses à tes questions ?

— J'en ai peur, oui...

Étonnée par la réaction du futur sorcier, Verna attendit la suite...

... Qui ne vint pas.

— Alors ? insista-t-elle.

— Eh bien... je ne jurerais pas que sœur Simona est folle. Pas au sens habituel du terme, en tout cas. Il faut que je me documente davantage. C'est peut-être une fausse alerte, mais... Ces livres sont si compliqués ! Je te tiendrai au courant, quand j'aurai trouvé...

Verna embrassa son annulaire gauche, encore étonnée par le contact, sous ses lèvres, de la bague d'Annalina.

— Cher Créateur, pria-t-elle, veille sur ce jeune idiot, parce que je risque d'avoir envie de l'étrangler de mes propres mains, s'il continue...

— Verna, tu...

— Dame Abbesse, s'il te plaît !

— Tu as raison, capitula Warren, je dois te le dire. Mais c'est une Fourche tellement ancienne et obscure... Tu sais que les prophéties sont truffées de Fourches qui ne mènent à rien. Celle-là est doublement sujette à caution à cause de son âge... et de sa rareté. Ça la rendrait suspecte, même s'il n'y avait pas tout le reste. Dans des livres aussi vieux, les intersections et les culs-de-sac abondent. Pour tout vérifier, il me faudra des mois de travail. Sais-tu que certains liens sont brouillés par des *triples* Fourches ? Remonter l'arborescence d'une triple Fourche multiplie quasiment à l'infini les possibilités d'impasses sur chaque branche. Et si celles-ci sont également triplées, la progression arithmétique exponentielle crée un entrelacs de virtualités qui…

Verna posa une main sur le bras de Warren pour le réduire au silence.

— Je connais tout ça. Le coefficient de progression et de régression relatif aux bifurcations d'une triple Fourche n'a plus de secret pour moi.

— Bien sûr… J'ai oublié que tu étais une étudiante brillante. Désolé d'avoir cédé à mon goût du jargon.

— N'y pensons plus ! Dis-moi plutôt pourquoi tu doutes que Simona soit folle « au sens habituel du terme ».

— Elle a parlé de « celui qui marche dans les rêves ». Dans deux des plus anciens grimoires, j'ai trouvé des références à ce personnage. Ces ouvrages tombent quasiment en poussière, et c'est bien leur âge qui m'inquiète. La plupart des livres de ces temps-là ne sont pas arrivés jusqu'à nous. Comment savoir s'ils ne regorgeaient pas de passages sur notre « marcheur » ? Tu vois ce que je veux dire ? Notre vision des choses est peut-être faussée…

— De quand datent ces textes ?

— Plus de trois mille ans.

— L'époque de la guerre des sorciers ? (Warren acquiesça.) Et qu'as-tu lu sur « celui qui marche dans les rêves » ?

— C'est là que ça se complique… On parle de lui comme s'il était une arme, pas une personne…

— Quelle sorte d'arme ?

— Je n'en sais rien. Le contexte ne fait pas penser à un objet, mais à une entité. Et il peut très bien s'agir aussi d'un individu.

— Quand une personne, par exemple un maître d'armes, est très compétente dans sa partie, il arrive qu'on la décrive comme une arme. C'est une preuve de respect, voire de révérence…

— Voilà qui est très bien vu, Verna ! s'écria Warren.

— Et as-tu trouvé des informations sur les caractéristiques de cette arme ?

— Pas vraiment… Le seul indice, c'est que celui qui marche dans les rêves a un lien avec les Tours de la Perdition, la barrière qui a séparé l'Ancien Monde du Nouveau pendant des millénaires.

— Tu penses que des « marcheurs » les ont construites ?

— Non. Je crois qu'elles étaient là pour les arrêter.

— Et Richard les a détruites, fit Verna. (Une réflexion qu'elle regretta aussitôt de ne pas avoir gardée pour elle.) Que sais-tu d'autre ?

— Rien. Et le peu que je t'ai dit n'est pas garanti… Nous ne savons pas grand-chose des livres de cette époque. Il peut s'agir d'un simple recueil de légendes…

— Ce que nous avons vu dans cette chambre m'a semblé bien réel.

— À moi aussi…

— Alors, je repose ma question : pourquoi doutes-tu que Simona soit folle « au sens habituel du terme » ?

— À mon avis, elle n'est pas perturbée parce qu'elle imagine des horreurs. Quelque chose de réel lui arrive et la met dans cet état. Mes ouvrages font allusion à des cas où ce « maître d'armes », comme tu dis, empêche ses victimes de distinguer le rêve de la réalité. Comme si leur esprit ne s'éveillait jamais vraiment, prisonnier de leurs cauchemars. Ou comme s'il quittait le monde qui les entoure dès qu'ils s'endorment.

— Ne plus distinguer le rêve de la réalité semble une très bonne définition de la folie…

Warren leva une main, paume ouverte, et invoqua une flamme de poing.

— Qu'est-ce que la réalité, Verna ? J'ai imaginé qu'il y avait une flamme, et mon « rêve » s'est réalisé. Mon esprit, parfaitement éveillé, préside à mes actes.

— Comme le voile qui sépare le royaume des morts du monde des vivants, une barrière, dans notre esprit, se dresse entre la réalité et l'imagination. À force de discipline et de volonté, nous savons distinguer le rêve du monde concret…

Verna sursauta soudain.

— Par le Créateur, c'est cette barrière qui nous empêche d'utiliser notre Han pendant notre sommeil ! Sans elle, nous n'aurions aucun contrôle sur lui dès que nous nous endormons.

— Heureusement, ça ne se passe pas comme ça… Ce que nous imaginons peut se réaliser, mais notre cerveau, quand nous sommes éveillés, est bridé par notre intelligence. (Warren se pencha vers son amie.) L'imagination d'un dormeur n'est limitée par rien. Et celui qui marche dans les rêves peut distordre la réalité. Pour quelqu'un qui a le don, c'est un jeu d'enfant…

— Une arme terrible…, soupira Verna.

Elle prit Warren par le bras et l'entraîna dans le couloir. Aussi effrayante que fût une situation, avoir un ami à ses côtés était toujours réconfortant.

Des questions tourbillonnaient dans sa tête, et le doute la rongeait. Devenue la Dame Abbesse, elle se devait de trouver les réponses avant que le malheur frappe le palais.

— Qui est mort ? demanda soudain Warren.

— Annalina et Nathan, souffla distraitement Verna.

— Et à part eux ?

— Personne ! répondit Verna, brutalement tirée de sa réflexion. Nous n'avons pas déploré de décès depuis longtemps.

— La Dame Abbesse et le Prophète ont été incinérés… Alors, pourquoi le palais a-t-il recouru aux services de fossoyeurs ?

# Chapitre 19

Richard sauta de son cheval, atterrit sur la neige tassée par des centaines de bottes et tendit les rênes de sa monture à un soldat. Derrière lui, deux cents cavaliers d'harans mirent également pied à terre. Alors qu'il flattait l'encolure de son cheval, épuisé par la longue traque, Ulic et Egan le rejoignirent, plus las qu'il ne les avait jamais vus. Dans l'air frisquet du crépuscule, les nuages de buée qu'exhalaient les hommes et les bêtes composaient comme un rideau de brume.

Découragés et frustrés, les guerriers ne desserraient pas les lèvres. Richard, lui, bouillait de rage.

Retirant un de ses gants, il gratta sa barbe de quatre jours et ne put se retenir de bâiller. Mort de fatigue, crasseux et affamé, il ne parvenait pourtant pas à se calmer. Selon Reibisch, les éclaireurs qu'il avait amenés avec lui étaient les meilleurs du corps expéditionnaire d'haran. Le Sourcier ne voyait aucune raison de mettre en doute le jugement du général, mais excellents ou pas, ces hommes n'avaient pas été à la hauteur. Très doué pour suivre une piste, Richard avait repéré beaucoup d'indices qu'ils avaient négligés. Hélas, deux jours de blizzard leur avaient trop compliqué la tâche. À contrecœur, ils avaient dû s'avouer vaincus.

Pour commencer, cette poursuite n'aurait pas dû être nécessaire. Mais Richard s'était laissé avoir comme un bleu ! Confronté à son premier défi de chef – trois fois rien en regard de ce qui l'attendait –, il avait lamentablement échoué. Bon sang, pourquoi avait-il fait confiance à ce type ? Finirait-il un jour de croire les gens capables de se rendre à la raison et d'agir convenablement ? Selon lui, tous les hommes, ou presque, étaient bons, et ils attendaient avidement l'occasion d'exprimer le meilleur d'eux-mêmes. Bien entendu, la réalité contredisait sans cesse cette philosophie enfantine…

Alors qu'ils avançaient vers le palais, ses tours et ses murs blancs virant au gris dans la pénombre, Richard demanda à ses deux gardes du corps d'aller voir Reibisch, au cas où il aurait de nouvelles catastrophes à leur annoncer. Nichée dans sa montagne, la Forteresse du Sorcier, un châle de neige bleu acier sur ses épaules de granit, semblait toiser le jeune homme avec un mépris à peine dissimulé.

Richard gagna les cuisines, y trouva maîtresse Sanderholt, occupée à diriger d'une main de fer ses assistants, et lui demanda de trouver un petit quelque chose à manger pour trois hommes à l'estomac creux. Voyant qu'il n'était pas d'humeur à bavarder, la vieille femme lui serra gentiment le bras et lui conseilla de s'asseoir – avec les pieds surélevés – pendant qu'elle s'occupait de sa requête. Désireux de s'isoler, le Sourcier alla attendre les deux colosses dans un bureau tranquille.

En chemin, il rencontra Berdine, resplendissante dans son uniforme de cuir rouge.

— Où étiez-vous ? demanda-t-elle, Mord-Sith jusqu'au bout des ongles.

— À la chasse aux fantômes… Cara et Raina ne te l'ont pas dit ?

— Vous ne m'en avez pas informée, et c'est très grave. Ne vous avisez plus de partir en maraude sans me prévenir. C'est compris ?

Un frisson courut le long de la colonne vertébrale de Richard. À l'évidence, ce n'était pas Berdine qui parlait, mais *maîtresse* Berdine, une Mord-Sith dans l'exercice de ses fonctions. Et elle venait de le menacer…

Le Sourcier s'en voulut de laisser son imagination vagabonder. La jeune femme s'était simplement inquiétée pour son précieux maître Rahl. Il n'y avait rien de plus…

Pourquoi faisait-il une affaire de trois fois rien ? Berdine avait dû se ronger les sangs en apprenant, à son réveil, qu'il s'était lancé à la poursuite de Brogan et de sa magicienne de sœur. Avec son étrange sens de l'humour, elle se vengeait en lui faisant une blague. Oui, c'était sûrement ça…

Richard sourit afin de détendre l'atmosphère.

— Berdine, tu sais que j'ai un faible pour toi. Sur mon cheval, j'ai passé mon temps à penser à tes beaux yeux bleus.

Jugeant que l'incident était clos, le Sourcier voulut avancer vers la porte du bureau. Agiel au poing, Berdine se plaqua dos contre le battant pour lui barrer le passage. Et cette fois, impossible de croire qu'elle plaisantait.

— J'ai posé une question, et j'attends la réponse. Si je dois me répéter, tu le regretteras !

Ce passage au tutoiement dissipa les derniers doutes de Richard. L'Agiel à un pouce de son visage, il comprit qu'il voyait pour la première fois Berdine avec les yeux de ses victimes. Une Mord-Sith sans pitié, toute humanité occultée par son endoctrinement.

Ce spectacle le révulsa. Les proies des Mord-Sith ne connaissaient jamais une fin paisible, et aucun prisonnier, à part lui, n'avait survécu à un dressage en règle.

Se fier à ces femmes n'avait sûrement pas été sa meilleure décision. Mais avec ce qu'il savait d'elles, comment s'étonner qu'elles le déçoivent ?

Sentant la rage monter en lui, Richard l'étouffa avant de faire quelque chose qu'il risquait de regretter. Mais son regard, il le sentit, brillait de fureur.

— Berdine, pour avoir une chance de rattraper Brogan, j'ai dû partir immédiatement. J'en ai informé Cara et Raina, qui m'ont convaincu d'emmener Ulic et Egan. Tu dormais, et je n'ai pas jugé utile de te réveiller.

La Mord-Sith ne fit pas mine de s'écarter.

— Votre place était ici, dit-elle. Si nous ne manquons pas d'éclaireurs et de combattants, nous n'avons qu'un chef ! (La pointe de l'Agiel dansa devant les yeux du Sourcier.) Ne me décevez plus jamais, seigneur Rahl !

Richard résista à l'envie de saisir au vol le poignet de Berdine et de lui casser le bras.

Écartant son Agiel, la Mord-Sith s'éloigna enfin de la porte.

Dans le petit bureau aux murs lambrissés de bois sombre, Richard retira son lourd manteau de voyage et le jeta contre un mur, près de la petite cheminée. Comment avait-il pu être aussi naïf ? Les Mord-Sith étaient des vipères, et il les avait laissées s'enrouler autour de son cou.

Il était entouré d'étrangers, voilà la vérité !

Non, il se trompait encore... Il connaissait très bien les Mord-Sith. Informé des exactions commises par les soldats d'harans, il savait aussi que nombre d'ambassadeurs, en Aydindril, n'avaient rien à leur envier sur ce point. Quel crétin il fallait être pour attendre des miracles d'un tel ramassis de criminels !

Campé devant la fenêtre, il regarda la nuit tomber sur la montagne où se perchait la Forteresse du Sorcier, qui semblait toujours l'écraser de son mépris.

Gratch lui manquait. Et Kahlan... Par les esprits du bien, il aurait donné dix ans de sa vie pour la serrer contre lui !

L'heure était peut-être venue de baisser les bras. Dans la forêt de Hartland, il trouverait un endroit où personne ne les débusquerait jamais. Pourquoi ne pas disparaître et laisser le monde se débrouiller avec ses problèmes ? Au fond, qui lui demandait de se mêler de tout ça ?

*Zedd, je voudrais que tu sois ici pour m'aider...*

Entendant grincer la porte, Richard se retourna et découvrit Cara, debout dans l'encadrement de la porte. Derrière elle, il aperçut Raina. Toutes deux vêtues de cuir marron, elles affichaient leurs fichus sourires malicieux.

Qui n'amusèrent pas du tout le Sourcier.

— Seigneur Rahl, lança Cara, ravie de vous revoir en un seul morceau. Nous vous avons manqué ? J'espère que vous...

— Dehors !

— Quoi ? Je...

— Fichez le camp ! À moins que vous soyez venues pour me menacer avec vos Agiels ? Je n'ai aucune envie de voir vos sales têtes de Mord-Sith ! C'est compris ?

— Si vous avez besoin de nous, fit Cara, décomposée, nous ne serons pas loin...

Elle se détourna et entraîna Raina avec elle.

Quand les deux femmes furent parties, Richard se laissa tomber sur un fauteuil de cuir, près d'une petite table à la surface noire brillante et aux pieds en forme de pattes griffues. L'odeur âcre qui montait de la cheminée lui indiqua qu'on l'avait alimentée avec du chêne, une excellente initiative par une nuit si froide.

D'un geste las, il poussa la lampe sur le côté, près du mur orné d'une série de petits tableaux.

Bien que la plus grande ne dépassât pas la taille de sa main, ces miniatures représentaient des paysages immenses et imposants. En admirant la maîtrise du peintre, Richard regretta que la vie ne fût pas aussi simple que sur ces images idylliques.

Comme pour le prouver, Ulic et Egan entrèrent dans la pièce, Reibisch sur les talons.

— Seigneur Rahl, dit le général, je suis soulagé de vous voir de retour. Avez-vous attrapé vos proies ?

— Non. Vos hommes étaient très compétents, mais les intempéries nous ont joué un mauvais tour. Nous avons suivi la piste de Brogan jusqu'à la rue Stentor, en plein centre de la ville. À partir de là, impossible de dire quelle direction ils ont prise. Sans doute le nord-est, pour retourner à Nicobarese. Nous avons vérifié toutes les possibilités, sans rien découvrir de probant. De toute façon, la neige avait eu le temps de recouvrir leurs empreintes.

— Nous avons interrogé les hommes de Brogan, au palais. Ils ignorent tout de sa destination.

— Ou ils veulent le faire croire…

— Seigneur Rahl, je vous jure qu'ils ne savent rien. Et j'ai l'habitude de ce genre de choses…

Richard n'insista pas pour connaître les détails des horreurs commises en son nom.

— Le début de piste nous a au moins permis de déterminer qu'ils sont trois. Brogan, sa sœur et son bras droit, probablement…

— Le seigneur général a abandonné ses hommes pour s'enfuir ! Vous lui avez fichu la trouille de sa vie, et il a voulu sauver sa peau.

— C'est possible… Mais j'aurais aimé savoir où il va, pour éviter les mauvaises surprises.

— Pourquoi ne l'avez-vous pas fait pister par un nuage-espion ? demanda Reibisch. Quand il voulait suivre quelqu'un, Darken Rahl utilisait toujours sa magie…

Richard avait payé pour le savoir, puisqu'un nuage-espion lui avait collé aux basques, au début de cette sinistre aventure. Afin de récupérer le *Grimoire des Ombres Recensées*, Darken Rahl s'était assuré de savoir en permanence où était le futur Sourcier. Pour se débarrasser du mouchard, Richard avait dû se percher sur le rocher magique de Zedd. Bien qu'il eût senti le pouvoir couler en lui, il ignorait comment y recourir. Et il en allait de même pour quasiment tous les « trucs » dont Zedd avait fait usage devant ses yeux.

Admettre son ignorance devant Reibisch ne semblait pas judicieux. Surtout à un moment où il ne se sentait pas très à l'aise avec ses alliés…

— Un nuage-espion ne sert à rien dans un ciel aussi chargé, parce qu'on ne peut pas le distinguer des autres. De plus, Lunetta, la sœur de Brogan, est une magicienne. Elle a sûrement brouillé leur piste avec son pouvoir.

— C'est bien dommage…, souffla le général en se grattant la barbe. (Apparemment, il avait gobé les sornettes de son seigneur.) Mais la magie me dépasse… Heureusement que nous vous avons !

— Comment vont les choses ici ? demanda Richard, pressé de changer de sujet.

— Toutes les armes sont entre nos mains. Certains de nos « amis » ont rechigné, mais des explications détaillées les ont convaincus d'en passer par là. Bref, il n'y a pas eu de bagarre.

Eh bien, ça faisait au moins une bonne nouvelle.

— Même avec les soldats du Sang de la Déchirure ?

— Ces pauvres gars devront manger avec leurs doigts, parce que nous ne leur avons même pas laissé une cuiller !

— Parfait, approuva Richard en se frottant les yeux. Du bon boulot, général. Et les mriswiths ? Il y a eu d'autres attaques ?

— Pas depuis la nuit du massacre... Tout est tranquille, seigneur. J'ai même dormi comme un bébé, pour la première fois depuis des semaines. Dès que vous avez pris le pouvoir, ces foutus rêves m'ont laissé en paix.

— Des rêves ? Quel type de rêves ?

— Hum... (Reibisch passa une main dans sa tignasse rousse.) C'est étrange, seigneur, car je ne parviens pas à m'en souvenir. Ils me pourrissaient la vie, puis ils ont disparu quand vous êtes arrivé. Et vous savez comment ça se passe : après un moment, les images s'effacent...

— Je connais ça, oui...

Toute cette affaire commençait à ressembler à un cauchemar. Et Richard regrettait que ça n'en soit pas un.

— Combien d'hommes avons-nous perdus lors de l'attaque des mriswiths ?

— Environ trois cents...

— Je n'aurais pas cru qu'il y avait autant de cadavres, avoua Richard, l'estomac noué.

— Eh bien, c'est le total des pertes, seigneur.

— Le total ? Il y a eu des morts ailleurs que devant les écuries ?

— Près de quatre-vingts hommes ont été taillés en pièces sur le chemin qui mène à la Forteresse du Sorcier.

Richard se tourna vers la fenêtre et contempla les contours de l'édifice, à peine visible dans la pénombre. Les mriswiths prévoyaient-ils d'investir la Forteresse ? Si c'était le cas, que devait-il faire ? D'après Kahlan, l'ancien fief de Zedd était protégé par des sorts très puissants. Mais suffiraient-ils, contre des monstres pareils ?

Et pourquoi voulaient-ils entrer dans la Forteresse ?

Encore une fois, Richard se laissait emporter par son imagination. Les mriswiths avaient tué des soldats et des civils partout en ville. Ces quatre-vingts morts ne prouvaient rien...

Dans quelques semaines, Zedd serait de retour en Aydindril et il prendrait les choses en main. Quelques semaines ? Plutôt un mois et demi, voire deux. À ce moment-là, ne serait-il pas déjà trop tard ?

Richard devait-il aller jeter un coup d'œil sur place ? C'était tentant, mais très risqué. La Forteresse regorgeait de magie, et il était ignare en la matière, comme il avait soigneusement omis de le dire au général Reibisch...

Déjà accablé de problèmes, devait-il en chercher de nouveaux avec une lanterne ? Sûrement que non... Pourtant, une petite excursion à la Forteresse s'imposait. Son instinct le lui soufflait.

— Votre dîner arrive, annonça Ulic.

— Quoi ? fit Richard en se détournant de la fenêtre. Ah, oui, mon dîner...

Maîtresse Sanderholt entra avec un plateau sur les bras. Sa conception d'un « petit quelque chose à manger » avait de quoi surprendre. À côté d'une montagne de tranches de pain noir généreusement beurrées, le Sourcier aperçut une jardinière de légumes fumante, des œufs durs, du riz aux herbes sauvages à la crème, des côtelettes d'agneau, des poires à la chantilly et une chope de thé au miel.

La cuisinière posa le plateau sur la table et fit un clin d'œil à Richard.

— Mange tout ça, mon garçon, puis va te reposer, tu en as bien besoin.

— Où puis-je dormir ? demanda le jeune homme, qui avait passé son unique nuit au palais dans le Prime Fauteuil de Kahlan.

— Eh bien, tu devrais prendre la chambre de… (Maîtresse Sanderholt ravala le prénom qu'elle avait sur le bout de la langue.) Oui, c'est une bonne idée ! La chambre de la Mère Inquisitrice est la meilleure du palais. Tu y seras très bien.

Sans les catastrophes qui s'étaient enchaînées, Richard aurait dû y passer sa nuit de noces avec Kahlan.

— Je n'y serais pas à l'aise, en ce moment, dit-il. Il y a une autre possibilité ?

— Au bout du grand corridor, fit la cuisinière en tendant une main bandée, tourne à droite dans le premier couloir que tu rencontreras. C'est l'aile des invités, et comme elle est vide en ce moment, tu auras l'embarras du choix.

Maîtresse Sanderholt laissa retomber sa main. La suivant du regard, Richard fut soulagé de voir que les bandages étaient beaucoup moins gros, désormais, et bien plus propres.

— Où dorment les Mord… Où dorment Cara et ses deux amies ?

Avec une grimace sans équivoque, la cuisinière tendit le bras dans la direction opposée à l'aile des invités.

— Je les ai reléguées dans les quartiers des serviteurs, où elles partagent une chambre.

Une bonne nouvelle pour Richard, ravi d'être le plus loin possible des trois femmes.

— Une excellente initiative, maîtresse Sanderholt… J'irai dans l'aile des invités, comme vous me le conseillez.

La cuisinière sourit puis donna un coup de coude amical à Ulic.

— Que voulez-vous manger, toi et ton grand copain ?

— Qu'y a-t-il au menu ? demanda Egan avec un enthousiasme très inhabituel.

— Et si vous veniez choisir à la cuisine ? C'est à côté d'ici, donc vous ne serez pas loin de votre protégé !

Richard fit signe aux deux colosses d'y aller, puis il s'attaqua à la jardinière de légumes.

Reibisch se tapa du poing sur le cœur et souhaita une bonne nuit à maître Rahl.

Une tranche de pain à la main, le Sourcier salua fort peu protocolairement son général.

# Chapitre 20

Fatigué de voir grouiller autour de lui des gens prêts à lui obéir au doigt et à l'œil, Richard se réjouit d'être enfin seul.

Pendant la poursuite avortée, il avait essayé de rassurer les soldats, visiblement inquiets qu'il les punisse avec sa magie en cas d'échec. Même après qu'ils eurent fait demi-tour, et qu'il leur eut répété que ce n'était pas leur faute, les éclaireurs ne s'étaient pas détendus, le regardant sans arrêt au cas où il lui aurait pris l'envie de leur murmurer un ordre inaudible à cause des rugissements du vent. Une telle dévotion tapait sur les nerfs du Sourcier, et ce serait désormais son lot quotidien…

La jardinière de légumes était heureusement délicieuse. Mijotée le temps qu'il fallait, et à feu doux, elle fondait sur la langue et enchantait les papilles gustatives. Quand il l'eut finie, Richard but un peu de thé, puis leva les yeux en entendant grincer la porte. C'était Berdine, et elle ne lui laissa pas le temps de la ficher dehors.

— La duchesse Lumholtz, de Kelton, désire s'entretenir avec le seigneur Rahl.

— J'ai dit que je n'accorderai aucune audience privée, lâcha Richard, agacé.

Berdine avança jusqu'à la table. D'un coup de tête, elle expédia sa natte châtain derrière son épaule.

— Vous devez la voir, seigneur.

— Les termes de la reddition ne sont pas négociables, rappela le Sourcier en caressant du bout des doigts les nervures de la garde en noyer blanc du couteau glissé à sa ceinture.

— Vous devez la voir, répéta Berdine.

Posant les mains sur la table, elle se pencha vers Richard, et fit lentement osciller l'Agiel accroché à son poignet.

— J'ai déjà donné ma réponse, et tu n'en obtiendras pas d'autre, dit le Sourcier, conscient qu'il s'empourprait de colère.

Berdine ne recula pas.

— Moi, j'ai promis que vous la recevriez…

— Les représentants de Kelton n'ont rien à me dire, à part qu'ils ont décidé de se soumettre.

— Et c'est exactement mon propos ! lança une voix mélodieuse dans le couloir. Si vous consentez à m'écouter, seigneur Rahl, vous serez satisfait. Car je ne suis pas ici pour vous menacer.

L'humilité soudaine de la duchesse, et l'angoisse qu'elle dissimulait mal, éveillèrent une étrange sympathie dans le cœur de Richard.

— Fais entrer la noble dame, Berdine, puis retire-toi et va te coucher. C'est un ordre, pas un conseil...

Impassible, la Mord-Sith approcha de la porte et fit signe à la visiteuse d'entrer. Dès qu'il la vit, Richard se leva d'un bond.

Berdine posa une dernière fois ses yeux étrangement vides sur le Sourcier, qui ne lui accordait déjà plus d'attention. Puis elle sortit et ferma la porte.

— Duchesse Lumholtz, approchez, je vous en prie.

— Merci de me recevoir, seigneur Rahl.

Muet de saisissement, Richard contempla un long moment la splendide créature qui se tenait devant lui. Ses doux yeux marron, ses lèvres rouges sensuelles, la crinière de cheveux noirs qui encadrait son visage parfait... Dans les Contrées du Milieu, la longueur des cheveux d'une femme indiquait son statut social. À cette aune, la duchesse n'avait pas d'autres concurrentes que les reines – et bien sûr, la Mère Inquisitrice en personne.

Malgré son trouble, le Sourcier retrouva soudain ses bonnes manières.

— Permettez-moi de vous conduire jusqu'à un fauteuil, noble dame.

Dans son souvenir, la duchesse n'était pas un tel parangon de beauté et d'élégance. Mais il l'avait vue d'assez loin, notant surtout son maquillage outrancier, son arrogance ostentatoire et des goûts vestimentaires sans rapport avec la sobriété et la délicatesse dont témoignait la robe de soie rose cintrée sous la poitrine qui soulignait harmonieusement ses courbes voluptueuses.

Se souvenant de leur dialogue acide, dans la salle du Conseil, Richard sentit le rouge lui monter aux joues.

— Noble dame, je suis navré d'avoir été si discourtois avec vous. Me pardonnerez-vous ? Si j'avais mieux écouté, j'aurais compris que vous cherchiez à attirer mon attention sur la félonie du général Brogan.

Quand il prononça ce nom, le Sourcier crut voir passer une lueur d'angoisse dans les yeux de son interlocutrice. Mais c'était peut-être un effet de son imagination.

— C'est moi, seigneur Rahl, qui devrais implorer votre pardon. Vous interrompre ainsi, devant une telle assemblée, était de la dernière impolitesse.

— Vous vouliez me prévenir d'un danger, et vous aviez vu juste. Je regrette d'avoir fait la sourde oreille.

— Seigneur, j'aurais dû m'y prendre avec plus de grâce, comme il sied à une dame. (La duchesse eut un sourire presque enfantin.) Pour analyser les choses autrement, il faut être d'une galanterie hors du commun.

Richard s'empourpra sous le compliment. Son cœur battait si fort qu'on devait voir pulser les artères de son cou. Et ça ne s'arrangerait pas s'il continuait à imaginer ses lèvres jouant avec l'adorable accroche-cœur qui taquinait joliment une des splendides oreilles de sa visiteuse.

Pour se calmer, il tenta de détourner un instant le regard de cette innocente tentatrice. Mais c'était au-delà de ses forces...

Dans un coin de sa tête, une petite voix tentait de l'avertir d'un danger. Il ne l'écouta pas, trop grisé par l'instant présent pour penser à ses conséquences. D'une main, il tira devant la table un deuxième fauteuil et invita la duchesse à s'y asseoir.

— Vous êtes si prévenant, mon seigneur, susurra la noble dame. Si ma voix tremble un peu, veuillez m'en excuser, car ces derniers jours furent très difficiles. (La duchesse se plaça devant le siège, le regard rivé à celui de Richard.) En outre, je suis un peu nerveuse, car c'est la première fois que je rencontre un homme aussi puissant que vous, seigneur.

Richard battit des paupières, incapable de s'arracher à l'attraction des yeux incroyablement profonds de la belle.

— Je suis un pauvre guide forestier égaré très loin de chez lui, chère dame.

Le rire cristallin de la duchesse réchauffa considérablement l'atmosphère du petit bureau.

— Vous êtes le Sourcier, et le maître de D'Hara. Un jour, vous régnerez sur le monde.

— Régner ne m'intéresse pas, noble dame. Mais je... (Richard s'interrompit, craignant de passer pour un idiot s'il se lançait dans une tirade idéaliste.) Me feriez-vous l'honneur de vous asseoir, très chère ?

La duchesse sourit timidement, comme une enfant prise en faute. Charmé par tant de candeur, Richard frissonna quand il sentit son souffle agréablement tiède jouer sur son visage.

— Pardonnez-moi d'être aussi directe, seigneur Rahl, mais votre regard fait chavirer le cœur d'une femme. Je parie que toutes les dames qui vous ont écouté ne rêvent plus que de vous. La reine de Galea a beaucoup de chance.

— Qui ? demanda Richard, le front plissé.

— La reine de Galea, votre promise. Sachez que je l'envie, seigneur...

Pendant que son invitée s'asseyait avec grâce, Richard contourna la table puis se laissa tomber sur son propre fauteuil. La tête lui tournait, et ce n'était pas dû à la fatigue.

— Duchesse, j'ai été navré d'apprendre la mort de votre mari.

— Merci, seigneur... (La jeune femme baissa humblement les yeux.) Mais ne vous tourmentez pas pour moi, surtout ! Sa fin ne m'a pas brisé le cœur. Ne vous méprenez pas, je n'aurais pas voulu qu'il lui arrive malheur, mais...

— Ce rustre vous aurait-il maltraitée ? demanda Richard, le sang bouillant déjà dans ses veines.

La duchesse baissa un peu plus les yeux et haussa légèrement les épaules. Ému par cet aveu implicite, le jeune homme résista de justesse à l'envie de se lever pour prendre la jeune femme dans ses bras et la consoler.

— Le duc avait le sang chaud, seigneur... Heureusement, je le voyais assez peu, car il était souvent absent, occupé à passer d'un lit à un autre.

— Il vous délaissait pour s'ébattre avec d'autres femmes ? demanda Richard, stupéfait.

Un hochement de tête lui confirma qu'on pouvait manquer de goût à ce point.

— C'était un mariage de raison… Bien qu'il fût de noble extraction, il y a gagné un titre que sa famille n'avait jamais obtenu…

— Et quels avantages en avez-vous tirés ?

Quand la duchesse releva les yeux, les accroche-cœur qui fascinaient tant Richard caressèrent lentement ses joues.

— Mon père a pu confier le domaine familial au gendre en acier trempé dont il rêvait. Et il s'est débarrassé d'une fille qui ne lui servait à rien.

— Ne vous dépréciez pas ainsi, noble dame ! Si j'avais su, le duc aurait reçu une bonne leçon de galanterie… (Richard s'interrompit, conscient qu'il se comportait comme un gamin.) Pardonnez ma présomption, duchesse…

— Si je vous avais connu, seigneur, peut-être aurais-je eu le courage de demander votre protection, quand il me battait…

L'infâme duc avait bien osé lever la main sur sa femme ! Absurdement, Richard regretta de n'avoir pas été là, à l'époque, pour le punir comme il le méritait.

— Vous auriez dû le quitter ! Pourquoi avoir subi ce calvaire ?

— Un divorce aurait été impossible, seigneur… Mon père était le frère de la reine. Dans ces lignées, on songe avant tout à éviter le scandale. (La duchesse sourit, comme si elle voulait bannir à tout jamais ce passé douloureux.) Seigneur, nous avons assez parlé de mes petits problèmes ! Veuillez m'excuser de m'être laissée aller. Un mari infidèle et brutal n'est rien comparé à ce qu'endurent tant de malheureux. Je ne suis pas à plaindre, maître Rahl. Et j'ai vis-à-vis de mon peuple des responsabilités qui m'aident à penser à autre chose…

D'un index délicat, la duchesse désigna la chope de thé.

— Seigneur, pourrais-je en avoir un peu ? J'ai la gorge sèche à force d'imaginer… (Elle rosit délicieusement.) Eh bien, que vous me ferez couper la tête pour avoir désobéi à vos ordres en venant vous voir…

Richard se leva d'un bond.

— Je vais vous chercher du thé chaud !

— Non, je vous en prie, épargnez-vous cette peine. Je peux boire à votre chope, et une gorgée suffira.

Richard prit le récipient et le tendit à son invitée.

Fasciné par les lèvres pulpeuses qui se posèrent sur le bord de la chope, il préféra détourner le regard et contempler le plateau, pour se reconcentrer sur les affaires en cours.

— Pourquoi vouliez-vous me voir, duchesse ?

Après avoir bu sa gorgée, la jeune femme reposa la chope et orienta l'anse pour que Richard puisse la saisir sans problème.

Une trace rouge, sur le rebord, le fit étrangement frissonner. Bon sang, il fallait qu'il se reprenne !

— Je suis là à cause des responsabilités que j'évoquais il y a un instant. Seigneur, notre reine gisait sur son lit de mort quand le prince Fyren a péri. Hélas, elle a rendu son dernier soupir peu après. Bien qu'on ne comptât plus ses bâtards, Fyren était célibataire, donc sans descendance convenable...

Sur le point de se noyer dans le regard de la duchesse, Richard secoua la tête pour s'éclaircir les idées.

— Je ne suis pas un expert en matière de succession royale, noble dame. Désolé, mais j'ai peur de ne pas suivre...

— Alors, je serai plus directe. La reine et son unique descendant étant morts, Kelton n'a plus de souverain. Puisque je suis la fille du défunt frère de notre regrettée reine, je monterai bientôt sur le trône de Kelton. Bref, au sujet de notre reddition, je n'ai besoin de consulter personne.

Richard lutta pour se concentrer sur les paroles de la duchesse, pas sur les lèvres qui les prononçaient.

— Si je comprends bien, vous avez le pouvoir de me livrer Kelton ?

— Oui, Votre Éminence...

Sentant qu'il rougissait, flatté par ce titre ronflant, Richard prit la chope et fit mine de boire pour dissimuler son embarras. Un goût délicatement parfumé lui chatouillant la langue, il s'avisa qu'il avait posé les lèvres sur la trace laissée par celles de la duchesse. Après avoir siroté un peu de thé, dont l'arôme de miel lui caressa les papilles, il reposa le récipient d'une main tremblante.

— Duchesse, dit-il en essuyant ses paumes moites sur ses genoux, vous avez entendu tout ce que j'avais à dire. Nous combattons pour la liberté. En vous livrant à nous, vous ne perdrez rien, bien au contraire. Sous notre règne, pour ne donner qu'un exemple, frapper sa femme sera un crime aussi grave qu'agresser un inconnu dans la rue.

La duchesse eut un sourire gentiment réprobateur.

— Seigneur Rahl, je doute que vous soyez assez puissant pour promulguer cette loi. Dans certains royaumes des Contrées, un mari a le droit de tuer son épouse en punition d'une longue liste de « mauvaises actions ». La liberté dont vous parlez tant encouragera tous les hommes à s'arroger ce privilège.

— Faire du mal à un innocent, quel qu'il soit, est un crime. La liberté n'est pas la licence de nuire. Les peuples de ces royaumes n'ont pas à subir ce qu'on tient pour condamnable dans d'autres pays. Quand nous serons unis, ces injustices disparaîtront. Duchesse, la liberté sera la même pour tous, accompagnée de responsabilités identiques. Car nous vivrons sous une juste loi.

— Vous ne pensez pas, bien sûr, que frapper d'illégalité des coutumes universellement tolérées suffira à les éradiquer ?

— La morale vient d'en haut, comme dans une famille, où les parents guident les enfants. La première étape est de promulguer des lois équitables, puis de montrer par l'exemple que chacun doit les respecter. On n'élimine jamais complètement les mauvais comportements. Mais si on les laisse impunis, ils se multiplient et l'anarchie se drape de la toge de la tolérance et de la compréhension.

La duchesse passa les doigts sur la naissance de sa gorge et sourit.

— Seigneur Rahl, vos paroles me remplissent d'espoir pour l'avenir. Je prierai les esprits du bien pour que vous réussissiez.

— Alors, la reddition de Kelton est-elle acquise ?

— Il y a une condition...

— J'ai dit qu'il n'y aurait pas de négociations ! Tout le monde sera traité de la même manière. Comment réussirai-je, si je ne vis pas selon mes propres principes ?

— Je comprends, souffla la duchesse, de la peur passant de nouveau dans son regard. Pardonnez-moi d'avoir voulu obtenir quelque chose pour moi-même. Un homme d'honneur comme vous ne peut accepter qu'une dame de mon rang s'abaisse à un tel niveau.

Furieux d'avoir effrayé la jeune femme, Richard se serait volontiers enfoncé son couteau dans la poitrine.

— Exposez-moi votre condition.

La duchesse croisa les mains sur son giron et baissa pudiquement les yeux.

— Après votre discours, mon mari et moi étions presque de retour au palais quand un monstre nous a attaqués. Seigneur, je ne l'ai même pas vu venir. Il a pris le duc par le bras et levé son arme... (La jeune femme ne put s'empêcher de gémir. Une nouvelle fois, Richard dut se forcer à rester assis.) Mon mari s'est vidé de son sang et de ses entrailles sous mes yeux. Sur sa trajectoire, l'arme qui l'a tué a laissé trois marques sur ma manche...

— Duchesse, je sais tout cela, inutile de...

La jeune femme leva une main, implorant le seigneur Rahl de la laisser terminer. Remontant la manche de sa robe de soie, elle dévoila les trois coupures qui zébraient son avant-bras. Richard reconnut les plaies typiques infligées par les mriswiths. Pour la première fois, il regretta de ne pas savoir utiliser son don à des fins thérapeutiques. Car il aurait fait n'importe quoi pour effacer ces souillures de la peau si pure de sa visiteuse.

— Ce n'est pas grave, dit la duchesse en abaissant sa manche. Dans quelques jours, il n'y paraîtra plus. (Elle se tapota la poitrine, sous le sein gauche.) Mais le mal qu'on m'a fait à l'intérieur ne guérira jamais. Le duc était un très bon escrimeur, et il n'a pas eu sa chance contre ce monstre... Je n'oublierai jamais le contact de son sang, encore chaud, contre ma peau. Car ma robe en était imbibée, seigneur ! J'en ai honte, mais sachez que j'ai hurlé jusqu'au moment où j'ai pu me déshabiller et me laver. De peur de me réveiller dans cette robe, je suis désormais contrainte de dormir nue.

Richard regretta que la duchesse ait utilisé des mots aussi précis, faisant apparaître dans sa tête une image des plus troublantes. Hypnotisé par le mouvement de la soie sur la poitrine de sa visiteuse, il crut bon de boire une gorgée de thé – et posa bien entendu les lèvres sur l'empreinte rouge au goût si délicieux. Nerveux, il essuya la sueur qui ruisselait dans sa nuque.

— Vous avez parlé d'une condition ?

— Désolée, maître Rahl, mais je voulais vous faire mesurer mon angoisse, pour que vous m'écoutiez d'une oreille plus indulgente. J'ai eu si peur...

La duchesse frissonna. Comme pour se protéger, elle enroula les bras autour de son torse, provoquant une émouvante ondulation de la soie entre ses seins pressés l'un contre l'autre.

Richard s'intéressa de nouveau au plateau et s'essuya le front.

— Je comprends, duchesse, dit-il. Alors, cette condition ?

— La reddition de Kelton contre votre protection... Vous devez promettre de veiller sur moi.

— Pardon ?

— Vous avez tué les monstres dont les cadavres sont exhibés devant le palais. On dit que vous seul pouvez les abattre, et ils me terrifient. Dès que je me serai rangée à vos côtés, l'Ordre Impérial en enverra contre moi. Si vous me permettez de rester ici, sous votre protection, jusqu'à ce qu'il n'y ait plus de danger, Kelton sera à vous.

— Vous désirez simplement être en sécurité ?

La duchesse acquiesça, un peu tendue, comme si elle redoutait qu'il la condamne à l'échafaud pour ce qu'elle allait ajouter :

— Je veux être logée près de vous. Si je crie, vous serez là pour venir à mon secours.

— Et qu'y a-t-il d'autre ?

— Rien du tout... C'est ma condition, et je n'en demande pas plus.

Soulagé du poids qui lui pesait sur sa poitrine, Richard éclata de rire.

— Vous voulez être protégée, à la manière dont mes gardes le font ? Duchesse, on n'appelle pas cela une « condition », mais une simple faveur. D'ailleurs tout à fait légitime face à des ennemis sans merci... Et je vous l'accorde sans réserve ! (Il tendit un bras sur sa gauche.) Je réside par-là, dans l'aile des invités. En ce moment, les chambres sont vides. Comme tous ceux qui combattent à nos côtés, vous serez une invitée *d'honneur*, duchesse. Si ça peut vous rassurer, vous dormirez dans la chambre attenante à la mienne.

— Merci, seigneur Rahl ! s'exclama la jeune femme avec un sourire dix fois plus radieux que ceux que le Sourcier lui avait vus jusque-là.

Elle aussi semblait soulagée d'un grand poids. On eût dit qu'elle revivait...

— Dès demain, duchesse, une délégation escortée par des D'Harans partira pour Kelton. Vos forces doivent être au plus vite placées sous notre commandement.

— Votre commandement... Bien sûr, seigneur ! Je remettrai à ces émissaires des lettres signées de ma main, et le nom de tous les dirigeants keltiens à contacter. Mon royaume fait désormais partie de D'Hara. (La duchesse inclina la tête, les accroche-cœur oscillant de nouveau.) Nous sommes honorés d'être les premiers à rejoindre la nouvelle alliance. Tous les Keltiens se battront pour la liberté.

— Merci, duchesse... Ou dois-je vous appeler reine Lumholtz ?

— Seigneur, pour vous, je préférerais être simplement Cathryn...

— Eh bien, il en ira ainsi ! Et vous me combleriez en m'appelant Richard. Pour être franc, j'en ai assez d'entendre les gens me donner du...

Ses yeux ayant croisé ceux de la duchesse, le jeune homme oublia ce qu'il avait voulu dire.

Avec un sourire timide, Cathryn se pencha en avant, un de ses seins glissant sur le bord de la table.

Alors qu'il la regardait, fasciné, jouer du bout de l'index avec un de ses accroche-cœur, Richard s'avisa qu'il était sur le point de se lever pour la prendre dans ses bras. Une nouvelle fois, il se concentra sur le plateau et prit une grande inspiration.

— Alors, ce sera Richard, mon seigneur… (Cathryn s'autorisa un rire de gorge qui fit frémir son interlocuteur de la tête aux pieds.) Mais pourrai-je m'adresser avec tant de familiarité à l'homme le plus puissant du monde ?

— Une simple question de pratique, Cathryn, j'en suis sûr.

— Oui, cela suffira sûrement, à condition de s'exercer beaucoup… (La duchesse rosit de nouveau.) Par les esprits du bien, seigneur, vous me troublez beaucoup trop ! Sous le regard de vos magnifiques yeux gris, une femme ne sait plus ce qu'elle fait. Je devrais me retirer avant que votre dîner refroidisse. Ces mets semblent délicieux…

Richard saisit la perche au vol.

— Et si je vous faisais apporter un plateau ?

Cathryn se radossa lentement à son siège.

— Je n'oserais pas abuser de votre temps, Richard. Vous êtes si occupé.

— Pas en ce moment, Cathryn… Je mangeais un morceau avant d'aller au lit. Au moins, restez avec moi et partageons. Je n'arriverais jamais à engloutir tout ça.

La duchesse se pencha de nouveau vers Richard.

— Ça paraît si bon… Ce serait dommage de gaspiller, n'est-ce pas ? Mais je grignoterai, c'est tout…

— Que voulez-vous goûter ? Les légumes, les œufs durs, l'agneau ?

À cette dernière mention, Cathryn ronronna quasiment de plaisir.

Richard prit l'assiette de côtelettes et la posa devant son invitée. Malgré l'odeur délicieuse de la viande, il n'avait jamais eu l'intention de la consommer. Étrangement, depuis que le don s'était éveillé en lui, il suivait un régime végétarien. Un curieux effet secondaire de la magie, sans doute. Ou une affaire d'équilibre, comme l'affirmaient les Sœurs de la Lumière. Étant un sorcier de guerre, il devait se priver de viande pour compenser les meurtres qu'il était parfois obligé de commettre.

Richard tendit à Cathryn son couteau et sa fourchette. Secouant la tête, elle prit délicatement une côtelette entre le pouce et l'index.

— Les Keltiens ont un dicton : « Quand c'est bon, rien ne doit s'interposer entre une bouche et ce qu'elle savoure. »

— Alors, savourez tout votre soûl, Cathryn…, souffla Richard.

Pour la première fois depuis des jours, il ne se sentait plus atrocement seul.

Les yeux rivés sur le jeune homme, Cathryn mordit délicatement la viande dorée à point.

— Alors, c'est bon ? demanda Richard.

En guise de réponse, Cathryn renversa la tête en arrière, ferma les yeux, et, le dos arqué, gémit d'extase. Puis elle baissa de nouveau le regard et accrocha au passage celui du jeune homme. Ses lèvres enveloppant la viande, elle la déchira du bout des dents et mâcha lentement, soucieuse d'en extraire tous les sucs.

Richard prit une tranche de pain, la coupa en deux et lui donna la moitié la plus beurrée. Trempant son propre morceau dans la crème et le riz, il le porta à sa bouche, mais se pétrifia en voyant Cathryn lécher voluptueusement le beurre.

— J'adore cette sensation douce et humide sur ma langue, souffla-t-elle d'une voix rauque.

Avec une lenteur délibérée, ses doigts luisants de graisse posèrent le pain sur le plateau.

Sans quitter Richard des yeux, elle s'attaqua à l'os de sa côtelette, le rognant à petits coups de dents presque taquins.

Richard ne mordit pas son pain, qu'il avait d'ailleurs oublié.

— Un régal..., soupira Cathryn, sa langue errant sur ses lèvres à la recherche d'une ultime sensation de plaisir.

Richard baissa les yeux sur sa main et s'aperçut qu'elle était vide. Un instant, il crut avoir englouti le pain sans s'en apercevoir. Puis il vit qu'il l'avait laissé tomber sur le plateau – tout aussi inconsciemment.

Cathryn prit un œuf dur, le saisit entre ses lèvres, le coupa en deux et mâcha avec une lenteur qui fit bouillir le sang dans les veines de Richard.

— Goûtez, dit-elle en tendant l'autre moitié de l'œuf au jeune homme.

Elle le lui pressa contre les lèvres et appuya avec une douce fermeté. Cédant de bonne grâce à sa tendre injonction, Richard préféra mâcher que s'étouffer avec le jaune et le blanc délicieusement épicés.

— Quelles merveilles nous attendent encore ? demanda Cathryn en baissant les yeux sur le plateau. Richard, ne me dites pas que ce sont...

Passant l'index et le majeur le long de la coupe de poires, la duchesse recueillit un peu de chantilly qu'elle suça avec une distinction et une sensualité à couper le souffle.

— Richard, c'est bon à mourir... Vraiment !

Cathryn reprit un peu de chantilly et tendit la main vers les lèvres du jeune homme. Avant qu'il puisse réagir, elle lui enfonça doucement son index dans la bouche.

— Régalez-vous, seigneur, susurra-t-elle. Avez-vous jamais goûté quelque chose de plus délicieux ?

Acquiesçant, Richard tenta de reprendre son souffle dès qu'elle eut retiré son doigt.

— Regardez, mon doux ami, un peu de chantilly est tombé sur mon poignet. Voulez-vous la lécher avant que ma robe soit tachée ?

Le jeune homme prit la main de Cathryn et la porta à ses lèvres. Comparée à celle de sa peau, la saveur de la chantilly lui parut d'une affligeante banalité.

— Ça chatouille ! fit Cathryn avec un petit rire de gorge. Votre langue est si râpeuse...

— Désolé, souffla Richard en lâchant la main de sa surprenante conquête.

Bouleversé par ce contact intime, il sentit, stupéfait, que son corps avait oublié la fatigue de ces dernières journées.

— Ne t'excuse pas, Richard, murmura Cathryn, passant au tutoiement au moment où il le fallait pour finir d'embraser les sens de son compagnon. Ai-je jamais dit que je n'ai pas aimé ça ? C'était une expérience merveilleuse...

*Pour moi aussi*, pensa le jeune homme alors que la pièce semblait soudain tourner autour de lui. L'entendre prononcer son nom le faisait frémir, l'emplissant d'une euphorie proche de celle de l'ivresse.

Au prix d'un terrible effort de volonté, il réussit à se lever.

— Cathryn, il est tard et je suis mort de fatigue.

La duchesse se leva aussi, et sa robe de soie ondula sur les formes parfaites de son corps. Enlaçant Richard d'un bras, elle se pressa contre lui et murmura :

— Tu me montres ta chambre ?

Comme dans un rêve, sa volonté quasiment brisée, Richard entraîna la duchesse dans le couloir, où Ulic et Egan, les bras croisés, montaient bien entendu la garde. Un peu plus loin, à droite et à gauche de la porte, Cara et Raina se levèrent d'un bond.

Aucun des quatre D'Harans ne broncha en voyant la femme pendue au bras de leur seigneur. Sans daigner leur dire un mot, Richard prit la direction de l'aile des invités.

De sa main libre, Cathryn lui caressait l'épaule avec une tendre ferveur. Le sang en ébullition, le maître de D'Hara se demanda si ses genoux n'allaient pas se dérober avant qu'ils aient atteint leur destination.

Quand ils arrivèrent dans le bon couloir, il fit signe à Egan et Ulic d'approcher.

— Montez la garde à tour de rôle, dit-il. Personne ne doit pénétrer dans ce couloir pendant la nuit. (Il désigna les deux Mord-Sith, immobiles à l'entrée du corridor.) Y compris elles…

Les deux colosses ne posèrent pas de question et se mirent aussitôt en position.

Richard entraîna Cathryn jusqu'à une porte en chêne sculptée.

— Je crois que cette chambre fera l'affaire…

Se serrant plus fort contre lui, la duchesse soupira d'aise.

— Oh, oui, Richard, je suis sûre qu'elle conviendra.

— Je prendrai celle d'à côté, réussit à dire le jeune homme, étonné par sa propre force de caractère. Vous serez en sécurité, Cathryn.

— Quoi ? S'il te plaît, Richard, ne m'abandonne pas…

— Bonne nuit, Cathryn.

— Mais… tu ne peux pas me laisser seule. Sans toi, je vais mourir de peur.

— Il n'y a aucun danger, assura Richard en se dégageant de l'étreinte de Cathryn. N'aie aucune inquiétude.

— Et si un monstre était caché dans un coin sombre ? S'il te plaît, Richard, viens vérifier avec moi.

— Il n'y a rien, vous pouvez me croire. Sinon, je le sentirais. N'oubliez pas que je suis un sorcier. Vous n'aurez rien à craindre, et je serai à deux pas de vous. Personne ne viendra troubler votre repos, je le jure !

Richard ouvrit la porte, décrocha une lampe de son support, dans l'entrée, la tendit à Cathryn et l'incita à avancer.

— Je te verrai demain ? demanda la duchesse en laissant courir un index le long de la poitrine du jeune homme.

Richard lui saisit le poignet, repoussa sa main et la baisa avec toute la distinction dont il pouvait faire montre dans son état.

— Bien entendu, que nous nous verrons… Du travail nous attend, noble dame. Beaucoup de travail…

Sous le regard des deux Mord-Sith, Richard ferma la porte et approcha de la suivante. Restant à l'entrée du couloir, comme il l'avait ordonné, Cara et Raina s'adossèrent au mur et se laissèrent lentement glisser sur le sol. À l'unisson, elles s'assirent en tailleur et saisirent leur Agiel à deux mains, bien décidées à rester là toute la nuit.

Richard contempla un long moment la porte de la chambre voisine, où Cathryn devait déjà se déshabiller. La petite voix, dans sa tête, cria plus fort que jamais, le poussant à entrer dans sa propre chambre avant qu'il ne soit trop tard.

À l'intérieur, il s'adossa au battant, reprit son souffle et se força à tirer le verrou.

Puis il s'assit au bord du lit, la tête entre les mains. Que lui arrivait-il ? Pourquoi avait-il de telles pensées au sujet de cette femme ? Avec sa chemise trempée de sueur et son cœur battant la chamade, il ressemblait à un adolescent en proie à ses premiers émois.

Ce genre de réaction ne lui ressemblait pas. Et pourtant... Les Sœurs de la Lumière avaient-elles raison d'affirmer que les hommes étaient esclaves de leurs pulsions ?

Mobilisant sa volonté, le Sourcier dégaina l'Épée de Vérité. La pointe reposant sur le sol, il serra la garde à deux mains et laissa la colère de l'arme déferler en lui comme un torrent.

Il s'ouvrit à cette fureur, avec l'espoir qu'elle suffirait à chasser l'image de Cathryn de son esprit.

Dans un coin de sa tête, il comprit qu'il dansait de nouveau avec la mort. Mais cette fois, l'épée ne le sauverait pas.

Il comprit aussi qu'il n'avait pas le choix...

# Chapitre 21

Sœur Philippa se redressa de toute sa hauteur, considérable, et leva le menton. Baissant les yeux, elle s'efforça de regarder par-dessous son nez remarquablement fin et droit. Un exploit méritoire quand on tentait de faire croire à son interlocuteur qu'on admirait le plafond.

— Dame Abbesse, je suis sûre que vous n'avez pas assez réfléchi à la question. Penchez-vous encore dessus, et vous verrez que les résultats de trois mille ans de pratique appuyent ma théorie dans mon sens.

Les coudes sur la table, Verna posa le menton sur ses mains et baissa les yeux vers le mémo dont elle était en train de prendre connaissance. Dans cette position, Philippa ne pouvait pas lui jeter des regards furtifs sans voir la bague qui témoignait de son nouveau rang au sein de la hiérarchie du palais.

Verna jeta un rapide coup d'œil vers le haut pour s'assurer que son interlocutrice continuait son étrange manège.

— Ma sœur, merci de ce précieux conseil, mais j'ai médité sur le sujet tout le temps qu'il fallait. Continuer de creuser un puits asséché est inutile. On a de plus en plus soif, et on ne trouve pas d'eau pour autant…

Beauté exotique aux yeux noirs de jais, Philippa montrait rarement ses émotions. Pourtant, Verna la vit serrer légèrement les mâchoires.

— Dame Abbesse, comment saurons-nous si un jeune homme progresse comme il faut ? Et de quelle manière déterminer s'il est assez formé pour qu'on lui retire son Rada'Han ? C'est la seule façon de procéder…

Verna fit la moue, agacée par le mémo qu'elle venait de finir. Décidant de s'en occuper plus tard, elle accorda enfin toute son attention à la conseillère.

— Quel âge avez-vous, ma sœur ?

— Quatre cent soixante-dix-neuf ans, Dame Abbesse.

Verna en éprouva une pointe d'envie dont elle ne se sentit pas très fière. Philippa semblait à peine plus vieille qu'elle, alors qu'elle avait trois bons siècles de plus. Les vingt ans passés loin du palais et de son sort temporel lui avaient coûté cher, et rien ne pourrait lui rendre sa jeunesse perdue. Elle n'aurait pas non plus le temps d'acquérir toutes les connaissances que cette femme avait engrangées…

— Et depuis quand vivez-vous au palais ?

— Quatre cent soixante-dix ans, Dame Abbesse.

Pour capter l'ironie subtile de Philippa, quand elle prononçait ce titre, il fallait avoir l'oreille fine et l'esprit affûté. Comme Verna…

— Résumons-nous : le Créateur vous a accordé près de cinq siècles pour apprendre à former de futurs sorciers. Et après tout ce temps, alors que Sa lumière vous guidait, vous êtes toujours incapable de cerner la vraie nature de vos étudiants ?

— Dame Abbesse, ce n'est pas exactement ce que…

— Me ferez-vous croire, chère conseillère, que les Sœurs de la Lumière, après s'être occupées d'un garçon pendant près de deux cents ans, ont besoin de le torturer pour savoir s'il peut passer à la phase suivante de son évolution ? Auriez-vous si médiocrement confiance en vos collègues ? Et douteriez-vous de la sagesse du Créateur, qui les a choisies pour accomplir cette mission ? Malgré les millénaires d'expérience qu'Il nous a permis d'acquérir – collectivement, bien sûr –, nous jugez-vous trop stupides pour faire notre travail correctement ?

— Je crois que la Dame Abbesse se…

— Permission de parler refusée ! L'épreuve de douleur est une façon obscène d'utiliser le Rada'Han. Cette horreur peut ravager l'esprit d'un jeune homme. Savez-vous que des malheureux y ont laissé la vie ?

» Philippa, je vous charge d'informer les sœurs qu'une page est tournée. Incitez-les à trouver un moyen d'atteindre leur objectif sans effusions de sang. Désormais, nos étudiants ne devront plus hurler à la mort et se rouler dans leur propre vomi. Et profitez-en pour suggérer à nos collègues une méthode révolutionnaire. Comme parler à ces jeunes hommes, par exemple. Qui sait, ça pourrait donner des résultats surprenants ? Si elles craignent de n'être pas assez futées pour s'en sortir, encouragez-les vivement à m'en informer par écrit, à toutes fins utiles…

Philippa se tut un long moment, sans doute pour évaluer ses chances de l'emporter, si elle continuait la polémique. Au terme de sa réflexion, elle s'inclina à contrecœur.

— Une très sage décision, Dame Abbesse. Merci d'avoir éclairé ma modeste lanterne.

Elle se tourna pour partir, mais Verna la retint.

— Ma sœur, je sais ce que vous éprouvez. Ayant reçu le même enseignement que vous, j'ai longtemps eu des convictions semblables aux vôtres. Un jeune homme d'un peu plus de vingt ans m'a montré à quel point j'avais tort. Parfois, le Créateur choisit des moyens inattendus pour nous apporter Sa lumière. Mais Il attend que nous acceptions Sa sagesse, lorsqu'Il nous en fait don…

— Vous parlez de Richard, Dame Abbesse ?

Verna pianota du bout d'un ongle sur la pile de mémos qui attendaient encore son attention.

— Oui. (Elle abandonna son ton officiel.) Philippa, j'ai appris que ces jeunes sorciers sont destinés à vivre dans un monde qui les mettra à l'épreuve. Le Créateur veut que nous leur apprenions à affronter dignement la souffrance des autres, et celle qu'ils éprouveront. (Elle se tapota la poitrine.) C'est dans nos cœurs que nous devons savoir s'ils sont prêts à faire les choix déchirants que la lumière du Créateur exigera d'eux. Voilà le vrai sens de l'épreuve de douleur. Leur aptitude à supporter la torture ne nous apprend rien sur leur bonté, leur courage ou leur compassion.

» Philippa, vous avez subi une épreuve de douleur. Et vous vous seriez battue à mort pour devenir la nouvelle Dame Abbesse. Pendant quatre cents ans, vous avez trimé dur pour être au minimum une candidate sérieuse. Le sort vous a privée de vos chances de l'emporter. Pourtant, vous ne m'avez jamais laissé sentir votre amertume, même si elle est bien réelle. Malgré votre déception, vos conseils me sont précieux et vous travaillez dans l'intérêt du palais. Serais-je mieux soutenue si je vous avais soumise à la torture avant de vous nommer conseillère ? Vos cris de souffrance auraient-ils prouvé quelque chose ?

— Je ne mentirai pas en prétendant être d'accord avec vous, dit Philippa, les joues un peu plus roses que d'habitude, mais j'ai la certitude, désormais, que vous avez creusé assez profondément pour savoir que le puits est vraiment à sec. Verna, personne ne pourra vous accuser d'avoir voulu économiser vos efforts. Soyez sans crainte, je transmettrai ces nouvelles directives à toutes les sœurs.

— Merci, Philippa...

— Richard a décidément bouleversé nos vies... Je redoutais qu'il nous étripe toutes, et il a mieux servi le palais que tout autre sorcier depuis trois mille ans.

Voyant sourire son interlocutrice, Verna s'autorisa un gloussement mi-figue mi-raisin.

— Si vous saviez combien de fois j'ai prié pour que le Créateur me donne la force de l'étrangler !

Quand Philippa sortit, la Dame Abbesse vit par la porte ouverte que Millie, dans le bureau voisin, attendait la permission de venir faire le ménage.

La Dame Abbesse se leva, étouffa un bâillement, s'empara du mémo qui lui tenait à cœur et sortit. Après avoir dit à Millie d'entrer, elle se tourna vers ses deux administratrices, les sœurs Dulcinia et Phoebe.

Avant qu'elle puisse ouvrir la bouche, Dulcinia bondit sur ses pieds et lui tendit un classeur.

— Si vous avez fini avec les précédents, nous avons archivé ces rapports pour vous...

Verna s'empara du classeur, aussi lourd qu'un bébé bien nourri, et le cala contre sa hanche.

— Merci beaucoup, je m'en occuperai... Mais il est tard. Pourquoi n'allez-vous pas prendre un peu de repos ?

— Je ne suis pas fatiguée, Dame Abbesse, répondit Phoebe, et mon travail me passionne.

— Peut-être, mais il faudra recommencer demain... Le manque de sommeil est l'ennemi de l'efficacité. Filez d'ici, toutes les deux !

Phoebe ramassa une pile de documents, sans doute pour continuer à les étudier dans ses quartiers. L'amie de Verna semblait tenir toute cette affaire pour une « course à la paperasse ». Dès que la Dame Abbesse menaçait de rattraper son retard, elle produisait comme par magie des quintaux de mémos tous plus urgents les uns que les autres.

Dulcinia emporta sa tasse de thé et dédaigna les rapports. Elle travaillait moins frénétiquement que Phoebe, sans jamais daigner accélérer le rythme pour garder de l'avance sur Verna. Pourtant, sa production n'avait pas grand-chose à envier à celle de sa collègue. Et quant à la « course », les administratrices n'avaient aucun souci à se faire : à ce rythme-là, elles auraient bientôt distancé leur supérieure.

Elles saluèrent la Dame Abbesse, lui souhaitant une bonne nuit de sommeil sous l'aile protectrice du Créateur.

Verna attendit qu'elles aient gagné la porte.

— Sœur Dulcinia, j'aimerais que vous vous chargiez d'une petite mission, demain...

— Bien sûr, Dame Abbesse. De quoi s'agit-il ?

Verna posa le mémo sur le bureau de la sœur.

— Une demande d'aide émanant d'une jeune femme et de sa famille. Un de nos futurs sorciers va être père...

— C'est merveilleux ! s'exclama Phoebe. Si le Créateur le veut, ce sera un garçon, et il aura le don. Chez nous, aucun bébé n'est né avec le don depuis... Eh bien, je ne saurais le dire ! Ce serait une...

Verna foudroya son amie du regard, la réduisant enfin au silence.

— Dulcinia, je veux voir cette jeune femme et celui qui l'a mise enceinte. Prenez-moi un rendez-vous demain... Et convoquez aussi les parents de la future mère, puisqu'ils demandent de l'aide.

— Il y a un problème, Dame Abbesse ? demanda Dulcinia, soudain mal à l'aise.

— On peut le dire, oui. Un de nos étudiants a engrossé cette pauvre fille.

— Dame Abbesse, c'est exactement pour ça que nous les autorisons à aller en ville. Leurs désirs satisfaits, ils se consacrent mieux à leurs études, et nous avons, de temps en temps, la chance de voir un enfant venir au monde avec le don.

— Sous mon autorité, le palais ne se permettra plus d'intervenir ainsi dans la Création, ni de ruiner la vie de gens innocents.

— Dame Abbesse, les hommes ont des pulsions incontrôlables.

— Moi aussi ! Mais avec l'aide du Créateur, je n'ai jamais étranglé personne. Jusqu'ici, en tout cas...

Le rire de Phoebe lui resta dans la gorge, étouffé par le regard noir de Dulcinia.

— Dame Abbesse, les hommes sont différents. Ils ne peuvent pas se maîtriser. En les autorisant à... hum... relâcher la pression, nous les aidons à se concentrer sur leur formation. Et les « compensations » dont le palais doit s'acquitter ne le ruineront pas. Surtout si un enfant naît de temps en temps avec le don...

— Notre mission est de former des sorciers qui utiliseront leur pouvoir dignement, de manière responsable, et en ayant conscience des conséquences possibles. Les encourager à faire le contraire dans leur vie privée revient à saboter notre propre travail.

» Quant aux enfants nés avec le don, en supposant qu'il y en ait, je doute qu'être le fruit d'unions sans amour soit une bonne chose pour eux. Si nos jeunes gens se comportaient avec plus de retenue, ils fonderaient une famille un jour ou l'autre, et il y aurait peut-être davantage de futurs sorciers parmi leurs descendants. Qui sait si la débauche ne diminue pas leur aptitude à transmettre le don ?

— Ou ne l'augmente pas, aussi faible soit-elle ?

— C'est possible… Mais je sais une chose, ma sœur : les pêcheurs, au bord du fleuve, ne s'installent pas toute leur vie au même endroit sous prétexte qu'ils y ont un jour attrapé un poisson. Bref, je pense qu'il est temps de lancer nos lignes ailleurs…

Soucieuse de ne pas perdre son calme, Dulcinia croisa les mains et prit une grande inspiration.

— Dame Abbesse, la nature humaine est telle que le Créateur a bien voulu la concevoir. Désirer la changer est une perte de temps. Les hommes et les femmes continueront à rechercher le plaisir…

— Je ne dis pas le contraire… Mais en payant les pots cassés, si je puis m'exprimer ainsi, nous les encourageons à continuer. S'il n'y a pas de conséquences, pourquoi prendre la peine de se maîtriser ? Combien d'enfants, à cause de nos largesses, ont grandi sans jamais connaître leur père ? L'or remplace-t-il l'amour ? Combien de vies avons-nous ravagées en le distribuant ainsi ?

— Nous aidons ces mères et leurs enfants, Dame Abbesse !

— Non ! Nous incitons les femmes de Tanimura à être irresponsables. Sachant qu'elles seront entretenues toute leur vie, elles accueillent volontiers nos étudiants dans leur lit. En agissant ainsi, nous les rabaissons au niveau de vaches reproductrices !

— Le palais recourt depuis trois mille ans à cette méthode pour s'assurer que quelques enfants naissent avec le don… Et vous savez, Dame Abbesse, que c'est de plus en plus rare.

— J'en ai conscience. Mais notre mission est d'éduquer les gens, pas d'en faire l'élevage ! À cause de nous, ces femmes enfantent par cupidité et non par amour.

Dulcinia ne fut pas longtemps à court d'arguments.

— Si nous refusons d'aider ces familles, on nous accusera d'être sans cœur. Et on aura raison, parce que la vie compte plus qu'un peu d'or…

— J'ai lu les rapports, et il ne s'agit pas d'« un peu d'or »… Mais la question n'est pas là. Le drame, c'est que nous traitons d'autres humains, nos frères devant le Créateur, comme du bétail. En agissant ainsi, nous contribuons à la destruction des valeurs morales.

— Au contraire, nous les enseignons à nos garçons ! Parce qu'ils sont le fleuron de la Création, les êtres humains les assimilent et les respectent. D'ailleurs, l'intelligence leur a été donnée pour cela…

— Ma sœur, supposons que nous prêchions la sincérité, mais donnions une pièce à nos étudiants chaque fois qu'ils mentent ? À votre avis, quel serait le résultat ?

— Nous n'aurions bientôt plus un sou en poche, répondit Phoebe, une main sur la bouche pour étouffer son rire de gorge.

Dulcinia ne parut pas du tout amusée.

— Je n'aurais pas cru, Dame Abbesse, que vous étiez dure au point de vouloir laisser mourir de faim les bébés que nous offre le Créateur.

— Il a donné des seins à leurs mères pour qu'elles les allaitent. Ces femmes n'ont aucun besoin de rançonner le palais !

— Mais les hommes ont des désirs incontrôlables ! répéta Dulcinia, hors d'elle.

— C'est faux, sauf quand une magicienne a lancé un sort de séduction ! Là, ils ne peuvent pas résister, c'est vrai... Mais que je sache, aucune sœur n'a ensorcelé ainsi les femmes de la ville. À toutes fins utiles, dois-je vous rappeler qu'une sœur qui s'y risquerait devrait s'estimer heureuse d'être chassée du palais, et pas pendue haut et court ? Car un sort de séduction est l'équivalent psychique d'un viol.

— Je n'ai pas dit que..., commença Dulcinia, blanche comme un linge.

Verna plissa le front, pensive.

— Si je me souviens bien, il y a bien cinquante ans qu'une sœur ne s'est pas livrée à cette infamie.

— C'était une novice, Dame Abbesse, pas une sœur.

— Et vous étiez membre du tribunal, si ma mémoire ne me trompe pas. N'avez-vous pas voté la mort, ce jour-là ? Une pauvre fille arrivée au palais deux ou trois ans plus tôt, et vous l'avez envoyée à l'échafaud !

— C'est la loi, Dame Abbesse, se défendit Dulcinia, les yeux baissés.

— Non, c'est la peine maximale pour ce crime !

— Je n'ai pas été la seule à voter ainsi.

— Je sais... Six voix contre six... Annalina a tranché en condamnant la coupable au bannissement.

Dulcinia releva enfin les yeux.

— Je maintiens qu'elle a eu tort ! Valdora a juré de se venger. Elle parlait de raser le palais, et elle a craché au visage de la Dame Abbesse en la menaçant de mort.

— Dulcinia, je me suis toujours demandée pourquoi vous avez fait partie de ce tribunal.

— Parce que Valdora était mon élève.

— Vraiment ? Comme c'est intéressant... Selon vous, où avait-elle appris à lancer un sort de séduction ?

— Nous ne l'avons jamais su... Je pense que c'était sa mère. C'est habituel dans les familles de magiciennes...

— Je l'ai entendu dire, sans le vérifier par moi-même, puisque ma mère n'avait pas le don. Mais la vôtre, en revanche...

— Elle l'avait, oui... (Dulcinia embrassa son annulaire gauche en murmurant une prière – un acte de dévotion fréquent en privé, mais très rare devant témoins.) Il est tard, Dame Abbesse. Nous ne voudrions pas vous retenir...

— C'est très gentil à vous. Bonne nuit, alors.

Dulcinia s'inclina.

— Dame Abbesse, dès demain, je m'occuperai de la future mère et du jeune sorcier, comme vous me l'avez ordonné. Après en avoir parlé avec sœur Leoma, je...

— Dois-je comprendre que l'avis de sœur Leoma compte plus que le mien ?

— Bien sûr que non, Dame Abbesse ! Mais Leoma aime bien que je... Hum... N'est-il pas normal de prévenir votre conseillère, afin qu'elle ne soit pas prise au dépourvu ?

— Leoma est justement *ma* conseillère, ma sœur. Je la tiendrai au courant si je l'estime nécessaire.

En silence, Phoebe regardait alternativement les deux femmes, comme si elle comptait les points.

— Il en sera fait selon votre volonté, Dame Abbesse. Veuillez excuser l'enthousiasme excessif que je manifeste dans l'exercice de mes fonctions.

— Je vous pardonne de bon cœur, bien sûr, lâcha Verna en haussant les épaules autant que le classeur géant le lui permettait.

Par bonheur, les deux administratrices levèrent le camp sans tenter de relancer la polémique. En grommelant, Verna alla poser la nouvelle cargaison de mémos sur son bureau, près de ceux qui réclamaient déjà son attention. Du coin de l'œil, elle vit Millie frotter frénétiquement une tache que personne n'aurait remarquée, même si elle l'avait laissée là pendant cent ans.

Verna approcha de la bibliothèque au pied de laquelle la femme de ménage s'échinait, à genoux, et passa distraitement un doigt sur une rangée de volumes reliés de cuir dont elle ne prit pas la peine de lire les titres.

— Comment se porte votre vieille carcasse, Millie ? demanda-t-elle.

— Ne me lancez pas sur ce sujet, Dame Abbesse, ou vous risquez de devoir m'imposer les mains un peu partout pour tenter de guérir un mal incurable. Je veux parler de l'âge, bien sûr... (Millie se déplaça pour s'attaquer à une nouvelle tache, aussi microscopique que la précédente.) Nous vieillissons tous, hélas. Le Créateur a dû vouloir qu'il en soit ainsi, puisqu'aucun mortel ne se remet jamais de cette maladie. Pourtant, je n'ai pas à me plaindre... En travaillant au palais, j'aurai eu beaucoup plus de temps à vivre que la plupart des gens. (Elle frotta plus fort, tirant un peu la langue.) Oui, le Créateur m'a fait cadeau de beaucoup d'années, et je n'ai jamais très bien su qu'en faire !

Verna n'avait jamais vu Millie immobile plus de quelques secondes. Même en lui parlant, elle continuait de briquer, son œil d'aigle à l'affût du moindre grain de poussière.

Verna prit un livre et l'ouvrit.

— La Dame Abbesse Annalina s'est toujours félicitée de vous avoir à ses côtés...

— C'est vrai, je suis restée longtemps avec elle. Toutes ces années, quand on y pense...

— Comme je viens de le découvrir, une Dame Abbesse a peu d'occasions de se faire des amis. Votre présence était une joie pour Annalina, et je suis sûre qu'elle me sera d'un grand réconfort.

Indignée qu'une tache résiste à ses assauts, Millie lâcha un juron bien senti.

— Nous avons souvent parlé ensemble, très tard dans la nuit. C'était une femme extraordinaire, vous savez. Et si gentille... Elle écoutait tout le monde, même cette vieille enquiquineuse de Millie !

Distraitement, Verna feuilleta l'ouvrage, un traité qui discutait des lois en vigueur dans un royaume depuis longtemps disparu.

— Et vous avez été si gentille de l'aider... Je veux parler de l'affaire de la bague, bien sûr !

Millie leva les yeux, sourit, et, une fois n'est pas coutume, cessa de briquer.

— Vous aimeriez en savoir plus long sur ce sujet, comme les autres ?

— Quelles autres ? demanda Verna en refermant vivement le livre.

— Les sœurs Leoma, Dulcinia, Maren et Philippa. Vous les connaissez, je suppose… (Millie s'humecta le bout d'un doigt et s'attaqua à une marque suspecte, sur le flanc de la bibliothèque.) D'autres m'ont peut-être interrogée, mais mon vieux cerveau n'a pas enregistré leurs noms. Après les funérailles, elles sont toutes venues me voir. Mais pas ensemble, évidemment. L'une après l'autre, comme des conspiratrices…

— Et que leur avez-vous dit ? demanda Verna, cessant de faire mine de s'intéresser à la bibliothèque.

— La vérité, bien sûr, répondit Millie en essorant le chiffon qu'elle venait de plonger dans un seau d'eau savonneuse. Comme je vais vous la dire, s'il vous chante de l'entendre.

— Oui, fit Verna en s'efforçant d'adopter un ton neutre de bon aloi. Puisque je suis la Dame Abbesse, que ça me plaise ou non, c'est le genre de chose que je dois savoir. Arrêtez un peu de travailler, et racontez-moi tout.

Millie se releva, grogna à cause de ses multiples rhumatismes, et regarda la Dame Abbesse dans les yeux.

— Merci de votre proposition… Mais j'ai encore du pain sur la planche, et je ne voudrais pas que vous me preniez pour une tire-au-flanc.

— Ça ne risque pas, Millie ! Allez, parlez-moi d'Annalina…

— Quand je l'ai vue, elle était sur son lit de mort. Vous savez, je nettoyais aussi la chambre de Nathan, où on l'avait transportée. La Dame Abbesse exigeait que je m'occupe des quartiers du Prophète parce qu'elle ne se fiait à personne d'autre. Elle avait sacrément raison, même si Nathan a toujours été gentil avec moi. Sauf quand il piquait une crise et beuglait comme un putois. Pas contre moi, rassurez-vous. Mais parfois, être prisonnier le rendait fou. On peut le comprendre, je crois…

— Voir la Dame Abbesse dans cet état a dû être un choc pour vous.

— Ne m'en parlez pas, fit Millie en posant une main sur le bras de Verna. Ça m'a brisé le cœur. Mais même en souffrant mille morts, elle était aussi adorable que d'habitude.

Émue, Verna se mordilla la lèvre inférieure.

— Nous parlions de la bague et du testament…

— C'est vrai… (Millie plissa les yeux, tendit une main et chassa une peluche de l'épaule de Verna.) Vous devriez me laisser brosser vos vêtements, Dame Abbesse. Il ne faudrait pas que les gens voient…

— Millie, dit Verna en prenant la main calleuse de la vieille femme, c'est très important ! Racontez ce qui s'est passé avec la bague !

— Anna m'a dit de but en blanc qu'elle était fichue. Tel quel, et sans fioritures. « Millie, je vais mourir. » Bien sûr, j'ai éclaté en sanglots. Nous étions amies depuis si longtemps… Alors, elle m'a pris la main, comme vous, ce soir, et m'a demandé d'accomplir une ultime mission pour elle. Après avoir retiré sa bague, elle me l'a donnée et m'a glissé dans l'autre main une lettre cachetée à la cire.

» Pendant ses funérailles, a-t-elle dit, je devrais aller poser la bague sur la lettre, au sommet du piédestal que j'aurais placé dans la grande salle. Elle m'a demandé de ne pas mettre le bijou et la missive en contact avant le dernier moment. Sinon, le sort qu'elle avait lancé me tuerait. Je ne devais pas non plus les toucher d'une seule main avant d'avoir fait tout ce qu'elle allait me dire... Ses instructions étaient détaillées, vous pouvez me croire !

» Ce fut notre dernière entrevue...

Verna jeta un coup d'œil par la porte du jardin qu'elle n'avait pas encore eu le temps de visiter.

— Et elle a eu lieu quand ?

— Voilà une question que les autres n'ont pas posée... (Millie se tapota le menton.) Voyons... C'était avant le solstice d'hiver, juste après l'attaque, le jour où vous êtes partie avec le jeune Richard. Un gentil garçon, celui-là, et toujours poli, même avec moi. Les autres garçons font mine de ne pas me voir, comme si j'étais transparente. Lui, il avait toujours un mot gentil pour moi.

Écoutant d'une oreille distraite, Verna se remémora le jour dont Millie parlait. Warren et elle avaient accompagné Richard pour l'aider à traverser le bouclier qui l'empêchait de s'éloigner du palais. Après l'avoir franchi, ils étaient allés chez les Baka Ban Mana, puis ils les avaient conduits dans la Vallée des Âmes Perdues, la patrie dont on les avait chassés trois mille ans plus tôt pour y construire les Tours de la Perdition. Richard avait besoin de l'aide de la femme-esprit de ce peuple...

Le jeune Sourcier avait mobilisé un fantastique pouvoir – une combinaison de Magie Additive et Soustractive – pour « nettoyer » la vallée et la restituer à ses légitimes propriétaires. Ensuite, il était parti, résolu à empêcher le Gardien de traverser le voile pour envahir le monde des vivants. Rien ne s'étant passé après le solstice d'hiver, Verna savait qu'il avait réussi.

— C'était il y a un mois, longtemps avant sa mort ! s'exclama-t-elle soudain.

— C'est ça, oui...

— Elle vous a donné la bague plus de trois semaines avant son décès ? (Millie acquiesça.) Pourquoi s'y est-elle prise si tôt ?

— Elle voulait agir avant d'être trop faible pour me dire adieu et me donner ses instructions.

— Je vois... Et ensuite, s'est-elle dégradée comme elle l'avait prévu ?

— Je ne l'ai plus revue, comme je vous l'ai dit... Quand je suis retournée lui rendre visite, et faire le ménage, les gardes m'ont empêchée d'entrer. Sur l'ordre de Nathan et d'Annalina, ont-ils précisé. Le Prophète ne voulait pas qu'on le dérange pendant qu'il tentait de la sauver. Vous pensez bien que je n'ai pas insisté.

— Merci de m'avoir tout raconté, Millie... (Verna jeta un coup d'œil à son bureau.) Je devrais me remettre au travail, si je ne veux pas passer pour une tire-au-flanc...

— Dame Abbesse, par une nuit si douce, vous devriez profiter un peu de votre jardin.

— J'ai tellement à faire que je ne sais même pas à quoi il ressemble !

Millie se pencha sur son seau... puis se releva aussi vivement qu'elle en était capable.

— Dame Abbesse, je viens de me rappeler une chose qu'Anna m'a dite, ce jour-là !

— Vous l'avez répétée aux autres, mais ça vous était sorti de l'esprit ce soir ?

— Non… (Millie baissa la voix.) C'était uniquement pour les oreilles de la nouvelle Dame Abbesse. Mais j'avais oublié, jusqu'à maintenant. C'est bizarre, non ?

— Sauf si elle a jeté un sort, pour que ça vous revienne devant celle qui lui succéderait…

— C'est bien possible… Anna faisait parfois ce genre de chose… Elle savait se montrer rusée, à l'occasion.

— Je sais, lâcha Verna, morose. J'ai souvent été la marionnette dont elle tirait les ficelles. Alors, ce message ?

— Je dois vous dire de ne surtout pas trop travailler…

— C'est tout ?

— Et de ne pas hésiter à vous détendre dans le jardin… (Millie se pencha en avant et souffla :) Après, elle m'a pris le bras, m'a attirée vers elle et a ajouté que vous deviez aller dans le sanctuaire de la Dame Abbesse.

— Quel sanctuaire ?

— Dans le jardin, il y a un petit bâtiment niché entre les arbres. Elle l'appelait ainsi, et je n'y suis jamais entrée. Anna ne voulait pas que j'y fasse le ménage. Elle s'en chargeait elle-même. Un sanctuaire, disait-elle, était l'endroit où une personne devait pouvoir être seule, sans y être jamais importunée. Elle y allait de temps en temps prier, ou simplement se détendre, j'imagine… Elle a insisté pour que vous y entriez aussi.

— Une façon de dire que j'aurai besoin de l'aide du Créateur pour vaincre la paperasse, je parie ! Anna avait un sens de l'humour bien à elle…

— Ça, vous pouvez le dire ! Elle avait l'esprit tordu, de temps en temps ! (Millie rosit d'embarras.) J'espère que le Créateur me pardonnera mon audace ! Anna était une brave femme, et son humour ne faisait jamais mal.

— On peut voir les choses comme ça, oui…

Verna regarda le bureau et se massa les tempes, accablée à la perspective d'une nouvelle séance de lecture.

Puis elle se tourna vers la vieille femme.

— Millie, dit-elle en contemplant les portes grandes ouvertes du jardin, vous devriez aller dîner, puis filer au lit. Le repos fait beaucoup de bien aux vieilles carcasses.

— Vraiment, Dame Abbesse ? Vous ne m'en voudrez pas de laisser votre bureau couvert de poussière ?

— Après des années passées par monts et par vaux, la poussière est devenue ma meilleure amie. Ça ira très bien, Millie. Reposez-vous sans remords.

Alors que Verna se campait devant la porte du jardin, admirant les rayons de lune qui jouaient sur le sol, entre les arbres et les vignes, Millie ramassa hâtivement son seau.

— Une bonne nuit à vous, Dame Abbesse. Et profitez bien du jardin !

Verna entendit la porte se refermer sur la brave femme. Inspirant à fond, elle s'emplit les poumons de l'odeur délicieuse des fleurs, des feuilles et de la terre humide.

Après un dernier coup d'œil à son bureau, elle avança résolument vers l'inconnu.

# Chapitre 22

Verna inspira à fond l'air frais et humide de la nuit et se sentit aussitôt revigorée. Les muscles enfin détendus, elle s'engagea dans le sentier qui serpentait entre des cornouillers, des buissons lestés de myrtilles et des parterres de muguet. Tandis que ses yeux s'adaptaient à la pénombre, elle s'enivra du parfum des feuilles et des bourgeons qui constellaient les branches tendues devant elle comme des bras accueillants.

Bien qu'il fût trop tôt dans l'année pour que la plupart des végétaux s'épanouissent, on avait réuni ici plusieurs variétés – très rares – d'arbres à floraison éternelle. Petits et noueux, ils ne donnaient pas de fruits hors saison, mais régalaient l'œil douze mois sur douze. Dans le Nouveau Monde, Verna avait un jour traversé une forêt de ce type, et découvert qu'elle était le refuge préféré des flammes-nuit, de fragiles créatures semblables à des lucioles qu'on ne pouvait pas voir pendant la journée.

Après avoir convaincu les entités qu'elles ne leur feraient pas de mal, Verna et les deux sœurs avec qui elle voyageait avaient passé plusieurs nuits dans ce paradis. Au fil de leurs conversations, leurs hôtes leur avaient appris beaucoup de choses sur les sorciers et les Inquisitrices qui dirigeaient les Contrées du Milieu avec une extrême bienveillance. Verna s'était réjouie d'apprendre que les peuples des Contrées respectaient et protégeaient les « royaumes magiques », laissant leurs habitants vivre en paix dans la solitude à laquelle ils aspiraient.

Dans l'Ancien Monde, il existait aussi des sanctuaires pour les enfants de la magie, mais beaucoup moins nombreux, variés et fabuleux que ceux du Nouveau Monde. Au contact de ces créatures, Verna avait pris de précieuses leçons de tolérance. Dans un univers que le Créateur avait semé de merveilles, le mieux que pouvait faire l'humanité restait souvent de les laisser en paix.

Dans l'Ancien Monde, on adoptait rarement ce point de vue. En de nombreux endroits, la magie « brute » était impitoyablement contrôlée, de peur que des gens soient blessés, voire tués, par des créatures rétives à tout raisonnement. De fait, la magie se révélait souvent plus gênante qu'autre chose. Et le Nouveau Monde, sous bien des aspects, était encore un lieu « sauvage », fidèle reflet de ce qu'était l'Ancien, des millénaires plus tôt, avant que l'humanité, dans un effort de rationalisation, n'en fasse un endroit sûr bien que quelque peu stérile.

Verna se languissait de cette « sauvagerie ». Comme si le Nouveau Monde avait été son véritable foyer…

Près du sentier, la tête sous une aile, des canards dormaient sur les eaux paisibles d'un étang. Dans les roseaux, des crapauds offraient une petite sérénade à la lune. De temps en temps, un oiseau plongeait en piqué puis rasait l'onde pour gober en plein vol un insecte imprudent. Sur l'herbe luxuriante de la berge, les ombres projetées par les rayons de lune ondulaient au rythme de la brise qui caressait les branches des arbres.

Derrière l'étang miniature, un sentier latéral s'engouffrait dans un bosquet d'arbres si touffus que la lumière de l'astre nocturne n'y pénétrait pas. D'instinct, Verna comprit que c'était l'endroit qu'elle cherchait. Elle avança vers ce royaume d'ombre où la nature, si joliment travaillée partout ailleurs dans le jardin, semblait avoir eu le droit de se développer librement.

Après s'être faufilée par une étroite ouverture dans un mur de ronces, la Dame Abbesse découvrit un adorable petit bâtiment à quatre pignons et aux toits de tuiles inclinés en pente douce. Devant chaque pignon, un arbre montait la garde, ses branches touffues croisées comme autant de paires de bras protecteurs. Des églantiers poussaient au pied de tous les murs, embaumant l'atmosphère des petits combles. Dans chacun d'eux, une fenêtre ronde, placée trop haut pour qu'on puisse regarder à travers, laissait entrer la pâle lumière de la lune.

Sur un mur, à l'endroit où le sentier s'arrêtait, Verna repéra une arche où se nichait une porte au centre orné d'un soleil délicatement sculpté. Muni d'une poignée, mais sans verrou, le battant ne bougea pas d'un pouce quand la Dame Abbesse tenta de l'ouvrir.

Elle voulut laisser courir ses doigts le long du chambranle pour définir la nature du bouclier défensif et trouver le moyen de le désactiver. Mais un frisson glacé la força à retirer la main.

Verna s'ouvrit à son Han. Quand sa douce lumière l'enveloppa comme des bras aimants, elle faillit gémir d'extase à l'idée d'être aussi proche que possible du Créateur. Soudain consciente des milliers de parfums qui flottaient dans l'air, elle sentit contre sa peau le contact de l'air humide, de la poussière, du pollen et de l'iode venu de l'océan. Son ouïe gagnant en acuité, elle entendit le bourdonnement des insectes, le bruissement des brindilles sous les pattes des rongeurs et l'écho très lointain de paroles prononcées à des lieues à la ronde. Elle se concentra tout particulièrement sur les sons qui auraient pu trahir la présence d'un intrus – à condition qu'il ne contrôle pas la Magie Soustractive…

Rien ne l'alarma.

Verna focalisa son Han sur la porte, et constata que le bâtiment entier était protégé par une Toile comme elle n'en avait jamais vu. Des filaments de glace se mêlaient à la trame psychique, un phénomène qu'elle aurait cru impossible. En temps normal, ces éléments – la glace et l'« âme » de la magie – auraient dû se battre plus violemment que deux chats enfermés dans le même sac. Là, ils « ronronnaient », comme s'ils étaient les meilleurs amis du monde.

Comment traverser un pareil bouclier, voire le neutraliser ? Verna n'en avait pas la moindre idée...

Toujours unie à son Han, elle tendit la main, cédant à une impulsion, et plaqua sa bague au motif solaire contre la gravure du battant. Aussitôt, la porte s'ouvrit sans émettre l'ombre d'un grincement.

Verna entra, recommença l'opération avec le soleil sculpté de l'autre côté du battant, et le regarda se refermer. Sentant le bouclier protecteur l'envelopper, elle eut l'impression de n'avoir jamais été aussi seule – et en sécurité ! – de sa vie.

Des bougies s'allumèrent toutes seules, sûrement parce qu'elles étaient liées à la Toile défensive. La lumière de leurs dix flammes – réparties sur deux chandeliers à cinq branches – suffisait amplement à éclairer le petit sanctuaire.

Les candélabres encadraient un autel miniature couvert d'un carré de tissu blanc brodé de fils d'or. Au centre de ce présentoir trônait une coupe au fond troué, probablement destinée à faire brûler des essences aromatiques.

Un tapis de prière rouge à liseré d'or reposait sur le sol, juste devant l'autel.

Verna étudia les quatre alcôves formées par les pignons. La première contenait un confortable fauteuil qui occupait quasiment tout l'espace. La deuxième abritait l'autel. Une minuscule table et une chaise à trois pieds remplissaient la troisième. Dans la dernière, où était Verna, une couverture soigneusement pliée reposait sur une étroite banquette. Comme il semblait impossible de s'y allonger, Verna supposa que la couverture était là pour protéger du froid les vieux genoux d'Annalina.

La nouvelle Dame Abbesse regarda autour d'elle, se demandant ce qu'elle fichait ici. Le message d'Anna l'adjurait de venir dans le bâtiment. Parfait... Mais pour quoi faire ?

Elle se laissa tomber sur le fauteuil et contempla les murs nus. Était-elle censée se réfugier ici pour se reposer un peu ? Annalina savait combien la tâche d'une Dame Abbesse était contraignante. Avait-elle voulu montrer à sa remplaçante qu'il existait un endroit où s'isoler des « bourreaux » qui menaçaient de l'ensevelir sous les mémos ?

Tout bien pesé, ce n'était guère vraisemblable...

Verna pianota nerveusement sur les accoudoirs du fauteuil. Elle n'avait aucune envie de rester assise. Tant de travail l'attendait ! Et ces fichus rapports, hélas, n'auraient pas l'obligeance de se lire et de se parapher tout seuls.

La Dame Abbesse se leva, croisa les mains dans son dos et tenta de tourner en rond dans la pièce exiguë. Une occupation dont elle se lassa très vite, excitée comme un lion en cage.

Elle perdait son temps ! À bout de nerfs, elle tendit la main pour plaquer la bague sur le soleil du battant.

Se ravisant au dernier moment, elle se retourna, souleva sa jupe et s'agenouilla sur le tapis rouge. Annalina avait-elle désiré qu'elle vienne prier dans son sanctuaire ? C'était possible, même s'il semblait absurde, aussi dévot fût-on, d'avoir besoin d'un endroit particulier pour s'adresser au Créateur. Puisque l'univers entier était Son œuvre, au nom de quoi aurait-Il exigé qu'on Lui bâtisse des temples ? Le monde était

Son église, comme le cœur de chacun de Ses enfants. Pour Verna, aucune cérémonie « extérieure » ne vaudrait jamais la plénitude et la ferveur qu'elle éprouvait quand elle s'unissait à son Han...

Avec un soupir agacé, elle croisa quand même les mains. Bien entendu, rien ne se produisit, car elle détestait qu'on la contraigne à prier dans un lieu prétendument conçu à cette fin. Et l'idée qu'Annalina, même morte, continue à la manipuler lui donnait envie de hurler.

Tapant nerveusement du pied, Verna laissa son regard errer sur le mur qui lui faisait face. Même par-delà la mort, cette femme réussissait à tirer les ficelles de sa marionnette favorite ! Ne s'était-elle pas lassée de ce petit jeu, après des siècles de pouvoir ? On aurait pu le croire, mais cette tête de mule avait tout prévu pour s'offrir un ultime morceau de bravoure, après avoir été réduite en cendres...

En cendres ? Intriguée par cette pensée, Verna regarda la coupe. Il y avait quelque chose dessous, et il ne s'agissait pas de résidus de combustion.

Elle tendit une main et s'empara d'un paquet plat et carré enveloppé de papier et fermé par de la ficelle. Le faisant tourner entre ses doigts, elle l'étudia attentivement et conclut qu'il devait être le motif de la « convocation » d'Anna. Le bouclier, en autorisant l'entrée du bâtiment à la seule Dame Abbesse, assurait que l'objet ne tomberait pas entre de mauvaises mains.

Verna défit le nœud et laissa retomber la ficelle dans la coupe. Puis elle écarta le papier et découvrit...

... Un petit livre de voyage !

Comme les dacras – des armes blanches très spéciales –, ces carnets étaient une création des sorciers qui avaient investi le Palais des Prophètes du pouvoir des deux magies – l'Additive et la Soustractive. À part Richard, depuis trois mille ans, personne n'était né avec le don de la Magie Soustractive. Certains sorciers avaient *appris* à la contrôler, ce qui n'était pas du tout la même chose...

Les livres de voyage pouvaient transmettre des messages. Ce qu'on écrivait sur l'un d'eux avec le stylet glissé dans la tranche apparaissait dans son « jumeau ». Selon les observations réalisées au cours des siècles, la transcription était simultanée. Le stylet servant aussi à effacer les anciens textes, ces livres, jamais pleins, n'avaient pas besoin d'être remplacés.

Ils équipaient toutes les Sœurs de la Lumière lancées sur les traces des jeunes garçons dotés d'un pouvoir. Le plus souvent, afin de dénicher leur sujet et lui mettre pour son propre bien un Rada'Han autour du cou, ces femmes devaient traverser la barrière et s'aventurer dans le Nouveau Monde. Une fois là, plus question de faire demi-tour pour demander des instructions ou des conseils, car un seul aller-retour était possible, sous peine d'errer à tout jamais dans la Vallée des Âmes Perdues.

Tout cela était du passé, désormais, puisque Richard avait détruit les Tours de la Perdition... Mais le principe de base demeurait. Ignorant tout de son don, un jeune garçon était incapable de le maîtriser. Pour les sœurs sensibles aux plus infimes perturbations du flux de la magie, le pouvoir du « sujet » émettait des signaux détectables à des centaines de lieues de distance.

Ces « éclaireuses psychiques » étant fort rares, on ne prenait jamais le risque de les envoyer à l'aventure. D'autres se chargeaient de la partie pratique de la mission. Grâce au livre, elles restaient en contact avec le palais, qui les prévenait en cas de changements – par exemple lorsque le jeune garçon partait vivre ailleurs.

Tout sorcier qui y consentait pouvait également former un sujet à se protéger des dangers de la magie. À vrai dire, c'était de loin la meilleure solution. Quand elle n'était pas praticable, les Sœurs de la Lumière intervenaient, comme les y autorisait un pacte signé depuis des millénaires avec les sorciers du Nouveau Monde. Tout garçon sans mentor tombait sous leur responsabilité et devait être conduit au Palais des Prophètes. En échange, elles avaient juré de ne jamais se mêler de la vie d'un jeune homme déjà pourvu d'un professeur.

En cas de violation de cette règle, l'accord prévoyait l'exécution de la sœur qui s'en rendait coupable. Pour attirer Richard au palais, Annalina avait jeté la loi aux orties. Et Verna, à son corps défendant, était devenue l'instrument de cette transgression.

Plusieurs sœurs pouvant être par monts et par vaux pour retrouver un sujet, Verna avait découvert, dans son bureau, un carton plein de livres noirs attachés deux par deux. Avant chaque départ, on s'assurait que les « jumeaux » étaient correctement répartis : l'un avec la voyageuse et l'autre au palais, dans le bureau de la Dame Abbesse. Car si deux sœurs partaient avec une paire, elles seraient coupées de leur hiérarchie, et communiquer entre elles ne les aiderait pas.

Et ces périples étaient toujours dangereux, d'où la présence d'un dacra dans la manche de toutes les femmes qui y participaient.

En moyenne, les sœurs restaient absentes quelques mois, plus rarement un an. Verna avait erré pendant deux décennies – du jamais vu ! Mais n'avait-il pas fallu attendre trois mille ans pour que naisse un garçon comme Richard ?

La nouvelle Dame Abbesse y avait perdu vingt ans qu'elle ne retrouverait jamais. Au palais, trois siècles auraient à peine suffi à la marquer autant. Dans le monde extérieur, chaque minute comptait... pour une minute.

En somme, la mission d'Annalina ne lui avait pas coûté une vingtaine d'années, mais trois cents ans !

Et la « marionnettiste » avait toujours su où était Richard !

Même si elle avait agi ainsi pour permettre aux bonnes prophéties de se réaliser – et assurer la défaite du Gardien – Verna continuait à lui en vouloir de son mensonge par omission. Pourquoi ne lui avait-elle jamais dit qu'elle devait sacrifier les meilleures années de sa vie pour jouer les appâts ?

La Dame Abbesse se ressaisit, consciente d'exagérer. Elle n'avait rien sacrifié du tout, mais servi la gloire du Créateur. Avoir ignoré une partie des données, à l'époque, ne diminuait pas l'importance de sa tâche. Beaucoup de gens consacraient leur vie a des activités insignifiantes. Verna, elle, avait aidé à sauver le monde des vivants...

De plus, ces vingt ans s'étaient révélés passionnants – sans doute la meilleure partie de son existence. En compagnie de deux autres sœurs, elle avait sillonné le monde, libre comme l'air, et découvert une série de merveilles. Regrettait-elle d'avoir dormi à la belle étoile ? D'avoir vu ou traversé des montagnes, des plaines, des rivières, des collines, des villages et des villes ? Pas le moins du monde ! Pendant son long voyage, elle avait pris seule la plupart de ses décisions, et accepté pleinement leurs conséquences. Jamais obligée de lire d'interminables rapports, elle avait fourni le *vécu* qui contraignait de pauvres gratte-papier à les rédiger. Vraiment, elle n'avait rien perdu. Pendant leurs trois cents ans de bonus, les autres sœurs n'apprendraient pas le centième de ce qu'elle avait appris !

Sentant une larme tomber sur sa main, Verna s'essuya les joues. Vingt ans durant, elle avait tempêté contre le sort injuste qui l'éloignait du palais. Aujourd'hui, elle regrettait d'y être enfermée, coupée de tout ce qu'elle aimait.

Elle fit de nouveau tourner le livre noir entre ses mains, émue de reconnaître le grain si particulier du cuir de la couverture, avec ses trois petites irrégularités, en haut à gauche…

Verna sursauta et leva le carnet à hauteur de ses yeux pour l'exposer à la lumière des bougies. Les trois irrégularités, l'éraflure en bas de la tranche… Bon sang, c'était son livre de voyage ! Après l'avoir porté à la ceinture pendant vingt ans, elle aurait dû le reconnaître plus tôt ! Elle avait fouillé dans le fameux carton pour le retrouver, désolée qu'il ait été perdu. Et il l'attendait ici, fidèlement…

Mais pourquoi ?

Retournant le papier d'emballage, Verna vit les quelques mots griffonnés dessus. Elle plissa les yeux pour les lire.

« *Protège-le au péril de ta vie.* »

Il n'y avait rien d'autre, et pas de signature.

Verna n'en avait pas besoin, car elle aurait reconnu entre mille l'écriture d'Annalina.

Après avoir découvert Richard, et appris qu'elle n'aurait pas le droit d'utiliser son pouvoir sur lui, ni de se servir du collier pour le contrôler, elle avait envoyé un message incendiaire au palais. Comment osait-on exiger qu'elle ramène un homme adulte dans l'Ancien Monde, si on lui liait les mains ?

« *Je suis la sœur responsable de ce garçon. Ces directives sont incohérentes, voire absurdes. Je demande des explications détaillées. Et je veux savoir de quelle autorité elles émanent.*

*Sœur Verna Sauventreen, sincèrement vôtre au service de la Lumière.* »

La réponse ne s'était pas fait attendre.

« *Vous obéirez ou en subirez les conséquences. Ne vous avisez plus jamais de contester les ordres du palais.*

*Écrit de ma propre main, la Dame Abbesse.* »

Ces mots étaient gravés au fer rouge dans sa mémoire. Et l'écriture, sur le papier d'emballage était identique. Comme sur le testament qu'elle avait lu dans la grande salle…

Ce message d'Annalina, planté telle une épine dans son flanc, l'avait empêchée de faire correctement son travail. De retour au palais, elle avait appris que Richard, parce qu'il contrôlait la Magie Soustractive, l'aurait probablement tuée si elle avait recouru au Rada'Han. Annalina lui avait sauvé la vie, mais en la laissant avancer à l'aveuglette. Encore une raison d'être agacée !

Ce n'était pas du pur sadisme, bien sûr. Des Sœurs de l'Obscurité étant infiltrées au palais, Anna avait bien fait de ne prendre aucun risque, car le sort du monde était en jeu. Mais son goût du secret continuait à vexer sa remplaçante. L'éternel conflit entre la raison et la passion, sans nul doute...

Depuis sa nomination, Verna s'était aperçue qu'on ne pouvait pas toujours convaincre les gens de la nécessité d'une décision. Dans ces cas-là, donner un ordre était la seule solution. Et tant pis s'il fallait parfois utiliser les autres pour arriver à ses fins !

La Dame Abbesse posa le papier d'emballage dans la coupe et l'embrasa avec une étincelle de Han. Elle le regarda brûler jusqu'à ce qu'il ne reste plus que des cendres.

Ravie de l'avoir retrouvé, elle serra le livre de voyage contre son cœur. Même s'il appartenait au palais, elle l'avait porté trop longtemps pour ne pas reconnaître en lui sa propriété. Ou plutôt, un vieil et fidèle ami...

Où était donc son jumeau ? se demanda-t-elle soudain. Qui le détenait ? Une amie ou une ennemie ?

Verna baissa les yeux sur le livre comme si elle réchauffait un serpent contre son sein. Une fois encore, Annalina lui avait fait un cadeau empoisonné. Et sa victime ignorait la moitié des données pertinentes.

L'autre livre était-il entre les mains d'une Sœur de l'Obscurité ? Anna voulait-elle qu'elle le cherche, et débusque ainsi une servante du Gardien ? Mais comment s'y prendre ? Sûrement pas en écrivant dans le carnet une question du genre : « Qui êtes-vous et où puis-je vous trouver ? »

Verna embrassa son annulaire et sa bague. Puis elle se leva.

*« Protège-le au péril de ta vie. »*

Les voyages étaient terriblement dangereux. Beaucoup de sœurs avaient été capturées, et parfois tuées, par des peuples agressifs dotés d'une magie bien à eux. Si cela lui était arrivé, Verna s'en serait remise à son dacra, l'étrange couteau qui vidait instantanément ses victimes de leur vie. À condition d'être assez rapide, cette arme pouvait tirer sa propriétaire d'un mauvais pas...

La Dame Abbesse gardait toujours son dacra dans la manche gauche. Et elle n'avait jamais décousu de sa ceinture la pochette où elle transportait son livre de voyage. Elle le glissa dedans et le tapota doucement, heureuse qu'il soit revenu à sa place.

*« Protège-le au péril de ta vie. »*

Créateur bien-aimé, qui détenait l'autre carnet ?

Quand Verna entra dans le bureau des administratrices, Phoebe se leva d'un bond comme si on venait de lui piquer les fesses avec une aiguille.

— Dame Abbesse, fit-elle, rouge comme une tomate, vous m'avez fait peur. Ne vous voyant pas dans votre bureau, j'ai cru que vous étiez allée au lit.

Verna foudroya du regard les mémos éparpillés devant Phoebe.

— Je croyais t'avoir dit de filer te coucher. Tu estimes n'avoir pas assez travaillé aujourd'hui ?

— Je voulais vous obéir, gémit Phoebe en se tordant les mains, mais je me suis souvenue d'une série de factures que j'aurais dû vérifier avant de vous les soumettre. J'ai eu peur que vous les trouviez, et que…

— Phoebe, coupa Verna, aimerais-tu accomplir une mission que la Dame Abbesse Annalina confiait toujours à ses administratrices ?

L'idée était venue à Verna en apercevant son amie, et elle la trouvait excellente.

— J'adorerais ça ! s'exclama Phoebe en cessant de se tordre les mains. De quoi s'agit-il ?

— J'étais dans mon jardin, pour méditer et prier. Soudain, il m'est apparu que je devais consulter les prophéties, pour essayer d'y voir plus clair en des temps difficiles. Quand Annalina faisait ça, elle chargeait ses administratrices d'évacuer les catacombes, afin que personne ne l'espionne pendant qu'elle lisait. Tu voudrais bien me rendre le même service ?

— Bien sûr ! s'écria Phoebe avec l'enthousiasme d'une gamine.

*Elle a l'air si jeune*, pensa Verna.

Pourtant, même si ça ne se voyait pas, Phoebe et elle étaient nées à quelques mois d'écart.

— Alors, allons-y tout de suite. Le travail n'attend pas…

Phoebe ramassa son châle blanc, le jeta sur ses épaules et se précipita vers la porte.

— Attends une minute ! la rappela Verna. (La « gamine » se retourna.) Si Warren est dans les catacombes, ne l'en chasse pas. J'ai des questions à lui poser, et il m'économisera du temps en m'orientant vers les bons livres de prophéties.

— Compris, Verna, souffla Phoebe, tout excitée.

Elle aimait s'occuper des mémos, sans doute parce que ça lui donnait l'impression d'être utile – et d'avoir des responsabilités qu'elle aurait dû attendre un siècle de plus, si Verna ne l'avait pas nommée à ce poste. L'idée de donner des ordres, à l'évidence, l'intéressait encore plus que la paperasserie.

— Je vais te précéder, et les lieux seront dégagés quand tu arriveras. Tu sais, je suis rudement contente que ce soit moi qui remplisse cette mission, et pas Dulcinia !

Avant son départ, se souvint Verna, Phoebe et elle se ressemblaient comme des sœurs. Était-elle aussi immature quand Annalina l'avait envoyée en mission ? En tout cas, pendant son absence, elle n'avait pas seulement vieilli davantage que son amie, mais aussi *mûri* beaucoup plus vite. Sans doute parce que sa vie aventureuse lui avait appris plus de choses que vingt ans de claustration au palais.

— On dirait presque une de nos vieilles blagues, non ?

— C'est vrai, Verna ! Mais cette fois, on ne sera pas forcées d'enfiler des milliers de perles sur des chapelets, en guise de punition !

Sur ces mots, Phoebe partit en trombe.

Quand Verna, marchant d'un pas mesuré, arriva devant l'impressionnante porte de pierre des catacombes, son administratrice était déjà en train d'en expulser six sœurs, deux novices et trois futurs sorciers.

Au palais, les jeunes gens suivaient des cours à n'importe quelle heure du jour et de la nuit. Il arrivait même qu'on les réveille à trois heures du matin pour les expédier dans les catacombes, où leurs formatrices les attendaient. Le Créateur ne se souciait pas des horaires. Lorsqu'on voulait Le servir, il convenait de les oublier aussi.

— Que le Créateur vous bénisse, dit Verna quand tout ce petit monde s'inclina devant elle.

Elle allait s'excuser d'investir ainsi les catacombes, mais se souvint à temps qu'il n'était pas convenable, dans sa position, de justifier ses actes. La parole de la Dame Abbesse avait force de loi, et on l'exécutait sans discuter. Pourtant, ne pas s'expliquer lui semblait si peu naturel...

— Les lieux sont déserts, Dame Abbesse, annonça fièrement Phoebe. À part le jeune homme que vous désiriez voir. Il vous attend dans une des petites salles.

Verna remercia son administratrice d'un signe de tête, puis se tourna vers les novices, qui la regardaient avec des yeux ronds.

— Comment se passent vos études ? demanda-t-elle.

Tremblant comme des feuilles, les deux jeunes filles se fendirent d'une révérence comique à force de maladresse.

— Très bien, Dame Abbesse, répondit la plus grande, rouge jusqu'aux oreilles.

Verna se souvint de la première fois qu'Annalina lui avait adressé la parole. On eût dit que le Créateur Lui-Même s'était adressé à elle. À cette époque, pour un sourire de la Dame Abbesse, elle aurait soulevé des montagnes.

Elle attira les deux filles à elle et leur posa à chacune un baiser sur le front.

— S'il vous faut quelque chose, n'hésitez pas à venir me voir. C'est mon travail, et je vous aime comme tous les autres enfants du Créateur.

Les deux novices sourirent et exécutèrent une révérence beaucoup plus convaincante. Le regard rivé sur la bague de Verna, elles embrassèrent leur annulaire gauche en récitant une prière au Créateur. Voyant que la Dame Abbesse les imitait, elles écarquillèrent encore plus les yeux – si c'était possible.

— Voulez-vous baiser le bijou qui symbolise la Lumière du Créateur ? demanda-t-elle en tendant la main.

Les deux jeunes filles s'agenouillèrent et posèrent tour à tour les lèvres sur la bague.

— Comment vous appelez-vous, mes enfants ?

— Helen, Dame Abbesse.

— Et moi, Valérie, Dame Abbesse.

— Helen et Valérie... (Cette fois, Verna n'eut pas besoin de faire un effort pour sourire.) N'oubliez jamais une chose, chères petites : à l'instar des sœurs, beaucoup de gens, en ce monde, en savent plus long que vous. Suivez leur enseignement sans jamais perdre de vue que personne, y compris moi, n'est plus proche que vous du Créateur. Parce que nous sommes tous Ses enfants !

Très fière de son petit discours – car être un objet de vénération la mettait mal à l'aise –, Verna sourit et salua le petit groupe qui s'éloignait déjà.

Quand elle fut seule, elle entra dans les catacombes et posa une main sur la plaque de métal intégrée au mur qui commandait le bouclier protecteur de cette partie du palais. Le sol tremblant sous ses pieds, la lourde porte commença à se refermer.

L'entrée des catacombes était rarement scellée. Et sauf circonstances exceptionnelles, seule la Dame Abbesse avait le pouvoir de le faire...

Dans un silence de sépulcre, Verna passa devant des tables patinées par le temps où s'entassaient des documents et quelques livres de prophéties parmi les plus simples. Une preuve que les sœurs étaient bien occupées à dispenser leur enseignement…

Longeant d'interminables rangées d'étagères lestées d'ouvrages, la Dame Abbesse, les yeux plissés pour mieux voir dans l'éternelle pénombre, approcha lentement du secteur des alcôves « interdites ».

Munies de portes et de champs de force individuels, ces minuscules pièces contenaient les véritables trésors des catacombes. Comme Verna l'avait prévu, Warren l'attendait dans celle qui abritait les plus anciennes prophéties, rédigées en haut d'haran. Très peu de gens déchiffraient cette langue, et Warren était du nombre. Annalina aussi, se souvint Verna.

Quand elle entra, le futur sorcier leva les yeux du texte qu'il étudiait.

— Phoebe m'a dit que tu voulais consulter les prophéties ?

— En fait, je désirais te parler. Quelque chose est arrivé…

— Vraiment ? fit Warren en baissant de nouveau les yeux sur son grimoire.

Perplexe, Verna tira une chaise près de la table mais ne s'assit pas. D'un mouvement sec du poignet, elle fit jaillir un dacra dans sa main gauche. Avec une tige d'argent en guise de lame, cette arme s'utilisait comme un couteau. N'était que la blessure infligée importait peu ! Investi d'une très ancienne magie qui se combinait au Han de son porteur, un dacra absorbait la vie de sa victime, même par le biais d'une simple égratignure. Et il n'y avait pas de défense contre son pouvoir.

— Je veux que tu la gardes toujours avec toi, dit Verna en brandissant l'arme.

Warren releva les yeux, rouges à force de scruter des pattes de mouche.

— Les dacras sont réservés aux sœurs…

— Tu as le don, Warren. Ça marchera aussi pour toi.

— Et que veux-tu que je fasse avec ?

— Te défendre…

— Contre qui ?

— Les Sœurs de…

Verna se tut et jeta un coup d'œil dans le couloir. Même s'il était vide, comment savoir à quelle distance un adepte de la Magie Soustractive pouvait épier une conversation ? La pauvre Annalina avait payé pour savoir qu'aucun lieu n'était jamais sûr…

— Tu sais ce que je veux dire… (La Dame Abbesse baissa encore la voix.) Warren, ton don seul ne te protégera pas. Cette arme, en revanche… Personne ne peut rien contre elle. Même pas…

Prenant le dacra par sa « lame », Verna la tendit au futur sorcier.

— J'en ai trouvé un stock dans mon bureau. Ce dacra est pour toi.

— Merci, mais je ne saurais pas l'utiliser. À part lire d'antiques textes, je ne suis pas bon à grand-chose.

Verna saisit Warren par le col de sa tunique violette et le tira vers elle.

— Il suffit de l'enfoncer dans la chair d'un ennemi ! Le ventre, la poitrine, le dos, le cou, le bras, la main, le pied… Tout convient ! Frappe en communiant avec ton Han, et ton adversaire s'écroulera raide mort avant que tu aies pu dire « ouf ».

— Mes manches sont trop amples. Ce fichu truc n'arrêtera pas de tomber.

— Warren, un dacra se moque de l'endroit où tu le portes. Les sœurs ont choisi de le glisser sous leur manche pour des raisons pratiques. Avec beaucoup d'entraînement, on peut l'avoir en main en une fraction de seconde. Quand on voyage, ça risque d'être vital. Ici, il te suffira de l'avoir sur toi, dans une poche, si ça te chante ! Mais dans ce cas, évite de t'asseoir dessus...

Warren capitula et s'empara du dacra.

— C'est bien pour te faire plaisir... Mais je ne me vois pas poignarder quelqu'un.

Verna lâcha le col de son ami et détourna le regard.

— Tu serais surpris par les aptitudes qu'on se découvre, face à certaines situations.

— Tu es venue me voir à cause de ton stock de dacras ?

— Non. (Verna tira le livre de sa ceinture et le posa sur la table.) Voilà la raison de ma visite.

— Tu prévois de nous quitter, Verna ?

— Quelle mouche te pique ? Je ne t'ai jamais vu aussi mal luné !

— Je suis épuisé, c'est tout... (Warren écarta le livre d'une main lasse.) Pourquoi fais-tu une affaire d'un banal livre de voyage ?

— Annalina m'a laissé un message... Je devais aller dans son sanctuaire, au fond du jardin. Il était défendu par une Toile de glace et d'esprit. (Warren leva enfin un sourcil intéressé.) Pour y entrer, j'ai dû utiliser la bague. Le livre reposait sur un petit autel, enveloppé dans une feuille de papier où étaient écrits ces quelques mots : *« Protège-le au péril de ta vie. »*

Warren prit le livre et le feuilleta. Bien entendu, toutes les pages étaient blanches.

— Anna veut probablement t'envoyer ses instructions.

— Warren, elle est morte !

— Et tu crois que ça l'arrêterait ?

Verna ne put s'empêcher de sourire.

— Tu pourrais bien avoir raison... Elle est assez rusée pour avoir fait incinérer l'autre avec elle, histoire de me manipuler depuis l'au-delà.

— À ce propos, qui détient le jumeau de ce carnet ? demanda Warren, de nouveau sinistre.

Verna tira sur sa jupe et s'assit.

— Je n'en sais rien... Mais c'est peut-être une sorte de jeu de pistes. Si je découvre le jumeau, je débusquerai notre ennemie.

— C'est complètement idiot, Verna ! D'où t'est venue cette idée ?

— C'est la seule que j'ai eue... Tu en vois une autre ? Sinon, pourquoi Anna ne m'aurait-elle pas dit qui détient le second livre ? S'il s'agissait d'un ou d'une alliée, elle m'aurait donné son nom. Ou fait comprendre que je ne devais pas m'inquiéter.

— C'est logique, concéda Warren.

Avant de baisser de nouveau les yeux sur son grimoire.

— Mon ami, que se passe-t-il ? demanda Verna, attentive à garder un ton bienveillant. Je ne t'ai jamais vu dans un état pareil...

— J'ai découvert des prophéties qui ne me plaisent pas beaucoup...

— Et que disent-elles ?

À contrecœur, Warren prit une feuille de parchemin entre le pouce et l'index, la retourna et la poussa en direction de Verna.

Elle la prit et lut à haute voix :

— « *Quand la Dame Abbesse et le Prophète seront rendus à la Lumière, les flammes de leur bûcher funéraire porteront à ébullition un chaudron plein de fourberie. Alors viendra l'Usurpatrice qui présidera à la fin du Palais des Prophètes. Au nord, celui qui est lié à la lame l'abandonnera pour la sliph d'argent, car son souffle la ramènera à la vie, et elle le livrera aux méchants.* »

Évitant de croiser le regard de son ami, Verna reposa la feuille et croisa les mains sur ses genoux pour les empêcher de trembler. Elle resta ainsi, les yeux baissés, sans savoir que dire.

— Cette prophétie est située sur une bonne Fourche, précisa Warren.

— Une affirmation audacieuse, mon ami, même pour un spécialiste comme toi. À quand remonte cette prédiction ?

— Moins d'un jour...

— Quoi ? Warren, tu... dois-je comprendre que... C'est enfin arrivé ?

— Oui... Dans une sorte de transe, j'ai vu des fragments de cette prophétie, et entendu les mots que tu viens de lire. Je crois que Nathan faisait ce genre d'expérience... Tu te souviens de ce que je t'ai dit ? Ma compréhension des prophéties a changé, ces derniers temps... Et j'ai compris pourquoi : elles nous arrivent sous la forme de visions, pas uniquement de mots.

— Les livres contiennent pourtant des textes et pas des images. Ce sont eux qui véhiculent les prédictions.

— Non, ils se contentent de les transmettre... Et ils offrent des sortes d'indices qui font naître les visions dans l'esprit d'un Prophète. Toutes les recherches effectuées par les Sœurs de la Lumière depuis trois mille ans sont lacunaires, Verna. Les textes ont pour but de transmettre des connaissances aux sorciers par l'intermédiaire de visions. J'ai compris quand cette prophétie est venue à moi. Comme si une porte s'ouvrait dans mon esprit ! Tant d'années d'études, et la clé était dans ma tête depuis le début !

— Tu peux lire toutes les prophéties et avoir une vision qui te révélera leur véritable sens ?

— Non... Verna, je suis un enfant qui fait ses premiers pas. Il me faudra longtemps avant de savoir sauter une clôture.

Verna baissa les yeux sur la feuille de parchemin, puis les détourna, troublée comme si elle tentait de regarder le soleil en face.

— Et la prophétie que tu as délivrée, souffla-t-elle en faisant nerveusement tourner la bague autour de son doigt, dit vraiment ce qu'elle semble vouloir dire ?

— Un enfant qui apprend à marcher commence par tituber... On a sûrement déjà vu des prédictions plus... stables... En fait, c'est une sorte de galop d'essai, si tu vois ce que je veux dire. Dans les livres, j'en ai trouvé plusieurs de ce type, puisque chaque Prophète a bien dû commencer un jour, et...

— Warren, c'est vrai ou faux ?

— Aussi vrai que possible, répondit le futur sorcier – ou Prophète ? Mais comme dans toute prédiction, les mots, s'ils ne mentent pas, ne doivent pas être pris au pied de la lettre.

Verna se pencha vers son ami, les mâchoires serrées.

— Arrête de tourner autour du pot ! Nous sommes embarqués dans la même galère, et j'ai le droit de savoir.

Warren agita vaguement la main, comme toujours quand il tentait de nier l'importance de quelque chose. Plus que tout le reste, cet indice terrorisa Verna.

— Je veux bien te révéler tout ce que je sais, et ce que j'ai vu quand j'étais en transe, mais n'oublie pas que je suis un néophyte. Je ne comprends pas tout, même si c'est ma prophétie…

— Tu vas parler, oui ou non ?

— La Dame Abbesse que j'ai vue… Ce n'était pas toi, Verna ! Je ne la connais pas, mais je t'assure que ce n'était pas toi !

Verna ferma les yeux et s'autorisa un soupir de soulagement.

— Eh bien, je m'attendais à pire… Au moins, je ne détruirai pas le palais, c'est déjà ça. Et nous pourrons essayer de transformer ta prophétie en mauvaise Fourche.

Le regard toujours fuyant, Warren ramassa sa feuille, la rangea dans une boîte et ferma le couvercle.

— Verna, pour qu'il y ait une autre Dame Abbesse, il faudra que tu sois morte…

# Chapitre 23

Quand une soudaine montée de désir le fit frissonner, Richard sut qu'*elle* venait d'entrer dans la pièce, même s'il ne pouvait pas la voir. Les narines remplies de son inimitable parfum, il éprouva aussitôt le besoin de se livrer à la délicieuse tentatrice.

Comme lorsqu'on capte un mouvement furtif dans la brume, le jeune homme fut incapable de préciser les contours de la menace. Mais grâce à ce qu'il lui restait de lucidité, il aurait pu jurer qu'il y en avait une. Et l'approche du danger ajoutait à son excitation.

Avec le désespoir d'un homme dominé par un adversaire dix fois plus fort que lui, Richard posa la main sur la garde de son épée. Pourrait-il ainsi affermir sa volonté et ne pas céder aux sirènes de la soumission ? C'était possible, car il ne cherchait pas le contact de l'acier, mais celui de la colère – une rage aveugle qui lui fournirait la volonté de résister. Il devait réussir, car toute la suite en dépendait.

La main serrant la poignée de l'arme, il sentit la fureur déferler dans son corps et son esprit.

Alors, il leva les yeux et vit, dominant la foule qui se pressait devant lui, les hautes silhouettes d'Ulic et d'Egan. À l'intervalle qui les séparait, il comprit que quelqu'un marchait entre eux, et devina de qui il s'agissait.

Les soldats et les dignitaires s'écartèrent pour laisser passer les deux colosses et la femme qu'ils escortaient. Sur leur chemin, les têtes s'inclinaient, rappelant à Richard les ondulations d'une mare où on vient de jeter une pierre.

Certaines prophéties, se souvint-il, l'avaient surnommé le « caillou dans la mare » – celui dont les actes rident la surface jusque-là paisible de la vie.

Dès qu'il aperçut Cathryn, le désir manqua faire exploser sa poitrine. Faute d'avoir de quoi se changer à sa disposition, elle portait toujours sa robe de soie rose. Se souvenant qu'elle lui avait avoué dormir nue, le jeune homme sentit son cœur s'emballer. Il tenta de se calmer et pensa à la tâche qui l'attendait.

En avançant, Cathryn, les yeux ronds, dévisageait tous les soldats qu'elle

connaissait. Ces membres de la garde du palais de Kelton portaient désormais un ur
forme d'haran !

Levé depuis l'aube, Richard avait eu le temps de tout préparer. Il avait pe
dormi, sans cesse réveillé par des rêves torrides.

*Kahlan, mon amour, pourras-tu un jour me pardonner ces songes ?*

Avec le nombre de militaires d'harans présents en Aydindril, l'intendance, il
savait, ne devait pas manquer d'équipements. Dès son réveil, Richard avait ordonr
qu'on fasse livrer au palais un stock d'uniformes de rechange. Désarmés, les Keltier
n'avaient pas pu protester. Après avoir changé de tenue, et s'être admirés les uns l
autres, ils avaient affiché de grands sourires. La restitution de leurs armes, puisque Keltc
était désormais lié à D'Hara, avait achevé de leur remonter le moral. Impeccableme
alignés, ils faisaient une haie d'honneur à la duchesse tout en gardant un œil sur les repr
sentants des autres royaumes, dont on espérait toujours la reddition officielle.

La tempête qui avait favorisé la fuite de Brogan n'avait pas que des conséquenc
néfastes. Préférant attendre que le temps s'éclaircisse, les délégations n'étaie
pas parties dès l'aube. Habitué à faire flèche de tout bois, Richard avait profité c
l'occasion pour convoquer au palais les principaux notables. Ainsi, ils assisteraient
la reddition de Kelton, un des pays les plus puissants des Contrées. Une maniè
d'enfoncer le clou, en quelque sorte…

Richard se leva au moment où Cathryn s'engageait sur les marches de l'e
trade, et Berdine s'écarta pour la laisser passer. Les trois Mord-Sith avaient é
reléguées au pied de l'estrade, le plus loin possible de maître Rahl, qui refusait d'e
tendre ce qu'elles pouvaient avoir à lui dire.

Quand les yeux de Cathryn se posèrent enfin sur lui, Richard dut serrer le
genoux pour empêcher ses jambes de trembler. Sa main gauche, crispée sur la gar
de l'Épée de Vérité, commençait à s'ankyloser. Se souvenant qu'il n'avait plus beso
de tenir l'arme pour contrôler sa magie, le Sourcier osa la lâcher et agita les doig
pour rétablir sa circulation.

À l'époque où les Sœurs de la Lumière lui enseignaient à toucher son Ha
elles lui avaient conseillé de recourir à une image mentale pour mieux se concentre
Il avait choisi une représentation de l'Épée de Vérité et pouvait désormais l'invoqu
à volonté.

Face aux ennemis potentiels massés devant lui, son arme ne lui serait hél
d'aucune utilité. Pour triompher, il devrait se fier au plan très subtil imaginé ave
l'aide du général Reibisch, de ses officiers et de membres bien informés du personn
du palais, qui l'avaient également aidé à tout organiser. Restait à espérer qu'aucu
grain de sable ne gripperait la machine…

— Richard, que…, commença Cathryn.

— Bonjour, duchesse, coupa le Sourcier. Tout est prêt… (Il prit la main de
duchesse et la baisa avec toutes les fioritures protocolaires adaptées à une futur
reine. Mais le simple contact de sa peau lui fit bouillir le sang.) J'étais sûr que vo
aimeriez me jurer allégeance devant cette noble assemblée. Il convenait, me semble-t-i
que vos pairs vous entendent rompre officiellement avec l'Ordre Impérial et montr
ainsi la voie aux autres royaumes des Contrées du Milieu.

— Eh bien… hum… c'est une très bonne idée…

Richard se tourna vers la foule, plus tranquille que la veille, mais néanmoins tendue en l'attente de ce grand événement.

— La duchesse Lumholtz, future reine de Kelton, a décidé d'engager son peuple aux côtés des forces qui luttent pour la liberté. Elle a demandé que vous assistiez à la signature de l'acte de reddition.

— Richard, souffla Cathryn, je dois d'abord les soumettre à mes juristes, afin que tout soit clair, et qu'il n'y ait pas de malentendus…

Le seigneur Rahl eut un sourire rassurant.

— Bien que certain qu'il n'y aura aucun problème, j'ai anticipé vos désirs et pris la liberté de les inviter à cette cérémonie.

Richard fit signe à Raina, qui saisit un homme par le bras et lui fit promptement monter les marches.

— Maître Sifold, auriez-vous l'obligeance de communiquer votre opinion, et celle de vos collègues, à votre future souveraine.

Le juriste s'inclina.

— Comme le seigneur Rahl vous l'a dit, duchesse, les documents sont sans ambiguïté. Il n'y a aucun risque de confusion…

Richard ramassa le traité posé sur le lutrin.

— Si vous le permettez, duchesse, j'aimerais lire ce texte à voix haute devant nos invités. Ainsi, ils sauront que votre détermination à rejoindre D'Hara est sans faille. À coup sûr, votre courage les impressionnera.

— Procédez, je vous en prie, seigneur Rahl, dit Cathryn, rose de fierté devant tant de compliments.

— Ne vous inquiétez pas, annonça Richard à la foule, ça ne sera pas long. (Il commença sa lecture.) « *Que tout le monde ait connaissance, en ce jour, de la reddition inconditionnelle de Kelton face à D'Hara. Signé de ma main, duchesse Cathryn Lumholtz, dirigeante légitime du peuple keltien.* »

Richard reposa le document sur le lutrin, trempa une plume dans un encrier et la tendit à Cathryn. Le teint grisâtre, elle n'esquissa pas un geste pour s'en emparer.

Redoutant que la duchesse revienne sur sa parole, le Sourcier se pencha vers elle et abattit la carte qu'il gardait dans sa manche. Conscient que les forces qu'il mobilisait pour ne pas céder à l'ivresse de son parfum lui manqueraient plus tard, il murmura :

— Cathryn, quand nous en aurons fini ici, accepteriez-vous une petite promenade en tête à tête ? Cette nuit, je n'ai rêvé que de vous…

Ses couleurs lui revenant, Cathryn sourit. Un instant Richard redouta qu'elle lui jette les bras autour du cou.

Il remercia les esprits du bien qu'elle s'en abstînt.

— Bien sûr…, souffla-t-elle. Moi aussi, j'ai rêvé de toi. Finissons-en avec ces formalités assommantes !

— Cathryn, faites que je sois fier de vous et de votre force !

Le sourire de la duchesse, plein de promesses, fit rougir plus d'un homme dans l'assistance. Déjà empourpré, Richard crut que ses jambes allaient refuser de le porter.

La duchesse prit la plume, caressa au passage la main du jeune homme, et se tourna vers le public.

— Je signe ce document avec une plume de colombe, afin de montrer que j'agis de mon plein gré, au nom de la paix, pas à cause d'une sanglante défaite. Ce geste puisse-t-il témoigner de l'amour que je porte à mon peuple, et de l'espoir que m'inspire l'avenir. Cet espoir, nobles sires et gentes dames, est incarné par l'homme qui se tient à mes côtés, le seigneur Richard Rahl. Si l'un de vous venait à lui nuire, je jure qu'il s'attirerait le courroux de mon peuple !

Sur ces fortes paroles, la future reine apposa sa signature sur le « traité ».

Avant qu'elle ait pu se détourner du lutrin, Richard lui glissa d'autres documents sous la plume.

— Que…

— Les lettres que vous m'avez promises, duchesse… Je n'ai pas voulu vous accabler de travail, alors que nous pouvons passer le temps beaucoup plus agréablement. Vos assistants m'ont aidé à rédiger le texte. Ayez la bonté de vérifier qu'il correspond à ce que vous aviez en tête, cette nuit, quand vous m'avez fait cette proposition.

» Le lieutenant Harrigton, de votre garde palatiale, nous a fourni les noms du général Baldwin, le chef de vos forces, et des généraux de corps d'armée Cutter, Leiden, Nesbit, Bradford et Emerson, plus ceux de quelques officiers supérieurs de la garde. Aurez-vous l'obligeance de signer, pour chacun, l'ordre de placer leurs troupes sous le commandement de mes hommes ? Quelques-uns de vos gardes accompagneront un détachement composé de soldats de mes compagnies et de nouveaux officiers.

» Votre assistant privé, maître Montleon, m'a aidé à rédiger des instructions pour votre Grand Argentier, sire Pelletier, pour maître Carlisle, votre administrateur des programmes stratégiques, et pour les gouverneurs membres de la commission du Commerce, les seigneurs Cameron, Tuck, Spooner et Ashmore. Enfin, il nous a donné les noms des sires Levardson, Doudiet et Faulkingham, du bureau du Commerce.

» Le conseiller Schaffer a établi la liste de tous les bourgmestres de Kelton. Soucieux de ne vexer personne par un oubli, il s'est fait assister par des secrétaires très compétents.

» Chacun de ces hauts responsables recevra une lettre personnelle. Comme le texte ne change pas, mais seulement le nom du destinataire, il vous suffira d'en lire une avant de signer les autres. Nous les enverrons d'ici, très chère. Des hommes à moi se tiennent prêts à partir. Tous seront accompagnés par un de vos gardes, afin qu'il n'y ait aucun risque d'erreur. Les Keltiens sélectionnés pour cette mission sont dans cette salle, et ils témoigneront que vous n'avez pas signé sous la contrainte.

Richard retint son souffle et se raidit quand Cathryn, la plume à la main, jeta un regard soupçonneux à la montagne de documents qui se dressait devant elle. Ses assistants vinrent l'entourer, fiers du travail de titan accompli en si peu de temps.

— J'espère que ça vous conviendra, Cathryn, souffla Richard en se penchant de nouveau vers la duchesse. Vous vouliez vous en occuper vous-même, je sais, mais qu'aurais-je fait sans vous, pendant que vous auriez trimé ? Vous me pardonnez ?

— Bien sûr, fit la duchesse, distraite.

Elle écarta les premières lettres pour lire celles de dessous.

— Vous voulez un siège ? demanda chevaleresquement Richard en tirant à lui un fauteuil.

Quand Cathryn se fut assise et eut commencé à signer, il prit place à côté d'elle, sur le Prime Fauteuil. Sondant la foule du regard, l'oreille à l'affût au cas où la plume cesserait de grincer sur le parchemin, il s'efforça de garder sa colère à un niveau qui ne nuirait pas à sa lucidité.

— Vous avez fait du très bon travail, dit-il soudain aux Keltiens réunis autour de leur future reine. Je serai honoré que vous conserviez vos postes au sein de l'administration d'harane. Sans nul doute, vos compétences lui seront des plus précieuses.

Après avoir reçu force remerciements pour sa générosité, Richard s'intéressa de nouveau à la foule étrangement silencieuse qui assistait à la cérémonie.

Après des mois passés en Aydindril, les soldats d'harans, tout particulièrement les officiers, avaient appris beaucoup de choses sur le fonctionnement du commerce dans les Contrées du Milieu. Alors qu'il poursuivait Brogan en leur compagnie, Richard avait posé les bonnes questions, et ses connaissances s'étaient encore enrichies le matin même. Quand on l'interrogeait judicieusement, maîtresse Sanderholt était une mine d'informations. Apparemment, les habitudes alimentaires des peuples en disaient long sur leur nature profonde. Surtout quand on avait l'oreille aiguisée, comme la vieille cuisinière...

— Parmi les lettres que la duchesse signe, annonça Richard aux tout nouveaux fonctionnaires d'harans, certaines concernent le commerce. (Son regard se posant sur le dos de Cathryn, il s'efforça de tourner la tête.) Kelton est désormais intégré à D'Hara. Vous comprendrez sans peine que tout échange commercial avec les royaumes qui ne nous ont pas encore rejoints lui est désormais interdit.

Le Sourcier posa les yeux sur un petit homme rondouillard à la barbe poivre et sel impeccablement taillée.

— Porte-parole Gartham, j'ai conscience que Lifany sera dans une position inconfortable. Les frontières de Galea et de Kelton vous étant fermées, votre économie risque de souffrir.

» Avec Galea et Kelton au nord, D'Hara à l'est et les monts Rang'Shada à l'ouest, vous aurez du mal à vous approvisionner en fer. Vos importations provenaient essentiellement de Kelton, qui vous achetait du grain en échange. Dorénavant, les Keltiens seront obligés de se fournir auprès des Galeiens. Ces deux royaumes faisant désormais partie de D'Hara, leurs anciennes querelles sont lettres mortes, et leurs échanges commerciaux se développeront. Leurs armées, placées sous mon commandement, ne se regarderont plus en chiens de faïence et se concentreront enfin sur la surveillance des frontières.

» D'Hara, vous vous en doutez, est très demandeur de fer et d'acier keltien. Trouvez-vous un nouveau fournisseur, messire, car l'Ordre Impérial attaquera probablement par le sud. À vrai dire, il ne m'étonnerait pas que Lifany soit son premier objectif. Sachez-le, aucun de mes soldats ne versera son sang pour défendre les royaumes rétifs à mon alliance. Et ceux qui auront hésité ne doivent pas s'attendre à être récompensés par des privilèges commerciaux.

Richard tourna la tête vers un grand gaillard émacié chauve comme une boule de billard, n'était la demi-couronne de cheveux blancs qui entourait encore sa nuque.

— Ambassadeur Dezancort, je vous informe, non sans regret, que la lettre adressée au seigneur Cameron lui ordonne d'annuler tous les traités commerciaux en vigueur entre Kelton et Sanderia. Si votre royaume ne se joint pas à nous, il ne sera pas question, au printemps, que vos troupeaux rejoignent comme à l'accoutumée les hautes terres de Kelton.

L'ambassadeur en perdit le peu de couleur qui lui restait.

— Seigneur Rahl, comment les nourrirons-nous ? Nos plaines suffisent pendant l'hiver, mais en été, le soleil détruit l'herbe et les autres végétaux. Que devrons-nous faire, selon vous ?

— Abattre vos bêtes avant qu'elles crèvent de faim, je suppose...

— Seigneur Rahl, ces accords ont été conclus il y a des siècles... Notre économie repose sur la bonne gestion des troupeaux de moutons.

— Désolé, mais je ne me sens pas concerné. Seul le destin de mes alliés m'intéresse.

Implorant, Dezancort leva les mains.

— Seigneur, mon peuple connaîtra la misère... Si nous devons abattre les moutons, le royaume ne s'en relèvera pas.

Le porte-parole Theriaut vint se placer au premier rang.

— On ne peut pas abattre ces bêtes ! La laine est le pilier de l'industrie d'Herjborgue.

— Si Herjborgue est ruiné, dit une autre voix, nous perdrons notre principal client. Avec quoi achèterons-nous le grain dont nous avons besoin ?

Avec une lenteur délibérée, Richard se pencha en avant.

— Exposez ces arguments à vos dirigeants. Ils comprendront peut-être que la reddition est la seule voie possible. Mais qu'ils se décident vite, surtout ! (Il balaya du regard les autres dignitaires.) Avec un tel niveau d'interdépendance, vous n'aurez aucun mal à comprendre que l'union est la meilleure solution. Kelton fait désormais partie de D'Hara. Nos routes commerciales vous seront interdites, et il n'y aura pas de passe-droit.

Un concert de protestations fit vibrer les murs de la salle du Conseil. Dès que Richard se leva, le vacarme cessa.

— Vous êtes un homme sans pitié ! cria l'ambassadeur de Sanderia, un index accusateur pointé sur Richard.

— N'oubliez pas d'en informer l'Ordre Impérial, si vous choisissez de le rejoindre. (Le Sourcier foudroya l'homme du regard, puis s'adressa à toute l'assistance.) Grâce au Conseil et à la Mère Inquisitrice, vous avez longtemps connu la paix. Pendant que votre protectrice était absente, occupée à vous défendre, vous l'avez trahie par cupidité. On dirait des enfants qui se disputent un gâteau. Vous auriez pu le partager équitablement, hélas, les plus forts ont décidé d'affamer les plus faibles. Si vous venez à ma table, il faudra surveiller vos manières, mais chacun aura son dû.

Cette fois, personne ne protesta. Richard allait se rasseoir quand il s'avisa que Cathryn, qui en avait terminé, le dévorait des yeux. Sous ce regard de braise, la colère de l'épée fondit comme neige au soleil.

Le Sourcier parla de nouveau aux dignitaires, toute rage disparue de sa voix.

— Le temps s'est éclairci… Vous devriez partir au plus vite. Convainquez rapidement vos dirigeants, afin d'épargner des malheurs inutiles à vos peuples. Je déteste que des innocents souffrent…

Cathryn vint se camper près de Richard et prit la parole.

— Faites ce que le seigneur Rahl vous dit… Pour l'heure, il vous a consacré assez de temps. (Elle se tourna vers un de ses assistants.) Qu'on fasse porter mes affaires ici. Je vais m'installer au palais.

— Pourquoi ce déménagement ? demanda un ambassadeur, soupçonneux.

— Son mari, comme vous le savez, a été tué par un mriswith, répondit Richard. La duchesse entend se placer sous ma protection.

— Nous sommes donc tous en danger ?

— C'est probable… Le duc était un excellent escrimeur, et pourtant… Eh bien, j'espère que vous serez prudents. Mais j'allais oublier : ceux qui se joindront à nous seront invités au palais, où ma magie les gardera en sécurité. Les chambres des invités sont presque toutes libres. Et il en sera ainsi tant que je n'aurai pas reçu d'autres redditions.

Comprenant que la séance était levée, les dignitaires se dirigèrent vers la sortie.

— Nous y allons ? demanda Cathryn d'une voix rauque.

Sa tâche accomplie, Richard s'était senti vidé. La présence de la duchesse lui redonna un coup de fouet dont il se serait volontiers passé.

Quand ils s'engagèrent dans l'escalier, le bras de la jeune femme glissé sous le sien, le jeune homme mobilisa ce qui lui restait de volonté pour se tourner vers Ulic et Cara.

— Ne nous perdez pas de vue une seconde, compris ?

— Oui, seigneur Rahl, répondirent en chœur les deux D'Harans.

— Richard, gémit Cathryn, tu as dit que nous serions seuls… S'il te plaît, tiens ta promesse !

Comme il le prévoyait, la force qu'il avait utilisée un peu plus tôt manqua au Sourcier. Incapable de maintenir l'image de l'Épée de Vérité dans son esprit, il la remplaça par celle de Kahlan.

— Le danger est partout, Cathryn, je le sens… Pas question de risquer votre vie par imprudence. Quand le péril se sera éloigné, nous n'aurons plus besoin d'anges gardiens. Essayez de prendre votre mal en patience, pour le moment…

— Pour le moment, alors… Si ça ne dure pas trop longtemps.

Richard s'arrêta sur la dernière marche et se tourna vers Cara.

— Ne nous lâchez pas d'un pouce, quoi qu'il arrive !

# Chapitre 24

— Dame Abbesse, puis-je vous poser une question personnelle ? demanda Phoebe en posant une pile de mémos sur le dernier espace encore libre du bureau en noyer poli.

Verna parapha d'une main lasse une demande émanant du cuisinier en chef. Une sombre histoire de chaudrons brûlés qu'il fallait remplacer…

— Phoebe, nous sommes amies depuis près de deux siècles. Combien de fois t'ai-je dit de me tutoyer et de m'appeler par mon prénom, quand nous sommes seules ? Allez, pose ta question…

Verna relut le mémo, le front plissé. Se ravisant, elle ajouta, au-dessus de ses initiales, l'ordre de faire réparer les chaudrons. Au fond, il n'y avait pas de petites économies…

— Eh bien, fit Phoebe, ses joues rondes virant au rose, ne te vexe pas, surtout, mais tu es dans une position unique, et je ne pourrais pas aborder ce sujet avec quelqu'un d'autre, parce que… (Elle s'éclaircit la gorge.) Bon, entrons dans le vif du sujet : qu'est-ce que ça fait de vieillir ?

— Phoebe, nous avons le même âge.

Sous le regard perçant de Verna, son administratrice s'essuya les paumes, sans doute moites, sur les hanches de sa robe verte.

— C'est vrai, mais tu es partie pendant plus de vingt ans. Pendant ton absence, tu as vieilli comme les gens normaux. Pour en arriver à ton stade, il me faudra environ trois siècles. Franchement, tu as l'air d'avoir au moins quarante ans !

— C'est la preuve que les voyages forment la vieillesse, plaisanta amèrement Verna. Tu devrais essayer, ça marche à tous les coups !

— Je refuse de partir et de me ratatiner comme une vieille pomme ! Dis-moi, est-il douloureux de se dégrader si vite ? Est-ce que… Hum… Tu sens que tu n'es plus séduisante et que ta vie n'a plus rien de plaisant ? Moi, j'adore que les hommes me trouvent désirable. Vieillir comme toi, eh bien, ça m'inquiète.

Verna se cala confortablement dans son fauteuil. Si elle s'était écoutée, elle aurait volontiers étranglé cette gourde ! Cela dit, avait-on le droit d'exécuter une amie ignorante qui venait de poser une question idiote ?

— À mon avis, chacun vit cette expérience à sa façon, mais je veux bien t'en dire plus. Oui, Phoebe, on souffre de savoir qu'on a perdu sa jeunesse. Parfois, j'ai le sentiment de ne pas l'avoir assez chérie, cette jeunesse. Alors, on me l'a volée pendant que j'attendais bêtement que ma vie commence. Par bonheur, le Créateur nous offre des compensations. Tu sais, l'âge a aussi du bon.

— Du bon ? Comment est-ce possible ?

— À l'intérieur, je suis toujours la même personne, en plus sage. Je me comprends mieux, et je sais plus clairement ce que je veux. Et j'apprécie des choses qui ne m'intéressaient pas avant... (Verna marqua une courte pause.) Aujourd'hui, je vois ce qui compte vraiment quand on est au service du Créateur. Bref, je suis plus heureuse, et moins angoissée par ce que les autres pensent de moi.

» L'âge ne m'a pas rendue asociale, tu sais. Mes amis m'apportent toujours du réconfort. Et pour répondre à la question qui te brûle les lèvres, les hommes me plaisent autant qu'avant. Simplement, je les juge en profondeur. Les jeunes coqs ne me fascinent plus. Pour m'émouvoir, un homme doit avoir d'autres qualités.

— Sans blague ? s'exclama Phoebe, éberluée. Les vieux barbons te font de l'effet ?

— Je parle simplement des hommes de ma génération, mon amie... Mais tu as sûrement changé aussi, non ? Il y a cinquante ans, tu n'aurais pas envisagé d'avoir une relation avec quelqu'un de ton âge actuel. À présent, ça te semble naturel, et les garçons plus jeunes te paraissent franchement immatures. Tu vois ce que je veux dire ?

— À peu près, oui...

Un gros mensonge, comprit Verna. Qui se lisait dans les yeux de Phoebe.

— Quand nous avions l'âge de ces deux novices, Helen et Valérie, que pensais-tu des femmes comme nous ?

Phoebe gloussa bêtement, comme une gamine.

— Je les trouvais incroyablement vieilles ! Et je n'imaginais pas pouvoir être comme ça un jour.

— Et ta position, à présent ?

— Ce n'est pas vieux du tout ! À l'époque, j'étais idiote. Tu sais, je me sens encore très jeune.

— Eh bien, c'est pareil pour moi ! Je me sens jeune, c'est la seule chose qui compte. Et j'ai compris qu'il en allait de même pour tout le monde. Nos aînées se voient de la même façon que nous.

— Je comprends ce que tu veux dire, fit Phoebe en plissant le nez, mais ça ne me donne pas envie de vieillir pour autant.

— Phoebe, dans le monde extérieur, tu aurais déjà vécu trois bonnes existences ! En nous donnant plus d'années qu'aux autres, le Créateur nous a fait un magnifique cadeau. Bien sûr, c'est surtout pour que nous puissions accomplir notre mission, mais on a le droit de s'en réjouir quand même. Très peu d'êtres ont cette chance.

Son cerveau frisant la surchauffe, Phoebe plissa le front et les yeux pour mieux se concentrer.

— Ce sont des paroles d'une grande sagesse, Verna. Voilà une qualité que je ne te connaissais pas. J'ai toujours su que tu étais futée, mais découvrir une telle sérénité philosophique, chez toi...

— C'est une partie du « bon » dont je te parlais. Les gens plus jeunes croient toujours que leurs aînés débordent de sagesse. Au royaume des aveugles, les borgnes sont rois...

— Mais avoir la peau flasque et ridée me fait toujours aussi peur !

— Ces choses-là arrivent lentement. On s'habitue à changer. Pour moi, l'inquiétant serait d'avoir de nouveau ton âge.

— Pourquoi ?

Verna eut une furieuse envie de répondre : « Parce que je détesterais me balader dans le monde avec un intellect aussi atrophié », mais elle se retint, se souvenant à temps que Phoebe et elle étaient des amies de quelque cent soixante-dix ans.

— Sans doute parce que j'ai déjà traversé les buissons hérissés de ronces qui se dressent encore devant toi. Je sais qu'on s'y fait très mal, vois-tu...

— De quelles ronces veux-tu parler ?

— C'est différent pour chaque individu... Nous ne suivons pas tous le même chemin.

— À quelles ronces t'es-tu donc écorchée, Verna ?

La Dame Abbesse se leva, reboucha son encrier et jeta sur son bureau un regard désabusé.

— Le pire, je crois, a été de retrouver Jedidiah. Comme toi, il voyait en moi une vieille femme ridée, desséchée et dépourvue de charme.

— Verna, je n'ai jamais voulu dire ça !

— Comprends-tu seulement ce qui m'a « écorchée » à ce moment-là, Phoebe ?

— Eh bien, d'être vieille et laide, je suppose – même si tu ne l'es pas vraiment.

— Tu te trompes, souffla Verna. La « ronce » fut de découvrir que l'apparence seule comptait à ses yeux. Ce qu'il y a là-dedans (elle se tapota le crâne) ne l'a jamais intéressé.

En réalité, il y avait encore pire... Pendant son absence, Jedidiah avait rejoint les rangs des séides du Gardien. Pour sauver Richard, Verna avait dû planter son dacra entre les omoplates de son ancien amoureux. Non content de la trahir, Jedidiah s'était retourné contre le Créateur. Et une partie d'elle-même était morte avec lui...

— Je vois ce que tu veux dire, fit Phoebe, qui ne voyait sûrement rien du tout. Quand les hommes...

Verna leva une main pour interrompre son administratrice.

— J'espère t'avoir été utile, Phoebe... Parler avec une amie est toujours un plaisir. (Elle reprit son ton de Dame Abbesse dans l'exercice de ses fonctions.) Ai-je des rendez-vous ? Tu sais, avec les casse-pieds qui viennent me demander mille et une faveurs...

— Non. Rien de prévu aujourd'hui...

— Parfait ! J'ai envie de prier et d'implorer le Créateur de me guider. Voulez-vous sceller ma porte, Dulcinia et toi ? Je n'ai pas envie qu'on me dérange.

— Bien entendu, Dame Abbesse, répondit Phoebe en s'inclinant gracieusement. (Elle sourit de toutes ses dents.) Merci pour la conversation, Verna. Ça m'a rappelé le bon vieux temps, dans notre chambre, quand on bavardait longtemps après l'extinction des feux. Mais que vont devenir les mémos ? Si tu les laisses s'accumuler...

— La Dame Abbesse ne peut pas ignorer la Lumière qui règne sur le palais et sur les sœurs. Je dois aussi prier pour nous toutes, et demander au Créateur de nous montrer le chemin. Après tout, on nous appelle les Sœurs de la Lumière, pas les Filles de la Paperasserie !

Phoebe ne cacha pas sa stupéfaction. Apparemment, elle pensait que Verna, plus tout à fait humaine depuis son étrange nomination, pouvait prendre la main du Créateur à volonté et comme par miracle.

— Qu'il en soit ainsi, Dame Abbesse. Je m'occuperai de protéger la porte. Personne ne viendra perturber votre méditation.

Phoebe fit mine de s'éclipser, mais Verna la rappela.

— As-tu des nouvelles de Christabel ?

— Non, répondit l'administratrice, la mine soudain déconfite. Personne ne sait où elle est. Et nous ignorons aussi où sont passées Amelia et Janet.

Christabel, Amelia, Janet, Phoebe et Verna avaient grandi ensemble au palais. Cinq très bonnes amies, même si Verna s'était toujours sentie un peu plus proche de Christabel, malgré l'envie qu'elle éveillait chez les autres. Dotée par le Créateur de magnifiques cheveux blonds et d'un visage superbe, Christabel était en outre d'un naturel doux et bienveillant.

Verna s'inquiétait que ses trois amies se soient volatilisées en même temps. Tant que leur famille vivait encore, les sœurs quittaient parfois le palais pour leur rendre visite. Mais elles demandaient toujours la permission, et ces trois-là devaient être orphelines depuis des décennies…

Il arrivait aussi, plus rarement, qu'une sœur s'absente quelque temps, histoire de changer d'air et de se rafraîchir l'esprit au contact du monde extérieur. Là encore, elles prévenaient pratiquement toujours leurs collègues, et les informaient de leur destination.

Janet, Amelia et Christabel avaient simplement été portées disparues après la mort de la Dame Abbesse. N'approuvant pas le choix de sa remplaçante, avaient-elles décidé de s'en aller pour toujours ? Même si cette idée lui brisait le cœur, Verna espérait qu'il s'agirait simplement de cela. Car les autres possibilités la remplissaient de terreur.

— Si tu as du nouveau, préviens-moi aussitôt, dit-elle à Phoebe.

Une fois seule, Verna plaça sur les portes un bouclier de son cru tissé avec de délicats filaments tirés de l'essence même de son propre Han. Une magie qu'elle aurait reconnue entre mille. En cas de tentative d'intrusion, le champ de force diaphane serait quasiment indétectable, et les filaments brisés l'informeraient que quelque chose s'était passé.

Même si les visiteurs indélicats repéraient le champ de force, leur seule présence – et la sonde magique qu'ils auraient nécessairement lancée – briserait les filaments. Ultime raffinement, toute réparation de cette Toile, avec un matériau venu d'un autre Han, ne passerait pas inaperçue non plus…

Non loin du mur d'enceinte du jardin, de pâles rayons de soleil filtraient des frondaisons, conférant à l'atmosphère une luminosité presque onirique. Le paradis végétal d'Annalina était délimité par de hauts buissons de baies rouges aux tiges lestées de bourgeons blancs duveteux. Au-delà, un sentier serpentait entre des parterres de fleurs, des rosiers et des massifs de fougères.

Arrachant au passage une brindille aux buissons, Verna s'emplit les poumons de sa délicieuse odeur épicée. Puis elle s'engagea sur le sentier et approcha de la haie de sumacs plantés là pour dissimuler le mur et donner l'illusion que le jardin ne s'arrêtait pas abruptement. Inspectant les troncs noueux et les longues branches, la Dame Abbesse estima que cela ferait l'affaire, si elle ne trouvait rien de mieux. Mais ça n'était pas encore prouvé...

Longeant le mur, elle atteignit l'arrière du grand carré de nature sauvage où se nichait le sanctuaire d'Annalina.

Après avoir relevé ses jupes pour traverser les broussailles, Verna se félicita d'avoir continué ses recherches. Bien protégée par un demi-cercle de pins, la petite clairière qu'elle venait d'atteindre donnait directement sur le mur, dissimulé ici par des poiriers disposés en espalier. Tous les arbres étant soigneusement émondés, la Dame Abbesse n'avait plus qu'à choisir celui qu'elle préférait. Il s'imposa vite à elle, car ses branches, décalées de chaque côté du tronc, composaient une sorte d'échelle naturelle. Quand Verna en approcha, l'étrange texture de l'écorce du poirier attira son attention. Passant un index le long de la face supérieure d'une grosse branche, elle y découvrit des éraflures qui ne trompaient pas. Apparemment, elle n'était pas la première Dame Abbesse à s'éclipser de ses quartiers par ce chemin...

Quand elle eut atteint le sommet du mur, et vérifié qu'aucun garde ne traînait dans le coin, la fugueuse découvrit qu'un des piliers de soutien extérieur était obligeamment muni d'un contrefort qui lui faciliterait la descente. Par le plus grand des hasards, arrivée là, elle avisa une sorte d'auvent, se laissa glisser dessus et aperçut, un peu plus bas, une très jolie gargouille juste assez large pour des pieds de femme.

Comble de bonheur, quand elle fut en équilibre sur la sculpture, elle remarqua un magnifique chêne dont la branche la plus basse, le croirait-on, lui tendait les bras. De là, elle se laissa glisser jusqu'à un gros rocher rond qui la contraignit à un bond acrobatique d'au moins... deux pieds de haut !

Une fois sur la terre ferme, la Dame Abbesse s'épousseta dignement, tira sur sa robe grise toute simple et réarrangea le col tout aussi peu ornementé. Après avoir retiré la bague héritée d'Annalina, elle la fourra dans sa poche, s'éloigna un peu et se retourna.

La vie étant décidément bien faite, elle constata, ravie mais moyennement étonnée, que le rocher, le chêne, la gargouille l'auvent et le contrefort lui permettraient d'emprunter sans peine le même chemin dans l'autre sens. Et voilà comment on découvrait un moyen de fuir sa cage de papier !

À sa grande surprise, Verna s'aperçut que le parc du palais ne grouillait pas de monde. Des gardes y patrouillaient, comme il convenait, croisant les sœurs, les novices et les jeunes porteurs de collier qui vaquaient à leurs occupations. Mais l'habituelle foule de citadins manquait à l'appel, remplacée par quelques vieilles dames apparemment satisfaites de n'avoir pas besoin de jouer des coudes.

Chaque jour que faisait le Créateur, une horde de Tanimuriens traversait le pont pour envahir l'île Kollet. Ces braves gens venaient demander conseil aux sœurs, réclamer leur arbitrage dans une querelle, quémander quelque aumône, chercher la bienveillante Lumière du créateur ou Le prier partout où ça leur semblait judicieux. Qu'on ait besoin d'un endroit spécial pour s'adresser au Créateur avait toujours dépassé Verna. Mais aux yeux du bon peuple, le foyer des Sœurs de la Lumière était un endroit sacré, et il n'y avait pas moyen de lui enlever cela de la tête.

À moins que ces « dévots » n'aient simplement envie de profiter du magnifique parc du palais ?

Aujourd'hui, l'endroit ne faisait pas recette. Les novices chargées de guider les visiteurs s'ennuyaient ferme et les gardes postés devant les zones interdites bavardaient entre eux. Les rares qui levèrent les yeux sur Verna la prirent pour une banale sœur en chemin vers une destination qui ne les intéressait pas le moins du monde.

Autour des pelouses où aucun visiteur fatigué ne piquait une petite sieste, les magnifiques jardins et les majestueuses fontaines n'étaient pas pris d'assaut par des meutes d'adultes et d'enfants bruyamment admiratifs. Il en allait de même pour les bancs, d'habitude accaparés par des théories de bavards impénitents.

Dans le lointain, les tambours continuaient à battre...

Verna trouva Warren assis sur leur rocher plat favori, au milieu de la crique qui leur tenait lieu de salle de réunion. Désœuvré, il lançait des cailloux dans le fleuve que remontait une seule et unique barque de pêche.

— Verna ! s'écria le futur sorcier en se levant d'un bond. Je commençais à me demander si tu ne m'avais pas posé un lapin.

Sur la barque, un très vieux pêcheur s'acharnait à fixer un appât au bout de son hameçon. La Dame Abbesse le regarda un moment, puis lâcha :

— Phoebe voulait savoir comment on se sent quand on est vieille et laide...

— Et comment le saurais-tu ? s'étonna Warren.

*Le plus drôle*, pensa Verna, *c'est qu'il est sincère !*

— Allons-y..., soupira-t-elle.

La traversée de la ville fut une expérience aussi étonnante que celle du parc. Dans les quartiers chics, les rares boutiques ouvertes guettaient le chaland comme on espère le retour du soleil après la pluie. La place du marché, au cœur de la zone la plus miséreuse de Tanimura, était carrément déserte. Les étals vides, les feux de cuisson éteints, on ne trouvait pas une échoppe ouverte. Plus bizarre encore, les métiers à tisser, dans les ateliers, attendaient tristement qu'on daigne s'occuper d'eux.

À part le roulement obsédant des tambours, on n'entendait pas un bruit.

Étonnée que Warren se comporte comme si tout était normal, Verna prit d'abord sur elle, puis explosa, fidèle à son charmant caractère, alors qu'ils s'engageaient dans une ruelle miteuse bordée de bâtiments en ruine.

— Bon sang, où sont passés les gens ? Qu'arrive-t-il à cette fichue ville ?

Warren s'arrêta et jeta un regard perplexe à sa bouillante amie.

— C'est le jour du Ja'La, Verna...

— Le Ja-quoi ?

— Ja'La ! Tu croyais qu'une épidémie avait... (Le futur Prophète se tapa sur le front, l'air navré.) Excuse-moi, mon amie, je pensais que tu savais... C'est devenu si banal qu'on a du mal à imaginer que quelqu'un l'ignore.

— Ignore quoi, Warren ?

— Viens, continuons à marcher… Le Ja'La est un jeu, et on organise régulièrement des compétitions… Tu n'as jamais vu le stade ? On l'a construit il y a quinze ou vingt ans, à peu près au moment où l'empereur a pris le pouvoir. Il se niche entre deux collines, juste à la sortie de la ville. Tout le monde adore le Ja'La !

— Tu prétends que la ville est déserte à cause d'un jeu ?

— C'est la stricte vérité. À part les vieux, qui n'y comprennent rien, les citadins ne rateraient pas une rencontre pour un empire. Le peuple n'a plus qu'une passion, mon amie ! Et les enfants jouent au Ja'La dans les rues dès qu'ils tiennent debout.

Verna sonda une ruelle latérale et jeta un coup d'œil derrière elle.

— Et on y joue comment, à ce jeu ?

— Je n'ai jamais assisté à une partie officielle. Quand on passe son temps à travailler dans les catacombes, les loisirs sont rares. Mais j'ai étudié le sujet, parce que les jeux, selon moi, sont très révélateurs de la nature profonde des civilisations. Bien sûr, j'ai commencé par les jeux antiques, comme il se doit. Mais je pourrai un jour ou l'autre suivre une véritable partie ! Tu te rends compte ? Pour bien en profiter, je me suis documenté puis j'ai fait ma petite enquête.

» Le Ja'La oppose deux équipes sur un terrain carré délimité par des grilles. Il y a un but dans chaque coin, soit deux par équipe. L'objectif est d'introduire le « broc » – une balle couverte de cuir et un peu plus petite qu'un crâne humain – dans un des buts de l'adversaire. Quand on réussit, on marque un point. Puis on recommence jusqu'à la fin du temps réglementaire.

» La stratégie de ce jeu me dépasse, je dois te l'avouer. Pourtant, la plupart des enfants de cinq ans la comprennent en moins de dix minutes.

— Sans doute parce qu'ils ont envie de jouer, et pas toi ! (Verna défit son châle et agita les deux extrémités pour se ventiler le cou.) C'est intéressant au point que la ville entière aille se faire griller au soleil pour regarder ?

— Je crois surtout que ça permet aux gens de s'offrir un jour de congé. Et un prétexte pour s'amuser en beuglant à pleins poumons. Quand leur équipe gagne, ils se soûlent à mort pour fêter ça, et quand elle perd, ils font pareil histoire de se consoler. Tout le monde est passionné par le Ja'La. Un peu trop, à mon avis…

— À première vue, ça paraît plutôt inoffensif…

— Verna, c'est un jeu sanglant !

— Pardon ?

Warren ne répondit pas tout de suite, trop occupé à contourner une immonde pile de détritus.

— La balle est très lourde et les règles n'ont rien de contraignant. Les joueurs de Ja'La sont des sauvages. Ils ont évidemment du talent, parce qu'on ne contrôle pas le broc sans peine, mais on les choisit surtout pour leur force et leur agressivité. À la fin de chaque partie, on ne compte plus les dents cassées et les os brisés. Quand ce ne sont pas des nuques !

— Et les gens aiment regarder ça ?

— Selon les soldats que j'ai interrogés, le public siffle quand il n'y a pas de sang. Pour gagner, une équipe doit « se donner à fond », comme on dit.

— Eh bien, fit Verna, voilà un spectacle qui ne risque pas de me plaire.

— Et je ne t'ai pas raconté le pire ! (Ils s'engagèrent dans une nouvelle rue, encore plus miteuse, où tous les volets, comme partout ailleurs, étaient fermés.) Après la partie, on fouette tous les joueurs de l'équipe perdante. Un coup pour chaque point encaissé, administré par les vainqueurs. Sachant que les équipes se détestent, il est déjà arrivé que des hommes restent sur le carreau après une séance de flagellation.

— Et le public assiste à cette horreur ? demanda Verna après un long silence.

— C'est le grand moment de la journée ! Les supporteurs de l'équipe gagnante comptent les coups de fouet en criant de joie. Parfois, on atteint des « sommets d'émotions », comme disent les commentateurs. Quand la fièvre du Ja'La s'empare des gens, ça tourne souvent à l'émeute. Et les dix mille soldats chargés d'assurer l'ordre sont vite débordés... De temps en temps, les joueurs déclenchent des bagarres générales. Ces types sont des brutes, tu peux me croire...

— Et le public s'enthousiasme pour une bande de sauvages ?

— Les joueurs passent pour des héros. Les champions de Ja'La sont quasiment les maîtres de la ville, et ils peuvent tout se permettre, car ils sont au-dessus des lois. Des meutes d'admiratrices les suivent partout, et les parties sont en général suivies d'une orgie. Les femmes s'entre-tueraient pour partager la couche d'un joueur. Et la débauche dure des jours. Avoir reçu les faveurs d'un champion est un tel honneur qu'il faut produire des témoins pour avoir le droit de s'en vanter.

— Pourquoi cette folie ? demanda Verna, époustouflée.

— Tu es une femme, alors, à toi de me le dire ! Quand j'ai été le premier, en trois mille ans, à trouver la solution d'une prophétie, je n'ai pas croulé sous les propositions coquines. Et aucune beauté ne m'a imploré de pouvoir lécher le sang, sur mon dos.

— Elles le font vraiment ?

— Elles se damneraient pour ça ! Si le joueur apprécie la séance, il peut décider de choisir la fille. Ces hommes sont bouffis d'arrogance, et ils adorent voir les femmes s'abaisser pour gagner l'honneur de se coucher sous eux.

Du coin de l'œil, Verna constata que Warren était rouge comme une pivoine.

— Et elles font pareil avec les perdants ?

— Ça n'a aucune importance ! Tout joueur est un héros, et le plus brutal rafle la mise. Ceux qui ont tué un adversaire avec la balle battent des records de popularité – y compris auprès de la gent féminine. On va jusqu'à donner leurs prénoms aux nouveau-nés. Verna, tout ça me dépasse...

— Tu vois les choses par le petit bout de la lorgnette, Warren. Si tu sortais plus, au lieu de passer ton temps dans les catacombes, tu aurais un succès fou avec les femmes !

Le futur Prophète se tapota le cou.

— Elles me feraient de l'œil si j'avais encore un collier, parce qu'elles me prendraient pour un coffre-fort ambulant. Ça n'aurait rien à voir avec mon charme naturel...

— Certaines personnes sont attirées par le pouvoir ou la richesse. Quand on ne possède rien, c'est très tentant... La vie est ainsi faite, mon pauvre ami...

— La vie ? répéta Warren, morose. On appelle ce jeu le Ja'La, mais son nom complet est Ja'La dh Jin. Le Jeu de la Vie, dans l'ancienne langue d'Altur'Rang, le pays natal de l'empereur. Mais tout le monde se contente de dire Ja'La : le Jeu.

— Que veux dire « Altur'Rang » ?

— C'est également un mot de l'ancienne langue. La traduction n'est pas facile... En gros, ça signifie l'« Élu du Créateur » ou le « Peuple Prédestiné ». Pourquoi cette question ?

— Dans le Nouveau Monde, une chaîne de montagnes s'appelle les « monts Rang'Shada ». On dirait qu'il s'agit de la même langue.

— Un *shada* est un gantelet de fer hérissé de piques. Rang'Shada pourrait se traduire par le « Poing de l'Élu ».

— Un nom qui remonte aux Grandes Guerres, je pense... Ces montagnes sont très déchiquetées, et la notion de « piques » leur va bien. (Verna en revint au sujet initial de leur conversation.) Je n'arrive pas à croire que ce jeu est autorisé.

— Autorisé ? On l'encourage officiellement, tu veux dire ? L'empereur a sa propre équipe. Ce matin, on a annoncé qu'il viendrait à Tanimura avec elle et qu'il y aurait une rencontre au sommet, face aux champions de la ville. Si j'ai bien compris, c'est un grand honneur, et tout le monde ne parle plus que de ça. (Warren sonda les alentours puis se tourna de nouveau vers son amie.) Quand ils perdent, les joueurs de l'empereur ne sont pas fouettés.

— Le privilège des puissants ?

— Pas vraiment... En cas de défaite, on les décapite.

De saisissement, Verna en lâcha les deux extrémités de son châle.

— Pourquoi l'empereur encourage-t-il des horreurs pareilles ?

— Je n'en sais rien, mais j'ai une théorie...

— À savoir ?

— Agitation, protestation, troubles civils, émeutes et enfin insurrection... Tu te souviens du roi Gregory ?

Verna acquiesça en regardant une vieille femme pendre du linge sur son balcon. La première personne qu'elle voyait depuis des heures...

— Que lui est-il arrivé ?

— Peu après ton départ, l'Ordre Impérial a pris le pouvoir et nous n'en avons plus entendu parler. Le roi était très populaire, et sous son règne, Tanimura et les autres villes du Nord prospéraient. Depuis, les temps sont devenus difficiles pour le petit peuple. L'empereur ne combat pas la corruption, bien au contraire, et il se fiche comme d'une guigne de sujets importants tels que le commerce et la justice. Tous les gens qui vivent dans la misère, autour de Tanimura, viennent de villes, de villages et de mégalopoles mises à sac par on ne sait trop qui.

— Pour des réfugiés, ces gens sont plutôt calmes. Et ils n'ont pas l'air si malheureux que ça...

— Les miracles du Ja'La !

— Pardon ?

— Sous le joug de l'Ordre Impérial, ils ont peu de chances de voir leur vie s'améliorer. Sauf s'ils deviennent des joueurs de Ja'La. C'est leur seul espoir, et leur plus grand rêve.

» Les joueurs sont sélectionnés à cause de leur « talent » pour le jeu, pas en fonction de leur naissance. Leur famille est à tout jamais à l'abri du besoin, parce que ces gaillards gagnent des fortunes. Les parents poussent leurs enfants à jouer, avec l'espoir qu'ils deviennent professionnels. Les équipes d'amateurs, comme on les appelle, sont classées par groupes d'âge, et ça commence dès cinq ans ! Tout individu, quelle que soit son extraction, peut devenir une idole du Ja'La. Même s'il est né parmi les esclaves de l'empereur.

— Je vois, mais ça n'explique toujours pas cette folie.

— Verna, nous sommes tous membres de l'Ordre Impérial, désormais. Rester loyal à son ancienne patrie est strictement interdit. Le Ja'La permet aux gens de vénérer quelque chose : leur quartier ou leur ville, à travers une équipe. L'empereur a offert un stade à Tanimura. Mais c'était un cadeau intéressé… Le Ja'La détourne l'attention du peuple, l'empêchant de réfléchir à ses conditions de vie, sur lesquelles il n'a d'ailleurs aucune influence. Ainsi, rien ne menace la domination de l'empereur.

— Ta théorie ne tient pas vraiment debout, Warren, dit Verna en recommençant à s'éventer avec son châle. Les enfants adorent jouer dès leur plus jeune âge. C'est même leur seule occupation. Quand ils grandissent, ils passent aux dés, aux courses de chevaux ou aux concours de tir à l'arc. Jouer fait partie de la nature humaine…

— Par là…, fit Warren en entraînant son amie dans une étroite ruelle. L'empereur détourne cette tendance à son profit. Quand ils pensent au Ja'La, les gens oublient les choses essentielles, comme la liberté ou la justice. Cette passion leur embrume l'esprit… Au lieu de se demander pourquoi l'empereur vient les voir, et ce qui les attend, ils pensent exclusivement à la grande rencontre de Ja'La.

L'estomac de Verna se noua. La visite de l'empereur l'inquiétait, et elle aurait parié qu'il n'entendait pas seulement assister à une partie de Ja'La. Cet homme avait une idée derrière la tête.

— Et si son équipe perdait, les gens n'ont pas peur de subir des représailles ?

— À ce qu'on dit, les joueurs de l'empereur sont très forts, mais ils ne bénéficient d'aucun privilège. Quand ils perdent, l'empereur ne punit personne, à part bien sûr les vaincus. Au contraire, il félicite les gagnants, et leur gloire rejaillit sur la cité tout entière. Une victoire contre l'équipe de l'empereur est un grand honneur. Toutes les villes en rêvent…

— Je suis de retour depuis deux mois, et je n'ai jamais vu Tanimura se transformer en ville fantôme à cause du Ja'La.

— La saison vient de commencer. Hors de cette période, il n'y a pas de parties officielles…

— Encore un coup de canif dans ta théorie ! Si le jeu est une sorte de diversion, pourquoi ne pas le pratiquer tout le temps ?

— Parce que l'attente accroît la ferveur ! Entre les saisons, on ne parle que de ça ! Et quand la compétition commence, ils frétillent comme de jeunes amoureux avant des retrouvailles. Rien d'autre ne les intéresse, à ce moment-là. Sans les interruptions, ils risqueraient de se lasser.

À l'évidence, Warren avait longuement mûri sa théorie. Verna rechignait à y souscrire, mais il avait réponse à tout, et ça commençait à lui taper sur les nerfs.

Elle décida de clore le débat.

— Qui t'a dit que l'empereur viendrait avec son équipe ?

— Maître Finch.

— Warren, tu étais censé aller aux écuries pour enquêter sur la disparition des chevaux !

— Finch est fou de Ja'La, alors, tu imagines dans quel état il était le jour de l'ouverture de la saison. Je l'ai laissé parler, histoire qu'il baisse sa garde et me révèle ce que tu voulais savoir.

— Et ça a marché ?

Ils s'arrêtèrent devant une enseigne qui représentait une pierre tombale et une pelle. Dessous, deux noms étaient gravés dans la pierre : Benstent et Sproul.

— Oui. Pendant qu'il spéculait sur les coups de fouet qu'encaisseraient les vaincus, et sur l'argent que je gagnerais en pariant, il a lâché, pas vraiment exprès, que les chevaux sont manquants depuis pas mal de temps.

— Un peu après le solstice d'hiver, c'est ça ?

Warren mit une main en visière pour sonder les ténèbres.

— Exactement ! Quatre de ses meilleures bêtes, et deux selleries complètes, se sont volatilisées. Il cherche toujours les chevaux, et jure qu'il les trouvera. Quant à la sellerie, il pense qu'on la lui a volée.

Derrière la porte de la boutique, Verna entendit le bruit caractéristique d'une lime sur du métal.

— On dirait qu'un de ces nobles commerçants ne s'intéresse pas au Ja'La.

— Le brave homme… (Verna renoua son châle et ouvrit la porte.) Allons tirer les vers du nez de ce fossoyeur…

# Chapitre 25

À la chiche lumière qui filtrait d'une fenêtre couverte de poussière, Verna et Warren slalomèrent entre des établis, des piles de linceuls et des cercueils du tout-venant. Des scies et des rabots rouillés pendaient à un des murs et des planches de pin reposaient dans le plus grand désordre contre un autre. Au fond du magasin, une porte ouverte devait donner sur l'atelier des deux artisans.

Alors que les nobles et les riches s'adressaient à des croque-morts de haut vol – spécialistes des bières ornementées et des cérémonies ruineuses –, les gens du commun, la bourse souvent plate, devaient recourir aux services de simples fossoyeurs qui se chargeaient de leur fournir une boîte clouée à la hâte et un trou où l'enterrer. Même s'ils chérissaient leurs disparus, les clients des fossoyeurs devaient avant tout nourrir leur famille. Mais ils n'en honoraient pas moins leurs morts…

Verna et Warren s'arrêtèrent sur le seuil d'une petite cour – l'atelier en question – où étaient entassées, le long des murs des bâtiments voisins, et d'une clôture, à l'arrière, des planches encore plus vermoulues que les précédentes.

Les pieds nus, des frusques élimées sur le dos, un homme au visage buriné se tourna vers ses visiteurs et cessa un instant d'affûter la partie métallique de sa pelle.

— Toutes mes condoléances pour le deuil qui vous frappe, dit-il d'une voix rauque – et avec une sincérité étonnante. (Il reprit son travail et ajouta :) Un enfant, ou un adulte ?

— Ni l'un ni l'autre, répondit Verna.

Le fossoyeur aux joues creuses leva de nouveau les yeux. Bien qu'il n'eût pas à proprement parler de barbe, avec le peu d'enthousiasme qu'il mettait à se raser, il ne tarderait pas à en arborer une.

— Un adolescent, alors ? Pour fabriquer un cercueil, il me faut la taille du mort.

— Nous n'avons personne à enterrer, mon brave, dit Verna. Mais nous voudrions vous poser quelques questions.

Le fossoyeur étudia de pied en cap ses deux visiteurs.

— Je vois que les affaires marchent mieux pour vous que pour moi…

— Vous ne vous intéressez pas au Ja'La ? demanda Warren, qui ne ratait jamais une occasion de se documenter.

L'air un peu moins amorphe, le fossoyeur jeta un nouveau coup d'œil à la tunique violette de son interlocuteur.

— Les gens n'aiment pas beaucoup que je traîne dans les parages quand ils s'amusent. Voir ma sale gueule leur gâche le plaisir, comme si la mort elle-même venait s'asseoir à leur table. Ils ne se privent pas de me dire de dégager, notez bien. Pourtant, ils viennent tous me voir un jour ou l'autre. Et là, on dirait que j'ai toujours été leur meilleur copain. Histoire de me venger, je pourrais les envoyer acheter un cercueil de luxe dont le mort n'aura rien à faire, mais ils sont trop fauchés pour ça, et j'ai quand même besoin de gagner ma vie…

— Êtes-vous maître Benstent ou maître Sproul ? demanda Verna.

— Milton Sproul pour vous servir, noble dame.

— Votre associé est-il dans le coin ?

— Ham est absent… Que voulez-vous ?

Verna eut un sourire nonchalant.

— Nous travaillons au palais, maître Sproul. C'est au sujet d'une facture à vous… Une petite vérification, rien de plus…

— Il n'y a rien à vérifier, grogna le fossoyeur. (Il recommença à aiguiser la pelle.) Nous n'escroquons pas les Sœurs de la Lumière.

— Ai-je insinué une chose pareille, maître Sproul ? L'ennui, c'est que nous ne trouvons pas trace des défunts. Avant de débloquer le paiement, nous devons savoir qui vous avez inhumé.

— Je n'en sais rien, ma bonne dame… Ham s'est chargé du boulot, et il a établi la facture. Croyez-moi, il n'y a pas plus honnête que lui. Ce type n'escroquerait pas un voleur pour récupérer ce qu'il lui a pris ! Il a enterré vos morts et rédigé la facture. Moi, je me suis contenté de l'envoyer.

— Je vois… Nous devrons donc parler à maître Benstent pour régler ce petit problème. Savez-vous où il est ?

Sproul donna un coup de lime plus rageur que les autres.

— Aucune idée… Ham n'est plus tout jeune, vous savez. Il est parti il y a quelque temps, décidé à finir ses jours auprès de sa fille et de ses petits-enfants. Ils vivent quelque part très loin d'ici… (Sproul fit un grand geste circulaire avec sa lime.) Il m'a laissé sa moitié de l'entreprise. Et la moitié du travail, dans la foulée ! Il faut que je déniche un type costaud pour creuser les tombes. Je ne suis plus tout jeune non plus…

— Mais vous devez savoir où il est allé ! Et connaître quelques détails sur cette facture…

— Je vous ai dit que non ! Il a emballé ses affaires, enfin le peu qu'il avait, et il s'est acheté un âne pour le voyage. Du coup, j'ai supposé qu'il allait loin. (Sproul désigna le sud avec sa lime.) Quelque part par là-bas, à mon avis… Avant de partir, il m'a rappelé d'envoyer la fameuse facture au palais, parce que tout travail mérite salaire. J'ai demandé où je devais lui faire parvenir l'argent, et il m'a répondu de le garder pour engager un assistant. D'après lui, c'était normal, puisqu'il me laissait tomber du jour au lendemain.

— Je vois…, fit Verna après une brève réflexion. (Elle regarda Sproul affûter sa pelle avec un entêtement admirable, puis se tourna vers Warren :) Va m'attendre dehors, s'il te plaît.

— Pardon ? Qu'as-tu l'intention de…

La Dame Abbesse leva un index pour le réduire au silence.

— Ne discute pas. Fais un petit tour pour t'assurer que nos… amis… ne nous cherchent pas. (Elle se pencha vers Warren, l'air entendu.) Ils pourraient se demander si nous avons besoin d'aide.

— Oui, tu as raison, fit Warren. Je vais aller voir où sont passés nos amis. (Il joua nerveusement avec les broderies en fil argenté d'une de ses manches.) Tu ne seras pas longue, n'est-ce pas ?

— C'est promis. Va voir si tu déniches nos chers amis !

Quand il entendit la porte de la boutique se refermer, Sproul leva les yeux de sa pelle.

— Mes réponses ne changeront pas. Je vous ai dit que…

— Maître Sproul, fit Verna en sortant une pièce d'or de sa poche, nous allons avoir une conversation à cœur ouvert. Et vous cesserez de mentir.

— Pourquoi avez-vous renvoyé votre compagnon ? demanda le fossoyeur, inquiet.

Verna jugea que l'heure n'était plus aux discours fleuris.

— Parce qu'il vomit pour un rien…

Sproul s'intéressa de nouveau à sa pelle.

— J'ai raconté la vérité. Si vous préférez que je raconte des bobards, dites-le-moi, et je ferai un effort d'imagination.

— À votre place, maître Sproul, je n'essayerais pas ce truc-là avec moi… Vous avez dit une partie de la vérité, et c'est bien ça le problème ! Maintenant je veux entendre le reste. Si vous ne compliquez pas les choses, cette pièce d'or finira dans votre poche. Faites le malin, et vous devrez implorer ma pitié.

En guise de démonstration, Verna utilisa son Han pour arracher la lime de la main de Sproul et l'envoyer voler en hauteur jusqu'à ce qu'elle disparaisse de leur vue.

— Vous voyez ce que je veux dire, maître ?

En sifflant comme une flèche, la lime retomba du ciel et vint se planter dans la terre, à un pouce du pied de Sproul. Chauffé au rouge, le manche en fer – la seule partie de l'outil qui émergeait encore du sol – brillait comme un petit soleil. Au prix d'un énorme effort mental, Verna arracha le métal en fusion de la terre et le transforma en un long geyser rougeoyant qui frôla le nez de Sproul et lui roussit les sourcils.

Verna agita un index. Comme un serpent subjugué par un joueur de flûte, le ruban de métal dansa devant le visage du vieux fossoyeur. Puis il s'enroula autour de son corps, à quelques pouces de sa peau.

— Si je bouge encore le doigt, maître Sproul, votre lime vous immobilisera aussi parfaitement qu'une corde.

Verna ouvrit une main, paume vers le haut. Une langue de flammes en jaillit et lévita docilement dans les airs.

— Quand vous ne pourrez plus bouger, ma flamme s'en prendra d'abord à vos pieds, et je vous ferai cuire à petit feu jusqu'à ce que vous parliez.

— Pitié..., gémit le vieux fossoyeur.

— Il y a une autre solution, rappelez-vous, fit Verna en brandissant la pièce. Dites tout de suite la vérité, et vous serez beaucoup moins pauvre !

Terrorisé, Sproul regarda l'étrange lasso en fusion qui menaçait de se refermer sur lui, puis la flamme toujours suspendue au-dessus de la main de sa visiteuse.

— On dirait que d'autres souvenirs me reviennent..., souffla-t-il. Je serai ravi de vous communiquer les informations que mon pauvre vieux cerveau avait bêtement oubliées...

Verna éteignit la flamme et se concentra pour transformer la chaleur produite par son Han en son exact contraire. Le froid soudain fit virer au blanc le métal rougeoyant. Quelques secondes plus tard, il se brisa en mille morceaux qui retombèrent en pluie autour du vieux fossoyeur.

Verna lui souleva le bras droit, lui retourna la main et posa la pièce d'or au creux de sa paume.

— J'ai peur que votre outil soit fichu. Mais mon petit cadeau compensera largement cette perte...

Très largement, en vérité. Ce malheureux ne gagnait pas l'équivalent en un an.

— J'ai d'autres limes, dit-il. Ce n'est pas grave.

— À présent, maître Sproul, si nous reparlions de cette facture ? (Verna posa une main sur l'épaule du vieil homme et la serra très fort. Un geste qui n'avait rien d'amical...) Je veux tout entendre, même les détails qui vous semblent insignifiants. C'est compris ?

— Oui, mais ne serrez pas autant, s'il vous plaît ! (Verna relâcha sa prise.) Comme je vous l'ai dit, Ham s'était chargé du travail, et je n'étais pas au courant. Il m'avait simplement parlé d'une ou deux inhumations, pour le compte du palais. Il n'a jamais été du genre bavard, et ça ne me dérangeait pas.

» Tout de suite après, il m'a annoncé qu'il partait vivre avec sa fille. Ça faisait des années qu'il parlait de quitter le métier avant de devoir creuser sa propre tombe, mais il n'avait pas assez d'argent, et sa fille était aussi fauchée que lui. J'ai fini par ne plus écouter quand il radotait à ce sujet. Et puis, d'un seul coup, le voilà qui s'achète un âne ! Ce jour-là, j'ai compris qu'il ne radotait pas. Et il m'a vraiment dit de garder l'argent de la facture pour engager un ouvrier.

» La veille de son départ, il est venu me voir avec une bonne bouteille. Pas le genre de tord-boyaux que nous avions l'habitude de nous payer. Avec un verre de trop dans le nez, Ham n'a jamais pu garder un secret vis-à-vis de moi. Comprenez-moi bien, il ne déblatérait pas à tort et à travers devant des inconnus, même quand il roulait sous la table. Mais nous deux, on était vraiment amis...

Verna lâcha l'épaule du fossoyeur.

— Je comprends... Ham est un brave homme, et vous ne voudriez pas trahir sa confiance. Milton, je suis une Sœur de la Lumière. Me parler n'est pas une mauvaise action, et ça ne vous attirera pas d'ennuis. Idem pour ce bon vieux Ham !

Visiblement soulagé, Sproul hocha la tête.

— La bouteille aidant, reprit-il, nous avons évoqué le bon vieux temps, quand les cadavres nous semblaient moins difficiles à soulever. Ham allait partir, et je savais qu'il me manquerait. On travaillait depuis si longtemps ensemble, et...

— Je sais ce qu'est l'amitié, Milton. Qu'a-t-il dit ce soir-là ?

Maître Sproul tira un peu sur son col, comme s'il respirait mal.

— Plus il buvait, et plus il semblait triste de partir. Cet alcool était sacrément fort, vous savez… Pire que tout ce qu'on s'était sifflé jusque-là ! Quand je lui ai demandé où vivait sa fille, pour lui envoyer l'argent de la facture, il a répondu qu'il n'en avait pas besoin. Bien sûr, j'ai insisté. Après tout, il me laissait l'entreprise, et ce n'est pas le type de profession où on risque de manquer de travail ! Ham a répété qu'il se fichait de cet argent. Ce genre de déclaration ne lui ressemblait pas, parce que nous avons passé notre vie à courir après trois sous. Quand j'ai voulu savoir d'où il tenait de l'argent, il a prétendu qu'il avait des économies ! La bonne blague ! Ham n'a jamais pu mettre un rond de côté. S'il avait les poches pleines, c'était récent, il n'y a pas de doute pour moi.

» C'est là qu'il m'a répété de ne pas oublier de faire parvenir la facture au palais. Je suppose que ça soulageait sa conscience, vu qu'il me laissait quand même dans la mouise…

» À ce moment-là, je lui ai demandé qui il avait mis en terre, au palais. Savez-vous ce qu'il m'a répondu ? « Personne ! » Il n'avait pas inhumé mais exhumé quelqu'un !

— Quoi ? s'écria Verna en prenant le vieil homme par le col. Il a déterré un mort ? C'est ça que vous voulez dire ?

— Exactement ! Vous avez déjà entendu un truc pareil ? Enterrer des cadavres ne m'a jamais gêné, puisque c'est mon boulot. Mais les sortir de terre… La seule idée me terrifie ! Une telle profanation… Pourtant, sur le coup, ronds comme des queues de pelle, on en a rigolé un bon moment.

— Qui a-t-il exhumé ? demanda Verna. Et de qui venait la commande ?

— Du palais… Il ne m'a rien dit de plus.

— À quand remonte cette histoire ?

— Oh, ça ne date pas d'hier… Attendez, ça me revient ! C'était un jour ou deux après le solstice d'hiver…

— Qui a-t-il exhumé, bon sang ! cria la Dame Abbesse en secouant Sproul comme un prunier.

— J'ai posé la question, et il m'a dit que ses commanditaires s'en fichaient. Ils voulaient simplement qu'il déterre de la chair morte enveloppée dans un linceul bien propre…

— Vous êtes sûr ? Ham avait bu. Il a peut-être raconté n'importe quoi !

— Non. L'alcool ne le faisait jamais mentir. Au contraire, il le poussait à dire la vérité. Soûl, il me confessait ses pires péchés, comme si j'avais eu le pouvoir de l'en absoudre. Et n'allez pas croire que ma mémoire me joue des tours, parce que c'est la dernière fois que j'ai vu mon meilleur ami. Alors, ses paroles sont restées gravées dans ma mémoire.

» Ensuite, il a reparlé de la facture, en me conseillant d'attendre quelques semaines pour l'envoyer, parce que tout le monde était très occupé, chez vous…

— Qu'a-t-il fait du corps ? À qui l'a-t-il remis ?

Milton tenta de reculer, mais Verna était beaucoup trop forte pour lui.

— Je n'en sais rien. Il est entré au palais dans un chariot fermé, et on lui avait donné un laissez-passer spécial, pour que les gardes ne vérifient pas sa cargaison. Il avait dû mettre ses meilleurs vêtements, histoire qu'on ne le reconnaisse pas. Le beau monde qui vit au palais ne devait pas avoir peur à cause de lui – surtout les sœurs, si sensibles, et dont ça aurait perturbé la communion avec le Créateur. Ham était très fier, parce qu'il avait rempli sa mission comme un chef. Personne ne les avait remarqués, ses cadavres et lui... Je n'en sais pas plus, ma sœur. Je le jure sur mon espoir de vivre à jamais dans la Lumière du Créateur, quand je quitterai ce monde.

— Une minute..., fit Verna. Vous venez de dire « ses cadavres et lui ». (Elle resserra sa prise et foudroya du regard le vieux fossoyeur.) Combien de morts a-t-il déterrés puis livrés au palais ?

— Deux...

— Deux..., répéta Verna, les yeux écarquillés.

— C'est ça, oui...

La Dame Abbesse lâcha le col de Sproul.

Deux morts enveloppés dans des linceuls propres...

Elle serra les poings et grogna de rage.

Milton leva timidement une main.

— Il y a encore une chose... Je ne sais pas si c'est important.

— J'écoute !

— Les clients de Ham voulaient des cadavres récents. Le premier était petit et léger, m'a-t-il dit, mais le deuxième lui a donné du mal, parce que c'était un sacré morceau. Je ne lui ai pas posé d'autres questions sur ce sujet. Désolé...

— Merci, Milton, dit Verna en se forçant à sourire. Vous venez d'être d'un grand secours au Créateur.

— Merci à vous, ma sœur..., souffla le vieux fossoyeur en se massant le cou. Vous savez, avec ma profession, je n'ai jamais eu le courage d'aller au palais. Les gens me fuient comme la peste... Bref, je n'y ai jamais mis les pieds. Alors, si vous pouviez me donner la bénédiction du Créateur...

— Bien sûr, Milton. Vous L'avez toujours bien servi.

Sproul ferma les yeux et récita une prière.

— Que la bénédiction du Créateur soit sur Son enfant, dit Verna en posant une main sur le front de Milton. (Quand elle laissa couler son Han dans l'esprit du vieil homme, il gémit d'extase.) Milton Sproul, je vous ordonne d'oublier sur-le-champ tout ce que Ham vous a dit sur cette facture le soir de votre beuverie. Gardez seulement en mémoire qu'il s'est chargé du travail, et que vous n'en savez pas plus. Dès que je sortirai, j'ordonne que vous ne vous souveniez plus de ma visite.

— Merci, ma sœur, répéta Milton, les yeux roulant longtemps sous ses paupières avant de se rouvrir.

Warren faisait les cent pas devant la porte. Verna le dépassa sans daigner s'arrêter pour l'informer des résultats de son interrogatoire.

Il courut pour la rattraper.

— Je l'étranglerai ! grogna la Dame Abbesse, furieuse. Oui, je lui tordrai le cou de mes mains ! Tant pis si le Gardien m'emporte, mais je lui écraserai la trachée artère. Très lentement...

— De quoi parles-tu ? Verna, qu'as-tu découvert ? Et ralentis un peu, s'il te plaît.

— Ne m'adresse pas la parole, Warren ! Un mot de plus, et c'est toi que j'étranglerai !

La Dame Abbesse traversa la rue comme une tornade, les poings se levant et s'abaissant au rythme de sa charge aveugle. La boule de fureur, au creux de son estomac, menaçait d'exploser. Dans son ire, elle ne voyait plus les bâtiments, autour d'elle, et n'entendait plus le roulement lancinant des tambours. Obsédée par son désir de vengeance, elle oublia même que le pauvre Warren trottinait derrière elle.

Sans savoir comment elle était arrivée jusque-là, elle s'avisa qu'elle traversait un des ponts secondaires qui conduisaient sur l'île Kollet.

Quand elle s'arrêta au beau milieu de la passerelle, Warren fut tellement surpris qu'il faillit la percuter.

Sans crier gare, la Dame Abbesse le saisit par le col.

— File dans les catacombes et remonte l'arborescence de cette prophétie !

— Verna, de quoi parles-tu ?

— « *Quand la Dame Abbesse et le Prophète seront rendus à la Lumière, les flammes de leur bûcher funéraire porteront à ébullition un chaudron plein de fourberie. Alors viendra l'Usurpatrice qui présidera à la fin du Palais des Prophètes.* » Identifie les branches, et suis-les aussi loin que possible ! Découvre tout ce que tu pourras ! C'est compris ?

Warren se dégagea et tira sur sa tunique pour la défroisser.

— Que t'arrive-t-il ? Que t'a raconté ce fossoyeur ?

— Plus tard, Warren ! Ne me pousse pas à bout !

— Verna, nous sommes des amis embarqués dans la même galère. Tu t'en souviens ? J'ai le droit de savoir, et...

— Obéis-moi sans discuter, pour une fois ! Si tu insistes, je jure que tu finiras dans le fleuve ! Va étudier cette prophétie, et viens me voir dès que tu auras du nouveau.

En matière de prédictions, Verna n'était pas une... novice. Ce qu'elle demandait à Warren pouvait prendre des années. Voire des siècles. Mais que faire d'autre ?

— À vos ordres, Dame Abbesse ! lâcha le futur Prophète.

Au moment où il la dépassa, Verna vit qu'il avait les yeux rouges et enflés. Mais quand elle voulut le rattraper par le bras, il était déjà trop loin.

Elle tenta de crier qu'elle ne lui en voulait pas, consciente que ce n'était pas sa faute si elle était l'Usurpatrice. Hélas, la voix lui manqua.

Elle retourna près du mur, fit son petit circuit à l'envers – rocher, chêne, gargouille auvent et contrefort –, utilisa seulement deux branches du poirier et se laissa tomber sur le sol. Courant dès qu'elle eut retrouvé son équilibre, elle fonça vers le sanctuaire d'Annalina et abaissa plusieurs fois la poignée de la porte – qui refusa de s'ouvrir.

Recouvrant un peu de sa lucidité, Verna sortit la bague de sa poche et la pressa contre le soleil gravé sur le battant. Une fois à l'intérieur, submergée par sa fureur, elle plaqua le bijou sur la deuxième gravure puis le lança à travers la pièce, ravie de l'entendre rebondir contre un mur puis atterrir sur le sol.

Après avoir tiré le livre de voyage de sa ceinture, elle se laissa tomber sur la chaise à trois pieds. À bout de souffle, elle tira le stylet de son logement, ouvrit le carnet, le posa sur la table et foudroya du regard ses pages blanches.

Malgré sa fureur, elle tenta de réfléchir logiquement. Se pouvait-il qu'elle se trompe ? Non, elle avait vu juste ! Pourtant, elle restait une Sœur de la Lumière – pour ce que ça valait ! – formée à ne pas tout risquer sur une hypothèse.

Elle devait découvrir qui détenait le jumeau de son livre. Sans trahir sa propre identité, au cas où elle ferait erreur.

Mais elle suivait la bonne piste. C'était la seule possibilité...

Elle embrassa son annulaire gauche et implora le Créateur de l'aider et de lui donner de la force.

Exploser de colère l'aurait soulagée. D'abord, elle devait être sûre. Prenant le stylet, elle écrivit d'une main tremblante :

« *Pour commencer, dites-moi pourquoi vous m'avez choisie la fois précédente. Je me souviens de chaque mot. Une seule erreur, et ce livre de voyage finira au feu.* »

Verna ferma le carnet et le remit à sa ceinture. Prise de frissons, elle se leva, saisit la couverture et alla s'asseoir sur le fauteuil, bien plus confortable que la petite chaise.

S'était-elle jamais sentie aussi seule et abandonnée ?

Les yeux clos, elle se souvint de son entretien avec Annalina, après qu'elle eut ramené Richard au palais. La Dame Abbesse refusant de la recevoir, il lui avait fallu des semaines pour obtenir une audience. Aussi longtemps qu'il lui resterait à vivre, elle n'oublierait jamais cette conversation...

Furieuse que la Dame Abbesse lui ait dissimulé des informations vitales, Verna l'avait accusée de l'avoir utilisée. Sans s'émouvoir, Annalina lui avait demandé pourquoi, à son avis, elle avait été choisie pour cette mission.

Parce que la Dame Abbesse lui faisait confiance, avait-elle répondu.

Annalina l'avait détrompée. Soupçonnant Grace et Elizabeth, les deux premières candidates sélectionnées, d'être des Sœurs de l'Obscurité, elle s'était fiée aux prophéties qui prévoyaient leur mort. Alors, elle avait usé de ses privilèges en choisissant Verna. La preuve qu'elle excluait la possibilité qu'elle fût également une servante du Gardien...

— « *Vous étiez sûre de moi à ce point ?* » s'était étonnée Verna.

— « *Je vous ai choisie parce que vous étiez tout en bas de la liste* », avait répondu Anna. « *Et à cause de votre parfaite insignifiance. Je doutais que vous soyez une de mes ennemies... Votre manque de relief renforçait ma conviction. Si Grace et Elizabeth étaient arrivées en haut de la liste, c'était sûrement parce que la femme qui dirige les Sœurs de l'Obscurité les jugeait sacrifiables. J'ai copié sa tactique. Comment risquer la vie de sœurs vraiment utiles à notre cause ? Richard nous servira, c'est vrai, mais il n'est pas essentiel aux affaires du palais. À mission subalterne, agent subalterne. Et si vous n'étiez pas revenue, comme tout bon général, je me serais félicitée de ne pas avoir mis en danger la vie d'un élément de valeur.* »

La femme qui lui avait souri quand elle était encore une gamine, la source d'inspiration de toute sa vie, venait de lui briser le cœur.

Verna remonta la couverture jusqu'à son menton et laissa errer son regard sur les murs gris du sanctuaire. Elle avait toujours voulu être une Sœur de la Lumière, ces merveilleuses femmes qui mettaient leur Han au service du Créateur et accomplissaient

Son œuvre dans le monde des vivants. Pour le Palais des Prophètes, elle avait sans hésiter sacrifié sa vie et son cœur.

Elle se souvint du jour où on lui avait annoncé la mort de sa mère. De vieillesse, avait-on précisé.

N'ayant pas le don, sa mère n'était d'aucune utilité pour le palais. À cause de la distance, Verna ne lui avait pas souvent rendu visite. Et lors de ses rares séjours au palais, la pauvre femme avait tremblé de frayeur parce que sa fille ne vieillissait pas normalement. Aucune explication n'était parvenue à apaiser ses angoisses – essentiellement parce qu'elle refusait d'écouter.

Par peur de la magie !

Même si les Sœurs de la Lumière ne cherchaient pas à dissimuler qu'un sort ralentissait leur vieillissement, les gens normaux ne réussissaient pas à appréhender le concept, car la magie n'avait aucune influence directe sur leur vie. Fiers de résider près du palais, à l'ombre de sa splendeur et de sa puissance, ils vénéraient le fief des sœurs avec une ferveur qui n'excluait en rien la méfiance. À leurs yeux, trop réfléchir à ces mystères était aussi dangereux que de vouloir regarder le soleil en face, alors qu'il était si simple de profiter de sa chaleur sans se poser de question.

Au moment du décès de sa mère, Verna, après quarante-sept ans passés au palais, avait toujours l'apparence d'une adolescente…

Plus tard, on l'avait informée de la mort de son enfant. Également de vieillesse…

Leitis, la fille qu'elle avait eue avec Jedidiah, ne contrôlait aucun pouvoir. Il valait donc mieux, avait-on dit, qu'elle soit élevée dans une famille qui saurait l'aimer et lui permettre de vivre une vie normale. Quand on n'avait pas le don, résider au palais était un calvaire. Trop occupée à servir le Créateur, Verna avait accepté cet arrangement.

Une sœur et un sorcier avaient plus de chances que leur bébé naisse avec le don. Même si cette possibilité restait infime, les grossesses de ce type étaient bien vues par les instances dirigeantes du palais. On n'allait pas jusqu'aux encouragements officiels, mais c'était limite…

Comme dans tous les « arrangements » de ce genre négociés par le palais, Leitis n'avait jamais su que ses parents nourriciers ne l'avaient pas conçue. Selon Verna, c'était un bien. Quel genre de mère aurait pu faire une Sœur de la Lumière ? Elle préférait ne pas l'imaginer…

Bien entendu, afin qu'elle ne s'inquiète pas pour sa fille, le palais avait généreusement subvenu aux besoins de la famille.

Sous prétexte d'apporter la bénédiction du Créateur à d'honnêtes travailleurs, Verna avait parfois rendu visite à Leitis, qui semblait très heureuse.

Lors de leur dernière rencontre, la « petite », les cheveux blancs et le dos voûté, ne parvenait plus à marcher sans l'aide d'une canne. Bien entendu, elle n'avait pas reconnu en Verna la sœur venue la bénir alors qu'elle jouait encore à cache-cache avec ses amies, quelque soixante ans plus tôt.

— Merci de votre bénédiction, ma sœur, avait dit Leitis en souriant. Comment peut-on être si jeune et si douée ?

— Tu vas bien, Leitis ? Et que penses-tu quand tu te retournes sur ta vie ?

— Que ce fut un merveilleux voyage, ma sœur. À part la mort de mon mari, il y a cinq ans, le Créateur m'a toujours épargné les épreuves. Vous voulez connaître mon seul regret ? Ne plus avoir mes beaux cheveux bouclés ! Jadis, ils étaient aussi magnifiques que les vôtres ! Si, si, je vous le jure !

Depuis quand Leitis avait-elle quitté ce monde ? Au moins cinquante ans… De ses petits-enfants, Verna n'avait rien voulu savoir, même pas leurs noms.

Elle éclata en sanglots, presque étouffée par la boule qui s'était formée dans sa gorge.

Pour devenir une Sœur de la Lumière, elle avait tout sacrifié. Sans rien demander en échange, sinon de pouvoir aider les gens.

Et on l'avait prise pour une idiote !

Devenir Dame Abbesse n'avait jamais été dans ses plans. Mais le pouvoir, comme elle l'avait récemment découvert, permettait d'améliorer la vie des autres dans une plus grande mesure. Bref, il lui donnait l'occasion d'accomplir la mission qu'elle s'était assignée.

Mais là encore, on s'était moqué d'elle !

Serrant la couverture contre sa poitrine, l'Usurpatrice pleura si longtemps qu'il ne lui resta plus une larme à verser. La gorge en feu et les yeux gonflés, elle ne s'aperçut pas que la nuit était tombée.

Jusqu'à ce qu'elle jette un coup d'œil par la fenêtre, et décide, en découvrant le firmament obscur, qu'elle serait tout aussi bien – ou plutôt, aussi mal – dans sa chambre.

Rester dans le sanctuaire de la Dame Abbesse lui devint soudain insupportable. L'Usurpatrice n'en avait pas le droit !

Vidée de son chagrin, il ne lui restait plus que la fatigue et l'humiliation…

Pour ouvrir la porte, elle dut chercher la bague à tâtons… et à quatre pattes. Une fois dehors, elle la remit à son doigt, histoire de se rappeler, chaque fois qu'elle poserait les yeux dessus, qui était le dindon de cette sinistre farce.

Elle traversa le bureau de la Dame Abbesse – donc, pas le sien – et s'apprêta à gagner la chambre de la Dame abbesse, où elle n'avait pas davantage de raisons de se trouver…

Les bougies ayant expiré depuis longtemps, elle en alluma une neuve et contempla la pile de mémos, toujours aussi impressionnante. Phoebe se donnait un mal de chien pour l'ensevelir sous les documents urgents. Comment réagirait-elle en apprenant qu'elle n'était pas vraiment l'administratrice de la Dame Abbesse, mais l'assistante engagée par une sœur des plus insignifiantes ?

Demain, Verna devrait s'excuser auprès de Warren, qui n'était pour rien dans cette mascarade. S'être défoulée sur lui ne la grandissait pas…

Sur le seuil de la porte, elle s'arrêta net. Son bouclier diaphane était déchiré !

Un coup d'œil au bureau lui confirma que Phoebe n'était pas venue ajouter des mémos à la pile.

Quelqu'un avait fouiné dans ses affaires.

# Chapitre 26

Accroupis sous les trombes d'eau qui balayaient le pont, quelques marins, les pieds nus, se tenaient prêts à passer à l'action. Leurs muscles lustrés de sueur brillant à la lumière jaune des lampes de quart, ils regardaient la distance diminuer entre le bastingage et les quais. Soudain, ils se relevèrent et sautèrent dans l'obscurité. Après une réception en souplesse, ils s'emparèrent des têtes lestées de plomb des câbles d'amarrage que leurs collègues restés à bord venaient de leur lancer. Tirant en cadence, ils grignotèrent lentement le gouffre obscur qui séparait encore le navire de la terre ferme.

Se déplaçant avec une aisance née de l'habitude, ils enroulèrent les câbles autour des bittes d'amarrage, se campèrent solidement sur les talons et cambrèrent au maximum le dos pour mettre le bateau en panne. Haletant, ils résistèrent à la traction jusqu'à ce que le *Dame Sefa* s'immobilise. Puis ils tirèrent sur les câbles pour regagner le terrain qu'ils avaient perdu et haler le bâtiment jusqu'aux quais. À bord, d'autres matelots jetèrent des pare-battage le long de la coque afin de la protéger du choc contre la pierre.

Réfugiées sous une bâche goudronnée martelée par la pluie, les sœurs Ulicia, Tovi, Cecilia, Armina, Nicci et Merissa regardaient le capitaine Blake arpenter le pont en beuglant des ordres à son équipage.

Avec un temps pareil, le capitaine n'était pas ravi d'avoir dû s'aventurer jusqu'aux quais de marchandises, particulièrement étroits. Si on lui avait laissé le choix, il aurait mouillé dans le port et utilisé un canot pour débarquer ses passagères. Hélas, sœur Ulicia n'était pas d'humeur à se faire tremper jusqu'aux os. Se fichant que Blake, avec un tel courant, soit obligé de mettre tous les canots à l'eau pour remorquer le *Dame Sefa*, elle lui avait ordonné de la conduire « vraiment à terre ». Un regard noir avait suffi à étouffer les protestations du capitaine.

— Vous débarquerez bientôt, nobles dames, annonça-t-il en se campant devant les sœurs, son bicorne détrempé à la main.

— Eh bien, ça n'était pas si difficile que ça, dirait-on, lâcha Ulicia.

— Nous y sommes arrivés, c'est l'essentiel. Mais je ne comprends toujours pas pourquoi vous avez voulu accoster au port de Grafan. Gagner Tanimura par voie de terre ne sera pas un jeu d'enfant, vous savez. Et nous aurions pu vous y déposer directement…

Il n'ajouta pas que cela l'aurait débarrassé un jour plus tôt de ses encombrantes passagères. L'officier s'était montré insistant, mais Ulicia, que sa proposition tentait, avait dû obéir aux ordres et la décliner.

Elle sonda la pénombre, loin au-delà du quai, à l'endroit où elle savait qu'*il* l'attendait. Inquiètes, ses compagnes suivirent la direction de son regard.

À la lueur des éclairs, on apercevait les collines qui dominaient le port. Le reste du temps, les lumières vacillantes des fenêtres de la forteresse nichée sur une de ces buttes semblaient flotter dans le vide. Mais des murs encadraient bien ces « iris » brillants de cruauté.

Et Jagang les attendait dans son fief.

Se tenir devant lui en rêve, pensa Ulicia, était déjà terrible. Mais on pouvait au moins se réveiller. L'idée de le voir en chair et en os la terrifiait. Ce soir, il ne serait pas possible d'ouvrir les yeux pour lui échapper.

Ulicia se concentra sur le lien qu'elle sentait pulser en elle. Jagang non plus ne pourrait pas s'enfuir en se réveillant ! Le vrai maître des Sœurs de l'Obscurité s'emparerait de lui, et il lui ferait payer ses crimes.

— On dirait que vous êtes attendues, fit le capitaine.

Ulicia s'arracha à ses pensées et daigna lui accorder son attention.

— Pardon ?

— Ce coche doit être pour vous, dit Blake en tendant le bras qui tenait son bicorne. Il n'y a personne d'autre ici, à part tous ces soldats…

Les yeux plissés, Ulicia aperçut l'attelage de six solides hongres immobile sur la route, au-dessus des quais. La respiration soudain bloquée, elle dut se forcer à expirer.

Bientôt, tout serait terminé. Jagang aurait ce qu'il méritait, elle s'en assurerait.

Ses yeux s'adaptant à l'obscurité, Ulicia distingua enfin les soldats. Il y en avait partout. Des centaines de feux brûlaient sur les collines. De quoi donner le vertige : par ce temps, pour un foyer qui prenait, vingt ou trente ne résistaient pas à l'averse…

Un raclement retentit, annonçant qu'on mettait en place la passerelle de débarquement. Dès que la voie fut libre, quelques marins s'emparèrent des bagages des six sœurs, descendirent à terre et coururent vers le coche.

— Travailler avec vous fut un plaisir, mentit le capitaine Blake, pressé de voir partir ses passagères. Prêts à larguer les amarres, les gars ! Il ne faudrait pas louper la marée.

Il n'y eut pas de cris de joie. Mais le cœur y était, Ulicia n'en doutait pas. Pendant le voyage, les matelots avaient reçu quelques leçons de discipline supplémentaires qu'ils n'étaient pas près d'oublier.

Alors qu'ils guettaient impatiemment l'ordre d'appareiller, ces hommes pourtant rudes ne se permirent pas de poser les yeux sur les six femmes. Devant la passerelle, quatre colosses, la tête baissée, tenaient l'auvent portable qui éviterait aux passagères d'être trempées comme des soupes.

Avec la quantité de pouvoir qui crépitait autour des sœurs, Ulicia aurait pu utiliser son Han pour invoquer un bouclier protecteur imperméable. Mais elle ne voulait pas recourir trop tôt au lien, et risquer ainsi d'alarmer Jagang. En outre, voir de la vermine s'échiner pour son bien-être l'amusait. Sans son souci de discrétion, elle aurait volontiers tué très lentement tous ces porcs. Bon sang, ils ne connaîtraient jamais leur chance !

Dès qu'Ulicia commença à avancer, ses compagnes la suivirent. Comme elle, toutes ne détenaient pas seulement le pouvoir qui leur avait été donné à la naissance – soit le Han féminin. Ayant subi le rituel, elles possédaient aussi son opposé, le Han masculin volé à de jeunes sorciers. Et en plus de la Magie Additive, elles contrôlaient également la Soustractive.

Désormais, tout cela était lié…

Ulicia n'aurait pas juré que c'était faisable. Jusque-là, les Sœurs de l'Obscurité n'avaient jamais tenté de fusionner leur pouvoir. Cette démarche impliquait de grands risques, mais ne rien faire eût été inacceptable. Pour elles, ce succès avait été un immense soulagement. Consciente qu'il s'agissait en fait d'un triomphe qui dépassait toutes leurs espérances, Ulicia était enivrée par le flot de magie impétueux et violent qui circulait dans son corps.

Elle n'aurait jamais cru qu'un tel pouvoir pût être rassemblé. À part le Créateur et le Gardien, rien, dans l'univers, n'approchait de la puissance qu'elles contrôlaient.

Ulicia était le point focal du lien – la sœur qui commanderait et orienterait le pouvoir. Pour l'heure, elle s'efforçait de le contenir, alors qu'il lui hurlait son désir d'être déchaîné. Une fabuleuse explosion qui ne tarderait plus…

Ainsi liés, les Han masculins et féminins, plus les deux magies, avaient un tel potentiel destructeur que du feu de sorcier, en comparaison, serait passé pour une vulgaire étincelle. D'une seule pensée, Ulicia aurait pu raser la colline où se dressait la forteresse. Sans grand effort, elle aurait été en mesure d'étendre cette dévastation à tout ce qu'elle voyait autour d'elle. Et peut-être à ce qu'elle ne voyait pas…

Certaine que Jagang était dans la forteresse, elle n'aurait pas hésité une seconde à la rayer de la carte du monde. Mais s'il se cachait ailleurs, et survivait jusqu'à ce que les six sœurs soient de nouveau obligées de dormir, c'était lui qui remporterait la partie. Ulicia devait attendre d'avoir l'empereur en face d'elle. Alors, elle libérerait une puissance telle que le monde n'en avait jamais connu, et réduirait ce misérable en poussière. Récipiendaire de son âme, le Gardien saurait lui infliger une éternité de tourments.

Au bout de la passerelle, les quatre marins encadrèrent les sœurs pour les protéger de l'averse.

Grâce au lien, Ulicia sentit les mouvements des muscles de ses compagnes tandis qu'elles avançaient le long de la jetée. Depuis qu'elles avaient uni leurs Han, rien de ce qu'éprouvaient les autres ne lui échappait. Dans son esprit, elles ne formaient plus qu'un seul être. Et un unique désir les taraudait : se débarrasser de cette sangsue de Jagang !

*— Ce ne sera plus long, mes sœurs…*

*— Ensuite, nous irons implorer le pardon du Gardien ?*

— *Oui, mes sœurs...*

Alors que les six femmes remontaient la jetée, elles croisèrent une escouade de soldats qui se dirigeait vers le quai. Dès qu'ils l'eurent atteint, ils s'engagèrent sur la passerelle et montèrent à bord du *Dame Sefa*. Un sous-officier approcha du capitaine Blake. Sans le saluer, il lui débita un discours qu'Ulicia n'entendit pas. À la réaction du marin, qui leva les bras au ciel, beugla comme un cochon qu'on égorge et agita frénétiquement son vieux bicorne, elle comprit ce qui se passait.

Le lien lui aurait permis d'espionner la conversation des deux hommes, mais ç'aurait été trop risqué...

Toujours furieux, Blake se tourna vers ses hommes.

— Attachez solidement les amarres ! Nous ne partirons pas ce soir...

Quand les Sœurs de l'Obscurité atteignirent le coche, un soldat leur fit signe d'y monter. Ulicia laissa passer ses compagnes en premier. À travers le lien, elle sentit le « soulagement » des jambes des deux plus vieilles, dès qu'elles se furent assises.

Les soldats ordonnèrent aux quatre marins de se tenir un peu à l'écart et d'attendre. Alors qu'elle prenait place et refermait la portière, Ulicia vit un petit groupe de militaires escorter les matelots jusqu'au navire.

Jagang prévoyait sans doute d'éliminer l'équipage pour se débarrasser de témoins gênants. Ainsi, personne n'irait raconter partout qu'il était en rapport avec des Sœurs de l'Obscurité.

Ulicia remercia silencieusement l'empereur. Cet idiot n'aurait pas le plaisir de mettre à mort les marins, mais en les empêchant de partir, il les lui offrait sur un plateau. Ravie à l'idée d'assassiner lentement ces pourceaux, Ulicia sourit à ses compagnes. Captant ses pensées grâce au lien, elles lui rendirent la pareille. La traversée avait été un calvaire, et ces chiens finiraient par le payer !

Alors que le coche gravissait une pente raide, Ulicia, à la faveur d'un éclair plus lumineux que les autres, s'étonna de la taille de l'armée réunie par Jagang. Les tentes couvraient les collines comme de la mauvaise herbe au printemps. À côté, Tanimura ressemblait à un village et ses habitants à des pionniers perdus dans un obscur avant-poste. Jusque-là, la sœur ignorait qu'il y eût autant de militaires dans l'Ancien Monde. Mais au fond, ces gaillards leur seraient peut-être utiles, un jour ou l'autre...

Un nouvel éclair illumina la forteresse où Jagang les attendait. La voyant également à travers les yeux des autres sœurs, Ulicia sentit leur angoisse et leur désir, aussi fort que le sien, de dévaster le fief de leur tourmenteur. Mais l'heure n'avait pas encore sonné.

Après ce qu'il leur avait infligé, elles reconnaîtraient le visage ricanant de Jagang aussitôt qu'il serait en face d'elles. Il fallait patienter, pour être sûres...

*Dès que nous le verrons, mes sœurs, il mourra.*

Avant, Ulicia aurait voulu voir briller dans les yeux de ce porc la terreur qu'il avait instillée dans leurs cœurs. Mais pour réussir, il était essentiel de ne pas éveiller ses soupçons. Qui savait de quoi il était capable ? À part le Gardien, lui seul avait eu accès au rêve qui n'en était pas un. Alors, il faudrait frapper vite, et ne pas lui laisser une chance de réagir. Tant pis pour les petites satisfactions personnelles...

Toujours par prudence, Ulicia avait attendu, pour révéler son plan aux autres, que le *Dame Sefa* soit dans le port de Grafan. Le Gardien se chargerait de châtier Jagang. Elles en auraient assez fait en lui livrant son âme…

Satisfait que ses servantes lui aient rendu son pouvoir sur le monde des vivants, le maître leur permettrait de bon cœur d'assister – par le biais d'une vision – au calvaire de l'empereur déchu. Et nul doute qu'elles lui demanderaient cette faveur.

Le coche s'arrêta devant l'ignoble gueule de la forteresse. Vêtu d'un manteau de cuir et lesté d'assez d'armes pour massacrer un bataillon, un soldat fit signe aux femmes de descendre. En silence, elles pataugèrent dans la boue, franchirent la herse, s'engagèrent dans un tunnel puis entrèrent dans une salle ronde où on leur demanda d'attendre en restant debout. Comme si elles avaient pu avoir l'idée saugrenue de s'asseoir sur le sol de pierre crasseux et gelé. Surtout en étant vêtues de leurs plus beaux atours !

Comme toujours, Tovi portait une robe sombre qui l'amincissait. Pour s'harmoniser avec ses cheveux gris impeccablement coiffés, Cecilia avait choisi une robe verte au col en dentelle. En jupe noire, une habitude chez elle, Nicci avait opté pour un corsage à jabot qui mettait en valeur sa poitrine. Préférant le rouge, Merissa était belle à damner un saint, avec ses magnifiques cheveux noirs et ses formes fascinantes. Plus classique, Armina arborait du bleu foncé, une couleur qui convenait bien à ses yeux azur.

Ulicia, également sensible au bleu, s'était décidée pour une nuance plus claire. Dotée d'un décolleté vertigineux, mais pudiquement orné de dentelle, la robe flattait ses hanches voluptueuses.

Les six femmes avaient tenu à se faire belles pour tuer Jagang.

Les murs de pierre de la pièce étaient nus, à l'exception des deux supports en fer où brûlaient des torches anémiques. Au fil des minutes, Ulicia sentit monter la colère de ses compagnes. Et leur appréhension, qu'elle partageait, malheureusement…

Au moment où les marins, entourés de soldats, franchissaient à leur tour la herse, un des deux gardes chargés de surveiller les sœurs ouvrit la porte bardée de fer qui donnait accès au cœur de l'édifice et fit signe aux six femmes d'avancer.

Les deux hommes les guidèrent dans des couloirs aussi austères que le tunnel et la salle ronde. L'édifice n'étant pas un palais, mais une place forte, l'absence de confort parut logique à Ulicia. De plus, la zone qu'elles traversaient, où s'alignaient des lits rudimentaires aux parties métalliques rouillées, semblait être le dortoir des soldats. Un lieu connu pour être à peine plus accueillant qu'une prison.

Arrivés devant une grande porte à deux battants, les soldats l'ouvrirent et se postèrent de chaque côté. Du pouce, ils indiquèrent aux sœurs d'entrer dans une immense salle. Avant d'obtempérer, Ulicia jura mentalement à ses compagnes qu'elle se souviendrait du visage de ces rustres, quand viendrait le moment de se venger de leur mépris. Puis elle passa la première à l'instant où les marins, toujours sous bonne garde, déboulaient dans le couloir.

Dans la salle, de hautes fenêtres dépourvues de vitre laissaient apercevoir les éclairs qui déchiraient le ciel obscur. Poussée par le vent, la pluie que laissaient passer ces ouvertures ruisselait le long des murs noirs. À chaque extrémité de la pièce, des flammes rugissaient dans des braseros. Bien qu'une partie de la fumée parvînt à s'échapper par les fenêtres, un brouillard âcre voilait l'atmosphère. Disposées sur les murs, dans des supports rouillés, des torches crépitantes ajoutaient la puanteur de la suie à celle de la sueur.

Derrière le rideau de fumée, entre les braseros, les sœurs aperçurent une grande « table » – en réalité, de vulgaires planches posées sur des tréteaux ! – où un homme seul, assis devant une montagne de nourriture, se découpait un gros morceau de cochon de lait rôti.

Avec la fumée, et la chiche lumière, il était difficile d'en avoir le cœur net. Et Ulicia n'avait pas droit à l'erreur.

Derrière la table, dos au mur, des hommes et des femmes couvaient le dîneur du regard. Torse découvert, les mâles portaient des pantalons blancs. Affublées de tenues bouffantes à manches longues qui les couvraient du cou jusqu'aux chevilles, leurs compagnes auraient aussi bien pu être nues, tant le tissu était transparent – à l'exception, insignifiante, des cordes qui leur tenaient lieu de ceinture.

L'homme eut un rictus, leva une main et fit signe aux six sœurs d'avancer. Elles obéirent avec le sentiment de s'enfoncer dans les entrailles d'un tombeau.

Devant la table, assises en tailleur sur une peau d'ours, deux autres esclaves ridiculement attifées attendaient le bon vouloir de leur maître. Toutes les femmes, derrière le dîneur, se tenaient très droites, les mains le long du corps. Chacune avait la lèvre inférieure traversée par un anneau d'or.

Alors que les Sœurs de l'Obscurité approchaient, un homme en pantalon blanc versa du vin dans le gobelet que son seigneur lui tendait négligemment.

À présent, Ulicia et ses compagnes reconnaissaient le dîneur.

Jagang !

De stature moyenne, il était taillé en force, avec des bras et des pectoraux de lutteur. Entre les pans de sa veste de fourrure entrouverte, Ulicia distingua les pendentifs et les chaînes d'or qui reposaient sur sa poitrine velue. On eût juré que ces bijoux appartenaient naguère à des têtes couronnées…

L'empereur portait des serre-bras faisant saillir ses biceps, et des bagues d'or ou d'argent ornant chaque doigt. Toutes les sœurs savaient à quel point ses mains pouvaient infliger de la douleur.

Son crâne chauve complétait « harmonieusement » le tableau. Sur une telle masse de muscles, des cheveux auraient été incongrus, comme un cœur gravé sur le tranchant d'une hache de bourreau. Accrochée à l'anneau d'or qui perçait sa narine gauche, une chaînette le reliait à la boucle qu'il portait à l'oreille, du même côté du visage. Les joues glabres, Jagang arborait une moustache en demi-lune et un triangle de poils drus sous sa lèvre inférieure.

Ses yeux avaient le pouvoir hypnotique de ceux d'un serpent. Dénués de blanc, d'un gris sombre uniformément opaque, ils évoquaient des mares de boue piquetées de taches noires qui semblaient éternellement à la dérive. Deux fenêtres ouvertes sur un monde de cauchemar qui paralysait d'horreur tous ceux qu'elles fixaient.

Le rictus de Jagang s'effaça et de la colère parvint à briller dans ses yeux pourtant morts.

— Vous êtes en retard, dit-il de la voix profonde et râpeuse que les six femmes auraient reconnue entre mille.

Ulicia ne gaspilla pas son temps à improviser une réponse. Sans trahir ce qu'elle se préparait à faire, elle focalisa son vortex de Han, décidée à frapper. Pour mieux donner le change, elle étouffa sa haine et celle de ses compagnes et permit à un seul sentiment – la peur – de s'afficher sur leurs visages.

S'il sentait leur confiance, Jagang comprendrait que quelque chose n'allait pas, et il tenterait de se défendre.

Ulicia se jura de détruire tout ce qu'il y avait devant elle. Sur vingt lieues de profondeur, s'il le fallait !

Abruptement, elle abattit la muraille d'énergie qui retenait la force dévastatrice tapie en elle. À la vitesse d'une pensée, mais avec toute la rage d'une tempête, le flot de Magie Additive et Soustractive déferla sur sa cible. Hurlant dans l'air tandis qu'il volait vers sa proie, ce vent de mort diffusait une lueur aveuglante.

Deux forces en principe opposées, unies pour dévaster et tuer, se déchaînèrent dans l'antre de l'empereur.

Alors que le tissu même de la réalité se déchirait, Ulicia se demanda si elle ne venait pas de détruire l'univers…

# Chapitre 27

Comme si les lambeaux d'un cauchemar s'effilochaient devant ses yeux, la vision d'Ulicia s'éclaircit peu à peu. Elle vit d'abord les flammes des braseros et celles des torches. Puis elle distingua les murs noirs – juste avant que les occupants de la salle réapparaissent.

Engourdie pendant quelques secondes, elle regretta cette délicieuse absence de sensation dès que la douleur l'agressa – l'équivalent d'un million de piqûres d'épingles qui n'épargnaient pas un seul de ses nerfs.

Délaissant le cochon de lait, Jagang s'était attaqué à une cuisse de faisan. Après l'avoir nettoyée de sa viande, il brandit le pilon en direction de la sœur.

— Tu sais quel est ton problème, Ulicia ? C'est d'utiliser une magie que tu déchaînes à la vitesse de la pensée… (L'empereur ricana.) Moi, je suis celui qui marche dans les rêves. Comprends-tu ce que ça signifie ? Pour agir, je profite du temps qui sépare les *fragments* d'une pensée, cet intervalle silencieux où rien n'existe. (Il brandit de nouveau son os.) Ces fractions de seconde sont une éternité qui me laisse libre de réagir à ma guise. Si tu préfères, vous pourriez être des statues de marbre qui tentent de me frapper…

À travers le lien, Ulicia sentait toujours ses compagnes. Au moins, il lui restait cette arme.

— Une fusion très élémentaire, ma chère…, lâcha Jagang. J'ai connu des gens qui s'en sortaient bien mieux, mais ils avaient eu le temps de s'exercer. Pour l'instant, je ne toucherai pas au lien. Votre connexion m'arrange, figurez-vous… Plus tard, je la briserai. Et vos esprits avec, si ça m'amuse. (Il but lentement une gorgée de vin.) Mais ce serait improductif, à mon avis. À quoi bon donner une leçon à quelqu'un, si son cerveau n'est plus en mesure de l'assimiler ?

Toujours à travers le lien, Ulicia sentit que Cecilia venait de perdre le contrôle de sa vessie. Elle eut l'impression que l'urine chaude coulait le long de ses propres jambes…

— Comment avez-vous accès au temps qui sépare deux pensées ? demanda Ulicia.

Jagang saisit son couteau et se coupa une tranche du rôti de bœuf posé à côté de lui sur un plat d'argent. Piquant le morceau de viande rouge au bout de sa lame, il posa les coudes sur la table.

— Que sommes-nous ? demanda-t-il en contemplant la viande saignante. Et qu'est-ce que la réalité ?

Il porta le couteau à sa bouche, goba le morceau et mâcha voluptueusement avant de continuer.

— Sommes-nous réductibles à nos corps ? Dans ce cas, un nain vaut moins qu'un géant, c'est incontestable. S'il en allait ainsi, quand on nous coupe un bras ou une jambe, nous perdrions de la substance. Pour dire les choses autrement, nous *existerions moins.* Mais les choses ne se passent pas comme ça. Mutilés ou non, nous restons la même personne. Parce que nous ne sommes pas nos corps, mais nos esprits ! À mesure que nos pensées se forment, elles définissent notre identité et génèrent la *réalité* de notre existence. Entre elles, il n'y a rien, sinon le corps, en attente de la prochaine pensée, qui prolongera le processus.

» Dans l'intervalle qui sépare tes pensées, Ulicia, le temps n'existe pas pour toi. Car c'est mon royaume, celui d'une ombre qui se glisse entre les fissures de ta vie…

— C'est impossible, souffla la sœur, qui sentait ses compagnes trembler comme des feuilles. Votre Han ne peut pas altérer le temps…

— Un petit coin de bois, inséré dans la fissure d'un gros rocher, peut le faire exploser de l'intérieur. Je suis ce corps étranger enfoncé dans les craquelures de vos esprits.

Ulicia ne broncha pas pendant que Jagang se coupait une nouvelle portion de cochon de lait.

— Quand vous dormez, vos pensées flottent et dérivent comme des troncs d'arbres le long d'un fleuve. Alors, vous devenez vulnérables. Dans votre sommeil, vous m'apparaissez comme des phares, si faciles à repérer. C'est là que mes pensées s'enfoncent dans vos « fissures ». À ces heures-là de vos vies, ces craquelures sont pour moi des gouffres béants.

— Et qu'attendez-vous de nous ? demanda Armina.

L'empereur mordit la viande dégoulinante de graisse.

— Eh bien, nous avons un ennemi commun, Richard Rahl. Jusqu'à présent, vous le connaissiez sous le nom de Richard Cypher. Vous savez, le Sourcier de Vérité ? Étrangement, il m'a mieux servi que mes plus fidèles alliés. Savez-vous qu'il a été jusqu'à détruire la barrière qui retenait mon corps dans l'Ancien Monde ? Peut-on être plus obligeant ? Les Sœurs de l'Obscurité, le Gardien et le Sourcier vont me permettre d'asseoir ma domination sur l'espèce humaine.

— Nous n'avons rien fait pour ça, dit Tovi d'une toute petite voix.

— Détrompe-toi, stupide femme ! Le Créateur et le Gardien cherchent tous les deux à régner sur le monde. Le Créateur pour empêcher son adversaire d'annexer le royaume des morts. Et le Gardien parce qu'il ne peut pas faire autrement, poussé par un appétit insatiable pour tout ce qui vit. (Jagang dévisagea tour à tour les six femmes.) En complotant pour libérer le Gardien et lui offrir ce monde, vous lui avez donné du pouvoir sur ce côté du voile. En contrepartie, Richard Rahl s'est dressé pour prendre la défense des vivants. Ainsi, il a rétabli l'équilibre.

» Dans cet équilibre, comme dans les fissures de vos pensées, j'ai enfoncé mon coin de bois.

» La magie est le passage qui nous relie aux autres mondes, et c'est elle qui leur confère une influence sur notre univers. En affaiblissant la magie, je limiterai le pouvoir du Gardien et du Créateur sur *notre* monde. Le Créateur continuera à y envoyer ses étincelles de vie, et le Gardien à s'en emparer chaque fois qu'un être meurt. Mais ce sera tout. À part cela, l'univers appartiendra à l'humanité. La magie, cette vieille religion, pourrira dans les poubelles de l'histoire avant de devenir un simple mythe.

» Je suis celui qui marche dans les rêves, ne l'oubliez pas. Pour avoir vu les songes des hommes, je connais leur potentiel. La magie borne notre horizon. Sans elle, l'esprit et l'imagination de l'humanité n'auront plus de limite. Elles seront toutes-puissantes !

» Voilà pourquoi j'ai levé une armée. Quand la magie aura disparu, mes soldats, spécialement entraînés pour faire face à la nouvelle situation du monde, seront là pour prendre le relais.

— En quoi Richard est-il votre ennemi ? demanda Ulicia.

Tant que Jagang continuerait à parler, elle pourrait réfléchir à un plan. Ensuite…

— Je me félicite de son intervention, répondit l'empereur, puisqu'il vous a empêchées de livrer le monde au Gardien. Jusque-là, Rahl m'a aidé, mais il est devenu gênant. Ce garçon ignore tout de ses pouvoirs. Moi, j'ai passé les vingt dernières années à me perfectionner.

Jagang promena devant ses yeux la pointe de son couteau.

— Mes yeux se sont transformés il y a relativement peu de temps… C'est le signe que je suis un de ceux qui marchent dans les rêves ! Désormais, j'ai le droit de porter ce nom, qui fut le plus craint de l'Ancien Monde. Dans l'antique langue, il était synonyme d'« arme ». Et les sorciers qui ont inventé cette arme ont fini par le regretter.

Sans quitter les sœurs du regard, Jagang lécha le sang, sur la lame du couteau.

— Forger une arme avec son propre esprit est de la folie. Désormais, vous êtes devenues *mes* armes. Je ne commettrai pas la même erreur que ces sorciers.

» Mon pouvoir me permet d'investir l'esprit de tous les dormeurs. Chez ceux qui n'ont pas le don, mon influence est limitée. De toute manière, ils ne me servent pas à grand-chose. Mais avec ceux qui contrôlent la magie, comme vous, je peux tout faire ! Car vos esprits ne vous appartiennent plus. Ils sont à moi !

» Jadis, la magie de ceux qui marchent dans les rêves était puissante, mais instable. Depuis que la barrière nous piégeait dans l'Ancien Monde, soit plus de trois mille ans, personne n'était né avec ce don. À présent, une nouvelle arme vivante arpente la terre. Moi !

Ulicia fut tentée d'inciter l'empereur à entrer dans le vif du sujet. Elle se retint de justesse, peu désireuse de voir ce qu'il ferait quand il cesserait de déblatérer.

En ce qui concernait son « plan », elle n'avait pas beaucoup avancé.

— Et comment savez-vous tout cela ?

Jagang arracha du rôti un morceau de gras bien grillé et le mâchouilla tout en parlant.

— Au cœur d'une ville enfouie, en Altur'Rang, mon pays natal, j'ai découvert de très vieilles archives. Ne trouvez-vous pas paradoxal que les livres aient tant de valeur pour un guerrier ? Le Palais des Prophètes possède des trésors, quand on sait les utiliser. Je regrette que le Prophète soit mort, mais ça n'est pas si grave, car d'autres sorciers se chargeront de déchiffrer ces grimoires pour moi…

» Un fragment de magie – un bouclier de sorts datant de la guerre des Sorciers – a été transmis par son créateur à tous les descendants de la Maison Rahl nés avec le don. Ce sortilège m'empêche d'entrer dans leur esprit. Richard Rahl dispose de cette protection, et il a commencé à l'utiliser. Il doit être circonvenu avant d'en savoir trop long.

» Sa future femme aussi… (Jagang marqua une pause, l'air sinistre.) La Mère Inquisitrice m'a infligé un petit revers, mais certaines de mes marionnettes s'occupent de son cas, quelque part au nord. Avec leur fichu zèle, ces deux jeunes idiots m'ont valu quelques complications, mais je n'ai pas encore vraiment commencé à tirer leurs ficelles. Quand je m'y mettrai, deux pantins de plus danseront au son de ma musique. Ce coin de bois-là est très profondément enfoncé dans le rocher. Pour tenir Richard Rahl et la Mère Inquisitrice dans le creux de ma main, je n'ai pas ménagé mes efforts.

L'empereur reprit un morceau de cochon de lait.

— Richard est un sorcier de guerre, le premier depuis trois mille ans. Mais ça, vous le savez… Pour moi, il sera une arme précieuse. À côté de lui, vous êtes de doux agneaux, chères Sœurs de l'Obscurité. Voilà pourquoi je n'entends pas le tuer, mais le contrôler. Quand il ne me sera plus utile, l'éliminer ira de soi.

Jagang ricana. Puis il suça le gras qui maculait ses doigts et ses bagues.

— Parfois, influencer un ennemi est plus important que lui ôter la vie. Prenons votre cas, par exemple. Vous étriper serait un jeu d'enfant, mais à quoi bon ? Tant que je vous dominerai, vous ne pourrez rien contre moi, et je vous mettrai à contribution de tant de façons…

Il pointa son couteau sur Merissa.

— Vous voulez toutes châtier Richard. Toi, tu as juré de te baigner dans son sang. Il se peut que je t'en donne l'occasion…

— Co-comment le sa-sa-vez-vous ? balbutia Merissa, blanche comme un linge. Quand j'ai fait cette promesse, j'étais éveillée…

— Très chère, railla Jagang, si tu veux me cacher certaines choses, efforce-toi de ne pas en rêver après les avoir dites.

À travers le lien, Ulicia sentit qu'Armina était sur le point de s'évanouir.

— Bien entendu, chères sœurs, il me faudra, pour commencer, briser d'abord vos volontés. Vous devez savoir qui dirige vos vies. (De la pointe de son couteau, l'empereur désigna les esclaves, derrière lui.) Vous deviendrez aussi dociles que ces gens…

Pour la première fois, Ulicia regarda vraiment la triste collection d'épaves humaines. D'extrême justesse, elle se retint de crier. Toutes les femmes étaient des sœurs. Pire encore, la plupart avaient jadis servi l'Obscurité. Par bonheur, il n'y avait pas dans cette pièce *toutes* les fidèles du Gardien. Quant aux hommes, essentiellement de jeunes sorciers libérés du palais après leur formation, ils avaient tous prêté un serment d'allégeance au Gardien.

— Ulicia, dit Jagang, certaines de ces femmes sont des Sœurs de la Lumière qui m'obéissent au doigt et à l'œil, conscientes du sort que je leur réserve si elles me déçoivent. (Il caressa entre le pouce et l'index la chaînette qui reliait son anneau à sa boucle d'oreille.) Mais je préfère de beaucoup les Sœurs de l'Obscurité. Sais-tu que je les contrôle toutes, même celles qui sont encore au palais ?

À ces mots, Ulicia eut la sensation qu'on venait de lui couper les jambes. Son monde s'écroulait, et elle avec...

— J'ai des choses importantes en cours au Palais des Prophètes, continua Jagang. (D'un geste circulaire, il désigna tous ses pantins.) Ils sont très obéissants. (Il regarda une des pauvres femmes.) N'est-ce pas, ma chérie ?

Janet, une Sœur de la Lumière, embrassa son annulaire gauche et éclata en sanglots.

L'empereur ricana.

— Tu vois, Ulicia ? Je lui autorise encore ce rituel, parce que je la nourris de faux espoirs. Sinon, elle risquerait de se suicider, puisqu'elle ne redoute pas la mort, à la différence des serviteurs du Gardien. N'ai-je pas raison, Janet ?

— Oui, Excellence... Dans ce monde, vous possédez mon corps, mais après ma fin, mon âme appartiendra au Créateur.

Jagang eut un rire grinçant et morbide. Ulicia avait déjà entendu ce son dans ses rêves, quand l'empereur s'était moqué d'elle. Et elle devina qu'il recommencerait bientôt, ravi de l'humilier.

— Regarde bien, Ulicia, dit Jagang. Voilà ce que je tolère pour conserver mon pouvoir sur ces limaces. Bien sûr, notre amie Janet, en guise de punition, devra servir une semaine entière sous les tentes. (Ses yeux noirs se posèrent sur la sœur, qui se ratatina.) Mais tu le savais avant de parler, n'est-ce pas, ma chérie ?

— Oui, Excellence...

Le regard opaque de l'empereur se riva de nouveau sur les six sœurs.

— Les servantes du Gardien me plaisent beaucoup, parce qu'elles ont de bonnes raisons de craindre la mort. (Jagang prit le faisan et le déchira en deux à mains nues.) Elles ont déçu le Gardien, qui possède leurs âmes. Quand elles meurent, le piège se referme sur elles. Leur maître les récupère, et c'est un expert en matière de punitions... Déplaisez-moi assez pour mériter la mort, et il s'amusera avec vous jusqu'à la fin des temps.

— Je crois que nous avons compris, Excellence..., dit Ulicia.

Jagang la foudroya du regard, lui coupant le souffle.

— J'en doute... Mais après votre « formation » ce sera le cas, tu peux me croire.

Sans quitter Ulicia des yeux, il tendit une main sous la table et en tira, par ses splendides cheveux blonds, une femme aux formes voluptueuses. À travers le tissu diaphane de sa tenue, Ulicia vit qu'elle était couverte de contusions. Certaines, brunâtres, étaient anciennes. D'autres, rouge foncé, ne devaient pas remonter à longtemps. Sur sa mâchoire, quatre coupures récentes témoignaient que Jagang n'enlevait pas ses bagues quand il frappait.

C'était Christabel, une des Sœurs de l'Obscurité qu'Ulicia avait laissées au palais, avec mission de préparer son retour triomphal. À l'évidence, ces femmes travaillaient désormais à y introduire Jagang. Mais que voulait-il y faire ?

— Viens devant moi, ma chérie.

Christabel contourna la table pour se camper devant son nouveau maître. Avant de s'incliner, elle lissa ses cheveux en bataille et s'essuya la bouche du revers de la main.

— Comment puis-je vous servir, Excellence ?

— Chère Christabel, je voudrais donner leur première leçon à ces femmes. (L'empereur s'attaqua à l'autre cuisse du faisan.) À cette fin, j'aimerais que tu meures.

— Comme il vous plaira, Excel…

Christabel se pétrifia, consciente de l'énormité de ce qu'elle venait de dire. Ulicia vit que ses jambes tremblaient. Pourtant, elle n'osa pas revenir sur sa parole.

Avec sa cuisse de faisan, Jagang fit signe de s'écarter aux deux femmes assises sur la peau d'ours. Elles obéirent à la hâte.

— Adieu, Christabel, lâcha l'empereur avec son atroce rictus.

La Sœur de l'Obscurité battit en vain des bras pour conserver son équilibre. Puis elle s'écroula, hurlant si fort qu'Ulicia crut que ses tympans allaient éclater.

Avec ses compagnes, elle regarda, incrédule, la malheureuse Christabel se tordre de douleur sur la peau d'ours.

Insensible à ses cris, Jagang finit sa cuisse de faisan, but un peu de vin, puis s'empara distraitement d'une grappe de raisin.

— Quand va-t-elle mourir ? demanda Ulicia.

— Mourir ? répéta l'empereur, un sourcil levé. (Il éclata de rire, la tête renversée, et frappa joyeusement du poing sur la table.) Ma chère, elle est morte avant même de toucher le sol.

— Quoi ? Mais elle crie encore !

À cet instant, Christabel se tut et sa poitrine cessa de se soulever.

— Elle est morte en une fraction de seconde, dit Jagang. À cause du « coin » dont je vous ai parlé. Celui qui est également enfoncé dans vos esprits. C'est son âme que vous entendez crier, parce qu'elle souffre atrocement dans le royaume des morts. On dirait que le Gardien n'est pas très content des Sœurs de l'Obscurité…

L'empereur leva un index. Aussitôt, Christabel recommença à hurler et à se convulser.

— Quand cessera-t-elle ? demanda Ulicia, le souffle court.

— Pas avant d'être totalement décomposée, répondit Jagang en se léchant les lèvres.

Ulicia sentit ses jambes trembler. À travers le lien, elle constata que ses compagnes étaient à un souffle de crier de terreur, comme Christabel. À présent, elles savaient ce que le Gardien leur infligerait si elles ne lui restituaient pas son influence sur ce monde.

— Slith ! Eris ! cria Jagang en claquant des doigts.

Contre un mur, la lumière des torches miroita étrangement. Une fois encore, Ulicia faillit crier quand deux silhouettes se détachèrent du mur noir.

Deux créatures reptiliennes vêtues de capes vinrent s'incliner devant l'empereur.

— Oui, maître ?

— Jetez cette charogne dans le puits secret ! ordonna Jagang en désignant Christabel.

Les mriswiths se baissèrent et ramassèrent la pauvre Sœur de l'Obscurité, qui continua à hurler.

Ulicia blêmit. Voilà tout ce qui restait d'une femme qu'elle connaissait depuis plus d'un siècle ! Une compagne qui l'avait aidée à servir le Gardien sans jamais rechigner. En principe, comme toutes les autres, elle aurait dû recevoir une récompense pour cette loyauté.

Alors que les deux monstres quittaient la salle avec leur fardeau, Ulicia leva les yeux sur Jagang.

— Qu'attendez-vous de nous, Excellence ? demanda-t-elle.

L'empereur ne répondit pas. D'une main aux doigts luisants de gras, il fit signe à un soldat d'approcher.

— Ces six femmes m'appartiennent. Mets-leur un anneau !

Le colosse lesté d'armes inclina respectueusement la tête. Puis il se dirigea vers Nicci, la plus proche de lui. De ses doigts crasseux, il tira sur sa lèvre inférieure, la distendant grotesquement.

Ulicia cria en même temps que Nicci. À travers le lien, elle sentit la terreur et la douleur de la jeune femme quand le poinçon rouillé que le soldat venait de tirer de sa ceinture lui traversa la lèvre. Rangeant son outil, l'homme sortit de sa poche un anneau d'or dont il écarta la fente avec ses dents. Puis il le mit en place, le fit tourner et le referma, de nouveau avec ses dents.

Le colosse mal rasé et puant s'occupa d'Ulicia en dernier. Éprouvée par la douleur de ses cinq compagnes, elle tremblait de tous ses membres. Quand la brute lui tira sur la lèvre, elle chercha désespérément un moyen d'échapper à ce supplice. Autant vouloir puiser de l'eau dans un puits asséché !

À sa grande honte, la sœur sentit des larmes rouler sur sa joue quand l'ignoble boucher lui eut imposé l'anneau de l'humiliation.

D'un revers de la main, Jagang essuya la graisse qui maculait sa bouche.

— Vous êtes mes esclaves, dit-il, ravi de voir le menton de ses victimes ruisseler de sang. Si vous ne me forcez pas à vous tuer avant, vous me serez très utiles au Palais des Prophètes. Et quand j'en aurai fini avec Richard Rahl, je vous autoriserai peut-être à l'exécuter. Pour le moment, continuons votre formation…

— Nous avons tout compris, dit Ulicia. Et notre loyauté vous est acquise.

— Je sais, mais un bon maître n'interrompt pas ses leçons pour autant. La première était un amuse-gueule, très chère. Les suivantes seront plus approfondies.

Cette fois, Ulicia crut que ses jambes allaient se dérober. Depuis que Jagang avait fait irruption dans ses rêves, sa vie était devenue un cauchemar. Il devait y avoir un moyen d'arrêter ça, mais lequel ? Terrifiée, elle se vit retourner au palais avec un anneau à la lèvre et des vêtements grotesques sur le dos.

— Vous avez tout suivi, les gars ? lança Jagang aux marins.

— Et comment, Excellence ! répondit le capitaine Blake.

Ulicia sursauta. Elle avait oublié la présence de ces porcs dans la salle.

— Approchez, mes amis, dit l'empereur. Dès demain, vous pourrez partir librement. Que diriez-vous, ce soir, de vous amuser avec ces gentes dames ?

— Mais…, commença Ulicia.

Le regard gris voilé d'ombre de Jagang se riva sur elle, la réduisant au silence.

— À partir de maintenant, chères sœurs, vous partagerez le sort de Christabel si vous recourez à votre pouvoir sans ma permission – même pour étouffer un éternuement. Dans vos rêves, je vous ai donné un avant-goût de ce que je réserve à ceux qui me désobéissent. Et vous savez, désormais, que le Gardien n'a rien à m'envier sur ce point. Le chemin qui s'ouvre devant vous est très étroit, et chaque faux pas vous entraînera dans un gouffre. (Jagang s'adressa de nouveau aux marins.) Elles sont à vous pour la nuit. Si je me fie à leurs rêves, je sais que vous avez quelques comptes à régler avec elles. Profitez de l'occasion, mes amis !

Les marins rugirent d'anticipation.

Ulicia sentit une main se poser sur le sein d'Armina. Elle manqua crier quand un des rustres tira Nicci par les cheveux et entreprit de déboutonner son corsage.

Une autre main se glissa entre ses cuisses, la forçant à étouffer un hurlement.

— Allez-y de bon cœur, les gars, dit Jagang, mais respectez quand même quelques règles. Sinon, je vous éviscérerai comme de vulgaires poissons !

— Quelles règles, empereur ? demanda un matelot.

— Ne les tuez pas, parce qu'elles m'appartiennent. Demain matin, j'entends qu'elles soient en assez bonne condition pour me servir. Donc, pas d'os fracturés ni de lésions internes. Pour la... répartition... vous devrez tirer au sort, et n'en laisser aucune à l'écart. Sinon, je sais très bien ce qui arrivera. Et je ne voudrais pas qu'une ou plusieurs de ces dames se sentent négligées.

Les marins jugèrent le marché équitable et jurèrent qu'ils s'y tiendraient.

Jagang les oublia et se tourna vers ses six nouvelles marionnettes.

— J'ai toute une armée d'hommes en pleine santé, et pas le centième des putains qu'il faudrait. Naturellement, les soldats sont sur les nerfs... Tant que je ne vous aurai pas assigné une autre mission, vous consacrerez quatre heures par jour à divertir ces braves. Mais soyez rassurées, très chères : grâce à l'anneau, ils n'iront pas jusqu'à vous tuer en prenant leur plaisir.

Cecilia écarta les bras, l'air plus doux et innocent que jamais.

— Empereur Jagang, vos hommes sont de jeunes gaillards fougueux. Je crains qu'une vieille femme comme moi ne les satisfasse pas. Vous m'en voyez désolée, mais...

— Je suis sûr qu'ils t'adoreront, ma chère. Tu verras...

— Excellence, intervint Tovi, sœur Cecilia a raison. Moi aussi, je suis trop vieille et trop grosse. Vos soldats ne connaîtront aucun bonheur avec nous deux.

— Bonheur ? répéta Jagang. Serais-tu idiote, femme ? Qui a parlé de bonheur ? Je suis sûr que mes hommes s'amuseront beaucoup, mais j'ai peur que tu n'aies pas bien compris... Alors, soyons clairs. (Il s'éclaircit la voix.) Passées de la Lumière à l'Obscurité, vous êtes sans doute les six plus puissantes magiciennes du monde. La formation vous montrera que vous ne valez pas plus cher qu'une bouse que j'écrase sous mes bottes. Je vous plierai à ma volonté, car tous ceux qui ont le don doivent devenir mes armes.

» Ces quatre heures quotidiennes feront partie de vos leçons, et vous n'aurez rien à dire. Si mes soldats veulent vous tordre les doigts et parier sur celle qui criera le plus fort, libre à eux. Et s'ils désirent vous utiliser autrement, encore une fois, ça m'est égal. Ils ont des goûts très variés, et vous les satisferez, tant qu'ils ne chercheront pas à vous égorger.

» Cela dit, ces gentilshommes ont la priorité. Profitez du cadeau, les gars ! Si vous suivez les règles, j'aurai peut-être du travail pour vous dans le futur. L'empereur Jagang est généreux avec ses amis...

Les matelots acclamèrent leur bienfaiteur.

Ulicia serait tombée, cette fois, si un marin à l'haleine puante ne l'avait pas enlacée et serrée contre lui.

— Eh bien, petite catin, on dirait que nous allons jouer ensemble, tout compte fait... Dommage que tu aies été si méchante avec nous.

Ulicia ne put s'empêcher de gémir. Sa lèvre lui faisait atrocement mal, et ça n'était qu'un début. Assommée par ce qui lui arrivait, elle ne parvenait plus à aligner deux pensées cohérentes.

— J'avais oublié un détail ! lança soudain Jagang. (Il pointa son couteau sur Merissa.) Celle-là n'est pas pour vous, les gars ! Approche, ma chérie...

Merissa avança vers la table.

— Christabel était ma favorite, et personne à part moi n'avait le droit de la toucher. Hélas, elle est morte. (Il jeta un coup d'œil sur la robe à demi déboutonnée de Merissa.) Tu la remplaceras, ma chère. Si ma mémoire ne me trompe pas, tu as juré de me lécher les pieds, s'il le fallait. Eh bien, il le faut ! (Merissa semblant surprise, Jagang la gratifia de son terrible rictus.) Tu n'as pas écouté, très chère ? Vous avez une fâcheuse tendance à rêver aux choses que vous dites en état de veille.

— Oui, Excellence..., souffla Merissa.

— Enlève cette robe ! Tu pourrais en avoir besoin plus tard, si je t'autorise à tuer Richard Rahl. (Pendant que Merissa se déshabillait, l'empereur regarda les autres femmes.) Pour l'instant, je vous laisse le lien, histoire que vous profitiez de toutes les leçons... collectivement. Des amies comme vous doivent tout partager.

Merissa en ayant fini, son nouveau maître pointa vers le bas la lame de son couteau.

— Sous la table, ma chérie !

Ulicia entendit le frottement de la fourrure contre les genoux de sa compagne. Puis elle sentit, à travers le lien, le contact glacial de la pierre, sous la table.

Les marins n'avaient pas perdu une miette du spectacle.

Mobilisant sa volonté, nourrie par la haine que lui inspirait Jagang, Ulicia parvint à retrouver un peu de force et de détermination. Elle dirigeait les Sœurs de l'Obscurité et ne devait pas faillir.

*— Nous avons toutes supporté le rituel*, dit-elle mentalement aux autres. *C'était pire que ce qui nous attend. Les Sœurs de l'Obscurité n'ont qu'un seul maître, et ce n'est pas cette vermine ! Pour l'heure, nous sommes à sa merci, mais nous prendre pour des idiotes sera sa pire erreur. Il n'a aucun pouvoir, à part celui qu'il nous vole. Nous trouverons une solution, et Jagang payera pour ce qu'il nous aura infligé. Je jure sur le Gardien qu'il regrettera d'être venu au monde !*

*— Mais que ferons-nous, en attendant ?* s'écria Armina.

*— Silence !* ordonna Nicci. *Gravez tous ces visages dans vos mémoires. Ces*

*porcs regretteront tous le jour de leur naissance ! Ulicia a raison. Nous trouverons une solution, et ce sera à notre tour de dispenser des leçons.*

Ulicia sentait les mains avides qui couraient sur le corps de la jeune femme. Pourtant, un cœur de glace noire battait toujours dans sa poitrine, où couvait une colère qui ferait un jour des ravages.

— *Surtout, ne rêvez pas de cette conversation,* ordonna Ulicia. *La seule erreur irréparable serait de forcer Jagang à nous tuer, car il n'y aurait plus d'espoir pour nous. Tant que nous vivrons, il nous restera une chance de regagner les faveurs du Gardien. Le maître nous a promis une récompense en échange de nos âmes, et j'ai l'intention de l'obtenir. Restez fortes, mes sœurs !*

— *Richard Rahl est à moi,* intervint Merissa. *Quiconque le touchera devra me rendre des comptes, puis subir la fureur du Gardien.*

S'il avait entendu, Jagang lui-même eût frémi face à tant de haine. Toujours à travers le lien, Ulicia sentit que Merissa écartait ses cheveux de son visage. Puis elle partagea le goût qu'elle eut soudain dans la bouche.

— J'en ai terminé avec vous, lâcha l'empereur. (Il marqua une pause, le souffle court.) Laissez-moi.

Le capitaine Blake vint se camper derrière Ulicia et la tira par les cheveux.

— C'est l'heure de solder nos comptes, ma fille !

# Chapitre 28

La vieille dame battit des cils quand elle baissa les yeux sur l'épée rouillée dont la pointe touchait pratiquement sa gorge.

— Tu crois que c'est nécessaire, mon garçon ? Je t'ai déjà dit de nous détrousser sans t'inquiéter de nos réactions… Pourtant, je dois te prévenir : toi et ton copain, vous êtes la troisième bande de voleurs qui nous tombent dessus en deux semaines. Désolée, mais il ne nous reste plus rien.

À voir trembler la main du jeune homme, il devait débuter dans le métier. Et vu ses joues émaciées, les bénéfices ne pleuvaient certainement pas drus.

— Silence ! (Le ruffian regarda son compagnon.) Tu as trouvé quelque chose ?

Le second bandit, aussi jeune et squelettique que l'autre, fouillait les bagages des deux voyageurs. Mort de peur, il jetait sans cesse des coups d'œil au sous-bois, des deux côtés de la route. Il vérifia aussi que personne n'approchait derrière lui. Devant, juste avant un tournant, un petit pont enjambait une rivière qui n'était pas gelée, bien qu'on fût toujours en hiver.

— Non, répondit-il. Rien que des vieilles frusques et de la pacotille. Pas la moindre tranche de bacon ou de pain…

Le premier voleur dansait d'un pied sur l'autre, prêt à détaler au moindre signe de danger. Ayant sans doute des crampes, il s'aida de la main gauche pour soutenir son épée, dont un ferrailleur n'aurait pas voulu.

— Vous êtes bien gras, ton ami et toi, la vieille ! dit-il. Vous mangez quoi, de la neige ?

La vieille dame croisa les bras et soupira. Ce petit jeu avait assez duré.

— Nous travaillons en chemin, en échange du gîte et du couvert. Vous devriez essayer. De gagner un salaire, je veux dire…

— En hiver ? Qui nous donnerait de l'ouvrage ? Cet automne, l'armée a réquisitionné nos réserves. Mes parents n'ont plus rien à manger.

— Désolée, fiston. Peut-être que…

— Dis donc, le vieux, c'est quoi, ça ? s'écria le gamin en tirant sur le collier du compagnon de la vieille dame. Comment l'enlève-t-on ? Réponds-moi, ou…

— Je te l'ai dit, grogna la petite femme, mon frère est sourd et muet. Il ne te comprend pas et ne peut pas te répondre.

— D'accord… Alors explique-moi comment lui retirer ce collier.

— C'est du fer sans valeur… Un vieux souvenir soudé il y a très longtemps.

Lâchant son épée d'une main, le gamin se pencha vers la vieille femme et écarta sa cape du bout d'un index.

— C'est quoi, ça, à ta ceinture ? Mon vieux, j'ai trouvé sa fortune ! (Il s'empara de la bourse gonflée de pièces d'or.) Il y a de quoi s'acheter une ville !

— Navrée, mon petit, fit la vieille, mais c'est seulement ma collection de vieux biscuits. Prends-en un si tu veux. Surtout, n'essaye pas de mordre, si tu tiens à tes dents. Suce-le d'abord un moment.

Le voleur prit une pièce d'or et la testa entre ses lèvres.

— Mais c'est ignoble ! s'écria-t-il. Comment pouvez-vous avaler ça ? En matière de mauvais biscuits, j'en connais un rayon. Mais ceux-là sont à vomir !

*C'est si facile, avec les jeunes esprits*, pensa la vieille dame. *Dommage que les adultes soient plus coriaces…*

Le gamin cracha le « biscuit », jeta la bourse dans la neige et fouilla de nouveau la vieille.

— Fiston, tu ne crois pas que cette agression traîne en longueur ? Nous aimerions atteindre la prochaine ville avant la nuit.

— Rien du tout, grogna l'autre voleur. Ils n'ont rien qui vaille la peine d'être pris.

— À part leurs chevaux, rappela son compagnon. Nous en tirerons bien quelques sous…

— Ne vous gênez pas, surtout, dit la vieille dame. J'en ai assez que ces canassons nous ralentissent. Fiston, en les volant, tu me feras une faveur. Tous les quatre sont au bout du rouleau, et je n'ai pas le cœur de mettre un terme à leurs souffrances.

— La vieille a raison, soupira le deuxième gamin. Ces chevaux sont foutus, et nous irions plus vite à pied. Si on les emmène, on se fera prendre par la première patrouille venue.

N'ayant pas renoncé à sa fouille, le premier voleur tapota soudain une des poches de la vieille dame.

— Et ça, c'est quoi ?

— Rien d'intéressant pour toi, fit la petite femme d'un ton étrangement menaçant.

— Sans blague ? lança le garçon en brandissant fièrement un petit livre noir.

Alors qu'il le feuilletait, sa propriétaire vit qu'il contenait un message. Enfin !

— C'est quoi ? demanda le gamin.

— Un carnet de voyage. Tu sais lire, fiston ?

— Non… De toute façon, il n'y a rien dedans.

— Prends-le quand même, conseilla le deuxième garçon. Si les pages sont blanches, on en tirera peut-être quelques sous.

— J'en ai assez, déclara la vieille dame en foudroyant du regard le jeune crétin qui la menaçait d'une épée. Cette agression est terminée !

— C'est moi qui donne les ordres, la vieille !

— Rends-moi ce livre, petit, dit Anna d'une voix égale, et file d'ici avant que je te ramène à tes parents en te tirant par l'oreille !

— Ne me cherche pas, grogna le garçon en reculant d'instinct, ou tu tâteras du tranchant de ma lame ! Crois-moi, je sais m'en servir.

Un roulement de sabots troubla soudain le silence reposant de la nature. Anna avait vu les soldats traverser le petit pont. Avec le bruit de la rivière, les deux jeunes idiots n'avaient rien remarqué avant qu'il soit trop tard.

Anna délesta le gamin de sa vieille rapière et Nathan se chargea de subtiliser son couteau à l'autre bandit de – très – petit chemin.

— Que se passe-t-il ? demanda un sergent d'haran monté sur un grand étalon.

Les deux voleurs se pétrifièrent, morts de terreur.

— Eh bien, fit Anna, nous avons rencontré ces charmants garçons, qui nous ont conseillé de prendre garde aux bandits. Ils vivent dans le coin et ont eu l'obligeance de nous montrer comment désarmer des importuns, le cas échéant.

— C'est la vérité, les gars ? demanda le D'Haran.

— Je… nous… (Le gamin implora Anna du regard.) C'est exactement ça. Nous sommes du coin, et nous prévenions ces voyageurs que les routes sont dangereuses.

— Et quelle démonstration d'escrime ! Comme promis, jeune homme, tu auras un biscuit en guise de récompense. Et ton ami aussi. Tiens, donne-moi donc ma bourse…

Le garçon ramassa le petit sac plein d'or et le tendit à la vieille dame, qui en sortit deux pièces et les distribua à ses agresseurs malchanceux.

— Et voilà, chose promise, chose due ! À présent, rentrez chez vous, pour que vos parents ne s'inquiètent pas. Donnez-leur chacun votre biscuit, et remerciez-les de vous avoir envoyés à notre rescousse.

— Eh bien, merci, dit le gamin à la rapière. Bonne nuit, et faites attention à vous.

Anna foudroya le garçon du regard et tendit la main.

— Si tu as fini de consulter mon livre de voyage, je le récupérerai volontiers…

Les yeux écarquillés de terreur, le jeune homme lui posa le livre dans la paume, s'en débarrassant comme s'il lui brûlait les doigts. Ce qui était exactement le cas !

— Merci, mon petit…

— Au revoir, souffla le voleur en se frottant la main contre son manteau élimé. Soyez prudents, surtout.

Il tourna les talons. Anna le rappela, la vieille épée tenue par la lame.

— N'oublie pas ça, fiston. Ton père sera furieux si tu ne lui rapportes pas son arme.

Le garçon saisit précautionneusement la garde.

Soucieux de finir l'aventure en beauté, Nathan fit basculer le couteau sur le dos de ses doigts. Le lançant en l'air, il le rattrapa derrière son omoplate, le fit passer sous son aisselle et le saisit au vol de sa main libre. Sous le regard courroucé d'Anna, il donna une nouvelle impulsion à la lame, pour inverser son sens de rotation, la bloqua entre le pouce et l'index et tendit son bien au deuxième voleur, garde en avant.

— Où as-tu appris ce truc, vieil homme ? demanda le sergent.

Nathan se rembrunit. Entre autres choses, il détestait qu'on l'appelle « vieil homme ». Sorcier et Prophète d'un incomparable talent, il entendait qu'on lui manifeste au minimum de l'admiration – et mieux encore, une vénération de bon aloi. Si Anna ne l'avait pas à moitié étranglé avec son Rada'Han, le sergent aurait déjà été perché sur une selle en flammes. Comble de misère, elle l'empêchait aussi de parler. Une saine précaution, car la langue du Prophète était au moins aussi dévastatrice que son pouvoir.

— Hélas, mon pauvre frère est sourd-muet, s'excusa Anna. (D'un geste las, elle congédia les deux truands en herbe, qui détalèrent comme s'ils avaient le Gardien aux trousses.) Il se distrait comme il peut, vous comprenez... Depuis toujours, il adore jongler.

— Vous êtes sûre que ces deux-là ne vous ennuyaient pas ?

— Certaine !

Le sergent tira sur ses rênes, prêt à partir. Ses vingt hommes, derrière lui, firent de même dans un bel ensemble.

— Nous aurons quand même une petite conversation avec eux... Au sujet du vol, par exemple.

— Bonne idée ! Tant que vous y serez, demandez-leur qui a pillé les réserves de leurs familles, les condamnant à la famine. J'ai cru comprendre que les soldats d'harans n'étaient pas étrangers à ces indélicatesses.

— J'ignore tout de ce qui s'est passé avant mon arrivée, mais le nouveau seigneur Rahl a ordonné la fin des pillages.

— Le nouveau seigneur Rahl ?

— Richard, le maître de D'Hara, oui...

Du coin de l'œil, Anna vit Nathan sourire aux anges, ravi qu'une prophétie ait emprunté la bonne Fourche. Bien que ce fût indispensable pour qu'ils aient une chance de réussir, Anna n'en éprouva aucune satisfaction, le cœur serré d'angoisse à l'idée de ce qui les attendait, et qu'ils ne pourraient plus éviter, désormais. Seule consolation, l'autre possibilité aurait été encore pire.

— Oui, je crois avoir entendu mentionner ce nom, maintenant que j'y réfléchis...

Le sergent se dressa sur ses éperons et tourna la tête vers ses hommes.

— Ogden, Spaulding ! (Les deux soldats tirèrent sur les rênes de leurs chevaux, qui se cabrèrent, soulevant une petite tornade de neige.) Rattrapez ces garçons et ramenez-les chez eux. Puis enquêtez pour découvrir si ces histoires de réquisitions sauvages sont vraies. Dans l'affirmative, débrouillez-vous pour savoir si d'autres familles ont subi les mêmes injustices. Ensuite, filez en Aydindril et assurez-vous qu'on fasse parvenir à ces malheureux de quoi survivre jusqu'à la fin de l'hiver.

Les deux hommes se tapèrent du poing sur le cœur et partirent au galop.

— J'exécute les ordres de maître Rahl, expliqua le sergent en se retournant vers Anna. Vous vous dirigez vers Aydindril ?

— Oui. Nous espérons y être en sécurité, comme les autres réfugiés venus du nord.

— Vous serez protégés, là-bas, mais il y aura un prix à payer. J'ai prévenu tous ceux que nous avons croisés en chemin, alors, écoutez-moi bien. Quelle que soit votre patrie d'origine, vous êtes désormais des sujets de D'Hara. Nous vous demanderons votre allégeance, plus une petite partie de vos revenus. C'est obligatoire pour résider sur nos territoires.

— Une autre façon pour l'armée de détrousser les gens, dirait-on...

— On peut voir les choses comme ça, mais ce n'est pas l'opinion de maître Rahl. Et sa parole a force de loi, ne l'oubliez sous aucun prétexte ! Tout le monde paye sa part pour soutenir l'armée de la liberté. Fermez votre bourse, et nos soldats ne combattront pas en votre nom. C'est aussi simple que ça.

— Nouveau ou pas, maître Rahl a les choses bien en main, semble-t-il.

— C'est un puissant sorcier.

Nathan eut un ricanement silencieux qui fit tressauter ses épaules.

— Qu'est-ce qui le fait rire ? demanda le sergent, soupçonneux. Je le croyais sourd et muet.

— Et il l'est, je vous le jure ! (Anna approcha des quatre chevaux subtilisés au palais. Au passage, elle flanqua un grand coup de coude dans les côtes du Prophète.) Comble de malheur, il n'a pas toute sa cervelle ! Comme tous les crétins congénitaux, il rit aux moments les plus étranges. (Nathan faillit s'étrangler d'indignation.) S'il continue, il finira par baver, cet imbécile heureux !

Annalina flatta l'encolure de Bella, sa jument, qui en hennit de ravissement, avant de sortir la langue, car elle adorait qu'on lui tire dessus. Anna lui fit ce petit plaisir puis la caressa derrière une oreille. La jument hennit de nouveau et ressortit la langue, espérant que le jeu continue.

— Vous disiez, sergent, que le seigneur Rahl est un puissant sorcier ?

— Et comment ! C'est lui qui a taillé en pièces les créatures exposées sur des piques, devant le palais.

— Des monstres ?

— Maître Rahl les appelle des mriswiths. Ce sont des hommes-serpents, très laids et rudement dangereux. Ils ont éventré beaucoup de gens, avant que maître Rahl les réduise en bouillie.

Des mriswiths… Une très mauvaise nouvelle.

— Y a-t-il dans les environs une ville où nous pourrions dîner et dormir ?

— Dix-Chênes, au-delà de la colline suivante, à environ une lieue. Vous y trouverez même une petite auberge.

— Et c'est à quelle distance d'Aydindril ?

Le sergent étudia un instant les quatre chevaux.

— Avec des montures de cette qualité, il ne vous faudra pas plus de sept ou huit jours…

— Merci beaucoup, sergent… Savoir que des soldats garantissent la sécurité des voyageurs est très agréable.

Le D'Haran jeta un regard dubitatif à Nathan, droit comme un « i », ses longs cheveux blancs cascadant sur ses épaules. Avec son menton carré rasé de près et son regard bleu azur pénétrant, le Prophète, même s'il allait bientôt fêter ses mille ans, restait un fort bel homme plein de vigueur.

Le sergent détourna le regard, préférant à l'évidence s'adresser à sa vieille compagne, beaucoup moins intimidante.

— Nous cherchons des gens, ma dame : trois membres du Sang de la Déchirure.

— Le Sang de la Déchirure ? Ces crétins pompeux en cape pourpre venus de Nicobarese ?

Le D'Haran tira sur les rênes de sa monture, qui tentait de faire un pas de côté. D'autres chevaux piétinaient dans la neige, cherchant sur les bas-côtés une touffe d'herbe miraculée ou une branche morte comestible.

— C'est ça, oui... Deux hommes – le seigneur général et son bras droit – et une femme. Ils se sont enfuis d'Aydindril, et le seigneur Rahl nous a chargés de les rattraper. Des hommes à nous ratissent la campagne...

— Désolée, mais nous n'avons pas vu vos fugitifs. Le seigneur Rahl réside dans la Forteresse du Sorcier ?

— Non, au Palais des Inquisitrices.

— Enfin une bonne nouvelle, soupira Anna.

— Pourquoi dites-vous ça ?

Annalina rosit, confuse d'avoir parlé à voix haute.

— Eh bien, j'aimerais rencontrer ce grand homme, et ce serait impossible s'il vivait dans la Forteresse. On dit que la magie en interdit l'accès... S'il se montre à un balcon du palais, pour saluer son peuple, j'aurai une chance de l'apercevoir. Bon, merci de votre aide, sergent... Nous devrions nous mettre en route, histoire d'arriver à Dix-Chênes avant la nuit. Je détesterais qu'un de nos chevaux trébuche dans le noir et se casse une jambe.

Le sous-officier salua Anna, puis mit en branle sa colonne, qui prit la direction opposée à celle d'Aydindril.

Quand elle estima que les soldats étaient assez loin, Annalina leva le sort qui privait Nathan de sa voix. Maintenir ce type de blocage sur une longue période demandait des trésors d'énergie qu'elle n'était pas disposée à gaspiller. Résignée, elle se prépara à subir une tirade furieuse.

— On devrait partir, dit-elle.

— Anna, tu as donné de l'or à ces voleurs, alors que tu aurais dû...

— C'étaient de pauvres gosses, Nathan. Et ils crevaient de faim.

— N'empêche, ils ont essayé de nous détrousser !

Anna sourit en posant une couverture sur le dos de Bella.

— Tu sais aussi bien que moi qu'ils n'y seraient pas parvenus. En plus de l'or, je leur ai donné une leçon qu'ils n'oublieront pas de sitôt. À mon avis, ils n'attaqueront plus jamais d'innocents voyageurs.

— J'espère que ton sort a brûlé jusqu'à l'os les doigts de ce vaurien !

— Aide-moi à rassembler nos affaires... J'ai hâte d'arriver à l'auberge. Nathan, il y avait un message dans le livre noir...

Le Prophète en perdit la voix, mais pas longtemps.

— Eh bien, elle ne se sera pas pressée... Nous avons laissé assez d'indices pour qu'un enfant de dix ans comprenne en quelques jours. Aurait-il fallu épingler sur sa robe un petit mot du genre : « Eh, balourde, au cas où tu ne t'en serais pas aperçue, la Dame Abbesse et le Prophète ne sont pas morts ! »

— Je suis sûre que ce n'était pas si simple, objecta Anna en serrant la sangle de Bella. Pour nous, ça semble évident, puisque nous le savons. Verna n'avait aucune raison de s'en douter. Elle a fini par s'en apercevoir, et c'est tout ce qui compte.

Nathan eut un grognement dédaigneux. Puis il se décida enfin à aider son amie à réunir leurs affaires.

— Et que dit-il, ce message ?

— Je n'ai pas encore regardé. Nous verrons ça ce soir…

Sans crier gare, Nathan pointa un index accusateur sur Annalina.

— Refais-moi le coup du sourd-muet, et tu le regretteras jusqu'à la fin de ta vie !

— Compris…, lâcha Anna, les yeux brillants de colère. Quant à toi, la prochaine fois que nous croisons des gens, ose crier que tu as été enlevé par une vieille sorcière qui te contrôle grâce à un collier, et tu seras sourd et muet pour de bon.

Nathan se permit un grognement avant de se remettre au travail. Mais quand il se tourna vers son cheval, Anna vit qu'il souriait, satisfait de sa fougueuse sortie.

Lorsqu'ils eurent trouvé l'auberge, et confié leurs montures à un garçon d'écurie, les étoiles et la lune scintillaient dans le ciel. Alléchée par les bonnes odeurs de nourriture qui montaient de l'établissement, Anna donna un sou au palefrenier pour qu'il y porte leurs bagages.

Dix-Chênes n'ayant rien d'une mégalopole, une dizaine de clients occupaient une bonne moitié des tables. Des gens du coin, qui buvaient et fumaient la pipe en se racontant des histoires. Apparemment, deux sujets monopolisaient l'attention : le comportement des soldats d'harans et la nouvelle alliance forgée par Richard Rahl. Certains sceptiques doutaient que le maître de D'Hara ait pris le pouvoir en Aydindril, comme on le prétendait. Leurs contradicteurs mettaient en avant la très récente discipline des troupes d'occupation. Quelqu'un avait bien dû les reprendre en main, pour qu'elles changent ainsi de comportement…

Vêtu de bottes montantes, d'un pantalon marron, d'une chemise à jabot au col boutonné – pour cacher son Rada'Han – d'une veste verte et d'une longue cape, Nathan approcha du comptoir installé devant quelques tonnelets et une poignée de bouteilles. Rejetant sa cape en arrière, l'air altier, il mit fièrement une botte sur le repose-pieds. Le vieil homme adorait porter autre chose que la tunique noire dont il était affublé au palais. Un vêtement qu'il avait surnommé l'« éteignoir ».

L'aubergiste, du genre sinistre, se fendit d'un sourire sans conviction quand le Prophète lui eut tendu une pièce d'argent.

Il se rembrunit dès que Nathan ajouta que le repas, à ce prix, avait intérêt à être compris avec la chambre. Mais il ne protesta pas.

Avant qu'Anna ait pu intervenir, son malicieux compagnon débita une des histoires à dormir debout dont il raffolait. À l'en croire, il était un marchand en voyage avec sa maîtresse tandis que sa femme, au foyer, élevait leurs douze fils. Bien entendu, l'aubergiste voulut savoir de quoi son client faisait commerce. Penché en avant, le Prophète baissa le ton, fit un clin d'œil au type et l'assura qu'il valait mieux, pour sa sécurité, qu'il continue à l'ignorer.

Impressionné, l'aubergiste offrit une chope de bière au mystérieux aventurier qui honorait de sa présence un établissement par ailleurs modeste. Nathan but à la prospérité de l'auberge, à la santé de son propriétaire et à celle de sa clientèle. Avant de se diriger vers l'escalier, il demanda à son hôte de faire monter une chope pour sa « femme », quand on leur apporterait à manger. Tout le monde suivit du regard le noble étranger pendant qu'il gravissait les marches.

Les lèvres serrées, Anna se jura de ne plus baisser ainsi sa garde, car les délires de Nathan risquaient de leur jouer un mauvais tour. Son inattention avait eu pour cause le livre de voyage. Pressée de découvrir le message, elle crevait en même temps d'angoisse. Si quelque chose avait mal tourné, le carnet jumeau pouvait être entre les mains des Sœurs de l'Obscurité. N'étant pas idiotes, elles découvriraient vite que la Dame Abbesse et le Prophète se portaient étrangement bien, pour des cadavres incinérés. Alors, tout serait perdu...

Anna frissonna : le palais était peut-être déjà entre les mains de ses ennemies.

La chambre, petite mais propre, était meublée de deux lits étroits et d'une table carrée sur laquelle Nathan posa la lampe à huile qu'il avait retirée de son support, près de la porte. Dans un coin, sur une étagère, une cuvette et une aiguière ébréchée permettaient de faire un brin de toilette, ce qui ne serait pas du luxe.

L'aubergiste apporta deux assiettes de ragoût de mouton et une bonne épaisseur de tranches de pain complet. Le garçon d'écurie le suivait, portant les bagages. Quand ils se furent retirés, la porte fermée, Anna approcha une chaise de la table et s'assit.

— Bien, fit Nathan, je suppose que tu vas me passer un savon ?

— Pas ce soir, je suis trop fatiguée...

— Ce n'est que justice, après avoir lancé et maintenu un sort si humiliant. Sourd-muet, tu parles ! (Le vieil homme se rembrunit.) Anna, j'ai ce collier autour du cou depuis l'âge de quatre ans. Tu imagines ce que c'est, toute une vie de captivité ?

Annalina se représentait sans mal ce calvaire. Étant sa geôlière, elle connaissait aussi peu la liberté que le Prophète. Voire encore moins...

— Je sais que tu ne me croiras jamais, Nathan, mais pour la millième fois, sache que je voudrais qu'il en aille autrement. Emprisonner un enfant du Créateur qui n'a commis aucun crime, sinon être venu au monde, ne m'enchante pas.

Après un long silence, Nathan cessa de broyer du noir. Les mains dans le dos, il fit le tour de la pièce, l'air critique.

— C'est très loin du luxe dont j'ai l'habitude..., marmonna-t-il.

Anna poussa l'assiette de ragoût et posa le livre sur la table. Hésitante, elle contempla la couverture noire, puis ouvrit enfin le carnet et découvrit le message.

« *Pour commencer, dites-moi pourquoi vous m'avez choisie la fois précédente. Je me souviens de chaque mot. Une seule erreur, et ce livre de voyage finira au feu.* »

— Ma foi, elle se montre très prudente. Un bon point pour elle. (Nathan se campa derrière sa compagne et regarda par-dessus son épaule.) Tu vois son écriture ? Elle a sacrément appuyé avec le stylet. Verna devait être furieuse.

Le message, apparemment anodin, en disait long sur son état d'esprit.

— Elle doit me haïr, soupira Anna, des larmes aux yeux.

— Et alors ? lança le Prophète. Je t'abomine, et ça ne t'a jamais empêchée de dormir !

— C'est vrai, Nathan ? Tu me détestes ?

En guise de réponse, le vieil homme lâcha un grognement agacé.

— T'ai-je dit que ton plan était idiot ? demanda-t-il, pressé de changer de sujet.

— Pas depuis le petit déjeuner...

— Eh bien, il l'est, et tu le sais.

— Il t'est arrivé d'agir pour qu'une prophétie suive une Fourche plutôt qu'une autre, mon ami. Parce que tu savais ce qu'impliquait le mauvais chemin. Et combien les prédictions sont vulnérables à la corruption...

— Si tu meurs, quel bien ça fera au monde ? Anna, je n'ai aucune envie de rendre l'âme avant d'avoir fêté mon millième anniversaire. Mais tu nous conduis tous les deux au tombeau !

Anna se leva et posa une main sur le bras musclé du Prophète.

— Que ferais-tu à ma place ? Tu connais les prophéties et la menace qui pèse sur le monde des vivants. C'est même toi qui m'as prévenue. Alors, que ferais-tu, si ça dépendait de toi ?

Les deux vieux complices – à leur corps défendant – se dévisagèrent un long moment. Radouci, Nathan mit sa main sur celle d'Anna.

— J'agirais comme toi, parce que c'est notre seule chance. Mais je déteste que tu prennes autant de risques.

— Je sais, mon ami... Nathan, y sont-ils, d'après toi ? Sont-ils en Aydindril ?

— Un des deux, c'est sûr. Et l'autre y sera avant que nous arrivions. Je l'ai vu dans les prophéties.

» Anna, des milliers de prédictions concernent l'époque que nous vivons... Les guerres les attirent comme la bouse attire les mouches. Si nous suivons la mauvaise Fourche, dans cet embrouillamini, nous avancerons vers notre destruction. Pire encore, il y a des « trous » où j'ignore absolument ce que nous devons faire. Enfin, nous ne sommes pas les seuls impliqués dans cette histoire, et nous n'avons aucune influence sur des gens qui doivent aussi suivre les bonnes Fourches.

Incapable de parler, Anna se contenta de hocher la tête.

Puis elle se rassit. Nathan tira l'autre chaise près de la table, s'empara d'un morceau de pain et le mangea pendant qu'elle sortait le stylet de son logement.

« *Demain soir,* écrivit-elle, *quand la lune sera levée, va à l'endroit où tu as trouvé cet objet.* »

Elle referma le carnet et le remit dans sa poche.

— J'espère qu'elle mérite la confiance que tu lui accordes, dit Nathan entre deux bouchées.

— Nous l'avons entraînée le mieux possible, mon ami. Puis envoyée vingt ans en mission pour qu'elle apprenne à se servir de son intelligence. Qu'aurions-nous pu faire de plus ? À présent, nous devons avoir foi en elle. (Anna embrassa l'annulaire où elle portait naguère la bague de sa fonction.) Cher Créateur, donne-lui aussi de la force !

— Je veux une épée, annonça Nathan en s'attaquant à son assiette de ragoût.

— Pardon ? Que ferait un sorcier de ton envergure d'un vulgaire morceau de ferraille ?

Le Prophète regarda Anna, l'air désolé de découvrir qu'il voyageait avec une demeurée.

— Rien du tout, bien sûr ! Mais avec une épée au côté, j'aurai une allure folle !

# Chapitre 29

— Richard, je t'en prie..., gémit Cathryn.

Le jeune homme manqua se noyer dans les yeux marron de la duchesse. Tendant une main, il lui caressa la joue et écarta un accroche-cœur qui devait la chatouiller. Quand ils se regardaient ainsi, il ne parvenait presque jamais à détourner la tête, attendant qu'elle se décide la première. À présent, il était pris dans ce piège. La main qu'elle avait posée sur sa hanche était la source de la vague de désir qui déferlait en lui.

Richard lutta pour invoquer une image mentale de Kahlan qui l'aiderait à ne pas prendre Cathryn dans ses bras. Mais son corps en mourait d'envie.

— Je suis épuisé, mentit-il. (Il n'aurait pas pu s'endormir pour un empire.) La journée a été très longue. Demain, nous serons ensemble.

— Mais je veux...

Le nouveau maître Rahl posa une main sur les lèvres de la duchesse. S'il l'entendait encore l'implorer, il serait incapable de résister. Mais la tentation de ses lèvres, qui lui embrassaient doucement les doigts, était une torture. Et dans son cerveau embrumé, il ne parvenait plus à aligner deux pensées cohérentes.

En formuler une restait cependant dans ses cordes : *Chers esprits du bien, aidez-moi ! Donnez-moi la force. Mon cœur appartient à Kahlan.*

— Demain, réussit-il à dire.

— Tu as déjà promis ça hier, et il m'a fallu des heures pour te dénicher, murmura Cathryn en lui mordillant l'oreille.

Une grande partie de la journée, Richard s'était servi de sa cape de mriswith pour se rendre invisible. Quand elle n'était pas en face de lui, résister devenait un peu plus facile, mais cela revenait à différer l'inévitable. Lorsqu'il l'avait vue désespérée de ne pas le trouver, bouleversé par sa détresse, il avait fini par réapparaître.

Il intercepta la main de Cathryn, qui volait vers son cou, et y posa un rapide baiser.

— Bonne nuit, douce dame. Nous nous verrons demain.

Le Sourcier jeta un coup d'œil à Egan, qui montait la garde à dix pas de là. Adossé au mur, les bras croisés, le colosse regardait droit devant lui, comme s'il n'y avait rien à voir ailleurs. Une discrétion dont son maître lui fut reconnaissant.

Au bout du corridor, dans la pénombre, Berdine veillait aussi sur son seigneur. Moins délicate que le garde du corps, elle suivait ostensiblement la scène, l'air impassible.

Ulic, Cara et Raina prenaient un peu de repos.

Richard glissa une main dans son dos et tourna le bouton de la porte. Dès que le battant s'ouvrit, il s'écarta, laissant Cathryn, emportée par son élan, entrer en titubant dans la chambre.

Hélas, elle eut le temps de se rattraper à sa main. Les yeux dans ceux du jeune homme, elle lui embrassa les doigts, le faisant trembler comme une feuille.

Conscient qu'il ne résisterait plus longtemps à ce rythme-là, Richard retira vivement sa main.

Mais son esprit aussi cherchait à le trahir. Au fond, en quoi céder à son désir serait-il si mal ? Qui en souffrirait ? Quelle loi enfreindrait-il ? Et pourquoi pensait-il que ce serait une catastrophique erreur ?

Une chape de plomb pesait sur ses pensées, les étouffant avant qu'elles n'arrivent à la surface.

Dans sa tête, des voix qu'il ne connaissait pas tentaient de le convaincre d'en finir avec cette absurde comédie. Au nom de quoi refusait-il de profiter des charmes d'une splendide créature qui ne faisait pas mystère d'avoir envie de lui ? Mieux encore, qui le suppliait de partager sa couche ?

Bon sang, il la désirait aussi, c'était évident. À force de se chercher des raisons de fuir ce qu'il convoitait, il finirait par devenir fou.

Dans un étrange état d'hébétude, Richard ne parvenait plus vraiment à réfléchir. Une part de lui-même, la plus grande, luttait pour l'inciter à céder. Une autre, plus petite et obscure, s'efforçait de le retenir, comme s'il y avait quelque chose de faux dans cette situation. Et de mal, aussi...

Mais où était le mal en question ? Qu'y avait-il de tragique à passer une nuit avec Cathryn ? L'ennemi, n'était-ce pas plutôt cette force, en lui, qui voulait le priver d'un instant de bonheur ?

*Esprits du bien, aidez-moi, je vous en prie !*

L'image de Kahlan arriva enfin, avec sur les lèvres le sourire qu'elle lui réservait. Il vit qu'elle parlait, lui rappelant qu'elle l'aimait.

— Je veux être seule avec toi, Richard ! implora Cathryn. Et je ne peux plus attendre !

— Dormez bien, duchesse, dit le Sourcier en tirant le battant vers lui. Nous nous verrons demain matin.

Haletant comme s'il venait d'affronter une meute de mriswiths, Richard entra dans sa chambre et referma la porte. Trempé de sueur, les joues en feu, il tendit une main pour mettre le verrou en place. Mais le loquet se brisa, arrachant le support, qui resta suspendu par une unique vis. À la chiche lumière du feu de cheminée agonisant, Richard aperçut les autres vis, éparpillées sur le tapis.

Le souffle toujours court, il enleva son baudrier, laissa tomber l'épée sur le sol et tituba vers la fenêtre. Avec l'énergie désespérée d'un homme sur le point de se noyer, il l'ouvrit et inspira à fond un air glacial qui ne fit rien pour éteindre le feu qui brûlait en lui.

La chambre étant au rez-de-chaussée, il envisagea un instant de sortir par là et d'aller se rouler dans la neige. Cette idée lui semblant vite absurde, il décida de se laisser flageller par la bise en contemplant le firmament étoilé.

Quelque chose clochait, et il ne parvenait pas à mettre le doigt dessus. Il désirait être avec Cathryn, mais une force en lui s'acharnait à l'en empêcher. Pourquoi ? Qu'est-ce qui le poussait à nier l'attirance qu'il éprouvait pour la duchesse ?

Kahlan... Son amour pour Kahlan ! Tout était là !

Peut-être, mais s'il aimait tant Kahlan, pourquoi était-il prêt à se damner pour coucher avec Cathryn ? Il ne pensait qu'à elle, et son image effaçait celle de la femme avec qui il prévoyait de passer sa vie.

Richard alla s'asseoir au bord de son lit. D'instinct, il comprit qu'il avait épuisé ses capacités de résistance. Il désirait Cathryn, et plus rien...

À cet instant, la porte s'ouvrit pour laisser passer la jeune femme, vêtue d'un déshabillé si vaporeux qu'il aurait pu être en gaze.

— Richard, je t'en prie..., souffla-t-elle sur le ton qui le tétanisait. Ne me chasse pas, par pitié ! Si tu ne me laisses pas rester, j'en mourrai.

Elle avança, entrant dans le cercle de lumière que projetaient les flammes déclinantes. Par les esprits du bien, qu'elle était belle ! La voir ainsi balaya les ultimes hésitations de Richard. S'il ne la tenait pas dans ses bras, il en crèverait, comme un voyageur perdu dans le désert qui vient de passer à côté d'une oasis.

Debout devant lui, une main dans le dos, elle sourit et caressa le visage du jeune homme, aussitôt bouleversé par le contact de sa peau. Quand elle se pencha, posant ses lèvres sur les siennes, il crut qu'il allait mourir de plaisir.

— Étends-toi, mon amour, souffla-t-elle en le poussant doucement en arrière.

Richard ne résista plus. Couché sur le dos, il regarda Cathryn à travers le voile exaltant du désir.

Une nouvelle fois, il pensa à Kahlan. Mais cela ne servait plus à rien.

Dans un coin de sa tête, il se souvint des propos de Nathan, au sujet de son don. Le pouvoir était en lui, et la colère servait à le libérer. Cela dit, il n'en éprouvait pas...

Un sorcier de guerre mobilisait son don en s'abandonnant à son instinct, avait également dit le Prophète. Dans le bois de Hagen, quand Liliana, une Sœur de l'Obscurité, avait failli le tuer, il s'en était tiré de justesse en laissant son instinct prendre le dessus.

— Enfin seuls, mon amour..., murmura Cathryn en posant un genou sur le lit.

Aussi impuissant qu'un nouveau-né, Richard tenta de plonger dans le centre serein de son être, où se nichait l'instinct qui l'avait aidé à déjouer tant de pièges. Derrière le voile qui le séparait de son esprit s'ouvrait un gouffre noir où il se laissa tomber sans hésiter. Ses actes ne lui appartenant plus, pourquoi continuer à vouloir les contrôler ? De toute manière, il était perdu, quoi qu'il arrive.

Alors, la lumière déchira soudain la brume qui envahissait son cerveau.

Levant les yeux, il découvrit une femme qui ne lui inspirait ni amour ni désir.

Redevenu d'une froide lucidité, il comprit tout. Souvent victime de la magie par le passé, il la reconnut, telle qu'en elle-même, dans ses œuvres les plus sombres. Quand le leurre du désir fut détruit, il sentit que le pouvoir se tapissait dans cette femme. Et les doigts glacés de la magie, fouillant dans son âme, étaient presque parvenus à lui faire perdre la raison.

Mais pourquoi cette machination ?

À cette seconde, il aperçut le couteau.

Cathryn le brandissait au-dessus de sa tête, prête à lui transpercer le cœur. Mobilisant son énergie, il roula sur le côté et se jeta sur le sol, laissant la lame transpercer les couvertures puis le matelas.

Furieuse, Cathryn leva de nouveau l'arme et plongea sur sa proie.

Mais elle avait laissé passer sa chance.

Richard leva les jambes pour la repousser. À cet instant, dans une explosion kaléidoscopique de sensations, il capta une présence étrangère. Simultanément, il vit un monstre bondir entre la duchesse et lui.

Un rideau rouge brouilla la vision du Sourcier. Un liquide chaud gicla sur son visage alors que le déshabillé vaporeux, fendu en trois endroits, s'ouvrait pour vomir un flot de sang et d'entrailles.

Cathryn bascula en avant, quasiment coupée en deux par le couteau à trois lames du mriswith.

Un bruit sourd indiqua à Richard que le monstre s'était écrasé sur le sol, à quelques pas de là.

Le Sourcier écarta le corps agonisant de Cathryn et se releva d'un bond. Prêt à se battre, il entendit à peine l'ultime cri d'agonie de la duchesse.

En position de combat, il fit face au mriswith, qui serrait une arme dans chacun de ses poings.

Entre les deux adversaires, la moribonde se convulsait en silence.

Sans quitter Richard des yeux, le monstre recula vers la fenêtre. Voyant que le jeune homme allait plonger pour récupérer son épée, il posa un pied botté sur le fourreau.

— Non, siffla-t-il. Elle voulait te tuer.

— Comme toi, mais c'est elle que tu as éventrée !

— Non. Je t'ai protégé, mon frère de peau !

Soufflé, Richard regarda le mriswith s'envelopper dans sa cape puis plonger vers la fenêtre et disparaître en plein vol.

Bondissant à son tour, le Sourcier lança une main qui se referma sur le vide et s'écrasa rudement contre le montant de la fenêtre, la moitié du corps à l'extérieur.

Le mriswith devait déjà être loin, car il ne sentait plus sa présence dans son esprit.

Le vide mental laissé par le monstre fut vite chassé par une image atroce : Cathryn Lumholtz, agonisant dans une mare de sang, d'humeurs noirâtres et d'entrailles fumantes.

Richard vomit jusqu'à ce qu'il ne reste plus rien dans son estomac. Dès que sa tête cessa de tourner, il se redressa et alla s'agenouiller à côté de la jeune femme.

Grâce en soit rendue aux esprits du bien, elle était morte. Même si elle avait tenté de le tuer, il n'aurait pas supporté de la voir crever le ventre ouvert.

Le Sourcier étudia le visage qui l'avait tant fasciné. Comment avait-il pu être obsédé ainsi par une femme parfaitement ordinaire ? La magie, bien sûr... Encore un de ces fichus sortilèges ! Dépossédé de sa raison, il était redevenu lucide une fraction de seconde avant d'avoir dix pouces d'acier enfoncés dans la poitrine. Le don avait brisé le charme de justesse...

La moitié du déshabillé lacéré étant enroulé autour du cou de la morte, Richard aperçut sa poitrine. Détournant d'abord le regard, il se força, poussé par son instinct, à l'étudier attentivement.

Le sein droit et le sein gauche étaient différents. Les toucher du bout des doigts confirma cette première impression.

Richard alla prendre une lampe, l'alluma avec un long tison et retourna près du cadavre. Le sein gauche de Cathryn étant brillamment éclairé, le jeune homme s'humecta un index et le passa sur le mamelon rose. Qui s'effaça sous son doigt...

Finissant le travail avec un morceau du déshabillé, Richard mit au jour une étendue de peau blanche et lisse. Cathryn n'avait pas de mamelon gauche !

Le centre serein du jeune homme, où tout demeurait éternellement calme, illumina soudain son esprit. Cette anomalie était liée au sortilège qui avait rendu si désirable la duchesse. Lequel, il eût été bien incapable de le dire...

Richard se redressa soudain et s'assit sur les talons, les yeux écarquillés. Puis il se releva et courut vers la porte.

*Voilà que je m'emballe encore !* pensa-t-il en s'arrêtant.

C'était une idée idiote. À coup sûr, il se trompait.

À moins que...

Il entrouvrit la porte, se glissa dans le couloir et la referma derrière lui. Egan lui jeta un coup d'œil, haussa les épaules et reprit sa position, dos contre le mur. L'ignorant, Richard tourna la tête vers Berdine. Sanglée dans son uniforme de cuir rouge, elle le regardait fixement.

Il lui fit signe d'approcher. Docile, elle s'écarta du mur et remonta le corridor.

Campée devant le Sourcier, elle fronça les sourcils, les yeux rivés sur la porte.

— La duchesse doit déjà se languir de vous, maître. Allez donc la rejoindre !

— Va réveiller Cara et Raina, et revenez ici en vitesse. C'est un ordre !

— Quelque chose ne...

— Obéis !

La Mord-Sith n'insista pas et partit au pas de course. Quand elle fut hors de vue, Richard se tourna vers Egan.

— Pourquoi as-tu laissé la duchesse entrer dans ma chambre ?

— Eh bien... Elle était habillée d'une façon qui... Maître, elle m'a dit que vous lui aviez demandé de se changer, puis de vous rejoindre. Tout le monde sait que vous la désirez. J'ai pensé que vous seriez furieux si je l'empêchais de vous rejoindre.

Richard ouvrit la porte et invita le colosse à entrer. Après une brève hésitation, Egan obéit.

— Seigneur Rahl, souffla-t-il en découvrant la dépouille de la duchesse, je suis désolé… Mais je n'ai vu aucun mriswith, sinon je l'aurais arrêté. Ou j'aurais tenté de vous prévenir. Croyez-moi, je vous en prie ! (Le garde du corps baissa les yeux sur la morte.) Quelle atroce façon de quitter ce monde. Seigneur, j'ai failli à ma mission…

— Regarde ce qu'elle serre dans son poing droit, Egan.

Le colosse obéit et remarqua aussitôt le couteau.

— Que…

— Je ne l'avais pas invitée. Et elle est venue pour me tuer.

Egan détourna les yeux de son seigneur, résigné à son destin. Pour une faute pareille, tous les maîtres Rahl de l'histoire faisaient exécuter le coupable. Et le colosse savait que Richard, sur ce point-là, ne serait pas l'exception qui confirme la règle.

— Elle m'a piégé aussi, Egan, ce n'est pas ta faute. Mais à part ma future épouse, ne laisse plus aucune femme entrer dans ma chambre sans avoir d'abord obtenu ma permission. C'est compris ?

— Oui, seigneur Rahl !

— À présent, enroule la duchesse dans le tapis, et sors-la d'ici. Pour l'instant, dépose-la dans sa chambre. Puis reprends ton poste et envoie-moi les Mord-Sith dès qu'elles arriveront.

Egan se mit aussitôt au travail. Avec sa force et sa taille, il en eut vite terminé.

Après une inspection minutieuse du verrou brisé, Richard tira une chaise près de la cheminée et s'assit face à la porte.

Il espérait toujours se tromper. Et si ce n'était pas le cas, que devrait-il faire ?

Écoutant crépiter le feu, qu'il avait alimenté, il attendit les trois femmes en silence.

— Entrez ! répondit-il quand on frappa à sa porte.

Cara apparut, Raina sur les talons. Toutes deux portaient leur tenue marron. Berdine les suivait. Contrairement à ses collègues, qui accordèrent à peine un regard au décor, elle balaya la pièce du regard, l'air étonné.

— Seigneur Rahl, fit Cara quand les trois femmes se furent campées devant Richard, vous voulez quelque chose ?

— Oui, voir vos seins ! répondit le Sourcier en croisant les bras. Et vite !

Cara parut vouloir dire quelque chose, mais elle se ravisa et entreprit de déboutonner le haut de son uniforme. Raina la regarda, dubitative, puis se résigna à l'imiter.

Berdine finit aussi par s'attaquer à ses boutons.

Quand elle eut terminé, Cara saisit les pans de sa tunique de cuir, mais ne les écarta pas. Espérait-elle qu'il s'agissait d'une mauvaise plaisanterie ?

— J'attends, dit Richard en tapotant sur la garde de l'Épée de Vérité, posée sur ses genoux.

L'air à la fois blessé et furieux, Cara se résigna à dévoiler sa poitrine. Plissant le front, Richard étudia les deux mamelons et les tétons dressés, sans doute à cause du froid. Ravi, il constata que tout était en ordre. Deux seins normaux, sans trace de peinture…

Tournant la tête vers Raina, il attendit en silence qu'elle se décide. Les lèvres serrées d'indignation, elle dévoila également sa poitrine, rosissant d'humiliation tandis que le seigneur Rahl se livrait à son inspection.

Là non plus, aucune anomalie à signaler.

C'était le tour de Berdine. Celle qui l'avait menacé, allant jusqu'à lever son Agiel sur lui.

— Vous aviez promis de nous épargner ce genre de choses ! explosa-t-elle, folle de colère. Nous ne devions plus jamais être…

— Montre-moi tes seins !

Révoltées par cette sinistre séance, Cara et Raina sautillaient nerveusement d'un pied sur l'autre. À l'évidence, elles pensaient que Richard avait organisé cette « parade » privée afin de se choisir une compagne pour la nuit. Si telle était sa volonté, elles ne s'y opposeraient pas, même si la déception leur serrait le cœur.

Berdine ne broncha toujours pas.

— C'est un ordre ! insista Richard. Et tu as juré de m'obéir en toutes circonstances.

Des larmes de rage dans les yeux, la Mord-Sith dévoila sa poitrine.

Elle n'avait qu'un sein normal – le droit. L'autre, lisse comme sa joue, n'avait pas de mamelon.

Voyant la surprise de ses deux collègues, Richard comprit que la transformation était récente. Et suspecte, puisque Cara et Raina saisirent toutes les deux leurs Agiels.

Le Sourcier se leva.

— Cara, Raina, désolé de vous avoir imposé ça. Reboutonnez vos uniformes, à présent…

Tremblant de fureur, Berdine n'esquissa pas un geste pendant que les deux autres se rhabillaient.

— Seigneur Rahl, que se passe-t-il ? demanda Cara sans la quitter des yeux.

— Je vous expliquerai plus tard… Raina et toi, vous pouvez partir.

— Nous n'irons nulle part, souffla Raina, le regard également rivé sur Berdine.

— Oh que si ! fit Richard en désignant la porte. Berdine, tu restes avec moi…

— Nous ne vous…, commença Cara.

— Ne discute pas ! Je ne suis pas d'humeur, Cara ! Dehors !

Les deux Mord-Sith reculèrent, surprise par la violence du Sourcier. Rouge de colère, Cara fit signe à sa compagne de la suivre. Elles sortirent et ne manquèrent pas de claquer la porte derrière elles, pour que les choses soient bien claires.

— Qu'est-il arrivé à la duchesse ? demanda Berdine, Agiel au poing.

— Qui t'a fait ça, mon amie ? répliqua Richard d'une voix pleine de compassion.

La Mord-Sith avança vers lui.

— La duchesse ? Où est-elle ?

L'esprit enfin clair, Richard sentit enfin la Toile où était engluée Berdine. À la manière dont son estomac manqua se retourner, ce n'était pas une magie bienveillante.

Dans les yeux de Berdine brillait la fureur d'une Mord-Sith face à son « petit chien ». Il frissonna, ramené à un passé qu'il aurait voulu oublier.

— Elle est morte après avoir tenté de m'assassiner.

— Je savais que j'aurais dû m'en charger… (Berdine secoua la tête, écœurée par tant d'amateurisme.) À genoux, chien !

— Berdine, je…

La Mord-Sith abattit son Agiel sur l'épaule de sa victime, qui recula sous l'impact.

— Je t'interdis de m'appeler par mon nom !

Berdine avait été plus rapide que prévu. Massant son épaule, Richard grimaça de douleur. Les tourments qu'infligeait un Agiel ne pouvaient décidément se comparer à rien. Mais il avait payé pour le savoir, entre les mains de Denna.

Le Sourcier se demanda s'il n'avait pas surestimé ses forces. Ce qu'il se proposait de faire tenait de la folie. L'autre solution, plus simple, était d'abattre la Mord-Sith. Mais il avait juré que ces femmes finiraient paisiblement dans leur lit.

Cette promesse valait-elle le calvaire qu'il allait subir ?

— Ramasse ton épée ! ordonna la Mord-Sith.

Voyant qu'il refusait d'obéir, elle lui posa l'Agiel sur l'épaule, le forçant à s'accroupir.

Richard lutta pour conserver sa lucidité. Lors de son dressage, Denna lui avait appris à repousser ses limites. C'était le moment ou jamais d'en tirer parti.

Il saisit l'épée et se releva.

— Essaye de me frapper ! cria Berdine.

— Non, répondit Richard en jetant l'arme sur le lit. (Soutenant le regard de Berdine, il lutta pour maîtriser la panique qui menaçait de le submerger.) Je suis le seigneur Rahl, et tu es liée à moi.

Folle de rage, la Mord-Sith enfonça l'Agiel dans le ventre du Sourcier. Basculant en arrière, il atterrit sur le dos, le souffle coupé, mais se releva dès qu'elle le lui ordonna.

— Sors ton couteau ! Bats-toi, vermine !

D'une main tremblante, Richard tira l'arme de sa ceinture et la tendit à la femme, garde en avant.

— Non… Tue-moi, si c'est ce que tu veux vraiment.

— Au moins, tu me facilites les choses, concéda Berdine en s'emparant de l'arme. J'avais prévu de te faire souffrir, mais une fin rapide conviendra aussi bien.

Malgré la douleur qui lui déchirait les entrailles, Richard parvint à bomber le torse.

— Je t'offre mon cœur, Berdine ! Celui du seigneur Rahl, l'homme que tu as juré de défendre au péril de ta vie. C'est là qu'il faut frapper, si tu veux en finir vite.

— Puisque c'est ton souhait, ça m'ira très bien.

— Non, c'est *ton* souhait, Berdine. Je ne veux pas que tu me tues.

— Alors, défends-toi !

— Je ne me battrai pas, mon amie. Le choix est entre tes mains…

— Défends-toi ! répéta la Mord-Sith.

Son Agiel siffla dans l'air, giflant le Sourcier.

Il serra les poings, à l'agonie comme si on venait de lui briser toutes les dents. La souffrance remonta jusque dans son oreille, assez violente pour brouiller sa vision. Une sueur glaciale ruisselant dans son dos, il réussit à bomber de nouveau le torse.

— Berdine, deux magies sont tapies en toi. Le lien qui t'unit à moi, et le sort qu'on t'a jeté en te mutilant. On ne peut pas vivre longtemps ainsi. Tu dois expulser une de ces forces. Je suis ton seigneur, ne l'oublie pas. Pour me tuer, tu dois briser le lien ancestral de ton peuple… Ma vie est entre tes mains.

Berdine sauta sur Richard, qui bascula de nouveau en arrière. À califourchon sur lui, elle lui martela la poitrine de coups de poing.

— Bats-toi, vermine ! Bats-toi ! Bats-toi !

— Non. Si tu veux ma mort, il faudra agir de sang-froid. C'est la seule condition que je pose.

— Bats-toi ! répéta la Mord-Sith en giflant le Sourcier à la volée. Si tu ne luttes pas, je ne pourrai pas te tuer. Défends-toi, te dis-je !

Richard enlaça la jeune femme, l'attira contre lui, se remit en position assise d'un coup de reins et s'adossa au lit.

— Berdine, notre lien implique aussi que je te protège. Je ne te tuerai pas, quoi qu'il arrive. Car je te veux vivante, et prête à veiller sur moi.

— Non ! Je dois t'éliminer. Pour ça, il faut que tu te battes ! Si ce n'est pas pour me défendre, il me sera impossible de prendre ta vie. Alors, bats-toi !

Pleurant de rage, Berdine pressa la lame du couteau sur la gorge de Richard, qui ne fit rien pour l'en empêcher.

— Berdine, dit-il en passant une main dans les cheveux de la Mord-Sith, j'ai juré de me battre pour défendre tous ceux qui veulent vivre libres. Cet engagement te concerne aussi. Donc, je ne te ferai pas de mal, quoi que ça puisse me coûter. Je sais que tu ne veux pas vraiment prendre la vie de l'homme que tu as juré de protéger.

— Je te tuerai, chien ! Je jure que je t'égorgerai !

La Mord-Sith éclata en sanglots. La lame appuyant sur sa gorge, Richard n'esquissa pas un mouvement.

— S'il en est ainsi, tue-moi ! cria Berdine. Je ne peux plus supporter ça. Délivre-moi de la douleur, je t'en supplie !

— Je ne lèverai pas la main sur toi… Depuis que tu es redevenue une femme libre, tes décisions t'appartiennent.

Berdine gémit de désespoir puis jeta le couteau sur le sol. Se laissant aller contre la poitrine du Sourcier, elle lui passa les bras autour du cou.

— Maître Rahl, pardonnez-moi, je vous en prie. Chers esprits du bien, qu'ai-je donc fait ?

— Tu as été fidèle au lien qui nous unit, murmura Richard en la serrant contre lui.

— Ils m'ont fait si mal, seigneur… Je n'ai jamais autant souffert. Et ça continue, car je dois toujours lutter contre cette… chose… en moi.

— Je sais, mais il faut continuer !

Berdine posa une main sur la poitrine du Sourcier et s'écarta de lui.

— Je ne peux pas ! Par pitié, seigneur Rahl, tuez-moi ! C'est insupportable ! Délivrez-moi, je vous en supplie !

Richard se demanda s'il avait jamais vu quelqu'un dans un tel état de détresse. Débordant de compassion, il attira la Mord-Sith contre lui, lui caressa les cheveux et lui murmura des paroles de réconfort.

Rien n'y fit.

Le Sourcier se dégagea et appuya la Mord-Sith contre le lit.

Cédant à son instinct, il posa une main sur le sein gauche de Berdine. Les yeux fermés, il chercha le centre paisible de son être, royaume de la paix absolue où les pensées n'avaient aucun droit de cité. S'immergeant dans son instinct, il sentit le désespoir et la douleur de Berdine se déverser en lui comme un torrent. Alors, il partagea les horreurs qu'elle avait subies, et celles que la magie lui infligeait à l'instant même. Comme la torture de l'Agiel, il supporta stoïquement cette épreuve.

En cet instant d'empathie totale, il éprouva dans sa chair le calvaire d'une « formation » de Mord-Sith, et l'angoisse qui étouffait la jeune femme chaque fois qu'elle pensait à son ancienne personnalité, à jamais perdue.

Richard Rahl, Sourcier de Vérité et maître de D'Hara, se chargea du fardeau de Berdine. Bien qu'il ignorât le détail des événements de sa vie, il vit les cicatrices qu'ils avaient laissées dans son âme. Mobilisant sa volonté, il devint un être de pierre capable d'affronter toute la douleur du monde. Transformé en rocher, il résista au raz-de-marée de souffrance qui déferla au plus profond de son âme.

Pour Berdine, il était désormais une digue que rien ne pourrait abattre. Et d'une manière qu'il aurait été incapable de décrire, il lui fit partager le regard plein d'amour qu'il posait sur elle – une victime innocente, comme lui et tant d'autres malheureux en ce monde.

Toujours dominé par son instinct, il absorba les tourments de Berdine, l'en délestant peu à peu comme d'une charge devenue trop écrasante. En même temps, il sentit une chaleur dont il ignorait l'existence couler de sa main et pénétrer dans le sein de la Mord-Sith.

Là où leurs peaux se touchaient, s'établit un lien qui n'avait plus rien à voir avec l'antique magie de D'Hara. Une connexion d'âme à âme, leurs étincelles de vie s'unissant pour donner naissance à un brasier.

Les sanglots de Berdine s'apaisèrent. La respiration presque régulière, elle se détendit et se laissa aller contre le montant du lit.

Au plus profond de Richard, la douleur dont il avait accepté de se charger se dissipait déjà. Soudain conscient qu'il retenait son souffle, pour bloquer la souffrance, il s'autorisa à le relâcher.

La chaleur aussi disparut. Lâchant le sein de Berdine, le Sourcier lui caressa le front, écartant doucement quelques mèches rebelles collées par la sueur.

La Mord-Sith ouvrit les yeux et les baissa sur sa poitrine.

Richard l'imita et… découvrit un sein parfaitement identique à son jumeau.

— Je suis redevenue moi-même, souffla Berdine. On dirait que je me réveille d'un atroce cauchemar.

— Moi aussi, soupira Richard en recouvrant la poitrine de sa protégée.

— Aucun maître Rahl n'a jamais été votre égal, seigneur. Grâce en soit rendue aux esprits du bien, ils ne vous arrivaient pas à la cheville.

— Et personne n'a jamais proféré une vérité plus incontestable, dit une voix derrière Richard.

Se retournant, il découvrit les visages sillonnés de larmes des deux autres Mord-Sith, agenouillées avec une humilité qu'il ne leur avait jamais vue.

— Tu vas bien, Berdine ? demanda Cara.

— Je suis redevenue moi-même, oui…, répondit la jeune femme, encore sous le choc.

Mais moins que Richard…

— Vous auriez pu la tuer, seigneur, dit Cara. Pas avec votre épée, parce qu'elle aurait retourné sa magie contre vous. Mais le couteau aurait suffi… Pour vous, ç'aurait été facile, et vous n'auriez pas subi les tourments de son Agiel. Un simple coup de couteau vous aurait évité un calvaire.

— Je sais, mais la souffrance aurait été pire après…

— Seigneur Rahl, déclara Berdine en jetant son Agiel au pied de Richard, je renonce à cette arme et vous la remets.

Les deux autres Mord-Sith retirèrent la chaîne d'or de leurs poignets et laissèrent tomber leurs Agiels près de celui de Berdine.

— Je vous remets aussi la mienne, seigneur, dit Cara.

— Pour votre gloire, seigneur, ajouta Raina.

Le Sourcier contempla les trois tiges rouges, sur le sol. Pensant à son épée, il se remémora à quel point il haïssait ce qu'il faisait avec. Les tueries du passé, et celles qui l'attendaient encore le révulsaient. Pourtant, il ne pouvait pas renoncer à sa lame magique.

— Vous n'imaginez pas combien ce geste est important pour moi, dit-il, incapable de regarder les trois femmes dans les yeux. Aucun autre ne m'aurait mieux prouvé votre loyauté. Alors, pardonnez-moi d'être obligé de refuser. Pour l'instant, vous devrez conserver ces témoignages d'un passé honni. (Il se baissa, ramassa les Agiels et les tendit aux trois femmes.) Un jour, quand tout sera fini, nous bannirons à jamais les fantômes qui nous hantent. Aujourd'hui, trop d'innocents comptent sur nous. Aussi terribles soient-elles, nos armes nous aideront à continuer le combat.

— Nous comprenons, seigneur Rahl, souffla Cara en posant une main sur l'épaule du Sourcier. Il en sera ainsi pour nous tous. Après avoir vaincu les ennemis qui nous entourent, le temps viendra d'écraser ceux qui se tapissent en nous.

— Jusque-là, approuva Richard, nous devrons rester forts. Et la mort chevauchera avec nous.

Dans le silence qui suivit, il se demanda ce que les mriswiths étaient venus faire en Aydindril. Celui qui avait éventré Cathryn, par exemple. À l'en croire, il entendait protéger le jeune homme. Comment était-ce possible ?

À bien y réfléchir, il s'avisa qu'aucun monstre ne l'avait *directement* attaqué. Lors du premier combat, devant le Palais des Inquisitrices, Gratch avait déclenché les hostilités, et il était venu à son secours. Les mriswiths voulaient tuer le garn, pas son ami humain…

Celui de ce soir aurait pu l'éviscérer sans peine, puisqu'il était désarmé. Mais après l'avoir appelé « frère de peau », il avait fui sans esquisser un geste menaçant.

Penser à ce que ce nom, « frère de peau », pouvait signifier donna la chair de poule à Richard.

Plongé dans sa méditation, il se gratta distraitement la nuque.

— Qu'est-ce que c'est ? demanda Cara en frottant du bout d'un index l'endroit qu'il venait de frotter.

— Je n'en sais rien… Un point qui me démange sans cesse, c'est tout…

# Chapitre 30

Indignée, Verna marchait de long en large dans le minuscule sanctuaire. Comment la Dame Abbesse Annalina osait-elle lui faire ça ? Elle lui avait demandé de lui répéter certaines paroles, particulièrement peu flatteuses pour son ego, afin d'en finir avec un petit jeu pervers. Dorénavant, Anna devait savoir que sa victime favorite avait conscience d'être manipulée et de n'avoir aucune valeur pour le palais. Ainsi, la marionnette, devenue vraiment adulte, continuerait à servir sa maîtresse, comme il se devait – mais en toute connaissance de cause.

Verna ne pleurerait plus. Danser au son de la musique d'une vieille harpie ne l'intéressait plus. Quand on consacrait sa vie à une cause, fût-elle la Lumière du Créateur, on était en droit d'attendre un minimum de respect.

Pour le moment, ce n'était pas un franc succès. Alors que Verna avait juré de jeter le livre au feu, Anna, s'en fichant comme d'une guigne, s'était contentée de jouer un nouvel air sur l'instrument qui pourrissait la vie de sa subordonnée.

Verna aurait dû mettre sa menace à exécution ! La Dame Abbesse aurait toujours pu essayer de tirer les ficelles, une fois le livre en cendres ! Quelle façon radicale de lui montrer que sa marionnette préférée lui échappait pour toujours ! Ne plus obtenir de réaction quand elle voulait la manipuler lui aurait donné une sacrée bonne leçon !

Verna aurait dû agir ainsi, c'était une certitude. Pourtant, le livre restait à sa place, dans sa ceinture. Aussi blessée fût-elle, sa formation de Sœur de la Lumière avait pris le dessus. Elle devait découvrir la vérité. Au fond, la survie d'Annalina n'était qu'une hypothèse. Dès qu'elle serait confirmée, le carnet de voyage finirait bel et bien dans les flammes !

Verna s'immobilisa, se dressa sur la pointe des pieds et jeta un coup d'œil par une des fenêtres. La lune brillait au firmament.

Cette fois, si le prochain message ne lui donnait pas satisfaction, il n'y aurait pas de délai de grâce. Anna aurait intérêt à prouver son identité, et vite ! Sinon, le feu réglerait le problème.

Oui, c'était la dernière chance d'Annalina !

Verna s'empara du candélabre de l'autel et le posa sur la petite table. Dans la coupe perforée, sur ce même autel, un minuscule feu brûlait. Si la Dame Abbesse ne suivait pas à la lettre ses instructions, le livre noir y serait immolé, mettant un terme à cette lamentable histoire.

Verna prit le carnet et le posa sur la table. Puis elle tira la chaise à trois pieds, s'assit, embrassa la bague d'Anna, récita une prière au Créateur et ouvrit le livre.

Il y avait un message. Très long...

Et qui commençait bien.

*« Ma chère Verna, »*

Décidément, Anna pratiquait en experte l'art de se payer la tête des gens !

*« Ma chère Verna, commençons par le plus facile... Je t'ai demandé de venir dans le sanctuaire parce que le danger rôde partout ailleurs. Il est hors de question que nos ennemies lisent mes messages, et découvrent ainsi que Nathan et moi ne sommes pas morts. Le sanctuaire seul nous assure une discrétion absolue. Voilà pourquoi, jusqu'ici, je n'ai pas répondu à ta requête. Bien entendu, tu as raison de vouloir t'assurer de mon identité. Certaine que tu es seule et hors de portée d'éventuels espions, je vais enfin te donner la preuve que tu demandes.*

*Permets-moi cependant de t'adresser une dernière recommandation : n'oublie pas d'effacer mes messages et tes réponses avant de quitter le sanctuaire.*

*Maintenant, voilà, mot pour mot, le discours que je t'ai tenu dans mon bureau, après ton retour au palais en compagnie de Richard. »*

Verna releva les yeux et prit une grande inspiration. Tout se jouait maintenant, et elle en avait la tremblote.

*« Je vous ai choisie parce que vous étiez tout en bas de la liste. Et à cause de votre parfaite insignifiance. Je doutais que vous soyez une de mes ennemies... Votre manque de relief renforçait ma conviction. Si Grace et Elizabeth étaient arrivées en haut de la liste, c'était sûrement parce que la femme qui dirige les Sœurs de l'Obscurité les jugeait sacrifiables. J'ai copié sa tactique. Comment risquer la vie de sœurs vraiment utiles à notre cause ? Richard nous servira, c'est vrai, mais il n'est pas essentiel aux affaires du palais. À mission subalterne, agent subalterne. Et si vous n'étiez pas revenue, comme tout bon général, je me serais félicitée de ne pas avoir mis en danger la vie d'un élément de valeur. »*

Verna saisit le livre, le posa à l'envers sur la table et se prit la tête à deux mains. Désormais, il n'y avait plus de doutes. La *vraie* Dame Abbesse détenait l'autre carnet, et elle était bien vivante, tout comme Nathan.

Après avoir longuement regardé les flammes qui crépitaient dans la coupe, l'Usurpatrice, le cœur toujours marqué au fer rouge par ces terribles paroles, remit le livre dans le bon sens et continua sa lecture.

*« Verna, je devine que ces mots ont dû te briser le cœur. Sache que les prononcer fut un supplice, car je n'en pensais pas un. Et si tu as le sentiment d'avoir été manipulée depuis le début, sois assurée que je te comprends. Rien n'est pire que le mensonge, à part la vérité, quand elle risque de provoquer le triomphe des forces du mal. Dans ces cas-là, chère enfant, s'y accrocher est d'une criminelle absurdité. Si les Sœurs de l'Obscurité m'interrogeaient sur mes plans, je leur mentirais sans vergogne. Tout*

*autre comportement reviendrait à militer contre ma propre cause.*

*Ce soir, j'entends te dire la vérité, consciente que tu n'as aucune raison de te fier à moi, après m'avoir si souvent entendue la travestir. Mais ton intelligence, j'en suis sûre, t'aidera à séparer le bon grain de l'ivraie.*

*Si je t'ai lancée sur la piste de Richard, mon enfant, c'est parce que je n'aurais confié à personne d'autre l'avenir du monde. À présent, tu sais que le Sourcier a remporté une bataille cruciale contre le Gardien. Sans lui, nous vivrions tous sous le joug du royaume des morts. Ce que je qualifiais de "mission subalterne" était le voyage le plus important qu'une sœur ait jamais entrepris. Et toi seule pouvais t'en charger.*

*Plus de trois siècles avant ta naissance, Nathan m'avait avertie que l'univers des vivants était en danger. Et cinq cents ans avant celle de Richard, nous savions qu'un sorcier de guerre viendrait un jour au monde. Les prophéties nous ont révélé une partie de ce qui devait absolument être accompli. Et le défi dépassait tout ce que nous avions jamais affronté...*

*Après la naissance de Richard, Nathan et moi avons pris la mer pour contourner la grande barrière et nous rendre dans le Nouveau Monde. En Aydindril, nous avons subtilisé un grimoire conservé dans la Forteresse du Sorcier. Afin qu'il soit hors de portée de Darken Rahl, nous l'avons remis au père adoptif de Richard, George Cypher, avec mission de le lui faire apprendre par cœur. Cette formation "invisible", et les événements parfois tragiques de sa vie, ont façonné l'intelligence du futur Sourcier, lui donnant la force et le courage d'éliminer la première menace – Darken Rahl, son véritable père – et, plus tard, de rétablir l'équilibre au bénéfice du monde des vivants. De ce fait, Richard est l'être le plus important qui eût arpenté la terre depuis trois millénaires.*

*C'est aussi le sorcier de guerre qui nous dirigera lors de la bataille finale. Les prophéties sont très claires sur ce point. Hélas, elles ne disent pas qui sera vainqueur. Mais le conflit à venir, c'est une certitude, aura pour enjeu la survie de l'humanité.*

*Nathan et moi avons lutté pour que la formation de Richard fasse de lui un homme juste et bon. Dans la guerre qui nous attend, la magie sera une arme indispensable, mais c'est un cœur pur qui devra la contrôler.*

*Tu étais la seule, Verna, en qui j'avais confiance quand il s'est agi d'amener Richard au palais. Connaissant ta valeur, et celle de ton âme, je savais que tu n'étais pas une Sœur de l'Obscurité.*

*Je t'entends déjà demander pourquoi je t'ai laissée chercher pendant vingt ans, alors que j'aurais pu te dire dès le début où était Richard. J'aurais pu attendre, c'est vrai, et t'envoyer sur sa piste alors qu'il était adulte, son don éveillé. À ma grande honte, j'avoue, sur ce plan, t'avoir utilisée au même titre que le Sourcier.*

*Pour relever le défi qui t'attendait, mon enfant, tu devais apprendre des choses que nul n'enseigne au Palais des Prophètes. Comme Richard, tu as suivi une formation sans t'en apercevoir. Je voulais que tu saches te fier à ton intelligence, pas au carcan de lois et de règles en vigueur au palais. Ton talent ne se serait jamais épanoui s'il n'avait pas été mis à l'épreuve du monde réel. C'est là que se déroulera la grande bataille, pas dans un cloître où rien de vraiment grave ne peut se passer.*

*Je n'espère pas ton pardon. Entre autres fardeaux, la Dame Abbesse doit savoir supporter la haine d'une personne qu'elle aime comme une fille.*

*Les paroles qui t'ont tant blessée n'étaient pas de la cruauté gratuite. Pour parfaire ta formation, je devais t'aider à t'affranchir de l'obéissance aveugle qu'on inculque aux résidentes du palais. Furieuse d'avoir été maltraitée, tu t'es arrogé la liberté de faire ce que tu croyais juste. Depuis que tu es haute comme trois pommes, j'ai toujours pu compter sur ton mauvais caractère...*

*Si je t'avais tout raconté, aurais-tu agi aussi judicieusement ? Pour influer sur le cours des choses, un être humain a besoin de se fier à ses propres impératifs moraux. Exécuter des ordres nous transforme trop souvent en marionnettes, mon enfant. Guidée par les prophéties, je t'ai laissée acquérir assez d'indépendance d'esprit pour que tu oublies les règles et choisisses ce qui te semblait juste.*

*Il y a une autre raison à mon affreux discours de ce jour-là. Soupçonnant une de mes administratrices d'être une Sœur de l'Obscurité, je savais que mon bouclier ne l'empêcherait pas de nous espionner. En la poussant à m'attaquer, et à se démasquer, par la même occasion, j'avais conscience de risquer ma vie. Quelle importance, me suis-je dit, si ça empêchait le Gardien de conquérir le monde des vivants ? Comme tu le vois, une Dame Abbesse doit parfois devenir sa propre marionnette...*

*Jusqu'ici, Verna, tu t'es toujours montrée à la hauteur de mes attentes. Sans toi, je doute que Richard aurait réussi à vaincre le Gardien...*

*La première fois que je t'ai vue, j'ai souri parce que tu étais hors de toi. Tu te souviens de cet incident ? Dans le cas contraire, permets-moi de te rafraîchir la mémoire. Au palais, toutes les novices sont soumises à une épreuve très simple. Le jeu, un peu pervers, je l'avoue, consiste à les accuser d'un délit mineur dont elles sont innocentes. La plupart éclatent en sanglots. D'autres se drapent dans leur indignation, et d'autres encore supportent stoïquement l'injustice. Toi, tu bouillais de rage ! Et c'était le signe que nous attendions.*

*Dans une prophétie, Nathan avait lu que celle dont nous avions besoin ne viendrait pas à nous en pleurant, en boudant ou en se sacrifiant dignement, mais en frémissant de colère. Quand j'ai vu la fureur briller dans tes yeux, et tes petits poings rageusement serrés, j'ai eu du mal à ne pas rire aux éclats. Enfin, tu venais à nous, fidèle à l'image que nous nous étions forgé. Depuis ce jour, je t'ai réservée à l'accomplissement des œuvres essentielles du Créateur.*

*Après ma fausse mort, je t'ai désignée pour me remplacer parce que tu restes la seule sœur en qui j'aie confiance. Au cours du voyage que j'accomplis avec Nathan, il est probable que je perdrai pour de bon la vie. Dans ce cas, ton titre de Dame Abbesse deviendra effectif. Et c'est exactement ce que je veux.*

*Aussi justifiée qu'elle fût, ta haine pèse lourdement sur mon cœur. Mais au bout du chemin, c'est le pardon du Créateur qui compte, et je sais que je l'obtiendrai. Ton ressentiment sera le fardeau que je porterai sans gémir. Ce n'est pas le premier, et il y en a bien d'autres dont on ne me soulagera jamais. Voilà le prix, mon enfant, dont doit s'acquitter une Dame Abbesse...* »

Verna poussa le livre, incapable de lire un mot de plus. La tête entre les mains, elle éclata en sanglots. Bien qu'elle eût oublié les détails de l'accusation injuste dont parlait Anna, la blessure était encore ouverte, et elle se souvenait de sa rage impuissante. Ce jour-là, un sourire de la Dame Abbesse avait suffi à tout faire rentrer dans l'ordre...

— Cher Créateur, dit Verna entre deux sanglots, tu as vraiment une imbécile pour servante !

Le chagrin d'avoir été manipulée par Anna ayant disparu de son esprit, elle pleurait à présent sur les tourments que cette pauvre femme avait dû subir toute sa vie.

Quand ses larmes se tarirent, elle reprit le carnet et continua sa lecture.

« *Mais oublions le passé, et concentrons-nous sur ce qui nous attend. Selon les prophéties, le pire reste à venir. En cas de défaite, les épreuves qui sont derrière nous auraient entraîné la fin du monde des vivants dans une terrible explosion finale. Mais Richard, en triomphant, nous a épargné ce destin.*

*Aujourd'hui, un plus grand danger nous menace. Il ne vient pas d'un autre monde, mais du nôtre. L'enjeu, mon enfant, est le futur de l'humanité et la survie de la magie. Dans ce combat pour la domination du cœur et de l'esprit des hommes, il n'y aura pas de désastre final, ni de destruction instantanée, mais l'inexorable érosion provoquée par la guerre. L'ombre de l'esclavage tombera sur le monde et étouffera l'étincelle de la magie, d'où provient la Lumière du Créateur.*

*L'Antique Guerre, commencée il y a des milliers d'années, vient de recommencer. En défendant notre monde face au royaume des morts, nous avons provoqué la prochaine catastrophe. C'était inévitable, mon enfant. Mais cette fois, les efforts et les sacrifices de centaines de sorciers n'arrêteront pas le conflit. Aujourd'hui, un seul homme est susceptible de nous conduire à la victoire. Richard !*

*Chère Verna, je ne peux pas tout te dire ce soir. D'abord parce que j'ignore encore beaucoup de choses. Et même si mon cœur saigne à l'idée de t'en cacher d'autres, que je connais, sache que ce n'est pas par goût du secret. Pour que l'avenir suive les bonnes Fourches, il est impératif que certaines personnes agissent d'instinct, sans prescience de ce qui les attend. Procéder autrement fausserait le déroulement de l'histoire, au détriment des Fourches souhaitables. Une partie de notre mission consiste à enseigner aux gens l'art difficile de prendre les meilleures décisions possibles. Ainsi, dans la tourmente, ils font ce qui doit être fait. Alors, pardonne-moi, ma fille, de devoir une nouvelle fois te laisser avancer à tâtons dans la pénombre.*

*Depuis que tu occupes mon ancien poste, tu auras compris, je pense, qu'on ne peut pas toujours tout expliquer aux autres. À certains moments, la seule solution est de leur confier une mission, et d'espérer qu'ils s'en acquitteront brillamment.* »

Verna eut un soupir agacé. Elle avait depuis peu assimilé cette leçon. Renonçant à s'expliquer sans cesse, elle se résignait, désormais, à exiger qu'on lui obéisse sans poser de questions.

« *Il y a cependant des choses que je dois te dire, afin que tu puisses nous aider. Nathan et moi effectuons une mission d'une importance vitale. Pour l'instant, personne d'autre que nous ne doit connaître son but.*

*Si je survis, je compte revenir au palais. En attendant, je te charge de découvrir qui nous est loyal parmi les Sœurs de la Lumière, les novices et les futurs sorciers. Bien entendu, tu devras aussi démasquer les serviteurs du Gardien.* »

— Quoi ? s'écria Verna, oubliant que son interlocutrice ne pouvait pas l'entendre. Comment voulez-vous que je fasse ça ?

« *Ne perds pas ton temps à ronchonner, mon enfant ! Tu n'as pas la vie devant toi, car tout doit être clair avant l'arrivée de l'empereur. Nathan et moi pensons que Jagang est un de "ceux qui marchent dans les rêves" – un nom qui remonte à l'Antique Guerre.* »

Verna sentit un filet de sueur ruisseler entre ses omoplates. Quand elle était allée la voir, la pauvre Simona avait hurlé comme une possédée à la seule mention du nom de Jagang. Elle avait aussi prétendu qu'il venait la harceler dans ses songes. Bien entendu, tout le monde la croyait folle.

Selon Warren, ces êtres capables de marcher dans les rêves existaient bel et bien. À l'époque de la guerre des sorciers, ils étaient des sortes d'armes vivantes. Leur entretien avec Simona avait confirmé les soupçons du futur Prophète.

« *Surtout, Verna, n'oublie jamais que ta seule chance de triompher, quoi qu'il arrive, est de demeurer loyale à Richard. Jagang peut s'introduire dans les rêves de n'importe qui, et contrôler la volonté de sa victime. Ceux qui ont le don sont encore plus vulnérables que les autres. Contre cette menace, il n'existe qu'une parade : Richard ! Un de ses ancêtres a créé un sort qui protège les Rahl, et leurs fidèles, du pouvoir de Jagang et de ses semblables. Cette magie est transmise aux membres de la lignée qui viennent au monde avec le don. Nathan en bénéficie, bien entendu, mais il ne pourra pas nous conduire au combat, car c'est un Prophète, pas un sorcier de guerre.* »

Lisant entre les lignes, Verna comprit que suivre aveuglément Nathan aurait été de la démence. Cet homme était la foudre elle-même, maîtrisée par un collier…

« *En passant outre les lois du palais, lorsque tu as aidé Richard à s'enfuir, tu t'es liée à lui. Depuis, tu es hors de portée des pouvoirs de Jagang. Bien entendu, cela ne te met pas à l'abri de ses hordes de guerriers et de séides. Mais c'est aussi pour ça que je t'ai manipulée, ce jour-là, dans mon bureau. Folle de rage, tu as décidé de soutenir Richard au mépris de ta formation et des règles du palais…* »

Verna en frissonna rétrospectivement. Si elle avait convaincu la Dame Abbesse de lui révéler ses plans, ce jour-là – donc de lui ordonner de soutenir le Sourcier –, elle aurait été, comme Simona, une victime de choix pour celui qui marche dans les rêves.

« *Nathan ne risque rien et je suis liée à Richard depuis la première fois que je l'ai vu, il y a assez longtemps. À ma façon, je l'ai laissé imposer ses propres règles quand il a dû combattre dans notre camp. Parfois, tu as payé pour le savoir, cela ne va pas sans difficultés. Même s'il est irréprochable, dès qu'il faut protéger la liberté des innocents, il prend souvent des initiatives qui me laissent perplexe. Ce garçon a des idées bien arrêtées, et si j'en avais le pouvoir, certaines ne seraient jamais passées de la théorie à la pratique. Bref, à certains moments, il peut être aussi difficile à supporter que ce bon Nathan. Hélas, la vie est ainsi faite…*

*Voilà, tout ce que je voulais te dire est couché sur le papier. Assise dans la chambre d'une auberge confortable, j'attends que tu aies fini ta lecture. Prends ton temps, mon enfant, car je ne bougerai pas d'ici, au cas où tu aurais des questions. Évidemment, une nuit ne suffira pas pour te transmettre tout ce que j'ai appris en des siècles d'études et de réflexion. Mais je te répondrai aussi franchement que possible, compte tenu des circonstances.*

*Car je refuse de courir le risque d'altérer les prophéties et, pire encore, les événements qu'elles décrivent. Chacune de mes paroles peut entraîner une catastrophe de ce genre. Dans ce contexte, tu comprendras que je les pèse soigneusement.*

*En gardant ces restrictions à l'esprit, pose les questions que tu jugeras indispensables. À toi de jouer, mon enfant.* »

Verna s'adossa à son siège et soupira. Des questions ? Pour rédiger celles qui lui venaient à l'esprit, un siècle risquait de ne pas suffire. Par où commencer ? Créateur bien aimé, comment distinguer l'essentiel du reste ?

Elle relut le texte, s'assurant qu'elle n'avait laissé échapper aucune information importante, puis contempla longuement une page blanche avant de saisir le stylet.

« *Très chère Mère, je vous supplie de pardonner les mauvaises pensées que j'ai eues à votre sujet. Votre force m'a ramenée à plus d'humilité, et je meurs de honte en pensant à mon absurde arrogance. Je vous implore de rester en vie, car je ne suis pas digne du titre de Dame Abbesse. Comme si on demandait à un bœuf de régner sur les cieux à la manière d'un aigle...* »

Verna attendit la réponse qui ne tarderait pas à apparaître, si la Dame Abbesse lui avait dit la vérité.

« *Merci de ces paroles, mon enfant. Désormais, ce fardeau-là ne pèsera plus sur mes épaules. Pose tes questions, et je répondrai. Crois-moi, je resterai assise toute la nuit, si ça peut t'aider.* »

Verna sourit pour la première fois depuis des jours. Cette fois, les larmes qui ruisselaient sur ses joues étaient douces comme du miel.

« *Dame Abbesse, tout va bien pour Nathan et vous ?* »

« *Verna, tu aimes peut-être que tes amis t'appellent par ton titre. Moi, ça me tape sur les nerfs. Alors, utilise mon prénom, comme tous ceux qui me sont vraiment proches.* »

Verna rit de bon cœur. Elle aussi avait engagé un bras de fer contre le protocole pompeux qui lui empoisonnait la vie.

« *Rassure-toi, mon enfant, je me porte comme un charme, et Nathan aussi. Pour le moment, il est très occupé à jouer avec l'épée qu'il s'est achetée ce matin. Il virevolte dans notre chambre, pourfendant je ne sais quels ennemis invisibles. Il a insisté pour avoir une arme qui lui donnerait une "allure folle", selon lui. Au fond, c'est un enfant âgé d'un millénaire, voilà tout. Tu serais d'accord avec moi si tu le voyais sourire en décapitant à tour de bras ses adversaires imaginaires.* »

Verna relut ces quelques lignes, pour s'assurer qu'elle n'avait pas la berlue. Nathan avec une épée ? Le Prophète était encore plus cinglé qu'elle l'aurait cru. Avec lui, Annalina ne devait pas avoir le temps de s'ennuyer.

« *Anna, je suis censée démasquer les serviteurs du Gardien. L'ennui, c'est que j'ignore comment m'y prendre. Vous avez des suggestions ?* »

« *Si j'en avais, je ne les garderais pas pour moi, tu peux me croire. Il m'est arrivé d'avoir des soupçons... et de me tromper. Ou de ne pas en avoir, et de me tromper aussi. Bref, je n'ai jamais trouvé un moyen infaillible de confondre les suppôts du Gardien. Comme j'ai des soucis plus urgents, ce sera à toi de résoudre ce problème. N'oublie pas que ces traîtres peuvent se montrer aussi intelligents et rusés que leur maître. Parmi les six femmes qui se sont enfuies, il y en a au moins deux à qui j'aurais confié ma vie sans hésiter. Et si je l'avais fait, je ne serais plus de ce monde. À l'inverse, une personne antipathique n'est pas nécessairement un messager du fléau.* »

« *Anna, vous ne m'aidez pas beaucoup ! Et qu'arrivera-t-il si j'échoue ?* »

« *C'est hors de question, mon enfant...* »

Nerveuse, Verna se sécha les paumes sur sa robe.

« *Même si je réussis, que devrais-je faire ? Affronter des sœurs aussi puissantes dépasse mes compétences.* »

« *Commence par les démasquer, nous verrons après. Mais ne perds pas de vue que les prophéties peuvent être falsifiées. Nathan et moi les utilisons pour que les événements suivent le bon cours. Nos ennemies n'hésiteront pas à s'en servir pour atteindre le but opposé.* »

Verna soupira de frustration.

« *Comment voulez-vous que j'enquête, alors que j'ai déjà tant de travail ? Je passe mon temps à lire des mémos, et le retard continue à s'accumuler. Tout le monde dépend de moi et attend mes décisions. Anna, je finirai étouffée par une montagne de paperasses !* »

« *Tu lis les rapports ? Ma parole, Verna, tu as une volonté de fer ! En tout cas, tu es une Dame abbesse bien plus consciencieuse que moi.* »

L'Usurpatrice en resta bouche bée.

« *Dois-je comprendre que je ne suis pas obligée de les lire ?* »

« *Eh bien... Vois le bon côté des choses, mon enfant. Grâce à tes saines lectures, tu as découvert que des chevaux avaient disparu. Nous aurions pu en acheter hors du palais, bien entendu, mais il fallait te laisser des indices. Idem pour les deux cadavres... Cette histoire de facture visait à te conduire chez les fossoyeurs, ce que tu n'as pas manqué de faire. J'admets que certains de nos "signes" étaient troublants, par exemple l'affaire de la substitution de corps. Cela dit, il n'y avait pas d'autres moyens, et tu t'en es très bien sortie.* »

Verna s'empourpra d'embarras. En vérité, elle ne s'était jamais demandé pourquoi on avait découvert les « cadavres » d'Anna et de Nathan déjà enveloppés dans des linceuls. Cet indice-là lui avait totalement échappé.

« *Pourtant, à ma courte honte* », continua Annalina, « *j'avoue n'avoir jamais pris le temps de lire les mémos. Les assistantes sont là pour ça, mon enfant ! Avant de leur confier le travail, je leur ai conseillé de mettre leur sagesse et leur expérience au service du palais. Ensuite, je me suis contentée de quelques contrôles inopinés, histoire de vérifier qu'elles ne prenaient pas en mon nom des décisions contestables. Bref, si tu leur mets subtilement la pression, tes subordonnées te soulageront d'une corvée, et tu pourras même les critiquer un peu quand elles seront en retard – moins que tu l'aurais été, mais là n'est pas la question.* »

Verna n'en crut pas vraiment ses yeux.

« *Si je comprends bien, il suffirait de dire à mes administratrices, ou à mes conseillères, comment je vois les choses, et elles se chargeraient du travail ? Plus besoin de lire et de parapher ?* »

« *Verna, la Dame Abbesse a tous les droits. Ce n'est pas le palais qui te dirige, mais toi qui diriges le palais !* »

« *Leoma et Philippa, mes conseillères, et Dulcinia, une de mes administratrices, m'ont dit que je devais tout lire. Je me suis fiée à leur expérience. À les en croire, négliger ce travail serait revenu à trahir le palais.* »

« *Des petites malignes, celles-là... Si j'étais toi, ma fille, j'écouterais un peu moins, et je parlerais beaucoup plus. Tu foudroies merveilleusement bien les gens du regard. Utilise cet atout !* »

Verna sourit, imaginant déjà la scène. Dès le matin, il y aurait de sacrés changements au bureau de la Mère Abbesse !

« *Anna, votre mission ? Que tentez-vous de faire ?* »

« *J'ai une petite formalité à accomplir en Aydindril. Ensuite, je compte revenir au palais.* »

Certaine qu'elle n'en obtiendrait pas davantage, Verna pensa aux autres questions qu'elle devait poser, et à ce qu'il lui fallait absolument dire à la Dame Abbesse. Une information évidente s'imposa à son esprit.

« *Warren a délivré une prophétie. La première, m'a-t-il dit.* »

Il y eut une longue pause. Quand la réponse arriva enfin, l'écriture d'Annalina tremblait un peu.

« *Te souviens-tu de cette prédiction ? Mot pour mot ?* »

« *Oui. Ce n'est pas le genre de choses qu'on risque d'oublier.* »

Avant que Verna ait pu communiquer le texte à Anna, un message rageur rédigé en lettres capitales s'afficha sur toute la page.

« *CE GARÇON DOIT QUITTER LE PALAIS ! LE PLUS VITE SERA LE MIEUX !* »

Une ligne brisée suivit ces quelques mots. À l'évidence, Nathan s'était emparé du stylet et Anna tentait de le récupérer.

Après un long moment, son écriture réapparut sur une page blanche.

« *Désolée de cet incident, Verna... Si tu es sûre de t'en souvenir par cœur, transmets-nous ce texte, et nous l'étudierons. Si tu as un doute, même sur un mot, dis-le-nous. C'est très important !* »

« *Je n'ai aucun doute, parce qu'elle me concerne directement,* écrivit Verna. *La voilà : "Quand la Dame Abbesse et le Prophète seront rendus à la Lumière, les flammes de leur bûcher funéraire porteront à ébullition un chaudron plein de fourberie. Alors viendra l'Usurpatrice qui présidera à la fin du Palais des Prophètes. Au nord, celui qui est lié à la lame l'abandonnera pour la sliph d'argent, car son souffle la ramènera à la vie, et elle le livrera aux méchants.* »

Encore une fois, la réponse tarda à venir.

« *Patiente un peu pendant que nous l'étudions...* »

Verna attendit docilement. Dehors, les insectes bourdonnaient et les grenouilles coassaient. Elle se leva, s'étira et bâilla sans quitter le livre noir des yeux. Rien ne se passa. Épuisée, elle se rassit, le menton appuyé sur les poings, et lutta pour empêcher ses paupières de se fermer toutes seules.

Enfin, un message apparut.

« *Selon Nathan, cette prophétie est trop immature pour être interprétée sans risque d'erreur.* »

« *Anna, je suis l'Usurpatrice, ça ne fait pas de doute. Et l'avenir qui m'attend me terrifie.* »

La réponse vint immédiatement.

*« Tu n'es pas l'Usurpatrice dont parle cette prédiction. »*

*« Alors, que faut-il comprendre ? »*

*« Nous ne savons pas tout, mais une chose est sûre : tu n'es pas l'Usurpatrice ! À présent, sois attentive ! Warren doit quitter le palais. Y rester est trop dangereux pour lui. Tu devras lui trouver une cachette sûre. S'il part dans la nuit, on risque de le remarquer. Demain matin, emmène-le en ville sous le prétexte que tu voudras. Dans la foule, il sera difficile de le suivre. Profite de la cohue pour lui faire quitter Tanimura. Et n'oublie pas de lui donner de l'or, afin qu'il n'ait pas de problème pendant son exil. »*

Le souffle court, une main sur le cœur, Verna recommença à écrire.

*« Dame Abbesse, Warren est mon seul allié fiable. Sans son aide pour interpréter les prophéties, je serais perdue… »*

Elle préféra ne pas ajouter que cet homme était son unique ami.

*« Verna, les prophéties sont en danger. Si nos ennemis capturent un Prophète »*

Rédigé d'une main tremblante, le message s'arrêta abruptement. Puis de nouveaux mots apparurent, écrits d'un stylet plus sûr.

*« Warren doit quitter le palais. Tu as compris ? »*

*« Oui, Dame Abbesse. Je m'en occuperai demain, à la première heure. Warren fera ce que je lui demande. Si vous le dites, je veux bien croire qu'il est plus important pour lui de partir que de m'aider. »*

*« Merci, Verna. »*

*« Anna, qu'est-ce qui menace les prophéties ? »*

Là encore, la réponse n'arriva pas tout de suite.

*« Nous essayons de faciliter les choses à notre camp en anticipant les périls qui nous attendent sur les différentes Fourches. Nos ennemis, qui cherchent à dominer l'humanité, peuvent utiliser ces mêmes informations pour orienter les événements dans le sens qui leur est favorable. Si on s'en sert de cette manière, les prédictions peuvent être l'instrument de notre défaite. En capturant un Prophète, nos adversaires auront une meilleure connaissance des Fourches, et cela les rendra plus dangereux encore. L'ennui, c'est qu'altérer les Fourches risque de provoquer un chaos incontrôlable, même pour eux. Une perspective terrifiante, mon enfant. Sans le vouloir, ils peuvent tous nous faire basculer dans un abîme. »*

*« Anna, vous essayez de me dire que Jagang tentera de s'emparer du palais et des prophéties ? »*

*« Exactement. »*

Pour la première fois, Verna entrevit l'enjeu du combat qui les attendait. Et elle en eut des frissons dans le dos.

*« Comment l'en empêcher ? »*

*« Le palais ne tombera pas aussi facilement qu'il le pense. Il sait marcher dans les rêves, mais nous conservons le contrôle de nos Han. Ce pouvoir-là aussi est une arme. Même si nous l'avons toujours utilisé pour protéger la vie et apporter au monde la Lumière du Créateur, rien ne nous interdit d'en faire un usage dévastateur. À cette fin, nous devons savoir qui nous est loyal. Et ce sera à toi de séparer le bon grain de l'ivraie. »*

Avant d'écrire, Verna pesa soigneusement ses mots.

« *Dame Abbesse, voulez-vous nous transformer en guerrières ? Devrons-nous frapper à mort d'autres enfants du Créateur ?* »

« *Je t'explique seulement, Verna, que tu devras mobiliser toutes tes armes afin d'épargner au monde l'épreuve d'une impitoyable tyrannie. Pour défendre les enfants du Créateur, ne portons-nous pas un dacra ? Quand on est mort, mon enfant, impossible d'aider qui que ce soit !* »

Verna s'aperçut que ses jambes tremblaient. Elle avait tué des gens, et la Dame Abbesse le savait. Au nombre de ses victimes, il y avait même Jedidiah…

La gorge sèche, elle regretta de n'avoir rien apporté à boire.

« *Je comprends,* écrivit-elle enfin. *Et je ne me déroberai pas, quoi qu'on me demande de faire.* »

« *J'aimerais t'être plus utile, mon enfant. Hélas, je n'en sais pas assez long, pour le moment. Les événements se précipitent. D'instinct, Richard a pris des décisions probablement hâtives. Il nous reste à découvrir les détails, mais il semble qu'il ait mis les Contrées du Milieu sens dessus dessous. Ce garçon ne se repose jamais ! Et il invente ses propres règles au fil des minutes.* »

« *Qu'a-t-il fait ?* » demanda Verna.

Connaissant le Sourcier, elle redoutait la réponse.

« *Trois fois rien… Ce garnement a pris le pouvoir en D'Hara. Puis il a conquis Aydindril, dissous l'alliance des Contrées et exigé la reddition de tous les royaumes.* »

« *Il est devenu fou ? Les Contrées doivent affronter seules l'Ordre Impérial. Il est beaucoup trop risqué d'engager D'Hara dans ce conflit.* »

« *Sans doute, mais il l'a fait…* »

« *Les royaumes ne s'en remettront jamais à lui !* »

« *À ce qu'on dit, Galea et Kelton lui ont déjà juré allégeance.* »

« *Il faut arrêter ça ! L'Ordre Impérial est la véritable menace, et c'est lui que nous devons combattre. Nous ne pouvons pas permettre à Richard d'ouvrir un front dans le Nouveau Monde. Cette diversion pourrait nous être fatale.* »

» *Mon enfant, dans les Contrées du Milieu, la magie est comme un rôti juteux qui attend sur une table. L'Ordre Impérial la découpera tranche après tranche, comme il l'a fait dans l'Ancien Monde. Une alliance trop timorée, rétive à se battre pour préserver une seule tranche, la céderait en pensant apaiser l'appétit de son adversaire. Alors, l'Ordre passerait à la suivante, et l'obtiendrait de nouveau sans combattre. Un processus qui affaiblirait lentement les Contrées en renforçant l'Ordre. Pendant que tu étais en voyage, l'Ancien Monde fut grignoté ainsi en moins de vingt ans. Richard est un sorcier de guerre. Il se fie à son instinct, et nous devons lui faire confiance. La première menace émanait d'un seul individu : Darken Rahl. Aujourd'hui, elle est collective. Si nous éliminons Jagang, un autre prendra sa place. Dans ce combat, les convictions, les angoisses et les ambitions des peuples s'affrontent. Les chefs ne sont pas essentiels.*

*C'est très comparable à la manière dont les gens redoutent le palais. Si un meneur se met en évidence, on ne peut pas éradiquer la menace en abattant un seul homme. La peur restera dans la tête de ses fidèles, et nous l'aurons justifiée en les privant de leur chef.* »

« *S'il en est ainsi,* écrivit Verna, *que devons-nous faire ?* »

« *Tu sais que je ne connais pas toutes les réponses. Mais je peux t'assurer une chose : si nous avons tous un rôle à jouer dans le conflit, Richard seul en est la clé. Je n'approuve pas toutes ses initiatives, loin de là. Pourtant, personne d'autre ne nous conduira à la victoire. Pour triompher, nous devons le suivre. N'en conclus pas qu'il nous est interdit de le conseiller, voire de l'influencer. Bien au contraire ! Au bout du compte, cependant, il reste le seul sorcier de guerre, et il est né pour livrer cette bataille-là. Selon Nathan, les prophéties parlent d'un lieu appelé le Grand Vide. Au bout de cette Fourche, il n'y a aucune place pour la magie, et plus aucune prédiction la concernant. Comprends-tu ce que ça signifie ? Si l'histoire prend ce chemin, elle basculera dans l'inconnu sans l'aide de la magie. Le but de Jagang est de nous pousser dans ce gouffre...* »

Ne sachant que dire, Verna attendit la suite, qui tarda un peu, comme si le Prophète et la Dame Abbesse se concertaient.

« *Garde toujours cela à l'esprit,* écrivit enfin Annalina, *quoi qu'il arrive, tu devras rester fidèle à Richard. Tu peux lui parler, le conseiller, le contredire, même, mais jamais le combattre. Cette loyauté interdira à Jagang de s'introduire dans ton esprit. Et s'il y réussit, par malheur ou parce que tu commets une erreur, tu seras perdue pour notre camp.* »

« *Je comprends,* répondit Verna d'une écriture tremblante. *Que puis-je faire d'autre pour contribuer à notre victoire ?* »

« *Pour l'instant, remplis la mission que je t'ai confiée. Ne perds pas de temps, surtout. La guerre déferle sur nous comme un ouragan. On raconte même que des mriswiths rôdent en Aydindril.* »

Verna écarquilla les yeux, stupéfaite par cette nouvelle.

— Créateur bien-aimé, dit-elle à voix haute, donne de la force et du courage à Richard !

# Chapitre 31

Éblouie par la lumière, Verna battit des paupières. Le soleil venait de se lever, et il faisait frisquet.

Abandonnant le fauteuil, la Dame Abbesse par intérim s'étira en bâillant. Après avoir correspondu avec Anna jusqu'aux petites heures de l'aube, trop fatiguée pour gagner sa chambre, elle s'était endormie comme une masse dans le sanctuaire.

Suite à l'étonnante nouvelle, au sujet des mriswiths, les deux femmes avaient un peu discuté « boutique ».

Anna avait répondu à des dizaines de questions concernant l'administration du palais, son organisation et la manière de gérer les conseillères, les administratrices et les autres sœurs.

Les réponses de son aînée avaient ouvert les yeux à Verna.

Elle n'avait jamais mesuré à quel point la politique influençait la vie du Palais des Prophètes. La puissance d'une Dame Abbesse tenait à deux choses : son aptitude à contracter les bonnes alliances, et l'art de distribuer les postes et les honneurs pour mieux contrôler ses opposantes. Divisées en factions, responsables de leur petit territoire et dotées d'une liberté d'action très étendue dans de minuscules domaines, les sœurs les plus influentes ne songeaient plus à s'unir pour comploter contre la Dame Abbesse. La dernière étape consistait à répartir équitablement les informations entre les divers groupes, afin qu'ils soient de la même force. En respectant cet équilibre – et en usant aussi de la *rétention* de données, lorsque ça s'imposait – la Dame Abbesse, qui demeurait le pivot du palais, définissait des objectifs et poussait ses subordonnées à les atteindre.

Bien que les sœurs ne puissent pas renverser une Dame Abbesse, sauf en cas de trahison avérée, leur pouvoir de nuisance restait élevé si on les laissait s'adonner à des luttes d'influence et à des querelles mesquines. Entre autres missions, la Dame Abbesse devait canaliser toutes ces énergies vers des buts dignes d'intérêt.

Tout compte fait, diriger le palais au nom du Créateur était plus un exercice de psychologie qu'une affaire d'autorité et de répartition des tâches. Jusqu'à ces derniers temps, Verna n'avait jamais envisagé le problème sous cet angle. Pour elle, les Sœurs de la Lumière, une grande famille, travaillaient avec enthousiasme au service du Créateur et se réjouissaient d'être sous la bienveillante tutelle de la plus sage de leurs collègues. Cette description idéale n'était pas fausse, à un détail près : cette harmonie tenait à l'habileté d'Annalina, qui savait admirablement bien stimuler ses troupes.

Après leur conversation épistolaire, Verna se sentait moins que jamais à la hauteur de sa mission. Mais avec le temps, pensait-elle à présent, elle y ferait face de mieux en mieux. Une confiance toute nouvelle qu'elle devait à Anna...

Annalina savait une incroyable foule de choses sur les affaires les plus triviales du palais. Pas étonnant que le poste, avec elle, ait eu des allures de sinécure. Fine politique et femme de cœur, elle était une jongleuse de génie capable de faire tourner une dizaine de balles dans les airs tout en tapotant gentiment la tête d'une novice.

Verna se frotta les yeux. Elle n'avait presque pas dormi, mais le repos serait pour plus tard. Une tâche de la plus haute importance l'attendait...

Elle glissa dans sa ceinture le livre aux pages redevenues immaculées et se dirigea vers son bureau. Passant devant le petit étang, elle s'accroupit et s'aspergea le visage d'eau.

Deux colverts approchèrent, curieux de découvrir ce qu'elle faisait sur leur territoire. Ils lui tournèrent autour un moment, puis entreprirent de se lisser les ailes, ravis de voir qu'elle n'avait aucune mauvaise intention à leur égard.

Savourant l'air frais et pur, Verna contempla un moment le ciel rose caractéristique de l'aube. Malgré son inquiétude, elle était pleine d'un optimisme qui l'étonna elle-même. Comme le paysage environnant, elle aurait juré que son esprit était caressé par les rayons glorieux d'un fantastique soleil.

En se secouant les mains, elle se demanda pour la centième fois comment procéder pour démasquer les Sœurs de l'Obscurité. La confiance d'Annalina, aussi flatteuse fût-elle, ne garantissait en rien qu'elle réussirait. Et malgré tout le talent de la Dame Abbesse, il ne suffisait pas qu'elle donne un ordre pour qu'il soit facile à exécuter.

Verna soupira, embrassa sa bague et implora le Créateur de lui envoyer une illumination.

Elle brûlait d'envie d'aller annoncer à Warren la miraculeuse « résurrection » d'Annalina et de Nathan. Hélas, elle devrait aussi lui dire de quitter le palais, et il risquait de très mal le prendre. Là encore, comment procéder ? Pouvait-elle lui trouver une cachette pas trop distante et lui rendre visite de temps en temps, histoire de se sentir moins seule ?

En entrant dans son bureau, la Dame Abbesse sourit à la montagne à demi écroulée de mémos qui attendaient de la torturer... sans savoir que ce temps-là était révolu. Laissant la porte du jardin ouverte pour renouveler un peu l'air, elle entreprit de classer les documents. Quand elle eut obtenu une série de petites piles impeccables, elle aperçut pour la première fois quelques pouces carrés du plateau de table en noyer.

Elle venait de finir lorsque la porte communicante grinça, signalant l'arrivée de Phoebe et de Dulcinia – les bras chargés d'une nouvelle cargaison de mémos, bien évidemment.

— Bonjour ! lança Verna aux deux sœurs stupéfaites de la trouver là de si bon matin.

— Veuillez nous pardonner, Dame Abbesse, dit Dulcinia, de plus en plus troublée quand elle aperçut les piles de mémos. Nous ne pensions pas vous trouver ici. Désolées de vous avoir dérangée. Si vous voulez vous remettre au travail, nous vous laisserons après avoir posé ces rapports sur votre bureau.

— Très bonne idée, ma sœur ! Leoma et Philippa seront très contentes que vous les ayez apportés.

— Que voulez-vous dire, Dame Abbesse ? demanda Phoebe, de la stupeur sur son visage joufflu.

— Tu as très bien compris, mon amie... Mes conseillères tiennent à ce que le palais tourne aussi rond qu'une roue de chariot bien graissée. Elles s'inquiètent au sujet de ce travail.

— Ce travail ? répéta Dulcinia, le front plissé.

— Les rapports, précisa Verna, comme si c'était évident. Je suis sûre qu'elles refuseraient de confier des responsabilités pareilles à deux débutantes. Mais si vous faites vos preuves, il est possible, dans un siècle ou deux, que je décide de vous donner de l'avancement. Si Leoma et Philippa sont d'accord, bien entendu...

— Que vous a dit Philippa, Dame Abbesse ? demanda Dulcinia, de plus en plus sombre. Quelles lacunes me trouve-t-elle ?

— Ne vous méprenez pas, ma sœur. Mes excellentes conseillères ne vous ont nullement critiquées. Au contraire, elles ne tarissent pas d'éloges à votre sujet. Mais elles ont insisté sur l'importance des mémos, et m'ont adjurée de les traiter en personne. Lorsque Phoebe et vous serez prêtes à prendre le relais, je suis sûre qu'elles m'en informeront.

— Le relais de quoi ? demanda Phoebe, dont les aptitudes intellectuelles ne semblaient pas s'être développées pendant la nuit.

Verna désigna les piles de documents.

— En principe, ce sont les administratrices qui lisent les mémos et prennent les décisions. La Dame Abbesse, toujours en théorie, se contente de vérifier de temps en temps les compétences de ses assistantes. Mes conseillères m'ayant priée de tout faire moi-même, j'ai supposé qu'elles vous jugeaient... Vous comprenez ce que je veux dire ? Mais n'y voyez surtout aucune malveillance, puisqu'elles ne cessent pas de vous complimenter. Cela dit, sur ce sujet, elles ont fait montre d'une insistance qui m'étonne un peu...

— Dame Abbesse, s'indigna Dulcinia, nous lisons ces mémos avant vous, pour vérifier qu'il n'y a pas d'erreur ou d'omission. Personne ne les connaît mieux que nous ! Le Créateur me soit témoin que j'en rêve chaque nuit ! Dès que quelque chose cloche, nous vous le signalons. Et qui attire votre attention sur les comptes incohérents ? Ces deux-là n'ont aucun droit de vous dire ce que vous devez faire ou non !

Verna approcha d'une étagère et fit mine de chercher activement un ouvrage.

— Je suis sûre qu'elles pensent à l'intérêt du palais, ma sœur. Vous débutez à ce poste, après tout. N'allez pas chercher de la malveillance là où il n'y en a pas.

— J'ai le même âge que Philippa ! Pourquoi en saurait-elle plus long que moi ?

— Elle ne vous a jamais critiquée, je le répète, fit Verna en jetant un rapide coup d'œil derrière son épaule.

— Mais elle vous a fermement conseillé de lire les mémos.

— Eh bien, oui, mais…

— Elle se trompe ! Et Leoma aussi !

— Vraiment ? lança Verna en se détournant de son étagère.

— Bien entendu ! (Dulcinia consulta Phoebe du regard.) Nous pouvons classer, évaluer et annoter en une ou deux semaines tous les mémos qui encombrent ce bureau. Qu'en pensez-vous, sœur Phoebe ?

— Une semaine suffira amplement ! En matière de mémos, personne ne nous arrive à la cheville. (La pauvre Phoebe s'empourpra, consciente qu'elle venait de faire une gaffe.) À part vous, bien entendu, Dame Abbesse.

— Vous parlez sérieusement ? demanda Verna, ravie de sentir deux gentils petits poissons frétiller au bout de sa ligne. C'est une lourde responsabilité. J'hésite à la confier à des débutantes, aussi douées soient-elles. Vous pensez être assez bien formées ?

— Et comment ! affirma Dulcinia. (Elle approcha du bureau et s'empara d'un gros classeur.) Nous allons commencer par ça. Quand nous aurons fini, venez contrôler notre travail, et vous constaterez que vous auriez pris les mêmes décisions que nous. Phoebe et moi, on sait ce qu'on fait ! Vous verrez, Dame Abbesse… Et j'en connais deux qui en resteront bouche bée !

— Si vous vous pensez prêtes, je veux bien vous donner une chance. Après tout, vous êtes mes administratrices.

— Et vous ne regretterez pas de nous avoir nommées ! (Du menton, Dulcinia désigna le bureau.) Phoebe, prends de quoi travailler !

La vieille amie de Verna obéit.

— Je suis sûre, dit-elle, que la Dame Abbesse a mieux à faire que parapher des mémos à longueur de journée.

— Mes sœurs, conclut Verna, je vous ai choisies parce que j'appréciais vos compétences. Faites vos preuves, puisque vous y tenez tant ! Quand on y réfléchit, les administratrices occupent des postes vitaux pour le bon fonctionnement du palais.

— Et pour la tranquillité d'esprit de la Dame Abbesse ! ajouta Dulcinia. Vous mesurerez vite notre valeur, et vos conseillères aussi !

— Votre ardeur à la tâche m'impressionne, mes sœurs. À présent, j'ai du pain sur la planche. À force de parapher, je n'ai pas eu une seconde pour contrôler le travail de mes estimées conseillères. Il serait temps que je m'y mette, non ?

— Ce serait très sage, oui, lâcha Dulcinia en sortant du bureau sur les talons de Phoebe.

Verna soupira de soulagement dès que la porte se fut refermée sur ses assistantes. En avoir fini avec les mémos lui redonnait un cœur de vingt ans ! Elle devait une sacrée chandelle à Annalina !

S'avisant qu'elle souriait, elle se composa une expression plus adaptée à sa position.

Warren ne répondit pas quand Verna frappa à sa porte. Se risquant à jeter un coup d'œil dans la chambre, elle découvrit que le lit n'avait pas été défait.

Pas étonnant, puisqu'elle avait ordonné au pauvre garçon de travailler jour et nuit dans les catacombes. Pour gagner du temps, il avait sûrement décidé de dormir sur place.

Honteuse, la Dame Abbesse se souvint qu'elle avait malmené le futur Prophète, après leur entretien avec le fossoyeur. Pour être franche, elle s'était défoulée sur Warren, et c'était inexcusable.

Soucieuse de discrétion, elle ne demanda pas qu'on évacue les catacombes et se mit en chemin sans escorte. Sous prétexte d'effectuer une visite de routine, il serait plus simple – et plus sûr – de souffler au passage à son ami qu'elle voulait le voir dans leur coin secret, près de la rivière. Ce qu'elle avait à lui révéler était bien trop dangereux pour être dit dans l'enceinte du palais, y compris au fond des catacombes.

Warren aurait peut-être une idée au sujet des Sœurs de l'Obscurité, qu'il lui restait toujours à démasquer. L'intelligence de cet homme ne cessait de la surprendre. Et voilà qu'elle allait devoir s'en séparer ! Et le plus vite possible, malheureusement !

S'il restait assez longtemps absent, pensa-t-elle, lui reviendrait-il avec quelques rides ? Ce serait une maigre consolation, mais il fallait faire flèche de tout bois…

Le ventre arrondi par sa grossesse, sœur Becky donnait à des novices un cours magistral sur la complication des prophéties. Devant des jeunes femmes déjà avancées dans leurs études, elle insistait sur le danger que représentaient les fausses prophéties issues de Fourches intervenues dans le passé. Quand un événement prédit dans une prophétie avait eu lieu, la Fourche éventuelle était en quelque sorte résolue par la réalité. Si une branche était confirmée par les faits, l'autre devenait automatiquement caduque.

Hélas, une multitude d'autres prédictions dérivaient des *deux* branches, la plupart antérieures à l'événement qui permettait d'y voir clair. Celles qui étaient liées à la mauvaise branche, en toute logique, entraient aussi dans la catégorie des fausses prédictions. Mais comment le savoir sans remonter une arborescence d'autant plus compliquée que l'origine du schisme était éloignée dans le temps ? À cause de cette difficulté, les catacombes regorgeaient de ce qu'on appelait, assez joliment, du « bois mort ».

Verna suivit le cours un moment, particulièrement attentive quand les novices posèrent des questions. Découvrir à quel point la tâche qui les attendait était ardue devait les remplir de frustration. Pour un esprit jeune, accepter que certaines questions n'aient pas de réponse était une véritable torture…

Et d'après Warren, même les sœurs les plus aguerries surestimaient leur compréhension des prophéties…

Les interpréter était en réalité le travail de sorciers nés avec un don très particulier. Depuis des millénaires, Nathan était le seul membre de sa confrérie qui fût capable d'en *délivrer*. Un talent qui lui permettait aussi de les comprendre mieux que n'importe quelle sœur, à part peut-être Annalina. Et Warren semblait à même de prendre la relève du vieux Prophète…

Alors que Becky se lançait dans un grand exposé sur la manière de préciser les liens en utilisant les événements clés et la chronologie, Verna se dirigea vers les salles du fond où Warren avait l'habitude de travailler. Toutes étaient vides, leurs grimoires proprement rangés sur les étagères.

Verna ignorait où elle pourrait continuer ses recherches. Jusque-là, elle n'avait jamais eu de mal à trouver son ami, parce qu'il était *toujours* dans les catacombes…

Prenant le chemin de la sortie, Verna aperçut sœur Leoma, qui avançait à sa rencontre. Un sourire sur les lèvres, la conseillère aux longs cheveux blancs tenus par un ruban doré s'inclina respectueusement devant sa supérieure.

Sous sa jovialité apparente, Verna capta une inquiétude qui n'augurait rien de bon.

— Bonjour, Dame Abbesse. Puisse le Créateur bénir cette nouvelle journée.

— Merci, ma sœur… Voilà un jour qui s'annonce magnifique. Comment avancent les novices ?

Leoma jeta un coup d'œil aux tables qu'occupaient les jeunes femmes, immergées dans leur concentration.

— Elles deviendront de très bonnes Sœurs de la Lumière. J'ai suivi le cours, et toutes sont très attentives. (Sans regarder Verna, Leoma se racla la gorge et osa entrer dans le vif du sujet :) Vous désiriez voir Warren ?

— Oui. J'aimerais qu'il vérifie quelques petites choses pour moi. Vous l'avez aperçu ?

— Verna, j'ai bien peur qu'il ne soit pas là.

— C'est ce que j'avais conclu… Où puis-je le trouver, d'après vous ?

— Il est parti, Dame Abbesse…

— Parti ? Que voulez-vous dire ?

Le regard de Leoma se perdit dans les ombres, au milieu des étagères.

— Il a quitté le palais. Pour de bon.

— Pardon ? Leoma, vous faites sûrement erreur. Peut-être que…

— Verna, il est venu me voir, il y a deux nuits, pour m'annoncer son départ.

— Pourquoi vous ? En toute logique, il aurait d'abord dû informer la Dame Abbesse.

— Verna, je suis désolée de devoir vous dire ça, mais après votre dispute, il a jugé préférable de ne pas rester au palais. Au moins pendant un temps… Ce soir-là, il m'a fait promettre de ne pas vous avertir avant deux jours. Histoire que vous ne lui couriez pas après.

— Il a osé dire ça ? grogna Verna, les poings serrés. De quel droit… (Elle s'interrompit, bouleversée, et tenta de comprendre ce qui lui arrivait. Tout ça pour quelques mots qu'elle avait regrettés dix secondes après les avoir prononcés ?) A-t-il dit quand il reviendrait ? Nous avons besoin de lui, Leoma. Il connaît les grimoires sur le bout des ongles. Quelqu'un d'aussi important ne peut pas s'en aller sur un coup de tête !

— Pourtant, c'est ce qu'il a fait. Quant à son retour, il n'a pas précisé de date. À mon avis, il n'est pas sûr de vouloir revenir. Partir lui a semblé la meilleure solution, et il a affirmé que vous en arriveriez aussi à cette conclusion.

— A-t-il dit autre chose ?

— Pas un mot de plus…

— Et vous n'avez pas tenté de le retenir ?

— Verna, vous avez libéré Warren de son Rada'Han. Sans collier, il est impossible d'empêcher un sorcier d'aller et venir à sa guise. C'est un homme libre. Le choix lui appartenait, et nous n'avions rien à dire.

Glacée de terreur, Verna dut reconnaître que Leoma avait raison. Warren n'ayant plus son collier, comment espérer qu'il reste près d'elle après une telle humiliation ? Quand on traitait un ami comme un larbin, voilà ce qu'on récoltait. Warren n'était plus un gamin, mais un homme. Plus personne ne pouvait lui donner des ordres.

Et il était parti…

— Merci de m'en avoir parlé, Leoma, parvint à dire la Dame Abbesse malgré sa gorge serrée.

La sœur posa une main compatissante sur l'épaule de sa supérieure. Puis elle s'éloigna, sans doute pour continuer à suivre le cours magistral de Becky.

Warren était parti !

La logique laissait craindre que les Sœurs de l'Obscurité se soient emparées de lui. Mais dans son cœur, Verna avait conscience d'être la seule responsable de ce désastre.

Elle entra dans une des petites salles, attendit que la porte se referme et se laissa tomber sur un fauteuil.

La tête sur les bras, elle éclata en sanglots, prenant soudain la pleine mesure de tout ce que Warren représentait pour elle.

# Chapitre 32

Éjectée du chariot, Kahlan fit un roulé-boulé dans la neige, se releva en souplesse et, inquiète d'entendre crier, remonta péniblement jusqu'au véhicule. Autour d'elle, des rochers dévalaient la pente, percutant au passage les branches et les troncs des pins vénérables qui bordaient l'étroite piste de montagne.

La Mère Inquisitrice s'adossa au flanc du chariot pour l'empêcher de continuer à glisser.

— Aidez-moi ! cria-t-elle aux hommes qui accouraient déjà.

Quelques secondes après, ils se plaquèrent contre le véhicule, soulageant la jeune femme de son poids.

Le blessé hurla de plus belle.

— Attendez, attendez ! (On eût dit qu'on était en train de l'égorger.) Maintenez le chariot, mais ne le soulevez surtout pas !

Les six jeunes soldats bandèrent leurs muscles pour conserver le véhicule dans sa position. Mais les rochers accumulés dessus ne leur facilitaient pas la tâche.

— Orsk ! cria Kahlan.

— Oui, maîtresse ?

L'Inquisitrice tourna la tête et plissa les yeux. Dans la pénombre, elle eut du mal à distinguer la silhouette massive du soldat d'haran borgne qui la suivait partout comme son ombre.

— Orsk, aide-les à tenir le chariot. Surtout, n'essaye pas de le soulever davantage.

Alors que le D'Haran posait ses énormes battoirs sur le montant inférieur du véhicule, Kahlan jeta un coup d'œil à la piste obscure, derrière elle.

— Zedd ! Que quelqu'un aille chercher Zedd ! Vite !

Écartant ses longs cheveux de ses yeux, l'Inquisitrice s'agenouilla près du jeune homme coincé sous le moyeu d'une roue. Il faisait trop sombre pour évaluer la gravité de sa blessure, mais à l'entendre gémir, il semblait rudement touché.

Pourquoi avait-il crié comme ça quand ses sauveteurs avaient voulu le soulager du poids qui lui compressait la poitrine ?

— Courage, Stephens, dit-elle en prenant les mains du pauvre garçon. De l'aide arrivera bientôt.

Kahlan grimaça lorsque le blessé lui serra une main de toutes ses forces. Il s'accrochait à elle comme s'il s'était retenu à une souche, au bord d'un gouffre mortel. Malgré la douleur, l'Inquisitrice se jura de ne pas lui retirer le réconfort de ses doigts, même s'il devait les lui broyer.

— Ma reine… excusez-moi de… vous ralentir.

— C'était un accident, et tu n'y es pour rien. (Sentant que ses pieds glissaient dans la neige, Kahlan changea de position.) Ne t'agite pas, Stephens…

Le garçon se calmant un peu quand elle chassa de gros flocons de son front, elle posa sa main libre sur une de ses joues, déjà glacée.

— Stephens, essaye de ne pas bouger. Tes camarades ne lâcheront pas le chariot ! Nous te sortirons de là dans quelques minutes, et le sorcier s'occupera de toi. Encore un peu de patience, et tu seras en pleine forme !

Sous sa paume, elle sentit le soldat hocher doucement la tête. Personne n'ayant de torche, la chiche lumière de la lune ne suffisait pas à voir quel était le problème. En tout cas, soulever le chariot augmentait la souffrance du pauvre Stephens…

Un cheval arriva au galop et s'arrêta net dans la neige. Une silhouette noire sauta immédiatement à terre, une flamme de poing invoquée en un éclair illuminant son visage osseux et sa crinière blanche en bataille.

— Zedd, vite !

Quand le sorcier se pencha sur le blessé, éclairant la scène, Kahlan comprit enfin ce qui se passait. Et elle en eut l'estomac retourné.

— Le chariot a percuté l'étai d'un des poteaux qui empêchent la paroi rocheuse de s'ébouler, expliqua-t-elle à Zedd.

Dans un tournant de la piste étroite et dangereuse, le cocher avait vu trop tard l'étai, à demi enseveli sous la neige. Probablement pourrie, la pièce de bois n'avait pas résisté au choc. Le poteau qu'elle soutenait, en basculant en arrière, avait libéré une pluie de pierres sur le véhicule.

Percutée par un rocher, la jante d'acier d'une roue arrière, coincée dans une ornière glacée, avait éclaté, et les rayons de bois s'étaient brisés net. Stephens, qui marchait près du chariot, s'était retrouvé coincé sous la roue.

Un des rayons lui avait traversé la poitrine. Dès qu'on soulevait le véhicule, le pieu de bois lui fouaillait les chairs, menaçant de lui déchirer le torse.

— Je suis désolé, Kahlan…, souffla Zedd.

— Que voulez-vous dire ? Il faut…

L'Inquisitrice se tut. Même si sa main lui faisait toujours mal, la pression s'était relâchée. Baissant les yeux, Kahlan vit que le masque de la mort voilait à présent les traits de Stephens. Désormais, il était entre les mains des esprits du bien.

Le linceul de la mort pesait en permanence sur les épaules de l'Inquisitrice. La nuit, le contact glacé de la Faucheuse envahissait ses songes.

Kahlan se frotta le visage pour en chasser la sensation de picotement qui ne la quittait jamais, comme si une mèche rebelle taquinait en permanence sa peau. Mais il n'y avait rien à balayer du bout des doigts. Ce qui la harcelait ainsi, c'était le contact omniprésent de la magie – et plus précisément du sort de mort lancé par Zedd.

Le vieil homme se leva et laissa flotter sa flamme de poing jusqu'à la torche éteinte que tenait un soldat. Quand elle se fut embrasée, le sorcier tendit une main vers le chariot et, de l'autre, fit signe aux soldats de s'écarter. Ils obéirent, restant à côté du véhicule au cas où il menacerait de basculer dans le vide.

Zedd tourna sa paume vers le ciel et leva lentement le bras. Lui obéissant docilement, le chariot se souleva et lévita de quelques pieds.

— Sortez ce malheureux de là ! ordonna le sorcier d'une voix sinistre.

Deux soldats prirent Stephens par les épaules et le dégagèrent. Quand ce fut fini, Zedd tourna sa main dans l'autre sens, autorisant le chariot à reposer de nouveau sur la neige.

Un homme courut s'agenouiller aux pieds de Kahlan.

— C'est ma faute ! cria-t-il, désespéré. Majesté, pardonnez-moi ! Par les esprits du bien, j'ai tué ce pauvre garçon !

Kahlan saisit le cocher par le col de son manteau et le força à se relever.

— Si quelqu'un est coupable, c'est moi ! J'ai eu tort d'insister pour que nous voyagions de nuit. J'aurais dû... Non, tu n'y es pour rien, mon ami. C'était un accident...

L'Inquisitrice se détourna et ferma les yeux, les oreilles encore pleines des cris de Stephens. Comme d'habitude, la colonne n'avait pas utilisé de torches pour ne pas attirer l'attention d'éventuels guetteurs ennemis. Même si rien ne prouvait qu'on les poursuivait, les excès de confiance conduisaient toujours à des catastrophes. En temps de guerre, la prudence primait.

— Enterrez-le du mieux que vous pouvez, dit Kahlan aux jeunes soldats.

Creuser le sol gelé étant impossible, il faudrait improviser un cairn avec les pierres de l'éboulis. L'âme de Stephens déjà en sécurité auprès des esprits du bien, son corps avait cessé de souffrir. Ce n'était pas une raison pour l'abandonner comme une vulgaire carcasse...

Zedd demanda aux officiers de faire dégager la piste. Puis il partit avec les soldats, en quête d'un endroit où donner une sépulture décente à leur camarade.

Se souvenant soudain de Cyrilla, Kahlan remonta dans le chariot où sa demi-sœur, enveloppée de plusieurs couvertures, reposait au milieu d'un fatras d'équipement. Un bien étrange nid pour une souveraine déchue...

Le gros des rochers avait percuté l'arrière du chariot. Protégée des plus petites pierres par les caisses de matériel et les couvertures, Cyrilla était indemne.

Miraculeusement, à part Stephens, personne n'avait péri dans l'accident. Pourtant, les tonnes de rochers, avec de la malchance, auraient pu faire un massacre.

Ils avaient installé Cyrilla dans le chariot, pas dans le coche, afin de pouvoir l'étendre confortablement. Toujours inconsciente, la jeune femme n'aurait sans doute pas senti la différence, mais cela ne comptait pas aux yeux de Kahlan. Le chariot étant sans doute fichu, sa demi-sœur devrait finir le voyage dans le coche. Par bonheur, ils étaient presque arrivés...

Dehors, les hommes avaient commencé à déblayer la piste et à réparer le mur anti-éboulis. Bientôt, la colonne pourrait repartir.

Soulagée de découvrir que Cyrilla n'avait rien, Kahlan se félicita aussi qu'elle n'ait pas repris connaissance. Après le drame qu'ils venaient de vivre, il n'aurait plus manqué que ses hurlements de terreur ! Les soldats avaient du travail, et rien ne devait les déconcentrer.

Kahlan avait pris place dans le chariot, au cas où sa demi-sœur se serait réveillée. Après ce qu'elle avait subi en Aydindril, dans une oubliette puante, la malheureuse paniquait dès qu'elle apercevait un homme. Sans Kahlan, Adie ou Jebra pour l'apaiser, elle cédait à des crises de démence de plus en plus violentes.

Lors de ses rares moments de lucidité, Cyrilla obligeait Kahlan à lui promettre de nouveau qu'elle accepterait la couronne de Galea. Consciente d'être hors d'état de l'aider, la jeune reine s'inquiétait pour son peuple. Que ferait-il avec une demi-folle à sa tête ? Un changement s'imposait, et la Mère Inquisitrice, à contrecœur, avait accepté de monter sur le trône.

Son demi-frère, le prince Harold, ne voulait pas entendre parler de sceptre et de couronne. Comme leur père à tous trois, le roi Wyborn, il était un guerrier et entendait le rester.

Après la naissance de Cyrilla et d'Harold, la mère de Kahlan avait choisi Wyborn pour compagnon. Fruit de leur union, Kahlan était venue au monde avec un don pour la magie des Inquisitrices. Un héritage bien plus important, et pesant, qu'une banale filiation royale.

— Comment va-t-elle ? demanda Zedd en sautant dans le chariot.

L'air soucieux, il arracha un fil qui dépassait de sa tunique.

— Aucun changement… Par bonheur, elle n'a pas été blessée dans l'accident.

Le sorcier se pencha et posa les mains sur les tempes de Cyrilla.

— Son corps n'a rien, mais son esprit est toujours dominé par la maladie. (Il se releva et secoua tristement la tête.) Je regrette que le don soit incapable de guérir les affections de l'âme.

Kahlan sourit de la frustration du vieil homme.

— Réjouissez-vous, au contraire ! Si vous pouviez traiter ces maux-là, vous n'auriez plus une minute à vous pour manger.

Alors que Zedd ricanait bêtement, Kahlan regarda les hommes rassemblés autour du chariot. Apercevant le capitaine Ryan, elle lui fit signe d'approcher.

— Oui, ma reine ?

— À quelle distance sommes-nous d'Ebinissia ?

— Il nous reste entre quatre et six heures de voyage, Majesté.

— Ce n'est pas le genre d'endroit où on a envie d'arriver en pleine nuit, marmonna Zedd.

Kahlan comprit ce qu'il voulait dire et l'approuva. Pour reconquérir la capitale de Galea, ils auraient beaucoup à faire, la priorité étant de s'occuper des milliers de cadavres qui gisaient dans ses rues et ses bâtiments. Après un si long voyage, il aurait fallu être fou pour entrer en pleine nuit dans une ville fantôme.

Kahlan aurait donné cher pour ne pas revoir ce charnier. Hélas, c'était une cachette idéale, car personne n'aurait l'idée de les y chercher. À partir de ce bastion, ils travailleraient à la réunification des Contrées du Milieu.

— Capitaine, demanda l'Inquisitrice, vous pensez qu'il y a dans les environs un endroit où camper pour la nuit ?

— Selon les éclaireurs, des hauts plateaux s'étendent devant nous, pas très loin. On y trouve une petite vallée, avec une ferme abandonnée où dame Cyrilla pourra se reposer confortablement.

Kahlan repoussa une mèche rebelle, puis la cala derrière son oreille. Désormais, Cyrilla n'avait plus droit au titre de « reine », comme le capitaine venait d'en faire la démonstration. Kahlan la remplaçait, et Harold s'était arrangé pour que tout le monde le sache.

— Voilà qui me paraît très bien, Ryan. Ordonnez aux hommes de sécuriser le périmètre, puis de dresser le camp. Postez des sentinelles partout. Si les pentes environnantes sont désertes, et la vallée assez encaissée pour ne pas être visible de loin, les soldats auront le droit de faire du feu. Mais je ne veux pas de flambées spectaculaires, seulement de petits foyers. C'est compris ?

Le capitaine sourit et se tapa du poing sur le cœur en guise de salut. Ces feux seraient un luxe délectable, et manger chaud ferait beaucoup de bien aux hommes. Après une marche forcée, ils l'avaient bien mérité.

Demain, ils seraient de retour chez eux, où les attendait un pénible travail de fossoyeurs. Puis il s'agirait de rendre à Ebinissia sa gloire passée. Kahlan ne pouvait pas laisser l'Ordre Impérial sur une telle victoire. La cité renaîtrait de ses cendres, réintégrerait le giron des Contrées et vengerait ses morts.

— On s'est occupé de Stephens ? demanda l'Inquisitrice.

— Zedd nous a aidés à trouver un endroit, et mes gars se chargent de l'inhumation. Pauvre Stephens ! Il a survécu à tous nos engagements contre l'Ordre Impérial. Sur cinq mille frères d'armes, il en a vu périr quatre mille au combat. Et voilà qu'il finit dans un stupide accident ! Bon sang, je sais qu'il aurait aimé tomber en défendant les Contrées du Milieu !

— C'est bien ainsi qu'il est mort, affirma Kahlan. La guerre n'est pas finie, capitaine. Nous avons remporté une bataille importante, c'est tout. Tant que nous n'aurons pas écrasé l'Ordre Impérial, tous les hommes qui succomberont auront péri pour les Contrées. L'héroïsme ne se manifeste pas seulement sur le champ de bataille. Stephens est un héros, comme les autres braves que nous avons perdus.

— Les hommes seraient contents d'entendre ce discours, et il leur redonnerait du courage. Avant notre départ, pourriez-vous prononcer quelques mots sur la tombe de Stephens ? Mes gars seraient touchés de savoir qu'il manquera beaucoup à leur reine.

— Ce sera un honneur pour moi, capitaine, répondit Kahlan. Organisez la cérémonie à votre convenance.

Ryan s'éloigna. Dès qu'il fut hors de portée d'oreille, la Mère Inquisitrice se décomposa.

— Je n'aurais pas dû insister pour qu'on voyage de nuit...

Zedd approcha et tapota gentiment le dos de sa jeune amie.

— Les accidents arrivent même en plein jour, Kahlan. Si nous nous étions arrêtés plus tôt, celui-là se serait produit demain matin. Et on l'aurait mis sur le compte d'une trop courte nuit de sommeil. Tous ces drames tiennent à si peu de chose, mon enfant...

— Je me sens quand même coupable. Zedd, la fin de ce pauvre Stephens est tellement injuste !

Le sorcier eut un sourire sans joie.

— Le destin se soucie rarement de nous faire plaisir, mon enfant. Et il ne demande pas si nous sommes d'accord avec les mauvais tours qu'il nous joue.

# Chapitre 33

S'il y avait des cadavres dans la ferme, Kahlan ne les vit pas, car les hommes s'étaient chargés de préparer les lieux avant son arrivée. Le feu qui brûlait dans la cheminée rudimentaire de la salle commune n'avait pas encore pu réchauffer l'atmosphère de l'habitation déserte.

Cyrilla avait été transportée dans une chambre où elle dormirait sur les vestiges d'un matelas bourré de paille. Une autre pièce, minuscule, contenait deux paillasses, sans doute réservées aux enfants.

Les débris d'objets personnels et d'ustensiles de cuisine qui gisaient un peu partout confirmèrent à Kahlan que les soudards de l'Ordre étaient passés par là alors qu'ils fondaient sur Ebinissia. Elle se demanda ce que les soldats avaient fait des dépouilles des fermiers. Si elle devait sortir pour satisfaire un besoin naturel, elle n'avait aucune envie de les découvrir par hasard.

Zedd balaya la salle du regard en se frottant le ventre.

— Le dîner sera prêt dans longtemps ? demanda-t-il d'une voix guillerette.

Il portait une longue tunique bordeaux aux manches noires. Trois rangées de fil d'argent en décoraient les poignets. Autour du cou et sur la poitrine, des broderies, en fil d'or, celles-là, ajoutaient au ridicule de la tenue. Pour couronner le tout, une ceinture en satin rouge fermée par une boucle d'or ceignait la taille du vieil homme, qui détestait le « costume de bouffon » que sa compagne l'avait – fort malicieusement – poussé à revêtir pour mieux se déguiser. Par bonheur, il avait « perdu » en chemin le chapeau à plume qui complétait cet invraisemblable accoutrement.

Faute d'avoir de quoi se changer, le pauvre Zedd devrait se faire une raison…

— Je ne sais pas, répondit Kahlan avec un petit sourire. Que nous mijoterez-vous ?

— Moi ? Il faut que je me mette aux fourneaux ? Eh bien, hum…

— Esprits du bien, lâcha Adie, debout sur le seuil de la salle, épargnez-nous l'épreuve de goûter la cuisine d'un homme !

Suivie par la pythie Jebra et le solide Ahern, le cocher récemment engagé par Zedd, Adie entra en clopinant dans la salle. Chandalen, l'Homme d'Adobe chargé par les siens d'accompagner et de protéger Kahlan, était parti après la nuit que la jeune femme avait passée avec Richard dans un étrange lieu entre les mondes. Sachant mieux que personne ce que signifiait l'absence de ceux qu'on aimait, l'Inquisitrice aurait été mal placée pour le blâmer d'être allé retrouver son pays et sa famille.

Avec Zedd et Adie, l'« équipe » était presque au complet. Il ne manquait plus que Richard, qui ne tarderait pas à les rejoindre. En réalité, il lui faudrait encore des semaines, mais chaque seconde qui la rapprochait de leurs retrouvailles était pour Kahlan une petite victoire sur le destin qui les avait séparés.

— Mes os sont trop vieux pour supporter un temps pareil, marmonna la dame des ossements.

Kahlan saisit une chaise branlante et la tira près de la cheminée. Puis elle alla chercher Adie, la guida jusqu'à ce petit coin de paradis et l'aida à s'asseoir.

À l'inverse des vêtements habituels de Zedd, la robe ocre de magicienne d'Adie, très simple, avait survécu aux aléas du voyage. Le vieux sorcier jetait sans cesse des regards furieux à sa compagne, comme s'il jugeait suspect le miracle vestimentaire dont sa chère tunique n'avait pas bénéficié.

Adie refusait de s'étendre sur le sujet, se contentant de vanter les mérites de la superbe tenue de son ami. Kahlan pensait qu'elle le préférait vraiment sous sa nouvelle apparence. Et elle partageait cette opinion. Même s'il faisait moins « sorcier », ainsi vêtu, le vieil homme avait fière allure.

Une hérésie, selon Zedd, puisque les membres de sa confrérie étaient par principe d'une élégance inversement proportionnelle à leur position hiérarchique. Tout en haut de l'échelle – Premier Sorcier, rien que ça ! – il aurait dû porter une humble tunique, sans l'ombre d'un ornement.

— Merci, mon enfant, souffla Adie avant de se réchauffer les mains devant l'âtre.

— Orsk ! appela Kahlan.

Le colosse borgne accourut.

— Oui, maîtresse ? lança-t-il, attendant les ordres de l'Inquisitrice.

Pour lui, leur nature importait peu. L'essentiel était d'avoir une occasion de plaire à celle qui régnait désormais sur son âme.

— Il n'y a pas de casserole dans cette pièce. Tu peux aller nous chercher de quoi cuisiner ?

Orsk s'inclina et sortit en trombe, heureux que sa maîtresse lui ait confié cette mission de la plus haute importance.

Soldat d'haran rallié à l'Ordre Impérial, le colosse avait tenté de tuer Kahlan à la fin de la première attaque contre le camp des bouchers d'Ebinissia. Pour s'en tirer, elle avait dû le toucher avec son pouvoir et détruire à jamais son ancienne personnalité. Devenu l'ombre de Kahlan, et son plus loyal protecteur, le guerrier borgne lui rappelait sans cesse qu'elle n'était pas une femme comme les autres, mais une Inquisitrice dotée d'un pouvoir terrifiant.

Quand Orsk était près d'elle – à savoir tout le temps – elle essayait d'oublier qu'il avait participé au massacre d'Ebinissia. Avait-il sur les mains le sang de femmes et d'enfants innocents ? Ce n'était guère douteux...

La Mère Inquisitrice avait juré qu'aucun des bouchers ne survivrait. De fait, Orsk était le seul encore en vie. Mais il n'avait plus aucun rapport avec le soudard qui combattait dans les rangs de l'Ordre...

À cause du sort de mort de Zedd, indispensable pour quitter Aydindril, très peu de gens savaient que Kahlan et la Mère Inquisitrice étaient une seule et même personne. En vérité, on pouvait compter ces privilégiés sur les doigts des deux mains : Zedd, évidemment, Adie, Jebra, Ahern, Chandalen, le prince Harold et le capitaine Ryan. Tous les autres pensaient que la Mère Inquisitrice avait péri sur l'échafaud.

Pour Orsk, Kahlan était sa « maîtresse », et il ne voulait rien savoir de plus.

Les soldats qu'elle avait conduits au combat la tenaient désormais pour leur reine. Comme cela ne changeait rien à leur loyauté, elle ne s'inquiétait pas qu'ils aient oublié sa véritable identité.

Quand Orsk eut rapporté un chaudron, Jebra et Kahlan y firent fondre de la neige. Puis elles jetèrent dans l'eau bouillante des haricots, du bacon, quelques racines comestibles et ajoutèrent une bonne cuillerée de mélasse.

Ronronnant comme un gros chat, Zedd les regarda cuisiner en se frottant les mains. Émue par son enthousiasme de vieux gamin, l'Inquisitrice fouilla dans son paquetage, y trouva un morceau de pain dur et le lui offrit. Ravi, le sorcier le grignota en regardant cuire les haricots.

Pendant que leur repas mijotait, Kahlan réchauffa le reste de soupe qu'ils avaient conservé dans une petite casserole et l'apporta à Cyrilla. À la pâle lumière d'une unique chandelle, elle s'assit au bord du lit miteux, passa un morceau de tissu humide sur le front de sa demi-sœur et se réjouit de la voir ouvrir les yeux.

Sa satisfaction ne dura pas longtemps. Paniquée, Cyrilla regarda autour d'elle comme si une bête fauve risquait à tout instant de jaillir des ombres pour se jeter sur elle.

— C'est moi, Kahlan, ta sœur... Tu ne risques rien, Cyrilla.

— Kahlan ? (Une main serrant la manche du manteau de fourrure de l'Inquisitrice, la reine martyre souffla :) Tu as promis. Il ne faut pas revenir sur ta parole.

— Ne t'inquiète pas. Je suis la reine de Galea, et je le resterai jusqu'à ce que tu reprennes ta couronne.

— Merci, Majesté...

— À présent, assieds-toi et mange un peu de soupe !

— Je n'ai pas faim...

— Si tu veux que je sois une reine, traite-moi comme telle. (Voyant l'air perplexe de Cyrilla, Kahlan sourit.) Mange ta soupe ! C'est un ordre de ta souveraine !

Cyrilla capitula devant cet argument. Mais, son repas étant fini, elle recommença à crier et à trembler.

Kahlan la serra contre elle jusqu'à ce qu'elle retombe dans son étrange torpeur. Après lui avoir tiré sa couverture jusqu'au menton, l'Inquisitrice se leva, l'embrassa sur le front et sortit.

Zedd avait déniché deux tonneaux, un banc, un tabouret d'étable et une deuxième chaise. Le prince Harold, le capitaine Ryan, Adie, Jebra, Ahern et Orsk dîneraient avec Kahlan et lui. Si près d'Ebinissia, il était temps qu'ils parlent de leur plan.

Ce petit monde se massa autour de la table pendant que Kahlan coupait du pain dur. Dès que Jebra eut servi à chacun une généreuse portion de haricots au bacon, elle s'assit sur le banc, à côté de Kahlan, et jeta pour la centième fois à Zedd un regard très bizarre.

Le prince Harold, un colosse aux longs cheveux noirs, ressemblait beaucoup au père de la Mère Inquisitrice. Le jour même, il était revenu avec ses hommes d'une expédition à Ebinissia.

— Qu'avez-vous vu ? lui demanda Kahlan.

— La ville est toujours dévastée... Apparemment, personne n'y est passé. Je crois que nous y serons en sécurité. Après la destruction de l'armée de l'Ordre...

— De *cette* armée de l'Ordre, corrigea Kahlan.

— Oui, de *cette* armée... À mon avis, nous ne risquerons rien dans la capitale. Nous n'avons pas beaucoup d'hommes, mais ce sont tous d'excellents soldats. Tant que l'ennemi ne chargera pas en masse, ils pourront contrôler les cols, et nous tiendrons la ville. (Harold désigna Zedd.) De plus, nous avons un sorcier dans nos rangs.

Occupé à se goinfrer, le vieil homme se contenta de grogner son assentiment.

Plus policé, le capitaine Ryan avala sa cuillerée de haricots avant de prendre la parole.

— Le prince a raison... Mes gars connaissent ces montagnes. Ils défendront la ville jusqu'à l'arrivée d'une nouvelle armée de l'Ordre. D'ici là, nous aurons reçu des renforts, et nous filerons d'ici.

Avec une précision toute militaire, Harold plongea un bout de pain dans son assiette et y pêcha un morceau de bacon.

— Adie, quelles sont nos chances de recevoir du secours de Nicobarese ?

— Mon pays est en crise, répondit la dame des ossements. Quand j'y étais avec Zedd, nous avons appris la mort du roi. Le Sang de la Déchirure veut s'emparer du pouvoir, mais ça ne plaît pas à tout le monde. Et surtout pas aux magiciennes. Si les fanatiques dirigent le pays, toutes finiront éventrées, pendues ou brûlées. Je suppose qu'elles soutiennent les factions de l'armée qui combattent le Sang de la Déchirure.

— S'il y a une guerre civile là-bas, intervint Zedd, la bouche miraculeusement vide, il est peu probable que des troupes volent au secours des Contrées du Milieu.

— Il a raison, soupira Adie.

— Mais certaines magiciennes nous épauleront peut-être, avança Kahlan.

— Peut-être..., répéta sombrement Adie.

— Harold, continua l'Inquisitrice, tu peux sûrement faire venir les troupes cantonnées un peu partout en Galea.

— Et je n'y manquerai pas ! Nous aurons au minimum soixante-dix mille soldats. Avec de la chance, peut-être cent mille ! Hélas, ils ne seront pas tous bien entraînés et armés. Il nous faudra du temps pour les former. Quand ce sera fait, Ebinissia redeviendra une ville puissante.

— Il y avait cent mille défenseurs ici, rappela Ryan, et ça n'a pas suffi.

— Exact. Mais ça ne sera qu'un début. Kahlan, tu nous rallieras d'autres royaumes, n'est-ce pas ?

— C'est notre seul espoir. Si nous voulons vaincre, tous devront lutter à nos côtés.

— Qu'en est-il de Sanderia ? demanda Ryan. Ces gens fabriquent les meilleures lances des Contrées.

— N'oublions pas Lifany, dit Harold. Ce peuple est doué pour l'armurerie, et il se sert à merveille de sa production !

— Sanderia dépend de Kelton, où ses moutons vont paître en été…, déclara Kahlan. Lifany achète son acier à Kelton et lui vend son grain. Enfin, Herjborgue a besoin de la laine de Sanderia. Tous ces royaumes suivront Kelton.

— Il y avait des Keltiens parmi les bouchers d'Ebinissia, rappela Harold.

— Des Galeiens aussi…, souffla Kahlan. Des assassins et des déserteurs de toutes les nationalités se sont joints aux soudards de l'Ordre. Ça ne veut pas dire que leurs dirigeants les imiteront. Le prince Fyren de Kelton s'était rallié à l'Ordre, mais il est mort, et personne ne sait ce que fera le nouveau pouvoir. Pour l'heure, nous ne sommes pas en guerre contre Kelton, qui reste un membre à part entière des Contrées. L'ennemi, c'est l'Ordre Impérial ! Pour vaincre, nous devrons être unis. Kelton est le pivot de notre avenir, mes amis. Son choix influencera les autres royaumes. Il faut donc commencer par convaincre les Keltiens.

— Je parie qu'ils s'allieront à l'Ordre, dit Ahern. (Toutes les têtes se tournant vers lui, il haussa les épaules.) Je sais de quoi je parle, puisque c'est mon pays. Chez nous, le peuple suit aveuglément son souverain. Avec la disparition de Fyren, la duchesse Lumholtz héritera de la couronne. Son mari et elle ont toujours choisi le camp du plus fort, sans s'embarrasser de morale. En tout cas, c'est ce qu'on dit d'eux.

— C'est absurde ! s'exclama Harold. (De rage, il jeta sa cuiller sur la table.) Ne le prends pas mal, Ahern, mais je ne me suis jamais fié aux Keltiens. Pourtant, au fond de leur cœur, je suis sûr qu'ils se sentent des citoyens des Contrées ! Je les vois bien annexer en douce des territoires frontaliers, mais pas s'allier à un ennemi extérieur à notre alliance.

» Cyrilla et moi ne sommes pas toujours d'accord, loin de là ! Mais dans les moments de crise, nous nous serrons les coudes. Il en va de même avec les royaumes. Quand D'Hara a attaqué, au printemps dernier, nous avons combattu pour aider Kelton, malgré nos incessantes querelles. Si l'avenir des Contrées est en jeu, les Keltiens seront dans notre camp, quoi qu'en dise une reine récemment intronisée. (Harold ramassa sa cuiller et la braqua sur Ahern.) Qu'as-tu à m'objecter, l'ami ?

— Rien. Mais je n'en pense pas moins…

— Nous n'avons pas le temps de polémiquer, intervint Zedd, agacé par les regards noirs que se jetaient les deux hommes. En temps de guerre, on oublie les gamineries, messires ! Ahern, développe ton point de vue. Après tout, tu en sais plus long que nous sur ton pays.

— Eh bien… Le général en chef Baldwin, qui commande l'armée keltienne, ne s'opposera pas à la nouvelle reine. Idem pour ses assistants, les généraux Bradford, Cutter et Emerson. Avec mon métier, vous vous doutez que je ne les connais pas personnellement, mais partout où je suis passé, on raconte que ce sont des lèche-bottes. Vous voulez connaître la dernière plaisanterie en vogue à Kelton ? Si le monarque en titre jetait sa couronne par la fenêtre, et qu'elle tombe sur les andouillers d'un cerf, il ne faudrait pas un mois pour que tous les soldats broutent dans les champs.

— Tu crois vraiment que cette duchesse, une fois reine, rompra avec les Contrées et pactisera avec l'Ordre ? Tout ça pour un peu de pouvoir supplémentaire ?

— Je le crois, oui. Bien sûr, cette opinion n'engage que moi.

— Ahern a raison, intervint Kahlan. Je connais les époux Lumholtz. Ils n'ont ni foi ni loi. Fyren était un homme de bien meilleure qualité, et l'Ordre est pourtant parvenu à le corrompre. Alors, avec ces deux-là, il n'y a pas d'illusions à se faire...

— Si Ahern et toi avez raison, nous avons d'ores et déjà perdu Kelton. Et la guerre à venir, par-dessus le marché !

— Nos chances de victoire sont minces, admit Adie. Nicobarese a des problèmes, Galea est affaibli, Kelton trahira les Contrées, et ses partenaires commerciaux suivront le mouvement. Quant aux autres pays...

— Assez ! dit Kahlan, prenant le ton calme et autoritaire qui réduisait toujours ses interlocuteurs au silence.

Elle se souvint de la devise de Richard, face aux situations critiques : « Pense à la solution, pas au problème. » En dressant la liste de toutes leurs raisons de perdre, ils ne risquaient pas d'imaginer une tactique gagnante...

— Arrêtez de m'expliquer pourquoi les Contrées se déliteront, assurant notre défaite. Nous savons qu'il y a des problèmes. Parlons plutôt des solutions.

— Bien dit, Mère Inquisitrice ! approuva Zedd. En cherchant, on trouve toujours des idées. Par exemple, n'oublions pas que beaucoup de petits royaumes resteront fidèles aux Contrées quoi qu'il arrive. Il faut réunir ici leurs représentants, et fonder un nouveau Conseil.

— Excellente initiative, approuva Kahlan. Ces pays sont moins puissants que Kelton, mais le nombre vaut parfois mieux que la force...

La jeune femme ouvrit son manteau de fourrure. Le feu avait réchauffé l'atmosphère, et la nourriture faisait le même effet à son ventre, mais l'inquiétude seule expliquait la sueur qui perlait à son front. Si elle avait pu attendre l'arrivée de Richard, il aurait débordé de suggestions, car il ne se laissait jamais ballotter par les événements. Mais il fallait agir au plus vite, et des semaines la séparaient de leurs retrouvailles.

Elle regarda ses compagnons, plongés dans leur réflexion, le front plissé.

— Eh bien, fit Adie en posant sa cuiller, je suis sûre que certaines magiciennes se joindront à nous. Ce sera une aide précieuse, vous pouvez me croire. Quelques-unes refuseront de combattre – une affaire de conviction –, mais il y a plusieurs façons de soutenir une cause, et elles les trouveront. Ces femmes ne voudront pas que le Sang de la Déchirure et l'Ordre Impérial annexent les Contrées. Connaissant les horreurs du passé, elles ne tiendront pas à les revivre.

— Enfin une bonne nouvelle ! se réjouit Kahlan. Adie, vous pensez pouvoir aller à Nicobarese et convaincre ces femmes de venir ici ? Avec quelques soldats de l'armée régulière, si possible ? Au fond, la guerre civile fait rage parce qu'une partie du peuple refuse de lâcher les Contrées.

La dame des ossements riva ses yeux blancs sur l'Inquisitrice.

— Avec un enjeu aussi élevé, je suis prête à essayer, dit-elle.

— Merci, mon amie... Quelqu'un a une autre idée ?

— Celle de Zedd me paraît excellente ! lança Harold. J'enverrai des officiers dans certains petits royaumes, pour demander qu'on nous délègue des représentants. Galea a une très bonne réputation parmi ces peuples, et ils savent que les Contrées sont garantes de leur liberté. Nous obtiendrons de l'aide, j'en suis sûr...

— Si je rends une petite visite à la reine Lumholtz, fit Zedd avec un sourire rusé, elle s'apercevra que les Contrées ne sont pas totalement sans pouvoir... Parfois, un Premier Sorcier peut faire des merveilles.

Connaissant Cathryn Lumholtz, Kahlan doutait du résultat de cette démarche. Elle garda pour elle ses réserves, soucieuse de ne pas doucher l'enthousiasme du vieil homme. Surtout après avoir exigé qu'on pense à la solution, pas au problème.

Mais l'idée d'être la Mère Inquisitrice qui présiderait à l'implosion des Contrées du Milieu la terrifiait...

Après le dîner, Harold et Ryan allèrent voir leurs soldats, et Ahern déclara qu'il devait s'occuper de son attelage.

Quand les trois hommes furent partis, Zedd prit Jebra par le bras, l'empêchant d'aider Kahlan à débarrasser la table.

— Vas-tu enfin me révéler ce que tu vois dès que tu poses les yeux sur moi ?

— Ce n'est rien..., mentit la pythie.

— Si ça ne te gêne pas, j'aimerais en juger par moi-même.

— D'accord... Je vois des ailes.

— Pardon ?

— Je vous vois avec des ailes, oui ! Je sais que c'est absurde. Parfois, les visions n'ont aucun sens. Je vous ai déjà dit que ça m'arrivait...

— Des ailes, tu es sûre ?

— Vous volez dans les airs, avec des ailes, puis vous tombez dans une immense boule de feu. (Jebra plissa le front.) Sorcier Zorander, j'ignore ce que ça signifie. Il ne s'agit pas d'un événement, vous savez que mes visions sont rarement aussi claires, mais de la sensation que cet événement se produira. Tout s'emmêle, et je n'arrive pas à trouver un sens à ces images.

— Merci de ta franchise. (Zedd lâcha le bras de la jeune femme.) Si tu en apprends plus, tu m'informeras ? (Jebra hocha la tête.) Sans perdre de temps, car nous avons besoin de toute l'aide possible.

— Je vois aussi des cercles, souffla la pythie. La Mère Inquisitrice court en rond...

— Des cercles ? répéta Kahlan, qui avait l'oreille fine. Pourquoi m'amuserais-je à tourner en rond ?

— Je n'en sais rien...

— Au fond, n'est-ce pas ce que je fais en ce moment, quand j'essaye de recoller les morceaux des Contrées du Milieu ?

— C'est peut-être ça..., fit Jebra, pleine d'espoir.

— Peut-être, oui... Tes visions n'annoncent pas toujours des catastrophes.

Alors que les deux femmes retournaient près de la table, où du travail les attendait, Jebra souffla :

— Mère Inquisitrice, il ne faut jamais laisser votre sœur seule avec une corde.

— Pourquoi ?

— Parce qu'elle rêve de se pendre...

— Tu as eu une vision où elle se pendait ? C'est ça ?

— Non, Mère Inquisitrice, je n'ai rien vu de tel ! C'est son aura, vous comprenez… J'ai capté qu'elle rêvait d'en finir en se pendant. Rien ne dit qu'elle le fera, mais nous devons la surveiller, le temps qu'elle se rétablisse.

— Un excellent conseil, dit Zedd, qui avait suivi les deux femmes.

— Cette nuit, je dormirai avec elle, annonça Jebra en enveloppant dans un chiffon ce qui restait du pain.

— Merci, dit Kahlan. Tu devrais me laisser finir de ranger, et aller la rejoindre, au cas où elle se réveillerait.

Quand Jebra fut partie, Zedd, Adie et Kahlan se partagèrent les tâches ménagères. Dès qu'ils eurent fini, le sorcier tira une chaise près du feu et invita Adie à s'y asseoir.

Kahlan vint se camper devant la cheminée et contempla les flammes.

— Zedd, dit-elle, quand nous leur enverrons des délégations, les petits royaumes seraient plus faciles à convaincre si ces émissaires se réclamaient de la Mère Inquisitrice.

— C'est vrai, mais ils croient tous que tu es morte. Si nous les détrompons, tu redeviendras une cible prioritaire, et l'Ordre Impérial déboulera ici avant que nous soyons préparés à le recevoir.

— Pour unifier les Contrées, il faut une Mère Inquisitrice !

— Kahlan, je sais que tu refuses de mettre en danger la vie de nos soldats. Au sortir d'une terrible bataille, ils ne sont pas en état d'en livrer une autre. Nous avons besoin de renforts ! Si la vérité éclate, nous devrons combattre pour te protéger. S'il faut guerroyer, que ce soit au moins pour une raison majeure. Bref, nous avons assez de problèmes pour ne pas nous en créer davantage.

— Zedd, je suis terrifiée d'être la Mère Inquisitrice qui aura présidé à la destruction des Contrées du Milieu. Je suis née avec le pouvoir. Être une Inquisitrice n'est pas une simple mission. C'est mon identité profonde !

Le vieux sorcier haussa les épaules.

— Mon enfant, tu es toujours la Mère Inquisitrice. C'est même pour ça que nous devons te garder en vie. Le moment venu, tu dirigeras de nouveau les Contrées, devenues plus fortes que jamais. Prends ton mal en patience…

— La patience, toujours la patience, marmonna la jeune femme.

— Eh oui ! Tu sais que cette qualité a parfois quelque chose de… magique ?

— Ce vieil idiot a raison ! lança Adie de sa chaise. Le loup ne survit pas longtemps s'il se montre trop tôt à ses proies. Il se prépare, et, au dernier moment, se dévoile en attaquant.

Kahlan se frotta nerveusement les bras. Il y avait une autre raison à sa requête, et il était temps de l'exposer.

— Zedd, souffla-t-elle, je ne peux plus supporter ce sortilège. Je le sens tout le temps, et ça me rend folle, comme si la mort marchait à mes côtés.

— Ma fille disait la même chose. Mot pour mot, mon enfant…

— Comment a-t-elle résisté toutes ces années ?

— Après que Darken Rahl l'eut violée, j'étais sûr qu'il ne la laisserait pas en paix s'il la savait vivante. Il n'y avait pas d'autre solution. La protéger comptait plus, à mes yeux, que de châtier ce monstre. Puis Richard est né, lui donnant une nouvelle raison de se cacher. Si Darken Rahl avait su, il aurait voulu récupérer son fils. Donc, elle devait se résigner...

— Tant d'années ? Ce serait au-delà de mes forces, Zedd. Comment a-t-elle fait ?

— Pour commencer, elle n'avait pas le choix. Elle m'a confié aussi que ça s'arrangeait un peu, après un moment. Les troubles se calment avec le temps... Tu t'y habitueras, et, avec de la chance, tu n'auras pas à tenir aussi longtemps.

— Espérons-le...

— Elle m'a aussi dit qu'avoir Richard près d'elle lui avait facilité les choses.

Le cœur de Kahlan bondit dans sa poitrine à la seule mention de ce nom.

— Ça m'aidera sûrement aussi ! Zedd, il sera là bientôt, n'est-ce pas ? Rien ne peut l'empêcher de nous rejoindre, j'en suis sûre. Dans deux semaines, nous serons réunis. Esprits du bien vénérés, comment pourrai-je attendre jusque-là ?

— Tu es aussi patiente que lui ! lança le vieux sorcier en souriant. Décidément, vous êtes faits l'un pour l'autre. (Il écarta une mèche capricieuse, sur le front de la jeune femme.) Ton regard est déjà moins voilé, mon enfant...

— Quand Richard sera là, nous travaillerons à la restauration des Contrées. Vous lèverez le sort, et l'alliance aura de nouveau à sa tête une Mère Inquisitrice.

— Crois-moi, j'attends ce moment avec autant d'impatience que toi...

— Zedd, si vous partez voir la reine Cathryn, comment me débarrasserai-je du sortilège, si le besoin s'en fait sentir ?

— Tu ne pourras pas... Si tu révèles ton identité, on ne te croira pas plus que si Jebra prétendait être la Mère Inquisitrice. Le sort ne disparaîtra pas simplement parce que tu l'as décidé.

— Alors, comment faire ?

— Tu devras attendre mon retour...

Kahlan frissonna. Elle répugnait à le dire à voix haute, mais que se passerait-il s'il arrivait malheur au sorcier ? Serait-elle à jamais prisonnière du sortilège ?

— Il doit exister un autre moyen. Richard pourrait peut-être s'en charger.

— Même s'il faisait des progrès fulgurants en magie, il ne réussirait pas à éliminer la Toile. Je suis le seul capable de le faire.

— Vraiment ?

— Hélas, oui... Sauf si un autre détenteur du don devinait ta véritable identité. S'il se tenait devant toi, te reconnaissait et prononçait ton nom à haute voix, cela briserait le sort, et tout le monde saurait qui tu es.

Il n'y avait aucune chance que cela se produise... Désespérée, Kahlan se pencha pour ajouter un peu de bois dans la cheminée. Zedd seul la délivrerait de ses tourments, et il ne le ferait pas avant d'estimer que ça s'imposait.

Bien sûr, elle aurait pu le lui ordonner. Mais une Mère Inquisitrice ne forçait pas un Premier Sorcier à commettre ce qu'ils savaient tous les deux être une erreur.

Kahlan regarda les flammes reprendre de la vigueur. Elle aussi se sentit un peu plus forte. Richard serait bientôt là. Trop occupée à l'embrasser, elle n'aurait plus le temps de penser au sort de mort.

— Pourquoi souris-tu ? demanda Zedd.

— Pardon ? Oh, ça n'est rien... (Kahlan se leva et s'essuya les mains sur son pantalon.) Je vais aller voir les hommes. Un peu d'air frais m'aidera à penser à autre chose...

L'air frais lui fit effectivement du bien. Debout dans la clairière où se nichait la ferme, la Mère Inquisitrice prit une grande inspiration. Ici, même la fumée qui sortait de la cheminée sentait bon.

Elle se souvint des derniers jours, passés à mourir de froid, les pieds et les mains insensibles, les oreilles gelées et le nez douloureux. Combien de fois avait-elle rêvé de sentir de la fumée, annonciatrice de la chaleur d'un feu ?

Kahlan avança, les yeux levés vers le ciel étoilé. Dans la vallée, de petits feux signalaient la position des soldats. Le murmure de leurs conversations arrivait à ses oreilles, lui apprenant que les hommes, pour une fois, se sentaient bien. Se réchauffer n'était pas du luxe, après un tel voyage. Mais bientôt, ils seraient à Ebinissia, où ils n'auraient plus froid.

Kahlan inspira de nouveau à fond et contempla encore le ciel, où les étoiles ressemblaient aux étincelles d'un gigantesque brasier. Pour mieux oublier le sortilège qui l'écrasait, elle se demanda ce que faisait Richard. Galopait-il à bride abattue, ou s'était-il autorisé quelques heures de sommeil ? Elle avait hâte de le voir, sans souhaiter pour autant qu'il aille au-delà de ses forces. Cela dit, après son arrivée, il pourrait dormir tout son soûl entre les bras de sa bien-aimée.

Cette idée fit sourire la jeune femme.

Puis un étrange phénomène attira son attention. Quelque chose voilait la lumière des étoiles – un bref instant, à chaque fois, comme si une main géante les occultait.

Un tour de son imagination surmenée ?

Non ! Un bruit sourd lui signala qu'une créature venait de se poser derrière elle. N'entendant aucun cri d'alarme, Kahlan se prépara au pire. Le monstre volant qui avait franchi leurs lignes sans se faire remarquer ne pouvait être qu'un...

L'Inquisitrice se retourna et dégaina son couteau.

# Chapitre 34

Des yeux verts luisaient dans l'obscurité.

À la pâle lumière de la lune, Kahlan vit une grande silhouette avancer vers elle. Crier eût été judicieux, mais sa voix lui fit défaut.

Quand le monstre retroussa les lèvres, ses crocs abominablement longs et acérés brillèrent faiblement. Serrant si fort le couteau que ses doigts lui faisaient mal, la Mère Inquisitrice recula d'un pas. À condition de ne pas paniquer, et de réagir vite, elle aurait une chance…

Si elle parvenait à crier, Zedd l'entendrait-il ? Ou les soldats… De toute façon, personne n'arriverait à temps pour la sauver.

À sa taille, elle déduisit que le monstre était un garn à queue courte. Soit une créature énorme, intelligente et d'une cruauté sans égale. Face à un garn à longue queue, Kahlan n'aurait pas été sûre de s'en tirer. Alors, là…

Troublée, elle vit le garn saisir quelque chose, sur sa poitrine, et lever lentement le bras. Pourquoi n'attaquait-il pas ? Et où étaient ses mouches à sang ?

Le garn baissa les yeux, les releva de nouveau, puis émit un étrange gargouillis qui ressemblait à…

... Un prénom ?

Était-ce possible ?

— Gratch ? s'écria Kahlan. C'est toi ?

Le monstre sauta d'une patte sur l'autre en battant frénétiquement des ailes.

Kahlan rengaina son arme et avança prudemment.

— Tu t'appelles Gratch ?

Le garn hocha vigoureusement la tête – si on pouvait appeler ainsi son crâne grotesque.

— Grrrratch ! grogna-t-il de sa voix profonde qui semblait monter d'un puits. Grrrratch !

— C'est Richard qui t'envoie ?

En entendant ce prénom, le garn battit encore plus fort des ailes.

— Grrrratch aaaime Raaach aard.

Kahlan se souvint que le garn, selon le Sourcier, faisait des efforts touchants pour parler.

— Kahlan aime aussi Richard ! s'écria-t-elle gaiement. (Elle se tapa sur la poitrine.) Je suis Kahlan, Gratch. Contente de te rencontrer !

La jeune femme ne put s'empêcher de crier quand le garn bondit vers elle, l'enveloppa de ses bras puissants et la souleva du sol. Certaine de finir broyée contre ses pectoraux, elle fut surprise par sa délicatesse et sa douceur. Voulant lui rendre son étreinte, elle tenta de l'enlacer, mais ne parvint pas à faire le tour de son torse.

Bien qu'elle n'eût jamais imaginé être un jour dans les bras d'un garn, Kahlan sentit des larmes perler à ses paupières. Gratch était l'ami que Richard lui avait envoyé. En somme, c'était lui, par procuration, qui la blottissait contre sa poitrine.

Gratch la posa sur le sol, puis l'étudia longuement. La jeune femme lui caressant un flanc couvert de fourrure, il lui passa sur la joue le bout d'une griffe mortellement acérée.

— Tu es en sécurité ici, Gratch... Richard m'a beaucoup parlé de toi. Je ne sais pas si tu comprends tout, mais tu es avec des amis.

Quand le garn retroussa de nouveau les lèvres sur ses crocs, la jeune femme comprit que c'était sa façon de sourire. Le résultat n'avait pas de quoi enthousiasmer, considérant la laideur du monstre, mais cela amenait sur sa gueule de cauchemar une étrange innocence qui força Kahlan à sourire aussi. Voir un garn se comporter ainsi était un petit miracle qu'elle appréciait à sa juste valeur.

— Gratch, c'est Richard qui t'envoie ?

— Raaach aard !

Le garn se tapa sur la poitrine. Battant assez des ailes pour que ses pieds ne touchent plus le sol, il tendit une main et la posa sur l'épaule de Kahlan.

— Il t'a chargé de me trouver ?

Le monstre rayonna, ravi de s'être fait comprendre. Puis il reprit dans ses bras la Mère Inquisitrice, toujours aussi soufflée par ce qui lui arrivait.

— Tu as eu du mal à me localiser ? demanda-t-elle quand il l'eut reposée sur le sol.

Le monstre couina puis haussa les épaules.

— Un peu de mal ?

Gratch hocha la tête.

Kahlan pratiquait des dizaines de langues. Pourtant, communiquer avec un garn l'émerveillait. À part Richard, qui aurait eu l'idée d'apprivoiser un de ces monstres ?

— Suis-moi, dit-elle en prenant Gratch par le bout d'une griffe. Je veux te faire connaître quelqu'un...

Le garn la suivit docilement.

Kahlan s'arrêta sur le seuil de la salle. Assis au coin du feu, Zedd et Adie levèrent paresseusement les yeux.

— J'ai l'honneur de vous présenter un ami, annonça Kahlan.

Elle avança, tirant toujours par la griffe le garn, qui dut baisser la tête et plier les ailes pour passer la porte. Quand ce fut fait, il se redressa de presque toute sa taille, le haut de son crâne frôlant le plafond.

Zedd en tomba de sa chaise, ses membres squelettiques battant follement l'air.

— Arrêtez ça ! cria Kahlan. Vous allez lui faire peur !

— À ce monstre ? coassa le vieil homme. Je croyais que Richard t'avait parlé d'un bébé garn ! Celui-là est presque adulte.

Ses sourcils broussailleux froncés, Gratch regarda le sorcier se relever maladroitement et manquer s'emmêler les jambes dans sa tunique.

— Gratch, je te présente Zedd, le grand-père de Richard.

Les lèvres retroussées, le garn sortit ses griffes et avança vers le vieil homme.

— Quelle mouche le pique ? Il n'a pas dîné ?

— Il sourit, expliqua Kahlan entre deux éclats de rire. Il vous aime déjà, et il veut un câlin.

— Un câlin ? Il n'en est pas question ! glapit Zedd.

Mais il était déjà trop tard. En trois enjambées, le garn fut sur lui et l'enlaça tendrement.

Le sorcier lâcha un cri étouffé. Content comme un enfant, Gratch le souleva de terre.

— Fichtre et foutre ! beugla Zedd en tentant vainement d'échapper à l'haleine du monstre. Cette carpette volante a bel et bien dîné. Et on ne voudrait pas savoir ce qu'il y avait à son menu !

Dès que Gratch l'eut reposé et lâché, le sorcier recula, un index accusateur brandi.

— Écoute-moi bien, tas de poils : c'était la première et la dernière fois ! Si tu t'autorises encore ce genre de privautés, ça va barder !

Le garn couina piteusement.

— Zedd, s'indigna Kahlan, vous lui avez fait de la peine ! C'est l'ami de Richard et il a eu du mal à nous trouver. Soyez gentil avec lui, il l'a bien mérité.

— Eh bien… hum… tu as sans doute raison. (Le sorcier consentit à regarder le monstre dans les yeux.) Désolé, Gratch… En de très rares occasions, il pourrait être acceptable que tu me témoignes ton affection.

Avant que le vieil homme ait pu lever les bras pour le repousser, le garn l'enlaça, le souleva du sol et l'étreignit comme une poupée de chiffon. Vite ému par ses cris de détresse, il le reposa par terre et le lâcha.

— Je m'appelle Adie, Gratch, et je suis ravie de te connaître, déclara la dame des ossements en tendant prudemment la main.

Le garn ignora cette invitation à la retenue et la prit dans ses bras. Si Adie souriait assez souvent, ce fut la première fois que Kahlan l'entendit rire aux éclats.

Quand l'ordre revint dans la salle, chacun ayant repris son souffle, la Mère Inquisitrice s'aperçut que la pythie, debout sur le seuil de la chambre, les regardait avec des yeux ronds comme des soucoupes.

— Ne t'inquiète pas, Jebra, c'est Gratch, un ami à nous. (Kahlan saisit une pleine poignée de fourrure, sur le bras du garn.) Tu l'étreindras plus tard, mon petit…

Gratch eut un grognement déçu.

Lui prenant une patte entre ses mains, Kahlan le regarda dans les yeux.

— Richard t'a envoyé nous prévenir qu'il arriverait bientôt ? (Le garn secoua la tête.) Mais il est bien en chemin ? Il a quitté Aydindril pour nous rejoindre ?

Gratch dévisagea Kahlan, puis lui caressa la joue de sa patte libre. Avec le croc d'Écarlate, l'Inquisitrice vit qu'il portait autour du cou une mèche de cheveux accrochée à une lanière de cuir.

Le garn secoua de nouveau la tête.

— Il n'est pas parti ? gémit Kahlan d'une voix brisée. Mais il t'a envoyé à moi ?

Gratch acquiesça et battit doucement des ailes.

— Pourquoi ? Tu le sais ?

Le monstre apprivoisé tendit sa main libre dans son dos pour récupérer un objet pendu à une autre lanière de cuir qu'il dégagea de son cou. Puis il tendit un cylindre rouge à Kahlan.

— Qu'est-ce que c'est ? demanda Zedd.

— Un étui à parchemin. Sans doute une lettre de Richard.

La jeune femme ouvrit l'étui et en sortit plusieurs feuilles enroulées et cachetées à la cire.

Zedd et Adie allèrent s'asseoir près du feu.

— Écoutons les excuses de ce garçon, dit le vieil homme. Elles ont intérêt à être bonnes, sinon, il aura de mes nouvelles !

— Et des miennes, par la même occasion, renchérit Kahlan. Bon sang, il y a assez de cire sur cette lettre pour en cacheter une douzaine ! Il faudra lui apprendre à faire ça plus proprement… (Elle plissa le front.) Attendez un peu ! Il a imprimé la garde de l'Épée de Vérité dans la cire !

— Comme ça, nous sommes sûrs que ce message vient de lui, commenta Zedd en ajoutant du bois dans la cheminée.

Quand elle eut fini de les décacheter, Kahlan tira sur les feuilles, les aplanit et se tourna vers le feu pour lire à voix haute.

— « *Très chère reine, j'implore les esprits du bien que cette lettre arrive entre vos mains…* »

— C'est un message ! s'écria Zedd en se levant d'un bond.

— Évidemment, lâcha Kahlan, dubitative. En général, c'est pour ça qu'on envoie des lettres.

— Ce n'est pas ce que je veux dire ! Il ne t'appelle pas par ton nom, et il te vouvoie. C'est une façon de nous signaler quelque chose. Je connais Richard et sa façon de penser. Il nous fait comprendre qu'il a peur que cette lettre, si elle tombait entre de mauvaises mains, nous trahisse… ou lui attire des ennuis. Donc, il ne parle pas librement, et il tient à ce que nous le sachions.

— Une bonne analyse, approuva Kahlan. Et ça lui ressemble bien.

Zedd positionna ses fesses décharnées de manière à ce qu'elles tombent exactement au centre de la chaise.

— Continue, dit-il en se rasseyant.

— « *Très chère reine, j'implore les esprits du bien que cette lettre arrive entre vos mains, et vous trouve, vos amis et vous, en bonne santé et en sécurité. Tant de choses sont arrivées que je demande votre indulgence, si vous me jugez un peu abrupt.*

*L'alliance des Contrées du Milieu a vécu. De leur plafond, Magda Searus, la première Mère Inquisitrice, et le sorcier Merritt me foudroient du regard, parce qu'ils ont assisté à la fin d'une époque et qu'ils connaissent le responsable. Moi, pour ne rien vous cacher.*

*Sachez que je me sens écrasé par le poids de tant de millénaires d'histoire. Mais si je n'avais pas agi, nous serions tous devenus des esclaves de l'Ordre Impérial, et ce passé serait de toute façon tombé dans l'oubli...* »

Kahlan posa une main sur son cœur, qui battait la chamade, et inspira à fond avant de continuer sa lecture.

— « *Il y a des mois, l'Ordre Impérial a commencé son entreprise de démolition. En recrutant des « convertis » à grands renforts de corruption et de promesses de puissance, notre ennemi a miné l'unité des Contrées. Pendant que nous combattions le Gardien, l'Ordre s'en est pris à nos patries. Avec du temps, nous aurions peut-être pu réparer les dégâts, mais notre adversaire a précipité ses plans pour nous priver de cette option. La Mère Inquisitrice étant morte, j'ai dû faire ce qui s'imposait pour restaurer l'unité...* »

— Quoi ? s'étrangla Zedd. Qu'a-t-il fait ?

Kahlan le foudroya du regard et continua :

— « *Il y a des situations où hésiter se révèle mortel, et celle-là en est une. Notre regrettée Mère Inquisitrice savait ce que nous coûterait une défaite. Voilà pourquoi elle a déclaré une guerre sans merci à l'Ordre Impérial, nous chargeant de porter le flambeau jusqu'à la victoire finale. En cela, sa sagesse fut grande. Hélas, la cupidité rongeait déjà les Contrées du Milieu, préludant à leur chute. Je devais agir, veuillez le comprendre.*

« *Mes troupes ont conquis Aydindril...* »

— Fichtre, foutre et double foutre ! explosa Zedd. De quoi parle-t-il ? Ce gamin ne commande pas plus de troupes que moi ! Il n'a que son épée, et cette fichue carpette volante griffue !

Gratch grogna, l'air pas commode.

Le vieux sorcier sursauta.

— Tenez-vous tranquilles, tous les deux ! fit Kahlan, des larmes dans les yeux.

— Désolé, Gratch, souffla Zedd, je ne voulais pas t'insulter.

L'incident s'arrêta là.

— « *Aujourd'hui,* continua Kahlan, *j'ai convoqué au palais les représentants des royaumes pour leur annoncer que l'alliance des Contrées du Milieu était dissoute. Mes soldats ont cerné toutes les ambassades, et ils auront bientôt désarmé les gardes. J'ai dit à cette noble assistance, et je vous le répète, qu'il n'y a pas de neutralité possible dans cette guerre. On choisit notre camp, ou celui de l'Ordre Impérial. Personne ne peut se contenter de suivre de loin le cours des événements. Nous serons unis, de gré ou de force. Car tous les royaumes des Contrées devront se soumettre à D'Hara.* »

— D'Hara ! s'écria Zedd. Fichtre et foutre, il est cinglé !

Les larmes ruisselant à présent sur ses joues, Kahlan ne leva pas les yeux de la lettre.

— Si je dois encore vous rappeler à l'ordre, Zedd, vous irez attendre dehors que j'aie fini de lire !

Adie tira le sorcier par la ceinture et le força à s'asseoir.

— Continue, mon enfant.

— « *J'ai révélé aux représentants, chère reine, que nous allions nous marier. À travers cette union, et votre reddition, il sera clair que notre alliance repose sur des objectifs communs et un respect mutuel. Entre nous, il n'est pas question de conquête et de violence !* »

— Encore heureux, marmonna Zedd.

— « *Les royaumes conserveront leurs coutumes et leurs différences, mais pas leur souveraineté. Toutes les variantes de magie seront protégées. Nous ne formerons plus qu'un peuple, avec une seule armée, un chef unique et la même loi pour tout le monde. Mais nos alliés, cela va de soi, auront leur mot à dire lors de l'élaboration de cette législation.* »

La voix de Kahlan se brisa.

— « *Je dois vous demander, chère reine, de venir le plus vite possible en Aydindril pour officialiser la reddition de Galea. Face aux problèmes qui se posent à moi, votre parfaite connaissance des Contrées me sera précieuse.*

*J'ai informé les diplomates que la reddition est obligatoire. Il n'y aura pas de favoritisme, et tous les royaumes rétifs subiront un blocus, puis un siège. Une fois vaincus, ils devront s'attendre à de sévères sanctions. Car je ne leur pardonnerai pas d'avoir fait le mauvais choix...*

*Chère reine, je donnerais ma vie pour vous, et notre mariage sera le plus beau jour de mon existence. Mais si vous désapprouvez ma politique, je ne vous contraindrai pas à m'épouser. En revanche, la reddition de Galea n'est pas négociable. Une seule loi pour tous, ne l'oubliez pas ! Si j'accorde des traitements de faveur, nous aurons perdu avant de commencer la bataille.* »

Kahlan dut s'arrêter de lire pour ravaler un sanglot. Devant ses yeux, les lettres voilées par les larmes se brouillaient.

— « *Des mriswiths ont attaqué la ville.* (Zedd émit un long sifflement que la Mère Inquisitrice ignora.) *Avec l'aide de Gratch, j'ai pu les tuer et planter leurs restes sur des piques, devant le Palais des Inquisitrices. Ainsi, tout le monde verra quel sort attend nos ennemis. Les mriswiths peuvent se rendre invisibles. À part moi, seul Gratch est capable de les détecter quand ils utilisent leur magie. Redoutant que les monstres s'en prennent à vous, j'ai chargé mon vieil ami de vous protéger.*

*Une idée ne doit jamais quitter nos esprits : l'Ordre Impérial entend détruire la magie. Pourtant, il ne répugne pas à s'en servir. Bref, c'est* notre *magie qu'il vise, et seulement elle.*

*S'il vous plaît, chère reine, demandez à mon grand-père de vous accompagner. Sa demeure natale est en danger. C'est pour la sauver que j'ai conquis Aydindril, dont il m'est impossible de partir. J'ai peur que nos ennemis s'emparent du foyer ancestral de mon grand-père, car les conséquences d'une telle perte seraient catastrophiques.* »

— Fichtre et foutre ! ne put s'empêcher de lancer Zedd en se levant de nouveau. Richard parle de la Forteresse du Sorcier. Il ne veut pas la nommer, mais c'est évident.

Comment puis-je être si bête, parfois ? Ce garçon a raison : on ne peut pas abandonner la Forteresse aux soudards de l'Ordre. On y trouve des armes magiques que ces chiens se damneraient pour posséder. Richard ne le sait pas, mais il est assez malin pour mesurer le danger. J'ai réagi comme un crétin !

Avec un frisson glacé, Kahlan s'avisa que le vieil homme avait raison. Si la Forteresse tombait, l'Ordre disposerait d'une magie fabuleusement puissante.

— Zedd, Richard est seul là-bas, et il ne connaît presque rien à la magie. Plus grave encore, il ignore tout des gens qui la pratiquent en Aydindril. Comme un agneau égaré dans la tanière d'un ours, il n'a aucune idée du danger qui le guette.

— Ce pauvre garçon a perdu la tête, j'en ai peur, grogna Zedd.

— Tu en es si sûr que ça, vieil idiot ? lança Adie. Il a conquis Aydindril au nez et à la barbe de l'Ordre Impérial, préservant du même coup la Forteresse du Sorcier. Quand on lui a envoyé des mriswiths, il les a taillés en pièces. Enfin, la plupart des royaumes sont sur le point de se soumettre à lui. Son alliance sera en mesure de combattre l'Ordre – exactement ce que nous cherchions à faire de notre côté. Au lieu de négocier avec les ambassadeurs, il leur a mis le couteau sous la gorge, et ça marchera probablement. Dans quelque temps, ce garçon, comme tu dis, dominera les Contrées.

— Et il aura une force capable de s'opposer à l'Ordre, concéda Zedd. Vu comme ça, ce n'est pas si mal. (Il se tourna vers Kahlan.) C'est tout ce qu'il raconte ?

— Non, mais presque… « *Chère reine, même si j'ai peur de vous avoir perdue, le risque que le monde courbe l'échine sous la tyrannie me contraignait à agir. Si nous ne luttons pas, combien d'autres villes connaîtront le sort d'Ebinissia ?*

*Je crois en votre amour, mais survivra-t-il à l'épreuve que je vous impose ? Bien que je sois entouré de gardes du corps prêts à donner leur vie pour moi – et l'une d'entre eux me l'a prouvé – leur présence ne m'aide pas à me sentir en sécurité. Mes amis, venez au plus vite en Aydindril ! Jusqu'à ce que nous soyons réunis, Gratch vous protégera des mriswiths. Écrit de la main de Richard Rahl, maître de D'Hara et chevalier servant de la reine de Galea, dans ce monde comme dans l'autre…* »

— Maître de D'Hara ? répéta Zedd. Mais qu'a-t-il donc fichu, pendant que je ne le surveillais pas ?

— Il m'a détruite, voilà ce qu'il a fait, souffla Kahlan en baissant lentement les bras.

— Écoute-moi bien, Mère Inquisitrice ! dit Adie, un index braqué sur la jeune femme. Richard est conscient du mal qu'il t'a fait, et il te laisse libre de le repousser, même si ça doit lui briser le cœur. Au début de sa lettre, il parle de Magda Searus pour te montrer à quel point il comprend ce que cette affaire signifie pour toi. Mais il préfère perdre ton amour que de te voir mourir parce qu'il se serait incliné devant le passé au lieu d'inventer l'avenir. Et n'oublie pas qu'il a réussi ce qui nous semblait si compliqué : réunifier les Contrées. Là où nous aurions demandé, il a exigé, et il a raison. Si tu veux être une bonne Mère Inquisitrice, et assurer la survie de ton peuple, tu dois aider Richard !

Zedd fronça les sourcils, mais il ne dit rien.

Comme souvent quand il entendait le nom de son ami, Gratch émit un seul commentaire.

— Grrrratch aaaime Raaach aard !

— Moi aussi, je l'aime..., souffla Kahlan en essuyant ses larmes.

— Mon enfant, la consola Zedd, le sort sera levé tôt ou tard, et tu redeviendras la Mère Inquisitrice qui...

— Vous ne comprenez pas, coupa la jeune femme. Depuis des millénaires, les Mères Inquisitrices protègent les Contrées. Moi, je les aurai conduites à leur ruine.

— Non ! Tu resteras dans l'histoire comme celle qui aura eu la force de sauver son peuple.

— Ça, je n'en suis pas sûre...

— Kahlan, Richard est le Sourcier. Il porte au côté l'Épée de Vérité. Souviens-toi, c'est moi qui l'ai nommé. Le Premier Sorcier a reconnu en lui un homme doté de tous les instincts du Sourcier. Depuis, il se comporte en fonction de ces instincts. Richard est une personne comme on en rencontre peu. Quand il agit, c'est le don qui l'y pousse, et il fait ce qui lui semble juste. Nous devons le suivre, même si nous ne comprenons pas toujours ses actes. Fichtre et foutre, je parie qu'il ne les comprend pas toujours lui-même !

— Relis cette lettre dès que tu seras seule, conseilla Adie. Fais-le avec ton cœur, et tu y sentiras battre le sien. Et n'oublie pas qu'il n'a pas tout dit, de peur que ce message soit intercepté...

— Je sais que ma réaction semble égoïste, se défendit Kahlan, mais ce n'est pas le cas. Je suis la Mère Inquisitrice, investie de la confiance de toutes les femmes qui m'ont précédée. Quand on m'a choisie, j'ai accepté les responsabilités qui vont de pair avec cette confiance. Ce jour-là, j'ai prêté serment...

— ... de protéger ton peuple, coupa Zedd. (D'un index osseux, il souleva le menton de la jeune femme.) Pour accomplir cette mission, il n'existe pas de trop grand sacrifice.

— Peut-être... J'y réfléchirai. (Sous son chagrin, Kahlan sentait poindre une colère comme elle n'en avait jamais éprouvé.) J'aime Richard, et je ne lui infligerais jamais une humiliation pareille ! Je doute qu'il mesure le mal qu'il me fait – ainsi qu'à toutes les Mères Inquisitrices qui ont sacrifié leur vie pour les Contrées.

— Je suis sûr qu'il en a conscience, souffla Adie.

— Fichtre et foutre ! lâcha soudain Zedd, blanc comme un linge. Il n'est pas assez fou pour essayer d'entrer dans la Forteresse, pas vrai ?

— Des sorts en défendent l'entrée, le rassura Kahlan. Richard ne maîtrise pas la magie. Il ne saura pas les neutraliser.

— N'oublie pas qu'il contrôle aussi la Magie Soustractive, rappela Zedd. Les sorts de protection émargent de la Magie Additive. Si Richard réussit à se servir de son don soustractif, il désactivera sans y penser les sortilèges que j'ai jetés sur la Forteresse.

— Quand je l'ai vu, fit Kahlan, il m'a dit que les boucliers du Palais des Prophètes ne le gênaient pas, parce qu'ils étaient générés par la Magie Additive. Le seul qui l'entravait, l'empêchant de quitter le palais, était un mélange des deux magies.

— S'il entre dans la Forteresse, dit Zedd, il n'y survivra pas dix minutes. Les sorts sont surtout là pour empêcher quiconque d'approcher de... hum... certaines choses. Bon sang, il y a des endroits où je n'ose pas m'aventurer moi-même ! Pour un néophyte comme lui, ce lieu est un piège mortel. (Zedd prit Kahlan par l'épaule.) Tu crois vraiment qu'il y entrera ?

— Je n'en sais rien… L'ayant quasiment élevé, vous le connaissez mieux que moi.

— Il ne ferait pas ça… Ce garçon est malin, et il sait que la magie peut être dangereuse. En moyenne, il se montre très raisonnable.

— Sauf quand il veut à tout prix quelque chose !

— Que veux-tu dire ?

— Lorsque nous étions chez les Hommes d'Adobe, il a exigé qu'on convoque un conseil des devins. L'Homme Oiseau l'a prévenu que ce serait dangereux. Un hibou lui a même délivré un message des esprits. Il s'est jeté contre sa tête et l'a blessé avant de tomber raide mort à ses pieds. Selon l'Homme Oiseau, c'était une preuve supplémentaire que Richard prenait de gros risques. Il a pourtant insisté pour que le conseil ait lieu. Darken Rahl en a profité pour revenir du royaume des morts… Quand Richard veut quelque chose, rien ne l'arrête !

— Mais ça n'est pas le cas dans l'affaire qui nous concerne, modéra Zedd. Il n'a pas besoin d'entrer dans la Forteresse.

— Vous le connaissez, non ? Il est curieux de tout, et avide d'apprendre. Il peut décider d'aller jeter un coup d'œil par simple intérêt…

— Un coup d'œil suffira à lui coûter la vie.

— Dans sa lettre, il laisse entendre qu'un de ses gardes du corps est mort pour lui, dit Kahlan. (Elle rosit un peu.) En fait, il écrit : « l'une d'entre eux »… Pour quelle raison serait-il protégé par des femmes ?

— Je n'en sais rien, grogna Zedd, jugeant la question secondaire. Pourquoi as-tu mentionné cette mort ?

— Il se peut qu'un membre de l'Ordre se soit introduit dans la Forteresse, et qu'il ait tué cette femme en utilisant la magie qu'elle contient. Ou Richard redoute que les mriswiths veuillent investir les lieux, et il entend les en empêcher.

— Ce garçon ignore tout des périls d'Aydindril et de ceux qui le guettent dans la Forteresse. Un jour je lui ai dit qu'on y trouvait des objets magiques, comme l'Épée de Vérité, et des grimoires très précieux. Hélas, je n'ai pas pensé à préciser que beaucoup de ces trésors étaient dangereux.

— Zedd, s'écria Kahlan, vous lui avez raconté qu'il y a des livres dans la Forteresse ?

— Une erreur de débutant, je l'avoue…

— Ça, vous pouvez le dire !

— Nous devons partir sur-le-champ pour Aydindril ! Kahlan, Richard ne contrôle pas son don. Si l'Ordre se sert de la magie pour prendre la Forteresse, il ne parviendra pas à l'en empêcher. Alors, nous aurons perdu la guerre avant qu'elle ait commencé.

— Je n'en crois pas mes oreilles, lâcha l'Inquisitrice, les poings serrés. Nous fuyons Aydindril depuis des semaines, et voilà qu'il faut y retourner ! Ce voyage sera terriblement long…

— Revenir sur nos choix est impossible, mon enfant. Concentrons-nous sur l'avenir, et oublions nos regrets.

— Richard nous a envoyé une lettre, déclara Kahlan en regardant Gratch. Nous pourrions lui répondre, pour le prévenir.

— Si ces adversaires recourent à la magie, ça ne l'aidera pas à tenir la Forteresse.

— Gratch, tu pourrais amener l'un d'entre nous jusqu'à Richard ? demanda soudain Kahlan.

Le garn les étudia, son regard s'attardant sur le sorcier. Puis il secoua la tête.

Kahlan s'en mordit les lèvres de frustration.

Zedd entreprit de faire les cent pas en marmonnant dans sa barbe. Plongée dans ses pensées, Adie semblait à des lieues de là...

— Zedd, si vous aidiez Gratch ? Magiquement, je veux dire...

— De quoi parles-tu, mon enfant ?

— Le chariot, tout à l'heure... Vous l'avez soulevé en jetant un sort.

— Je ne peux pas voler, ma pauvre petite. Simplement soulever des objets.

— Mais vous pourriez nous rendre plus légers, comme le chariot, pour que Gratch réussisse à nous porter !

— Non, répondit le vieil homme, accablé. Le voyage serait trop long pour que je maintienne le sort. C'est assez simple sur des objets, comme un rocher ou un chariot, mais avec des êtres vivants, c'est une autre affaire. Nous soulever un peu serait possible, mais simplement quelques minutes...

— Et si vous jetiez le sort sur vous ? Juste ce qu'il faut pour que Gratch puisse vous porter ?

— Bonne idée, mon enfant ! Ça me coûterait beaucoup d'énergie, mais je devrais y parvenir.

— Adie, vous en seriez capable aussi ?

— Non. Je n'ai pas autant de pouvoir que ce vieux filou...

— Alors, conclut Kahlan, vous devrez partir seul, Zedd. Vous atteindrez Aydindril des semaines avant nous. Richard a besoin de vous très vite. Chaque minute de retard le met en danger. Et menace notre cause...

— Peut-être, mais je ne peux pas te laisser sans protection !

— J'aurai Adie...

— Et si des mriswiths déboulent, comme le craint Richard ? Sans Gratch, que feras-tu ? Notre excellente dame des ossements ne pourrait rien contre un monstre invisible !

— Si Richard entre dans la Forteresse, rappela Kahlan en saisissant le sorcier par la manche, il mourra. Et si l'Ordre s'empare de votre fief, nous périrons tous. L'enjeu dépasse de beaucoup ma vie. N'oubliez jamais Ebinissia ! Si nous perdons, beaucoup d'innocents tomberont, et les survivants seront réduits en esclavage. De plus, la magie disparaîtra. Il ne s'agit pas de moi, ou de Richard, mais de notre stratégie tout entière.

» Pour le moment, nous n'avons pas vu l'ombre d'un mriswith. Et rien ne dit qu'ils viendront ici. De toute façon, votre sort brouille mon identité. Personne ne sait que je suis vivante. Alors, pourquoi me poursuivrait-on ?

— Une logique sans faille, concéda Zedd. Je comprends pourquoi on t'a nommée Mère Inquisitrice. Mais je maintiens que c'est de la folie. Adie, qu'en penses-tu ?

— La Mère Inquisitrice a raison. L'enjeu justifie les risques. On ne doit jamais faire passer l'intérêt de quelques individus avant celui de la communauté.

Kahlan se campa devant Gratch. Comme il s'était accroupi, elle put le regarder dans les yeux sans lever la tête.

— Gratch, Richard est en danger. (Le garn aplatit les oreilles.) Il a besoin de Zedd, et de toi. Je ne risque rien pour le moment, ne t'en fais pas ! Peux-tu conduire le sorcier en Aydindril ? Il usera de sa magie pour te faciliter la tâche. Le feras-tu pour moi ? Et pour Richard ?

Pensif, Gratch regarda tour à tour les trois humains. Puis il se redressa de – presque – toute sa hauteur, battit des ailes et hocha la tête.

Kahlan le prit dans ses bras et il lui rendit joyeusement son étreinte.

— Tu es fatigué ? demanda-t-elle. Tu veux te reposer ? (Le garn secoua la tête.) Peux-tu partir tout de suite ?

Cette fois, Gratch battit des ailes.

De plus en plus inquiet, Zedd regarda tous ses compagnons, humains ou non.

— Fichtre et foutre, c'est le truc le plus idiot que j'aurai fait de ma vie ! Si j'étais né pour voler, je serais venu au monde avec des ailes !

— Jebra vous a vu avec des ailes..., rappela Kahlan.

— Oui, et je finissais dans une boule de feu ! (Le vieil homme plaqua les poings sur ses hanches et tapa du pied.) Bon, s'il faut y aller, allons-y !

Adie se leva et l'enlaça.

— Tu es un vieil idiot très courageux, Zeddicus.

— Idiot, ça, c'est certain !

Malgré sa mauvaise humeur, le sorcier rendit son étreinte à la dame des ossements... et cria de surprise quand elle lui pinça les fesses.

— Tu es beau comme un astre dans ta nouvelle tenue, vieux filou !

— Tu parles d'un astre ! grommela Zedd, flatté malgré lui. Enfin, si tu le dis... Veille sur Kahlan, Adie. Quand Richard saura que je l'ai laissée rentrer seule, il risque de me pincer beaucoup plus fort que toi !

Kahlan enlaça le vieux sorcier. Soudain, elle se sentait plus abandonnée que jamais. Étant le grand-père de Richard, le vieil homme lui donnait le sentiment qu'il était un peu avec elle...

Quand ils se lâchèrent, Zedd jeta un regard dubitatif au garn.

— Gratch, on devrait y aller...

Ils sortirent tous ensemble. Dans l'air glacial de la nuit, Kahlan tira sur la manche du vieil homme.

— Zedd, essayez de remettre de l'ordre dans les idées de Richard. Il ne peut pas me faire une chose pareille. Dites-lui qu'il n'est pas raisonnable !

Le vieil homme dévisagea longuement la Mère Inquisitrice.

— Ma pauvre enfant, l'histoire est rarement écrite par des hommes raisonnables...

# Chapitre 35

– Surtout, ne touchez à rien, rappela Richard en jetant un regard noir derrière lui. C'est un ordre !

Les trois Mord-Sith ne daignèrent pas lui répondre. Le nez en l'air, elles contemplaient la haute voûte de l'arche d'entrée. Puis elles baissèrent les yeux pour étudier les énormes blocs de granit noir, parfaitement joints, qui encadraient la herse de la Forteresse du Sorcier.

Richard se retourna pour sonder, derrière Ulic et Egan, le large chemin qui, à travers la montagne, les avait conduits jusqu'au grand pont de pierre. Long de deux cent cinquante pas, l'ouvrage enjambait un gouffre aux parois quasiment verticales. Un à-pic vertigineux, peut-être des milliers de pieds, dont le Sourcier ne pouvait estimer la profondeur à cause du brouillard accroché à ses parois lisses comme de la glace.

Sur le pont, le Sourcier s'était penché au parapet pour regarder en bas. Une initiative malheureuse, puisque la tête lui en tournait encore. Mais comment avait-on pu bâtir ce monstre de pierre au-dessus d'un obstacle à l'évidence infranchissable ? À moins d'avoir des ailes, c'était la seule voie d'accès à la Forteresse…

L'escorte « officielle » du seigneur Rahl – pas moins de cinq cents hommes – attendait de l'autre côté du passage. À l'origine, ces hommes avaient l'intention d'entrer avec leur maître dans le fief du Premier Sorcier. Arrivés devant le pont, juste après avoir gravi une butte, ils s'étaient immobilisés, le regard rivé, comme celui de Richard, sur les murs noirs, les remparts, les tourelles, les tours et les passerelles du bâtiment. Écrasés par la sourde menace qui émanait de ce nid d'aigle, ils n'avaient pas protesté quand leur seigneur, ses propres jambes un peu tremblantes, leur avait ordonné d'attendre là.

Richard avait dû mobiliser sa volonté pour continuer. À dire vrai, seule l'idée de ne pas montrer sa faiblesse devant les soldats lui avait permis de faire un pas de plus. Qu'auraient-ils pensé si le seigneur Rahl – leur sorcier ! – s'était empressé de tourner les talons, comme il en mourait d'envie ?

De plus, il devait aller voir ces lieux de près.

Un jour, Kahlan lui avait confié que la Forteresse était défendue par des sorts. Certains étaient si terribles, vidant les visiteurs de leur courage, qu'elle n'avait jamais osé les braver, et s'était résignée à éviter certains endroits. À coup sûr, la réaction des soldats, comme celle du jeune homme, avait été induite par un des sortilèges conçus pour dissuader les curieux d'approcher.

— Il fait plutôt chaud, s'étonna Raina en regardant autour d'elle.

Richard s'avisa qu'elle avait raison. Au-delà de la herse, l'air avait progressivement perdu de sa fraîcheur pour devenir presque aussi doux que par une belle journée de printemps. Un phénomène étonnant, sous un ciel grisâtre qui n'augurait pas de l'approche des beaux jours – surtout avec le vent glacial qui soufflait entre les pics.

La neige qui couvrait le dessus des bottes du Sourcier commençait à fondre. En sueur, ils enlevèrent leurs manteaux et les empilèrent contre un mur. À tout hasard, Richard s'assura que l'Épée de Vérité coulissait bien dans son fourreau.

Le tunnel d'accès qu'ils remontaient, une minuscule brèche dans la façade de l'édifice, faisait une bonne cinquantaine de pieds de long. Au-delà, le chemin traversait une cour puis donnait sur un nouveau passage couvert qui s'enfonçait dans l'obscurité. Sans doute l'entrée des écuries, déduisit le jeune homme. Un endroit qu'il n'avait aucune raison de visiter…

Richard avait du mal à résister à l'envie de s'envelopper dans sa cape. Ces derniers temps, il recourait de plus en plus souvent à l'invisibilité. À cause de la réconfortante sensation de solitude qu'elle lui apportait, bien sûr. Mais il n'y avait pas que cela. Comme par la présence de l'Épée de Vérité, sur sa hanche, il se sentait rassuré par le contact de ce pouvoir constamment à sa disposition, soumis à ses ordres et prêt à le servir. À sa grande surprise, il en éprouvait un… plaisir… étrange et indéfinissable.

La cour entourée de hauts murs impénétrables évoquait irrésistiblement un canyon. N'était la multitude de portes qui se découpaient sur ses parois noires. S'engageant sur un petit chemin couvert de graviers, Richard approcha de la plus grande.

Berdine lui saisit le bras, serrant si fort qu'il grimaça de douleur, se retourna et la força à lâcher prise.

— Berdine, qu'est-ce qui te prend ?

La Mord-Sith reprit le bras de son seigneur.

— Regardez, dit-elle d'un ton qui fit frissonner le Sourcier. De quoi s'agit-il, à votre avis ?

Tous les regards se tournèrent vers l'endroit qu'elle désignait du bout de son Agiel.

Le sol de la cour, pavé de fragments de rochers et de pierres, ondulait comme si un énorme poisson minéral nageait sous sa surface. La créature invisible les menaçant, Richard et ses compagnons gravirent un peu plus le chemin de pierre, approchant encore de la porte. À présent, le sol faisait des vagues, comme l'eau d'un lac agitée par une tempête.

Alors que la crête de ce raz-de-marée menaçait de déferler sur eux, Berdine enfonça ses ongles dans la chair du Sourcier. Leur stoïcisme coutumier oublié, Egan et Ulic, comme leurs compagnons, ne purent retenir un cri lorsque ce courant minéral passa sous leurs pieds, projetant des gouttelettes de roche sur leur étroit refuge.

Puis le sol redevint étal, comme un océan apaisé au sortir d'une tornade.

— Quelqu'un veut bien me dire ce que c'était ? explosa Berdine. Et ce qui serait arrivé si nous nous étions approchés d'une autre porte, au lieu d'emprunter la rampe de pierre ?

— Comment veux-tu que je le sache ? lança Richard.

— En principe, répondre à des questions de ce genre est le travail d'un sorcier.

Si son seigneur le lui avait ordonné, la Mord-Sith aurait affronté Egan et Ulic à mains nues. Mais cette magie invisible était une autre affaire. Face à l'acier, les cinq gardes du corps du seigneur Rahl ne frémissaient jamais, même à un contre cent. Confrontés à la magie, ils n'avaient aucune honte à montrer leur angoisse. Parce que les protéger de ce danger-là, ils le savaient, était la responsabilité de leur maître.

— Écoutez-moi bien, dit Richard. Je suis un sorcier débutant, et je ne vous l'ai jamais caché. De plus, j'ignore tout de cet endroit, où je ne suis jamais venu. Bref, je veux bien vous protéger, mais je n'ai pas la première idée de ce qu'il faut faire. Alors, si vous m'obéissiez, pour une fois, en allant attendre avec les soldats, de l'autre côté du pont ?

Jugeant inutile d'émettre un commentaire, Ulic et Egan croisèrent les bras.

— Nous vous accompagnons, déclara Cara.

— Et nous irons jusqu'au bout, renchérit Raina.

— Essayez de nous en empêcher, pour voir ! lança Berdine en lâchant enfin le bras du jeune homme.

— Ça risque d'être dangereux !

— Raison de plus, puisque nous sommes là pour vous protéger ! triompha Berdine.

— Et comment comptes-tu t'y prendre ? rugit Richard. En vidant de son sang un bras qui ne t'a rien fait ?

— Désolée, seigneur, souffla la Mord-Sith, le rouge au front.

— Je ne sais rien de la magie de ces lieux, insista Richard. Comment écarter des menaces que je ne vois même pas ?

— C'est pour ça que nous devons venir, fit Cara, se forçant à la patience comme si elle s'adressait à un enfant de cinq ans. Vous ne savez pas comment vous protéger, et nous pouvons vous être utiles. (Elle désigna les deux colosses.) Leurs muscles, ou nos Agiels, sont peut-être ce qu'il vous faut. Imaginez que vous tombiez dans une banale oubliette. Que se passera-t-il si personne ne vous entend appeler au secours ? Seigneur, la magie n'est pas le seul danger, et vous le savez.

— D'accord, capitula Richard, tu as gagné. (Il pointa un index menaçant sur la Mord-Sith.) Mais si tu te fais dévorer un pied par un poisson de pierre, ou je ne sais quoi d'autre, ne t'avise pas de te plaindre !

Les trois femmes sourirent, ravies d'avoir emporté la partie. Egan et Ulic aussi montrèrent leur satisfaction.

— On y va, maintenant ? soupira Richard.

Il se tourna vers la porte, haute de douze bons pieds et nichée dans une sorte d'alcôve. Le battant au bois grisâtre usé par le passage du temps était bardé de barres de fer hérissées de clous sans tête gros comme les doigts du Sourcier. Remarquant des mots gravés sur le linteau de pierre, il tenta de les déchiffrer, puis consulta ses compagnons. Hélas, aucun ne connaissait ce langage.

Alors que Richard tendait une main vers la poignée, le battant pivota vers l'intérieur sans émettre un grincement.

— Et il prétend ne rien connaître à la magie ! railla Berdine.

Le Sourcier regarda ses compagnons une ultime fois, désireux de jauger leur détermination.

— Surtout, n'oubliez pas : vous ne touchez à rien !

Les Mord-Sith et les deux colosses acquiescèrent. Soupirant de plus belle, Richard se prépara à avancer.

— L'onguent que je vous ai donné n'a pas calmé l'irritation ? demanda Cara, remarquant qu'il se grattait la nuque.

— Pas pour le moment, non...

Ils franchirent le seuil et entrèrent dans une salle austère haute de plafond où l'air empestait la moisissure.

— La femme qui me l'a vendu, continua Berdine, affirmait que ça vous soulagerait. D'habitude, elle utilise des ingrédients classiques : de la rhubarbe blanche, de la sève de laurier, du beurre et du jaune d'œuf cuit à la coque. Sur mon insistance, elle y a ajouté des composants plus rares et plus chers. Du sperme de crapaud, du pus de cochon, un cœur d'hirondelle et, puisque je suis votre protectrice, un peu de mon sang menstruel. Pour plus d'efficacité, elle a remué le mélange avec un clou rouillé chauffé au rouge. Je l'ai regardée travailler, pour m'assurer qu'elle ne trichait pas sur la qualité.

— J'aurais apprécié que tu me racontes ça avant que je m'en tartine, marmonna Richard en avançant dans la salle obscure.

— Vous disiez, seigneur ? (Le jeune homme éluda la question d'un vague geste de la main.) J'ai averti ma vendeuse que ça avait intérêt à agir, vu le prix de la décoction. Consciente que je reviendrais la voir, en cas d'échec, elle m'a juré que c'était infaillible. Vous avez pensé à en appliquer un peu sur votre talon gauche, comme je vous l'avais dit ?

— Non, je me suis contenté de traiter la démangeaison.

*Hélas*, pensa le Sourcier, qui commençait à le regretter.

— Alors, fit Cara, les bras levés au ciel, pas étonnant que ça ait raté. J'avais pourtant insisté ! Selon la femme, cette irritation vient d'un brusque manque d'assise de votre aura. En vous traitant le talon, seigneur, vous auriez rétabli votre connexion avec la terre.

Richard écouta la tirade de la Mord-Sith d'une oreille distraite. Si elle jacassait ainsi sur un sujet sans importance, c'était pour se rassurer avec le son de sa propre voix.

Très haut au-dessus de leurs têtes, des lucarnes laissaient entrer la lumière du jour. Au bout de la salle, des chaises en bois sculptées flanquaient une arche sans porte. À l'aplomb des fenêtres, une tapisserie jaunie couvrait le mur, ses motifs trop pâles pour être encore identifiables. Sur la cloison d'en face, des bougies s'alignaient dans de simples chandeliers en fer. Au centre de la pièce trônait une table à tréteaux illuminée par les rayons de soleil. À part ça, les lieux étaient dépourvus d'ornement.

Ils avancèrent, accompagnés par l'écho du martèlement de leurs bottes sur les dalles.

Quand Richard aperçut des livres, sur la table, son moral remonta en flèche. Il était venu pour ça ! Kahlan et Zedd n'arriveraient pas avant des semaines, et il risquait de devoir défendre la Forteresse avant de les avoir à ses côtés. De plus, attendre n'avait jamais été son activité favorite...

Puisque l'armée d'harane tenait solidement Aydindril, la seule véritable menace était un assaut contre l'ancien fief de Zedd. Dans les grimoires, Richard espérait trouver des éclaircissements sur son pouvoir. Avec un peu de chance, ils lui suffiraient pour repousser une attaque magique lancée par l'Ordre Impérial ou par les mriswiths.

Une dizaine de volumes de taille identique reposaient sur la table. Les titres ne lui dirent rien, car ils étaient écrits dans des langues inconnues. Pendant que leur maître déplaçait les premiers livres pour examiner ceux d'en dessous, Ulic et Egan vinrent se camper dos à la table, prêts à toutes les éventualités.

— On dirait qu'il s'agit du même ouvrage, dit enfin Richard, mais dans des langues différentes.

Il se baissa pour mieux lire le titre d'un des volumes. Étrange... Bien qu'il ne comprît pas cette écriture, il l'avait déjà vue et il reconnaissait deux mots : le premier, *fueri,* et le troisième, *ost.* C'était du haut d'haran !

Au Palais des Prophètes, Warren lui avait montré une prophétie le concernant. On l'y appelait « *fuer grissa ost drauka* ». Le messager de la mort... *Fuer* voulant dire « le », *fueri* équivalait sans doute à « la » ou à « les ». Et *ost* signifiait « de »...

— *Fueri Ulbrecken ost Brennika Dieser,* lut Richard à haute voix. Je donnerais cher pour savoir ce que ça veut dire !

— *Les Aventures de Bonnie Day,* à mon avis, souffla Berdine, qui regardait par-dessus l'épaule de son maître.

— Que viens-tu de dire ? fit Richard, se retournant comme si elle lui avait posé son Agiel sur l'épaule.

— *Fueri Ulbrecken ost Brennika Dieser,* fit la Mord-Sith en désignant l'ouvrage. Vous vous interrogiez sur le sens de ce titre. Eh bien, la traduction est *Les Aventures de Bonnie Day...*

Richard possédait ce roman depuis sa plus tendre enfance. À force de le relire, il l'avait quasiment appris par cœur.

Pendant son séjour dans l'Ancien Monde, au palais des Sœurs de la Lumière, il avait appris que son auteur était Nathan Rahl, Prophète de son état et très lointain ancêtre du Sourcier. Destiné à des garçons pleins de potentiel, c'était en quelque sorte un abécédaire de prophéties. Selon Nathan, tous ceux qui l'avaient reçu étaient morts dans de mystérieux accidents. À part Richard, bien entendu...

À sa naissance, la Dame Abbesse et Nathan étaient venus dans le Nouveau Monde pour voler le *Grimoire des Ombres Recensées,* alors conservé dans la Forteresse, et le mettre hors de portée de Darken Rahl. Ils l'avaient confié à George Cypher, le père adoptif de Richard, avec mission de le faire mémoriser par l'enfant, à la virgule près, avant de le détruire. Pour ouvrir les boîtes d'Orden, consulter ce texte était indispensable. Aujourd'hui encore, le Sourcier aurait pu le réciter de la première à la dernière ligne.

Un instant, il se souvint des jours heureux, en Terre d'Ouest, où il vivait avec son père et son frère aîné. Adorant Michael, il aurait tant voulu lui ressembler ! Plus tard, ils avaient pris des chemins divergents, et rien ne ramènerait plus Richard à cette époque d'innocence et d'insouciance.

Nathan lui avait aussi laissé un exemplaire des *Aventures de Bonnie Day*. Et il avait dû déposer les diverses traductions ici lors de son passage dans la Forteresse en compagnie d'Annalina.

— Comment le sais-tu ? demanda Richard à la Mord-Sith.

— C'est du haut d'haran, seigneur, répondit Berdine, tendue. Enfin, un vieux dialecte de cette langue…

Notant l'angoisse de la jeune femme, le Sourcier comprit qu'il devait la foudroyer du regard. Au prix d'un effort de volonté, il parvint à adopter une expression plus avenante.

— Tu comprends le haut d'haran ? s'étonna-t-il. (Berdine hocha la tête.) Je croyais que c'était une langue morte. Un érudit de mes amis prétend être quasiment le seul au monde à le déchiffrer. Qui t'a appris ce langage ?

— Mon père, répondit la jeune femme, redevenue impassible. Entre autres raisons, c'est pour ça que Darken Rahl m'a choisie pour devenir une Mord-Sith. Votre érudit ne ment pas, seigneur : peu de gens comprennent encore le haut d'haran. Mon père faisait partie de cette élite. Darken Rahl utilisait cette langue dans ses incantations, et il détestait avoir de la concurrence en la matière…

— Je suis désolé, Berdine, souffla Richard.

Inutile de s'enquérir du destin de ce pauvre homme… Lors de leur formation, les futures Mord-Sith devaient torturer leur père à mort. C'était la troisième manière de les briser, et leur épreuve finale.

Berdine ne broncha pas, redevenue la femme d'acier qu'on l'avait forcée à être.

— Darken Rahl savait que mon père m'avait transmis une partie de ses connaissances. Mais il n'avait rien à redouter d'une Mord-Sith, vous comprenez ? De temps en temps, il me demandait mon avis sur un mot ou une expression. Le haut d'haran est très difficile à traduire. Beaucoup de termes, surtout dans les plus vieux dialectes, ont des nuances impossibles à rendre si on ignore le contexte. Je ne suis pas une érudite, loin de là, mais j'ai quelques notions qui peuvent être utiles. Darken Rahl, lui, avait de très grandes compétences linguistiques.

— Tu sais ce que signifie « *fuer grissa ost drauka* » ?

— C'est un très ancien dialecte… J'ai peur que ça me dépasse. (Berdine réfléchit un moment.) Littéralement, ça doit vouloir dire « le messager de la mort ». Où avez-vous entendu ça ?

Pour l'heure, Richard préféra ne pas repenser aux autres sens possibles de cette expression.

— C'est le nom que me donne une ancienne prophétie.

— Injustement, seigneur Rahl ! s'écria la Mord-Sith. Sauf si cela se réfère à votre façon de traiter vos ennemis, pas vos amis…

— Merci du compliment, Berdine…

La jeune femme sourit de nouveau, comme si la gentillesse de maître Rahl avait dissipé les nuages qui obscurcissaient son visage.

— Voyons ce qu'il y a d'autre ici, dit le Sourcier en se dirigeant vers l'arche, au bout de la salle.

En la franchissant, il sentit un étrange picotement dans son corps, si fugitivement douloureux qu'il n'y prêta guère attention. D'autant plus que le phénomène cessa dès qu'il fut passé.

Raina criant son nom, il se retourna, interloqué.

Ses compagnons, de l'autre côté, appuyaient des deux paumes sur l'air, devant eux, comme s'ils avaient été face à un mur invisible. Fidèle à sa nature, Ulic entreprit de marteler l'obstacle de coups de poing. Sans résultat notable…

— Seigneur Rahl, demanda Cara, comment avez-vous fait pour traverser ?

— Je ne sais pas trop, avoua Richard en retournant sur ses pas. Mon pouvoir me permet d'ignorer certains boucliers. Berdine, donne-moi la main. Voyons si ça marche…

Il tendit un bras à travers la barrière immatérielle. Sans hésiter, la Mord-Sith lui saisit le poignet.

— J'ai froid, se plaignit-elle quand il l'eut tirée à demi vers lui.

— À part ça, tu vas bien ? Prête à faire le reste du chemin ?

La jeune femme acquiesçant, Richard la fit traverser. Une fois de l'autre côté, elle frissonna et se secoua comme si elle était couverte d'insectes.

— À mon tour ! lança Cara.

Richard fit mine de tendre le bras. Puis il se ravisa.

— Non. Les autres, vous resterez ici jusqu'à notre retour.

— Pas question !

— Face à des dangers inconnus, je ne peux pas surveiller cinq personnes et me concentrer sur ce que je fais. En cas de problèmes, Berdine s'occupera de moi. Attendez ici. Si ça tourne mal, vous connaissez le chemin de la sortie.

— Vous devez nous emmener ! insista Cara. Ulic, dis-lui qu'il ne peut pas rester sans protection !

— Elle a raison, seigneur Rahl. Nous devons vous accompagner.

— Un garde du corps suffira… S'il m'arrive malheur, vous seriez coincés du mauvais côté de ce bouclier. Là, si je ne reviens pas, je sais que vous continuerez mon œuvre. Cara, tu prendras le commandement. Si nous ne ressortons pas, essaye de nous envoyer de l'aide, si c'est possible. Sinon, assure-toi que mon plan suivra son cours jusqu'à l'arrivée de Zedd et de Kahlan.

— Ne faites pas ça ! implora Cara, plus bouleversée qu'il ne l'avait jamais vue. Seigneur Rahl, nous ne pouvons pas vivre sans vous !

— Je reviendrai, c'est promis. Tu sais bien que les sorciers tiennent toujours parole…

— Pourquoi avoir choisi Berdine ? cria Cara, folle de rage.

— Parce que je suis sa préférée, fit la Mord-Sith en rejetant coquettement sa natte derrière son épaule.

— Cara, tu as toutes les qualités d'un chef, répondit Richard en foudroyant Berdine du regard. Toi seule peux me succéder.

Cara plissa le front, réfléchit quelques instants et eut un sourire satisfait.

— D'accord… Mais vous avez intérêt à ne jamais me refaire un coup comme celui-là !

— J'en prends bonne note, fit le Sourcier – avec un clin d'œil qui démentait ses propos. Allez, Berdine, mettons-nous en chemin. J'ai hâte d'en avoir terminé et de sortir d'ici.

# Chapitre 36

Les couloirs se croisaient dans toutes les directions. Richard tentait de s'en tenir à celui qu'il estimait être le principal, afin de retrouver plus aisément le chemin de la sortie.

Quand ils passaient devant des pièces, il y jetait un coup d'œil, en quête de livres ou d'objets qui lui semblent utiles. Hélas, la plupart étaient vides. Certaines contenaient quelques meubles, et rien d'autre d'intéressant. À un moment, ils longèrent une série de chambres d'une simplicité étonnante. À l'évidence, les sorciers qui résidaient dans la Forteresse n'y avaient jamais mené la grande vie.

Chaque fois qu'il inspectait une salle, Berdine venait regarder par-dessus son épaule.

— Vous avez idée de notre destination ? demanda-t-elle.

— Pas vraiment… (Comment aurait-il su que faire dans un tel labyrinthe ?) À mon avis, nous devrions trouver un escalier. Commencer par les sous-sols puis remonter me paraît une bonne façon de procéder…

— J'ai aperçu un escalier à une intersection, quelques pas derrière nous.

La Mord-Sith ne s'était pas trompée, constata Richard quand ils eurent rebroussé chemin. Il n'avait rien remarqué, car il s'agissait d'un simple escalier en spirale qui s'enfonçait dans l'obscurité à partir d'un trou rond, dans le sol. S'attendant plutôt à découvrir un palier, il était passé devant sans le voir.

Le Sourcier se maudit intérieurement de ne pas avoir pensé à emporter une lampe, ou au moins une bougie. Ayant un morceau de silex et un bout d'acier dans sa poche, il lui aurait suffi de dénicher un peu de paille, ou un bout de tissu, pour produire une petite flamme et allumer une des chandelles accrochées au mur dans leurs bougeoirs d'acier.

Alors qu'ils s'enfonçaient dans la pénombre, Richard sentit, au moins autant qu'il l'entendit, un bourdonnement monter des entrailles de la Forteresse. La pierre des murs, devenue invisible dans l'obscurité, commença à émettre une lueur verte, comme si quelqu'un avait tourné la molette d'une lampe à huile. Quand ils atteignirent la dernière marche, cette illumination leur parut des plus satisfaisantes.

Ils découvrirent sa source au pied de l'escalier, dans un coin. Posé sur un support en fer, un globe grand comme la main de Richard diffusait la lueur verte.

— On dirait du verre, fit Berdine. Mais qu'est-ce qui le fait briller ?

— Vu qu'il n'y a pas de flamme, je suppose que c'est la magie...

Le Sourcier toucha le globe du bout d'un index. Aussitôt, la lueur vira au jaune, comme s'ils avaient un petit soleil sous les yeux.

Le contact n'ayant pas été douloureux, Richard saisit prudemment la boule lumineuse. Plus lourde qu'il ne l'aurait pensé, elle n'était pas en verre creux, mais semblait étrangement pleine et solide.

Le jeune homme vit qu'il y avait des globes semblables tout au long du couloir. Quand ils passèrent devant, ils brillèrent plus vivement avant de revenir à leur intensité première dès qu'ils s'éloignaient.

Sa boule lumineuse brandie, le Sourcier arriva à une intersection, Berdine sur les talons. Ils s'engagèrent dans un nouveau couloir, moins sinistre, sans doute à cause de la pierre rose pâle de ses murs, et passèrent devant plusieurs alcôves qui abritaient des bancs rembourrés.

Richard ouvrit une double porte qui donnait sur une grande bibliothèque. La salle lui parut très accueillante, avec son parquet brillant, ses murs lambrissés et son plafond blanchi à la chaux. À côté des rangées d'étagères, des tables de travail et des sièges confortables attendaient d'improbables visiteurs. Au fond, des fenêtres vitrées offraient une vue fabuleuse sur Aydindril.

Richard continua son chemin, poussa les portes suivantes et découvrit une nouvelle bibliothèque. Ce couloir, parallèle à la façade du bâtiment, donnait accès à une enfilade de pièces d'étude. Quand ils arrivèrent au bout, le Sourcier en avait compté une dizaine, toutes aussi impressionnantes que la première.

Il existait donc tant de livres ? À première vue, il devait y en avoir dix fois plus que dans les catacombes du Palais des Prophètes, pourtant bien fournies. Pour simplement lire les titres, une année entière n'aurait pas suffi.

*Par où commencer ?* se demanda Richard, accablé.

— C'est sûrement ce que vous cherchiez, souffla Berdine.

— Non... Je ne sais pas pourquoi, mais j'en suis sûr. C'est trop... ordinaire.

Côte à côte, ils longèrent une multitude de couloirs, puis descendirent de plusieurs niveaux dès qu'ils découvrirent un nouvel escalier. Son Agiel prêt à venir se loger dans sa main, la Mord-Sith restait à l'affût.

Au pied des marches, derrière une porte à l'encadrement doré à l'or fin, Richard aperçut une salle creusée à même la montagne. À voir les arêtes à vif des parois, il devait s'agir d'une grotte naturelle qu'on avait agrandie à coups de pioche. Des colonnes, simplement excavées, soutenait la voûte basse aussi déchiquetée que les murs.

Devant la porte, Richard repéra son quatrième bouclier depuis le début de leur exploration. Mais celui-là n'avait aucun rapport avec les précédents. Quand il tendit une main, le traversant, l'air rougeoya devant lui – sans que le phénomène eût une source visible – et il éprouva une sensation de brûlure, pas de picotement. Sans conteste, il n'avait pas encore rencontré d'obstacle magique aussi désagréable. Au moins, le contact ne lui avait pas roussi les poils du bras...

— Les choses se compliquent, Berdine, annonça le Sourcier. Si ça t'est trop pénible, dis-le-moi et je n'insisterai pas. (Il passa un bras autour des épaules de la Mord-Sith pour la protéger.) Ne sois pas si tendue, je ferai marche arrière si tu me le demandes !

Ils avancèrent lentement. Quand la lumière toucha la manche en cuir rouge de son uniforme, la jeune femme tressaillit.

— Ce n'est rien, dit-elle. On continue !

Richard la lâcha dès qu'ils furent passés. Elle se détendit, comme si son contact l'avait plus angoissée que celui du champ de force.

Sa boule lumineuse levée, le Sourcier jeta un regard circulaire dans la salle et remarqua une série de petites niches creusées dans le roc. Il devait y en avoir une soixantaine, trop sombres pour qu'on distingue clairement les objets qu'elles contenaient.

La nuque hérissée, Richard n'eut pas besoin d'approcher pour deviner – ou sentir – qu'il y avait là un danger mortel.

— Berdine, reste près de moi. Nous marcherons au centre de la salle, le plus loin possible des murs. (Du menton, il désigna le fond de la grotte.) Ce couloir, là-bas, est notre destination...

— Comment savez-vous tout ça ?

— Regarde le sol... Il est beaucoup plus lisse, au centre, et ce « chemin » tracé par des milliers de semelles serpente à travers les colonnes. Il vaudra mieux ne pas s'en écarter.

— Soyez prudent, seigneur, dit la Mord-Sith. S'il vous arrive quelque chose, je ne réussirai pas à sortir d'ici pour aller chercher de l'aide. Et je ne tiens pas à mourir de faim et de soif dans ce tombeau...

Avant de repartir, Richard sourit à sa compagne.

— Ce sont les risques du métier, quand on est la favorite du maître !

Cette tentative d'alléger l'atmosphère fit long feu.

— Seigneur Rahl, dit la Mord-Sith, très mal à l'aise, vous pensez que je crois *vraiment* être votre préférée ?

Les yeux rivés sur le sol, pour ne pas s'écarter du chemin, Richard haussa les épaules.

— J'ai seulement repris ta plaisanterie rituelle...

Berdine réfléchit quelques instants.

— Seigneur Rahl, puis-je vous poser une question très personnelle ? Et sérieuse...

— Bien entendu.

— Après votre mariage, vous aurez d'autres femmes que la reine, n'est-ce pas ?

— Non, puisque je n'en ai pas maintenant. J'aime Kahlan, et j'entends être loyal avec elle.

— Le seigneur Rahl peut avoir toutes les femmes qu'il veut ! Même moi. Il lui suffit de claquer des doigts.

Bien qu'il ne fût pas un expert en la matière, Richard aurait juré que la Mord-Sith ne lui faisait pas des avances plus ou moins subtiles.

— Tu me parles de ça parce que j'ai posé la main sur ton sein ? (Berdine détourna le regard et acquiesça.) Je l'ai fait pour t'aider, et… hum… pour aucune autre raison. J'espérais que tu avais compris.

— C'est le cas, seigneur, dit la jeune femme, une main brièvement posée sur le bras de Richard. Vous ne m'avez jamais touchée… autrement. Ni imposé votre désir… (Elle se mordilla la lèvre inférieure.) Mais ce contact m'a rempli de honte.

— Pourquoi ?

— Vous avez risqué votre vie pour me sauver ! Vous êtes mon maître, et je n'ai pas été honnête avec vous.

Richard guida sa compagne autour d'une colonne que vingt hommes n'auraient pas pu entourer de leurs bras.

— Berdine, je ne comprends rien à ce que tu dis !

— Eh bien, je répète sans cesse que je suis votre préférée pour que vous pensiez que je vous aime.

— Dois-je comprendre que tu me détestes ?

— Non ! Je vous adore, au contraire !

— Mais je t'ai dit que Kahlan…

— Je vous aime, mais pas de cette façon. En réalité, je vénère le seigneur Rahl qui m'a rendu la liberté. L'homme qui a vu en moi davantage qu'une Mord-Sith, et qui m'a accordé sa confiance. Plus tard, vous m'avez sauvé la vie, et rendu mon… intégrité. J'aime le genre de maître Rahl que vous êtes !

— Tu m'embrouilles les idées… Quel rapport avec ta plaisanterie sur la « favorite » ?

— C'est un moyen de vous faire comprendre que je ne refuserais pas de partager votre couche… Si vous sentez que je n'en ai pas envie, je crains que vous m'y forciez par pure perversité.

Richard leva sa boule lumineuse pour éclairer le couloir dont ils venaient d'atteindre l'entrée. Tout semblait normal…

— Arrête de te torturer avec ça ! (Il fit signe à la jeune femme d'avancer.) Je t'ai dit que tu ne risquais rien.

— Je sais. Et depuis ma guérison, je vous crois. Avant, j'en doutais. Mais vous êtes vraiment très différent, et sur tous les plans.

— Différent de qui ?

— De Darken Rahl…

— Ça, tu peux le dire ! (Alors qu'ils remontaient le long corridor, Richard regarda soudain sa compagne.) Veux-tu me faire comprendre que tu es amoureuse ? Et que ton petit jeu visait à ne pas me donner envie de te contraindre ? Tu croyais que j'agirais comme Darken Rahl l'aurait fait à ma place, face à une femme non consentante ?

— C'est ça, oui…

— Vraiment ? Te savoir amoureuse me remplit de joie, Berdine !

Sortant du couloir, ils débouchèrent dans une grande salle où des ballots de fourrure et de poils pendaient le long des murs, accrochés à des poternes. Étudiant de loin cette exposition, Richard reconnut dans le lot une peau de garn.

— Qui est l'heureux élu ? demanda-t-il en regardant de nouveau la Mord-Sith. (Il agita nonchalamment la main pour cacher son embarras. Considérant l'humeur actuelle de Berdine, ne dépassait-il pas les bornes de la bienséance ?) Tu n'es pas obligée de me répondre, évidemment. Surtout, comprends-le bien...

— Après ce que vous avez fait pour nous, seigneur, et spécialement pour moi, je tiens à me confesser.

— Te confesser ? répéta Richard, incrédule. Me dire qui tu aimes n'est pas une confession, mais...

— Il s'agit de Raina, seigneur.

Le bec cloué, Richard préféra s'intéresser au chemin qui s'ouvrait devant eux.

— Foule les dalles vertes du pied gauche – exclusivement. Et les blanches du pied droit, jusqu'à ce que nous ayons traversé. N'en rate aucune, surtout. Et touche le piédestal avant de lever le pied de la dernière.

Berdine suivit ces ordres à la lettre avant de s'engager dans un couloir étroit aux murs en pierre argentée cristalline. On eût dit qu'ils s'étaient enfoncés dans les entrailles d'un diamant géant...

— Comment avez-vous su, pour les dalles, seigneur ?

— Pardon ? (Perplexe, le Sourcier jeta un coup d'œil derrière lui.) Je n'en sais rien... Ce devait être un nouveau champ de force, ou une protection quelconque... (Il regarda la Mord-Sith, qui marchait la tête basse.) Berdine, j'aime aussi Raina. Comme Cara, Ulic, Egan et toi. Nous sommes une sorte de famille. C'est ça que tu voulais dire ? (La jeune femme secoua la tête.) Mais Raina est une femme !

Cette fois, Berdine foudroya son maître du regard.

— Ma chère, fit Richard après un long silence, il vaudrait mieux que tu n'en parles pas à Raina, parce que...

— Elle m'aime aussi, seigneur.

— Eh bien... (Le jeune homme hésita, ne sachant plus que dire.) Mais comment peux-tu... ? On ne doit pas... Je n'imagine pas... Berdine, pourquoi m'as-tu révélé ça ?

— Parce que vous avez toujours été honnête avec nous. Au début, nous doutions de votre parole. Enfin, pas tous. Cara a toujours cru en vous. Mais pas moi...

Berdine reprit son visage indéchiffrable de Mord-Sith.

— Darken Rahl avait tout découvert... Alors, pour se moquer de moi, il m'a prise dans son lit. Ça l'amusait, comprenez-vous. Une façon de m'humilier qu'il appréciait beaucoup. J'avais peur que vous fassiez pareil, si la vérité arrivait à vos oreilles. Alors, j'ai joué le jeu de la séduction pour mieux cacher la vérité.

— Berdine, je ne t'aurais jamais fait ça !

— À présent, je le sais. C'est la raison de ma confession. Je ne pouvais plus supporter de mentir à quelqu'un de si honnête...

— Eh bien, si tu te sens mieux, tu m'en vois ravi... (Richard réfléchit pendant qu'ils avançaient dans un couloir sinueux aux murs de plâtre.) C'est Darken Rahl qui t'a fait devenir comme ça ? Ta formation de Mord-Sith t'a conduite à détester les hommes ?

— Je ne les déteste pas, seigneur, répondit Berdine, visiblement étonnée par cette théorie. Mais j'ai toujours regardé les filles, même quand j'étais petite. Sur ce plan-là, les garçons ne m'intéressaient pas... Maintenant, vous me détestez ?

— Pas du tout... Tu restes ma protectrice, comme avant. Mais ne peux-tu pas essayer d'oublier Raina ? Ce n'est pas très normal, tu sais ?

— Quand elle me fait son sourire « spécial Berdine », et que tout devient soudain merveilleux, je trouve ça normal, seigneur. C'est la même chose lorsqu'elle me caresse le visage, et que mon cœur s'emballe. Entre ses bras, je sais que plus rien ne me menace... (La Mord-Sith baissa de nouveau les yeux.) Désormais, vous me jugerez méprisable...

Richard détourna le regard, honteux de sa réaction stupide.

— C'est exactement ce que je ressens pour Kahlan... Un jour, mon grand-père m'a conseillé de l'oublier, mais je n'ai pas pu.

— Pourquoi voulait-il vous séparer d'elle ?

Richard s'en voulut de devoir mentir. Mais il ne pouvait pas parler de son grand secret : nul n'était censé aimer une Inquisitrice sans y perdre sa personnalité. Et pourtant, il y était parvenu.

— Il pensait qu'elle ne me conviendrait pas, éluda-t-il.

Au bout du couloir, il fit traverser un nouveau champ de force à sa compagne – un bouclier à « picotement », sans rien d'extraordinaire.

La pièce triangulaire où ils entrèrent disposant d'un banc, Richard s'assit, fit signe à la Mord-Sith de l'imiter et posa la boule lumineuse entre eux.

— Berdine, je comprends tes sentiments... Et je me souviens de ma fureur, après le discours de mon grand-père. Personne n'a le droit de dire qui tu dois aimer. Ces choses-là ne se commandent pas, voilà tout. Même si je ne saisis pas tout, et si je n'approuve pas ton choix, vous êtes devenus mes amis, tous les cinq. Les gens n'ont pas besoin de se ressembler pour s'apprécier, et c'est heureux !

— Seigneur Rahl, je savais que vous me rejetteriez, mais je devais vous le dire. Dès demain, je retournerai en D'Hara. Il est impossible d'avoir pour garde du corps quelqu'un dont on n'approuve pas le comportement.

Richard réfléchit un instant.

— Tu aimes les petits pois bouillis ?

— Oui, mais...

— Moi, je les déteste ! Tu m'apprécies moins parce que je ne partage pas tes goûts ? C'est une raison suffisante pour cesser de me protéger ?

— Seigneur Rahl, ce n'est pas une affaire de petits pois ! Comment se fier à quelqu'un qu'on *désapprouve* ?

— Ce n'est pas toi que je juge, Berdine. J'avoue que ça ne me semble pas normal, mais quelle importance, au fond ? Tiens, ça me fait penser à une vieille histoire...

» Quand j'étais plus jeune, j'avais un ami, Giles, avec qui je passais beaucoup de temps, parce qu'il était guide forestier comme moi. Avoir des points communs nous rapprochait, comme c'est souvent le cas...

» Puis il est tombé amoureux de Lucy Fleckner. Je détestais cette fille, qui le faisait tant souffrir. Comment pouvait-il aimer une personne aussi désagréable ? Je n'appréciais pas Lucy, et je pensais qu'il devait partager mon opinion. Ainsi, j'ai perdu un ami parce qu'il ne correspondait pas à mes attentes. Ce n'était pas la faute de Lucy, mais la mienne. Je me suis privé de tout ce que nous partagions parce que je refusais de le laisser vivre sa vie. Depuis, je n'ai jamais cessé de le regretter...

» Je crois que nous vivons une situation comparable... Et je ne commettrai pas la même erreur. Maintenant que tu apprends à être autre chose qu'une Mord-Sith, tu découvriras, comme moi en grandissant, qu'être un *véritable* ami consiste à aimer les gens pour ce qu'ils sont, y compris ce qu'on ne partage pas. L'amour qu'on leur porte fait oublier ces différences... Pour aimer, il n'est pas besoin de comprendre, d'approuver ou de dicter leur comportement aux autres. Ce qu'on peut souhaiter de mieux à un ami, c'est d'être lui-même. Parce qu'on l'aime à cause de ça !

» Je t'aime, Berdine, et c'est tout ce qui compte.

— C'est vrai ?

— Absolument vrai !

La jeune femme enlaça Richard et le serra contre elle.

— Merci, seigneur Rahl ! Quand vous m'avez sauvée, j'ai pensé que vous ne l'auriez pas fait, si vous aviez su... Vous avoir parlé est un tel soulagement ! Raina sera si heureuse d'apprendre que vous ne nous traiterez pas comme le faisait Darken Rahl...

À l'instant où ils se levèrent, un pan de mur coulissa. Richard prit la Mord-Sith par la main et la guida hors de l'étrange salle. Ils descendirent quelques marches et traversèrent une pièce suintante d'humidité dont le sol de pierre, au centre, formait une grosse bosse.

— Si nous sommes amis, fit Berdine, puis-je vous dire, seigneur, ce que je désapprouve dans votre comportement ? (Richard hocha la tête.) Eh bien, je n'aime pas ce que vous avez fait à Cara. D'ailleurs, elle est furieuse.

Le Sourcier jeta un coup d'œil derrière lui. Cette salle, très curieuse, semblait absorber la lumière à mesure qu'ils avançaient.

— Furieuse ? répéta-t-il. Que lui ai-je donc fait ?

— Vous l'avez maltraitée à cause de moi... (Voyant que le jeune homme ne saisissait pas, Berdine précisa sa pensée :) Quand j'étais ensorcelée, j'ai osé vous menacer avec mon Agiel, le soir de votre retour au palais, après la poursuite infructueuse. Fou de colère, vous vous êtes vengé sur Cara et Raina, alors que j'étais la seule responsable.

— Ton comportement m'a désorienté, expliqua Richard. À cause de toi, je me suis senti menacé par toutes les Mord-Sith. Elle peut sûrement le comprendre...

— Bien sûr... Mais après avoir tout découvert, vous ne vous êtes pas excusé d'avoir mis Cara et Raina dans le même sac que moi. Or, elles ne vous avaient rien fait...

Richard sentit qu'il s'empourprait.

— Tu as raison... À présent, j'en ai honte. Pourquoi Cara n'a-t-elle rien dit ?

— Vous êtes le seigneur Rahl, répondit Berdine, étonnée par cette question. Si vous décidiez de la frapper parce qu'elle vous a salué sur un ton qui vous a déplu, elle ne protesterait pas non plus.

— Pourtant, tu me parles... Où est la différence ?

Berdine suivit Richard dans un curieux corridor cylindrique au sol pavé large de deux pieds à peine. Les murs lisses étaient entièrement couverts de feuilles d'or.

— Nous sommes amis, désormais…, répondit la Mord-Sith.

Alors que Richard se tournait vers elle, un sourire sur les lèvres, la jeune femme tendit un bras pour toucher l'or du bout des doigts. Rapide comme l'éclair, il lui saisit le poignet au vol.

— Ne fais pas ça, si tu tiens à la vie !

— Seigneur, dit Berdine, troublée, vous avez prétendu tout ignorer de cet endroit. Et voilà que vous l'arpentez comme si vous y aviez passé votre vie ! Comment est-ce possible ?

Frappé par cette remarque judicieuse, le Sourcier sursauta.

Puis il comprit.

— C'est grâce à toi, mon amie…

— Moi ?

— Oui, confirma Richard, étonné par sa propre découverte. En me parlant, tu occupes mon conscient. Concentré sur ce que tu dis, je me laisse guider par mon don. Jusqu'à cette minute, je ne m'en étais pas aperçu. Grâce à cet « état second », je repère les dangers et je sais très exactement quel chemin prendre pour revenir sur nos pas. (Il serra brièvement l'épaule de sa compagne.) Merci, Berdine.

— C'est à ça que servent les amis, non ?

— Je crois que nous avons fait le pire du chemin, annonça Richard. Suis-moi…

Ils sortirent du tunnel et débouchèrent dans une salle ronde – sûrement sise dans une tour – d'un diamètre d'une centaine de pieds. Un escalier en colimaçon partait de la base du mur extérieur. À intervalles réguliers, des paliers donnaient accès à des portes. Tout en haut de la voûte, filtrant d'une série de petites fenêtres et d'une plus grande, des rayons de soleil tentaient de percer l'obscurité.

Bien qu'il n'eût aucun moyen de confirmer cette impression, Richard estima que la tour faisait au minimum deux cents pieds de haut. Devant eux, l'escalier s'enfonçait dans une pénombre d'où montait une odeur entêtante de moisissure.

— Je n'aime pas du tout ça…, fit Berdine, penchée sur la rampe de fer pour sonder l'« abîme ». À mon sens, le pire est encore devant nous.

Soudain, Richard crut voir bouger quelque chose, dans l'escalier obscur.

— Ne t'éloigne pas de moi, dit-il, et regarde bien ! (Il plissa les yeux, tentant de confirmer son impression. Mais plus rien ne remuait.) Si ça tourne mal, tu devras essayer de sortir de la Forteresse.

— Seigneur Rahl, dit Berdine, toujours penchée sur la rampe, il nous a fallu des heures pour arriver ici, en traversant je ne sais plus combien de boucliers. S'il vous arrive malheur, je suis fichue aussi.

Richard réfléchit un moment. Enveloppé dans sa cape de mriswith, et donc invisible, il s'en sortirait sans doute mieux…

— Attends ici, mon amie… Je vais aller jeter un coup d'œil…

La Mord-Sith saisit son maître par l'épaule et le força à se retourner.

— Pas question, vous m'entendez !

— Berdine…

— Je suis votre protectrice. Vous n'irez pas seul, un point c'est tout !

Troublé par le regard d'acier de la Mord-Sith, Richard se souvint de sa captivité, sous la coupe de Denna. À l'époque, le moindre mot de travers lui valait un calvaire.

Il déglutit péniblement.

— Tu as gagné… Mais ne t'éloigne pas et obéis-moi au doigt et à l'œil !

— Comme d'habitude, mon seigneur… Comme d'habitude…

# Chapitre 37

Sentant son cheval piaffer entre ses cuisses, Tobias Brogan regardait les cinq émissaires du Créateur marcher quelques pas devant lui, légèrement sur le côté. Les voir ainsi était plutôt inhabituel… Depuis leur apparition inattendue, quatre jours plus tôt, ils ne s'éloignaient jamais vraiment, mais ils restaient difficiles à distinguer, même lorsqu'ils n'utilisaient pas leur magie. Entièrement blancs quand ils progressaient dans la neige, ils devenaient plus noirs que la nuit dès le coucher du soleil.

Leur don d'invisibilité émerveillait le seigneur général. Décidément, rien n'était impossible au Créateur.

Cela dit, le choix de Ses émissaires ne manquait pas d'étonner Tobias. Dans ses rêves, le Créateur lui avait ordonné de ne pas mettre en question Ses plans. Par bonheur, Il avait finalement consenti à pardonner Brogan d'avoir eu l'effronterie de Le soumettre à un interrogatoire…

Tous les enfants sains d'esprit de l'Être Suprême le redoutaient, et Tobias se tenait pour le plus sain d'esprit de tous. Pourtant, ces monstres semblaient un étrange moyen de transmettre la Lumière du Créateur à l'humanité…

Brogan se redressa soudain sur sa selle. Bon sang, il était d'une stupidité crasse, par moments ! À l'évidence, le Créateur répugnait à révéler Ses desseins aux profanes en leur envoyant des disciples idéalement taillés pour leur rôle. Les démons s'attendaient sans doute à être traqués par des champions auréolés de lumière et de gloire. Face à des… créatures… pareilles, ils ne redouteraient pas d'être terrassés par le bien.

Tobias soupira de soulagement, ravi d'avoir enfin compris, et regarda les mriswiths conférer entre eux, puis avec la magicienne. Cette femme prétendait être une Sœur de la Lumière. En réalité, il s'agissait d'une vulgaire *streganicha*, aussi méprisable que les autres ! Si on pouvait admettre que le Créateur utilise des mriswiths comme messagers, pourquoi conférait-il une telle autorité à une sorcière ?

Tobias bouillait de rage à l'idée de ne pas savoir ce que se disaient ces six-là…

Depuis que la *streganicha* les avait rejoints, la veille, elle passait le plus clair de son temps avec les mriswiths. À peine si elle avait daigné dire quelques mots au seigneur général du Sang de la Déchirure !

Les cinq monstres et la sorcière ne se quittaient pas, comme s'ils voyageaient ensemble et suivaient par hasard la même direction que Brogan et son régiment de mille hommes !

Après avoir vu une poignée de mriswiths massacrer des centaines de soldats d'harans, Tobias ne se sentait pas vraiment en sécurité. Le gros de ses forces, plus de cent mille hommes, attendait à une semaine de marche environ d'Aydindril. Lors de sa première visite, le Créateur avait insisté sur ce point : ses troupes devaient rester en arrière, afin de participer à la conquête de la cité.

— Lunetta, appela doucement Brogan sans quitter des yeux la Sœur de la Lumière, toujours en grande conversation avec les mriswiths.

Lunetta vint chevaucher à côté de son frère.

— Oui, seigneur général ? demanda-t-elle à voix basse.

— As-tu vu la sœur faire usage de son pouvoir ?

— Oui, quand elle a écarté les branches mortes de notre chemin…

— Peux-tu déterminer sa puissance à partir de cette observation ? (Lunetta hocha la tête.) Est-elle aussi forte que toi, ma sœur ?

— Non, Tobias…

— Voilà une excellente nouvelle… (Brogan regarda autour de lui pour s'assurer que personne ne les espionnait. Il vérifia aussi la position de ses six « accompagnateurs », bien visibles devant lui.) Je suis étonné par certaines choses que m'a dites le Créateur, ces dernières nuits.

— Tu veux m'en parler, Tobias ?

— Oui, mais plus tard…

— Quand nous serons seuls, souffla Lunetta en caressant distraitement ses « mignons ». Il sera bientôt temps de camper…

Tobias ne se méprit pas un instant sur les intentions réelles de sa sœur.

— Nous ne nous arrêterons pas tôt, cette nuit… (Il leva le nez pour humer l'air.) Elle est si près que je peux presque la sentir…

En descendant, Richard compta les paliers afin de pouvoir retourner sans difficulté sur ses pas. Pour le reste du chemin, comme il l'avait dit à Berdine, il pourrait se fier à ses souvenirs. Mais les entrailles de la tour le désorientaient. L'air empestait le compost comme dans un marais, sans doute parce que l'eau qui entrait par les fenêtres ouvertes s'accumulait au dernier niveau.

À l'approche d'un palier, Richard vit l'air miroiter d'une étrange façon. Grâce à sa boule lumineuse, il distingua une silhouette fluctuante. Bien qu'il fût enveloppé dans sa cape, le Sourcier ne s'y trompa pas une seconde : il s'agissait d'un mriswith.

— Bienvenue, frère de peau, dit la créature de sa voix sifflante.

— Qui a parlé ? souffla Berdine.

Richard la saisit par le poignet pour l'empêcher de se camper devant lui, Agiel au poing. La tirant sur le côté, il descendit les dernières marches.

— Un mriswith, c'est tout…, marmonna-t-il.

— Où ? s'écria la Mord-Sith.

— Sur le palier, près de la rampe. N'aie pas peur, il ne te fera pas de mal.

Le Sourcier força sa compagne à baisser l'Agiel. Frissonnante, elle s'accrocha à sa cape.

— Es-tu venu réveiller la sliph ? demanda le monstre.

— La sliph ? répéta Richard, perplexe.

Le mriswith ouvrit sa cape pour tendre un bras et désigner, du bout de son couteau à trois lames, le pied de l'escalier. Ce faisant, il devint pleinement visible.

— La sliph est en bas, frère de peau. Elle est enfin accessible ! Bientôt, l'heure de chanter sonnera pour le *yabree*.

— Le *yabree ?*

Le monstre leva son arme et l'agita devant ses yeux. Puis sa bouche sans lèvres dessina ce qui devait être un sourire.

— Oui, le *yabree !* Quand il chantera, viendra le temps de la reine.

— La reine ?

— Elle a besoin de toi, frère de peau. Il faut que tu l'aides.

Richard sentit que Berdine, serrée contre lui, tremblait de tous ses membres. Conscient qu'elle risquait de craquer, il reprit la descente sous le regard impassible du mriswith.

Deux paliers plus bas, la Mord-Sith ne l'avait toujours pas lâché.

— Il est parti…, lui souffla-t-elle à l'oreille.

Le Sourcier leva les yeux et constata qu'elle avait raison.

Berdine poussa son maître vers une porte, lui plaquant le dos contre le battant.

— Seigneur, c'était un mriswith ! s'écria-t-elle, paniquée.

Richard acquiesça, étonné de la voir dans un tel état.

— Seigneur, ces monstres massacrent les gens ! Jusque-là, vous les avez toujours taillés en pièces.

— Celui-là ne nous voulait pas de mal… Je te l'ai dit, et il n'a pas attaqué, n'est-ce pas ? Pourquoi l'aurions-nous agressé ?

— Seigneur Rahl, vous allez bien ? demanda Berdine, inquiète.

— Mieux que jamais ! Bon, si on repartait ? Le mriswith nous a donné un indice précieux sur ce que nous cherchons.

Richard tenta de bouger, mais la Mord-Sith le plaqua de plus belle contre la porte.

— Pourquoi vous a-t-il appelé « frère de peau » ?

— Je n'en sais rien… Peut-être parce qu'il a des écailles, et moi de la peau… En tout cas, c'était une façon de souligner qu'il voulait m'aider.

— Vous aider ?

— Au moins, il ne s'est pas mis en travers de notre chemin…

Berdine consentit enfin à lâcher son maître. Mais elle le tint longtemps sous le feu de son magnifique regard bleu.

Au pied de la tour, une corniche munie d'une rambarde faisait le tour du mur intérieur. Le sol, partout ailleurs, était recouvert d'une eau noire d'où des rochers émergeaient par endroits. Des salamandres s'y accrochaient, le corps à moiti dans l'eau. Des insectes planaient au ras de la surface autour de grosses bulles qu s'élevaient parfois dans les airs pour exploser en faisant des ronds, comme de l fumée de pipe.

Quand ils furent au milieu de la corniche, Richard comprit qu'il avait trouvé c qu'il était venu chercher. Quelque chose de pas ordinaire du tout, contrairement au bibliothèques et aux autres salles, aussi bizarres fussent-elles.

À un endroit où devait jadis se dresser une porte, une grande plate-form s'étendait devant eux. Elle était couverte de poussière et d'éclats de pierre noi comme du charbon. Les débris du battant flottaient dans l'eau noire, au-delà de l rambarde. Après l'explosion, l'encadrement de la porte devait faire au moins deu fois sa largeur d'origine. Ses bords déchiquetés noircis, la pierre elle-même ava en partie fondu comme de la cire. On eût dit que la foudre avait frappé avec un violence inouïe. Mais ça ne pouvait pas être un phénomène naturel…

— C'est récent, dit Richard en passant le bout d'un index dans la suie noire.

— Comment le savez-vous ? demanda Berdine.

— Regarde bien… Tu vois que la moisissure, sur les murs, a été brûlée o arrachée par l'explosion. Elle n'a pas eu le temps de se reformer, Berdine. Cet événemer remonte à quelques mois…

Ils entrèrent dans la salle ronde d'un diamètre de soixante pieds. Ici aussi, le murs étaient noirs comme si la foudre s'y était déchaînée. Au centre se dressait u puits qui occupait bien la moitié de l'espace.

Son globe brandi, Richard se pencha par-dessus le muret. Le gouffre insondabl avala la lumière longtemps avant qu'elle atteigne son fond.

Levant les yeux vers la voûte en forme de dôme, le Sourcier remarqua qu'il n' avait ni fenêtre ni ouverture. De l'autre côté du puits, il aperçut une table et quelque étagères.

Quand ils eurent contourné l'obstacle, ils découvrirent le cadavre, recroquevill sur le sol près d'une chaise. Il ne restait plus que quelques ossements et des lambeau de tissu, sans doute les vestiges d'une tunique. En revanche, la ceinture de cuir et le sandales du squelette avaient résisté aux outrages du temps.

Quand Richard toucha les os, ils s'émiettèrent.

— Ce mort est là depuis longtemps, souffla Berdine.

— Tu as raison…

— Seigneur Rahl, regardez…

Richard se releva et étudia la table que la Mord-Sith désignait. Il vit un encrie sans doute à sec depuis des siècles, une plume et un livre. Se penchant, il souffla su les pages jaunies pour chasser la poussière.

— C'est du haut d'haran, dit-il en levant l'ouvrage au niveau de sa boul lumineuse.

— Voyons ça… (Berdine parcourut quelques paragraphes.) Vous avez raisor seigneur !

— Tu comprends ce que ça raconte ?

La Mord-Sith prit délicatement le livre.

— C'est un très vieux dialecte… Un jour, Darken Rahl m'a montré un texte qui datait de plus de deux mille ans. Celui-là est antérieur.

— Tu ne peux pas le déchiffrer ?

— Je comprenais déjà mal le premier ouvrage que nous avons découvert… Le second me dépasse…

— Tu ne saisis vraiment rien ? s'impatienta Richard.

— Des bribes… Ça parle d'un succès final possible, mais ce triomphe implique qu'« il » mourra ici. (Elle pointa un mot du doigt.) *Drauka*… La mort…

Berdine étudia la couverture de cuir blanc, puis elle feuilleta le livre.

— Je crois que c'est le journal de l'homme dont nous venons de trouver le cadavre…

— Berdine, fit Richard, la chair de poule remontant le long de ses bras, c'est ce que je cherchais ! Ce livre est différent de tous ceux que nous avons vus dans les bibliothèques. Tu penses pouvoir le traduire ?

— Une petite partie, peut-être… Désolée, seigneur, mais ce dialecte est trop ancien pour moi. J'aurai le même problème de vocabulaire avec le premier ouvrage. Bien sûr, j'émettrai des hypothèses, mais rien de plus.

Richard se prit la lèvre inférieure entre le pouce et l'index. Pensif, il regarda le squelette, et se demanda ce qu'il faisait dans cette salle. À propos, pourquoi l'avait-on scellée ? Et plus inquiétant, qui ou quoi l'avait ouverte ?

— Berdine, s'écria-t-il soudain, ce premier livre dont tu parles, je le connais presque par cœur ! Si je t'aide, nous pourrions constituer un glossaire qui nous permettra de traduire le journal de ce malheureux.

— En procédant comme ça, nous aurions une chance de réussir. Une très bonne chance, même !

Richard prit le journal et le referma délicatement.

— Tu veilleras dessus comme sur la prunelle de tes yeux, dit-il en le tendant à la Mord-Sith. Moi, je me chargerai de la boule lumineuse. Filons d'ici, puisque nous avons trouvé ce que nous cherchions !

Quand maître Rahl et Berdine retraversèrent le bouclier, Cara et Raina en sautèrent de joie. Même Ulic et Egan, à l'accoutumée si froids, y allèrent de leur soupir de soulagement, les yeux fermés comme s'ils remerciaient les esprits du bien d'avoir exaucé leurs prières.

— Il y a des mriswiths dans la Forteresse, annonça la Mord-Sith à ses deux collègues après qu'elles l'eurent bombardée de questions.

— Combien en avez-vous tué, seigneur ? demanda Cara.

— Aucun, parce qu'ils ne nous ont pas attaqués. Mais nous avons dû braver suffisamment d'autres dangers pour ne pas nous en plaindre. (Levant une main, Richard mit un terme à cet interrogatoire.) Nous parlerons plus tard… Avec l'aide de Berdine, j'ai trouvé ce que je cherchais. (Il tapota le journal que la Mord-Sith serrait toujours contre elle.) On rentre au palais, et on se lance tout de suite dans la traduction du haut d'haran.

Il alla prendre l'exemplaire des *Aventures de Bonnie Day*, sur la table, et le confia également à Berdine.

Se dirigeant à grands pas vers la sortie, il se ravisa et se retourna.

— Cara et Raina, fit-il, dans les sous-sols de la Forteresse, alors que je risquais de mourir à chaque seconde, j'ai pensé à quelque chose que je tiens à vous dire avant de quitter ce monde, si ça doit m'arriver…

Les mains dans les poches, le Sourcier approcha des deux femmes.

— Bon… Eh bien, voilà… Je m'excuse de vous avoir si mal traitées, toutes les deux…

— Seigneur, dit Cara, vous ignoriez que Berdine était ensorcelée. Nous ne vous en voulons pas de nous avoir tenues à l'écart.

— Tu as raison au sujet du sortilège, mais j'ai quand même pensé du mal de vous à tort… Car vous n'avez jamais rien fait pour ça. Voilà, j'espère que vous me pardonnerez.

Les deux jeunes femmes sourirent. Depuis que Richard les connaissait, c'était la première fois qu'elles ne ressemblaient *absolument pas* à des Mord-Sith.

— Nous vous pardonnons, seigneur, déclara Cara. (Raina hocha vigoureusement la tête.) Et merci à vous…

— Maître Rahl, que vous est-il arrivé dans la Forteresse ? demanda Raina.

— Nous avons parlé d'amitié, répondit Berdine à la place de Richard.

Au pied du chemin qui montait vers la Forteresse, là où commençait la cité d'Aydindril, se dressait un petit marché. Bien qu'il fût sans rapport avec celui de la rue Stentor, les voyageurs venus des grandes routes qui se rejoignaient à cet endroit y trouvaient néanmoins leur bonheur.

Alors que Richard le traversait, ses gardes du corps autour de lui et cinq cents soldats sur les talons, quelque chose attira son regard et il s'arrêta devant une table branlante.

— Vous voulez un de vos gâteaux au miel payés d'avance, seigneur Rahl ? demanda une petite voix.

Richard sourit à la fillette.

— Combien m'en dois-tu encore ?

— Grand-mère, j'ai une question à te poser ! cria l'enfant en se retournant.

La vieille dame se leva péniblement, resserra les pans de sa couverture mitée et riva ses yeux bleus délavés sur Richard.

— Ma foi, fit-elle en se fendant d'un sourire édenté, le seigneur Rahl peut en avoir autant qu'il veut, ma chérie. (Elle inclina la tête.) Contente de vous revoir, seigneur.

— Moi de même, dame… ? fit le Sourcier.

— Valdora, seigneur. Et ce petit ange s'appelle Holly.

— Eh bien, je suis ravi de cette deuxième rencontre, Valdora et Holly. Que faites-vous si loin de la rue Stentor ?

Valdora haussa les épaules sous sa couverture.

— Depuis que le nouveau seigneur Rahl a refait d'Aydindril une ville sûre, les voyageurs reviennent. Qui sait, il y aura peut-être de nouveau de l'activité dans la Forteresse du Sorcier ? Nous espérons profiter de ces occasions !

— Je ne parierais pas sur la renaissance de la Forteresse, dit Richard, mais les visiteurs risquent effectivement d'affluer. (Il baissa les yeux sur les gâteaux.) Combien puis-je en prendre ?

— Pour rembourser ce que vous avez fait pour nous, seigneur, il me faudrait rester jour et nuit devant mes fourneaux !

— Passons un marché, fit le jeune homme, avec un clin d'œil pour Valdora. Si je peux en avoir un pour chacun de mes amis, et un pour moi, nous serons quittes !

— C'est d'accord ! (Valdora étudia un moment les cinq compagnons du Sourcier.) Mais vous m'avez apporté plus de satisfaction que vous le pensez, seigneur Rahl…

# Chapitre 38

Alors que Verna fonçait vers le portail des quartiers de la Dame Abbesse, elle remarqua que Kevin Andellmere montait la garde dans la pénombre. Impatiente de gagner le sanctuaire – pour annoncer à Anna qu'elle avait quasiment rempli sa mission, rien de moins ! – elle s'arrêta quand même, parce qu'elle n'avait pas vu le jeune soldat depuis des semaines.

— Kevin, c'est bien toi ?

— Oui, Dame Abbesse, répondit Andellmere en inclina la tête.

— Tu as été absent longtemps, n'est-ce pas ?

— C'est exact, Dame Abbesse... Bollesdun, Walsh et moi avons été rappelés dans notre régiment.

— Pourquoi ?

— Je n'en sais trop rien... Mon lieutenant nous a posé des questions sur le sortilège qui protège le palais. Voilà quinze ans que je le connais, et il a pris un sacré coup de vieux ! Je crois qu'il voulait s'assurer que Bollesdun, Walsh et moi n'avions pas vieilli. Il affirme que nous sommes tels qu'il nous a connus, il y a quinze ans. Au début, il n'en croyait pas ses yeux... Ses supérieurs sont venus nous voir aussi. Enfin, ceux qui nous avaient vus à l'époque, bien sûr...

Verna sentit une sueur froide ruisseler sur son front. À présent, elle savait pourquoi l'empereur venait en Tanimura. Et elle devait le dire au plus vite à Annalina.

— Kevin, es-tu un soldat loyal au palais, ou à l'Ordre Impérial ?

— Eh bien, Dame Abbesse, je n'ai pas eu le choix... Quand l'Ordre a conquis mon pays, on m'a enrôlé de force dans ses rangs. Je me suis battu un moment, au nord, près du Pays Sauvage. Ensuite, on m'a affecté au palais, et ça m'allait très bien. C'est un travail idéal, vous comprenez ? Je suis ravi d'être de nouveau chargé de protéger vos quartiers. Et mes amis, Bollesdun et Walsh ont aussi retrouvé leur poste, devant ceux du Prophète. Ici, les officiers nous traitent bien, et la solde tombe régulièrement. Elle n'est pas terrible, c'est vrai, mais beaucoup de gens n'ont plus de travail et ils crèvent de faim...

— Kevin, que penses-tu de Richard ? demanda Verna en tapotant gentiment le bras du soldat.

— Richard ? Je l'adore ! Un jour, il m'a apporté une boîte de chocolats hors de prix, pour que je l'offre à la dame de mes pensées.

— C'est tout ce qu'il représente pour toi ? Des chocolats ?

— Bien sûr que non… Richard était un type bien, voilà tout !

— Sais-tu pourquoi il t'a payé ces chocolats ?

— Parce qu'il était gentil et attentionné.

— C'est vrai… En te faisant ce cadeau, il espérait, quand viendrait le jour de son évasion, que tu ne le combattrais pas. Il ne te voulait aucun mal, comprends-tu ? Mais si tu avais tenté de le tuer…

— Tuer Richard ? Dame Abbesse, je n'aurais jamais fait une chose pareille !

— S'il n'avait pas été ton ami, tu aurais essayé de l'arrêter, par loyauté vis-à-vis du palais.

— Je l'ai vu utiliser son épée, dit Kevin en baissant les yeux. Les chocolats n'étaient donc pas, et de très loin, le plus grand cadeau qu'il m'ait fait…

— Tu as tout compris, mon garçon. Que déciderais-tu si tu devais un jour choisir entre Richard et l'Ordre Impérial ?

— Dame Abbesse, je suis un soldat… Mais Richard est un ami. S'il fallait lever mon arme contre lui, ce serait très difficile. Tous les gardes du palais détesteraient ça, parce qu'ils l'aiment bien aussi.

— Quand on reste fidèle à ses amis, Kevin, tout se passe à merveille. Sois loyal à Richard, et ça te sauvera…

— Merci de ce conseil, Dame Abbesse. Mais ce choix ne devrait jamais se présenter à moi…

— Kevin, écoute-moi ! L'empereur n'est pas un « type bien ». Il est même très maléfique. (Le soldat n'émit pas de commentaire.) Ne l'oublie jamais, mon garçon. Et garde notre conversation pour toi, d'accord ?

— C'est promis, Dame Abbesse.

Verna continua son chemin, puis entra en trombe dans le bureau des administratrices. En la voyant, la pauvre Phoebe se leva d'un bond pour la saluer.

— Bonsoir, Dame Abbesse, quel…

— Je veux prier en paix, coupa Verna. Pas de visiteurs !

Soudain, une phrase de Kevin lui revint à l'esprit. Sur le coup, son absurdité ne l'avait pas frappée…

— Les gardes Bollesdun et Walsh sont affectés aux quartiers du Prophète. L'ennui, c'est que nous n'avons pas de Prophète, en ce moment. Découvre pourquoi ils sont là et fais-moi un rapport dès demain matin. C'est une priorité, compris ?

— Verna… (Phoebe se rassit et baissa les yeux sur son bureau. Dulcinia, elle, n'avait pas levé les siens des mémos qu'elle consultait.) Des sœurs veulent absolument te voir… Elles attendent dans ton bureau.

— Je n'ai jamais donné la permission à quiconque d'y entrer en mon absence !

— Je sais, Dame Abbesse, mais…

— Je vais m'occuper de ça. Merci, Phoebe.

Furieuse, Verna entra dans son fief, où nul n'avait le droit de pénétrer sans y être invité. Mais elle n'avait pas de temps à perdre avec de telles stupidités. Ces dernières heures, elle avait découvert comment distinguer les Sœurs de la Lumière des fidèles de l'Obscurité – et compris pourquoi Jagang venait à Tanimura. Elle devait envoyer un message à Anna, puis attendre ses instructions.

Quatre femmes occupaient son bureau.

— Pour qui vous prenez-vous ? lança la Dame Abbesse.

Sœur Leoma avança comme si de rien n'était.

Soudain, le monde disparut aux yeux de Verna, soufflé par une explosion de douleur...

— Ne discute pas, Nathan !

Le Prophète se pencha vers Annalina – un bel effort, considérant leur différence de taille – et montra les dents, l'air pas commode.

— Tu pourrais au moins me laisser accéder à mon Han ! Comment te protégerai-je, sans ça ?

Anna continua à regarder passer les cinq cents soldats qui escortaient le seigneur Rahl.

— Je refuse que tu me protèges ! Nous ne pouvons pas courir ce risque. Nathan, tu connais ton rôle. Ne t'en mêle pas jusqu'à ce qu'*il* m'ait secourue, sinon, nous ne pourrons pas capturer un ennemi extrêmement dangereux.

— Et s'il ne vient pas à ton secours ?

Anna préférait ne pas penser à cette possibilité. Tout ce qui allait se passer, même si les événements suivaient la bonne Fourche, la terrifiait déjà assez comme ça.

— Dois-je donner un cours sur les prédictions au plus grand Prophète de tous les temps ? (Avec Nathan, une bonne couche de flatterie ne faisait jamais de mal.) Tu dois laisser arriver les choses ! Après, je te libérerai du blocage. À présent, conduis nos chevaux dans une écurie et assure-toi qu'on les traite bien.

Nathan arracha les rênes à la Dame Abbesse.

— Comme tu voudras, tête de mule ! (Il fit mine de partir, mais se ravisa.) Prie le Créateur qu'on ne me retire jamais ce foutu collier ! Sinon, nous aurons une longue conversation, tu peux me croire ! Même si je me demande comment tu me donneras la réplique, en étant ligotée et bâillonnée !

— Nathan, tu es un brave homme, alors ne joue pas les terreurs... J'ai confiance en toi. Rends-moi la pareille.

Le Prophète pointa un index accusateur sur sa compagne.

— Si par malheur tu te fais tuer...

— Je sais, Nathan...

— Dire que c'est moi qu'on traite de cinglé ! Au moins, promets-moi de t'acheter à manger. Tu n'as rien avalé de la journée, Anna. Il y a un marché, pas loin d'ici. Jure de t'y arrêter !

— Je n'ai...

— Jure-le, bon sang !

— Si ça peut te faire plaisir... Mais je n'ai pas faim. (Nathan leva de nouveau son index.) J'ai promis, ne t'inquiète pas… À présent, va-t'en !

Après le départ du Prophète, Annalina prit le chemin de la Forteresse. À l'idée d'avancer à l'aveugle vers une prédiction, son estomac se nouait un peu plus à chaque pas. Retourner dans la Forteresse ne lui disait rien, et penser à la prophétie en question n'arrangeait pas les choses. Pourtant, elle ne pouvait pas reculer. Il n'y avait qu'une façon de faire, et c'était celle-là…

— Un gâteau au miel, noble dame ? demanda une petite voix. Ils sont délicieux, et ça ne vous coûtera qu'un sou.

Anna baissa les yeux sur une fillette affublée d'un manteau beaucoup trop grand pour elle. Debout derrière une petite table, elle désignait quelques pâtisseries à l'aspect effectivement engageant.

La Dame Abbesse n'avait pas juré de faire un repas pantagruélique. Un gâteau au miel irait très bien…

— Tu es toute seule après la tombée de la nuit, ma chérie ?

— Non, noble dame. (L'enfant tendit une main dans son dos.) Ma grand-mère est avec moi.

Enroulée dans une couverture mitée, une vieille femme dormait à même le sol. Touchée par tant de misère, Anna plongea une main dans sa poche et en sortit une pièce d'argent.

— C'est pour toi, ma chérie. Tu sembles en avoir plus besoin que moi.

— Merci beaucoup ! (L'enfant tira un gâteau de sous la table.) Prenez celui-là, il y a beaucoup plus de miel. Je les garde pour mes clients vraiment gentils.

— Eh bien, merci à toi…, fit Anna en acceptant le gâteau.

Alors qu'elle s'engageait sur le chemin de la Forteresse, elle entendit l'enfant, derrière elle, commencer à plier boutique.

Anna savoura la pâtisserie, réellement délicieuse, en surveillant les gens qui allaient et venaient dans le minuscule marché et autour. De qui viendrait le coup ? Ces badauds et ces commerçants avaient tous l'air inoffensif. Pourtant, l'un d'eux était un ennemi.

Annalina se concentra sur le chemin. Qui vivrait verrait, comme on disait… Savoir comment « cela » arriverait aurait-il apaisé son angoisse ? Elle en doutait fort.

Dans l'obscurité, personne ne la vit monter vers la Forteresse. Soulagée d'être loin de la foule, elle regrettait vaguement que Nathan ne soit pas à ses côtés. Mais au fond, un moment de tranquillité ne pouvait pas lui faire du mal. Sans les bavardages incessants du Prophète, elle aurait le temps de penser à sa vie, et aux changements qui l'attendaient.

Tant et tant d'années…

En un sens, ses actes revenaient à condamner à mort tous ceux qu'elle aimait. Hélas, elle n'avait pas le choix.

La dernière bouchée avalée, Anna se lécha les doigts. Le gâteau n'avait pas soulagé son estomac, malgré ses espoirs. Bien, au contraire…

Quand elle passa la herse, son ventre lui faisait un mal de chien. Quelle mouche la piquait ? Ce n'était pas la première fois qu'elle marchait vers le danger. En vieillissant, s'accrochait-on plus fort à la vie, un bien devenu trop précieux pour qu'on le laisse glisser entre ses doigts comme une vulgaire poignée de sable ?

Lorsqu'elle alluma une bougie, à l'intérieur de la Forteresse, Anna dut se rendre à l'évidence : quelque chose n'allait pas.

Le ventre en feu, ses yeux la brûlaient et ses articulations la torturaient. Était-elle malade ?

Créateur bien-aimé, ce n'était pas le moment ! Car il allait lui falloir toute sa force.

La douleur la pliant soudain en deux, Anna se laissa tomber sur une chaise. Autour d'elle, la pièce tournait comme une toupie. Que se passait-il ?

Alors, elle comprit.

Le gâteau au miel !

Elle n'avait jamais imaginé que ça se passerait ainsi. Pourtant, elle s'était souvent demandé comment son ennemi la terrasserait. Après tout, elle était en pleine possession de son Han, beaucoup plus fort que celui de la plupart des magiciens.

Comment avait-elle pu être aussi stupide ?

Une nouvelle vague de douleur la força à se recroqueviller sur son siège. Malgré sa vision de plus en plus brouillée, elle distingua les deux silhouettes qui venaient d'entrer dans la salle. Une moyenne et une petite…

Deux personnes ? Il n'avait jamais été question de ça ! Tout risquait d'en être chamboulé, avec des conséquences terribles.

— Eh bien, quel joli cadeau, pour une si belle nuit…, dit une voix éraillée.

Non sans effort, Anna parvint à relever la tête.

— Qui… parle ?

Les bruits de pas se rapprochèrent.

— Tu ne te souviens pas de moi ? lança la vieille femme emmitouflée dans sa couverture. Ça n'a rien d'étonnant, avec l'allure que j'ai. Laide et ratatinée, voilà ce que je suis. À cause de toi ! Et tu n'as pas pris une ride ! Sans toi, Dame Abbesse, je serais toujours jeune et belle. Et là, je parie que tu me reconnaîtrais.

Anna ne put s'empêcher de gémir de douleur.

— Le gâteau a du mal à descendre ?

— Qui… es… tu ?

La vieille femme se campa devant Annalina. Les mains sur les genoux, pour les soulager, elle s'accroupit péniblement.

— Dame Abbesse, tu te rappelles sûrement ! J'ai juré que tu payerais pour ce que tu m'as infligé. As-tu la mémoire courte au point d'oublier tes infamies ? La liste doit être longue, mais quand même…

Anna écarquilla les yeux de stupéfaction. Après tant d'années, elle n'aurait jamais reconnu cette femme. Mais sa voix… Les inflexions étaient les mêmes, comme si le temps ne s'était pas écoulé.

— Valdora…

— Bravo, Dame Abbesse ! Je suis honorée que tu te souviennes d'un être aussi insignifiant. (Valdora se fendit d'une révérence moqueuse.) J'espère que tu n'as pas oublié mes derniers mots ? Ce serait tellement dommage. À l'époque, j'ai juré de te voir morte !

Les entrailles en feu, Anna se sentit glisser vers le sol.

— J'ai cru… que tu réfléchirais… et que tu comprendrais que nos reproches… étaient justifiés. À présent… je sais que j'ai eu raison… de te chasser du palais. Tu n'es pas… digne… de porter le titre de… sœur.

— Ne te ronge pas les sangs pour moi, Dame Abbesse. Je me suis recréé mon propre palais, et j'ai même une novice. Ma petite-fille est une élève brillante. Et je suis un bien meilleur professeur que ces gourdes, au Palais des Prophètes. Je lui enseigne tout. Absolument tout !

— Par exemple à… empoisonner les gens ?

Valdora éclata de rire.

— Ce poison ne te tuera pas, très chère. Son but est de te neutraliser, le temps que je t'emprisonne dans une Toile inextricable. Ta mort ne sera pas si douce ! (Elle se pencha vers Anna, sa voix plus coupante qu'une lame de rasoir.) Tu agoniseras un long moment, Dame Abbesse. Qui sait si tu ne verras pas se lever le jour, demain ? Entre des mains expertes, un prisonnier peut mourir des milliers de fois en une seule nuit

— Comment as-tu su que… je viendrais ?

— Je l'ignorais, avoua Valdora en se redressant un peu. Quand j'ai rencontré le seigneur Rahl, et qu'il m'a donné une de vos pièces, j'ai pensé qu'il ramènerait tôt ou tard une Sœur de la Lumière dans mes filets. Mais je n'ai jamais pensé, y compris dans mes rêves les plus fous, que ce serait un aussi gros poisson. La Dame Abbesse en personne, livrée sur un plateau d'argent. Quel miracle ! Je n'aurais pas espéré une telle apothéose, très chère. Écorcher vive une de tes précieuses sœurs m'aurait largement suffi. J'aurais même pu me contenter de ton étudiant, le seigneur Rahl, puisque ça t'aurait brisé le cœur. Mais là, cerise sur le gâteau, si tu me pardonnes cette métaphore douloureuse pour toi, je vais satisfaire mes désirs les plus profonds et les plus noirs.

Anna tenta en vain de toucher son Han.

Malgré la douleur, elle comprit que le gâteau au miel ne contenait pas seulement du poison. Valdora lui avait également jeté un sort.

*Créateur bien-aimé, ça ne se passe pas du tout comme ça devrait…*

Les contours de la salle se brouillant devant ses yeux, Annalina eut l'impression que sa tête explosait.

Gisant sur le sol, impuissante, elle sentit le contact glacé de la pierre contre son dos.

Puis on la tira par les pieds, et elle aperçut le visage angélique de la fillette, qui marchait à ses côtés.

— Je te pardonne, mon enfant, souffla Anna.

Juste avant de perdre conscience.

# Chapitre 39

Son épée dans un poing, Kahlan serrait de l'autre le bras de la dame des ossements. Dans l'obscurité, emportées par leur élan, elles trébuchèrent sur le cadavre d'Orsk et s'étalèrent avec un bel ensemble.

La Mère Inquisitrice écarta vivement la main de la masse d'entrailles et de sang répandue sur la neige.

— Comment peut-il être là ? s'exclama-t-elle.

— C'est impossible, fit Adie, le souffle court.

— Avec ce clair de lune, on y voit assez pour s'orienter. Je suis sûre que nous ne tournons pas en rond.

Kahlan ramassa un peu de neige et se frotta les mains. Puis elle se releva, tirant la dame des ossements. Autour d'elles, des cadavres en cape pourpre gisaient sur le sol dans des flaques de sang. Il n'y avait eu qu'un seul combat, très localisé. Et Orsk était tombé pendant cet engagement…

Guettant l'apparition de cavaliers, Kahlan laissa courir son regard le long d'une rangée d'arbres.

— Adie, vous vous rappelez ce qu'a dit Jebra ? Elle me voyait courir en rond…

— C'est impossible, répéta la compagne de Zedd.

L'Inquisitrice savait que la vieille femme ne pourrait plus continuer longtemps. Après avoir recouru à son pouvoir pour se battre, elle était proche de l'épuisement. Sa magie avait semé la mort parmi leurs agresseurs, mais le nombre avait fini par prévaloir. À lui seul, Orsk avait pourtant abattu une bonne trentaine d'hommes. Kahlan ne l'avait pas vu tomber, mais c'était la troisième fois qu'elles passaient près de sa dépouille. Le malheureux était quasiment coupé en deux…

— Par où devons-nous fuir, Adie ? demanda Kahlan.

— Ils reviendront par là, répondit la magicienne, un bras tendu. Nous devrions donc filer par ici…

— C'est ce que je pensais aussi… (L'Inquisitrice tira Adie dans la direction opposée.) Jusque-là, nous avons pris des décisions logiques, et ça n'a pas marché. Il faut essayer une autre tactique. Optons pour l'illogisme !

— Nous sommes peut-être victimes d'un sort, avança Adie. Si c'est le cas, ta décision est la meilleure possible. Hélas, je suis trop fatiguée pour sentir quoi que ce soit…

Elles traversèrent un massif de ronces et se laissèrent glisser au pied d'une pente abrupte. Du coin de l'œil, avant de plonger, Kahlan avait vu des cavaliers sortir du couvert des arbres.

Les deux femmes se relevèrent et coururent dans les congères qui se transformaient lentement en bourbier.

La silhouette d'un homme se découpa sur la crête, puis plongea à leur poursuite. Kahlan n'attendit pas qu'Adie lance un sort. Si elle échouait, il serait trop tard pour agir d'unc façon plus classique.

L'Inquisitrice pivota et frappa. L'homme en cape pourpre leva sa lame pour dévier le coup et se jeta en avant.

Voyant qu'il portait un plastron, Kahlan ne tenta pas de le toucher au torse. Le soldat se protégeait surtout le visage, une réaction compréhensible, mais très mal avisée quand on avait en face de soi une élève du roi Wyborn.

Les hommes en armure péchaient toujours par excès de confiance…

Kahlan le frappa à une cuisse, sa lame traversant la peau et les muscles avant de s'arrêter contre l'os. Avec un cri d'impuissance, le soldat bascula en arrière et s'écroula.

Un autre guerrier l'enjamba et bondit sur l'Inquisitrice, qui répéta sa manœuvre avec succès, lui sectionnant l'artère fémorale. Alors qu'il passait devant elle, emporté par son élan, elle lui flanqua un autre revers de la lame – au jarret, cette fois.

Le premier agresseur beuglait toujours de douleur. Le second tenta de se relever en lâchant une bordée d'injures plus colorées les unes que les autres. Même blessé, il bouillait d'envie de se battre.

Kahlan se souvint d'un des conseils de son père : *Les mots ne déchirent pas la chair. Méfie-toi de l'acier, et ne gaspille pas ton énergie à autre chose.*

Elle manquait de temps pour achever les deux hommes, qui saigneraient probablement à mort dans la neige. Même s'ils survivaient, dans leur état, ils ne risquaient plus de se lancer à sa poursuite.

Se tenant la main, Kahlan et Adie reprirent leur course.

Les poumons en feu, elles zigzaguèrent entre les sapins. Malgré l'effort, la vieille magicienne grelottait de froid, car elle avait perdu son manteau dès le début de l'attaque. Kahlan retira le sien, en peau de loup, et le lui jeta sur les épaules.

— Non, mon enfant ! cria Adie.

— Gardez-le ! ordonna Kahlan. Je suis en sueur, et il entrave mes mouvements.

À vrai dire, son bras droit était si faible que ça ne faisait plus grande différence. La peur seule lui permettait de lever encore son arme. Et pour le moment, ça lui suffisait.

Ignorant dans quelle direction elles allaient, les deux femmes se laissaient guider par l'instinct de survie. Une unique idée leur tenait lieu d'étoile du berger : tourner à droite quand elles avaient envie d'aller à gauche, et inversement.

De toute façon, elles ne voyaient plus rien, car les frondaisons, trop denses, ne laissaient pas filtrer le clair de lune.

Kahlan devait réussir à s'enfuir ! Richard était en danger, et il avait besoin d'elle. Zedd volait à son secours – littéralement – mais quelque chose pouvait mal tourner. S'il n'atteignait jamais Aydindril, il fallait qu'elle y arrive !

L'Inquisitrice écarta les branches d'un sapin et déboula dans une petite clairière dont le vent avait chassé presque toute la neige.

Deux chevaux barraient la route aux fugitives.

Sur sa selle, Tobias Brogan, le seigneur général du Sang de la Déchirure, leur fit un sourire cruel. Près de lui, une femme en haillons multicolores tira sur les rênes de sa monture pour l'empêcher de piaffer.

— Qui avons-nous donc là ? demanda Brogan en se lissant la moustache.

— Deux innocentes voyageuses, lâcha Kahlan d'une voix glaciale. J'ignorais que le Sang de la Déchirure détroussait les pauvres femmes, de nos jours. Et massacrait leurs compagnons.

— Pour des pauvres femmes, vous vous posez plutôt là ! À deux, vous avez abattu plus d'une centaine de mes hommes.

— Nous l'avons fait pour nous défendre, puisque le Sang de la Déchirure, désormais, s'en prend à des inconnus qui ne lui ont rien fait.

— Des inconnus ? Kahlan Amnell, la reine de Galea, n'est pas une inconnue pour moi. J'en sais très long sur toi, chienne !

Les phalanges de l'Inquisitrice blanchirent sur la garde de son épée.

Brogan fit avancer son étalon gris pommelé. Appuyé à l'encolure de l'animal, il riva son regard de dément sur sa proie.

— Kahlan Amnell, je te vois telle que tu es. C'est la Mère Inquisitrice qui se tient devant moi !

La jeune femme se pétrifia, le souffle coupé. Comment pouvait-il le savoir ? Zedd avait-il levé le sortilège ? Ou lui était-il arrivé malheur ? Esprits du bien vénérés, s'il était mort…

Hurlant de rage, Kahlan leva son épée et chargea.

La femme en haillons tendit aussitôt une main. Gémissant sous l'effort, Adie érigea un bouclier qui dévia le « poing d'air » lancé par la cavalière. À une seconde près, l'Inquisitrice aurait été coupée en deux par l'impact.

La lame de Kahlan décrivit un arc de cercle, s'abattit sur la jambe du cheval de Brogan, fendit la chair et fracassa les os.

L'animal s'écroula en hennissant de douleur. Désarçonné, Brogan vola dans les airs et s'écrasa au milieu des arbres. Simultanément, une sphère de flammes invoquée par Adie s'enroula autour de la tête de l'autre monture. Paniquée, elle se cabra et envoya la magicienne en haillons s'écraser dans la neige.

Kahlan prit la main d'Adie et recommença à courir entre les arbres. Partout, des hommes et des chevaux se frayaient un chemin dans la végétation…

L'Inquisitrice gardait un atout dans sa manche : son pouvoir, qu'elle utiliserait en dernier recours. Après l'avoir déchaîné, elle devait attendre plusieurs heures pour s'en resservir. Un exploit, comparé à ses collègues, qui avaient besoin d'un jour ou deux. Cette caractéristique faisait d'ailleurs de Kahlan une des plus puissantes Inquisitrices qui eût jamais arpenté le monde.

Pourtant, ce don ne suffirait pas… Une seule possibilité de frapper, face à tant d'adversaires…

— Adie, réussit à haleter Kahlan, s'ils nous rattrapent, essaye de ralentir une des femmes, si tu le peux encore.

La dame des ossements n'eut pas besoin d'explications supplémentaires. Désormais, il était clair que les deux femmes qui les traquaient contrôlaient la magie. Si Kahlan devait utiliser son pouvoir, il n'aurait pas de cible plus efficace qu'une des magiciennes…

L'Inquisitrice fit un écart pour éviter un rayon mortel. Derrière elle, un arbre s'écroula comme s'il avait été foudroyé.

La seconde femme, celle qui marchait à pied, se dressait sur le chemin des fugitives. À ses côtés, une créature mi-homme mi-serpent brandissait une arme étrange.

Kahlan entendit un cri de terreur et s'avisa, stupéfaite, qu'il venait de sortir de sa gorge.

— J'en ai assez de ce jeu idiot ! cria la femme.

Son compagnon devait être un mriswith. En tout cas, il correspondait à la description détaillée de Richard.

Adie continua d'avancer. Elle bombarda d'éclairs son adversaire, qui les dévia d'une série de gestes nonchalants. À bout de force, la dame des ossements tituba puis s'écroula, son feu magique dispersé dans la neige.

La femme se pencha, saisit Adie par le poignet et la tira sur le côté, comme un poulet qu'on a décidé de plumer plus tard.

Kahlan leva son arme et frappa.

Le mriswith s'interposa, jailli de nulle part comme une bourrasque, et para le coup avec son curieux couteau à trois lames.

Son épée arrachée de la main, l'Inquisitrice tomba à genoux, le bras droit aussi douloureux que si elle avait essayé de briser un mur à mains nues. Quand elle releva les yeux, elle vit la magicienne, à deux pas d'elle, tendre un bras menaçant. L'air miroita.

Kahlan eut l'impression qu'on venait de la gifler.

Du sang ruisselant sur les yeux, elle vit sa tortionnaire lever de nouveau la main, les doigts pliés comme des serres.

La magicienne écarta soudain les bras comme si elle venait de recevoir un fantastique coup dans le dos. À l'évidence, Adie venait d'épuiser tout ce qu'il lui restait de force. Projetée en avant, la femme arriva à portée de main de l'Inquisitrice, qui lui saisit le poignet au vol pour l'empêcher d'attaquer de nouveau.

À présent, le piège s'était refermé sur la magicienne, et elle n'en sortirait pas indemne. Sous les yeux de Kahlan, alors que le temps ralentissait son cours, sa proie parut comme suspendue dans l'air.

L'Inquisitrice se concentra, certaine de tenir la victoire.

Affolée, la magicienne se débattit en vain. Immergée au centre même de son être – un lieu serein où naissait sa magie – Kahlan dominait la situation. Son adversaire n'avait aucune chance.

Le pouvoir envahit le corps de Kahlan, avide de se déchaîner.

Flottant hors du temps et de l'espace, la jeune femme l'y autorisa.

Un étrange roulement de tonnerre silencieux fit vibrer l'air.

Puis il le déchira, l'onde de choc semblant l'ébranler jusqu'aux étoiles, comme si un poing géant avait frappé le ciel nocturne.

Les arbres tremblèrent et un tourbillon de neige monta du sol.

Du coin de l'œil, Kahlan vit le mriswith étendu dans la neige.

Cessant de résister, la femme leva humblement les yeux.

— Maîtresse, ordonne et je t'obéirai !

Des soldats accouraient et le monstre se relevait déjà.

— Protège-moi !

La magicienne se redressa et tendit un bras.

Alors, la nuit devint un enfer de feu et de sang.

Des rayons déchiquetèrent les troncs d'arbres, envoyant voler alentour des échardes de bois et une fumée noire. Aussi impuissants que les malheureux sapins, des hommes explosèrent dans un geyser d'entrailles, de sang et de fluides noirs. La plupart n'eurent même pas le temps de crier. De toute manière, le vacarme de fin du monde aurait couvert leurs hurlements.

Le mriswith sauta sur Kahlan. Frappé en plein vol par un rayon, il explosa, ses écailles éparpillées autour de lui comme les plumes d'un oiseau foudroyé par la pierre d'une fronde.

Partout, les flammes rugissaient, consumant les chairs et les os.

Kahlan essuya le sang qui lui maculait les yeux et tenta d'analyser ce qui se passait autour d'elle. Elle devait fuir cet enfer, mais pas avant d'avoir localisé Adie.

En avançant, elle heurta quelque chose et pensa d'abord qu'il s'agissait d'un tronc d'arbre. Quand une main se referma sur ses cheveux, elle voulut invoquer son pouvoir.

Hélas, il l'avait fui, au moins pour un temps...

L'Inquisitrice cracha du sang. Les oreilles bourdonnantes, submergée par un raz-de-marée de douleur, elle s'écroula, aussi sonnée que si un arbre s'était abattu sur sa tête.

— Lunetta, dit une voix au-dessus d'elle, arrête immédiatement cette absurdité !

Kahlan réussit à tourner la tête dans la neige. À dix pas d'elle, la magicienne qu'elle avait touchée avec son pouvoir sembla gonfler comme une baudruche. Puis ses bras, comme des flèches, jaillirent dans deux directions, laissant un rideau de sang à l'endroit où elle s'était tenue.

Kahlan aurait voulu se laisser aller dans la neige dont le contact engourdissait déjà ses membres. Mais elle ne devait pas abandonner ! Pour Richard, pour Adie, pour le monde...

Elle se mit à genoux et dégaina son couteau.

D'un coup de botte dans le ventre, Brogan la renvoya au sol, où elle tenta de reprendre son souffle, le regard rivé sur les lointaines étoiles, au-dessus d'elle.

Elle ne parvenait plus à respirer ! Son diaphragme se contractait douloureusement, sans aucun effet sur ses poumons, qui semblaient décidés à se passer définitivement d'oxygène.

Brogan s'agenouilla, la tira par sa chemise et la secoua. Enfin, elle inspira de nouveau, ce qui lui valut une atroce quinte de toux.

— Le plus beau trophée de l'univers ! s'écria le seigneur général. La chienne préférée du Gardien, pour toujours à ma merci ! Mère Inquisitrice, si tu savais combien j'ai rêvé de ce jour ! (D'un revers de la main négligent, il gifla sa proie.) Mais tu ne peux pas comprendre ce genre de choses, vermine !

Alors que Brogan lui arrachait son couteau, Kahlan lutta pour ne pas perdre connaissance. Pour combattre encore, elle avait besoin de toute sa lucidité.

— Lunetta ! cria Brogan.

— Je suis là, seigneur général !

Écartant les bras de l'Inquisitrice, Brogan saisit les pans de sa chemise et la déboutonna avec une brutalité volontairement exagérée.

— Lunetta, nous devons la soumettre avant que son pouvoir se régénère ! Ensuite, nous aurons tout le temps de l'interroger à notre façon... Avant de l'exécuter, bien entendu !

Tobias se pencha et enfonça un genou dans le ventre de Kahlan pour la maintenir au sol. Continuant à lutter pour inspirer, elle cria quand il lui pinça violemment le mamelon gauche.

De l'autre main, le seigneur général dégaina une dague.

Les yeux écarquillés, l'Inquisitrice vit un étrange objet gris acier briller devant le rictus du seigneur général. À la lueur du clair de lune, elle s'aperçut qu'il s'agissait d'un curieux couteau à trois lames. Pâle comme la mort, Brogan leva les yeux vers le mriswith qui les dominait de toute sa taille.

— Lâche-la, siffla le monstre, ou je t'étripe !

Dès que le seigneur général eut obéi, Kahlan tira les pans de sa chemise sur sa poitrine, atrocement douloureuse. Des larmes ruisselèrent sur ses joues maculées de sang.

— Qu'est-ce que ça veut dire ? rugit Brogan. Cette chienne est à moi, et le Créateur désire que je la punisse.

— Si tu n'obéis pas à celui qui marche dans les rêves, tu mourras !

— Et il veut que je l'épargne ? (Le mriswith hocha la tête.) Je ne comprends pas...

— Tu contestes ses ordres ?

— Bien sûr que non, émissaire sacré. Il en sera fait selon sa volonté.

Kahlan tarda à se relever, espérant que le prochain ordre serait de la laisser partir. Brogan s'écarta d'elle et recula.

Un autre mriswith approcha, tirant Adie par un bras. Sans ménagement, il la jeta sur le sol à côté de l'Inquisitrice.

La magicienne posa une main rassurante sur le bras de son amie pour lui signaler qu'elle allait bien malgré ses coupures et ses contusions. Puis elle l'aida à s'asseoir.

Kahlan avait mal partout. Sa mâchoire la lançait, son ventre la torturait et son crâne semblait sur le point d'exploser. Elle battit des cils, car du sang coulait toujours sur ses yeux.

Un des mriswiths choisit deux gros anneaux parmi ceux qui pendaient à une lanière, autour de son poignet, et les tendit à la magicienne en haillons – Lunetta, comme l'avait appelée Brogan.

— L'autre femme est morte… Tu dois le faire à sa place.

— Faire quoi ?

— Utiliser ton don pour leur mettre ces colliers autour du cou. Ainsi, nous les contrôlerons.

Lunetta tira sur un des anneaux, qui s'ouvrit comme par magie. Surprise, mais également ravie, elle se pencha vers Adie.

— Par pitié, ma sœur, murmura la dame des ossements dans leur antique langue natale, je viens du même pays que toi. Aide-nous !

Lunetta hésita.

— *Streganicha* ! cria Brogan en lui flanquant un coup de pied dans les côtes. Dépêche-toi d'accomplir la volonté du Créateur !

La vieille femme referma le collier autour du cou d'Adie puis procéda à la même opération sur Kahlan – qui n'en crut pas ses yeux quand la pauvre folle lui fit un sourire de gamine timide.

Dès que Lunetta se fut écartée, l'Inquisitrice porta une main à sa gorge et fit le tour du collier, à la recherche d'une quelconque brisure. Il n'y en avait plus, ce qui confirma ses soupçons. Il s'agissait d'un Rada'Han semblable à celui que les Sœurs de la Lumière avaient imposé à Richard pour contrôler son pouvoir. Avec cet objet autour du cou, pensa-t-elle amèrement, il n'y avait aucune chance qu'elle récupère le sien dans quelques heures.

Quand on la poussa vers le coche, en compagnie d'Adie, l'Inquisitrice vit qu'Ahern avait survécu. Un mriswith le tenait en respect avec ses trois lames…

Le cocher avait conseillé à Kahlan, Adie et Orsk de sauter en marche, dans un tournant. Et il s'était fait fort d'entraîner leurs poursuivants loin d'eux. Une idée intelligente et courageuse qui n'avait servi à rien.

L'Inquisitrice se félicita d'avoir envoyé tous les autres à Ebinissia, comme le prévoyait le plan d'origine. Jebra étant chargée de veiller sur Cyrilla, les soldats avaient mission d'aider la ville à renaître de ses cendres.

La sœur de Kahlan était en sécurité. Quoi qu'il arrive, Galea aurait toujours une reine.

Le capitaine Ryan et ses hommes avaient échappé à un sort atroce, car les mriswiths les auraient étripés les uns après les autres, comme le pauvre Orsk.

Kahlan était désolée pour l'ancien guerrier de l'Ordre Impérial, même s'il avait cent fois mérité la mort dans sa vie antérieure.

Du bout d'une patte, un mriswith lui fit signe d'embarquer dans le véhicule. Un autre poussa Adie vers la portière. Après une brève conversation avec son frère, Lunetta monta aussi et s'assit sur la banquette, en face des deux amies. Un mriswith vint prendre place à côté de la magicienne déguisée en épouvantail, à l'évidence pour surveiller les prisonnières.

Kahlan reboutonna sa chemise et essuya le sang coagulé sur ses yeux. Dehors, elle entendit des bribes de conversation où il était question de remplacer les patins du véhicule par des roues.

Par la fenêtre, elle vit Ahern, sous la menace d'une arme, grimper sur le banc du cocher. Un soldat en cape pourpre et un mriswith le suivirent.

Où les conduisait-on ? se demanda Kahlan, tremblant de rage. Elle était si près de Richard ! Bon sang, ce n'était pas juste !

Adie lui posa une main sur la cuisse et la tapota pour la réconforter sans éveiller l'attention de leurs ravisseurs.

Le mriswith se pencha vers elles.

— Si vous tentez de fuir, je vous couperai les tendons d'Achille, dit-il. Vous comprenez ?

Kahlan et Adie firent signe qu'elles avaient saisi.

— Et si vous parlez, je vous trancherai la langue.

Elles acquiescèrent de nouveau.

— Grâce au collier, dit-il en se tournant vers Lunetta, ton don peut neutraliser leur pouvoir. Je vais te montrer. (Il posa une main sur le front de la *streganicha*.) Tu as compris ?

— Oui, répondit la sœur de Brogan, souriante. Je vois…

Adie grogna de douleur. Kahlan sentit sa poitrine se serrer à l'endroit où elle avait toujours imaginé que se nichait son pouvoir.

Le récupérerait-elle un jour ? Au moins, ayant déjà été coupée de son don – par un sorcier keltien qui l'avait abusée – elle savait à quoi s'attendre. Et l'expérience n'avait rien de plaisant.

— La plus jeune saigne, dit le mriswith à Lunetta. Guéris-la ! Mon frère de peau ne sera pas content si elle est couturée de cicatrices.

Kahlan entendit Ahern siffler puis faire claquer son fouet. Le coche s'ébranla au moment où Lunetta se penchait pour exécuter les ordres du monstre.

Esprits du bien vénérés, où les conduisait-on ?

# Chapitre 40

Ses yeux picotant à cause des larmes, Anna ne s'indigna pas quand un gémissement s'échappa de sa gorge. Depuis longtemps, elle avait renoncé à sa stupide détermination de ne pas pleurer. À part le Créateur, qui s'en soucierait, si par hasard on l'entendait ?

Valdora leva le couteau rouge de sang.

— Ça fait mal ? (Elle gloussa comme une fillette qui s'amuse à arracher les ailes d'un insecte.) Alors, tu aimes être impuissante entre les mains de quelqu'un d'autre ? C'est ce que tu m'as fait, sais-tu ? Tu as choisi la façon dont je crèverais – à petit feu, en l'occurrence. Tu m'as volé ma vie, et la jeunesse que j'aurais gardée si longtemps, au palais. Bref, tu m'as condamnée à mort.

Anna sursauta quand la pointe du couteau s'enfonça entre ses côtes.

— Je t'ai posé une question, Dame Abbesse ! Tu aimes ça ?

— À mon avis, pas plus que toi, jadis…

— Excellente réponse ! Je veux que tu connaisses la douleur que j'ai supportée pendant toutes ces années.

— Tu te trompes, Valdora. Je ne t'ai pas condamnée à mourir, mais à vivre une vie normale, c'est tout. Tu étais libre de la réussir, avec ce que le Créateur t'avait donné, comme n'importe qui dans ce monde. N'oublie pas que j'aurais pu te faire exécuter.

— Pour avoir lancé un sort ? Ne suis-je pas une magicienne ? Le Créateur m'a offert ce pouvoir, et je m'en suis servie.

Bien que le débat fût truqué depuis le début, Anna l'alimenta, parce que c'était toujours mieux que les séances de boucherie que lui infligeait Valdora.

— Tu t'en es servie, oui, mais pour obtenir des autres ce qu'ils ne t'auraient pas donné volontairement. Tu leur as volé leur affection, leur cœur et leur vie. C'est un crime ! Tu te régalais de leur dévotion, comme on se gave de confiseries dans une fête foraine. Valdora, tu liais un homme à toi avec un sort de séduction, puis tu le rejetais pour t'attaquer à un autre.

La pointe du couteau s'enfonça de nouveau dans la chair d'Annalina.

— Et tu m'as bannie !

— Combien de vies as-tu ruinées, Valdora ? Nous t'avons conseillée, avertie et punie. Tu as continué, te moquant de nous ! Ton exclusion n'est pas tombée du ciel, et tu le sais.

Anna grimaça de douleur. Ses épaules lui faisaient de plus en plus mal, et ça ne risquait pas de s'arranger. Étendue sur une table, nue comme un ver, elle avait les mains liées au-dessus de la tête – par magie, bien sûr – et les chevilles aussi solidement entravées. Le sortilège lui blessait davantage la peau qu'une corde de chanvre. Dans cette position, elle était aussi impuissante qu'un cochon pendu par les pattes arrière pour être égorgé.

Valdora avait utilisé un sort, appris, le Créateur seul savait où, pour neutraliser le Han de sa victime. Anna le sentait toujours à portée de sa main, mais inaccessible, tel un bon feu qu'on voit brûler derrière la fenêtre d'une maison, par une nuit glaciale.

Anna jeta un coup d'œil vers l'unique petite fenêtre de la salle aux murs de pierre. L'aube approchait. Pourquoi n'était-*il* pas encore venu ? Il était censé voler à son secours, pour qu'elle puisse le capturer. Mais il ne s'était pas montré…

La nuit n'était pas tout à fait finie. Il pouvait encore venir.

*Cher Créateur, fais qu'il ne tarde plus trop !*

À moins que… Et si ça n'était pas le bon jour ? Si Nathan et elle avaient mal calculé ?

Anna maîtrisa sa panique. C'était impossible. Ils avaient vérifié cent fois, et il n'y avait pas d'erreur. De plus, les événements étaient conformes à la prophétie. Et c'étaient eux, plus que les dates, qui comptaient. Si elle avait été agressée par Valdora une semaine plus tôt, ça n'aurait rien changé. Aujourd'hui, hier, demain… L'important était qu'une prophétie se réalise.

Mais où était-il ?

Anna sursauta en découvrant que Valdora n'était plus debout à côté d'elle. Elle aurait dû continuer de parler, pour la distraire…

Elle se tordit de douleur quand la lame du couteau découpa une lanière de chair sous son pied gauche, comme si elle avait été un vulgaire rôti. Ruisselante de sueur, Anna ne put s'empêcher de hurler quand sa tortionnaire répéta l'opération.

Lentement, Valdora continua à lui débiter en tranches le dessous du pied.

Anna tremblait convulsivement, la tête oscillant de droite à gauche. Debout dans un coin, la petite fille, Holly, la regardait fixement.

Anna sentit une larme perler à un de ses yeux, couler sur l'arête de son nez, glisser dans son autre œil et tomber enfin sur la table. Terrifiée, elle se demanda ce que Valdora enseignait à la pauvre enfant. Soumise à ce régime, la gamine finirait par avoir un cœur de pierre…

— Tu vois, Holly, dit la sœur déchue en brandissant une lanière de chair, ça va tout seul, si on procède comme je t'ai dit. Tu aimerais t'entraîner un peu, ma chérie ?

— Grand-mère, nous sommes obligées de lui faire ça ? Elle n'a pas tenté de nous nuire, contrairement aux autres. Je crois qu'elle est… différente.

— Tu te trompes, mon enfant, répondit Valdora en brandissant son couteau. Elle a gâché ma vie en me volant ma jeunesse.

Holly regarda de nouveau Anna, qui se tordait toujours de douleur. Cette enfant avait un visage étrangement calme, pour un être si jeune. Elle aurait pu être une formidable novice, et, plus tard, une Sœur de la Lumière de première qualité.

— Elle m'a donné une pièce d'argent, grand-mère. Je n'ai rien contre elle, et ce que tu lui fais ne m'amuse pas. Nous devrions arrêter !

— Ça, il n'en est pas question ! Écoute ce que te dit ta grand-mère : elle a mérité son sort !

Holly ne se démonta pas.

— Être plus vieille que moi ne te donne pas automatiquement raison. Je ne veux plus voir ça ! Un peu d'air frais me fera du bien.

— Ne te gêne pas, ma chérie… Au fond, c'est une affaire entre la Dame Abbesse et moi. Si tu n'as pas envie d'apprendre, va donc jouer dehors !

Holly ne se le fit pas dire deux fois.

Anna aurait voulu l'embrasser pour la féliciter de son courage.

— Enfin seules, Dame Abbesse ! Allons-nous entrer dans le vif du sujet, si j'ose dire ? (Pour ponctuer sa sinistre plaisanterie, elle enfonça plusieurs fois la pointe du couteau dans le flanc de sa victime.) L'heure de mourir approche, Annalina. À mon avis, j'adorerai tes cris d'agonie. On parie ?

— Par là ! cria Zedd. Une lumière brille dans la Forteresse.

Il tenta de tendre un bras, un exploit dans sa position actuelle.

Bien que l'aube approchât, il faisait encore assez sombre pour repérer les lueurs jaunes qui dansaient derrière plusieurs fenêtres.

Obéissant, Gratch piqua vers leur cible.

— Fichtre et foutre, marmonna le vieux sorcier, si ce jeune crétin est déjà dans les lieux, il…

Le garn grogna en entendant cette référence peu flatteuse à Richard. Le dos pressé contre la poitrine du monstre, Zedd sentit ses pectoraux frémir. Vaguement inquiet, il jeta un coup d'œil vers le sol, encore à une distance considérable.

— Je dois le sauver, Gratch ! C'est… hum… ce que je voulais dire. Si Richard a des ennuis, il faut que j'intervienne.

Le garn couina de satisfaction.

Zedd espérait que son petit-fils ne s'était pas fourré dans le pétrin. Après une semaine à maintenir le sort qui le rendait plus léger, il ne se sentait pas très vaillant. Heureusement qu'ils étaient arrivés, sinon, les choses auraient pu mal tourner. Sans quelques jours de repos, sauver quiconque semblait hors de question…

— J'aime aussi Richard, Gratch, affirma le vieil homme en tapotant le bras de son compagnon ailé. Nous l'aiderons et nous le protégerons, c'est juré. Eh, Gratch, regarde un peu où tu vas ! Ralentis, bon sang !

Zedd leva les bras pour se protéger le visage. Le garn piquait vers les remparts, et il semblait impossible qu'il se pose dans de bonnes conditions. Entre ses doigts, le vieil homme vit la pierre approcher à une vitesse alarmante.

Le garn battit des ailes, tentant désespérément de ralentir leur chute.

Zedd comprit ce qui se passait. Épuisé, il ne parvenait plus à maintenir son sort, et devenait beaucoup trop lourd pour le pauvre garn. Résolu à ne pas mourir aussi bêtement, il *retint* littéralement le sortilège, comme on rattrape de justesse un œuf qui roule vers le bord d'une table.

Juste à temps, il empêcha la magie de basculer dans le gouffre.

Soudain plus léger, le garn parvint à battre assez fort des ailes pour stabiliser leur descente, puis la ralentir. Avec une grâce étonnante, considérant son poids et sa taille, il se posa en douceur sur les remparts et lâcha aussitôt le sorcier.

— Désolé, mon vieux, j'ai failli laisser échapper mon sort. À un cheveu près, on se serait fait très mal.

Le garn lâcha un grognement distrait. Ses yeux verts sondant les ténèbres, il se demandait visiblement où aller. La Forteresse était immense et il y avait des milliers d'endroits où s'y cacher.

Gratch émit un grognement plus affirmé. Si le vieux sorcier ne voyait rien, son compagnon avait à l'évidence repéré quelque chose.

Sans crier gare, il rugit et bondit vers…

… Rien de visible. Pourtant, ses coups de griffes et de crocs semblaient viser des cibles bien réelles.

Peu à peu, Zedd distingua des silhouettes dans la pénombre. Cape flottant sur les épaules, plusieurs créatures entouraient le garn.

Des mriswiths, armés de leurs couteaux à trois lames.

Gratch faisait un massacre, les déchiquetant à tour de bras. Les tympans agressés par leurs cris d'agonie, Zedd sentit un frisson glacé courir le long de sa colonne vertébrale.

Captant un courant d'air, non loin de lui, il tendit une main et lança une boule de feu qui embrasa la cape d'un mriswith résolu à prendre Gratch à revers.

Les remparts grouillaient de monstres. Puisant dans le peu de pouvoir qu'il lui restait, le vieil homme invoqua une muraille d'air qui fondit sur quelques mriswiths et les envoya basculer dans le vide.

Gratch en expédia un contre la muraille – si fort qu'il explosa à l'impact.

Zedd n'était pas préparé à une bataille en règle. Dans cet état d'épuisement, son imagination d'habitude si fertile lui faisait défaut. À court d'idées, il se contentait de sorts d'air et de feu tout ce qu'il y avait d'élémentaire.

Un mriswith se tourna soudain vers lui, ses armes levées. Zedd lui expédia un « tranchant d'air » aussi acéré qu'une hache. Proprement décapité, le monstre bascula en arrière.

Le vieux sorcier utilisa une Toile très classique pour séparer un groupe de monstres du garn et les envoyer se jeter tête la première dans le vide.

Sur ces remparts, cela impliquait une chute de plusieurs milliers de pieds…

La plupart des mriswiths, concentrés sur le garn, ne prêtaient aucune attention à Zedd. Pourquoi tenaient-ils tant à tuer le garn ? Vu la dérouillée qu'il leur flanquait, ils devaient sacrément le haïr, pour s'obstiner ainsi.

Une porte s'ouvrit, laissant filtrer un peu de lumière jaune.

Avançant d'un pas, une petite silhouette regarda les mriswiths se ruer en masse sur Gratch.

Zedd se jeta dans la mêlée et lança un jet de feu de sorcier qui carbonisa sur pattes trois monstres couverts d'écailles.

Un mriswith percuta le sorcier, l'envoyant s'écraser sur le sol. Avant que sa tête heurte la pierre, le vieil homme eut le temps de voir une grappe de monstres se jeter sur le dos du garn.

Ils basculèrent tous ensemble dans le gouffre.

Valdora se redressa d'un bond quand la porte s'ouvrit à la volée. Anna en profita pour reprendre son souffle et combattre les ténèbres qui menaçaient d'envahir son esprit.

Elle ne résisterait plus longtemps. La fin approchait, inéluctable. Incapable de crier, les yeux vidés de leurs larmes, elle allait succomber trop tôt.

*Cher Créateur, pourquoi n'est-il pas venu à mon secours ?*

— Grand-mère, souffla Holly, il est arrivé quelque chose !

Rouge comme une pivoine, l'enfant s'efforçait de tirer un lourd fardeau dans la petite pièce.

— Où l'as-tu trouvé ? demanda Valdora.

Anna réussit à lever assez la tête pour voir ce que traînait la gamine. Un vieillard squelettique vêtu d'une curieuse tunique, dont Holly avait empoigné une manche. Du sang sur les tempes, les cheveux blancs en bataille, l'homme semblait plus mort que vif.

— C'est un sorcier, grand-mère ! Je crois qu'il agonise. Sur les remparts, je l'ai vu se battre contre un garn et des dizaines de créatures couvertes d'écailles.

— Pourquoi serait-il un sorcier ?

Holly lâcha la manche du vieillard et se redressa.

— Je l'ai vu envoyer des boules de feu !

— Vraiment ? Mais c'est fascinant, ma chérie ! (Valdora se gratta distraitement le nez.) Qu'est-il arrivé au garn et aux autres monstres ?

— À la fin, ils sont tombés dans le vide ! Je suis allée au bord, pour voir, mais ils avaient disparu. Tu crois qu'ils se sont écrasés au pied de la montagne ?

Anna laissa retomber sa tête, accablée. L'homme censé venir à son secours était un sorcier…

Elle allait mourir pour rien ! Sa vanité l'avait poussée à prendre des risques insensés. Maintenant, il lui fallait payer l'addition. Nathan avait eu raison dès le début…

Elle se demanda si le Prophète trouverait son cadavre, ou s'il se demanderait jusqu'à la fin de ses jours ce qui lui était arrivé. À moins qu'il ne danse de joie à l'idée d'être débarrassé de sa geôlière !

Décidément, elle était une vieille idiote qui avait cru être plus futée que tout le monde. À force de se frotter aux prophéties, on finissait par se piquer. Nathan était un authentique sage, et elle aurait dû l'écouter.

Valdora se pencha sur sa proie, lui plaquant la pointe de son couteau sur la gorge.

— Désolée, chère Dame Abbesse, mais je vais devoir m'occuper d'un sorcier…

Anna sentit sa peau céder sous la pression de l'acier.

— Valdora, fais sortir Holly. Ne la laisse pas assister à ça, je t'en prie !

— Tu as envie de regarder, n'est-ce pas, ma chérie ? demanda la sœur déchue, la tête tournée vers l'enfant.

— Non, grand-mère. Elle ne nous a rien fait !

— C'est faux. Je te l'ai déjà dit…

À court d'argument, Holly désigna le vieil homme évanoui.

— Je l'ai amené pour que tu l'aides.

— Impossible, ma petite ! Il mourra aussi.

— Et que t'a-t-il fait de mal ?

— Si le spectacle ne te plaît pas, soupira Valdora, agacée, va voir ailleurs si j'y suis ! Je ne t'en voudrais pas…

Holly fit volte-face, regarda un moment le vieil homme, se pencha pour lui toucher gentiment l'épaule et sortit en courant.

Valdora se pencha de nouveau sur sa proie.

— J'ai une idée, annonça-t-elle avant de poser la pointe du couteau sous l'œil droit d'Anna. Si je t'énucléais avant de t'égorger ?

Anna baissa les paupières, incapable d'en voir davantage.

— Tricheuse ! cria Valdora. (Elle replaça la pointe du couteau sous le menton de la Dame Abbesse.) Ne ferme pas les yeux ! Tu dois voir ce qui se passe ! Obéis, ou je te les fais sauter pour de bon !

Anna capitula. Se mordant les lèvres, elle regarda Valdora – qui venait encore de changer d'idée – positionner la pointe de l'arme à l'aplomb de son cœur.

— La vengeance, enfin, murmura-t-elle.

Elle leva le couteau… mais ne l'abattit jamais.

La pointe d'une épée jaillit de sa poitrine, lui arrachant un cri de terreur. Les yeux écarquillés, elle lâcha son couteau, regarda un instant la lame qui venait de lui transpercer le cœur et se pétrifia.

Nathan lui posa une botte sur les reins et dégagea son épée.

La sœur déchue s'écroula comme une poupée de chiffon.

Anna soupira de soulagement. Contre toute attente, de nouvelles larmes perlèrent à ses paupières quand les liens magiques se volatilisèrent.

— Vieille folle, marmonna Nathan en approchant de la table, dans quel pétrin t'es-tu encore fourrée ?

Il se pencha, la prit dans ses bras et la berça tandis qu'elle pleurait comme une enfant, plus en sécurité que dans la Lumière du Créateur.

Quand elle se calma, il la lâcha.

Anna vit que la chemise du Prophète était rouge de sang.

Le sien !

— Rends-moi accès à mon Han, dit Nathan, rallonge-toi et voyons si je peux réparer les dégâts.

— Non. D'abord, je dois accomplir ma mission. (Elle désigna le vieillard inconscient.) C'est lui, le sorcier que nous sommes venus capturer.

— Et ça ne peut pas attendre ?

— Nathan, j'ai failli mourir sur la foi de cette prophétie. Au point où j'en suis, je préfère en finir. Ne discute pas, je t'en prie…

L'air dégoûté, le Prophète ouvrit la bourse pendue à sa ceinture, près du fourreau de son épée, et en sortit un Rada'Han qu'il tendit à Anna. Elle le prit, se leva péniblement et faillit s'évanouir de douleur quand ses pieds nus touchèrent le sol.

Nathan l'aida à s'agenouiller près du sorcier.

— Mon ami, s'il te plaît, ouvre le collier. Valdora m'a brisé tous les doigts.

Quand le Rada'Han fut ouvert, Anna le plaça autour du cou maigrichon du vieillard, poussa avec les paumes et parvint à le refermer.

La magie du sorcier neutralisée, la prophétie était accomplie.

— Grand-mère est morte ? demanda Holly d'une toute petite voix.

Debout sur le seuil de la porte, elle regardait le carnage, son visage décomposé par le chagrin.

— Oui, ma chérie, répondit Anna. Je suis désolée. (Elle tendit une main.) Que dirais-tu d'assister à une guérison, pour changer un peu ?

L'enfant approcha et prit la main de la Dame Abbesse.

— Et le sorcier ? Vous le soignerez aussi ?

— Bien sûr…

— C'est pour ça que je l'ai amené. Pas pour qu'il meure. Grand-mère aidait parfois les gens. Elle n'était pas toujours méchante.

— Je sais, ma chérie…

— Que vais-je devenir, maintenant ? gémit Holly.

Anna sourit à travers ses larmes.

— Je suis Annalina Aldurren, Dame Abbesse des Sœurs de la Lumière. Depuis que je suis à ce poste, et ça ne date pas d'hier, je me suis occupée de beaucoup de petites filles comme toi. Au palais, elles ont appris à devenir des femmes extraordinaires qui soulagent et guérissent les gens. Je serais très heureuse que tu te joignes à nous, Holly.

La fillette eut un pâle sourire.

— Grand-mère prenait bien soin de moi, mais elle faisait parfois du mal aux gens. Souvent parce qu'ils avaient tenté de nous escroquer ou de nous maltraiter. Toi, tu ne nous as jamais menacées. Elle a eu tort de te faire mal. Je regrette qu'elle n'ait pas été plus gentille. À cause de sa méchanceté, elle a dû mourir, et j'ai du chagrin…

— Moi aussi, ma chérie. Moi aussi…

— J'ai le don, dit la fillette avec le calme si étonnant qui avait frappé Anna. Tu peux m'apprendre à l'utiliser pour guérir ?

— Ce sera un grand honneur, Holly.

Nathan saisit son épée, qu'il avait posée sur la table, et la rengaina d'un geste théâtral.

— Tu veux bien que je te soigne, Anna ? Attends encore un peu, et je devrais m'essayer à une résurrection, parce que tu auras saigné à mort.

— Guéris-moi, ô mon sauveur ! fit Anna en se relevant péniblement.

— Tu veux que je fasse ça avec mon épée ? Non ? Alors, rends-moi mon pouvoir, femme !

Anna ferma les yeux, se concentra sur le Rada'Han, le frôla du bout des doigts et annula le blocage.

— C'est fait.

— Je sais, vieille idiote ! Tu crois que je n'ai pas senti le Han couler de nouveau en moi ?

— Aide-moi à m'allonger, veux-tu ?

Le Prophète obéit. Holly ne lâcha pas la main d'Anna tandis qu'il la soulevait dans ses bras.

— Voilà, on va pouvoir commencer… (Nathan baissa les yeux sur le vieillard aux cheveux blancs.) Eh bien, tu as fini par l'avoir ! À ma connaissance, on n'a jamais mis un collier à un sorcier du Premier Ordre. À présent que tu as réussi ton coup, vieille imbécile, nous allons voir à quel point ton plan était dingue !

— Je sais, Nathan… (Anna soupira d'aise au contact des mains apaisantes du Prophète.) Mais avec un peu de chance, Verna doit avoir rempli sa partie de la mission, au palais…

# Chapitre 41

Zedd ouvrit les yeux, poussa un petit cri et se redressa comme un ressort qui se déplie. Une main appuya sur sa poitrine, le forçant à se rallonger.

— Du calme, mon vieux ! lança une voix grave.

Le Premier Sorcier étudia l'homme qui venait de le traiter si cavalièrement. Les mâchoires carrées, de longs cheveux blancs, ce fâcheux se pencha et plaqua les mains sur les tempes du convalescent.

— C'est moi que tu appelles « vieux », mon vieux ?

Deux yeux bleus nichés sous des sourcils intimidants pétillèrent de malice quand le type sourit. Son visage avait des caractéristiques troublantes, comme s'il était composé de traits familiers empruntés à plusieurs personnes que Zedd connaissait… ou avait connues.

— Cela dit, tout bien pesé, je dois être nettement plus âgé que toi.

Zedd eut soudain une illumination. Évidemment que ce visage lui paraissait familier ! Bon sang, ça n'avait rien d'étonnant !

Il écarta les mains de l'homme, s'assit sur la table – diantre, que faisait-il allongé là ? – et pointa un index squelettique sur son interlocuteur.

— Tu ressembles à Richard, l'ami ! Comment est-ce possible ?

— C'est un parent à moi, mon vieux.

Le colosse aux cheveux blancs souriait, mais son regard de prédateur restait intimidant.

— Un parent ? Fichtre et foutre ! (Zedd se livra à un examen minutieux.) Grand… Musclé… Des yeux bleus… Le même genre de cheveux… Le menton… Et ces yeux qui tuent ! (Il croisa les bras, l'air buté.) Tu es un Rahl, mon gars, inutile de le nier !

— Je n'oserais pas… Ainsi, tu connais Richard ?

— Un peu, oui ! Figure-toi que je suis son grand-père !

— Son grand-père ? (L'homme s'épongea le front du revers de la main.) Créateur vénéré, dans quel pétrin cette idiote nous a-t-elle fourrés ?

— Une idiote ? Quelle idiote ? J'en ai connu quelques-unes, dans ma vie…

— Permets-moi de me présenter, dit l'homme en se fendant d'une révérence. (Tout à fait convenable, estima Zedd.) Je suis Nathan Rahl. Tu as un nom, mon ami ?

— Parce que nous sommes amis, maintenant ?

Nathan tapota doucement le front du vieux sorcier.

— Je viens de réparer ton crâne, qui était plus fendu qu'une vieille calebasse. Ça tisse des liens, non ?

— On peut voir les choses comme ça… Merci, Nathan. Je m'appelle Zedd. Si ma tête était aussi éclatée que ça, tu dois être plutôt doué dans ta partie.

— Tu avais une sacrée fracture, mais j'ai eu l'occasion de me faire la main, ces derniers temps. Comment te sens-tu ?

Zedd s'examina rapidement.

— Pas mal du tout… Et ma force est revenue. (Se souvenant des derniers événements, il sursauta comme si on lui avait piqué les fesses.) Gratch ! Par les esprits du bien, il faut que je sorte d'ici !

Une nouvelle fois, Nathan plaqua une main sur la poitrine du vieux sorcier.

— D'abord, nous devons avoir une petite conversation, mon ami. Enfin, mon *futur* ami, si les choses tournent bien… En plus d'être des parents de Richard, nous avons d'autres points communs. Hélas, dois-je dire…

— Quel genre de points communs ?

Nathan déboutonna sa chemise – poisseuse de sang, nota Zedd – et glissa un index dans le collier qui lui serrait le cou.

— C'est ce que je pense ? demanda Zedd d'une voix sinistre.

— Tu es assez intelligent pour répondre tout seul, mon vieux. Sinon, on ne t'accorderait pas une telle valeur.

— Et ce « hélas » que nous aurions en commun ? insista Zedd.

Nathan tendit un index et tapota le collier qui entourait le cou du vieil homme.

— Et ça veut dire quoi, cette absurdité ? lança Zedd après avoir tâté sa gorge. Pourquoi m'as-tu fait ça, Nathan ?

— Je n'y suis pour rien, Zedd… C'est elle.

Une vieille femme aux cheveux gris venait d'entrer dans la pièce. Une jolie petite fille lui tenait la main.

— Parfait, parfait…, fit la femme. Je vois que Nathan a réparé les dégâts. Nous étions très inquiets pour vous.

— Vous n'auriez pas dû vous donner cette peine, grogna Zedd.

— Je vous présente Holly, continua la femme, comme si elle n'avait rien entendu. C'est elle qui vous a tiré jusqu'ici. En somme, vous lui devez la vie.

— Je me souviens de l'avoir aperçue, oui… Merci beaucoup, Holly.

— Je suis contente que vous alliez mieux, dit la fillette. Ce garn aurait pu vous tuer.

— Le garn ? Tu l'as vu ? Il s'en est tiré ?

— Non, messire. Il a basculé dans le vide avec les autres monstres.

— Fichtre et foutre…, marmonna Zedd. Cette carpette volante était un ami à moi

— Un ami ? répéta la femme, surprise. Toutes mes condoléances, dans ce cas.

— Pourquoi ai-je un collier autour du cou ? demanda abruptement le vieux sorcier.

— Désolée, mais c'est nécessaire, pour le moment…

— Foutaises ! Retirez-moi ce truc !

— Je comprends votre déplaisir, cher ami, mais je n'en ferai rien – dans l'immédiat, en tout cas. Au fait, nous ne nous sommes pas encore présentés. À qui ai-je l'honneur ?

— Au Premier Sorcier Zeddicus Zu'l Zorander.

— Enchantée… Je suis Annalina Aldurren, Dame Abbesse des Sœurs de la Lumière. Appelez-moi Anna, Zedd, comme tous mes amis.

Les yeux rivés sur Anna, le vieux sorcier sauta de la table.

— Je ne suis pas votre ami, Dame Abbesse. (Annalina recula d'un pas.) Appelez-moi donc « sorcier Zorander », comme tous les gens que je ne porte pas dans mon cœur.

— Du calme, mon vieux…, grogna Nathan.

Zedd tourna la tête et décocha au Prophète un regard qui le fit blêmir.

— Comme il vous plaira, sorcier Zorander, capitula Anna.

— Dame Abbesse, enlevez-moi ce collier sur-le-champ !

— Navrée, mais il n'en est pas question…

Zedd avança, les poings serrés.

Le Prophète voulut s'interposer. Sans tourner la tête, le vieux sorcier tendit un bras, un index brandi. Comme s'il glissait sur de la glace par un jour de grand vent, le pauvre Nathan alla s'écraser contre le mur du fond.

Zedd leva l'autre bras. Aussitôt, la voûte s'illumina, émettant une vive lueur bleue. Dès qu'il baissa la main, un étrange carré de lumière, fin comme une lame de rasoir, descendit lentement vers la table. Évoquant la surface d'un lac paisible, la lumière volante se décala sur le côté puis vint se poser sur le sol, où elle se transforma en une flaque bouillonnante. L'éruption calmée, ce magma se solidifia en une masse de petits points brillants d'où jaillirent des éclairs blancs.

Ces lances de feu de sorcier rampèrent le long des murs, emplissant la pièce d'une odeur âcre. Obéissant au mouvement circulaire que Zedd imprima à son index, un essaim d'éclairs se détacha des cloisons pour venir percuter le maudit collier.

Le sol vibra et de la poussière arrachée aux pierres tourbillonna dans l'air.

Soulevée du sol, la table explosa en un nuage de particules qui vint se mêler à la lumière tourbillonnante. Avec un bruit d'enfer, des blocs de pierre commencèrent à se détacher des murs.

Bien qu'il fût quasiment ivre de pouvoir, Zedd s'aperçut que ça ne marchait pas. Le collier absorbait ses assauts sans se briser. Le vieil homme baissa le bras pour mettre un terme à la tempête de magie. Furieux, il regarda autour de lui. D'énormes blocs de pierre saillaient des murs, en équilibre instable. Noir comme du charbon, le sol était carbonisé. Pourtant, personne n'était blessé ou brûlé.

Pendant sa démonstration de force, Zedd avait utilisé le vortex lumineux pour analyser en profondeur la Dame Abbesse, la petite fille et Nathan. Ayant pris la mesure de leur pouvoir à tous, il connaissait désormais leurs forces et leurs faiblesses.

Si Annalina Aldurren n'avait pas fabriqué le collier – à l'évidence l'œuvre de plusieurs sorciers – elle était parfaitement à même de s'en servir.

— Vous en avez terminé ? demanda-t-elle.

Non sans satisfaction, Zedd nota qu'elle ne souriait plus.

— Je n'ai pas encore commencé, au contraire !

Le vieil homme leva les bras, prêt à invoquer assez de pouvoir pour soulever une montagne, s'il le fallait.

Rien ne se produisit.

— Moi, je trouve que ça suffit, dit Annalina. (Elle eut un petit sourire.) Je vois de qui Richard tient son tempérament bouillant...

— C'est vous qui lui avez mis un collier autour du cou ? explosa Zedd.

— J'aurais pu m'emparer de lui quand il était petit, au lieu de le laisser grandir sous votre aile et profiter de votre amour.

Le Premier Sorcier pouvait compter sur les doigts d'une main les occasions où il avait *vraiment* cédé à la colère – surtout au point de perdre la raison. Allait-il, en un seul jour, devoir passer à l'autre main ? C'était bien possible...

— Inutile de m'accabler de justifications oiseuses et dégoulinantes d'autosatisfaction ! Rien n'autorise à réduire les gens en esclavage !

— Une Dame Abbesse, comme un sorcier, doit parfois se servir des autres. Je suis sûre que vous comprenez ça... Je regrette d'avoir dû utiliser Richard, et je déplore que ce soit votre tour. Mais je n'ai pas le choix. (Anna eut un sourire mélancolique.) Avec un collier autour du cou, Richard était du genre casse-pieds, pour rester polie...

— Il a dérangé votre petite vie tranquille ? Eh bien, vous n'avez encore rien vu ! Attendez de découvrir ce que son grand-père vous réserve, et nous en reparlerons ! Dame Abbesse, vous avez emprisonné Richard, et vous enlevez des garçons nés dans les Contrées du Milieu. La trêve signée il y a des millénaires est caduque. Inutile, je pense, de vous rappeler ce que ça signifie. Les Sœurs de la Lumière payeront vos erreurs au prix fort.

Conscient qu'il se tenait en équilibre au bord d'un gouffre – à un souffle d'oublier la Troisième Leçon du Sorcier –, Zedd ne parvenait pas à reprendre le contrôle de sa raison.

Il haussa la tête, agacé. Évidemment qu'il ne réussissait pas, sinon, il n'aurait pas risqué d'oublier la Troisième Leçon !

— Sorcier Zorander, je pense surtout à ce qui se passera si l'Ordre Impérial règne sur le monde. C'est peut-être difficile à croire, en ce moment précis, mais nous combattons dans le même camp. Un jour ou l'autre, vous le comprendrez...

— J'ai déjà compris tout ce qu'il y avait à comprendre ! Avec vos manigances, vous aidez l'Ordre Impérial. Je n'ai jamais eu besoin d'emprisonner mes alliés pour qu'ils soient les champions du bien.

— Vraiment ? Même quand vous avez remis l'Épée de Vérité à un innocent jeune homme ?

De plus en plus furieux, Zedd refusa d'entrer dans un débat philosophique.

— Enlevez-moi ce collier ! Richard a besoin de mon aide.

— Eh bien, il s'en passera ! Ce garçon est très intelligent, en partie grâce à vous. C'est pour ça que je l'ai laissé grandir à vos côtés.

— Richard ne maîtrise pas son pouvoir ! Si je ne l'en empêche pas, il s'aventurera dans la Forteresse, et il risque de s'y faire tuer. Je dois empêcher ça. Sans lui, tout sera perdu

— Richard a passé sa journée d'hier dans la Forteresse. Et il en est sorti indemne.

— Le genre de coup de chance qui fait oublier la prudence et conduit tout droit au tombeau...

— Ayez confiance en votre petit-fils, sorcier Zorander. Nous devons l'aider, c'est vrai, mais d'une autre manière. D'ailleurs, le temps presse, et il faudrait nous mettre en route.

— Je n'irai nulle part avec vous !

— Même si je vous supplie de nous prêter main-forte ? Coopérez, sorcier Zorander, je vous en prie. Il y a tant de choses en jeu...

— Pas question !

— Dans ce cas, je devrais recourir au collier pour vous contraindre à nous suivre. Et vous n'aimerez pas ça, croyez-moi.

— Laisse tomber, Zedd, conseilla Nathan. Je te garantis que tu détesteras l'expérience. Quand on n'a pas le choix, pourquoi se compliquer les choses ? Je te comprends, mais résister ne sert à rien...

— Quel genre de sorcier es-tu, Nathan ?

— Un Prophète, répondit l'ancêtre de Richard en bombant le torse.

Au moins, pensa Zedd, ce type était honnête. N'ayant pas identifié le vortex lumineux, il ignorait que son interlocuteur savait déjà tout à son sujet. Pourtant, il n'avait pas essayé de mentir.

— Et tu apprécies ton existence d'esclave ?

Anna ne put retenir un petit rire. Elle connaissait la réponse depuis des siècles, comme tous ceux qui côtoyaient Nathan.

— Je peux t'assurer, l'ami, que je ne l'ai pas choisie. (Dans les yeux du Prophète, Zedd vit briller la colère froide et mortelle, typique des Rahl.) Mais des siècles de révolte n'y ont rien changé...

— Ta geôlière sait contrôler un Prophète, on dirait... Avec moi, ce sera une autre affaire. Attends qu'elle découvre comment j'ai accédé au rang de Premier Sorcier ! Ça remonte à la dernière guerre, et les deux camps m'avaient surnommé « le vent de la mort »...

Une des fameuses occasions que Zedd pouvait compter sur les doigts d'une main. Se détournant de Nathan, il riva sur la Dame Abbesse un regard assez lourd de menace pour la forcer à reculer d'un pas.

— En violant notre pacte, vous avez condamné à mort toutes les Sœurs de la Lumière qui s'aventureront dans les Contrées du Milieu. Qu'elles ne s'attendent pas à un jugement équitable, et encore moins à de la clémence. Désormais, nous les abattrons à vue, comme des chiennes enragées.

Le vieux sorcier leva les deux poings. Du ciel pourtant dégagé jaillirent des éclairs qui vinrent marteler la Forteresse. Dans un vacarme de fin du monde, un cercle lumineux se forma au-dessus de la montagne puis grandit démesurément, laissant dans son sillage une traînée de nuages semblable à la fumée noire d'une flamme.

— La trêve n'existe plus ! Vous êtes en territoire ennemi, sous le coup d'une sentence de mort ! Dame Abbesse, si vous recourez au collier pour me contraindre à vous accompagner, je jure d'aller un jour dans l'Ancien Monde et de raser le Palais des Prophètes !

Impassible, Annalina dévisagea un long moment le vieil homme.

— Ne faites pas de promesse impossible à tenir, Sorcier Zorander.

— On parie ?

— Je crois qu'il vaudrait mieux nous mettre en route…

— C'est vous qui l'aurez voulu ! conclut Zedd, rageur.

Verna supposait qu'elle était réveillée. Constatant qu'il faisait aussi noir quand elle ouvrait les yeux, elle battit des paupières pour s'assurer qu'elle était vraiment consciente.

Dès qu'elle eut répondu par l'affirmative, elle invoqua son Han avec l'intention d'en faire jaillir une flamme.

Rien ne se passa.

Surprise par cet échec, la Sœur de la Lumière plongea plus profondément en elle-même, mobilisa davantage de pouvoir, et parvint à faire naître du néant une petite flamme de poing.

Un résultat qui lui parut fort peu proportionné à ses efforts.

Avisant une bougie, près de la paillasse où elle était étendue, Verna propulsa sa flamme vers la mèche et soupira de soulagement quand elle s'embrasa. Ainsi, elle verrait autour d'elle sans le recours de son Han, qui semblait incapable de maintenir longtemps le plus insignifiant des sortilèges.

La pièce ne contenait pas grand-chose. En plus de la paillasse et de la bougie, Verna repéra un petit plateau où reposaient un croûton de pain et un gobelet d'eau. Au pied d'un mur, un pot de chambre attendait son bon vouloir.

Elle était dans une des chambres de l'infirmerie… Mais que fichait-elle là ?

Baissant la tête, elle s'aperçut qu'elle était nue. Ses vêtements, découvrit-elle, gisaient en tas à côté d'elle.

Mais c'était le cadet de ses soucis. En bougeant la tête, elle avait senti quelque chose, autour de son cou…

Elle leva une main pour vérifier, bien qu'elle connût déjà la réponse.

Un Rada'Han !

Créateur bien-aimé, elle était nue, dans une chambre de l'infirmerie, un Rada'Han autour du cou ! Paniquée, elle saisit le collier à deux mains et tenta de l'arracher.

Un cri la fit sursauter. D'où pouvait-il venir ?

De sa propre gorge, comprit-elle quand un deuxième retentit.

Horrifiée, elle partagea, pour la première fois, la détresse des garçons condamnés à porter à même leur chair cet instrument de domination. Pourtant, combien de fois, sans frémir, avait-elle utilisé un collier pour plier un être humain à sa volonté ?

Oui, mais toujours avec l'intention d'aider ces jeunes gens. Le Créateur lui était témoin qu'elle agissait dans leur intérêt, par amour, et…

Éprouvaient-ils le même sentiment d'impuissance ? Tremblaient-ils autant qu'elle, au début ?

Dire qu'elle avait imposé cette infamie à Warren !

— Créateur bien-aimé, pardonne-moi ! sanglota-t-elle. Je voulais seulement Te servir !

Verna ravala ses larmes et se força au calme. Elle devait comprendre ce qu'il lui arrivait. Car ce Rada'Han, elle le savait, n'était pas là pour l'aider. Quelqu'un entendait la contrôler !

Regardant son annulaire, elle découvrit, sans grande surprise, que la bague d'Annalina avait disparu. Ainsi, elle avait échoué sur toute la ligne, incapable de porter le flambeau confié par la Dame Abbesse ! Accablée, elle embrassa son doigt nu, espérant puiser un peu de force dans ce rituel.

Elle se leva, approcha de la porte et tenta en vain d'actionner la poignée. Après s'être défoulée en boxant le battant, elle invoqua tout son pouvoir et le focalisa sur la serrure, qui ne bougea pas d'un pouce. Entêtée, elle s'attaqua aux gonds, de l'autre côté de l'obstacle. Des langues de lumière aux reflets verdâtres – la couleur de son amertume – percutèrent le bois, s'infiltrèrent dans ses craquelures et s'insinuèrent par tous les interstices du chambranle.

Verna n'insista pas longtemps. La pauvre Simona, se souvint-elle, s'était acharnée des heures durant sans obtenir de résultat. Le bouclier qui défendait la porte était impénétrable quand on avait un Rada'Han autour du cou. À quoi bon s'épuiser en vain ? Profondément perturbée, Simona n'était plus capable de se raisonner. Verna, elle, n'avait pas encore sombré dans la folie.

Elle alla se rasseoir sur la paillasse. Ses poings ne briseraient pas la porte, et son don ne lui servirait à rien. Bref, elle était piégée.

Mais pourquoi l'avait-on enfermée ici ? Baissant les yeux sur son annulaire nu, elle comprit que la raison était là...

Alors, elle se souvint de la mission dont l'avait chargée la véritable Dame Abbesse. Les Sœurs de la Lumière devaient être mises en sécurité avant l'arrivée de Jagang !

Elle fouilla dans la pile de vêtements et découvrit, évidemment, que son dacra n'était plus là non plus. On l'avait sans doute déshabillée pour s'assurer qu'elle n'ait plus d'arme. Simona avait subi le même traitement, pour qu'elle ne tente pas de se suicider. Qui aurait laissé une arme mortelle entre les mains d'une folle ?

En revanche, on n'avait pas jugé utile de la délester de son livre de voyage, toujours glissé dans le compartiment spécial de sa ceinture. Elle l'en tira et le serra contre elle en remerciant le Créateur de lui avoir au moins laissé ça.

Un peu calmée, elle s'habilla à la chiche lueur de la bougie et se sentit tout de suite mieux. Vêtue, elle n'était pas moins impuissante, mais échappait à l'humiliation qu'inflige la nudité à un prisonnier.

Combien de temps était-elle restée inconsciente ? Assez, en tout cas, pour être affamée. Après avoir dévoré le pain, elle vida d'un trait le gobelet.

L'estomac relativement apaisé, elle repensa aux derniers événements dont elle se souvenait. Leoma et trois autres sœurs l'attendaient dans son bureau. Ensuite...

Leoma était tout en haut de sa liste des potentielles Sœurs de l'Obscurité. Bien qu'elle n'ait pas eu le temps de confirmer sa théorie, sa présence dans le bureau, juste avant l'attaque, semblait une preuve suffisante. Dans la pénombre, Verna n'avait pas vu les trois autres conspiratrices, mais elle avait une idée précise sur les noms des suspectes. Les ayant laissées entrer, Phoebe et Dulcinia devaient hélas être ajoutées sur la sinistre liste.

Verna fit les cent pas dans sa cage, de plus en plus folle de rage. Comment ces servantes du Gardien osaient-elles penser qu'elles pouvaient lui faire ça et s'en sortir indemnes ?

Hum... au fond, les choses semblaient bien prendre cette tournure.

Non, pas question de baisser les bras ! Anna croyait en elle, et elle se montrerait à la hauteur. Les Sœurs de la Lumière quitteraient le palais avant qu'il soit trop tard, elle le jurait sur tout ce qui lui tenait à cœur...

Verna baissa les mains vers sa ceinture. Il lui restait la possibilité d'envoyer un message à Annalina. Un risque acceptable ? Si elle se faisait prendre, tout serait perdu. Mais pouvait-elle laisser Anna dans l'ignorance ?

Frappée par une idée désagréable, Verna s'immobilisa net. Comment dire à la Dame Abbesse qu'elle avait échoué, exposant ainsi les sœurs à un danger mortel ? Et qu'elle ne pouvait rien tenter pour inverser le cours des choses ?

Jagang serait bientôt là. Si elle ne s'évadait pas, toutes les sœurs tomberaient entre ses mains...

Richard sauta de son cheval avant qu'il se soit tout à fait arrêté. D'un coup d'œil derrière lui, il vit que les autres galopaient encore sur le chemin. Après avoir caressé les naseaux de sa monture, il commença à l'attacher à un des leviers du mécanisme d'ouverture de la herse.

Après avoir mieux étudié le dispositif, il changea d'avis et enroula les rênes à la manette de commande d'un engrenage. La tige qu'il avait d'abord choisie permettait de lever et d'abaisser la herse. Si le cheval s'énervait et tirait sur sa bride, il risquait d'être écrasé par la grille.

Sans attendre ses compagnons, le Sourcier avança vers la Forteresse. Il était toujours furieux qu'on ne l'ait pas réveillé. La moitié de la nuit durant, de la lumière avait brûlé derrière certaines fenêtres du bâtiment. Et personne n'avait eu le cran de déranger le seigneur Rahl pour l'en informer.

Moins d'une heure plus tôt, il avait vu des éclairs déchirer le ciel, puis un anneau de lumière grandir démesurément dans un ciel pourtant clair.

Avant d'entrer dans l'ancien fief de Zedd, Richard se retourna pour observer la ville, loin derrière lui. Au pied de la montagne, plusieurs routes se croisaient, chacune permettant à un espion de quitter discrètement Aydindril.

Et si quelqu'un s'était introduit dans la Forteresse ? Puis en était sorti en emportant quelque chose ? Ordonner aux soldats de ne laisser passer personne lui sembla une bonne idée. Dès que ses compagnons arriveraient, il en enverrait un leur dire d'intercepter les voyageurs et de bloquer les routes.

Il regarda l'animation, sur la voie principale. La plupart des gens entraient dans la ville. Les rares qui en sortaient n'attirèrent pas son attention. Des soldats en patrouille, quelques familles avec des voitures à bras, deux chariots de colporteurs et quatre chevaux en formation serrée. Quoi qu'il en soit, il faudrait fouiller tout ce petit monde...

Pour chercher quoi ? Eh bien, il irait voir ces voyageurs en personne. Avec un peu de chance, s'ils transportaient un objet magique, son don lui permettrait de le sentir

Il renonça aussitôt à cette idée, qui lui parut une absurde perte de temps. L'urgence restait de découvrir ce qui était arrivé dans la Forteresse. Ensuite, au lieu de perdre son temps avec une « inspection » qui risquait de faire long feu, il filerait au palais pour travailler avec Berdine à la traduction du journal.

Depuis quelques jours, pas mal de gens quittaient Aydindril, pour échapper au « joug » de D'Hara. Au fond, il leur souhaitait bon vent !

Il traversa d'un pas décidé les premiers champs de force protecteurs. Ses cinq gardes du corps seraient furieux qu'il ne les ait pas attendus. Bien fait pour eux ! Ça leur apprendrait, la prochaine fois, à le réveiller quand il se passait quelque chose dans la Forteresse.

Le Sourcier évita les couloirs qui lui semblaient dangereux et opta pour un itinéraire sûr. Il capta plusieurs fois la présence de mriswiths, mais aucun ne l'attaqua.

Arrivé dans une grande salle d'où partaient quatre couloirs, le jeune homme s'immobilisa. Plusieurs portes fermées se découpaient dans les murs ronds. Devant l'une d'elles, il repéra des traces de sang. S'accroupissant, il constata qu'elle formait en réalité deux « pistes » : l'une entrante et l'autre sortante.

Richard dégaina son épée et poussa la porte du bout de la lame. La petite pièce qu'il découvrit sortait franchement de l'ordinaire. Le sol carbonisé, les murs striés de lignes noires, la moitié des blocs de pierre étaient à demi arrachés de leur logement, prêts à tomber à la moindre vibration...

On eût dit qu'un volcan était entré en éruption dans cet espace clos...

Il y avait du sang partout. Séché par les flammes, il n'apprit hélas pas grand-chose à Richard sur ce qui était arrivé.

Il suivit l'autre « piste » jusqu'à une porte bardée de fer qui donnait sur les remparts. Dès qu'il l'eut franchie, le Sourcier vit sur les dalles d'autres taches de sang – encore fraîches, celles-là.

Des cadavres de mriswiths jonchaient le sol, certains entiers et d'autres déchiquetés. Même si elles étaient gelées, ces charognes empestaient encore ! Contre un mur, il remarqua une sorte de bouillie de mriswith plus ou moins coagulée. Dessous, il avisa un amas d'os et de chair indéfinissable.

S'il avait découvert ces restes par terre, Richard aurait juré que le monstre était tombé du ciel pour s'écraser sur la pierre. C'était dire la force qu'il avait fallu pour l'aplatir ainsi le propulsant à l'horizontale !

Bref, le spectacle évoquait irrésistiblement un champ de bataille où un certain garn se serait frotté à une bande de mriswiths. Sacré Gratch ! Mais où était-il, à présent ?

Une piste sanglante menait jusqu'aux créneaux. Richard la suivit, remarqua des traînées rouges sur le mur extérieur, et se pencha pour sonder un gouffre impressionnant.

Des milliers de pieds, si on ajoutait la paroi de la montagne au mur de la Forteresse. À l'évidence, quelqu'un avait basculé dans le vide, puis rebondi plusieurs fois contre la façade, y laissant des traces de sang. Plus tard, il faudrait envoyer des soldats explorer le fond de l'abîme, pour savoir qui avait péri de cette atroce manière.

Richard passa un index sur plusieurs traînées sanglantes. Certaines empestaient le mriswith. Mais pas toutes...

Par les esprits du bien, que s'était-il passé sur ces remparts ?

Songeur, le Sourcier s'enveloppa dans sa cape et s'éloigna, invisible, en pensant très fort à son cher Zedd.

Il aurait donné cher pour que le vieux sorcier soit à ses côtés. Mais ça n'était pas seulement à cause de cela que son image avait spontanément jailli devant ses yeux…

# Chapitre 42

Cette fois, quand la minuscule trappe s'ouvrit, au pied de la porte, Verna était prête. Elle plongea, écarta le plateau et s'aplatit sur le sol pour voir à travers l'ouverture.

— Qui est dans le couloir ? Et pourquoi m'a-t-on enfermée ? Au nom du Créateur, répondez-moi !

Verna aperçut des bottes de femme et l'ourlet d'une robe. Probablement une sœur chargée de s'occuper des malades. Bref, quelqu'un qui n'aurait aucune réponse…

— Il me faudrait une nouvelle bougie ! Je vous en prie, la mienne est presque morte !

Des bruits de pas s'éloignèrent. Une porte se referma, son verrou claquant à l'instant même où la prisonnière, folle de rage, se relevait pour marteler de coups de poing le battant qui la séparait de la liberté.

Verna alla s'asseoir sur sa paillasse et massa lentement sa main droite en feu avec la gauche. Ces derniers temps, elle se laissait trop souvent aller à boxer du bois. Une preuve de plus que sa lucidité se lézardait.

Dans sa cellule sans fenêtre, distinguer le jour de la nuit était impossible. Supposant qu'on la nourrissait plutôt quand il faisait clair, elle mesurait le temps en fonction de ses repas. Hélas, ils se succédaient parfois très vite. À d'autres occasions, elle était morte de faim quand arrivait le suivant.

Et ce fichu pot de chambre, que personne ne se souciait de vider !

Bien entendu, les rations qu'on lui servait ne suffisaient pas. C'était visible à la façon dont elle flottait dans sa robe, surtout sur l'abdomen et les hanches. Dire qu'elle rêvait, depuis quelques années, de perdre un peu de poids pour ressembler à la jeune sylphide partie en voyage vingt ans plus tôt. Dans sa jeunesse, elle avait fait tourner la tête de pas mal d'hommes. Ses kilos superflus lui rappelaient sans cesse tout ce qu'elle avait perdu en s'éloignant si longtemps du palais…

Elle eut un rire de démente. Était-ce le but de cette affaire ? Mettre la Dame Abbesse au régime ?

Son hilarité ne dura pas. Après avoir désiré que Jedidiah s'intéresse à son esprit, pas à son corps, voilà qu'elle adoptait le même point de vue que lui.

Une larme roula sur la joue de Verna. Warren, lui, s'était toujours attaché à son esprit et à son cœur. Et elle l'avait méprisé comme une idiote !

— J'espère que tu vas bien, Warren, murmura-t-elle.

Se levant, elle alla chercher le plateau et le posa près de la bougie agonisante. Puis elle s'accroupit, s'empara du gobelet… et mobilisa toute sa volonté pour ne pas le vider d'un trait. Ses geôlières ne lui donnaient jamais assez d'eau. Quand elle la consommait trop vite, elle passait les heures suivantes allongée sur sa paillasse, à rêver qu'elle plongeait dans un lac la bouche ouverte, buvant jusqu'à ce que son estomac n'en puisse plus.

Elle prit une petite gorgée, reposa le gobelet, et découvrit, sur le plateau, une incroyable nouveauté. Près du morceau de pain, une assiette de soupe fumait encore un peu.

Verna la prit délicatement, la porta à ses lèvres et s'emplit les poumons d'une odeur délicieuse. Ce n'était qu'un vulgaire brouet à l'oignon, mais dans sa situation, on eût dit un festin de reine. Buvant à même l'assiette, elle crut défaillir quand un délicieux goût salé titilla ses papilles. Exaltée, elle se coupa un bout de pain et le trempa dans le liquide encore chaud. Bon sang, c'était meilleur que du chocolat ! Avait-elle jamais goûté pareil délice ?

La prisonnière émietta le reste du pain et le laissa tomber dans l'assiette. La mie gonflée eut soudain des allures de repas deux fois trop copieux pour un seul appétit. Elle la dévora quand même…

En mangeant, elle sortit de sa ceinture le livre de voyage, l'ouvrit et soupira de déception. Il n'y avait aucun nouveau message. Pourtant, elle avait fini par tout raconter à Anna.

« *Il faut t'évader et faire quitter le palais aux sœurs* », avait répondu la Dame Abbesse d'une écriture rapide et tremblante. Depuis, silence total…

Quand elle eut fini de manger, recueillant le reste de soupe sur le bout des doigts, Verna souffla la bougie afin de l'économiser. Le gobelet à moitié plein posé derrière le bougeoir, pour ne pas risquer de le renverser dans le noir, elle s'étendit sur sa paillasse et massa voluptueusement son estomac enfin rassasié.

Le bruit sec du verrou de la porte la tira d'un sommeil sans rêve. Les mains levées pour se protéger les yeux, elle recula contre le mur, affolée de voir se dresser devant elle une femme enveloppée par une lumière aveuglante.

— Qui est-ce ? demanda Verna tandis que sa visiteuse posait sa lampe à huile sur le sol.

— Leoma Marsick, répondit une voix dépourvue de chaleur.

Verna plissa les yeux et reconnut la sœur qui la toisait sans aménité, les bras croisés. Oui, c'était bien Leoma, avec son visage ridé et ses longs cheveux blancs.

La conspiratrice qui l'avait attaquée, puis enfermée comme une bête fauve. D'instinct, elle lui sauta à la gorge.

L'instant suivant, elle se retrouva assise sur sa paillasse, les fesses douloureuses après une réception sans douceur. Autour de son cou, elle sentit le Rada'Han qui l'avait expédié en arrière et l'empêchait de se relever.

Ses jambes ne répondaient plus, comme celles d'un paralytique ! Prise d'une indicible terreur, Verna ravala un cri, le souffle court. Elle ne devait pas s'humilier devant une servante du Gardien !

Dès qu'elle cessa de résister, la pression qui menaçait de la rendre folle se dissipa un peu. L'angoisse, elle, resta logée au creux de son ventre, telle un rat qui la dévorait de l'intérieur.

— Ça suffit, Verna, lâcha Leoma.

Avant de parler, la prisonnière s'assura que sa voix ne tremblerait pas.

— Qu'est-ce que je fiche ici ?

— Tu es incarcérée, en attendant la fin de ton procès.

Un procès ? Que... Non, elle ne ferait pas à Leoma le plaisir de la voir s'énerver.

— Une démarche logique, je l'avoue... (Cher Créateur, elle aurait donné si cher pour pouvoir se lever ! Être regardée de haut par Leoma la révulsait.) Et quand connaîtrai-je la sentence ?

— Dans quelques secondes... C'est pour te la communiquer que je suis là.

Verna ravala une remarque ironique. À l'évidence, ces traîtresses avaient assez d'imagination pour la charger de tous les crimes de la création. Une partie jouée d'avance...

— Je t'écoute...

— Tu as été jugée coupable de la principale charge : être une Sœur de l'Obscurité !

Verna en resta sans voix. Les yeux rivés sur Leoma, elle aurait voulu lui dire que cette accusation lui brisait le cœur. Après une vie passée au service du Créateur, aucune calomnie ne pouvait être pire !

Se souvenant du jugement de Warren, au sujet de son « charmant caractère », elle se retint d'exploser.

— Et comment en est-on arrivé à cette conclusion, en l'absence de preuve ?

— Verna, ne sois pas stupide ! Tu n'espérais pas commettre un pareil crime sans semer des indices dans ton sillage ?

— Ou permettre à mes très chères collègues de les fabriquer... Leoma, es-tu venue me lire mon jugement, ou parader parce que tu as enfin accédé au poste de Dame Abbesse ?

— Moi ? Tu te trompes, Verna. C'est Ulicia qui te remplace.

— Ulicia ? Espèce de vieille folle, c'est elle la Sœur de l'Obscurité ! La preuve, c'est qu'elle a fui le palais avec cinq de ses complices.

— Vils mensonges ! Les sœurs Tovi, Cecilia, Armina, Nicci et Merissa sont de retour. Dûment réhabilitées, elles ont retrouvé leur position au sein du palais.

Oubliant le Rada'Han, Verna tenta encore de se lever. Elle eut tôt fait de le regretter...

— Elles ont attaqué Annalina, et Ulicia l'a tuée ! C'est pour ça qu'elles ont fui !

— Et qui raconte cette fable édifiante ? demanda Leoma d'un ton exagérément patient, comme si elle sermonnait une novice étourdie. Toi, Verna. Et ton ami Richard.

» Heureusement, vos victimes ont pu s'exprimer. Nous savons maintenant qu'une Sœur de l'Obscurité les a agressées peu après la mort de Liliana, sauvagement assassinée par ton Richard. Incapables de prouver leur innocence, elles ont fui, attendant le moment propice pour revenir et te démasquer. Ton jeu pervers est terminé, Verna !

» Tu as monté cette machination avec beaucoup d'ingéniosité, il faut l'avouer. Richard et toi étiez les seuls témoins. Pratique, non ? En réalité, avec l'aide de ce bandit, tu as exécuté la pauvre Annalina. Ensuite, un service en valant un autre, tu as favorisé la fuite de ton complice. Des sœurs t'ont entendue conseiller à Kevin Andellmere d'être fidèle à Richard plutôt qu'à l'empereur. N'est-ce pas une preuve suffisante ?

— Vous m'avez condamnée sur la foi du témoignage de six servantes du Gardien ? Le nombre l'a emporté sur la loyauté ?

— Absolument pas ! Les auditions de témoins se sont succédé pendant d'interminables journées. Sais-tu qu'il nous a fallu deux semaines pour arriver à une sentence ? Face à des accusations si graves, nous crois-tu capables de légiférer à l'aveuglette ? Beaucoup d'honnêtes sœurs, à la barre, nous ont parlé de ton pernicieux travail de sape.

— Pardon ? Leoma, as-tu perdu la tête ? J'ai…

— Silence ! Verna, tu as méthodiquement saboté l'œuvre du Créateur. Des milliers d'années de traditions et d'efforts ont failli sombrer dans le néant à cause de toi. Si on ne t'avait pas arrêtée, le Palais des Prophètes n'existerait peut-être déjà plus.

— Vraiment ? Je ne me savais pas si efficace…

— Suite à ton inique décision – ne plus dédommager les femmes engrossées par nos sorciers – il y a eu en ville des émeutes de plus en plus violentes. Ces enfants illégitimes étaient notre principale source de garçons nés avec le don. Tu as voulu la tarir pour affaiblir le Créateur et miner Son œuvre de l'intérieur.

» La semaine dernière, nos gardes ont dû mater une révolte qui menaçait de rayer le palais de la surface du monde. Les citadins sont indignés que tu aies voulu laisser mourir de faim des femmes et des enfants innocents. Plusieurs de nos jeunes sorciers les soutenaient, écœurés que tu les prives de l'or qui leur revient de droit.

Avec de jeunes sorciers dans le coup, Verna doutait que la rébellion eût été spontanée. Mais Leoma ne voudrait jamais reconnaître la vérité. Beaucoup de ces jeunes hommes étaient profondément bons et honnêtes. Que leur arriverait-il, à présent qu'ils s'étaient laissé entraîner dans cette folie ?

— Notre or corrompt tous ceux qui le touchent, Leoma !

C'était vrai, mais ça ne changerait rien. Aucune défense, aussi fondée soit-elle, ne détournerait Leoma et les autres de leur délire. Car elles n'étaient plus accessibles à la raison.

— Ce système a fonctionné pendant des millénaires. Mais tu entendais le saboter, pour nuire au Créateur ! Ces ordres ont été annulés, comme tes autres initiatives dévastatrices.

» Pour nous empêcher de savoir si les jeunes sorciers étaient prêts à affronter le monde, tu as eu l'idée de supprimer l'épreuve de douleur. Un excellent moyen de t'assurer que ces garçons rateraient leur vie. Là aussi, nous avons fait machine arrière.

» Verna Sauventreen, tu as comploté contre la doctrine du palais dès le jour de ta nomination ! Après avoir tué Annalina, tu t'es servie de la magie du royaume des morts afin de prendre sa place. Une position idéale pour nous détruire, n'est-ce pas ?

» Pas étonnant que tu n'aies jamais écouté tes conseillères ! Pour dévaster le palais, tu n'avais pas besoin d'elles ! Fatiguée de lire les mémos, tu es allée jusqu'à les confier à des administratrices débutantes ! Avoue que ça te laissait plus de temps pour conférer avec le Gardien, dans ton maudit sanctuaire !

— Tu as fini ? soupira Verna. Alors, résumons-nous, si tu veux bien. Mes administratrices détestent travailler. Quelques requins cupides se plaignent de ne plus pouvoir monnayer le ventre de leurs filles. Des femmes gémissent parce qu'il ne leur suffit plus de tomber enceintes pour se la couler douce. Quelques sœurs s'indignent parce que j'interdis à nos garçons de satisfaire leurs besoins virils. Enfin, les mensonges de six fugitives sont désormais plus crédibles que les prophéties elles-mêmes. Bravo, Leoma ! Avec Ulicia aux commandes, vous irez loin ! À votre place, j'aurais quand même voulu avoir une preuve irréfutable de ma culpabilité.

— Qui te dit que nous n'en avons pas ? (Leoma sourit pour la première fois.) Oui, qui te le dit ?

Triomphante, elle glissa une main dans sa poche et en sortit une feuille de parchemin.

— Nous avons de quoi t'accabler. Et un témoin au-dessus de tout soupçon. Warren !

Verna recula comme si on venait de la gifler. Ce soir-là, dans le sanctuaire, Nathan et Anna avaient insisté pour que Warren quitte le palais au plus vite. Était-ce pour éviter ça ?

— Sais-tu ce que dit le texte que j'ai sous les yeux, Verna ? Allons, ne fais pas l'innocente ! Tu le connais par cœur. À part une Sœur de l'Obscurité, qui serait assez arrogante pour laisser une preuve pareille en évidence ? Nous l'avons trouvé dans les catacombes, entre les pages d'un livre. Veux-tu que je te fasse un peu de lecture ?

« *Quand la Dame Abbesse et le Prophète seront rendus à la Lumière, les flammes de leur bûcher funéraire porteront à ébullition un chaudron plein de fourberie. Alors viendra l'Usurpatrice qui présidera à la fin du Palais des Prophètes.* »

Leoma replia le parchemin et le rangea dans sa poche.

— Tu savais que Warren était un Prophète, et tu lui as enlevé son Rada'Han ! Le laisser en liberté était déjà un crime majeur, Usurpatrice !

— Comment sais-tu que cette prédiction est de lui ? demanda Verna.

— Il en a attesté en personne. Bien sûr, il lui a fallu un moment pour se résoudre à avouer qu'il délivrait des prophéties...

— Que lui avez-vous fait ?

— Nous avons utilisé son Rada'Han, comme c'est notre devoir, pour avancer vers la vérité. À la fin, il a confessé que cette prédiction était de lui.

— Vous lui avez remis un collier ?

— Comme il convient à un Prophète. Si tu étais une Dame Abbesse digne de ce nom, tu t'en serais chargée. Warren réside désormais dans les anciens quartiers de Nathan, derrière des boucliers. Il porte un Rada'Han et des gardes interdisent qu'on lui rende visite.

» Le Palais des Prophètes est redevenu tel qu'il n'aurait jamais dû cesser d'être. La prédiction de Warren a signé ta perte, Verna. Qui pourrait encore douter de ta duplicité ? Par bonheur, nous avons pu agir avant que tu détruises le palais. Tu as échoué, Sœur de l'Obscurité !

— Leoma, tu sais qu'il n'y a rien de vrai dans tout ça.

— La prophétie démontre ta culpabilité ! Tu es l'Usurpatrice, et tu voulais raser le palais ! Si tu avais vu la tête de l'assistance, quand on a lu ce texte au tribunal… En matière de « preuve irréfutable », on ne peut guère rêver mieux, n'est-ce pas !

— Vieille harpie, je jure que je te verrai morte !

— Une promesse qui ne m'étonne pas de toi, chienne ! Heureusement, tu n'es pas en position de la tenir.

Les yeux dans ceux de Leoma, Verna embrassa son annulaire gauche.

— Pourquoi ne fais-tu pas comme moi, Leoma ? Implore l'aide du Créateur, en des temps si difficiles pour le palais !

La vieille sœur écarta les bras, un sourire moqueur sur les lèvres.

— Les temps ne sont pas difficiles pour le palais, Verna.

— Sacrifie au rituel, Leoma, et montre au Créateur que tu te soucies du bien-être des Sœurs de la Lumière !

Leoma ne porta pas sa main gauche à ses lèvres. Elle ne le pouvait pas, et Verna le savait pertinemment.

— Je ne suis pas venue ici pour prier…

— C'est une évidence, Leoma. Nous savons toutes les deux que tu es une servante du Gardien, comme la nouvelle Dame Abbesse. Ulicia est l'Usurpatrice !

— Qu'importe tes accusations ? Tu es la première sœur jamais condamnée pour ce crime. Le doute n'est plus permis, et personne ne viendra à ton secours.

— Nous sommes seules, Leoma… Derrière ces boucliers, nul ne peut nous entendre, à part les détenteurs de la Magie Soustractive, que tu ne redoutes pas. Aucune Sœur de la Lumière n'aura vent de ta confession. Et si je te dénonce, personne ne me croira. Bas les masques, ma sœur ! Parlons à cœur ouvert.

— Je t'écoute…

Verna prit une grande inspiration et croisa les mains sur ses genoux.

— Vous ne m'avez pas tuée, contrairement à cette pauvre Annalina. Si vous aviez voulu m'éliminer, à quoi bon cette comédie ? Dans mon bureau, j'étais à votre merci. Donc, vous voulez quelque chose de moi. De quoi s'agit-il ?

— Sacrée Verna, toujours franche et directe. Malgré ta jeunesse, je dois reconnaître que tu es futée !

— Ça, tu peux le dire ! Et ma situation actuelle en est l'éclatante démonstration… À présent, dis-moi ce que ton maître, le Gardien, veux que vous tiriez de moi.

— Pour le moment, fit Leoma, hautaine, nous servons un autre maître. Et c'est sa volonté qui compte.

— Jagang ? Vous lui avez aussi juré allégeance ?

Leoma baissa imperceptiblement les yeux.

— C'est plus compliqué que ça, mais qu'importe ! Quand Jagang veut quelque chose, il l'obtient. Et mon devoir est de lui faciliter les choses.

— Que désire-t-il de moi ?

— Renie Richard Rahl, et il sera comblé.

— Rêve toujours, Leoma !

— J'ai déjà assez rêvé comme ça, fit la vieille sœur avec un sourire amer. Mais la question n'est pas là. Tu dois renoncer à ton lien avec Richard.

— Pourquoi ?

— Ce garçon empêche l'empereur de contrôler les événements. Ta loyauté, par exemple, neutralise les pouvoirs de Jagang. Il veut savoir si un simple reniement lui permettra de s'introduire dans ton esprit. En somme, il s'agit d'une expérience. Et moi, je dois te convaincre de trahir Richard.

— Je n'en ferai rien, et tu ne pourras pas me forcer.

— Détrompe-toi, fit Leoma avec un étrange rictus. J'y arriverai, parce que je suis très... motivée. Avant que Jagang ne vienne s'installer au palais, j'aurai brisé ton lien avec son pire ennemi.

— Comment ? En contrôlant mon Han ? Tu crois que ça suffira à anéantir ma volonté ?

— Tu as la mémoire si courte, Verna ? Les colliers ont d'autres usages. Pense à l'épreuve de douleur... Tôt ou tard, tu te jetteras à genoux pour jurer fidélité à l'empereur.

» Surtout, ne crois pas que je répugnerai à aller jusqu'au bout. Ne compte pas sur ma pitié, parce que j'ignore jusqu'au sens de ce mot. Jagang n'arrivera pas avant des semaines, ma chère. Nous aurons tout le temps du monde... On n'aura jamais vu une épreuve de douleur durer si longtemps, et tu finiras par céder.

Verna se raidit, car elle avait effectivement oublié d'intégrer l'épreuve de douleur dans son analyse. Les jeunes sorciers qui l'avaient subie devant elle ne devaient jamais tenir plus d'une heure. Et des années séparaient deux séances de ce type.

— Nous commençons, chère sœur Verna ?

# Chapitre 43

Richard fit la grimace quand il vit le gamin s'écrouler sans connaissance. Quelques spectateurs le tirèrent à l'écart et un autre garçon prit sa place. Même derrière les hautes fenêtres du Palais des Inquisitrices, le Sourcier entendait les cris exaltés des gosses qui regardaient des jeunes gens jouer au Ja'La. Un sport très populaire à Tanimura, où les enfants s'entraînaient à tous les coins de rue.

Chez lui, en Terre d'Ouest, personne n'avait entendu parler du Ja'La. Dans les Contrées du Milieu comme dans l'Ancien Monde, il faisait fureur. Vive et très rythmée, cette activité semblait effectivement excitante. Mais pas au point, selon Richard, que des gamins y laissent la moitié de leurs dents...

— Seigneur Rahl ? appela Ulic. Êtes-vous là, seigneur ?

Richard se détourna de la fenêtre et ouvrit sa cape, désolé de s'arracher au délicieux confort de l'invisibilité.

— Oui, Ulic. Que se passe-t-il ?

Le colosse avança dans la pièce, plus perturbé le moins du monde de voir son maître se matérialiser en un clin d'œil. La force de l'habitude, sans doute...

— Seigneur, un Keltien demande à vous parler. Un certain général Baldwin.

— Baldwin... Baldwin..., répéta le Sourcier, perplexe. Ah oui, je me souviens ! C'est le commandant suprême de l'armée keltienne, ou un titre dans ce genre-là. Nous lui avons adressé une lettre au sujet de la reddition de Kelton. Que veut-il ?

— Il ne l'a pas précisé, seigneur...

Richard se retourna vers la fenêtre, écarta la lourde tenture et regarda un garçon, plié en deux de douleur, tenter de récupérer après un contact violent avec le broc. En quelques secondes, il réussit à se redresser et courut reprendre sa place.

— Avec combien d'hommes Baldwin est-il arrivé en Aydindril ?

— Une petite escorte, seigneur. Cinq ou six cents soldats, au maximum.

— Il sait que Kelton s'est rendu à D'Hara. S'il avait des intentions belliqueuses, il serait venu avec une armée. Je devrais lui accorder une audience... Ulic, Berdine est occupée. Que Cara et Raina m'amènent le général.

Ulic salua et tourna les talons.

— Attends !

Le colosse fit promptement volte-face.

— La patrouille a trouvé quelque chose au pied de la montagne ?

— À part des mriswiths en bouillie ? Non, seigneur. Mais avec la neige accumulée à cet endroit, il faudra attendre la fonte pour en être sûrs. Avec le vent qui souffle là-bas, les soldats ignorent où creuser. Les membres de mriswiths qu'ils ont découverts étaient assez légers pour ne pas s'enfoncer dans la neige. Tout ce qui pesait plus lourd risque d'être à dix ou vingt pieds de profondeur.

— Eh bien… Je me contenterai de ces informations, pour le moment. Dis-moi, Ulic, il doit y avoir des couturières dans le palais. Tu veux bien contacter leur chef et lui demander de venir me voir ?

Comme par réflexe, Richard s'enveloppa de nouveau dans sa cape et retourna suivre la partie de Ja'La. L'absence de Kahlan et de Zedd lui pesait de plus en plus. Par bonheur, ils ne tarderaient plus, à présent. Gratch avait dû les trouver, et ils étaient sûrement en chemin.

— Seigneur Rahl, vous êtes là ? demanda soudain Cara, dans son dos.

Le Sourcier ouvrit sa cape et se retourna.

Debout entre les deux Mord-Sith, un grand costaud aux moustaches tombantes écarquilla les yeux en le voyant apparaître. Au-dessus de la couronne de cheveux gris assez longue pour lui couvrir les oreilles, le crâne de Baldwin brillait comme une armure récemment polie.

Il portait une toge en serge brodée de fil de soie et fixée à une de ses épaules par deux boutons. Au-dessous de sa collerette impressionnante – et quelque peu ridicule –, il bombait le torse sous son plastron orné d'un bouclier héraldique jaune et bleu barré d'une ligne noire diagonale. Ses cuissardes lui montant jusqu'aux genoux, il avait glissé à sa ceinture de longs gantelets noirs évasés au poignet et soigneusement pliés en deux.

— Général Baldwin, fit Richard, amusé par la stupéfaction du militaire, je suis ravi de vous rencontrer.

Reprenant ses esprits, le Keltien salua son hôte d'une révérence impeccable.

— Seigneur Rahl, je suis flatté que vous ayez consenti à me recevoir si vite.

— Cara, aurais-tu la bonté d'offrir un siège au général ? Après un si long voyage, il doit être épuisé.

Quand le Keltien fut installé à une table, Richard le rejoignit et s'assit en face de lui.

— Que puis-je pour vous, général Baldwin ?

Mal à l'aise, le militaire jeta un coup d'œil à Cara, debout derrière son épaule gauche, puis à Raina, pareillement postée derrière la droite. Silencieuses, les mains croisées dans le dos, les deux Mord-Sith manifestaient sans équivoque leur intention de ne pas bouger d'un pouce.

— Parlez sans crainte, général. Ces femmes veillent sur mon sommeil, une mission de confiance que je réserve à quelques très rares compagnons.

Baldwin se détendit un peu, rassuré par cette déclaration.

— Seigneur Rahl, je viens vous voir au sujet de la reine.

Richard l'aurait parié, et il ne s'était pas trompé.

— Ce drame me navre, général, dit-il en croisant les mains sur la table.

— Oui... J'ai entendu parler de ces mriswiths. Je crois même avoir vu quelques-unes de ces bêtes répugnantes, embrochées sur des piques, devant votre palais.

Richard faillit dire que ces bêtes, si c'en était bien, n'étaient pas plus répugnantes qu'une quantité d'autres. Après tout, celui qui s'était jeté devant Cathryn Lumholtz lui avait sauvé la vie. Doutant que le général comprenne, il préféra ne pas s'étendre sur le sujet.

— Je déplore vraiment, sachez-le, que votre reine ait péri alors qu'elle était sous mon toit.

— Aucune autre idée ne m'a jamais traversé l'esprit, seigneur Rahl. Je ne viens d'ailleurs pas évoquer sa mort, mais le sort de mon royaume, qui n'a plus de souverain. La duchesse était la dernière héritière du trône. Sa brutale disparition pose un problème majeur.

— Lequel, général ? demanda Richard, sans agressivité, mais avec toute la fermeté de son ton « officiel ». Désormais, Kelton fait partie de D'Hara.

— Oui, nous avons reçu ces documents..., fit Baldwin, un peu trop désinvolte au goût de son interlocuteur. Mais sans la reine pour nous guider, nous ne savons que faire. Elle nous a engagés sur un chemin difficile, et voilà qu'elle nous abandonne dès le début...

— Dois-je comprendre que vous voulez nommer un nouveau monarque ?

— Les Keltiens ont besoin d'avoir un chef – même symbolique, puisque nous voilà unis à D'Hara. C'est une question... hum... d'image de soi. Sans tête couronnée, le peuple a l'impression de ne pas avoir de racines. Comme s'il était privé de tout ce qui le cimente. Vous me suivez ?

» La lignée s'étant éteinte avec la duchesse, les autres maisons nobles peuvent postuler à la couronne. Aucune n'a le droit de la réclamer, mais rien ne lui interdit de se le gagner. Hélas, ce genre de situation finit souvent par une guerre civile.

— Je vois..., souffla Richard. Mais vous savez que le couronnement d'un nouveau monarque n'aura aucune incidence sur votre reddition. Cette affaire-là est irrévocablement réglée.

— Si ça pouvait être si simple... Seigneur, je viens en réalité vous demander de l'aide.

— Et que puis-je faire ?

— Hum... (Baldwin se pinça nerveusement le menton.) La reine Cathryn vous a soumis Kelton, j'en conviens. Mais elle n'est plus, et nous sommes vos sujets. Au moins, tant que nous n'aurons pas un nouveau monarque. Jusque-là, vous serez l'équivalent de notre roi. Hélas, l'homme ou la femme qui succédera à Cathryn Lumholtz risque de ne pas voir les choses comme elle.

Richard se retint d'exploser, bien que l'envie ne lui en manquât pas.

— Je me fiche de la façon dont votre futur souverain verra les choses. Revenir sur la reddition est exclu.

— Seigneur, je suis le premier à dire que nous devons rester à vos côtés. Mais si la mauvaise maison monte sur le trône, mon opinion risque de devenir minoritaire. Pour être franc, je n'aurais jamais cru que la maison Lumholtz se soumettrait à vous. À l'évidence, vous avez su investir dans cette affaire des trésors de diplomatie…

» La plupart des nobles sont doués pour les intrigues et ils se contrefichent de l'intérêt général. Les duchés, comprenez-le, sont quasiment indépendants. Seul un roi ou une reine peut les fédérer. Si le successeur de Cathryn déclare caduque la reddition, beaucoup de Keltiens se détourneront de D'Hara par fidélité à la Couronne. D'autres tiendront à rester sous votre aile. Alors, une guerre civile sera inévitable.

» Je vois les choses avec des yeux de soldat, seigneur Rahl. À mon sens, il n'y a rien de pire qu'une guerre civile. Mon armée, composée d'hommes de tous les duchés, finira par éclater. Et sans elle, nous serons vulnérables aux menaces extérieures…

Baldwin se tut, attendant un commentaire… qui ne vint pas.

— Continuez, général, fit simplement Richard. Et croyez que je suis tout ouïe.

— Eh bien… Convaincu que l'union fait la force, et qu'un pouvoir fort en est le garant, je pense que vous incarnez l'avenir de Kelton. Et tant que le trône sera vacant, seigneur, c'est vous qui y détiendrez l'autorité.

Baldwin se pencha un peu sur la table et baissa la voix.

— Comme votre parole a pour l'instant force de loi, la question sera réglée si vous désignez le successeur de Cathryn Lumholtz. Vous suivez mon raisonnement ? Les maisons devront faire allégeance au nouveau roi, et elles se rangeront à vos côtés s'il ne remet pas la reddition en cause.

— À vous entendre, général, on croirait qu'il s'agit d'un jeu. Bouger un pion ici, déplacer une pièce là… Bloquer les forces ennemies afin que l'adversaire soit piégé quand viendra son tour de jouer…

— Pour l'instant, seigneur, c'est *votre* tour…

— Il semble bien, oui…

Richard réfléchit un moment. À dire vrai, il n'avait pas la moindre idée de ce qu'il devait faire. Fallait-il demander l'avis du général ? Le laisser nommer la maison qu'il supposait être la plus loyale ?

Mais comment se fier à un homme qu'il connaissait depuis un quart d'heure ? Toute l'affaire pouvait être un piège subtil…

Le Sourcier consulta Cara du regard, et lut sur son visage une perplexité au moins aussi grande que la sienne. Se tournant vers Raina, il n'eut pas plus de succès.

Pour gagner du temps, il se leva et alla se camper devant la fenêtre. Kahlan aurait sans doute réglé ce problème en un clin d'œil, puisque les histoires de rois et de reines n'avaient aucun secret pour elle. Décidément, régner sur les Contrées du Milieu se révélait chaque jour plus difficile que prévu.

Bien sûr, il pouvait envoyer une armée de D'Harans mettre de l'ordre chez les Keltiens. En quelques jours, il n'en doutait pas, tous les dissidents seraient rentrés dans le rang. Mais fallait-il vraiment confier une mission aussi secondaire à des soldats d'élite ? Une solution diplomatique serait tellement plus économique…

Laisser faire et trancher plus tard avait aussi ses avantages. Hélas, la loyauté de

Kelton était le pivot de son plan. Beaucoup de royaumes s'aligneraient sur la décision de leur puissant voisin. Un revirement, à cet instant précis, risquait de tout gâcher.

*Kahlan, que ferais-tu à ma place ?*

Kahlan…

Richard se tourna lentement vers le général.

— Si Kelton a vraiment besoin d'un monarque qui symbolise l'espoir aux yeux du peuple et le guide d'une main ferme, je tiens la personne qu'il lui faut !

Baldwin plissa le front, très concentré.

— En ma qualité de maître de D'Hara et de l'alliance, je nomme Kahlan Amnell reine de Kelton !

Le général se leva d'un bond, les yeux ronds comme des soucoupes.

— Kahlan Amnell, sur le trône de Kelton ?

Le regard dur, Richard posa la main sur la garde de son épée.

— Ma décision est irrévocable. Tous les Keltiens lui obéiront et la vénéreront.

Le général tomba à genoux, la tête inclinée.

— Seigneur Rahl, comment vous remercierai-je jamais assez au nom de mon peuple ? C'est merveilleux !

Sur le point de dégainer son arme, Richard s'immobilisa, stupéfait par la réaction du militaire. À vrai dire, il s'attendait à tout autre chose…

— Seigneur Rahl, continua le général en se levant, il faut que j'aille sur-le-champ annoncer cette grande nouvelle à mes hommes. Tous seront honorés de devenir les sujets d'une telle reine.

Ne sachant sur quel pied danser, le Sourcier préféra ne pas se mouiller.

— Général Baldwin, je me réjouis que vous acceptiez mon choix.

— L'accepter, dites-vous ? Seigneur, il dépasse mes plus folles espérances ! Kahlan Amnell est déjà la reine de Galea. Dans mon pays, bien des gens voyaient d'un mauvais œil que la Mère Inquisitrice prenne en mains la destinée de notre plus grand rival. Qu'elle coiffe notre couronne prouve que vous tenez Kelton dans la même estime que Galea. Et après votre mariage, vous serez uni à notre peuple, comme aux Galeiens…

Richard en resta sans voix. Comment Baldwin savait-il que Kahlan était la Mère Inquisitrice ? Par les esprits du bien, que se passait-il ?

Baldwin tendit une main, écarta celle du Sourcier de son arme et lui donna une accolade enthousiaste.

— Seigneur, c'est le plus grand honneur qu'ait jamais reçu mon peuple ! La Mère Inquisitrice, sur le trône de Kelton ! Mille mercis, seigneur Rahl ! Mille mercis !

Si Baldwin ne se tenait plus de joie, le pauvre Richard était à deux doigts de paniquer.

— J'espère, général, que cette décision scellera votre unité.

— Pour les siècles des siècles, seigneur ! jubila le Keltien. À présent, si vous voulez bien, je vais vous quitter pour apprendre la nouvelle à mes hommes.

— Faites, je vous en prie…, parvint à dire Richard, ravi de se débarrasser du militaire.

Avant de sortir, Baldwin tapa dans les mains de Cara et de Raina, qui ne se départirent pas de leur flegme.

— Seigneur Rahl, demanda Cara dès qu'ils furent seuls, quelque chose ne va pas ? Vous êtes blanc comme un linge…

— Il sait que Kahlan est la Mère Inquisitrice, lâcha Richard, accablé.

— Et alors ? s'étonna la Mord-Sith. Tout le monde est informé que votre promise, Kahlan Amnell, est aussi la Mère Inquisitrice.

— Pardon ? s'étrangla Richard. Tu le sais aussi ?

Les deux femmes acquiescèrent, non sans inquiétude.

— Évidemment que nous le savons, seigneur, dit Raina. Cara a raison, vous n'avez pas l'air bien du tout. Vous voulez vous asseoir un peu, le temps de récupérer ?

— Un sort dissimulait son identité, fit Richard en réponse aux questions muettes de ses deux gardes du corps. Personne n'était au courant. Un très grand sorcier s'en était assuré. Et vous l'ignoriez aussi !

— Vraiment ? fit Cara, sincèrement perplexe. Voilà qui est étrange, seigneur. Je jurerais l'avoir toujours su…

— Moi aussi, renchérit Raina.

— C'est impossible… (Richard se tourna vers la porte.) Ulic, Egan !

Les deux colosses entrèrent en trombe, prêts à se battre jusqu'à la mort s'il le fallait.

— Que se passe-t-il, seigneur ? demanda Ulic.

— Qui vais-je épouser ?

Les deux hommes en sursautèrent de surprise.

— La reine de Galea, seigneur, répondit Ulic.

— Mais encore ?

Les deux D'Harans échangèrent un regard perplexe.

— Eh bien… Hum… Il s'agit de Kahlan Amnell, la Mère Inquisitrice.

— La Mère Inquisitrice est censée ne plus être de ce monde ! Avez-vous oublié mon discours, dans la salle du Conseil, devant tous les ambassadeurs ? Je leur ai dit de se montrer fidèles à sa mémoire en s'unissant à D'Hara.

Ulic se gratta pensivement la tête. Se mordillant le bout d'un index, Egan contemplait le sol, plongé dans une profonde réflexion.

Raina regarda ses compagnons, en quête d'une illumination.

— Je me souviens, seigneur Rahl ! s'écria soudain Cara. Mais je pensais que vous parliez des Mères Inquisitrice du passé. Pas de votre fiancée !

Les trois autres gardes du corps acquiescèrent, visiblement soulagés par cette explication.

— Écoutez, je sais que vous ne comprenez pas, mais quand la magie est impliquée, c'est souvent le cas.

— Nous vous croyons, seigneur Rahl, déclara Raina. S'il s'agit vraiment d'un sortilège, il nous a sans doute trompés. Votre pouvoir vous met à l'abri de ce genre de choses. Sur ce sujet, nous vous faisons une confiance aveugle.

Richard se frotta nerveusement les mains, le regard fuyant. Quelque chose clochait terriblement. Mais quoi ?

Si Zedd avait neutralisé le sort, ce n'était sûrement pas sans raison. Alors, pourquoi se ronger les sangs ? Le vieux sorcier ne quittait pas Kahlan d'un pouce, et il la protégerait.

— Ma lettre ! s'exclama le jeune homme. Zedd a dû briser le sortilège parce qu'il sait que j'ai conquis Aydindril. Dissimuler l'identité de Kahlan n'a plus aucun sens, dans ce contexte.

— C'est sûrement ça, dit Cara.

Cette possibilité n'apaisait pas totalement l'angoisse du Sourcier. Et si Kahlan, furieuse à cause de ses récentes décisions politiques, avait demandé à Zedd de neutraliser le sort ? Pour que les Contrées du Milieu sachent qu'elles avaient toujours à leur tête une Mère Inquisitrice...

Dans ce cas, la jeune femme n'était pas en danger, mais simplement folle de rage contre lui. Une réaction, tout compte fait, qu'il préférait à l'autre possibilité.

Dans l'incertitude, il devait cependant agir.

— Ulic, va chercher le général Reibisch et amène-le ici aussi vite que possible. (Le colosse salua et courut vers la porte.) Egan, tu devrais aller bavarder avec quelques-uns de nos hommes. Comporte-toi comme si tout était normal. Engage la conversation, et évoque mon futur mariage... Nous devons découvrir si tout le monde est au courant, pour la Mère Inquisitrice...

En attendant Reibisch, Richard marcha en rond, le cerveau en ébullition. Que devait-il faire ? Kahlan et Zedd arriveraient bientôt, du moins en principe. Même si la jeune femme désapprouvait ses initiatives, ça ne l'empêcherait pas de le rejoindre. Cela dit, il aurait droit à un sermon sur la riche histoire des Contrées du Milieu et son irresponsabilité...

Kahlan lui annoncerait-elle que leur mariage n'aurait pas lieu ? Et qu'elle ne voulait plus jamais le revoir ? Non, c'était impossible. Elle l'aimait, et rien ne pouvait la détacher définitivement de lui. Il devait croire en leur lien, comme elle le faisait sans doute...

La porte s'ouvrit soudain pour laisser passer Berdine, les bras chargés de livres et de rouleaux de parchemin. Souriante, malgré la plume qu'elle serrait entre ses dents, elle laissa tomber son chargement sur la table.

— Si vous n'êtes pas occupé, seigneur, j'ai des choses à vous dire...

— Ulic est parti chercher le général Reibisch. Je dois absolument lui parler.

Berdine regarda ses deux collègues, puis la porte.

— Dois-je me retirer, maître Rahl ? Quelque chose ne va pas ?

Certain que la traduction du journal intime était de la première importance, le Sourcier songea qu'il n'avait rien de spécial à faire avant l'arrivée de Reibisch...

— Qui vais-je épouser, Berdine ?

La Mord-Sith s'assit et entreprit de farfouiller dans sa documentation.

— La reine Kahlan Amnell, Mère Inquisitrice des Contrées du Milieu..., répondit-elle distraitement. Vous avez quelques minutes à me consacrer, maître ? J'ai besoin de votre aide.

Richard soupira et vint s'asseoir à côté de la jeune femme.

— En attendant Reibisch, j'ai tout mon temps... Que veux-tu ?

Du bout de sa plume, Berdine tapota le livre blanc.

— J'ai presque traduit un passage que son auteur semblait juger très important. Hélas, il me manque deux mots essentiels. (Elle saisit la version d'harane des

*Aventures de Bonnie Day* et la posa devant eux.) J'ai trouvé ces termes dans le roman. Si vous vous souvenez du paragraphe, mon problème sera résolu.

Richard avait relu des dizaines de fois *Les Aventures de Bonnie Day,* son roman favori. Convaincu de le connaître par cœur, il avait découvert, au cours de leurs recherches, que ce n'était pas le cas. Aucun détail de l'histoire ne lui échappait, mais de là à se souvenir des phrases, il y avait un grand pas. Et pour ce qu'il avait entrepris, raconter l'intrigue ne suffisait pas...

Il était retourné plusieurs fois dans la Forteresse en quête d'une version qu'il aurait pu déchiffrer. Hélas, il n'en avait pas trouvé, et l'exemplaire rédigé dans sa langue était resté en Terre d'Ouest.

Berdine désigna une ligne du roman.

— Vous savez ce que dit cette phrase ? (Elle pointa deux mots du bout de l'index.) Ce sont les termes qui me manquent...

Richard reprit espoir. C'était un début de chapitre, et il s'en sortait mieux à ces endroits-là, toujours très forts et donc imprimés dans sa mémoire.

— Oui ! C'est le chapitre où ils s'en vont. Je me souviens de la phrase : « *Pour la troisième fois de la semaine, Bonnie viola la règle édictée par son père, qui lui interdisait d'aller seule dans les bois.* »

Berdine se pencha sur le journal.

— Le verbe « violer » est bon, je l'avais déjà traduit. Ce mot-là serait « règle » et celui d'à côté « troisième » ?

— On dirait bien, oui...

Enthousiasmée par cette découverte, la Mord-Sith prit une feuille de parchemin et remplit les blancs qu'elle avait laissés dans un texte rédigé de sa main.

— Et voilà le travail ! lança-t-elle en tendant la feuille à Richard.

Il la prit, tourna le dos à la fenêtre pour profiter de la lumière, et lut.

« *La dissension fait rage entre nous... Comme le dit la Troisième Leçon du Sorcier : la passion domine la raison. Je crains que cette leçon, la plus insidieuse de toutes, signe notre perte. Bien qu'ils sachent que c'est dangereux, certains d'entre nous ont déjà oublié ce garde-fou. Les diverses factions prétendent agir au nom de la raison, mais je redoute que toutes, par désespoir, aient cédé à la passion. Alric Rahl lui-même clame partout qu'il a trouvé une solution. Pendant ce temps, la faux de ceux qui marchent dans les rêves éclaircit impitoyablement nos rangs. Si nous ne pouvons pas achever les tours, je ne donne pas cher de nous. Aujourd'hui, j'ai dit adieu à deux amis en partance pour les tours. Mon cœur saigne à l'idée de ne plus les revoir dans ce monde. Combien d'entre nous devront se sacrifier au nom de la raison ? Hélas, je sais que le prix serait plus terrible encore si nous devions oublier la Troisième Leçon.* »

Quand il eut fini sa lecture, Richard se détourna de ses compagnons, le regard rivé sur la fenêtre. Il avait été dans ces tours, où tant de sorciers s'étaient immolés pour alimenter et activer les sortilèges. Jusqu'à cet instant, il n'avait jamais pensé à eux comme à des êtres de chair et de sang. Partager l'angoisse de l'auteur de ces lignes, mort depuis des millénaires, lui nouait l'estomac. Comme si chaque mot ramenait à la vie ses pathétiques ossements...

Le Sourcier réfléchit à la Troisième Leçon, tentant d'en tirer seul la substantifique moelle. Pour la Première et la Deuxième, Zedd, puis Nathan, l'avaient aidé à déduire des implications pratiques. Aujourd'hui, il devrait se débrouiller seul.

Récemment, il était allé à la périphérie d'Aydindril pour parler avec les gens qui quittaient la cité à la hâte. Désireux de connaître le motif de leur exil, il avait entendu des hommes morts de peur lui assurer qu'ils connaissaient la vérité : il était un monstre qui les étriperait pour se divertir.

Afin d'appuyer leur thèse, ces malheureux répétaient de vagues rumeurs avec l'assurance de témoins de première main. Richard Rahl avait réduit des enfants en esclavage, les arrachant à leurs parents. Véritable vipère lubrique, il changeait de compagne plusieurs fois par nuit, jetant ensuite ses victimes à la rue sans même leur rendre leurs vêtements. Pire encore, selon des sources bien informées, les fruits de ces viols étaient immanquablement des bébés difformes et pervers à jamais contaminés par la semence du démon.

Certains, parmi les plus exaltés, étaient allés jusqu'à lui cracher dessus, dégoûtés par ses crimes.

S'il était un tel monstre, avait argué Richard, pourquoi osaient-ils lui parler si franchement ?

Parce qu'il ne leur ferait jamais de mal en public, bien entendu ! Soucieux de passer pour un être doux et compatissant, il se gardait bien de commettre ses turpitudes devant témoins. Eh bien, en ce qui les concernait, il avait perdu, car leurs femmes et leurs enfants seraient bientôt hors de portée de ses manigances !

Toute tentative pour rétablir la vérité encourageait ces fuyards à s'accrocher à leurs fadaises. Comme ils le clamaient, des faits rapportés par tant de personnes ne pouvaient pas être faux. Un ou deux individus pouvaient se tromper, pas des centaines !

Enfermés dans leur prison d'angoisse et de mensonge, ces gens n'étaient plus accessibles à la logique. Un seul désir les animait encore : fuir Aydindril, devenue un enfer, et courir se réfugier sous l'aile de l'Ordre Impérial, universellement connu pour sa bienveillance.

Leur passion les conduirait à leur perte, comme l'écrivait le sorcier mort. Était-ce en cela qu'il était dangereux d'ignorer la Troisième Leçon ? À partir d'un seul exemple, il semblait difficile de tirer des conclusions définitives.

En tout cas, il y avait un lien évident avec la Première Leçon. Les gens, stupides par nature, étaient prêts à gober n'importe quel mensonge – parce qu'ils avaient envie qu'il soit vrai, ou parce qu'ils le redoutaient.

Il pouvait s'agir d'un mélange de ces deux leçons, oubliées l'une comme l'autre. Quant à savoir où s'arrêtait la première et où commençait la troisième, c'était au-delà des compétences de Richard…

Il se souvint d'un drame survenu pendant son enfance, en Terre d'Ouest. Bien qu'elle ne sût pas nager, maîtresse Rencliff avait échappé aux hommes qui essayaient de la retenir. Refusant d'attendre l'arrivée d'un canot, elle avait plongé dans la rivière en crue où son jeune fils était tombé. Quelques minutes plus tard, le canot avait repêché l'enfant, encore vivant.

Chad Rencliff dut grandir sans sa mère, dont on ne retrouva jamais le cadavre...

La peau du Sourcier le picota comme si elle avait été en contact avec de la glace. Cette fois, il comprenait la Troisième Leçon !

La passion domine la raison – la source de toutes les catastrophes !

Morose, le Sourcier passa près d'une heure à recenser les différentes façons dont la passion pouvait nuire aux êtres humains. Très troublé, il se demanda si la magie, à l'occasion, n'aggravait pas les choses. La réponse – affirmative – lui fit froid dans le dos.

Par bonheur, l'arrivée d'Ulic et du général le tira de sa méditation.

— Seigneur Rahl, lança le militaire après un rapide salut, Ulic affirme que c'est urgent !

Richard saisit Reibisch par les pans de son uniforme.

— Combien de temps vous faut-il pour lancer un détachement à la recherche de quelqu'un ?

— Seigneur Rahl, mes hommes sont des D'Harans, toujours prêts à l'action. Il suffira que je donne l'ordre.

— Parfait. Vous connaissez ma future femme, Kahlan Amnell ?

— La Mère Inquisitrice ?

— Elle-même, oui..., soupira Richard. Elle voyage en direction d'Aydindril, depuis le sud-ouest. Elle devrait déjà être là, et ce retard m'inquiète. Jusqu'à très récemment, un sort dissimulait son identité, afin que ses ennemis ne puissent pas la traquer. Pour une raison que j'ignore, cette magie n'est plus active. Ce n'est peut-être rien, mais je ne veux pas courir de risque. Car ses adversaires, désormais, sauront qu'elle est vivante.

— Je vois..., fit Reibisch en se grattant la barbe. Qu'attendez-vous de moi, seigneur ?

— Deux cent mille D'Harans sont cantonnés en Aydindril, et cent mille de plus campent autour de la ville. Je ne peux pas dire où est exactement Kahlan. Mais je sais d'où elle vient, et où elle va. Nous devons la protéger, général ! Je veux qu'une centaine de milliers d'hommes ratissent le terrain pour la retrouver.

— Une force rudement importante, seigneur. Et qui risque de manquer, s'il faut défendre la ville...

— Si nous lésinons, général, nous risquons de ne pas la trouver ! Cent mille hommes, intelligemment déployés, ne laisseront pas passer une épingle à cheveux entre eux.

— Vous viendrez avec nous, seigneur ?

Richard aurait volontiers tout abandonné pour voler au secours de ses amis. Jetant un coup d'œil à la table où Berdine travaillait toujours, il pensa à la Troisième Leçon et aux avertissements lancés par un sorcier mort depuis trois mille ans.

La passion domine la raison.

Berdine avait besoin d'aide pour traduire le journal. En savoir plus sur l'Antique Guerre, les tours et ceux qui marchent dans les rêves était vital pour sauver le monde.

S'il partait, et ne trouvait pas Kahlan lui-même, il la verrait beaucoup plus tard que s'il l'attendait en Aydindril.

Il pensa aussi à la Forteresse. Il s'y passait quelque chose, et il devait défendre la magie qu'elle contenait.

La passion du jeune homme le poussait à partir. Mais l'image de maîtresse Rencliff refusait de quitter son esprit. Il la voyait sans cesse plonger dans les eaux noires, refusant d'attendre le canot.

Les soldats d'harans étaient *son* canot de sauvetage, et il devait leur faire confiance.

Pour trouver Kahlan et la protéger, ces hommes n'auraient pas besoin de lui. Bref, la raison lui dictait de rester, aussi angoissant que cela fût.

Que ça lui plaise ou non, il était désormais un chef. Si un dirigeant cédait à la passion, tous ceux qui se fiaient à lui en payeraient tôt ou tard le prix.

— Non, général, je resterai en Aydindril. Allez organiser le départ, et choisissez les meilleurs éclaireurs. Il est inutile, je crois, de vous dire que cette mission est essentielle à mes yeux.

— J'ai très bien compris, seigneur, ne vous inquiétez pas... Nous la trouverons, je vous le jure ! Je partirai avec les hommes, et j'agirai exactement comme vous l'auriez fait, croyez-moi. (Reibisch se tapa du poing sur le cœur.) Pour toucher à un cheveu de votre reine, il faudra d'abord passer sur cent mille corps !

— Merci, général Reibisch, dit Richard. (Il posa une main sur l'épaule de l'officier.) Je sais que je n'aurais pas fait mieux que vous... Puissent les esprits du bien vous accompagner !

# Chapitre 44

— Je vous en prie, sorcier Zorander…

Sans daigner lever les yeux, le vieux sorcier continua à se goinfrer de haricots au lard. Comment cet homme pouvait-il manger autant, se demanda Anna. Et rester aussi décharné ?

— Vous m'écoutez, sorcier Zorander ?

La Dame Abbesse élevait rarement la voix, mais elle avait épuisé sa patience. Cette affaire était encore plus compliquée que prévu. Elle devait se comporter durement, pour alimenter l'hostilité du vieil homme, mais là, ça commençait à bien faire…

Avec un soupir satisfait, Zedd laissa tomber son assiette en fer-blanc sur la petite pile de vaisselle.

— Bonne nuit, Nathan.

Le Prophète, un sourcil levé, regarda son nouvel ami se glisser dans un sac de couchage.

— Bonne nuit, Zedd.

Depuis la capture du vieux sorcier, un compère qui lui donnait brillamment la réplique, Nathan était encore plus difficile à gérer que d'habitude.

— Sorcier Zorander, je vous implore de m'aider !

S'abaisser ainsi enrageait Annalina. Hélas, utiliser le Rada'Han pour contraindre Zedd à coopérer donnait des résultats catastrophiques. Avec le blocage de pouvoir que lui imposait le collier, comment parvenait-il à lui jouer tous ces mauvais tours ? En théorie, c'était impossible. Pourtant, il réussissait, et Nathan s'amusait comme un petit fou des déboires de sa geôlière.

Qui ne trouvait pas ça drôle du tout…

— Je vous en supplie, sorcier Zorander ! gémit Anna, au bord des larmes.

Zedd tourna la tête, son profil d'aigle nettement découpé par les flammes de leur feu de camp.

— Si vous ouvrez encore une fois ce livre, vous mourrez.

Aussi insaisissable qu'un fantôme, et attendant toujours le moment le plus surprenant, le sorcier lançait des sortilèges qui contournaient les boucliers d'Anna. Comment s'était-il débrouillé pour envelopper le livre de voyage d'un sort de lumière ? Anna l'ignorait, mais le résultat était là. Un peu plus tôt dans la soirée, elle avait ouvert le carnet et pris connaissance du message de Verna lui annonçant sa capture – avec un Rada'Han à la clé !

À partir de là, tout avait très mal tourné.

L'ouverture du livre activant le sort, une étincelle crépitante avait jailli d'entre les pages pour aller léviter dans les airs au-dessus de la tête d'Anna. Très calme, comme s'il s'agissait d'un jeu, le sorcier Zorander avait annoncé que la Dame Abbesse brûlerait vive si elle ne refermait pas le carnet avant que le feu follet magique soit retombé sur le sol.

Suivant du coin de l'œil la descente de plus en plus rapide de l'étincelle, Annalina avait à peine eu le temps de griffonner quelques mots à l'attention de Verna.

« *Il faut t'évader et faire quitter le palais aux sœurs.* »

Puis elle avait refermé le carnet juste à temps ! Et le vieil homme, elle le savait, ne plaisantait pas en la menaçant d'une combustion instantanée.

Le sortilège brillait faiblement autour du livre de voyage. Anna n'en avait jamais vu de semblable, et ce fichu Zedd était parvenu à le lancer alors qu'un Rada'Han bloquait ses pouvoirs ! Incompréhensible !

Nathan n'avait pas d'explication non plus, mais ce phénomène l'intéressait au plus haut point. Et pour cause !

Incapable d'ouvrir le livre sans y laisser la vie, Annalina avait dû se résoudre à supplier le vieil homme.

— Sorcier Zorander, insista-t-elle en s'agenouillant près de lui, vous avez de très bonnes raisons de m'en vouloir, je le concède. Mais c'est une question de vie ou de mort ! Je dois communiquer avec Verna ! La survie de toutes les Sœurs de la Lumière est en jeu. Vous ne voudriez pas qu'elles périssent, n'est-ce pas ?

Zedd sortit un index du sac de couchage et le pointa sur la Dame Abbesse.

— En me réduisant en esclavage, vous avez attiré le malheur sur votre tête, et sur celles des Sœurs. Combien de fois devrais-je vous le répéter ? En violant la trêve, vous avez condamné à mort les femmes que vous dirigez. Dame Abbesse, vous mettez en danger la vie des gens que j'aime. Ils risquent de mourir parce que vous m'empêchez de les aider. En m'interdisant de protéger la magie de la Forteresse, c'est l'avenir de tous les peuples des Contrées que vous menacez. À cause de vous, des multitudes d'innocents périront…

— Sorcier Zorander, pourquoi refusez-vous de comprendre que nos destins sont liés ? Nous nous battons tous contre l'Ordre Impérial. Je ne suis pas l'adversaire, admettez-le ! Mon but n'est pas de vous nuire, mais d'obtenir votre aide.

— Très beau discours…, grogna Zedd. Au fait, n'oubliez pas mon conseil : ne vous endormez pas en même temps que Nathan. Sinon, vous ne vous réveillerez jamais. Alors, lequel des deux prendra le premier tour de garde ?

Sur ces mots, Zedd se tourna sur le côté et se recroquevilla en position fœtale.

*Cher Créateur*, pensa Anna, *les événements suivent-ils la voie tracée par la prophétie ? Ou dérivons-nous lentement vers un désastre ?*

— Nathan, fit Anna en approchant du feu, tu as une idée pour lui remettre un peu de plomb dans la cervelle ?

— Combien de fois t'ai-je dit que cette partie du plan était idiote ? Imposer un collier à un jeune homme est un jeu d'enfant. Mais s'attaquer à un sorcier du Premier Ordre tient du crétinisme congénital. Cela dit, c'est toi qui as eu cette idée brillante, pas moi.

Furieuse, Anna saisit le Prophète par le devant de sa chemise.

— Verna risque de mourir dans une cellule, un collier autour du cou. Et si elle disparaît, les Sœurs de la Lumière périront avec elle.

Nathan se dégagea et prit une cuillerée de haricots.

— Ne t'ai-je pas mise en garde contre ce plan ? Tu as déjà failli mourir dans la Forteresse, et cette partie de la prophétie est encore plus délicate. J'ai parlé à Zedd. Anna, il ne te ment pas. De son point de vue, tu mets ses amis en danger de mort. S'il en a l'occasion, il te tuera pour pouvoir s'échapper et voler à leur secours. Je n'ai pas l'ombre d'un doute à ce sujet.

— Nathan, après tant d'années passées ensemble, comment peux-tu dire aussi froidement des choses pareilles ?

— Tu t'étonnes, après une vie de captivité, que j'aie encore l'audace de me rebeller ?

Anna détourna la tête pour que le Prophète ne voie pas ses larmes. Non sans difficulté, elle ravala la boule qui s'était formée dans sa gorge.

— Depuis que tu me connais, m'as-tu vue être gratuitement cruelle ? Ai-je jamais combattu pour une autre cause que la préservation de la vie et de la liberté ?

— Je suppose que tu exclues *ma* liberté de ce joli programme ?

— Un jour, je le sais, il me faudra en répondre devant le Créateur. Mais j'ai agi ainsi parce que c'était obligatoire. Et pour ton bien, mon ami. Nous savons tous les deux ce qui t'arriverait si on te lâchait dans le monde. Les gens te traqueraient et te tueraient parce qu'ils ne te comprendraient pas.

— Tu prends le premier tour de garde, ou le deuxième ? lâcha Nathan en posant son assiette sur les autres.

— Si tu brûles tant d'être libre, qui t'empêche de t'endormir au lieu de veiller sur moi ? Ton ami Zedd sera ravi d'éliminer ta geôlière.

— Je veux me débarrasser de ce collier, grogna le Prophète. Pour ça, je suis prêt à tout, sauf à te tuer. Dans le cas contraire, voilà longtemps que tu n'arpenterais plus ce monde.

— Désolée, Nathan… Je sais à quel point tu es bon, et combien tu m'as aidée à préserver la vie. Devoir te forcer à m'accompagner me brise le cœur.

— Me forcer ? Anna, tu es la femme la plus amusante que j'aie connue ! Bon sang, je n'aurais manqué ça pour rien au monde ! Qui d'autre m'aurait acheté une épée ? Et donné l'occasion de m'en servir ?

» Cette maudite prophétie affirme que tu dois rendre Zedd fou de rage, et tu t'en tires admirablement bien. Peut-être même un peu trop… Bon, je prendrai le premier tour de garde. Avant de dormir, vérifie ton sac de couchage. Qui sait ce qu'il a pu y introduire, ce soir ? Je n'ai toujours pas compris comment il a réussi son coup, avec les puces des neiges.

— Moi non plus, et ça me démange encore. (Anna se gratta distraitement le cou.) Nous sommes presque à destination, Nathan. Au rythme où nous voyageons, nous arriverons bientôt chez nous.

— Foyer, doux foyer…, railla Nathan. Et là, tu nous tueras !

— Créateur vénéré, murmura Anna, si seulement j'avais le choix…

Fatigué au point de ne plus pouvoir garder les yeux ouverts, Richard s'adossa à son siège et bâilla à s'en décrocher la mâchoire. Assise à côté de lui, Berdine ne put s'empêcher de l'imiter. Gagnée par la contagion, Raina aussi se mit de la partie.

Entendant frapper à la porte, le Sourcier se leva d'un bond.

— Entrez !

— Il y a un messager pour vous, seigneur, annonça Egan.

Sur un geste de son maître, le colosse s'écarta pour laisser passer un soldat d'haran vêtu d'un lourd manteau de voyage qui empestait le crottin.

— Assieds-toi, proposa Richard quand l'homme l'eut salué. On dirait que le chemin était difficile…

Avec un regard méprisant pour la chaise, le soldat se contenta de rectifier la position de la hache glissée à sa ceinture.

— Je suis en pleine forme, seigneur Rahl. Hélas, je n'ai rien de nouveau à vous raconter.

— Je vois…, soupira Richard. Aucun indice ? Vraiment rien de neuf ?

— Non, seigneur. Le général Reibisch m'a chargé de vous dire que ses hommes ne lambinent pas. Ils sondent chaque pouce de terrain, et aucun détail ne leur échappe. Mais quand il n'y a rien à trouver…

— Je comprends, soldat. Merci d'avoir parcouru tout ce chemin. Avant de repartir, va donc manger un morceau.

L'homme se tapa du poing sur le cœur et sortit.

Depuis deux semaines – soit sept jours après le départ de la troupe – des messagers venaient faire leur rapport quotidien à Richard. Le « détachement » s'étant, depuis, scindé par compagnies, c'était le cinquième de la journée.

En écoutant ces rapports, nécessairement vieux de plusieurs jours, le Sourcier avait le sentiment de remonter dans le temps. Alors même qu'un homme l'informait des « derniers » développements, ses compagnons pouvaient avoir trouvé Kahlan et être déjà sur le chemin du retour. Pour ne pas craquer, il devait garder cet espoir en tête chaque fois qu'on venait lui annoncer un nouvel échec.

Sinon, il fuyait son angoisse en travaillant sans relâche à la traduction du journal. Là aussi, il avait le sentiment de reculer dans le temps, spectateur impuissant d'une histoire depuis longtemps accomplie.

Au fil de leurs recherches, Richard en était venu à comprendre mieux que Berdine ce dialecte du haut d'haran.

Ils continuaient à s'appuyer sur *Les Aventures de Bonnie Day*, se composant lentement un glossaire qui leur servait de guide dès qu'ils revenaient au journal. À mesure qu'il enrichissait son vocabulaire, le Sourcier comprenait de mieux en mieux la version d'harane du roman. Aidé par sa connaissance de l'intrigue, il progressait vite et apprenait un grand nombre de mots.

Souvent, il trouvait plus simple de traduire lui-même le journal que de transmettre ses nouveaux acquis à la Mord-Sith. Commençant à rêver en haut d'haran, il lui arrivait de plus en plus fréquemment de le parler par réflexe à l'état de veille.

Le sorcier auteur du journal ne mentionnait jamais son propre nom. Une démarche logique, puisqu'il s'agissait d'écrits intimes, pas d'un rapport officiel. Berdine et Richard avaient décidé de le surnommer « Kolo ». Les deux premières syllabes du mot *koloblicin*, qui signifiait « conseiller avisé ».

À mesure que Richard comprenait le texte de Kolo, une image terrifiante se dessinait devant ses yeux. Le sorcier avait rédigé son journal à l'époque de l'Antique Guerre, responsable de l'apparition des Tours de la Perdition. Selon Verna, ces tours avaient monté la garde pendant trois mille ans sur la vallée des Âmes Perdues. Grâce à elles, le monde avait échappé à un conflit dévastateur.

Sachant désormais combien ces édifices tenaient à cœur aux sorciers de l'époque, Richard se sentait de plus en plus mal à l'aise à l'idée de les avoir détruits.

Au début de son journal, Kolo mentionnait qu'il tenait la chronique de sa vie depuis l'aube de son adolescence. Un livre, précisait-il, exposait environ une année de son existence. Celui-ci portant le numéro quarante-sept, il avait dû le remplir alors qu'il avait entre cinquante-sept et soixante ans. Quand il aurait percé à jour tous les secrets de ce carnet, Richard s'était promis de retourner dans la Forteresse pour trouver les autres.

À l'évidence, les sorciers écoutaient avidement les conseils de Kolo. En majorité, ces hommes maîtrisaient les deux variantes de magie. Les rares qui se limitaient à la Magie Additive avaient droit à la compassion et à la sollicitude de Kolo. Ces « frères malchanceux », comme il les appelait, étaient souvent tenus pour des ratés par leurs collègues. Le « conseiller avisé », lui, estimait qu'ils pouvaient être utiles, à leur façon, et militait pour qu'on leur accorde un plein statut au sein de la Forteresse.

À cette époque, des centaines de sorciers résidaient dans l'imposant édifice. Les couloirs désormais déserts grouillaient de vie, car les épouses, les enfants et les amis de ces hommes y vivaient avec eux. Kolo parlait souvent de Fryda, sans doute sa compagne, de son fils et de sa fille cadette.

Bien entendu, les gamins n'avaient pas accès à tous les niveaux du bâtiment. Mais ils disposaient de salles de classe où ils apprenaient à lire, à écrire, à compter, à utiliser leur don et même à déchiffrer les prophéties.

Mais une menace planait sur ce lieu bruissant de vie et plein d'amour, car le monde était en guerre.

Entre autres missions, Kolo devait régulièrement monter la garde auprès de la sliph…

Dans la Forteresse, un mriswith avait demandé au Sourcier s'il était venu réveiller la sliph. Indiquant la salle où les attendait le journal, le monstre avait ajouté qu'elle « était enfin accessible ». Kolo aussi utilisait le féminin quand il se référait à la sliph. Parfois, il mentionnait en passant qu'elle le regardait écrire dans son journal…

Le haut d'haran étant terriblement difficile à traduire, Richard et Berdine avaient décidé de ne plus sauter de page en page en quête des passages importants.

Avec cette méthode, s'étaient-ils avisés, ils se compliquaient la tâche pour un résultat plus que douteux. En commençant au début, ils avaient très vite assimilé les tics stylistiques de Kolo – un excellent moyen de « naviguer » dans sa prose d'une densité quelque fois décourageante. S'ils en étaient seulement au premier quart du texte, le processus s'accélérait à mesure que la maîtrise du haut d'haran de Richard s'affirmait.

Alors que son seigneur recommençait à bâiller, Berdine se pencha vers lui, le front plissé de perplexité.

— Que veut dire ce mot ? demanda-t-elle en lui poussant le journal devant les yeux.

— « Épée », répondit Richard sans l'ombre d'une hésitation.

Dans *Les Aventures de Bonnie Day*, on en parlait assez fréquemment pour qu'il s'en souvienne !

— Seigneur, je crois que Kolo parle de votre arme...

Sa fatigue oubliée, le Sourcier s'empara du journal et de la feuille où la Mord-Sith avait consigné sa traduction. Il parcourut d'abord cette version, puis se força à s'imprégner du texte tel que Kolo l'avait rédigé.

*« Ce jour marque l'échec de la troisième tentative pour forger une Épée de Vérité. Les épouses et les enfants des cinq frères qui y ont perdu la vie errent dans les couloirs, hébétés et inconsolables. Combien de compagnons périront avant que nous réussissions ? Ou que nous renoncions à relever un défi impossible ? L'enjeu est capital, sans doute, mais le prix à payer devient insupportable. »*

Richard frémit en pensant que des hommes étaient morts pour fabriquer l'arme qu'il portait au côté. Il en eut même une vague nausée...

Jusque-là, il tenait l'Épée de Vérité pour un « simple » objet magique – voire une lame banale ensorcelée par quelque lointain collègue de Zedd. Savoir qu'elle avait coûté des vies le rendit honteux de lui accorder si peu d'attention, la plupart du temps. Et il préférait ne pas penser à l'époque où il aurait donné cher pour en être débarrassé.

Pressé de lire la suite, Richard se remit au travail. Après une heure d'efforts, Berdine et lui eurent traduit le paragraphe suivant.

*« La nuit dernière, nos adversaires ont envoyé des assassins par l'intermédiaire de la sliph. Sans la vigilance de nos sentinelles, ce coup de force aurait réussi. Heureusement, quand les tours seront activées, l'Ancien Monde sera coupé du Nouveau, et la sliph s'endormira. Alors, chacun pourra se reposer en paix, à part le malheureux chargé de la surveiller. Conscients que nous n'aurons aucun moyen de savoir que les sorts sont activés – si cela se produit un jour –, et que nous ignorerons si la sliph est seule ou non, le garde ne pourra en aucun cas sortir de la salle avant qu'il ne soit trop tard. Ainsi, quand les Tours de la Perdition naîtront à la vie, ce malchanceux sera emmuré avec la sliph. »*

— Voilà l'explication ! dit Richard. Au moment de la séparation de l'Ancien et du Nouveau Monde, la salle de la sliph fut scellée. Et notre pauvre Kolo ne savait pas encore qu'il serait le « malchanceux » en question.

— Pourquoi avons-nous trouvé la salle ouverte ? demanda Berdine.

— Parce que j'ai détruit les Tours de la Perdition. Tu te souviens, j'ai dit que l'explosion était récente... À cause de la moisissure, par exemple. Au moment où les tours se sont désactivées, le tombeau de Kolo s'est ouvert pour la première fois depuis trois mille ans.

— Mais pourquoi ont-ils condamné cette pièce ?

Épuisé, Richard dut se forcer à cligner des yeux.

— Parce que la sliph vit dans le puits qu'elle abrite...

— Le mriswith en a parlé, c'est vrai... Seigneur, qu'est-ce qu'une sliph ?

— Je n'en sais rien... À l'évidence, elle servait à voyager. Kolo parle d'assassins qu'on leur a envoyés par son intermédiaire. Et n'oublie pas que ces sorciers étaient en guerre contre l'Ancien Monde.

— Dois-je comprendre qu'il existait un moyen d'aller secrètement d'un monde à l'autre ?

— C'est ce qu'il semble, mais là encore, je n'en sais rien, mon amie, avoua Richard en se grattant la nuque.

Toujours cette fichue démangeaison !

— Seigneur Rahl, comment est-ce possible ? demanda la Mord-Sith.

Pour la première fois depuis des semaines, elle paraissait de nouveau douter de la santé mentale de son maître.

— Au nom de quoi le saurais-je ? (Le jeune homme jeta un coup d'œil à la fenêtre.) Il se fait tard... Que dirais-tu de quelques heures de sommeil ?

— Beaucoup de bien, seigneur !

Richard ferma le journal de Kolo et le glissa sous son bras.

— Voilà longtemps que je n'ai pas lu au lit..., fit-il en bâillant de plus belle.

Tobias Brogan regarda le mriswith assis près du cocher, puis jeta un coup d'œil à l'intérieur du véhicule, pour repérer le monstre qui surveillait les prisonniers.

Les autres avançaient parmi ses hommes.

Aucun d'eux n'étant invisible, Brogan ne risquait pas qu'une oreille indiscrète entende ce qu'il avait à dire.

Apercevant le profil de la Mère Inquisitrice, assise sur la banquette du coche, le seigneur général serra les poings de colère. Cette chienne était encore vivante et en possession de ses deux mamelons ! Tout ça parce que le Créateur lui avait interdit de la travailler au couteau...

Tobias tourna la tête vers Lunetta, qui chevauchait aujourd'hui à ses côtés.

— Cette histoire commence à m'inquiéter..., souffla-t-il juste assez fort pour qu'elle l'entende.

Lunetta s'arrangea pour rapprocher son cheval de celui de Brogan. Elle ne tourna pas la tête vers lui, soucieuse de ne pas attirer l'attention des mriswiths. Émissaires du Créateur ou non, ces monstres lui déplaisaient souverainement.

— Seigneur général, nous obéissons aux ordres que le Créateur vous a donnés dans vos rêves... Vous devriez vous réjouir qu'il vienne vous parler. Et vibrer de bonheur à l'idée d'accomplir son œuvre.

— Je crois que le...

Brogan ne termina pas sa phrase.

— Regardez ! cria le mriswith assis près du cocher.

Au pied de la colline dont il venait d'atteindre la crête s'étendait une immense cité portuaire coupée en deux par un fleuve aux reflets d'argent. Érigé sur une île, au centre de la ville, un immense palais brillait lui aussi de tous ses feux sous le soleil ardent.

Brogan avait vu bien des villes et une multitude de palais. Pourtant, pareil spectacle ne s'était jamais offert à ses yeux. Même s'il aurait donné cher pour être ailleurs, il ne put s'empêcher d'admirer tant de majesté et de beauté.

— C'est fantastique ! s'écria sa sœur.

— Lunetta, souffla Tobias, le Créateur est revenu me voir cette nuit.

— Vraiment, seigneur général ? C'est merveilleux ! Ces derniers temps, Ses visites se font de plus en plus fréquentes. Il a sûrement de grands desseins pour vous…

— Ses propos deviennent de plus en plus malsains !

— Le Créateur ? Malsain ?

Brogan tourna discrètement les yeux pour croiser le regard de sa sœur.

— Lunetta, j'ai peur que nous ayons un gros problème… À mon avis, le Créateur est en train de devenir fou.

# Chapitre 45

Dès que le coche s'arrêta, le mriswith se leva de la banquette et sortit en laissant la portière ouverte.

Par la fenêtre, Kahlan vit qu'il était allé conférer avec ses semblables. Adie et elle avaient enfin quelques instants de paix.

— Où sommes-nous, d'après vous ? demanda la Mère Inquisitrice à sa compagne.

Adie tendit le cou pour regarder par la fenêtre.

— Esprits du bien vénérés…, souffla-t-elle, incrédule. Nous voilà en plein cœur du territoire ennemi !

— Que voulez-vous dire ?

— Tanimura… Au loin, j'aperçois le Palais des Prophètes.

— Adie, vous êtes sûre ?

— Absolument ! J'y ai séjourné quand j'étais plus jeune, il y a une cinquantaine d'années.

— Vous êtes allée dans l'Ancien Monde ?

— Ça ne date pas d'hier, mon enfant, et c'est une très longue histoire. Je n'aurai pas le temps de te la raconter, mais c'était juste après que le Sang de la Déchirure eut tué mon cher Pell…

La colonne voyageait depuis des semaines. S'arrêtant bien après le coucher du soleil, elle repartait avant l'aube, laissant bien peu de repos aux cavaliers. Au moins, Kahlan et Adie pouvaient dormir dans le véhicule…

Toujours surveillées par un mriswith, et parfois par Lunetta, les deux femmes ne s'étaient pratiquement pas parlé depuis leur capture. Si le mriswith ne les empêchait pas de sommeiller, il avait été clair sur le sort qui les attendait en cas de bavardage.

À mesure qu'ils approchaient du Sud, le temps s'adoucissait. Désormais, Kahlan ne grelottait plus sans arrêt, même si elle appréciait toujours de se serrer contre Adie pour se réchauffer.

— Je me demande pourquoi ils nous ont amenées ici…, souffla-t-elle.

— Moi, je m'étonne plutôt qu'ils ne nous aient pas tuées.

Par la fenêtre, Kahlan vit qu'un mriswith était en grande conversation avec Brogan et sa sœur.

— C'est pourtant simple : nous avons plus de valeur pour eux vivantes que mortes.

— Quelle valeur ?

— Vous ne devinez pas ? Quand je suis revenue pour rallier les Contrées du Milieu à ma cause, mes ennemis ont chargé un sorcier de m'éliminer. Il a raté son coup, mais j'ai dû fuir Aydindril, tombée entre les mains de l'Ordre Impérial. Qui tente désormais de lancer les Contrées dans la guerre ?

— Richard ?

— Oui, Richard… L'Ordre avait entrepris la conquête des Contrées, et certains royaumes semblaient prêts à se ranger dans son camp. Richard a ruiné ce plan avec son histoire de reddition… (L'Inquisitrice jeta un rapide coup d'œil par la fenêtre.) Même si je déteste le reconnaître, il aura peut-être sauvé les peuples des Contrées, au bout du compte…

— Tu crois que l'Ordre veut nous utiliser pour piéger Richard ? C'est absurde… (Adie tapota gentiment le genou de sa compagne.) Je sais qu'il t'aime, mon enfant, mais il n'est pas idiot.

— Et l'Ordre Impérial non plus…

— Alors, quel est son plan ?

— Sais-tu comment les Sanderiens chassent le lion des montagnes ? Ils attachent un tout jeune agneau à un arbre et le laissent appeler sa mère. Alors, il ne leur reste plus qu'à attendre.

— Selon toi, nous serions des « agneaux » ?

— Les soudards de l'Ordre Impérial sont vicieux et cruels, mais pas stupides. Ils savent que Richard ne sacrifiera pas la liberté de tous en échange d'une vie, même si c'est la mienne. Cela dit, il leur a souvent prouvé qu'agir ne lui fait pas peur. S'il pense pouvoir voler à mon secours sans mettre notre cause en danger… À mon sens, c'est ça, le plan de l'Ordre.

— Et tu crois qu'il fonctionnera ?

— Qu'en penses-tu ?

— Richard restera toujours Richard… Pour te sauver, il dégainerait son épée pendant que la foudre fait rage.

Du coin de l'œil, Kahlan vit que Lunetta descendait de cheval. Les mriswiths s'éloignaient, gagnant l'arrière de la colonne d'hommes en cape pourpre.

— Adie, si nous ne nous évadons pas, Richard tombera dans le piège. L'Ordre en est convaincu, sinon, nous ne serions plus de ce monde.

— Mon enfant, avec ce collier autour du cou, je ne réussirais même pas à allumer une bougie.

Par la fenêtre, Kahlan vit les mriswiths marcher vers un bois obscur. Sans s'arrêter, ils s'enveloppèrent dans leur cape et devinrent invisibles.

— Je sais… Je suis également coupée de mon pouvoir.

— Alors, comment s'enfuir ?

Alors que la magicienne en haillons multicolores approchait du coche, Kahlan souffla :

— Lunetta… Si nous la gagnons à notre cause, elle nous aidera.

— Elle ne se retournera jamais contre son frère, objecta Adie. Cette femme est étrange, Kahlan. Je n'ai jamais rien vu de tel…

— Que voulez-vous dire ?

— Elle est sans cesse en contact avec son pouvoir.

— Tout le temps ?

— Oui. En principe, une magicienne ou un sorcier l'invoquent uniquement quand ils en ont besoin. Lunetta en est enveloppée en permanence, comme de son étrange tenue. C'est curieux…

Les deux femmes se turent dès qu'elles entendirent Lunetta haleter en grimpant dans le coche. Après s'être laissée tomber sur la banquette opposée, elle leur fit un sourire amical. Ravies qu'elle soit bien disposée, Kahlan et Adie le lui rendirent de bon cœur.

Quand le coche s'ébranla, l'Inquisitrice fit mine de chercher une meilleure position sur son siège. En profitant pour jeter un coup d'œil par la fenêtre, elle ne repéra plus aucun mriswith. Bien entendu, ça ne voulait rien dire…

— Ils sont partis, fit Lunetta.

— Vous dites ? demanda Kahlan, jouant les innocentes.

— Les monstres… Ils nous ont ordonné de continuer sans eux.

— Continuer jusqu'où ? lança l'Inquisitrice.

Si elle pouvait entraîner Lunetta dans une conversation, leurs chances s'amélioreraient…

— Jusqu'au Palais des Prophètes ! répondit joyeusement la sœur de Brogan. Il paraît qu'on y trouve des centaines de *streganicha* !

— Nous ne sommes pas des agents du mal…, grogna Adie.

— Tobias dit que oui. C'est le seigneur général, vous savez. Un grand homme !

— Nous ne sommes pas maléfiques, insista Adie. À la naissance, le Créateur nous a conféré un don, et il nous appartient de le mettre au service du bien. Tu crois qu'Il nous aurait fait un cadeau empoisonné ?

Lunetta n'hésita pas un instant.

— D'après Tobias, c'est du Gardien que nous tenons notre ignoble magie. Et il ne se trompe jamais.

Adie sourit de l'air indigné de sa compatriote.

— Bien sûr que non… Ton frère est un grand homme, intelligent et puissant, tout le monde sait ça. Mais dis-moi, te sens-tu maléfique ?

Cette fois, Lunetta eut besoin de réfléchir avant de répondre.

— Tobias affirme que je le suis. Il essaye de me remettre sur le droit chemin, et de me laver de la souillure du Gardien. Moi je l'aide à arracher le mal à la racine, pour la gloire du Créateur.

Certaine que la dame des ossements n'arriverait à rien, à part énerver Lunetta, Kahlan jugea plus prudent de changer de sujet. Après tout, la sœur de Brogan contrôlait leurs colliers…

— Tu es souvent allée au Palais des Prophètes ?

— Non ! C'est la première fois… Mais Tobias m'a prévenue que c'est le repaire du mal.

— Alors, pourquoi y allons-nous ?

— Parce que les émissaires nous l'ont ordonné.

— Les émissaires ?

— Les mriswiths, si tu préfères... Le Créateur nous les a envoyés pour nous guider.

Kahlan et Adie en restèrent sans voix un moment.

L'Inquisitrice fut la première à se ressaisir.

— Si c'est le repaire du mal, je trouve étrange que le Créateur nous y envoie. Et ton frère, mon amie, a l'air de se méfier des « émissaires », comme tu dis.

Par la fenêtre, Kahlan avait surpris les regards noirs que le seigneur général lançait aux monstres, alors qu'ils s'éloignaient.

— Tobias a dit que je ne devais pas parler d'eux, admit Lunetta.

— Tu ne crois pas que les émissaires lui nuiraient ? Si le palais est vraiment le repaire du mal, il est possible que...

— Personne ne touchera à Tobias ! s'écria Lunetta. Ma mère m'a fait jurer de le protéger, parce qu'il est plus important que moi. C'est l'Élu, vous comprenez ?

— Pourquoi ta mère... ? commença Kahlan.

— Il faut nous taire, maintenant, lâcha Lunetta, soudain menaçante.

Kahlan s'adossa à la banquette et regarda par la fenêtre. Apparemment, il n'en fallait pas beaucoup pour énerver la sœur de Brogan...

Mieux valait la laisser tranquille pour le moment. Sur l'insistance de son frère, Lunetta s'était livrée à quelques expériences sur l'étendue du pouvoir des colliers. Et le résultat donnait à réfléchir...

Kahlan regarda les bâtiments de Tanimura défiler derrière les fenêtres. Richard était venu ici, et il avait contemplé les mêmes merveilles qu'elle. Se sentant soudain plus proche de lui, grâce à cette expérience commune, la jeune femme eut le cœur un tout petit peu moins serré.

*Richard, ne te jette pas dans ce piège pour me sauver ! Laisse-moi mourir et assure l'avenir des Contrées du Milieu !*

La Mère Inquisitrice avait visité toutes les cités des Contrées. Celle-là leur ressemblait beaucoup. À la périphérie, des bâtisses miteuses, parfois de simples assemblages de planches, s'adossaient à des immeubles ou à des entrepôts délabrés. Dès qu'on s'enfonçait vers le cœur de la ville, l'architecture s'améliorait, des dizaines de boutiques ajoutant de la couleur et de la vie au décor. Comme de juste, ils passèrent devant plusieurs marchés en plein air qui grouillaient de badauds. Un monde de cris, de rires et d'éternelles discussions de marchands de tapis...

Des roulements de tambour lents et rythmés montaient de tous les coins de la cité. Ce bruit de fond tapait vite sur les nerfs. Voyant Lunetta regarder nerveusement à droite et à gauche, pour repérer les « musiciens », Kahlan comprit qu'elle n'était pas la seule à détester ça. Son frère, qui chevauchait sur un flanc du coche, semblait très nerveux aussi.

Le véhicule traversa en cahotant un grand pont de pierre qui conduisait au palais. Les grincements et les craquements des roues couvrant un instant le bruit des tambours, Kahlan fut reconnaissante à Ahern de n'avoir pas ralenti.

Le coche s'arrêta dans une cour entourée de magnifiques pelouses et de bosquets d'arbres impeccablement taillés. Immobiles comme des statues sur leurs montures, les hommes en cape pourpre ne semblaient pas pressés de mettre pied à terre.

— Dehors ! lança soudain Brogan, arrêté à côté du véhicule.

Kahlan fit mine de se lever.

— Pas toi ! cria le seigneur général. Je parlais à Lunetta. Vous deux, ne bougez pas jusqu'à ce qu'on vous l'ordonne. (Brogan se lissa la moustache.) Tôt ou tard, vous serez à moi. Alors, vous payerez vos ignobles crimes.

— Les mriswiths ne confieront jamais une prise de valeur à leur petit chien de salon. Et le Créateur ne permettra pas qu'un type tel que vous pose ses sales mains sur moi. Brogan, vous n'êtes qu'un peu de crasse sous les ongles du Gardien, et le Créateur le sait. Ne comprenez-vous pas qu'Il vous déteste ?

À travers le collier, Lunetta paralysa les jambes de la Mère Inquisitrice et lui comprima la trachée-artère pour la réduire au silence.

Sous l'effort, les yeux de Lunetta brillaient comme des phares dans la nuit. Mais Kahlan avait eu le temps de dire l'essentiel.

Si Brogan, fou de rage, oubliait ses ordres et la tuait, Richard n'aurait plus aucune raison de se jeter dans le piège.

Plus rouge que sa cape, le seigneur général, les yeux exorbités, tendit une main à travers la fenêtre, visant la gorge de l'Inquisitrice. Lunetta saisit son poignet au vol et fit mine de s'être méprise sur le sens de son geste.

— Vous m'aidez à descendre, seigneur général ? Comme c'est galant de votre part ! Avec le mal de reins que j'ai récolté sur ce fichu cheval, ce ne sera pas du luxe. Le Créateur a été très généreux de vous conférer tant de force et de santé. Fasse le ciel que ça continue !

Kahlan tenta de provoquer de nouveau Brogan, mais ses cordes vocales refusèrent de lui obéir. Le collier, toujours…

Tobias se ressaisit un peu et aida sa sœur à descendre du coche. Toujours furieux, il sembla vouloir revenir vers sa proie, mais une femme approcha et le congédia d'un geste méprisant. L'Inquisitrice ne comprit pas les quelques mots qu'elle lâcha, mais ils suffirent pour que le seigneur général s'éloigne sans demander son reste.

La femme ordonna à Ahern de quitter son siège et d'aller rejoindre les soldats du Sang de la Déchirure. En passant, il osa tourner la tête pour encourager du regard les deux prisonnières. Kahlan implora les esprits du bien qu'on ne l'exécute pas, maintenant qu'il avait conduit sa « cargaison » à bon port.

La colonne de cavaliers se mit en branle, emboîtant le pas à Brogan et Lunetta.

Dès que la vieille femme se fut éloignée, le collier cessa d'étouffer Kahlan. Rouge de honte, elle se rappela avoir forcé Richard à en accepter un, le jour où les Sœurs de la Lumière l'avaient capturé. Avait-il enfin compris qu'elle voulait lui sauver la vie, puisque son don « sauvage » menaçait de le tuer ?

Les colliers que portaient Adie et l'Inquisitrice n'étaient pas là pour les protéger. Ce n'étaient rien de plus que des fers, sous une forme moins visible.

La femme qui venait de chasser Brogan monta sur le marchepied pour jeter un coup d'œil dans le coche. Les cheveux et les yeux noirs, elle portait une robe rouge qui mettait admirablement en valeur ses courbes voluptueuses. Devant tant de beauté, Kahlan, dans sa tenue sale et froissée, eut le sentiment d'être à peine plus présentable qu'un épouvantail.

— Une magicienne, fit-elle après un rapide examen d'Adie. Avec un peu de chance, tu nous seras utile. (Elle posa à peine les yeux sur Kahlan.) Suivez-moi !

La femme se détourna sans ajouter un mot.

Comme si on venait de lui flanquer un coup de pied dans les reins, Kahlan fut propulsée hors du coche et manqua s'étaler dans la cour. Restée debout par miracle, elle se retourna juste à temps pour retenir Adie, qui venait de suivre le même chemin qu'elle.

Craignant que la femme en rouge les « frappe » de nouveau, elles se hâtèrent de lui emboîter le pas.

Kahlan se sentit ridicule de trottiner ainsi, animée par le collier comme une marionnette, alors que leur tortionnaire avançait d'une démarche royale.

Adie semblait un peu plus libre de ses mouvements que l'Inquisitrice.

Une maigre consolation qui n'empêcha pas Kahlan de s'imaginer en train de tordre le cou à la garce en robe rouge.

D'autres femmes et quelques hommes en tunique allaient et venaient dans la cour. Leurs tenues rutilantes rappelèrent à la jeune femme qu'elle était sale comme un peigne. Malgré son dégoût, elle espéra qu'on lui interdirait de prendre un bain. Sous toute cette crasse, Richard ne la reconnaîtrait peut-être pas. D'ailleurs, aurait-il envie de sauver une telle souillon ?

*Je t'en prie, occupe-toi des Contrées du Milieu et oublie-moi !*

Les deux prisonnières remontèrent des couloirs couverts aux murs ornés de vignes en fleur. Quand elles arrivèrent devant un grand portail, des gardes les étudièrent de la tête aux pieds. Intimidés par la femme en rouge, ils ne firent pas mine de leur barrer le passage.

Au bout d'un chemin ombragé qui serpentait entre des arbres bourgeonnants, elles entrèrent dans un immense bâtiment sans l'ombre d'un rapport avec le sinistre donjon où Kahlan s'attendait à être conduite. À l'évidence, il s'agissait plutôt de l'aile où on logeait les invités d'honneur du palais.

La femme en rouge s'arrêta devant une grande porte sculptée, l'ouvrit et entra. Les deux prisonnières la suivirent.

La pièce, fort élégante, était dotée d'une haute fenêtre protégée par des tentures brodées de fils d'or. En plus du lit à baldaquin, une table en chêne, un bureau et quelques superbes fauteuils complétaient l'ameublement.

La femme en rouge se tourna vers Kahlan.

— Ce sera votre chambre, dit-elle avec un petit sourire. Inquisitrice, tu bénéficieras de tout le confort possible. Tant que nous n'en aurons pas fini avec toi, considère-toi comme notre invitée. Mais ne tente pas de traverser les champs de force qui défendent la porte et la fenêtre. Tu te retrouverais à genoux, à vomir jusqu'à l'évanouissement. Et ce serait la punition pour ta *première* infraction ! À mon avis, ça t'enlèverait toute envie de découvrir les joies de la deuxième…

Sans quitter Kahlan des yeux, la femme désigna Adie.

— Ose me poser des problèmes, et c'est ton amie qui payera les pots cassés. Même si tu crois avoir l'estomac bien accroché, ce spectacle te le retournera, tu peux me croire ! C'est bien compris ?

Craignant de n'avoir pas le droit de parler, Kahlan préféra hocher la tête.

— Quand je pose une question, on me répond poliment ! lâcha froidement la femme.

Sans qu'elle ait bougé un cil, Adie s'écroula sur le sol en criant de douleur.

— Oui ! Oui, j'ai compris ! Arrêtez de lui faire du mal !

L'Inquisitrice s'agenouilla près d'Adie, qui tentait de reprendre son souffle.

— Laisse la vieille se remettre debout toute seule ! ordonna la femme en rouge.

Kahlan se releva. Le cœur brisé elle regarda la dame des ossements l'imiter péniblement.

— Inquisitrice, sais-tu qui je suis ? demanda la femme avec un sourire arrogant qui fit bouillir le sang de Kahlan.

— Non...

— Eh bien, quel petit coquin, ce Richard ! Cela dit, je ne devrais pas m'étonner qu'il ait omis de parler de moi à sa future femme. C'est assez normal, dans ce genre de cas...

— Quel genre de cas ? explosa Kahlan.

— Je me nomme Merissa, éluda la femme en rouge. À présent, tu me remets ?

— Toujours pas...

Merissa lâcha un petit rire aussi élégant et sensuel que le reste de sa personne. De quoi donner à l'Inquisitrice l'envie de lui écraser le visage à coups de botte !

— Quel vilain garçon, décidément ! Cacher de tels secrets à la femme dont on prétend vouloir partager la vie...

— Quels secrets ? demanda Kahlan.

Elle s'en voulut aussitôt de n'avoir pas su tenir sa langue. Mais le mal était fait.

— Quand ton fiancé résidait ici, j'étais chargée de sa formation. Bien entendu, travailler ensemble nous a rapprochés. (Merissa sourit mélancoliquement.) Si tu savais comme je me languis des nuits passées entre ses bras ! Sur ce plan-là aussi, j'ai su lui apprendre bien des choses. Et il s'est montré un très bon élève, vigoureux et attentif... Si tu as jamais partagé sa couche, tu vois certainement ce que je veux dire, puisque tu as bénéficié de mes plus tendres et intimes leçons.

Sur un dernier rire de gorge, Merissa se détourna, gagna la porte, fit un clin d'œil faussement complice à Kahlan et sortit.

La Mère Inquisitrice ne bougea pas, les poings tellement serrés qu'elle sentait ses ongles lui lacérer les paumes.

Pour convaincre Richard d'accepter le collier qui lui sauverait la vie, elle avait dû le malmener et l'insulter. Persuadé qu'elle ne l'aimait plus et ne voulait jamais le revoir, au nom de quoi aurait-il résisté à une beauté comme Merissa ?

— Ne crois pas un mot de ses mensonges, souffla Adie.

Elle prit Kahlan par les épaules et la força à se tourner vers elle.

— Mais, je...

— Richard t'aime, mon enfant ! Te tourmenter amuse cette garce, parce qu'elle est cruelle de nature. Tu te souviens du vieux proverbe ? « Ne laisse jamais une fille choisir ton chemin à ta place quand il y a un homme dans son champ de vision. » Merissa convoite Richard. Mais pas de la façon qui t'inquiète. C'est son sang qu'elle désire, pas son corps et encore moins son âme.

— Mais…

— Ne lui fais pas le plaisir de perdre ta foi en lui. Il t'aime, comprends-tu ?

— Et cet amour le conduira à sa perte…, murmura Kahlan avant de se jeter dans les bras d'Adie.

Où elle pleura très longtemps…

# Chapitre 46

Richard se frotta les yeux. Le journal devenant passionnant, il aurait voulu pouvoir lire plus vite, mais ce n'était pas possible. Encore contraint de s'arrêter sur quelques mots, et de consulter de temps en temps son glossaire, il faisait pourtant de rapides progrès. Depuis quelques jours, il n'avait plus le sentiment de traduire, mais simplement de lire. Hélas, chaque fois qu'il prenait conscience de son nouveau talent – déchiffrer sans effort du haut d'haran – il recommençait à trébucher sur le vocabulaire.

Les références récurrentes à Alric Rahl le fascinaient. Apparemment, son lointain ancêtre avait trouvé une solution pour neutraliser ceux qui marchent dans les rêves. Si d'autres que lui travaillaient à les empêcher de voler l'esprit des gens, il était persuadé d'avoir résolu le problème.

De D'Hara, il avait envoyé un message annonçant qu'il venait de tisser une Toile de protection autour de ses sujets. Pour en bénéficier, les autres sorciers devaient lui prêter un serment d'allégeance indéfectible. Alors, leurs peuples n'auraient plus rien à craindre.

C'était donc cela, l'origine du lien entre le seigneur Rahl et les D'Harans ? Alric ne l'avait pas inventé pour soumettre les gens, mais pour les défendre. Cet acte généreux emplit Richard d'une étrange fierté.

Passionné comme s'il lisait un roman, le Sourcier passait de page en page en espérant – contre toute logique, puisqu'il connaissait la fin de l'histoire – que la proposition d'Alric serait acceptée. Kolo montrait un intérêt prudent pour d'éventuelles preuves, mais il restait sceptique. À l'en croire, la majeure partie de ses collègues pensaient à un piège plus ou moins subtil. Que pouvait vouloir un Rahl, arguaient-ils, sinon régner sur le monde ?

Richard grogna de déception quand il en arriva au passage qu'il redoutait. En réponse à son offre, Alric avait reçu un message de refus à peine poli…

Dérangé par un bruit insistant, Richard leva les yeux, jeta un coup d'œil par la fenêtre et constata qu'il faisait nuit noire. Jusque-là, il ne s'était même pas aperçu que le soleil avait tiré sa révérence ! La chandelle, qu'il aurait juré avoir allumée à l'instant, agonisait. Le bruit, découvrit-il, venait de la fonte des petits stalactiques qui pendaient à la fenêtre. Ce goutte-à-goutte, aussi énervant fût-il, symbolisait les premières notes de la symphonie annonciatrice du printemps.

Comme toujours, dès qu'il cessait de lire, Richard fut repris par ses angoisses au sujet de Kahlan. Quotidiennement, des soldats venaient l'informer qu'il n'y avait rien de nouveau. Pourtant, la jeune femme n'avait pas pu se volatiliser !

— Aucun messager n'attend de me voir ?

— Bien sûr que si ! répondit Cara, agacée par cette question stupide. Il y en a une dizaine dehors, mais je leur ai dit que vous étiez trop occupé à me conter fleurette pour les recevoir.

— Excuse-moi, Cara… Je sais que tu m'aurais prévenu, s'il y en avait eu. Surtout, n'oublie pas : il *faut* me déranger, même si je dors !

— Même si vous dormez, seigneur… Je sais.

Richard regarda autour de lui et plissa le front.

— Où est passée Berdine ?

— Seigneur, voilà des heures qu'elle est partie se reposer un peu. Vous lui avez même souhaité une bonne nuit.

— Oui, je m'en souviens vaguement, fit Richard en baissant de nouveau les yeux sur le journal.

Il relut un passage des plus curieux. Selon Kolo, les sorciers redoutaient que la sliph leur ramène un ennemi qu'il ne pourrait pas vaincre. Cette guerre était un effrayant mystère pour Richard. Chaque camp imaginait des menaces magiques spécifiques, et son adversaire s'acharnait à les parer, si c'était possible. Non sans dégoût, Richard avait découvert que certaines de ces armes vivantes étaient à l'origine de simples humains – souvent même des sorciers. Quel désespoir fallait-il éprouver pour en arriver là ?

Au fil du temps, les sorciers avaient de plus en plus peur que la sliph, avant l'activation des tours, introduise dans la Forteresse une menace qu'ils ne sauraient pas enrayer. Cette créature née de leur magie leur permettait de franchir de fantastiques distances. Idéale pour lancer des attaques surprises, elle s'était hélas révélée une arme à double tranchant. Dès que les tours seraient opérationnelles, affirmaient-ils, il faudrait que la sliph s'endorme.

Richard aurait donné cher pour en savoir plus. À quoi ressemblait la sliph ? Comment pouvait-elle « dormir » ? Et de quelle façon les sorciers la réveilleraient-ils, après la guerre, puisque telle semblait être leur intention ?

À cause des risques de « retour de bâton » liés à la sliph, ils avaient décidé que les trésors les plus précieux, importants ou dangereux de la Forteresse devaient être mis en sécurité ailleurs. Après avoir annoncé que les derniers objets avaient enfin rallié le « sanctuaire », Kolo écrivait :

« *Aujourd'hui, grâce au travail acharné et génial d'une centaine de braves, notre plus cher désir est finalement exaucé. Si nous sommes vaincus, nos inestimables possessions seront hors de portée de l'autre camp. À l'annonce de ce succès, des cris de joie ont retenti dans toute la Forteresse. Malgré le scepticisme de certains, le miracle est accompli : le Temple des Vents s'en est allé.* »

Comment un temple pouvait-il partir ? Et où ? Le journal de Kolo ne fournissait aucune explication, et pas davantage de précisions sur la nature de cet édifice.

Richard bâilla en se grattant la nuque. Aussi passionnante que fût sa lecture, il ne parvenait plus à garder les yeux ouverts.

Il se leva et se dirigea vers la porte.

— Vous allez au lit pour rêver de moi, seigneur ? le taquina Cara.

— Comme toutes les nuits, oui… Réveille-moi si…

— … un messager se présente, acheva la Mord-Sith. C'est drôle, mais il me semble avoir déjà entendu ça.

Quand il passa devant elle, Cara retint le jeune homme par le bras.

— Seigneur, ils la trouveront et tout ira bien. Dormez sur vos deux oreilles. Des D'Harans cherchent votre reine, et nous sommes un peuple qui ignore l'échec.

— J'ai laissé le journal sur la table, dit Richard en tapotant l'épaule de son amie. Dès son réveil, Berdine pourra travailler dessus.

Il sortit, remonta le couloir et entra dans sa chambre. Trop las pour se déshabiller, il se contenta d'enlever ses bottes et son baudrier. Une fois au lit, et malgré son inquiétude pour Kahlan, il s'endormit comme une masse.

Des coups frappés à sa porte le réveillèrent au milieu d'un rêve tourmenté où sa bien-aimée jouait le premier rôle.

Quand la porte s'ouvrit, le Sourcier dut cligner des yeux, ébloui par la lumière de la lampe que brandissait Cara.

— Seigneur Rahl, réveillez-vous !

— C'est déjà fait, mon amie… (Richard s'assit dans son lit.) Que se passe-t-il ? Et combien de temps ai-je dormi ?

— Environ quatre heures… Depuis son réveil, Berdine travaille sur le journal. Elle a découvert quelque chose, je ne sais pas trop quoi. En tout cas, je l'ai empêchée de venir vous déranger.

— Pourquoi as-tu changé d'avis ? Un messager est arrivé ?

— Oui, seigneur…

Richard se laissa retomber sur ses oreillers. Ces soldats n'avaient jamais rien de neuf à dire.

— Seigneur, levez-vous ! Cet homme a des nouvelles.

Le Sourcier se leva d'un bond et enfila ses bottes.

— Où est-il ?

— On vous l'amène…

À cet instant, Ulic entra, soutenant un soldat qui semblait avoir chevauché sans relâche pendant des semaines. À bout de force, le pauvre ne tenait plus sur ses jambes.

— Seigneur Rahl, j'ai un message pour vous…

Richard fit signe au jeune militaire de s'asseoir au bord du lit. Tenant à rester debout, il déclina l'offre et tenta même de bomber le torse.

— Nous avons découvert quelque chose, seigneur. Le général Reibisch vous prie de n'avoir aucune inquiétude, puisque nous n'avons pas trouvé le cadavre de la reine…

— Au fait, mon ami ! s'impatienta Richard, qui tremblait comme une feuille.

Le soldat tira quelque chose de sous son plastron. Le Sourcier prit le morceau de tissu et le déplia. Une cape pourpre !

— Il y a eu une bataille, seigneur. Le terrain était jonché de cadavres en cape pourpre. Beaucoup de cadavres !

L'homme tira un autre morceau de tissu de sous son plastron.

Richard reconnut aussitôt une des bandes colorées qu'affectionnait la sœur de Brogan. Celle-là était bleue, avec des broderies en fil d'or.

— Lunetta… C'est à elle…

— Dans cette bataille, seigneur, le Sang de la Déchirure a perdu beaucoup de ses membres. Nous avons vu des arbres carbonisés, comme si on avait utilisé la magie. Certains cadavres aussi étaient brûlés. Un seul mort n'appartenait pas au Sang de la Déchirure. Un colosse borgne à la paupière cousue…

— Orsk ! C'était le garde du corps de Kahlan.

— Le général Reibisch pense que la reine et ses autres compagnons sont encore vivants. Après avoir vaillamment lutté, ils ont dû être capturés…

— Les éclaireurs savent-ils dans quelle direction on les a emmenés ? demanda Richard, une main sur le bras du soldat.

Quel fou il avait été ! Être resté ici lui coûterait des semaines de retard. D'ici là, la piste serait peut-être effacée.

— Vers le sud, seigneur, répondit le jeune guerrier. C'est une quasi-certitude.

— Le sud ?

Richard aurait pourtant parié que Brogan, une fois Kahlan entre ses mains, se réfugierait à Nicobarese. Pour qu'il y ait autant de morts, Gratch avait dû se battre héroïquement. Était-il prisonnier aussi ?

— Les éclaireurs ont un petit doute, parce que les événements remontent à trop longtemps. Il a neigé depuis, et avec le début de la fonte, les pistes sont difficiles à suivre. Mais le général Reibisch pense que les ravisseurs sont partis vers le sud. Tous ses hommes se sont lancés à la recherche de votre reine.

— Le sud…, répéta Richard.

Pour s'aider à réfléchir, il se passa une main dans les cheveux. Brogan avait quitté Aydindril plutôt que de se joindre à lui pour combattre l'Ordre Impérial. Bref, le Sang de la Déchirure s'était rallié à l'Ordre. Dont le fief, il le savait, était l'Ancien Monde. Au sud…

Dans la Forteresse, que lui avait dit le mriswith au sujet de la reine ?

« *Elle a besoin de toi, frère de peau. Il faut que tu l'aides.* »

Les mriswiths essayaient de l'assister. Ils étaient ses amis.

Richard saisit son baudrier et l'enfila.

— Je dois partir.

— Pas sans moi ! lança Cara.

Ulic la soutint d'un hochement de tête.

— Vous ne pouvez pas m'accompagner, dit Richard. Prenez les choses en main pendant mon absence. (Il se tourna vers le messager.) Où est ton cheval ?

— Dans la cour, seigneur. Mais ma pauvre jument est épuisée.

— Il lui suffira de me conduire à la Forteresse.

— Quoi ? s'écria Cara. Qu'allez-vous faire là-bas ?

— Trouver le seul moyen de gagner l'Ancien Monde avant qu'il ne soit trop tard.

La Mord-Sith aurait voulu protester, mais son seigneur courait déjà dans le couloir. Elle lui emboîta le pas, bientôt imitée par plusieurs soldats.

Richard ne ralentit pas et ne prêta plus l'oreille aux arguments de la jeune femme. Comment allait-il s'y prendre ? Son plan était-il réalisable ? Bon sang, il fallait qu'il réussisse !

Le Sourcier sortit dans la cour, repéra la jument et repartit au pas de course. Prenant à peine le temps de flatter l'encolure de la bête, il sauta en selle et partit au galop.

— Seigneur Rahl ! cria une voix familière derrière lui. Enlevez votre cape !

Jetant un coup d'œil par-dessus son épaule, Richard aperçut Berdine, qui agitait frénétiquement le journal de Kolo.

Il talonna la jument, car ce n'était vraiment pas le moment !

— Seigneur Rahl, insista la Mord-Sith, vous devez enlever votre cape !

Une idée stupide. Les mriswiths étaient ses amis.

— Seigneur, arrêtez-vous ! Richard, enlevez la cape !

Le Sourcier talonna de nouveau sa monture. Après des semaines d'attente accablante, la perspective d'agir l'exaltait. Passionnément désireux de rejoindre Kahlan, il n'avait plus de place, dans sa tête, pour d'autres pensées.

Le fracas des sabots et les hurlements du vent couvrirent bientôt la voix de Berdine.

Sa cape volant au vent, le Sourcier s'enfonça dans la nuit.

— Que faites-vous ici ? lança une voix.

Brogan se retourna vivement. Il n'avait pas entendu la sœur approcher dans son dos.

Il foudroya du regard la vieille femme aux longs cheveux blancs.

— En quoi ça vous regarde ?

Impassible, la sœur croisa les mains sur son ventre.

— Eh bien, ce palais est à nous, et vous y êtes invité. Que faites-vous quand un invité, chez vous, fouine dans un endroit où vous lui avez spécifiquement interdit d'aller ?

Brogan en plissa le front d'indignation.

— Sais-tu à qui tu parles, femme ?

— Un officier insignifiant qui se gonfle d'importance, je suppose... Le genre de crétin trop vaniteux pour savoir qu'il s'aventure sur un terrain dangereux. (La vieille femme inclina la tête, malicieuse.) J'ai bien répondu ?

— Je suis Tobias Brogan, le seigneur général du Sang de la Déchirure !

Croyant impressionner la sœur, Tobias fit un pas en avant.

— Mazette ! railla la vieille femme, imperturbable. J'en ai le souffle coupé ! Pourtant, je ne me souviens pas avoir dit que personne n'avait le droit de rendre visite à la Mère Inquisitrice, à part le seigneur général du Sang de la Déchirure. Avec un titre aussi pompeux, je n'aurais pas oublié... (La sœur passa de l'ironie à la menace.) Tu n'as aucune valeur pour nous, simplement une vague utilité. Et tes seules missions sont celles que nous te confions !

— Que *vous* me confiez ? Femme, le Créateur en personne me donne ses ordres.

— Le Créateur, rien que ça ? Pour qui te prends-tu, espèce d'imbécile ? Désormais, tu appartiens à l'Ordre Impérial, et ton seul droit est d'obéir.

— Quel est ton nom ? demanda Brogan, à un cheveu de tailler la vieille harpie en pièces.

— Sœur Leoma... Tu crois pouvoir stocker cette information dans le petit pois qui te tient lieu de cerveau ? On t'a dit d'attendre avec tes bouffons de soldats, dans les baraquements. File les rejoindre et ne reviens jamais ici, compris ? Sinon, tu n'auras bientôt plus *aucune* utilité pour l'Ordre Impérial.

Avant que Brogan explose, Leoma lui coupa ses effets en se tournant vers Lunetta, qui avait suivi en silence la brève altercation.

— Bonsoir, ma chère...

— Bonsoir..., répondit la sœur de Brogan, vaguement inquiète.

— Il faut que nous ayons une longue conversation, Lunetta. Comme tu le sais, ce palais est le foyer des magiciennes. Ici, les femmes qui ont le don sont respectées. Ton ridicule seigneur général ne nous intéresse pas, mais toi... Quelqu'un d'aussi doué aurait sa place parmi nous. Au palais, on t'estimerait et tu ne gaspillerais plus ton talent. (Leoma étudia son interlocutrice de pied en cap.) Et tu n'aurais plus besoin de porter ces haillons.

Lunetta saisit une poignée de « mignons » et s'approcha de Brogan.

— Je resterai fidèle au seigneur général. C'est un grand homme !

— Bien sûr..., lâcha Leoma. Ça se voit au premier coup d'œil !

— Et vous êtes de mauvaises femmes, continua Lunetta d'un ton soudain étrangement menaçant. Ma mère me l'a dit il y a longtemps...

— Sœur Leoma..., marmonna Brogan. Voilà un nom que je n'oublierai pas. (Il tapota son étui à trophées.) Dis au Gardien que ces trois syllabes sont à jamais gravées dans ma mémoire. Je me souviens toujours de l'identité d'un messager du fléau.

— La prochaine fois que je parlerai à mon maître, dans le royaume des morts, sois certain que je lui rapporterai tes propos.

Brogan prit Lunetta par le bras et se dirigea vers la porte. Il reviendrait. Et il ne repartirait pas bredouille.

— Nous devons parler à Galtero, dit-il dès qu'ils furent sortis. J'en ai assez de ces obscénités ! Nous avons nettoyé des nids de messagers du fléau bien plus grands que celui-là !

— Seigneur général, le Créateur vous a ordonné d'obéir à ces femmes. Et de leur livrer la Mère Inquisitrice.

— Que te disait notre mère au sujet de ces « sœurs » ?

— Qu'elles étaient maléfiques, seigneur.

— Ce sont des messagères du fléau, ma chère !

— Seigneur général, je ne comprends plus... La Mère Inquisitrice aussi en est une. Pourquoi le Créateur vous aurait-il dit de la leur livrer, si elles sont ses complices ?

À la pâle lumière de la lune, Brogan vit que sa sœur semblait très troublée. La pauvre n'avait pas un intellect assez développé pour comprendre de telles choses.

— N'est-ce pas évident, Lunetta ? Par cette trahison, le Créateur m'a montré son vrai visage. C'est lui qui a inventé la magie, pas vrai ? Il a essayé de me piéger, mais c'est raté ! À présent, je suis le seul à même de purifier le monde. Tous ceux qui ont le don doivent mourir. Car le Créateur est un messager du fléau !

Lunetta en resta bouche bée d'admiration.

— Mère a toujours dit qu'un grand destin t'attendait, Tobias...

Richard posa sa boule lumineuse sur la table et vint se camper devant le grand puits, au centre de la pièce.

Et maintenant, que fallait-il faire ? Qui était la sliph ? Et comment la réveiller ?

Il fit le tour du muret puis sonda en vain le gouffre obscur.

— Sliph ! cria-t-il en se penchant.

Seul l'écho de sa voix lui répondit.

Le Sourcier entreprit de tourner en rond, plongé dans une réflexion qui, il le devinait, ne le mènerait à rien. Sentant une présence dans son dos, il s'immobilisa, fit volte-face et vit un mriswith debout près de la porte.

— La reine a besoin de toi, frère de peau. Il faut l'aider. Appelle la sliph.

— Je sais qu'elle a besoin de moi ! cria Richard en avançant vers le monstre. Mais comment appeler la sliph ?

La bouche sans lèvres du mriswith dessina ce qui pouvait passer pour un sourire.

— Depuis trois mille ans, tu es le premier homme venu au monde avec le pouvoir de la réveiller. Frère de peau, tu as déjà brisé le bouclier qui nous séparait d'elle. Utilise ton pouvoir ! Invoque la sliph avec ton don !

— Mon don ?

— Oui. Lui seul peut la réveiller...

Richard se détourna du mriswith et revint près du puits.

Chaque fois qu'il avait recouru à son don, l'instinct l'avait guidé. Selon Nathan, c'était normal pour un sorcier de guerre. Le *besoin* éveillait le don par l'intermédiaire de l'instinct.

Il devait procéder ainsi.

Laissant son désir de sauver Kahlan couler librement en lui, il lui permit de s'infiltrer au centre de son être, là où tout était éternellement calme. Il ne s'agissait pas d'invoquer le pouvoir, simplement de brûler d'envie qu'il s'éveille.

Le Sourcier leva les poings et inclina la tête en arrière. S'immergeant dans son besoin, il brisa une à une les digues érigées par son inconscient qui le séparaient du pouvoir. Réfléchir à ce qu'il fallait faire n'avait aucun sens. Il devait simplement exiger.

Il avait besoin de la sliph !

*Viens à moi !* cria-t-il intérieurement.

Puis il libéra le pouvoir, comme on expire à fond, et ordonna que son désir soit satisfait.

De la lumière jaillit entre ses poings. C'était cela, l'appel, il le devinait, le sentait et le comprenait. Et à présent, il savait ce qu'il avait à faire.

La sphère lumineuse tournait entre ses poignets, constamment alimentée par les étincelles brillantes qui remontaient le long de ses bras. Quand le pouvoir eut atteint son zénith, il les baissa. Avec un rugissement, l'orbe brillant plongea dans le puits et s'enfonça dans ses ténèbres.

Au fil de sa descente, il illumina les parois de pierre brute. Devenant de plus en plus petit, il finit par disparaître, son cri désormais inaudible.

Richard se pencha vers l'abîme, de nouveau silencieux et obscur. Du coin de l'œil, il vit que le mriswith, dans son dos, le regardait sans esquisser un geste pour l'aider.

Lui seul pouvait réussir. Et s'il n'était pas à la hauteur, tout serait perdu.

Des entrailles de la montagne s'éleva soudain un cri qui déchira le silence pesant de la Forteresse.

Un cri primal, tel celui d'un nouveau-né.

Richard se pencha encore et ne vit rien. Pourtant, il sentait quelque chose. Sous ses pieds, le sol tremblait et de la poussière tourbillonnait dans l'air.

Cette fois, le Sourcier aperçut un reflet au fond du puits. Il se remplissait ! Pas d'eau, mais d'une étrange matière qui montait à une vitesse incroyable le long de ses parois.

Le cri se fit de plus en plus fort.

Richard plongea à l'écart et atterrit contre le mur de la salle. La masse indéfinissable, il en était certain, allait jaillir du gouffre et traverser la voûte. À cette vitesse, rien ne pouvait s'arrêter instantanément.

Ce fut pourtant ce qui arriva.

Le silence revenant, Richard se mit à genoux.

Une masse métallique brillante émergea lentement du gouffre et recouvrit le muret comme une coulée de lave. Se repliant sur elle-même pour former une grande sphère, elle lévita dans les airs, comme une impossible boule d'eau. Tel le métal d'une armure, sa surface polie reflétait tout ce qu'il y avait autour d'elle – avec le même effet de distorsion qu'un miroir déformant.

On eût dit du vif-argent… n'était qu'il pulsait de vie.

La boule, reliée par une sorte de cou au corps demeuré dans le puits, fut parcourue d'ondulations qui sculptèrent lentement les contours puis les détails d'un visage de femme.

Richard s'avisa qu'il en avait oublié de respirer. À présent, il comprenait pourquoi Kolo parlait de « la » sliph.

La créature aperçut enfin l'homme qui l'avait réveillée.

Un sourire se dessina sur son visage d'argent liquide.

— Maître, dit-elle d'une voix grave et sinistre qui retentit dans toute la salle.

Ses lèvres n'avaient pas bougé pour former ce mot. Pourtant, son sourire s'élargit.

— Tu m'as appelée, maître ? demanda-t-elle, le front plissé, comme si cela l'étonnait. Veux-tu voyager ?

— Oui, répondit Richard en se relevant. C'est ça, je veux voyager…

— Alors, viens à moi, et nous partirons ensemble.

— Comment ? Je veux dire… de quelle façon allons-nous voyager ?

La sliph fronça ses sourcils d'argent.

— Tu n'es jamais venu avec moi ?

— Non… Mais il faut que j'aille dans l'Ancien Monde.

— Vraiment ? J'y ai été souvent, sais-tu ? Viens à moi, et nous y serons vite.

— Que dois-je faire ? Qu'attends-tu de moi ?

Une main jaillit de la sphère et vint frôler le mur, au-dessus de la tête du Sourcier.

— Viens à moi, répéta la voix. Je t'emmènerai.

— Ce sera long ?

— Long ? Je connais l'Ancien Monde, et je suis assez longue. Juste ce qu'il faut, je crois…

— Je parlais de la durée. Des heures ? Des jours ? Des semaines ?

— Les autres voyageurs n'ont jamais mentionné ces choses…

— Alors, ça ne prendra sûrement pas longtemps. Kolo n'a pas évoqué ce point non plus, maintenant que j'y pense.

Très logiquement, le sorcier ne prenait jamais la peine d'expliquer ce qui était, en son temps, de notoriété publique. Pour ses lecteurs actuels, ça se révélait parfois horriblement frustrant.

— Qui est Kolo ?

— J'ignore son vrai nom, répondit Richard en désignant le squelette. Alors, je l'ai baptisé Kolo.

Le visage géant se pencha sur les ossements.

— Je n'ai jamais vu cette… chose.

— Eh bien, il est mort. Avant que tu t'endormes, il ne ressemblait pas à ça.

Le Sourcier décida d'en rester là. S'il se perdait en explications, la sliph risquait de se souvenir et d'être bouleversée. Il n'était pas là pour consoler une femme d'argent, mais pour rejoindre Kahlan au plus vite.

— Je suis pressé, dit-il. Nous ne pourrions pas aller un peu plus vite ?

— Approche, afin que je sache si tu peux voyager.

Richard fit un pas en avant et s'immobilisa quand la main de vif-argent lui toucha le front. S'attendant à un contact glacé, il recula, surpris par la chaleur de la peau métallique.

Il avança de nouveau et laissa les doigts liquides explorer son visage.

— Tu peux voyager, déclara la sliph, car tu maîtrises les deux facettes requises. Mais tu mourras, si tu restes comme ça…

— Comme quoi ? demanda Richard.

La main d'argent désigna l'Épée de Vérité en prenant garde à ne pas la toucher.

— Cet objet magique interdit que tu vives en moi. S'il t'accompagne, toute vie que j'abriterai sera détruite.

— Tu veux dire que je dois laisser mon épée ici ?

— Pour arriver vivant à destination, oui…

Abandonner l'arme sans surveillance n'enthousiasmait pas Richard. Hésitant, il pensa aux nombreux pères de famille qui s'étaient sacrifiés pour la forger.

Hélas, il n'avait pas le choix. Après avoir retiré son baudrier, il baissa les yeux sur le fourreau ornementé. Puis, du coin de l'œil, il regarda le mriswith toujours campé près de la porte. Et s'il lui demandait de veiller sur son bien ?

Non… Il ne pouvait pas confier à un ami un objet si dangereux et si convoité. L'Épée de Vérité était sous son unique responsabilité.

Il la dégaina, puis écouta sa note métallique reconnaissable entre mille se répercuter longuement entre les murs de pierre.

La fureur de la magie le submergea, comme chaque fois qu'il brandissait son arme.

Sentant les lettres du mot « Vérité » s'imprimer dans sa paume, Richard contempla la lame qui lui avait si souvent sauvé la vie. Que faire ? Il devait voler au secours de Kahlan. Et s'assurer que l'épée resterait en sécurité pendant son absence.

Comme toujours, son instinct lui souffla la solution.

Il orienta l'arme vers le sol, saisit la garde à deux mains, et appuya de toutes ses forces.

Des éclats de pierre volèrent autour de sa tête tandis que la lame s'enfonçait lentement dans un fourreau dont nul autre que lui ne pourrait jamais la sortir.

Quand il lâcha la garde, Richard sentit la magie continuer de couler en lui. Même sans l'épée, le pouvoir demeurait, car il était un authentique Sourcier.

— Je suis toujours lié à mon arme, dit-il. Sa magie reste en moi. Cela me tuera-t-il ?

— Non. L'objet qui génère la magie sème la mort en moi. Pas celui qui la reçoit…

Richard sauta sur le muret.

Soudain, sa détermination faiblit. N'allait-il pas commettre une folie ? Non, il devait aller de l'avant. Coûte que coûte !

— Frère de peau ! appela le mriswith.

Richard se tourna vers son ami.

— Tu n'as plus d'arme. Prends donc une des miennes.

Le monstre lança doucement un de ses couteaux à trois lames. Richard tendit le bras et le rattrapa par le manche. Les fixations latérales s'adaptant aussitôt à ses poignets, il eut le sentiment que la garde avait été faite pour sa paume.

Il brandit l'arme, devenue comme une extension de son bras.

— Le *yabree* chantera bientôt pour toi, frère de peau.

— Merci, mon ami.

Le mriswith eut un de ses étranges sourires.

— J'ignore si je pourrais retenir mon souffle le temps qu'il faudra si c'est long, dit Richard en se retournant vers la sliph.

— Ne t'ai-je pas affirmé que je suis assez longue pour atteindre notre destination ?

— Je parlais de ma respiration… (Le Sourcier inspira et expira à fond.) J'ai besoin d'air.

— Je serai ton air, maître.

— Quoi ?

— Pour survivre pendant le voyage, tu devras me respirer comme si j'étais de l'air. La première fois, tu auras peur, mais c'est obligatoire. Ceux qui refusent meurent en moi. Mais ne crains rien : si tu te fies à moi, je te maintiendrai en vie. Quand nous serons arrivés, il faudra me chasser de tes poumons et les remplir de nouveau d'air. À ce moment-là, cela t'effrayera autant que l'idée de me respirer. Pourtant, il faudra le faire, sinon, la mort t'emportera.

Richard ne put s'empêcher de frémir. Respirer du vif-argent ? Comment se forcer à une horreur pareille ? Aucun être vivant ne pouvait…

Assez ! Kahlan était en danger, et il n'y avait pas d'autre moyen de la secourir.

Le jeune homme prit l'inspiration la plus profonde de sa vie.

— Je suis prêt, dit-il. Que dois-je faire ?

— Rien. C'est moi qui agirai.

Un bras de vif-argent jaillit du puits et s'enroula autour du torse de Richard, lui comprimant lentement mais inexorablement la poitrine. Puis il le souleva du muret et l'entraîna avec lui dans une insondable profondeur d'argent liquide.

À cet instant, une vision s'imposa à l'esprit du Sourcier : maîtresse Rencliff, avalée par les eaux déchaînées d'une rivière en crue parce qu'elle avait refusé d'attendre un canot.

# Chapitre 47

Quand la porte s'ouvrit, Verna cligna des yeux, éblouie par la lumière de la lampe. L'estomac retourné, elle pensa qu'il était quand même un peu tôt pour que sa tortionnaire revienne déjà. Des larmes aux yeux, la recluse tremblait de terreur. Pourtant, Leoma n'avait pas encore relancé l'épreuve de douleur.

— Avance ! cria-t-elle à quelqu'un, dans le couloir.

Une vieille femme ratatinée apparut sur le seuil de la chambre.

— Pourquoi moi ? gémit une voix familière. Nettoyer cette auge à cochon ne fait pas partie de mon boulot.

— Je dois travailler avec Verna, dit Leoma, et l'odeur me donne la nausée. Rends cette porcherie à peu près vivable, et vite ! Sinon, je t'y enfermerai aussi, histoire de t'apprendre à respecter les sœurs !

Sans cesser de grommeler, Millie avança, son seau d'eau savonneuse à la main.

— Ça empeste vraiment ! lâcha-t-elle. Maudites Sœurs de l'Obscurité ! (Elle posa son seau.) Elles sont pires que du fumier !

— Nettoie et épargne-nous tes commentaires ! lança Leoma. J'ai du pain sur la planche…

Verna leva les yeux sur la vieille femme de ménage.

— Millie…

La Dame Abbesse déchue tourna la tête – pas assez vite pour éviter le crachat que lui expédia Millie.

Du dos de la main, elle essuya sa joue souillée.

— Ignoble vermine ! Dire que je te faisais confiance ! Et que je te respectais ! Une servante de Celui Qui N'A Pas De Nom ! Pour moi, tu peux pourrir sur pied dans cette pièce ! Espèce de cadavre ambulant, je sens déjà la puanteur de ta décomposition ! J'espère qu'on t'écorchera vive, et…

— Assez ! intervint Leoma. Fais le ménage, et tu pourras te soustraire à la présence de cette chienne !

— Le plus vite sera le mieux…, marmonna Millie.

— Personne n'aime être dans la même pièce qu'une zélatrice du mal, concéda Leoma. Mais je dois l'interroger, et ma tâche sera plus agréable si elle ne dégage plus cette odeur de charogne.

— Je comprends, ma sœur. Eh bien, je vais le faire pour vous, dans ce cas. Une authentique championne de la Lumière mérite de ne pas avoir envie de vomir pendant qu'elle accomplit l'œuvre du Créateur.

Millie cracha de nouveau en direction de Verna.

La recluse manqua éclater en sanglots, humiliée que la femme de ménage pense des horreurs sur elle. Hélas, tous les résidents du Palais des Prophètes partageaient cette vision des choses. D'ailleurs, avaient-ils vraiment tort ? L'esprit troublé par l'épreuve de douleur, Verna commençait à douter de sa propre innocence. Avoir une telle foi en Richard n'était-il pas un péché ? Après tout, il s'agissait d'un mortel comme les autres...

Dès que Millie aurait fini, Leoma recommencerait à la torturer. À cette idée, la recluse ne put étouffer un sanglot.

Leoma sourit en entendant ce qui était pour elle une douce musique.

— Surtout, vide le pot de chambre ! ordonna-t-elle.

— D'accord, d'accord..., grogna Millie, dégoûtée. Je vais le faire, mais j'espère que vous avez le cœur bien accroché.

Elle poussa le seau vers la paillasse de Verna, puis s'empara du pot de chambre. Se pinçant le nez, elle sortit de la pièce, l'ignoble récipient tenu à bout de bras.

— Tu n'as rien remarqué de nouveau ? dit Leoma dès que la vieille femme fut dans le couloir.

— Non, ma sœur...

— Les tambours se sont arrêtés.

Verna constata que c'était exact. Mais ça devait s'être produit pendant son sommeil...

— Tu sais ce que ça signifie ?

— Non, ma sœur...

— L'empereur sera bientôt là. Peut-être arrivera-t-il demain. Et il voudra que notre petite expérience ait porté ses fruits. Si tu ne renies pas Richard cette nuit, tu en répondras devant Jagang. Le temps t'est compté, Verna. Réfléchis pendant que Millie nettoie ton auge...

Jurant comme un charretier, la femme de ménage revint avec le pot vide. Dès qu'elle l'eut posé dans un coin, elle entreprit de laver le sol. La serpillière imbibée d'eau, elle commença à frotter, approchant peu à peu de la recluse.

Les yeux rivés sur le seau, Verna passa la langue sur ses lèvres gercées. Même le savon ne l'aurait pas empêchée de boire. Pourrait-elle prendre une gorgée avant que Leoma l'arrête ? Probablement pas...

— On ne devrait pas m'obliger à faire ça..., marmonna Millie, assez fort pour que les autres femmes l'entendent. Il est déjà assez moche de devoir m'occuper des quartiers du Prophète. Bon sang, je croyais en avoir fini avec ça ! Nettoyer les saletés d'un cinglé ! On devrait me remplacer par une jeunette, sinon, je finirai par en crever. J'en ai marre des dingues, et Warren ne vaut pas mieux que son prédécesseur !

En entendant ce prénom, Verna eut le cœur serré. Son ami lui manquait tellement. Le traitait-on bien, au moins ?

Leoma répondit à sa question informulée.

— C'est vrai, il est bizarre. Mais nos petites séances, avec le collier, le remettront dans le droit chemin. J'en fais mon affaire.

Verna tourna la tête pour ne plus voir la Sœur de l'Obscurité. Ainsi, elle torturait aussi son cher Warren…

D'un coup de genou, Millie poussa son seau plus près de la paillasse.

— Ne me fixe pas comme ça, vermine ! Je déteste sentir ton regard peser sur moi. Ça me fiche la chair de poule, comme si Celui Qui N'A Pas De Nom me reluquait…

Verna baissa les yeux.

Millie trempa sa serpillière dans le seau et l'essora.

— J'aurai bientôt fini, ma sœur, dit-elle à Leoma. Après, cette traîtresse sera à votre disposition. Et j'espère que vous ne la cajolerez pas !

— N'aie crainte, elle aura ce qu'elle mérite.

— J'espère bien ! ricana la vieille femme. (D'une main calleuse, elle poussa la cuisse de Verna.) Écarte tes pieds de là, que je puisse travailler !

Quand Millie eut retiré sa main, la recluse sentit un objet cylindrique presser contre sa cuisse.

— Warren aussi est immonde ! Ses quartiers sont pires qu'une écurie. J'y suis allée ce matin, et ça puait presque autant qu'ici !

Verna glissa les mains sous ses jambes pour les soulever et laisser le passage à la serpillière. Dans le même mouvement, elle referma les doigts sur l'objet que Millie lui avait discrètement remis. Cylindrique, avec une partie beaucoup plus fine et une sorte de poignée…

Un dacra !

L'espoir coupa le souffle de Verna, comme une bouffée d'air frais inespérée.

Sans crier gare, Millie lui cracha de nouveau au visage.

— Ne me regarde pas, t'ai-je dit ! Tourne la tête !

La recluse obéit. La vieille femme avait dû voir qu'elle écarquillait les yeux de surprise… et elle redoutait que Leoma s'en aperçoive.

— J'ai fini, annonça-t-elle en se relevant péniblement. Sauf si vous voulez que je lui donne un bain. Pour ça, il faudrait me payer cher, parce que je refuse de toucher cette infâme chienne !

— Prends ton seau et fiche le camp ! s'impatienta Leoma.

Verna serrait si fort le dacra qu'elle en avait mal aux phalanges. Le cœur battant la chamade, elle savait que son destin se jouerait au cours des quelques minutes suivantes.

Millie sortit sans jeter un regard en arrière et Leoma referma la porte.

— C'est ta dernière chance, Verna. Si tu t'entêtes, tu finiras entre les griffes de l'empereur, et tu regretteras les heures agréables passées en ma compagnie. Ça, je peux te l'assurer.

*Approche*, pensa la recluse. *Allez, approche !*

Quand la première vague de douleur lui déchira les entrailles, elle se recroquevilla sur sa paillasse, le dos tourné à Leoma.

*Approche, te dis-je !*

— Assieds-toi et regarde-moi quand je te parle !

Verna gémit mais ne broncha pas. Il fallait que Leoma approche ! Si elle lui plongeait dessus, elle n'aurait aucune chance. Avec le Rada'Han, sa tortionnaire la propulserait en arrière avant qu'elle ait pu agir.

*Viens ! Allez, un peu de courage !*

— Assise ! cria Leoma en avançant.

*Créateur bien-aimé, par pitié, fais-lui faire deux pas de plus !*

— Verna, tu vas me regarder et renier Richard ! Alors, l'empereur s'infiltrera dans ton esprit. Ne songe pas à tricher, car il connaîtra tes pensées les plus intimes. (La Sœur de l'Obscurité fit un nouveau pas en avant.) Lève les yeux quand je te parle !

Une main saisit les cheveux de Verna et lui souleva la tête.

Leoma était à la bonne distance, à présent, mais la douleur empêchait sa proie de lever la main.

*Cher Créateur, empêche-la de commencer l'épreuve par mes bras ! Qu'elle s'en prenne à mes jambes, je m'en fiche ! Mais pas les bras !*

Hélas, Leoma n'en fit qu'à sa tête, et attaqua d'abord les membres supérieurs. Verna mobilisa en vain sa volonté. Sa main refusait de bouger, comme si un poids énorme l'écrasait.

Vaincus par la douleur, ses doigts s'ouvrirent et laissèrent échapper le dacra.

— Par pitié, Leoma, épargne mes jambes, cette fois ! Je t'en supplie, je ne supporterai pas qu'elles souffrent encore !

La Sœur de l'Obscurité tira en arrière la tête de Verna et la gifla à la volée.

— Que m'importent tes jambes ou tes bras ? Quoi qu'il advienne, tu finiras par craquer !

— Tu n'y arriveras pas, Leoma. Et si tu échoues, tu sais que…

Une nouvelle volée de gifles empêcha Verna de terminer sa phrase. La douleur quitta enfin ses bras et fondit sur ses jambes comme une meute de rats affamés.

Encore engourdis, les membres supérieurs de la recluse n'étaient plus paralysés. Tendant la main, elle tâtonna sur la paillasse, à la recherche du dacra.

Là ! Elle le sentait du bout des doigts ! Au prix d'un effort qui lui sembla surhumain, elle réussit à les refermer sur la garde de l'arme.

Mobilisant ce qu'il lui restait de forces, Verna enfonça le dacra dans la cuisse de Leoma.

Qui hurla de douleur et lui lâcha les cheveux.

— Ne bouge plus ! haleta Verna. Je t'ai planté un dacra dans la chair. Plus un geste !

Leoma posa une main sur sa cuisse, au-dessus de l'endroit où l'arme transperçait le muscle. Elle tentait de bloquer la souffrance…

— Tu n'imagines pas pouvoir t'en sortir comme ça ?

— Nous n'allons pas tarder à le savoir…, souffla Verna. De toute façon, je n'ai rien à perdre. Toi, en revanche…

— Réfléchis bien, Verna. La punition sera terrible, tu le sais. Retire cette arme, et je fermerai les yeux sur ta rébellion. Obéis !

— Conseillère, je ne suis pas sûre de devoir t'écouter, sur ce point-là…

— N'oublie pas que je contrôle ton collier. Il me suffit de neutraliser ton Han. Si tu me forces à le faire, tu le regretteras !

— Tu en es sûre ? Pendant mon long voyage, très chère, j'ai appris pas mal de choses sur la façon de manier un dacra. S'il est vrai que tu peux neutraliser mon Han, je dois porter à ton attention deux points qui ont leur importance...

» D'abord, tu n'agiras pas assez vite pour m'empêcher d'*effleurer* mon Han, ne serait-ce qu'une fraction de seconde. Selon mon expérience, ce sera suffisant pour que tu tombes raide morte.

» Ensuite, afin de me couper de mon Han, tu devras te lier à lui à travers le collier. C'est obligatoire pour l'influencer. D'après toi, toucher mon Han ne risque-t-il pas d'alimenter le dacra et de te coûter la vie ? Franchement, je ne connais pas la réponse, et la découvrir m'intéresserait. Bien entendu, tenter l'expérience est plus facile pour la personne qui tient l'arme et ne risque rien. Alors, tu as envie d'essayer, très chère ?

Il y eut un long silence. Alors que du sang chaud coulait sur sa main, Verna retint son souffle.

— Non, répondit enfin Leoma. Qu'attends-tu de moi ?

— Avant tout, enlève-moi ce Rada'Han ! Ensuite, nous aurons une longue conversation. Puisque je t'ai nommée conseillère, eh bien... tu vas me conseiller !

— Quand j'aurai ouvert le collier, tu retireras le dacra de ma chair et je te dirai tout ce que tu veux savoir.

Verna leva les yeux pour croiser le regard paniqué de sa tortionnaire.

— Tu n'es pas en position d'exiger, très chère. Ma naïveté m'a conduite dans ce trou à rats, et je ne referai pas la même erreur. Le dacra restera en place jusqu'à ce que nous ayons fini. Sauf si tu m'obéis, ta vie n'a aucune valeur à mes yeux. Tu comprends ce que je veux dire ?

— Oui...

— Alors, entrons dans le vif du sujet.

Comme une flèche, Richard filait à la vitesse du vent. En même temps, il glissait avec la grâce majestueuse d'une tortue de mer qui flotte sur des eaux paisibles, par une belle nuit de pleine lune. Pour lui, le froid et le chaud n'existaient plus. Ses yeux embrassant la lumière et l'obscurité dans une unique vision fantomatique, il s'enivrait de la délicieuse présence de la sliph, qu'il respirait avec ses poumons et avec son âme.

Un moment de pure extase...

... Qui cesse abruptement.

Des images explosèrent autour de lui. Des arbres, des rochers, des étoiles, la lune... Un spectacle qui le terrifia.

*Respire*, dit la créature d'argent dans sa tête.

*Non !* répondit-il, horrifié par cette idée.

*Respire*, répéta la voix.

Richard se souvint de Kahlan, qui avait besoin de lui. Chassant de ses poumons le vif-argent aussi délectable qu'un nectar, il se résigna à se vider de l'extase. Puis il inspira à fond un air qui lui parut atrocement *étranger*.

Des sons retentirent autour de lui, douloureux après une si reposante immersion dans le silence. Le bourdonnement des insectes, les cris des oiseaux, les croassements des grenouilles, le murmure des feuilles agitées par le vent…

La symphonie de la nature, disait-on. Pour la première fois de sa vie, elle sonnait à ses oreilles comme une cacophonie.

Un bras amical le déposa sur le muret de pierre. Autour de lui, le monde nocturne reprit des formes plus familières. Plusieurs mriswiths – ses amis ! – allaient et venaient dans un bois obscur, un peu au-delà des ruines qui abritaient le puits. D'autres étaient assis sur de grands blocs de pierre renversés ou marchaient entre des vestiges de colonnes. Quel fabuleux bâtiment se dressait jadis ici ? Et quel cataclysme l'avait ravagé ?

— Merci, sliph, dit le Sourcier.

— Nous sommes là où tu voulais aller, répondit la créature magique.

— Seras-tu là, mon amie, quand je voudrai repartir ?

— Réveillée, je suis toujours prête à voyager.

— Et quand dors-tu ?

— Quand vous me l'ordonnez, maître.

Déconcerté par ces propos énigmatiques, Richard acquiesça à tout hasard. Puis il s'éloigna du puits et regarda autour de lui. Il reconnaissait cet endroit, même s'il n'y était jamais allé. La *sensation* qu'on y éprouvait ne ressemblait à rien d'autre. Il marchait dans le bois de Hagen, bien plus profondément enfoncé dans ses entrailles que lors de ses visites précédentes, puisqu'il n'avait jamais vu ces ruines.

Se repérant à la position des étoiles, il prit la direction de Tanimura.

De plus en plus de mriswiths sortaient des bois pour aller se joindre à leurs semblables, autour du puits. En le croisant, beaucoup lancèrent à Richard un « bienvenue, frère de peau », qui lui fit chaud au cœur. Certains frappèrent leurs couteaux à trois lames contre le sien, faisant retentir une série de notes métalliques.

— Ton *yabree* chantera bientôt, frère de peau, affirmèrent tous ceux qui se livrèrent à ce curieux rituel.

Ignorant la réponse requise, le Sourcier se contenta d'un « merci » parfaitement sincère.

À chaque fois, la note qu'émettaient les armes durait plus longtemps et emplissait son bras d'une agréable sensation de chaleur. Du coup, il fit volontairement des détours pour que de nouveaux mriswiths puissent frapper son *yabree*.

À voir la lueur rose, dans le ciel, on était en début de soirée. Richard ayant quitté Aydindril en pleine nuit, il ne pouvait pas s'agir de la même journée. Le voyage aurait donc duré un jour ?

Ou deux. Ou un mois. Ou un an.

Le Sourcier n'avait aucun moyen de le déterminer. Sa seule certitude ? Vingt-quatre heures au moins étaient passées. À en juger par la lune, rigoureusement identique à celle qu'il avait admirée la veille entre deux séances de travail, l'hypothèse d'une seule journée de voyage semblait la bonne.

Richard s'arrêta pour laisser un nouveau mriswith percuter son *yabree* avec le sien. Derrière lui, les créatures entraient une à une dans la sliph et une longue file d'attente s'était formée devant le puits. Au rythme où les mriswiths sautaient dans le vif-argent, elle se résorberait très vite.

Richard s'arrêta pour mieux écouter le doux bourdonnement de son *yabree*. Il sourit de plaisir, charmé par ce qui ressemblait de plus en plus à un chant.

Un sentiment d'urgence dérangeant l'arracha à sa béatitude.

— Où dois-je aller ? demanda-t-il à un mriswith.

— Par là, répondit la créature en tendant son *yabree*. Elle te guidera, car elle connaît le chemin.

Le Sourcier suivit les indications de son frère de peau. Dans la pénombre, près d'un mur en ruine, il distingua une silhouette immobile. Le chant de son *yabree* l'incita à la rejoindre au plus vite. Ce n'était pas un mriswith, mais une femme. Et il crut bien la reconnaître.

— Bonsoir, Richard...

— Merissa ? C'est vraiment toi ?

— Comment va mon élève préféré ? Il y a si longtemps qu'on ne s'est vus... J'espère que ton *yabree* chantera bientôt pour toi.

— Oh, je crois qu'il a commencé...

— La reine...

— Oui ! La reine a besoin de moi !

— Es-tu prêt à l'aider, Richard ? À tout faire pour la libérer ?

Quand il eut acquiescé, Merissa tourna les talons et le guida à travers les ruines. Au moment où ils franchissaient une arche délabrée, plusieurs mriswiths leur emboîtèrent le pas.

Filtrant par les brèches des murs couverts de lierre, la lumière de la lune éclaira leur chemin. Dès que les parois devinrent plus denses, Merissa invoqua une flamme de poing.

Sur ses talons, Richard descendit un escalier, puis longea des couloirs où nul ne semblait s'être aventuré depuis des milliers d'années.

Quand ils entrèrent dans une immense salle, la lumière de la flamme de poing ne suffit plus. Ingénieuse, Merissa l'envoya allumer les torches accrochées le long des murs. À leur lueur, le Sourcier vit que les balcons envahis de poussière et de toiles d'araignée dominaient un grand bassin carrelé. Jadis blancs – cela se voyait encore par endroits – les carreaux noirâtres convenaient bien à l'eau boueuse qui croupissait au fond du bassin. Le plafond, voûté au centre, portait une ouverture dont jaillissait une structure difficile à distinguer dans l'obscurité.

Deux mriswiths vinrent se camper près de Richard. Chacun le gratifia du rituel du *yabree*, dont les notes retentirent en harmonie avec le centre éternellement serein de son être.

— La reine réside ici, dit un des mriswiths. Nous pouvons venir la voir, et ceux qui naissent en ces lieux ont le droit de les quitter. Mais elle n'en a pas la possibilité.

— Pourquoi ? demanda Richard.

L'autre mriswith avança et tendit un bras. Dès qu'il entra en contact avec ce que le Sourcier supposa être un champ de force, un dôme lumineux se matérialisa. De la même taille que celui du plafond, il lui était en tout point identique, à part l'ouverture, au sommet.

Le mriswith replia le bras, dissipant le phénomène.

— Le temps de la vieille reine est révolu, dit-il, et elle agonise enfin. Nous nous sommes repus de sa chair. Alors, une nouvelle souveraine, sa dernière-née, est venue au monde. Depuis, par l'intermédiaire des *yabree,* elle chante un hymne à la gloire de sa fertile jeunesse. L'heure est venue qu'elle parte d'ici pour fonder notre nouvelle colonie…

» La grande barrière a disparu et la sliph s'est réveillée. Frère, tu dois aider la reine à nous gagner de nouveaux territoires.

— J'y suis prêt, dit Richard. Frère, je sens son besoin de liberté m'emplir en même temps que le chant. Pourquoi ne l'avez-vous pas libérée ?

— Parce que ça nous est impossible. Toi seul pouvais détruire la barrière et réveiller la sliph. Avec la reine, il en va de même. Et cela doit être accompli avant que tu brandisses les deux *yabree* qui chanteront pour toi.

Se fiant à son instinct, Richard approcha de l'escalier qui prenait naissance sur un côté de la salle. Le champ de force, il le sentait, était plus résistant à la base du dôme. Par conséquent, il fallait attaquer le sommet.

Il entreprit de gravir les marches, *yabree* serré contre sa poitrine. En détenir deux, songea-t-il, serait merveilleux. Le chant réconfortant du premier engourdissait sa volonté, mais le désir de liberté de la reine lui donnait la force d'aller de l'avant.

Merissa le suivit dans l'escalier. Pas les mriswiths…

Richard avançait comme s'il avait parcouru des dizaines de fois ce chemin. L'escalier le conduisit à l'air libre, puis continua à monter en colimaçon près d'une rangée de colonnes en ruine.

Ils arrivèrent au sommet d'une petite tour d'observation circulaire. De grands piliers la flanquaient, reliés au sommet par les vestiges d'une passerelle ornée de gargouilles. Jadis, déduisit Richard, cet ouvrage devait faire le tour du dôme pour connecter une série de tours semblables à celle où ils se trouvaient.

De sa position, le jeune homme put se pencher et étudier d'en haut l'ouverture du dôme, surmonté de plusieurs cercles concentriques hérissés de colonnes pointues comme des pieux.

Vêtue d'une robe rouge, la seule couleur qu'il l'ait jamais vue porter, Merissa se plaça près de Richard et se pencha pour observer le dôme obscur.

Sous la surface noire du bassin, le jeune homme sentit que la reine l'implorait de la libérer.

Le *yabree* de Richard chanta et sa mélodie s'infiltra jusque dans la moelle de ses os.

Une main baissée, il laissa jaillir de lui le *besoin* qui l'habitait. Puis il baissa l'autre bras, orientant vers le dôme les trois lames vibrantes de pouvoir. Elles émirent un son aigu qui gagna en intensité jusqu'à donner le sentiment que la nuit elle-même criait. Aussi douloureux que fût ce hurlement pour ses tympans, Richard ne l'autorisa pas à décroître, l'incitant au contraire à devenir encore plus fort. Les mains sur les oreilles, Merissa se détourna.

En bas, le dôme magique apparut, tremblant comme si un séisme le secouait. Des craquelures crépitantes lézardèrent sa surface de plus en plus brillante. Soudain, avec un vacarme de fin du monde, il explosa. Des myriades de fragments d'énergie, tels des éclats de verre, tombèrent en pluie sur le bassin aux eaux noires.

Le *yabree* se tut enfin.

En bas, une forme encore indéfinissable s'arracha de sa gangue de boue. Elle déploya ses ailes, éprouva leur force, les fit battre plus vite et s'éleva dans les airs.

La reine venait de prendre son envol !

Sans cesser de battre des ailes, elle escalada un des murs, ses serres grinçant contre la pierre, et se hissa jusqu'à l'ouverture du plafond. Puis elle entreprit une autre ascension, le long d'une des colonnes qui flanquaient la tour où Richard et Merissa ne bronchaient plus, fascinés par ce spectacle.

La reine s'arrêta au niveau de la plate-forme circulaire, accrochée au pilier comme une salamandre à une souche couverte de limon. À la lueur de la lune, Richard vit que la créature était aussi rouge que la robe de Merissa. Venait-il d'assister à la libération d'une lointaine cousine d'Écarlate, la femelle dragon devenue son amie ? Un examen plus approfondi lui apprit que ce n'était pas le cas.

Les membres de la reine, bien plus musclés que ceux d'un dragon, étaient couverts de petites écailles qui rappelaient davantage celles des mriswiths. Une crête chitineuse courait du bout de sa queue à la base de son crâne, entouré d'une couronne de piques. Sur sa tête, supportant un cercle d'épines plus souples – presque des antennes –, un bulbe de chair nue pulsait au rythme de sa respiration.

La reine regarda autour d'elle en battant doucement des ailes. À l'évidence, elle s'attendait à voir quelque chose.

— Que cherches-tu ? demanda Richard.

Les yeux baissés sur lui, la créature exhala une haleine qui l'enveloppa d'une curieuse senteur. Bizarrement, il la *capta* avec une étonnante acuité, et put transcrire en paroles les parfums épicés qui caressaient ses narines.

*« Je veux aller là-bas… »*

Sur ces « mots », la souveraine rouge tourna la tête vers un endroit obscur, bien au-delà des colonnes. Puis elle émit un grondement sourd qui sembla onduler dans les airs comme un serpent immatériel.

Ce son sortait du bulbe de chair qu'elle portait sur la tête. Agitées par l'air qu'elle expulsait, de minuscules vibrisses produisaient une gamme de notes qui s'unissaient en un étrange harmonique.

Toujours enveloppé de l'étrange odeur, Richard regarda dans la direction que fixait la reine rouge.

L'air miroita. Une image se forma devant ses yeux et se précisa à mesure que la créature émettait des sons modulés.

Richard reconnut les contours d'Aydindril, flous comme s'il les voyait à travers un rideau de brouillard ocre. Il distingua des bâtiments familiers, le Palais des Inquisitrices et enfin, la masse imposante de la Forteresse du Sorcier, plus brillante que dans la réalité.

La reine se tourna vers lui et exhala une nouvelle phrase composée de fragrances subtilement différentes des précédentes.

*« Comment faire pour y aller ? »*

Richard sourit, émerveillé de communiquer par l'intermédiaire d'un bouquet d'odeurs. Son cœur s'enfla de joie, car il connaissait la réponse à cette question.

Il tendit un bras. Une vive lumière en jaillit et fila vers le puits de la sliph.

— Ma servante vous y conduira…

La reine se laissa glisser le long de la colonne, sauta quand elle fut à mi-hauteur, ralentit sa chute en battant des ailes et vola en rase-mottes jusqu'à la sliph. Richard comprit que ses compétences aériennes, des plus limitées, lui interdisaient d'aller seule jusqu'en Aydindril. Elle aurait besoin d'aide, et il venait de lui en fournir.

La sliph enlaça la voyageuse et l'entraîna dans les insondables profondeurs de son corps de vif-argent.

Extatique, Richard tendit l'oreille pour mieux entendre le chant du *yabree*, qui coulait en lui comme un sang nouveau.

— On se retrouve en bas, Richard, dit soudain Merissa.

Sans crier gare, elle le saisit par le col de sa chemise, et, avec la force que lui conférait son Han, le fit basculer de la tour.

D'instinct, Richard tendit les bras et réussit à refermer les mains sur la bordure de l'ouverture du dôme. Glissant aussitôt, il se retrouva suspendu par le bout des doigts au-dessus d'un gouffre d'une centaine de pieds. En bas, son *yabree* percuta le sol de pierre avec un bruit métallique qui le fit grincer des dents. Paniqué, le jeune homme se demanda s'il n'évoluait pas dans un cauchemar éveillé.

Sans le chant du couteau à trois lames, le brouillard qui flottait dans son esprit se dissipa. Alors, il comprit que l'arme l'avait privé de sa lucidité le temps qu'il fallait…

Penchée dans le vide, Merissa lui envoya une lance de feu rougeoyant qu'il évita de justesse en balançant les jambes sur le côté. La femme en rouge avait manqué sa cible, mais elle saurait rectifier le tir.

Richard chercha frénétiquement un point d'appui qui lui permettrait de se mettre en sécurité. Sentant sous ses doigts les cannelures d'un pilier de soutènement, il s'y agrippa d'une main, se lâcha de l'autre, se laissa aller, enlaça littéralement sa « bouée de sauvetage » et, comme s'il s'était accroché à un tronc d'arbre, descendit jusqu'à être assez protégé par le dôme pour ne plus faire une cible immanquable.

Une nouvelle lance de feu le frôla puis alla percuter l'eau noire, soulevant une gerbe de limon à l'odeur écœurante.

Craignant que Merissa finisse par l'atteindre, et terrorisé par la hauteur, Richard continua à glisser le long du pilier. Du coin de l'œil, il vit son ennemie se précipiter vers l'escalier. Et le fichu pilier, en approchant du bord inférieur du dôme, tendait de plus en plus vers la verticale.

Les doigts en sang, le Sourcier parvint à ne pas lâcher prise.

En descendant, il repensa aux derniers événements et faillit mourir de honte. Comment avait-il pu être aussi stupide ? Bon sang, qu'avait-il dans le crâne ?

Quand il comprit, il ne se sentit pas plus fier de lui.

La cape de mriswith !

Lorsqu'il avait quitté le Palais des Inquisitrice, se souvint-il, Berdine, le journal de Kolo à la main, lui avait crié de s'en débarrasser. Et il avait lu un passage qui parlait des objets magiques ! Au fil de la guerre, les sorciers des deux camps avaient créé des artéfacts qui conféraient de nouveaux pouvoirs aux êtres humains. Une force et une résistance multipliées par cent, l'aptitude de focaliser la lumière pour lancer des rayons, une vue dix fois plus perçante, même la nuit…

La cape faisait partie de ces vecteurs de magie. Grâce à elle, les sorciers avaient acquis le pouvoir de se rendre invisibles. Mais selon Kolo, ces « armes » avaient des effets secondaires dévastateurs. Sans oublier que les mriswiths étaient peut-être nés de l'imagination perverse du camp ennemi…

Par les esprits du bien, quelle catastrophe avait-il provoquée ? Dès que possible, il se débarrasserait de sa cape. Berdine avait pourtant tenté de le prévenir…

La Troisième Leçon du Sorcier : la passion domine la raison.

Obsédé par l'idée de sauver Kahlan, il s'était cru en droit de ne plus réfléchir ni écouter ses amis. Comment vaincrait-il l'Ordre Impérial, à présent qu'il l'avait aidé par sa très grande bêtise ?

Arrivé au bout de son pilier, il estima la distance qui le séparait du sol – environ dix pieds – et n'hésita pas à sauter quand il vit Merissa débouler de l'escalier en lâchant une nouvelle lance de feu.

Richard tomba assez vite pour ne pas être foudroyé en plein vol, même si le projectile magique lui frôla le crâne.

Il devait fuir le plus loin possible de cette femme !

— J'ai eu le plaisir de rencontrer ta fiancée, Richard !

Le jeune homme cessa de courir et se jeta derrière une colonne.

— Où est-elle ? demanda-t-il.

— Montre-toi, et nous en parlerons. Je veux que tu saches combien j'adorerais l'entendre crier !

— Où est-elle ? répéta Richard.

— À Tanimura, mon pauvre garçon ! Où voudrais-tu qu'elle soit ?

Fou de rage, Richard lâcha un éclair qui alla percuter le mur à l'endroit où se tenait Merissa la dernière fois qu'il l'avait vue.

— Pourquoi veux-tu lui faire du mal ? cria-t-il.

Dans un coin de son esprit, il se demanda comment il avait réussi à lancer l'éclair. Mais la réponse était évidente : parce qu'il le fallait !

— Richard, je me fiche de cette oie blanche ! À travers elle, c'est toi que j'entends tourmenter. Elle est un simple moyen de t'atteindre, et de faire couler ton sang.

— Pourquoi rêves-tu de me saigner à mort ?

Sa question aussitôt posée, le Sourcier se plia en deux et courut vers une nouvelle cachette.

— Parce que tu as saboté tous mes plans ! cria Merissa. À cause de toi, mon maître est prisonnier du royaume des morts et je n'obtiendrai jamais la récompense suprême : l'immortalité, Richard ! J'ai fait ce qu'il fallait, mais tu as tout gâché.

Un rayon noir désintégra une partie d'un mur, près de lui. Merissa contrôlait la Magie Soustractive. Dotée d'un incroyable pouvoir, elle n'avait pas besoin de le voir pour sentir où il était. Alors, pourquoi le manquait-elle régulièrement ?

— Mais ça n'est pas tout ! ajouta Merissa en tapotant du bout de l'index l'anneau d'or qui ornait désormais sa lèvre inférieure. À cause de toi, je dois servir ce porc de Jagang ! Tu n'imagines pas les horreurs qu'il m'a infligées. Et c'est ta faute, Richard Rahl ! Heureusement, je saurai te le faire payer. Sais-tu que j'ai juré de me baigner dans ton sang ?

— Qu'en pensera Jagang ? Si tu me tues, il ne sera pas content du tout.

Un rayon s'écrasa derrière Richard, le forçant à quitter sa cachette pour se mettre à l'abri d'une autre colonne.

— Tu te trompes, pauvre idiot ! Maintenant que tu as accompli ta mission, tu n'as plus aucune valeur pour celui qui marche dans les rêves. En récompense de mes... services... il m'a autorisée à disposer de toi. Et j'ai de grands projets te concernant, mon garçon...

Richard comprit qu'il ne parviendrait pas à échapper à Merissa par des moyens classiques. Même derrière un mur épais, elle n'aurait aucun mal à le localiser avec son Han.

Repensant au conseil de Berdine, il saisit les pans de sa cape pour s'en débarrasser. Mais il se pétrifia, frappé par une idée qui pouvait lui valoir le salut.

S'il s'enveloppait dans la magie du vêtement, le Han de Merissa ne serait plus d'aucune utilité. Et dès qu'elle ne pourrait plus le détecter, il lui échapperait.

Il y avait un seul problème : la magie de la cape *créait* les mriswiths !

Kahlan était prisonnière et Merissa avait juré de la faire souffrir pour se venger de lui. Bref, il n'avait pas le choix.

Le Sourcier s'enveloppa dans la cape et disparut.

# Chapitre 48

— C'est la dernière, je te le jure…

Verna sonda le regard d'une femme qu'elle connaissait depuis quelque cent cinquante ans. Malade de dégoût, elle rectifia : qu'elle *croyait* connaître !

Comme beaucoup d'autres, hélas.

— Pourquoi Jagang s'intéresse-t-il au Palais des Prophètes ?

— À part marcher dans les rêves, il n'a aucun pouvoir… Alors, il utilise d'autres personnes, surtout celles qui ont le don, pour accomplir sa volonté. Il compte sur nous pour lui indiquer les Fourches qui le conduiront à la victoire, et influencer les événements en conséquence.

» C'est un homme patient, Verna. Il lui a fallu près de vingt ans pour conquérir l'Ancien Monde. En attendant, il a perfectionné son pouvoir, sondé l'esprit des gens et accumulé les informations dont il avait besoin.

» Les prophéties ne sont pas le seul appât qui le pousse à convoiter le palais. Il veut y vivre, parce qu'il sait qu'un sort ralentit le vieillissement de ses résidents. Pour être sûr qu'il agit sur des humains ordinaires, il nous a détaché quelques-uns de ses propres soldats. Assuré qu'il n'y a pas d'effets secondaires néfastes, il s'installera chez nous et dirigera à distance sa conquête du monde.

» Grâce au sort, il régnera sur l'univers pendant des siècles, peut-être des millénaires. Un accomplissement qui n'a pas d'égal dans l'histoire. Il sera le premier tyran quasiment immortel !

— Que peux-tu me dire d'autre ?

— Rien. Je t'ai révélé tout ce que je sais. Me laisseras-tu partir, Verna ?

— D'abord, embrasse ton annulaire et implore le pardon du Créateur.

— Quoi ?

— Renie le Gardien. Sinon, tu mourras.

— Je ne peux pas ! Et je ne veux pas !

N'ayant pas de temps à perdre, Verna toucha son Han. Aussitôt, la Sœur de l'Obscurité s'écroula, raide morte.

Verna sortit dans le couloir désert et gagna la porte de la cellule où croupissait Simona. Ravie d'avoir de nouveau librement accès à son Han, elle désactiva le bouclier. Puis elle frappa doucement au battant, pour ne pas effrayer la recluse, et entra.

La pauvre sœur alla se réfugier dans un coin.

— Simona, c'est Verna. N'aie pas peur, mon amie.

— Il arrive ! Il arrive !

— Je sais, dit Verna en invoquant une flamme de poing assez petite pour ne pas éblouir la prisonnière. Tu n'es pas folle. Il arrive vraiment.

— Nous devons fuir ! Il faut partir avant qu'il soit là ! Il vient se moquer de moi dans mes rêves. J'ai si peur…

Simona s'agenouilla et embrassa son annulaire gauche.

Verna la prit dans ses bras.

— Écoute-moi, mon amie. Je sais comment t'arracher aux griffes de celui qui marche dans les rêves. Nous pouvons fuir, et être en sécurité.

Simona cessa de trembler.

— Tu me crois ?

— Oui. Mais tu dois aussi me faire confiance. Simona, je connais une magie qui te protégera de Jagang.

— Vraiment ? Comment feras-tu ?

— Tu te souviens de Richard ? Le jeune homme que j'ai ramené ?

Se serrant contre Verna, Simona eut un petit sourire.

— Qui pourrait l'oublier ? Un saint et un voyou qui cohabitent dans le même corps !

— Écoute-moi, mon amie. En plus du don, Richard détient une magie léguée par ses ancêtres, qui combattaient déjà ceux qui marchent dans les rêves. Ce sort protège toute personne qui lui jure fidélité. C'est même pour cela qu'il fut inventé…

— C'est impossible, Verna. La loyauté n'a pas un tel pouvoir.

— Leoma m'avait enfermée, comme toi, et mis un Rada'Han autour du cou. Pour que je renie Richard, elle m'a infligé l'épreuve de douleur pendant des jours. Celui qui marche dans les rêves voulait s'introduire dans mon esprit, mais ma loyauté l'en empêchait. Ça fonctionne, Simona ! J'ignore comment, mais j'en ai la preuve. Et tu peux en bénéficier aussi.

Simona écarta de son front une mèche de cheveux gris.

— Verna, je ne suis pas folle. Je veux qu'on me retire ce collier. Ensuite, j'espère fuir très loin de Jagang. Que dois-je faire ?

— Aideras-tu les autres Sœurs de la Lumière ? Leur permettras-tu de survivre ?

Simona embrassa de nouveau son annulaire.

— Je le jure sur mon serment au Créateur.

— Alors, prête allégeance à Richard, pour être liée à lui.

Simona se dégagea des bras de Verna, s'agenouilla et plaqua le front contre le sol.

— Je jure fidélité à Richard. Je lui livre ma vie et mon âme, sur mon espoir d'être accueillie par le Créateur après ma mort.

Verna ordonna à sa compagne de se redresser. Les mains sur le collier, elle laissa son Han l'envahir et s'unir à lui. Alors que le sol vibrait, ébranlé par la puissance mise en œuvre, le Rada'Han s'ouvrit et glissa du cou de Simona.

Les deux sœurs s'étreignirent, partageant la joie d'être débarrassées de cet atroce instrument de domination.

— Simona, nous devons y aller. Il y a beaucoup à faire, et le temps presse. Tu devras m'assister, sais-tu ?

— Tout ce que tu voudras ! Merci, Dame Abbesse.

La porte de l'infirmerie étant défendue par une Toile complexe, les deux femmes durent unir leur Han. Même si elle ne manquait pas de pouvoir, Verna aurait eu du mal à neutraliser une protection tissée par trois sœurs. Avec l'aide de Simona, ce fut presque un jeu d'enfant.

Les deux gardes postés devant la porte sursautèrent en voyant les prisonnières crasseuses. Puis ils brandirent leurs lances pour les empêcher de passer.

Verna reconnut un des soldats.

— Walsh, tu sais qui je suis… Alors, baissez ces armes !

— Pas devant une Sœur de l'Obscurité ! Vous avez été condamnée pour ça !

— Et tu as conscience que c'est un mensonge.

— Comment le saurais-je ? grogna Walsh, la pointe de son arme dangereusement proche du visage de Verna.

— Si c'était vrai, ton compagnon et toi seriez déjà raides morts…

Walsh prit un court moment de réflexion.

— Continuez…

— Nous sommes en guerre, mon ami. L'empereur veut conquérir et dominer le monde. Pour ça, il a engagé de vraies Sœurs de l'Obscurité, comme Leoma et Ulicia, la nouvelle Dame Abbesse. Tu les connais, et tu *me* connais. Qui as-tu envie de croire ?

— Eh bien… Si je le savais…

— Alors, tirons les choses au clair. Tu te souviens de Richard ?

— Évidemment ! C'est un ami.

— Il est en guerre contre l'Ordre Impérial, Walsh. À toi de choisir ton camp. Décide à qui être loyal, ici et maintenant ! Alors, l'Ordre Impérial ou Richard ?

Walsh serra les mâchoires et plissa le front, en proie à un terrible conflit intérieur. Puis il posa l'embout de sa lance sur le sol.

— Richard…

— L'Ordre Impérial ! cria l'autre soldat en chargeant Verna.

Avec son Han, la sœur l'envoya voler en arrière avant que son arme la touche. Il percuta si violemment le mur que sa tête éclata comme une noix.

— Je crois que j'ai bien choisi…, soupira Walsh.

— Ça, tu peux le dire ! Nous devons réunir les vraies Sœurs de la Lumière et les jeunes sorciers loyaux, puis ficher le camp d'ici. Il n'y a pas une minute à perdre.

— Allons-y, dit simplement Walsh avant d'ouvrir la marche.

Dehors, ils aperçurent une petite silhouette assise sur un banc. Dès qu'elle reconnut Verna, la vieille femme se leva d'un bond.

— Dame Abbesse ! cria-t-elle.

Verna étreignit si fort Millie qu'elle manqua l'étouffer.

— Dame Abbesse, pardonnez les horreurs que j'ai dites. Je n'en pensais pas un mot, vous savez ?

— Millie, je ne te serai jamais assez reconnaissante. Tu es une digne fille du Créateur. Je n'oublierai pas ce que tu as fait pour moi et pour les autres Sœurs de la Lumière. À présent, nous devons fuir. L'empereur s'emparera bientôt du palais. Pour être en sécurité, il faudra que tu nous accompagnes.

— Une vieille peau comme moi, en cavale avec à ses trousses des Sœurs de l'Obscurité et des monstres magiques ?

— Oui, Millie…

— À vrai dire, ça paraît plus amusant que de briquer des sols et de vider des pots de chambre !

— Écoutez-moi bien, toutes les deux…, commença Verna.

Elle se tut, car une grande silhouette sortit soudain des ombres et approcha lentement.

— Verna, on dirait que tu as trouvé le moyen de filer… Je l'aurais parié. (La sœur approcha encore. C'était Philippa, l'autre conseillère de la Dame Abbesse par intérim.) Que le Créateur en soit remercié ! (Elle embrassa son annulaire gauche.) Contente de vous revoir, Dame Abbesse.

— Philippa, nous devons partir d'ici cette nuit, avant l'arrivée de Jagang. Sinon, il nous capturera et se servira de nous.

— Que faut-il faire, Dame Abbesse ?

— Nous dépêcher sans jeter la prudence aux orties. Si on nous arrête, nous finirons toutes avec un collier autour du cou.

Épuisé d'avoir traversé au pas de course le bois de Hagen, Richard ralentit pour reprendre son souffle. Des sœurs allaient et venaient dans le parc du palais, mais elles ne le voyaient pas. Même enveloppé dans sa cape, il ne pourrait pas fouiller tout le complexe, une tâche qui lui prendrait des jours. Il devait découvrir où étaient détenus Kahlan, Zedd et Gratch et les ramener en Aydindril. Ensuite, son grand-père saurait que faire… Il lui passerait sans doute un savon, l'accusant de stupidité congénitale. Mais ce serait mérité.

Le jeune homme était toujours malade à l'idée du désastre qu'il avait provoqué. Et il ne pouvait même pas se rengorger de s'en être tiré vivant. Combien de vies avait-il mises en péril en agissant comme un imbécile ?

Kahlan aussi serait furieuse contre lui. Et il la comprendrait.

Une meute de mriswiths fondait sur Aydindril ! Qu'allait-il arriver à ses amis ? Les monstres voulaient peut-être simplement installer une « colonie », comme dans le bois de Hagen. Un endroit où vivre sans ennuyer quiconque…

Une petite voix intérieure se moqua de son optimisme imbécile ! Il devait retourner dans le Nouveau Monde, et le plus vite possible !

*Arrête de penser au problème*, se morigéna le Sourcier. *Réfléchis à la solution !*

D'abord, il s'agissait de libérer ses amis.

Qu'ils soient détenus dans le palais l'étonnait. Pourtant, il ne doutait pas de la parole de Merissa. Le croyant à sa merci, elle n'avait eu aucune raison de lui mentir. Mais pourquoi les Sœurs de l'Obscurité cachaient-elles leurs proies dans un endroit si dangereux pour elles ?

Richard s'immobilisa. Un petit groupe traversait la pelouse sous la pâle lumière de la lune. Incapable d'identifier ces promeneurs, il hésita à s'en approcher, puis décida de suivre son plan d'origine : aller voir Anna. La Dame Abbesse l'aiderait. À part sœur Verna et elle, il ignorait à qui se fier au palais.

Il attendit que les promeneurs se soient éloignés, puis reprit son chemin.

Lors de son départ du palais, quelques semaines plus tôt, le Sourcier savait que des Sœurs de l'Obscurité pouvaient encore s'y cacher. Elles avaient sans doute un rapport avec l'enlèvement de Kahlan. Hélas, il ignorait leur identité. Quant à Verna, le hic était de savoir où la trouver. Le problème ne se posant pas pour la Dame Abbesse, il devait commencer par là.

S'il le fallait, il démonterait le palais pierre après pierre pour trouver ses amis. Redoutant d'oublier une nouvelle fois la Troisième Leçon du Sorcier, il préférait commencer par écouter la voix de la raison.

Comme souvent, Kevin Andellmere montait la garde devant les quartiers de la Dame Abbesse. Richard connaissait ce soldat et le jugeait raisonnablement fiable. Cette estimation ne suffisant pas, il resta invisible et se glissa dans le petit complexe au nez et à la barbe du pauvre Kevin.

Au loin, il entendit des rires d'hommes résonner dans un couloir couvert. Mais ils n'arriveraient pas avant un bon moment.

Le Sourcier connaissait les anciennes administratrices d'Annalina. L'une avait été tuée, et l'autre, Ulicia, s'en était prise à la Dame Abbesse. Après l'avoir attaquée, elle avait fui par la mer avec cinq de ses complices.

Dans la pièce attenante au fief d'Annalina, les bureaux des administratrices étaient inoccupés. Richard ouvrit sa cape et relâcha sa concentration. Anna devrait le reconnaître au premier coup d'œil…

Par la porte entrouverte du fief de la Dame Abbesse, Richard aperçut une silhouette assise au bureau, la tête inclinée. Anna faisait un petit somme.

— Dame Abbesse, dit-il doucement pour ne pas la réveiller en sursaut. (Elle s'étira et releva la tête.) Il faut que je vous parle. C'est moi, Richard…

Une flamme de poing apparut dans la paume de la femme.

Ulicia releva les yeux et sourit.

— Tu veux me parler ? Voilà qui est fascinant ! Eh bien, je t'écoute, mon garçon…

Richard recula et porta la main à la garde de son épée.

Hélas, il n'en portait pas !

Derrière lui, il entendit la porte se fermer.

Se retournant, il vit que Cecilia, Tovi, Armina et Merissa venaient d'entrer. Toutes portaient un anneau d'or à la lèvre inférieure…

Où était donc Nicci ?

Les sœurs avancèrent vers le Sourcier avec un sourire d'enfant affamé qui vient de repérer une confiserie.

Richard sentit le *besoin* s'embraser en lui.

— Avant d'agir à la légère, mon garçon, tu devrais écouter attentivement. Sinon, tu tomberas raide mort.

Le jeune homme regarda fixement Merissa.

— Comment as-tu fait pour arriver avant moi ?

— Je suis rentrée à cheval, mon cher...

Le Sourcier se retourna vers Ulicia.

— C'était un plan, n'est-ce pas ? Pour me piéger ?

— Exactement ! Et tu as joué ton rôle à merveille.

Du pouce, Richard désigna Merissa.

— Comment saviez-vous qu'elle ne me tuerait pas en me jetant du haut de cette tour ?

Le regard d'Ulicia se voila. Ainsi, cette partie des réjouissances n'avait pas été prévue.

— Qu'importe, puisque tu es là..., répondit la « Dame Abbesse ». À présent, je t'ordonne de te calmer, sinon, il y aura du vilain. Tu es né avec les deux facettes du don, c'est vrai, mais nous contrôlons également toutes les magies. Même si tu abats une ou deux d'entre nous, tu ne vaincras pas, et ta chère Kahlan mourra.

— Kahlan... (Richard foudroya du regard la Sœur de l'Obscurité.) Je vous écoute.

— Eh bien, Richard, tu as un problème. Ta chance, c'est que nous en avons un aussi.

— De quel genre ?

— Du genre... Jagang.

Les autres sœurs se placèrent autour du bureau, aux côtés d'Ulicia. Elles ne souriaient plus. Depuis que le nom de l'empereur avait été prononcé, même Tovi et Cecilia, d'habitude si bienveillantes, semblaient assez furieuses pour pouvoir faire fondre de la pierre avec leurs yeux.

— L'ennui, Richard, continua Ulicia, c'est qu'il est presque l'heure de dormir...

— Pardon ?

— L'empereur ne vient pas se promener dans tes rêves. En revanche, il rôde souvent dans les nôtres. Et c'est devenu très gênant.

Au ton mesuré qu'elle employait, Richard comprit que cette femme ne voulait pas simplement le tuer.

— Celui qui marche dans les rêves te harcèle, Ulicia ? Moi, je dors comme un nourrisson...

En règle générale, quand un détenteur du don touchait son Han, Richard le sentait. Autour des cinq femmes, l'air grésillait. Il y avait assez de pouvoir, derrière leurs yeux, pour carboniser une montagne. Apparemment, cela ne suffisait pas. Jagang devait être un formidable adversaire...

— Jouons cartes sur table, Ulicia. Je veux Kahlan et vous attendez quelque chose de moi. De quoi s'agit-il ?

La Sœur de l'Obscurité tapota l'anneau accroché à sa lèvre.

— Tout doit être réglé avant que nous nous endormions. Je viens d'informer mes amies du plan que j'ai imaginé. Hélas, nous n'avons pas pu contacter Nicci. Si nous dormons sans avoir trouvé une solution, et que nous rêvons...

— Assez de bavardage ! coupa Richard. Je veux Kahlan. Qu'attendez-vous de moi ?

— Eh bien, nous voulons te jurer fidélité...

Richard écarquilla les yeux, certain d'avoir mal entendu.

— Vous êtes des Sœurs de l'Obscurité, acharnées à avoir ma peau. Et vous voudriez renier votre serment au Gardien ? Je doute que ce soit possible...

— Ai-je dit ça ? demanda Ulicia, l'air gêné. Nous voudrions te prêter serment dans *ce monde*, Richard. À mon avis, les deux allégeances ne sont pas incompatibles.

— Pardon ? Vous avez perdu la tête ?

— Et toi ? Veux-tu mourir ? Et avant, voir agoniser ta bien-aimée ?

— Non..., répondit le Sourcier, se forçant au calme – non sans difficulté.

— Alors, tais-toi et écoute ! Nous détenons quelqu'un que tu aimes. Et tu peux nous donner quelque chose en échange. Bien entendu, il y a des conditions dans les deux cas. Par exemple, tu veux Kahlan, mais elle doit être saine et sauve. Je me trompe ?

— Pas du tout, lâcha Richard en retournant à la sœur son regard menaçant. Mais qu'est-ce qui vous fait croire que je conclurai un pacte avec vous ? Des femmes qui ont tenté d'assassiner la Dame Abbesse Annalina...

— Pas *tenté*, Richard, *réussi !*

— Vous avouez ça, et vous espérez que je...

— Ma patience atteint ses limites, jeune homme, et ta promise n'a pas beaucoup de temps devant elle... Si elle est encore ici quand Jagang arrivera, tu ne la reverras jamais vivante. Et n'espère pas la trouver seul dans les délais qui te sont impartis.

— D'accord... Je vous écoute.

— Tu as fermé le portail qui permettait au Gardien d'avoir accès au monde des vivants. Bref, tu as saboté notre plan. Du coup, tu as rétabli l'équilibre des forces entre notre maître et le Créateur. Jagang a profité de ce *statu quo* pour se lancer à la conquête de l'univers. Désormais, mes cinq collègues et moi sommes à sa merci. Il peut nous atteindre où que nous soyons, à travers nos rêves. Être entre ses mains n'a rien de plaisant, et il nous l'a amplement démontré. Pour nous affranchir de lui, il n'y a qu'un moyen.

— Vous lier à moi.

— Oui. Bien sûr, si nous obéissons à l'empereur, prêtes à tout pour le satisfaire, il nous gardera à ses côtés. Ce n'est pas très... agréable..., mais au moins nous vivrons. Et nous tenons à ne pas mourir. L'avantage, en nous liant à toi, c'est que Jagang n'aura plus aucune emprise sur nous. Alors, nous lui échapperons.

— Bref, vous avez l'intention de le tuer, crut comprendre Richard.

— Non. Ne jamais le revoir nous suffira. Qu'importe ce qu'il fait, si nous ne sommes plus entre ses griffes ! Richard, je ne te mentirai pas. Dès que nous serons libres, nous travaillerons de nouveau pour le Gardien. Si nous lui offrons ce monde, la récompense sera grande... Je ne suis pas sûre que nous puissions vaincre, mais tu dois courir le risque.

— Quel risque ? Si vous êtes liées à moi, vous devrez combattre dans mon camp, contre Jagang et contre le Gardien.

Ulicia eut un sourire rusé.

— Non, mon garçon. J'ai bien réfléchi à tout ça. Voilà ma proposition : nous te jurons fidélité, tu apprends où est Kahlan, et les choses s'arrêtent là. Tu ne nous demanderas rien de plus, et nous partirons sur-le-champ. Ensuite, nous ne nous reverrons plus.

— Si vous servez le Gardien, contre mes convictions, le lien se brisera. Donc, votre plan ne marchera pas.

— C'est ta façon de voir les choses, Richard. Pas la mienne. À mon avis, le lien protège toute personne qui s'unit à toi, sans pour autant la contraindre à adopter toutes tes positions. Tu me suis ?

— Pas vraiment...

— Prenons un exemple. Tu veux régner sur le monde, convaincu que ce sera bénéfique pour ceux qui y vivent. Tous les gens que tu as tenté de convaincre se sont-ils rangés sous ta bannière ?

Le jeune homme repensa aux citadins qui avaient fui Aydindril.

— Maintenant, je vous suis, mais...

— Notre conception de la loyauté ne correspond pas à tes critères moraux. En cette matière, nous avons nos propres critères. Pour des Sœurs de l'Obscurité, ne pas te nuire *directement* suffira à maintenir le lien. Parce qu'éviter de te combattre est déjà une façon de te servir.

Les mains posées sur le bureau, Richard se pencha vers Ulicia.

— Vous voulez libérer le Gardien. Et cela me nuira.

— Encore une affaire de point de vue, mon garçon. Nous voulons le pouvoir, comme toi, quelles que soient les justifications morales que tu t'inventes.

» Nous ne lutterons pas contre toi, c'est l'essentiel. Et si nous assurons la victoire du Gardien, Jagang aussi sera vaincu. Alors, qu'importe, à ce moment-là, que nous perdions ta protection ? Cette façon de voir ne correspond sans doute pas à ton éthique, mais elle convient à la nôtre. Donc, le lien agira.

» Enfin, il est possible – même si ce serait un miracle – que tu terrasses l'Ordre Impérial. Si tu élimines Jagang, nous n'aurons plus besoin du lien. Richard, nous sommes assez patientes pour attendre l'issue de ce conflit. En gage de bonne foi, laisse-moi te donner un conseil. Ne sois pas assez stupide pour retourner en Aydindril. Jagang va reconquérir la cité, et tu ne pourras pas l'en empêcher.

Richard se redressa, dévisagea la femme et tenta de réfléchir calmement.

— Ce marché me contraindra à vous laisser libres de partir et de servir le mal.

— Ce que tu tiens pour le mal ! En fait, tu nous donneras une chance d'*essayer* de le servir, sans aucune garantie de succès. En échange, tu auras Kahlan, une possibilité d'arrêter l'Ordre Impérial et tout loisir de nous mettre des bâtons dans les roues. Souviens-toi que tu as déjà déjoué nos plans, il n'y a pas si longtemps... Le marché est honnête, Richard. Kahlan pour toi, la liberté pour nous. Les enjeux se valent...

Le Sourcier réfléchit à ce pacte délirant. Fallait-il qu'il soit désespéré pour envisager de le conclure...

— Admettons que j'accepte. Après m'avoir juré fidélité, vous me direz où est Kahlan, puis vous partirez. Quelle assurance aurai-je que vous ne m'avez pas menti ?

Ulicia eut un sourire malicieux.

— Parfois, je me demande si tu es si malin que ça… La réponse est simple. Nous prêterons serment, puis tu poseras la question. Si nous mentons, le lien sera brisé, et adieu la protection ! Alors, Jagang nous aura de nouveau en son pouvoir.

— Et si je vous demande autre chose ? Vous serez obligées de m'obéir, sinon le résultat sera le même.

— C'est pour ça que j'ai parlé de conditions, tout à l'heure. Tu auras droit à une seule question. Si tu ne t'en tiens pas là, nous te tuerons, comme nous le ferons si tu refuses le pacte. Après tout, notre sort n'en deviendra pas pire que maintenant. Toi, tu seras mort, et Kahlan finira entre les sales pattes de Jagang. Il s'amusera beaucoup avec elle, tu peux me croire. Et ce porc a des goûts très pervers. (Elle se tourna vers Merissa.) Demande à notre jeune amie…

La Sœur de l'Obscurité se décomposa, sa soudaine pâleur accentuée par la couleur de sa robe.

Sans un mot, elle la déboutonna assez pour montrer au Sourcier la moitié de sa poitrine.

Là, ce fut Richard qui blêmit.

— Il me permet de guérir mes plaies au visage. Les autres doivent rester à vif, pour le… divertir. Et ces stigmates ne sont pas ce qu'il m'a infligé de pire. Loin de là… Tout ça à cause de toi, Richard Rahl !

Le Sourcier eut une vision de Kahlan, un anneau d'or à la lèvre et le corps zébré de marques.

Il sentit ses genoux se dérober mais parvint à se ressaisir.

— Ulicia, dit-il, vous n'êtes pas la vraie Dame Abbesse. Donnez-moi la bague. (Sans hésiter, la Sœur de l'Obscurité retira le bijou de son doigt et le lui tendit.) Vous me prêtez serment, je vous pose une question, et vous partez. C'est bien ça ?

— Exactement.

— Marché conclu !

Quand Richard eut fermé la porte derrière lui, Ulicia soupira d'aise. Le jeune homme était pressé, mais elle s'en fichait, puisqu'elle avait ce qu'elle voulait. La liberté ! La prochaine fois qu'elle s'endormirait, elle ne craindrait pas que Jagang vienne la persécuter dans le rêve qui n'en était pas un.

Leurs cinq vies contre une seule. Une bonne affaire !

De plus, elle n'avait pas dû tout dire à Richard, même s'il en savait désormais un peu plus qu'elle l'aurait voulu.

Oui, une très bonne affaire !

— Ulicia, dit Cecilia, avec dans la voix une assurance qu'elle ne lui avait plus entendue depuis longtemps, tu as réussi l'impossible ! Jagang est battu ! Nous sommes libres, et ça ne nous a rien coûté.

— Je n'en suis pas si sûre…, modéra Ulicia. Nous nous engageons sur un terrain inconnu, mes sœurs, au cœur d'un territoire hostile. Mais pour l'instant, plus rien ne nous entrave. Ne poussons pas trop loin notre chance. Il faut partir sur-le-champ.

Ulicia leva les yeux en entendant la porte s'ouvrir.

Le capitaine Blake entra dans le bureau, deux marins sur les talons. Quand le plus grand flanqua une main aux fesses à Armina, elle ne broncha pas.

— Eh bien, les filles, comme on se retrouve !

— Et combien ça tombe à pic…, lâcha Ulicia.

— Le *Dame Sefa* vient d'accoster, plein de pauvres marins solitaires qui auraient besoin d'un peu de compagnie. Mes gars ont trouvé ça si chouette, la dernière fois, qu'ils aimeraient recommencer.

— J'espère qu'ils seront plus gentils…, fit Ulicia, jouant les timorées.

— En fait, ils ont regretté de n'être pas allés plus loin, cette nuit-là. (Blake se pencha, saisit Ulicia par un sein, la força à se lever et sourit de l'entendre crier.) À présent, les putains, suivez-moi avant que je m'énerve ! Mes matelots vous attendent à bord, pour une petite fête…

Ulicia leva un bras et planta un couteau dans la main que le capitaine avait posée sur le bureau. Passant un index sur l'anneau passé à sa lèvre, elle le fit disparaître d'une « pichenette » de Magie Soustractive.

— Bonne idée, capitaine Blake ! Allons sur le *Dame Sefa*, histoire de prendre du bon temps !

Utilisant son Han pour invoquer un poing d'air, Ulicia poussa le marin vers la porte. Le couteau resta planté dans le bureau et lui déchira la main en deux.

Un bâillon d'air lui obstrua la bouche quand il voulut crier.

# Chapitre 49

— Quelque chose se passe dehors, souffla Adie. Ça doit être eux. (Elle riva ses yeux blancs sur Kahlan.) Tu es sûre de vouloir faire ça ? Je suis décidée, mais…

— Nous n'avons pas le choix ! (L'Inquisitrice jeta un coup d'œil aux flammes, dans la cheminée.) Il faut nous échapper, Adie ! Si nous échouons, et qu'on nous abat, Richard n'aura plus besoin de foncer tête baissée dans ce piège. En Aydindril, avec l'aide de Zedd, il protégera les peuples des Contrées du Milieu.

— Très bien, dit la dame des ossements, tentons le coup ! Je suis sûre de ne pas me tromper au sujet de Lunetta, mais j'ignore pourquoi elle fait ça.

Selon Adie, la sœur de Brogan était en permanence enveloppée dans son pouvoir, un exploit hors du commun. Pour obtenir ce résultat, il fallait détenir un talisman investi de magie. Dans le cas de Lunetta, ça ne pouvait être qu'une chose…

— Adie, même si vous ne savez pas pourquoi elle agit ainsi, ça doit être important. C'est votre propre conclusion, ne l'oubliez pas !

Kahlan posa un doigt sur ses lèvres quand elle entendit grincer le parquet, dans le couloir. Adie éteignit la lampe et alla se poster derrière la porte. Le feu illuminait toujours la pièce, mais ses flammes crépitantes faisaient virevolter les ombres, un détail qui ajouterait encore à la confusion.

Quand la porte s'ouvrit, Kahlan, campée en face d'Adie, prit une grande inspiration et mobilisa tout son courage. Elle espéra que ses visiteurs neutraliseraient le champ de force, sinon, il y aurait beaucoup de grabuge pour pas grand-chose.

Deux silhouettes entrèrent dans la chambre.

C'étaient bien eux…

— Que viens-tu faire ici, sale petit voyou ? cria la Mère Inquisitrice.

Lunetta derrière lui, Brogan se tourna vers Kahlan, qui lui cracha au visage. Rouge de fureur, il voulut l'empoigner, mais elle lui flanqua un coup de genou dans l'entrejambe. Quand Lunetta voulut voler à son secours, Adie lui abattit une bûche sur le crâne.

Brogan se jeta sur l'Inquisitrice, la ceintura et lui martela les côtes de coups de poing.

Alors que Lunetta s'écroulait, Adie avait saisi au vol une poignée de haillons multicolores. L'étrange tenue se déchira et la dame des ossements, animée par l'énergie du désespoir, eut déshabillé la magicienne une fraction de seconde avant qu'elle reprenne connaissance.

Lunetta hurla quand Adie jeta les bandes de tissu dans le feu.

Du coin de l'œil, alors que Brogan et elle basculaient sur le sol, Kahlan les vit s'embraser. Stimulée par cette réussite, elle se dégagea de l'étreinte de son adversaire, se reçut souplement et se releva aussitôt. Quand Brogan l'imita, plus hésitant, elle lui flanqua un bon coup de pied à la tête.

Tandis que Lunetta gémissait de détresse, Kahlan se prépara à une nouvelle charge du seigneur général, toujours combatif malgré le sang qui coulait de son nez.

Mais il vit quelque chose, derrière l'Inquisitrice, qui le pétrifia de stupeur.

Kahlan jeta un coup d'œil par-dessus son épaule. Une femme avait plongé les mains dans le feu, tentant en vain de récupérer les bandes de tissu.

Et ce n'était pas Lunetta !

Bien qu'un peu plus vieille, l'inconnue en robe droite blanche avait un charme indéniable.

Kahlan n'en crut pas ses yeux. Que se passait-il ?

— Lunetta ! hurla Brogan, fou de rage, comment oses-tu lancer un sort de séduction en public ? Tu utilises ta magie pour leur faire croire que tu es jolie, et c'est une honte ! Arrête immédiatement ! Le mal est laid !

— Seigneur général, gémit Lunetta, mes mignons brûlent. Aide-moi, mon frère, je t'en prie !

— Infâme *streganicha* ! Arrête ça, te dis-je !

— Sans mes mignons, c'est impossible…

Brogan écarta Kahlan et bondit vers la cheminée. Saisissant Lunetta par les cheveux, il la frappa. La malheureuse bascula en arrière et entraîna Adie avec elle.

Quand sa sœur tenta de se relever, Tobias la renvoya au sol d'un coup de pied.

— J'en ai assez de ta désobéissance, engeance du démon !

Kahlan ramassa une bûche et la lança sur le seigneur général. Il l'esquiva et contre-attaqua, son poing s'enfonçant dans l'estomac de l'Inquisitrice.

Kahlan en eut le souffle coupé.

— Sale porc ! cria-t-elle quand elle eut récupéré. Arrête de frapper ta sœur. Elle est tellement jolie !

— Elle est folle ! Lunetta la cinglée !

— Ne l'écoute pas, Lunetta ! C'est lui, le dément ! Ne l'écoute pas !

Fou de rage, Brogan tendit les bras vers Kahlan. Avec un bruit assourdissant, un éclair jaillit, illumina la pièce et rata largement sa cible. Trop furieux, Tobias avait manqué de précision. Une chance, considérant la manière dont le mur explosa quand le projectile magique le toucha.

Kahlan en fut paralysée de stupeur. Chef d'un groupe de fanatiques déterminés à détruire la magie, Tobias Brogan, seigneur général du Sang de la Déchirure, avait… le don.

Un poing d'air frappa Kahlan à la poitrine et l'envoya valser contre une cloison. Elle glissa sur le sol, sonnée…

— Non, Tobias ! cria Lunetta. Tu ne dois pas te souiller ainsi !

Le seigneur général bondit sur sa sœur et tenta de l'étrangler tout en lui cognant la tête contre le sol.

— C'est toi qui as fait ça ! Tu as lancé un sort de séduction, puis invoqué un éclair et un poing d'air. Tu es la souillure de notre famille !

— Tobias, tu t'es servi de la magie ! C'est mal ! Maman m'a ordonné de t'en empêcher.

Brogan saisit sa sœur par le devant de sa robe.

— Que racontes-tu, maudite *streganicha ?* Que t'a dit maman ?

— Que tu seras l'Élu, mon frère, souffla la superbe femme. Celui qui atteindrait la grandeur ultime. Elle m'a ordonné de me rendre laide, pour que les gens ne remarquent que toi. Toi seul devais compter ! Mais il fallait que je t'empêche d'utiliser ton don.

— Menteuse ! Maman ne savait rien de ces choses ! Elle ne t'a jamais rien dit !

— Tu te trompes, Tobias… Elle avait une fragile étincelle de don. Un jour, les Sœurs de la Lumière sont venues te chercher. Nous t'aimions trop pour les laisser faire. Personne ne devait nous prendre notre petit Tobias…

— Je ne suis pas souillé !

— Hélas, si, mon cher frère. Les sœurs ont dit que tu avais le don, et qu'elles te conduiraient au Palais des Prophètes. Si elles étaient revenues sans toi, maman était sûre qu'on en enverrait d'autres. Alors, nous les avons tuées. Maman et moi ! C'est de là que vient la cicatrice, sur ta bouche – tu as été blessé pendant notre combat. Nous avons tué ces femmes pour toi ! Et maman m'a ordonné de t'empêcher d'utiliser ton don, afin que d'autres sœurs ne viennent pas te prendre.

— Des mensonges ! beugla Brogan. Tu as lancé cet éclair ! Et jeté un sort de séduction pour quelqu'un d'autre que moi !

— Non, gémit Lunetta. Ces femmes ont brûlé mes mignons… Maman était sûre que tu aurais un extraordinaire destin, mais il fallait te protéger. Elle m'a appris à utiliser les mignons pour modifier mon apparence et t'interdire de recourir à ton don. Nous voulions toutes les deux que tu deviennes un grand homme ! Mes mignons ont brûlé, et tu as lancé cet éclair…

Brogan écarquilla les yeux, comme s'il contemplait quelque chose que lui seul pouvait voir.

— Ce n'est pas une souillure…, fit-il. C'est moi. Le mal est ailleurs. Ça, ce n'est que moi…

Il recouvra sa lucidité à l'instant où Kahlan tentait de se relever. Un autre éclair frôla le crâne de l'Inquisitrice, heureusement assez rapide pour s'être jetée à plat ventre.

— Tobias, arrête ! Tu ne dois pas utiliser ton don !

Étrangement calme, Brogan se tourna vers sa sœur.

— C'est un signe… L'heure a sonné. Et j'ai toujours su que ce moment arriverait. (Il leva devant son visage une main où crépitaient encore des étincelles bleues.)

Ce n'est pas une souillure, Lunetta, mais un pouvoir divin. Le mal est laid. Ça, c'est magnifique.

» Le Créateur a perdu le droit de me donner des ordres. C'est un messager du fléau ! À présent, je détiens le pouvoir, et il est temps de m'en servir. (Il regarda Kahlan.) L'humanité doit comparaître devant moi, et entendre ma sentence. Car je suis le Créateur !

— Tobias, je t'en prie ! implora Lunetta.

Brogan baissa les yeux sur elle, des volutes d'énergie mortelle dansant autour de ses doigts.

— Désormais, je vivrai dans la gloire et dans la lumière ! Tes mensonges et tes obscénités ne blesseront plus jamais mes oreilles. Maman et toi êtes des messagères du fléau !

Il dégaina son épée, qui crépita d'énergie bleue, et la brandit devant ses yeux.

— Tu ne dois pas utiliser ton pouvoir, Tobias ! (Lunetta se concentra, le front plissé.) Il ne faut pas !

Autour des mains de Brogan, les étincelles moururent.

— Pourquoi n'userais-je pas de ce qui m'appartient ! (Ses doigts et la lame crépitèrent de nouveau d'énergie.) Je suis le Créateur ! Et je décrète que tu dois mourir !

Les yeux fous, il contempla les étincelles qui virevoltaient au bout de ses doigts.

— Tobias, murmura Lunetta, tu n'es pas le Créateur, mais le vrai messager du fléau. Je dois t'arrêter, comme tu m'as appris à le faire.

Une lance de lumière rose jaillit de la main de Lunetta pour aller transpercer le cœur de Tobias Brogan.

Sur un dernier petit cri, le seigneur général tomba raide mort.

Ignorant ce que Lunetta allait faire, Kahlan ne bougea pas plus qu'une biche réfugiée dans de hautes herbes pour échapper à un chasseur.

Adie tendit la main et murmura à la magicienne des mots de réconfort dans leur langue maternelle.

Lunetta ne parut pas entendre. Rampant jusqu'au cadavre de son frère, elle le prit dans ses bras et le berça comme un enfant.

Kahlan en eut le cœur si serré qu'elle redouta de s'évanouir.

Alors, Galtero entra dans la pièce.

Sans voir Kahlan, derrière lui, il tira Lunetta par les cheveux et lui renversa la tête en arrière.

— *Streganicha*..., souffla-t-il comme s'il crachait du venin.

La sœur de Brogan ne fit pas mine de résister, comme si elle n'était déjà plus de ce monde.

Kahlan se leva et bondit vers l'épée du seigneur général. Hélas, elle ne fut pas assez rapide.

Galtero coupa la gorge de Lunetta.

Kahlan lui passa l'épée à travers le corps avant que sa victime ait touché le sol

— Adie, vous êtes blessée ? demanda-t-elle en dégageant la lame.

— Le corps va bien, mon enfant. Pour le cœur, ne pose pas la question...

— Je comprends, mais ce n'est pas le moment de pleurer !

L'Inquisitrice prit Adie par la main. Après s'être assurées que Lunetta avait bien neutralisé le champ de force, les deux femmes sortirent dans le couloir.

Les cadavres de leurs gardes y gisaient. Des sœurs que Lunetta avait exécutées.

Kahlan entendit des bruits de bottes, dans l'escalier. Enjambant un des corps ensanglantés, elle tira la dame des ossements vers l'escalier de service.

Les deux femmes sortirent par la porte de derrière et regardèrent autour d'elles. Personne. Mais dans le lointain, des épées s'entrechoquaient...

Main dans la main, elles coururent comme des bêtes traquées.

Alors, l'Inquisitrice sentit des larmes ruisseler sur ses joues...

La tête baissée pour qu'on ne la reconnaisse pas, Anna avançait dans les couloirs obscurs des catacombes. Derrière elle, Zedd traînait les pieds, toujours aussi peu coopératif.

La femme assise derrière un bureau se leva et approcha, l'air méfiant.

— Qui est-ce ? demanda sœur Becky d'une voix dure. Les catacombes sont un endroit interdit. Tout le monde a été prévenu.

Anna sentit une poussée de Han percuter ses épaules pour la forcer à s'arrêter. Quand elle releva la tête, Becky n'en crut pas ses yeux.

Anna la frappa avec son dacra. Les yeux de sa victime brillèrent un instant, puis elle s'écroula.

— Vous l'avez tuée, espèce de vieille folle ! Une femme enceinte !

— Sorcier Zorander, c'est vous qui l'avez condamnée à mort. J'espère que vous aurez provoqué l'exécution d'une Sœur de l'Obscurité, pas d'une servante du Créateur.

Zedd prit la Dame Abbesse par le bras et la força à se tourner vers lui.

— Avez-vous perdu l'esprit ?

— J'ai ordonné aux Sœurs de la Lumière de quitter le palais. De fuir, si vous préférez. Combien de fois vous ai-je imploré de me laisser utiliser le livre ? Je devais savoir si mes consignes avaient été suivies. Puisque vous m'en avez empêchée, j'ai dû supposer que c'était le cas.

— Ce n'était pas une raison pour la tuer ! La neutraliser aurait suffi.

— Si on a exécuté mes ordres, c'était une Sœur de l'Obscurité. Contre ces femmes, je n'ai pas une chance, lors d'un combat loyal. Nous ne pouvons pas courir ce genre de risques.

— Et si elle n'était pas une servante du Gardien ?

— Comment jouer tant de vies sur une supposition ?

— Vous êtes cinglée !

— Vraiment ? Vous mettriez en danger des milliers d'innocents pour épargner un ennemi potentiel qui menace de vous abattre ? Êtes-vous devenu membre du Premier Ordre en faisant ce genre de choix ?

Zedd lâcha le bras de la Dame Abbesse.

— N'en parlons plus... Bon, vous m'avez amené ici. Que faisons-nous ?

— D'abord, assurons-nous qu'il n'y a plus personne.

Ils partirent chacun d'un côté. Anna longea les rangées d'étagères, histoire de garder un œil sur le vieux sorcier. S'il essayait de filer, le Rada'Han l'en empêcherait, et il le savait...

Elle aimait bien le grand-père de Richard. Mais elle avait mission d'alimenter sa haine. Car il devrait être furieux, et saisir volontairement l'occasion qu'elle lui laisserait.

Ils atteignirent le fond des catacombes sans apercevoir âme qui vive. Anna embrassa son annulaire et remercia le Créateur.

Refusant de céder à la culpabilité, après le meurtre de Becky, elle se répétait sans cesse que la sœur aurait refusé de garder les catacombes si elle n'avait pas été une servante du Gardien et une marionnette de l'empereur. Quant à l'enfant innocent qu'elle portait, mieux valait ne pas y penser...

— Et maintenant ? demanda Zedd, agressif, lorsqu'ils se retrouvèrent devant une des petites salles « interdites »

— Nathan fera sa part du travail. Je vous ai amené ici pour accomplir l'autre moitié. Le palais est enveloppé par un sort lancé il y a trois mille ans. J'ai pu déterminer qu'il s'agissait d'une Toile en Spirale.

Sa curiosité en éveil, Zedd oublia pour un temps son indignation.

— Rien que ça ? Je n'ai jamais entendu parler d'un détenteur du don capable de tisser ce genre de Toile. Vous êtes sûre ?

— C'est impossible aujourd'hui, mais les anciens sorciers en étaient capables.

Pensif, Zedd se gratta le menton.

— Oui, ils auraient pu, je suppose... Dans quel but ?

— Le premier cercle agit sur le périmètre du palais. Le sortilège extérieur, là où nous avons laissé Nathan, est une sorte de coquille. Il génère l'environnement dans lequel la seconde partie de la Toile peut exister. Sur l'île, elle est reliée aux autres mondes. Une de ses caractéristiques est d'altérer le temps. C'est pour ça que nous vieillissons plus lentement que les autres.

— Oui, c'est une explication possible...

— Nathan et moi sommes nés il y a près de mille ans. Et voilà quasiment huit siècles que je dirige le palais.

Zedd tira nerveusement sur les pans de sa tunique.

— J'ai entendu parler du sort qui prolonge vos vies pour vous donner tout loisir de faire votre répugnant travail.

— Zedd, quand les anciens sorciers, jaloux de leurs secrets, ont commencé à refuser de former les jeunes garçons, les Sœurs de la Lumière ont pris le relais pour sauver des vies innocentes. Je sais que ce point de vue dérange certains beaux esprits, mais c'est la vérité.

» Sans sorcier pour les guider, nous étions la seule chance de ces jeunes hommes. Le Han féminin étant différent de celui des mâles, il nous faut beaucoup de temps pour former un sorcier. Les Rada'Han protègent ces garçons de leur don. Ils les empêchent de devenir fous, et leur laissent le temps d'assimiler notre enseignement.

» Le sort nous fournit les années dont nous avons besoin. Il y a trois mille ans, quelques sorciers gagnés à notre cause l'ont lancé pour nous aider. Et ils étaient assez puissants pour tisser une Toile en Spirale.

De plus en plus perplexe, Zedd en oublia de tempêter.

— Oui... Oui... Je vois ce que vous voulez dire. Ce système oriente la force vers l'intérieur. Comme si on enroulait une longueur de boyau pour créer une spirale dont le centre aura une résistance extraordinaire. Les anciens sorciers avaient des capacités dont je ne peux même pas rêver...

— En procédant ainsi, dit Anna, toujours aux aguets au cas où quelqu'un viendrait, on crée un cercle extérieur et un cercle intérieur. Comme dans votre exemple, avec les boyaux, il y a deux « nœuds » à l'endroit où les cercles se chevauchent. Un sur le champ de force extérieur, et un sur l'intérieur.

— Mais celui de l'intérieur, fit Zedd, pensif, là où se déroulent les événements, serait très vulnérable aux brèches. Bien qu'indispensable, il deviendrait le point faible du dispositif. Savez-vous où il est situé ?

— Nous sommes dedans, sorcier Zorander.

Le vieil homme regarda autour de lui.

— Oui, je comprends le raisonnement qui a conduit à cette décision... Le placer au cœur de la roche, sous le complexe, lui assurait une sécurité maximale.

— Voilà pourquoi, craignant une catastrophe, nous interdisons formellement l'utilisation du feu de sorcier sur l'île de Kollet.

— Une précaution inutile, très chère, fit Zedd, un rien pédant. Le feu de sorcier n'endommagerait pas ce type de nœud... (Il regarda soudain Anna, l'air soupçonneux.) Que fichons-nous ici ?

— Je vous offre la possibilité de réaliser un de vos rêves : détruire la Toile.

Zedd dévisagea durement la Dame Abbesse, battit des paupières et fixa de nouveau son interlocutrice.

— Non, dit-il enfin. Ce ne serait pas juste...

— Sorcier Zorander, je doute que ce soit le moment de céder à des impératifs moraux...

Entêté, le vieil homme croisa ses bras squelettiques.

— Ce sort a été jeté par des sorciers plus puissants que je ne le serai jamais. C'est un chef-d'œuvre qui dépasse jusqu'à mon imagination, pourtant fertile. Ne comptez pas sur moi pour le détruire.

— J'ai brisé la trêve !

— Un crime qui condamne à mort toutes les Sœurs de la Lumière qui s'aventureront dans le Nouveau Monde. Ici, nous sommes dans l'Ancien. Le pacte ne mentionne nulle part que je devrais venir détruire le Palais des Prophètes. Dans cet accord, rien ne m'y autorise.

Annalina foudroya le vieux sorcier du regard.

— Vous aviez juré, si je ne vous libérais pas, de raser le Palais des Prophètes. Je vous en donne l'occasion, sorcier Zorander !

— J'ai cédé à la colère, comme ça arrive à n'importe qui. Mais c'est fini, à présent. (Il se rembrunit, serrant les poings.) Vos efforts pour me convaincre que vous êtes un être méprisable, vil, immoral et malfaisant ont échoué, très chère. Vous n'avez rien de maléfique.

— Je vous ai enlevé, puis enchaîné !

— Je ne détruirai pas votre foyer, et encore moins votre vie. Désactiver le sort modifierait la trame de l'existence des Sœurs de la Lumière, et les conduirait à une fin prématurée. Ces femmes et leurs jeunes sorciers vivent dans une temporalité qui me semble étrange, mais c'est leur élément naturel.

» L'existence est une affaire de perception. Si une souris, dotée d'une espérance de vie de quelques années, pouvait altérer la durée de la mienne, histoire d'égaliser les chances, je l'accuserais à juste titre de m'assassiner. À ses yeux, pourtant, elle m'aurait gratifié d'un nombre normal d'années. C'est ce que voulait dire Nathan, l'autre soir, quand il a lancé : « Et là, tu nous tueras ! »

Anna en blêmit de confusion. Comment avait-elle pu oublier qu'on ne devait jamais se fier à un sorcier qui dort ?

— En détruisant le sort, continua Zedd, je ramènerai les sœurs dans le giron de l'humanité normale. Mais pour elles, cela reviendrait à les tuer au berceau. Ne comptez pas sur moi...

— S'il le faut, sorcier Zorander, je vous torturerai jusqu'à ce que vous m'obéissiez.

— Surtout, ne vous gênez pas ! Si vous saviez ce qu'il faut subir pour accéder au Premier Ordre, vous seriez moins confiante.

— Vous *devez* être furieux ! explosa Anna. J'ai osé vous affubler d'un Rada'Han ! Puis, je n'ai pas cessé de vous harceler, pour alimenter votre colère. La prophétie affirme que la fureur d'un sorcier est indispensable pour raser notre foyer.

— Vous avez voulu me faire danser au son de votre flûte, Dame Abbesse. Mais je ne marche jamais dans ces affaires-là, sauf quand je connais la partition.

— Alors, la voilà ! L'empereur Jagang veut s'emparer du palais. Cet homme marche dans les rêves et il contrôle l'esprit des Sœurs de l'Obscurité. Grâce aux prophéties, il saura quelles Fourches favoriser pour gagner la guerre. Le sort temporel lui conférera une quasi-immortalité qu'il passera à opprimer des innocents.

— Voilà qui me fait bouillir le sang ! lâcha Zedd. C'est une excellente raison de détruire cette Toile ! Fichtre et foutre, femme, pourquoi n'avez-vous pas commencé par là ?

— Nathan et moi avons travaillé pendant des siècles sur cette Fourche. La prophétie affirme qu'un sorcier livré à la fureur détruira le palais. Les conséquences d'un échec étant épouvantables, j'ai procédé de la manière qui semblait la plus sûre. À savoir, vous rendre fou furieux ! (Anna frotta ses yeux gonflés de fatigue.) Un plan désespéré dans une situation désespérante !

Contre toute attente, le vieux sorcier sourit.

— Un plan désespéré... J'aime beaucoup ça... Chez une femme, savoir reconnaître les moments où de telles mesures s'imposent est un gage de qualité. Et de courage.

— Alors, vous le ferez ? dit la Dame Abbesse en tirant sur la manche de Zedd. Il n'y a pas de temps à perdre, sorcier Zorander. Les tambours se sont arrêtés. Jagang ne tardera plus...

— Je vais agir, oui... Mais nous devrions nous approcher de la sortie.

Quand ils furent à côté de l'arche des catacombes, Zedd fourra une main dans sa poche et en sortit une pierre qu'il jeta sur le sol.

— Que faites-vous ?

— Je suppose que vous avez demandé à Nathan de tisser une Toile de Lumière ?

— Oui. À part lui, quelques sœurs et moi, personne ici n'en est capable. Le Prophète est assez puissant pour briser le nœud extérieur, dès que l'intérieur aura commencé à céder. Mais aucun d'entre nous n'a le pouvoir de s'attaquer au cercle intérieur. Voilà pourquoi je vous ai amené ici. Seul un sorcier du Premier Ordre est à la hauteur de cette tâche.

— Je ferai de mon mieux, marmonna Zedd. Mais sachez-le, Anna, aussi vulnérable que soit ce sort, il a été lancé par des sorciers dont le pouvoir me dépasse.

Il fit tourner son index de plus en plus vite. La petite pierre, soudain agitée de « convulsions », devint rapidement un gros rocher plat.

Le sorcier sauta sur ce perchoir.

— Allez m'attendre dehors, Anna ! Et mettez Holly en sécurité pendant que je travaille. Si je ne parviens pas à contrôler le torrent de lumière, vous n'auriez pas le temps de sortir d'ici.

— Un plan désespéré, Zedd ?

Le vieil homme répondit d'un grognement. Puis il tourna le dos à la salle, et leva les bras. Des volutes de lumière colorée jaillirent du rocher, enveloppant le sorcier d'une aura tourbillonnante qui émettait un étrange bourdonnement.

Anna avait entendu parler de ces rochers très spéciaux. C'était cependant le premier qu'elle voyait, et elle n'aurait su dire comment ils fonctionnaient. Mais elle avait senti le pouvoir dont vibrait le corps de Zedd, quand il avait sauté sur son perchoir.

Anna sortit des catacombes, comme il le lui avait ordonné. Voulait-il vraiment la protéger, ou tenait-il à préserver ses secrets ? Les sorciers répugnaient à dévoiler leurs mystères. Et Zedd semblait encore plus dissimulateur que Nathan – un exploit que la Dame Abbesse aurait jugé impossible quelque temps plus tôt.

Quand Anna s'accroupit devant l'alcôve où ils avaient laissé Holly, la petite lui jeta les bras autour du cou.

— Tu as vu quelqu'un ?

— Non, Anna…

— Parfait ! En attendant que le sorcier Zorander ait fini, cachons-nous toutes les deux là-dedans.

— Zedd crie beaucoup, il dit souvent des gros mots, et il agite les bras comme s'il voulait déchaîner une tempête sur nous. Pourtant, je crois qu'il est gentil…

— On voit que ces maudites piqûres de puces ne te démangent pas, répondit Anna. Mais je crois que tu as raison…

— Ma grand-mère se mettait parfois en colère, quand des gens menaçaient de nous nuire. C'était une vraie colère, crois-moi ! Lui, on voit bien qu'il fait semblant !

— Tu as été plus observatrice que moi, mon enfant. Un jour, tu seras une formidable Sœur de la Lumière.

Anna serra Holly contre elle et se tut.

Elle espéra que le sorcier n'en aurait pas pour une éternité. Si on les surprenait ici, il n'y aurait pas moyen de fuir, et un combat contre les Sœurs de l'Obscurité, aussi puissant que fût Zedd, risquait de ne pas tourner à leur avantage.

Le temps passa avec une lenteur horripilante. À sa respiration régulière, la Dame Abbesse comprit que l'enfant s'était endormie. La pauvre petite n'avait guère pu se reposer, ces derniers temps. À vrai dire, ils étaient tous épuisés.

Anna sursauta quand quelqu'un la tira par l'épaule.

— Filons d'ici, souffla Zedd.

Avec Holly dans les bras, la Dame Abbesse sortit de sa cachette.

— Vous avez réussi ?

À l'air grognon du vieil homme, c'était peu probable.

— Je n'ai pas trouvé d'angle d'attaque. C'est pire que d'essayer d'allumer un feu sous l'eau !

— Zedd, nous devons réussir !

— Je sais… Mais ceux qui ont tissé cette Toile contrôlaient la Magie Soustractive. Pas moi. J'ai tout essayé, Anna ! Ce sort me résiste, et il en serait ainsi si je m'acharnais pendant mille ans. Désolé…

— J'ai déjà lancé un sort de lumière au palais. C'est tout à fait possible.

— Ai-je dit que je ne l'ai pas tissé ? L'ennui, c'est que je n'ai pas pu l'embraser. Près du nœud, il n'y a pas moyen…

— L'embraser ? Avez-vous perdu la tête ?

— Qui a parlé d'un plan désespéré ? J'avais des doutes sur l'efficacité de cette méthode, donc, je devais vérifier. Et j'ai bien fait ! Sinon, nous serions partis en pensant que ça marcherait. Mais c'est fichu, Anna ! La Toile s'embrasera au contact de la vie, comme prévu, mais elle ne consumera pas le sort, faute de puissance.

— Au moins, elle tuera ceux qui entreront les premiers dans les catacombes. Si Jagang est du nombre, ce sera déjà ça. Sauf si nos ennemis découvrent le sort et le vident de son énergie avant d'entrer… Dans ce cas, les prophéties seront à leur disposition.

— Ce ne sera pas si facile, Anna. J'ai semé quelques chausse-trappes de mon cru à des endroits judicieux. Ce lieu est un piège mortel.

— Nous ne pouvons rien faire d'autre ?

— Ma Toile est assez puissante pour souffler le palais, mais je ne peux pas l'activer. Si les Sœurs de l'Obscurité contrôlent vraiment la Magie Soustractive, nous pourrions leur demander de le faire pour nous.

— Inutile de rêver, Zedd… Espérons que vos pièges tueront nos ennemis. Ça suffira peut-être, même si j'aurais préféré raser le palais. (Anna prit Holly par la main.) Sortons d'ici ! Nathan doit nous attendre, et je n'aimerais pas être là quand Jagang arrivera. Ni tomber sur une meute de Sœurs de l'Obscurité.

# Chapitre 50

Quand elle vit une lame briller à la lumière de la lune, Verna se cacha derrière un banc. Apparemment, on se battait partout dans le parc du Palais des Prophètes. Officiellement, les soldats en cape pourpre étaient venus à Tanimura pour se rallier à l'Ordre Impérial. Ayant dû changer d'avis, ils étripaient tous ceux qui croisaient leur chemin.

Deux hommes jaillirent de l'obscurité. Sortant de l'endroit où Verna avait vu luire de l'acier, quelqu'un leur bondit dessus et les tailla proprement en pièces.

— Deux membres du Sang de la Déchirure, souffla une voix familière. Venez, Adie…

Une autre silhouette émergea des ombres.

La première femme s'était servie d'une épée. Verna, elle, pouvait combattre avec son Han. Jugeant le risque acceptable, elle sortit de derrière son banc.

— Qui va là ? Montrez-vous ! lança la voix familière.

Espérant qu'elle ne commettait pas une erreur fatale, Verna avança, son dacra fermement serré.

— C'est Verna !

— Sœur Verna ? C'est vraiment vous ?

— Oui ! Qui êtes-vous ?

— Kahlan Amnell…

— Kahlan ! C'est incroyable ! (Verna courut rejoindre les deux silhouettes.) Créateur bien-aimé, c'est pourtant vrai ! (Elle enlaça la jeune femme.) J'ai eu si peur que vous soyez morte…

— Verna, quelle joie de voir enfin un visage amical !

— Qui est avec vous, Kahlan ?

— Cela fait longtemps, sœur Verna, dit Adie en avançant, mais je me souviens encore de vous.

Verna essaya de mettre un nom sur le visage de la vieille femme.

— Désolée, mais je ne vous reconnais pas…

— Je suis Adie… J'ai vécu au palais un moment, quand j'étais jeune, il y a cinquante ans.

— Adie ! Bien sûr, je me rappelle !

La sœur préféra taire qu'elle gardait le souvenir d'une superbe jeune femme. Depuis longtemps, elle avait appris à ravaler ce genre de remarque, car les gens normaux ne vivaient pas dans le même cadre temporel qu'elle.

— Le nom vous est familier, plus le visage… Beaucoup de temps a passé… (Adie prit Verna dans ses bras.) Je ne vous ai jamais oubliée, car vous avez été si bonne avec moi…

Kahlan jugea opportun d'interrompre ces effusions.

— Verna, que se passe-t-il au palais ? Nous y avons été amenées par le Sang de la Déchirure, et notre évasion remonte à quelques minutes. Nous voudrions sortir, mais des gens se battent un peu partout.

— C'est une longue histoire, et je n'ai pas le temps de la raconter. À vrai dire, je ne suis pas sûre de tout savoir… Mais tu as raison, nous ne devons pas traîner ici. Les Sœurs de l'Obscurité tiennent le palais, et l'empereur Jagang peut arriver d'un instant à l'autre. Je suis chargée de faire partir toutes les Sœurs de la Lumière. Vous venez avec nous, toutes les deux ?

— D'accord, mais je dois aller chercher Ahern. Il a été d'une grande loyauté, donc pas question de l'abandonner. Comme je le connais, il voudra récupérer son coche et ses chevaux avant de filer.

— En ce moment, mes alliées rassemblent tous les résidents du palais qui n'ont pas trahi. Nous devons nous retrouver là-bas, de l'autre côté de ce mur. Le garde en faction devant le portail est fidèle à Richard. Les hommes qui surveillent les autres issues le sont aussi. Celui-là se nomme Kevin, et on peut lui faire confiance. Quand tu reviendras, dis-lui que tu es une amie de Richard. C'est un code. Il te laissera entrer…

— Cet homme est *loyal* à Richard ?

— Oui. À présent, dépêche-toi ! Je dois retourner au palais pour libérer un ami. Mais ton Ahern ne pourra pas passer par ce chemin avec son coche. Le parc est devenu un champ de bataille. Il se ferait étriper.

» Les écuries sont à l'extrémité nord du complexe. C'est par là que nous partirons, et des Sœurs de la Lumière gardent déjà le petit pont secondaire. Que ton ami se dirige vers le nord et s'arrête à la première ferme qu'il verra sur sa droite. Un mur de pierre entoure le jardin, il ne pourra pas se tromper. C'est notre second point de ralliement. Un endroit sûr, en tout cas pour le moment.

— Je ferai le plus vite possible, promit Kahlan.

— Si tu n'es pas là à temps, nous ne pourrons pas t'attendre, dit Verna. Dès que j'aurai récupéré mon ami, nous ficherons le camp d'ici.

— Je comprends très bien… Et je n'ai aucune raison de m'attarder. En fait, je suis un appât, pour attirer Richard.

— Richard ?

— Là encore, c'est une très longue histoire… Pour faire court, je dois disparaître au plus vite afin qu'il ne se jette pas dans un piège.

La nuit s'illumina soudain, comme si la foudre se déchaînait en silence. Se tournant vers le sud-est, les trois femmes virent d'énormes boules de feu monter dans le ciel nocturne. Une épaisse fumée noire obscurcissait l'horizon, comme si le port était en flammes. Soulevés par d'incroyables colonnes d'eau, de grands navires volaient dans les airs tels de vulgaires jouets.

Le sol trembla. Au même instant, l'écho de lointaines explosions atteignit les oreilles des trois fugitives.

— Par les esprits du bien, souffla Kahlan, que se passe-t-il ? (Elle regarda autour d'elle.) Il faut faire vite ! Adie, reste avec les Sœurs de la Lumière. J'espère revenir très vite.

— Je peux t'enlever ton Rada'Han ! lança Verna.

Trop tard. La Mère Inquisitrice s'était déjà enfoncée dans la nuit.

— Viens, dit la sœur en prenant Adie par le bras. Je te laisserai avec mes amies qui attendent derrière le mur. L'une d'elles t'enlèvera ce collier pendant que j'accomplirai ma mission.

Dès qu'elle eut remis la dame des ossements entre de bonnes mains, Verna courut vers les quartiers du Prophète, s'y glissa en silence et remonta une enfilade de couloirs en se préparant au pire. Car Warren, il ne fallait pas se le cacher, risquait de ne plus être de ce monde. Après l'avoir torturé, qui pouvait jurer que les Sœurs de l'Obscurité n'avaient pas décidé de l'éliminer ?

Supporterait-elle de découvrir son cadavre ?

Non, ça ne risquait pas d'arriver ! Jagang avait besoin d'un Prophète pour interpréter les prédictions. Et dire qu'Anna lui avait ordonné, quelques jours plus tôt, de faire quitter le palais à son ami !

Avait-elle voulu l'éloigner de peur que les servantes du Gardien le tuent parce qu'il en savait trop long ? Essayant de chasser cette idée angoissante de son esprit, Verna sonda le couloir, à l'affût d'une Sœur de l'Obscurité qui s'y serait réfugiée pour fuir la bataille.

Arrivée devant la porte des appartements du Prophète, Verna prit une grande inspiration puis traversa les boucliers qui avaient emprisonné Nathan pendant près d'un millénaire.

Quand elle entra dans la chambre, aucune lumière n'y brillait, n'était le pâle rayon de lune que laissaient entrer les portes intérieures, entrouvertes sur le petit jardin. Une petite bougie brûlait sur la table, sa minuscule flamme aussi perdue qu'une étincelle dans un océan de ténèbres.

Le cœur de Verna bondit dans sa poitrine lorsqu'elle vit une silhouette se lever d'une chaise.

— Warren ?

— Verna ! (Le futur Prophète courut vers son amie.) Le Créateur soit loué, tu as pu t'enfuir !

Verna résista à l'envie de se jeter dans les bras du « jeune » homme. Comme toujours, ses espoirs et ses désirs venaient de réveiller ses vieilles angoisses. Pour se donner une contenance, elle brandit un index accusateur sur son ami.

— Encore une folie signée Warren ! lança-t-elle. Au lieu de me faire parvenir ce dacra, tu aurais dû t'en servir pour te libérer. Ton plan était stupide ! S'il avait mal tourné, tu te serais privé pour rien de ta seule arme. Et je n'aurais pas été plus avancée. Quelle idée t'est passée par la tête ?

— Moi aussi, je suis content de te voir, Verna…

Fidèle à sa nature, la sœur dissimula son émotion derrière une réplique cinglante.

— Réponds à ma question !

— *Primo*, n'ayant jamais utilisé un dacra, j'avais peur de mal m'y prendre et de saboter notre dernière chance. *Secundo*, avec un Rada'Han autour du cou, pas question de franchir les boucliers. Bien sûr, j'aurais pu tenter de forcer Leoma à me l'enlever. Mais si elle avait préféré mourir plutôt qu'obtempérer, nous en aurions été pour nos frais.

Warren marqua une pause et fit un pas vers son amie.

— *Tertio*, si un seul de nous deux devait s'en sortir, je voulais que ce soit toi !

Verna dévisagea un long moment l'homme qu'elle avait cru intelligent d'éconduire, jadis. Une boule dans la gorge, elle ne put plus se retenir de lui jeter les bras autour du cou.

— Warren, je t'aime ! D'amour, je veux dire…

Le futur Prophète posa un petit baiser sur les lèvres de sa bien-aimée.

— Si tu savais combien de temps j'ai rêvé de t'entendre dire ces mots ! Verna, je t'aime aussi !

— Et mes rides ?

— Quand tu en auras, je parie que je les adorerai aussi !

Pour cette dernière phrase, et tout le reste, Verna jeta aux orties ses angoisses et embrassa passionnément le successeur de Nathan.

Quelques hommes en cape pourpre jaillirent de l'angle d'un bâtiment, décidés à le tuer. Richard bondit et frappa un des soldats au genou. Simultanément, il enfonça son couteau dans les tripes d'un autre imbécile. Une seconde plus tard, il avait tranché la gorge d'un troisième type, et, d'un coup de coude, fracassé le nez d'un quatrième.

Livré à la fureur de la magie qui coulait en lui, le jeune homme était livide comme la mort.

Même sans son épée, la magie restait sienne. Le véritable Sourcier de Vérité n'avait pas besoin d'un objet pour rester lié à son pouvoir. Avide de vengeance, la colère de l'arme continuait à l'animer par-delà la distance. Dans les prophéties, n'était-il pas nommé *fuer grissa ost drauka* ? En haut d'haran, cela voulait dire « le messager de la mort ». Et face à ces hommes, il se comportait bien comme le fidèle émissaire de la Faucheuse. Désormais, le sens de ces quelques mots ne faisait plus de doute pour lui.

Il virevolta parmi les membres du Sang de la Déchirure comme s'ils étaient des statues renversées par une tempête.

Bientôt, il n'y en eut plus un seul debout.

Richard contempla les cadavres, furieux d'avoir simplement taillé en pièces les sbires des cinq Sœurs de l'Obscurité. Mais leur tour viendrait bientôt…

Suivant leurs indications, il avait couru jusqu'à l'endroit où Kahlan était détenue. Pour découvrir une pièce ravagée par la magie où dansait encore une fumée noire. À part les cadavres de Brogan, de Galtero et d'une femme qu'il ne connaissait pas, il n'avait vu personne.

Kahlan s'était peut-être enfuie. Mais ça n'était pas sûr. Ulicia et ses complices avaient pu l'enlever, avec l'intention de la torturer – ou de la livrer à Jagang.

Il devait trouver Kahlan. Et mettre la main sur les Sœurs de l'Obscurité, pour les forcer à parler.

Dans le parc, une bataille confuse faisait rage. Apparemment, elle opposait les membres du Sang de la Déchirure aux autres forces présentes sur les lieux. En chemin, il avait vu des dépouilles de gardes, de membres du personnel et de sœurs...

Les soldats en cape pourpre avaient également payé un lourd tribut, car les Sœurs de l'Obscurité les massacraient à tour de bras. Il avait vu une centaine d'hommes, en pleine charge, être fauchés par les éclairs noirs d'une seule servante du Gardien. Inversement, l'une d'elles, submergée par le nombre, avait été réduite en charpie comme un renard piégé par une meute de chiens.

La sœur victorieuse ayant filé avant qu'il ait pu la rejoindre, il en cherchait une autre. Une de ces maudites garces finirait par lui dire où était Kahlan. Même s'il devait les tuer toutes de ses mains, la dernière lui révélerait ce qu'il voulait savoir.

Deux hommes du Sang de la Déchirure l'aperçurent et coururent vers lui. Richard attendit sans broncher, esquiva leurs coups maladroits et les étripa pratiquement sans y penser. Se fichant de ces bouffons, il daignait les combattre uniquement quand ils l'attaquaient. Bref, s'ils venaient s'embrocher sur sa lame, c'était leur choix, pas le sien. Car il traquait les Sœurs de l'Obscurité, et rien d'autre ne l'intéressait.

Alors qu'il longeait un mur, le Sourcier se cacha soudain derrière un pilier. Une silhouette courait à sa rencontre, sur le chemin pavé. À voir les cheveux qui flottaient dans son dos, et ses courbes caractéristiques, il s'agissait d'une femme.

Enfin, il tenait une proie !

Quand il se campa devant la Sœur de l'Obscurité pour lui barrer le chemin, une lame à la lueur argentée s'abattit sur lui. Esquivant le coup, il recula, informé que toutes les sœurs étaient armées d'un dacra. Bien plus dangereuse qu'un couteau, cette arme devenait dévastatrice entre des mains entraînées à les manier depuis l'enfance.

Un danger qu'il ne pouvait pas se permettre de négliger.

D'un coup de pied sauté, il arracha son dacra à la servante du Gardien. Dans son élan, il lui aurait volontiers brisé la mâchoire, pour qu'elle ne puisse pas appeler à l'aide, mais il fallait qu'elle soit en état de parler. Et s'il se montrait assez rapide, elle ne donnerait pas l'alarme.

Il lui saisit un poignet au vol, lui retourna le bras dans le dos, bloqua le coup de poing qu'elle lui tira avec l'autre, et lui fit subir le même sort. Lui serrant les deux poignets d'une seule main, il lui plaqua son couteau sur la gorge, se laissa tomber en arrière, et, dès qu'ils furent au sol, enroula ses jambes autour des siennes pour l'empêcher de ruer comme une jument énervée.

En un clin d'œil, sa proie avait été réduite à l'impuissance.

— Je suis de très mauvaise humeur, souffla le Sourcier en appuyant un peu plus sur la lame de son couteau. Si tu ne me dis pas où est la Mère Inquisitrice, je te saignerai à blanc.

— La Mère Inquisitrice n'est pas loin… Mais tu vas finir par lui couper la gorge, Richard !

Une petite éternité durant, le Sourcier, l'esprit brouillé par sa fureur, tenta de comprendre le sens de paroles qui lui semblaient plus énigmatiques qu'une prophétie.

— Alors, tu m'embrasses ou tu m'égorges ?

C'était la voix de Kahlan !

Lui lâchant les poignets, il la retourna, son visage à quelques pouces du sien.

— Esprits du bien vénérés, mille mercis…, murmura-t-il.

Avant d'embrasser la jeune femme.

À son contact, la colère s'apaisa comme l'eau d'un lac après une tempête. Avec une extase presque douloureuse, il serra Kahlan contre lui. Puis il lui caressa le visage, doutant encore qu'elle soit réelle. Elle fit de même en silence, car les mots n'avaient aucun poids en un moment pareil.

Un instant, le monde s'arrêta. Puis il reprit son absurde course avec un indestructible entêtement.

— Kahlan, je sais que tu es furieuse contre moi…

— Si je n'avais pas cassé mon épée, tu ne t'en serais pas sorti si facilement, jeune homme ! Mais je ne suis pas furieuse…

— Je ne parlais pas de notre petit duel… Kahlan, je peux tout t'expliquer…

— Inutile, Richard ! Je ne t'en veux pas, parce que je te fais confiance. Tu me devras effectivement quelques explications, mais ça n'ira pas plus loin. Cela dit, éloigne-toi de moi de plus de dix pas, jusqu'à la fin de notre vie, et tu verras à quoi ressemble une Mère Inquisitrice folle furieuse !

— Je doute de te donner une raison de t'énerver, dans ce cas… (Le sourire de Richard s'effaça et il laissa retomber sa tête sur le sol.) Je crains d'avoir parlé trop vite… Quand tu sauras ce que j'ai fait, tu voudras m'étrangler à mains nues. Kahlan, je…

La jeune femme lui coupa la parole en l'embrassant. Un long moment, il s'abandonna à sa tendresse, caressant ses magnifiques cheveux jusqu'à s'enivrer de leur parfum.

La réalité revenant à la charge, il prit l'Inquisitrice par les épaules et l'écarta un peu de lui.

— Kahlan, nous devons partir d'ici. Sinon, tout ça finira mal.

L'Inquisitrice roula sur le côté et s'assit.

— Je sais… L'Ordre Impérial approche, et il n'y a plus de temps à perdre.

— Où sont Zedd et Gratch ? Ils doivent nous accompagner.

— Zedd et Gratch ? Ils n'étaient pas avec toi ?

— Bien sûr que non ! Je croyais qu'ils te protégeaient ! J'ai envoyé Gratch avec une lettre. Par les esprits du bien, ne me dis pas que tu ne l'as jamais reçue ? Dans ce cas, il est normal que tu ne sois pas en rage contre moi. Je disais que…

— J'ai lu ton message. Zedd a lancé un sort pour être plus léger, et Gratch l'a conduit en Aydindril par la voie des airs. Il y a des semaines de ça…

L'estomac retourné, Richard se souvint des mriswiths taillés en pièces, sur les remparts de la Forteresse du Sorcier.

— Je ne les ai pas vus…

— Tu es sans doute parti avant qu'ils arrivent. Venir ici a dû te prendre du temps.

— Kahlan, j'ai quitté Aydindril hier.

— Quoi ? C'est…

— La sliph m'a amené en moins d'un jour. Enfin, je crois. Peut-être deux… Mais la lune était pareille, alors…

Conscient qu'il racontait n'importe quoi, le Sourcier se tut.

En regardant le visage de Kahlan brouillé par les larmes qui perlaient à ses yeux, il s'entendit parler comme si sa voix sortait de la gorge d'un autre.

— Sur les remparts de la Forteresse, j'ai trouvé les restes d'un grand nombre de mriswiths. Sur le coup, j'ai pensé que ça pouvait être l'œuvre de Gratch. En me penchant aux créneaux, j'ai vu une traînée de sang, le long du mur. Celui des mriswiths pue, et j'ai recueilli aussi du sang normal…

Kahlan prit le jeune homme dans ses bras.

— Zedd et Gratch… Ils ont basculé dans le vide…

— Richard, je suis navrée…

Le Sourcier se dégagea, se leva d'un bond et tendit une main à sa compagne pour l'aider à se remettre debout.

— Il faut partir d'ici ! À cause de moi, Aydindril est en danger. Je dois y retourner. (Soudain, il vit le Rada'Han, autour du cou de l'Inquisitrice.) Pourquoi t'a-t-on mis ce collier ?

— C'est une longue histoire, Richard. J'ai été capturée par Tobias Brogan…

Sans laisser finir sa compagne, le Sourcier glissa les doigts autour du collier. Invoqué par le besoin et la colère, le pouvoir jaillit du centre éternellement serein de son être et se déversa dans son bras.

Le collier éclata entre ses doigts.

Kahlan en gémit de soulagement.

— C'est fini, soupira-t-elle. (Elle prit la main de Richard et la posa sur son plexus solaire.) Mon pouvoir est revenu, et je peux de nouveau le toucher.

— Partons, Kahlan…

— Quand nous nous sommes « rencontrés », je venais de libérer Ahern. C'est là que j'ai cassé mon épée, dans le corps d'un soldat du Sang de la Déchirure. (Voyant Richard froncer les sourcils, la jeune femme précisa :) Ce n'est pas ma faute, il est mal tombé, et… Bref, j'ai dit à Ahern d'aller au nord avec les sœurs.

— Quelles sœurs ?

— Celles que Verna a rassemblées pour les sauver. Il y a aussi de jeunes sorciers, des novices et des gardes… Je dois retrouver Verna, et Adie est avec elle. En nous dépêchant, nous arriverons avant qu'elles partent. Ce n'est pas loin.

Quand il surgit de derrière le mur pour barrer le chemin aux deux intrus, Kevin en resta bouche bée.

— Richard ! C'est vraiment toi ?

— En chair et en os, mon ami ! Mais sans chocolats, cette fois...

Le soldat serra la main du Sourcier.

— Je te suis fidèle, Richard. Et presque tous les gardes aussi.

— Eh bien... j'en suis très honoré, Kevin.

Le garde se retourna et souffla :

— C'est Richard !

Dès que Kahlan et son compagnon eurent franchi le portail, une petite foule se massa autour d'eux. À la lueur des explosions, dans le ciel, Richard repéra Verna et courut la serrer dans ses bras.

— Ma sœur, je suis si content de vous revoir ! (Il poussa doucement Verna à une distance raisonnable de ses narines.) Désolé de vous dire ça, mais vous avez rudement besoin d'un bain !

Verna éclata de rire. Un son rare et très agréable à entendre.

Warren vint à son tour donner l'accolade au jeune homme.

Quand il se fut dégagé, Richard prit la main de Verna et lui posa dans la paume la bague de la Dame Abbesse.

— J'ai appris la mort d'Anna. C'est une grande perte... Gardez sa bague, vous saurez mieux que moi ce qu'il faut en faire.

Verna leva la main pour étudier le bijou.

— Où l'as-tu eue, Richard ?

— J'ai convaincu sœur Ulicia de me la remettre. Elle n'a aucun droit de la porter.

— Tu l'as quoi ?

— Verna est la nouvelle Dame Abbesse, Richard, intervint Warren en tapotant gentiment l'épaule du jeune homme.

— Je suis fier de vous, Verna. Alors, remettez la bague à votre doigt.

— Richard, Anna n'est pas... On m'a retiré la bague... Un tribunal m'a condamnée et destituée.

Sœur Dulcinia sortit de la foule et vint se camper devant Verna.

— Vous êtes toujours la Dame Abbesse ! Au procès, toutes les sœurs ici présentes ont voté pour vous.

— Vraiment ?

— Sans exception ! La position de la présidente et de ses assistantes a prévalu, mais nous n'avons jamais perdu foi en vous. Annalina vous a nommée, et nous avons besoin d'une Dame Abbesse. Remettez la bague !

Un concert d'approbation monta de la foule de sœurs. Les remerciant d'un regard brouillé de larmes, Verna glissa le bijou à son annulaire et l'embrassa.

— Nous devons partir, dit-elle. L'Ordre Impérial s'emparera bientôt du palais.

Richard prit son amie par le bras et la tira vers lui.

— Que voulez-vous dire ? Quel intérêt a le palais pour les soudards de l'Ordre ?

— Jagang veut connaître les prophéties. Il espère influencer les événements à son avantage. Autrement dit, leur faire emprunter les bonnes Fourches – pour lui !

Les sœurs sursautèrent, consternées. Warren lui-même en grogna de rage.

— Ce n'est pas tout, continua Verna. Il veut vivre au palais, pour vieillir moins vite et régner plus longtemps...

— Pas question de le laisser faire ça ! déclara Richard. (Il lâcha le bras de son amie.) Chaque Fourche serait un piège pour nous et nous serions impuissants. Des siècles de tyrannie s'ensuivraient...

— Nous n'y pouvons rien, soupira Verna. Si nous ne partons pas, nous mourrons aussi, et les cadavres ne peuvent plus réfléchir à la meilleure façon de vaincre un despote...

Richard regarda les sœurs qui les écoutaient, accablées, et en reconnut quelques-unes. Puis ses yeux se posèrent de nouveau sur Verna.

— Dame Abbesse, que diriez-vous si je détruisais le palais ?

— Quoi ? Et comment comptes-tu t'y prendre ?

— Je n'en sais rien... Mais ça a marché avec les Tours de la Perdition. Pourtant, elles aussi étaient l'œuvre des anciens sorciers. Que penseriez-vous si je trouvais un moyen ?

Verna baissa les yeux et se mordilla les lèvres. Dans un silence de mort, Phoebe sortit à son tour de la petite foule.

— Verna, tu ne peux pas autoriser ça !

— Même si c'est la seule façon d'arrêter Jagang ?

— Tu ne dois pas ! cria Phoebe, au bord des larmes. Le Palais des Prophètes est notre foyer !

— Ce temps-là est révolu, mon amie. Si nous ne faisons rien, il deviendra le fief de celui qui marche dans les rêves.

— Verna, implora Phoebe, sans le sort, nous vieillirons plus vite. Notre jeunesse passera en un éclair, puis nous mourrons avant même d'avoir vécu.

Du bout du pouce, Verna écrasa une larme sur la joue de son administratrice.

— En ce monde, Phoebe, tout est mortel, même le palais... Comme le reste, il n'est pas éternel. Jusque-là, il a accompli sa mission. Si nous le livrons à Jagang, il deviendra un lieu maléfique.

— Tu ne peux pas faire ça ! Je refuse de vieillir !

Verna prit la jeune femme dans ses bras.

— Phoebe, nous sommes des Sœurs de la Lumière, au service du Créateur pour améliorer la vie des gens. Le seul moyen de continuer cette œuvre, aujourd'hui, est de devenir comme tous Ses enfants, et de vivre parmi eux. Je comprends ton angoisse, mon amie, mais ça ne sera pas aussi terrible que tu l'imagines. Au palais, notre perception du temps est différente. Nous ne sentons pas le lent passage des siècles, comme le croient les gens de l'extérieur, mais le rythme rapide et tourbillonnant de la vie. Ce n'est pas très différent de ce qu'on éprouve dans le monde normal.

» Nous avons juré de servir, pas de vivre plus longtemps que les autres. Si tu désires mener une existence très longue et parfaitement vide, reste avec les Sœurs de l'Obscurité. Mais si tu rêves d'accomplissement, de joie et d'utilité, accompagne les Sœurs de la Lumière sur le nouveau chemin qui s'ouvre devant elles.

Phoebe ne répondit pas et continua à pleurer. Dans le lointain, des colonnes de flammes illuminaient le ciel et des explosions retentissaient à intervalles réguliers. Les cris des combattants se faisaient de plus en plus proches.

— Je suis une Sœur de la Lumière, dit enfin Phoebe. Je vous suivrai, où que ce chemin nous mène. Car le Créateur continuera à veiller sur nous.

Verna caressa la joue de son amie, finalement pas si écervelée que ça.

— Quelqu'un d'autre a des objections ? demanda-t-elle. Dans ce cas, c'est le moment ou jamais de parler. Ne venez pas vous plaindre, plus tard, d'avoir été privées du droit d'expression. Car vous l'avez, ici et maintenant !

Toutes les sœurs secouèrent la tête, puis annoncèrent qu'elles étaient prêtes à partir.

— Tu crois pouvoir détruire le palais et le sort ? demanda Verna en se tournant vers Richard.

— Je n'en sais rien... Vous vous souvenez de notre rencontre, chez les Hommes d'Adobe ? Kahlan vous a combattue avec la Rage du Sang... Les sorciers qui ont créé le pouvoir des Inquisitrices y ont instillé un peu de Magie Soustractive. Si j'échoue, elle pourra tenter quelque chose.

Kahlan tapota le dos du Sourcier et approcha la bouche de son oreille.

— Richard, ça ne fonctionnera pas... Cette magie sert exclusivement à te défendre. Je ne parviendrai pas à l'invoquer pour une autre raison.

— Il faudra quand même essayer. Si rien n'y fait, nous mettrons le feu aux prophéties. Tous les grimoires brûleront, et Jagang ne pourra pas les utiliser contre nous.

Un petit groupe composé de quelques femmes et d'une demi-douzaine de jeunes sorciers se présenta devant le portail. Dès qu'ils se furent identifiés comme des « amis de Richard », Kevin les laissa entrer.

Verna se précipita vers une des sœurs.

— Philippa, tu as trouvé tous nos alliés ?

— Oui... (La grande femme marqua une pause afin de reprendre son souffle.) Il faut partir sur-le-champ ! L'avant-garde de Jagang est en ville. Des soldats traversent déjà le pont sud. Les hommes du Sang de la Déchirure les retarderont un peu, mais ils n'ont pas la moindre chance.

— As-tu vu ce qui se passe dans le port ?

— Ulicia et ses complices le mettent à feu et à sang. On dirait que le royaume des morts l'a envahi. (Philippa porta des doigts tremblant à sa bouche et ferma les yeux.) Les Sœurs de l'Obscurité ont capturé l'équipage du *Dame Sefa.* Vous n'imaginez pas ce qu'elles font subir à ces malheureux...

Philippa se détourna, tomba à genoux et vomit. Deux de ses compagnes l'imitèrent, blanches comme la mort.

— Par le Créateur, dit Philippa entre deux hoquets, c'est au-delà de tout. J'en aurai des cauchemars jusqu'à la fin de mes jours.

— Verna, vous devez partir ! intervint Richard. Les combats se rapprochent. Il n'y a pas de temps à perdre !

— Tu as raison... Kahlan et toi, vous nous rattraperez.

— Non. Nous devons aller en Aydindril. Je n'ai pas le temps de vous expliquer, mais nous disposons d'une magie qui nous y conduira très vite. J'aimerais vous emmener tous, mais c'est impossible. Partez et dirigez-vous vers le nord. Cent mille D'Harans ratissent le terrain pour retrouver Kahlan. Vous serez plus en sécurité avec eux – et eux avec vous. Dites au général Reibisch que la reine est en sécurité, à mes côtés.

Adie avança et prit la main du jeune homme.

— Comment va Zedd ?

Richard sentit une boule se former dans sa gorge.

— Adie, je ne l'ai pas vu… Mais je crains qu'il soit mort sur les remparts de la forteresse.

— Richard, ton grand-père était un homme de bien, et je l'aimais beaucoup. Mais il prenait trop de risques. Pourtant, je l'avais averti…

Le Sourcier serra la dame des ossements dans ses bras et la laissa pleurer contre sa poitrine.

— On doit partir ! cria Kevin en accourant, l'épée au poing. Sinon, il faudra nous battre !

— Allez-y ! dit Richard. Si vous mourez tous ici, nous ne gagnerons pas cette guerre. Il est important de combattre selon nos règles, pas celles de Jagang. Dans son armée, il n'y a pas que des soldats. Certains sorciers le soutiennent…

Verna se tourna vers ses fidèles et prit la main de deux novices qui semblaient sur le point de craquer.

— Écoutez-moi bien ! Jagang peut marcher dans les rêves. La seule protection possible est de se lier à Richard. En plus du don, il est né avec une magie très spéciale transmise par ses ancêtres. Ce pouvoir neutralise celui qui marche dans les rêves. Leoma a voulu me forcer à renier Richard pour que Jagang ait accès à mon esprit. Avant de partir, inclinez-vous tous devant le Sourcier et jurez-lui fidélité.

— Si vous voulez le faire, intervint Richard, il faudra respecter le rituel imaginé par Alric Rahl, l'homme qui créa ce lien et la protection qui l'accompagne. Ainsi, l'antique dévotion reprendra le sens qu'elle n'aurait jamais dû perdre.

Il leur répéta les mots qu'il avait naguère prononcés, puis attendit en silence, écrasé par le poids de ses responsabilités. Des milliers de gens, en Aydindril, dépendaient déjà de lui. Et des centaines d'autres venaient les rejoindre.

Les sœurs, les novices et les futurs sorciers s'agenouillèrent et déclamèrent d'une seule voix le texte qui les lierait à lui.

— Maître Rahl nous guide ! Maître Rahl nous dispense son enseignement ! Maître Rahl nous protège ! À sa lumière, nous nous épanouissons. Dans sa bienveillance, nous nous réfugions. Devant sa sagesse, nous nous inclinons. Nous existons pour le servir et nos vies lui appartiennent.

# Chapitre 51

Richard poussa Kahlan contre le mur suintant d'humidité d'un couloir. Dès que les soldats en cape pourpre eurent franchi l'intersection, l'Inquisitrice se dressa sur la pointe des pieds et souffla :

— Je déteste cet endroit. Tu crois qu'on en sortira vivants ?

— Bien entendu, répondit le jeune homme en posant un rapide baiser sur le front de sa compagne. Je te le jure, Kahlan ! (Il la prit par la main et se pencha pour passer sous une poutre basse.) Viens, les catacombes sont juste devant nous.

En plus des parois moisies, la voûte était constellée de minuscules stalactites d'où gouttait une eau jaunâtre qui s'écrasait sur les dalles. Au-delà des deux torches accrochées aux murs, le couloir s'élargissait, le plafond s'élevant pour ménager de la place à la grande arche d'entrée des catacombes.

Dès qu'ils furent devant l'épaisse porte de pierre, Richard sentit que quelque chose clochait. Une lueur inquiétante filtrait du battant ouvert, et tous les poils de la nuque du Sourcier se hérissèrent, comme balayés par le souffle léger du vent de la magie.

Richard se massa les bras en frissonnant.

— Tu ne sens rien d'étrange ? demanda-t-il à Kahlan.

— Non… Mais cette lumière n'est pas naturelle.

L'Inquisitrice s'immobilisa si brusquement qu'elle manqua trébucher. Devant eux, sous l'arche, une femme gisait sur le sol en position fœtale, comme si elle dormait.

Richard ne s'y trompa pas un instant. La malheureuse était déjà froide comme la pierre.

Au-delà de l'entrée, sur la droite, le sang d'une dizaine d'autres cadavres rougissait le sol de pierre. Des membres du Sang de la Déchirure, tous coupés en deux, y compris leur cape et leur armure.

Richard eut du mal à ne pas vomir devant ce spectacle. À chaque pas qui les rapprochait de l'arche, son angoisse lui serrait de plus en plus la gorge.

— Kahlan, dit-il, je dois aller chercher quelque chose là-dedans. Attends-moi ici, je ne serai pas long.

L'Inquisitrice le retint par la manche de sa chemise.

— Tu as oublié la règle ?

— Quelle règle ?

— Pas plus de dix pas de distance, jusqu'à la fin de nos jours !

— Possible, mais je te préfère furieuse plutôt que morte.

Kahlan plissa le front, l'air menaçant.

— Tu dis ça maintenant, jeune homme ! Après une si longue séparation, pas question de te lâcher d'un pouce ! Quelle raison absurde te pousse à entrer dans ces catacombes ? Agissons d'ici, en lançant des torches pour brûler tous les grimoires, par exemple. Ces parchemins feront un beau feu de joie ! Inutile de prendre des risques.

— T'ai-je déjà informée que je t'aime comme un fou ? demanda Richard avec un grand sourire.

Kahlan lui flanqua une tape sur le bras.

— Et bla-bla-bla ! Dis-moi pourquoi nous allons risquer nos vies.

Le Sourcier capitula avec un soupir résigné.

— Une des petites salles du fond contient un grimoire vieux de plus de trois mille ans. Des prophéties y parlent de moi. Ces prédictions m'ont été très utiles. Donc, j'aimerais emporter cet ouvrage.

— Que dit-il à ton sujet ?

— On m'y surnomme « *fuer grissa ost drauka* ».

— Traduction ?

— Le messager de la mort.

— Je vois... Comment allons-nous entrer ?

Richard étudia un moment les cadavres des soldats.

— Sûrement pas en marchant normalement ! Quelque chose a coupé ces pauvres types en deux un peu au-dessus des hanches. Donc, pas question de rester debout.

Devant eux, à la hauteur indiquée par Richard, telle une fine colonne de fumée horizontale et stratifiée, une ligne aux reflets verts brillait faiblement. Mais d'où venait la lumière que reflétait cet obstacle ? Une énigme, y compris pour le Sourcier...

Sa compagne et lui entrèrent dans les catacombes à quatre pattes. Restant près du mur jusqu'à ce qu'ils aient atteint les rangées d'étagères, ils évitèrent de traverser les flaques de sang.

Vue de l'autre côté, la barrière flottante semblait encore plus curieuse. En fait de fumée ou de brouillard, elle paraissait composée de lumière.

Un grincement pétrifia les deux jeunes gens. Jetant un coup d'œil par-dessus son épaule, Richard vit que la porte se fermait. Aussi rapides soient-ils, ils n'auraient pas le temps de l'atteindre avant qu'elle en ait terminé.

— Nous sommes piégés ? demanda Kahlan. Ou il y a une autre sortie ?

— Non. C'est la seule, mais je peux rouvrir la porte. Elle est reliée à un champ de force. Pour sortir, il suffira que j'appuie sur la plaque métallique fixée au mur.

— Richard, tu en es sûr ? demanda l'Inquisitrice, ses yeux verts sondant ceux du jeune homme.

— Quasiment, oui. En tout cas, ça a toujours marché jusque-là.

— Richard, après ce que nous avons traversé, je détesterais que nous ne sortions pas vivants *tous les deux* de cet endroit.

— Nous y arriverons, c'est une obligation. Des gens ont encore besoin de nous.

— En Aydindril ?

Richard acquiesça. Comment trouver les mots pour parler à la Mère Inquisitrice du sujet qui risquait de creuser entre eux un abîme dont il serait le seul responsable ?

— Kahlan, je n'ai pas agi par intérêt personnel, je t'implore de me croire. Je sais que tu es blessée, mais je n'ai rien trouvé de mieux à faire avant qu'il ne soit trop tard. Et je pense toujours que c'était notre seule chance d'éviter aux Contrées du Milieu de tomber sous la coupe de l'Ordre Impérial.

» Je sais que l'objectif des Inquisitrices n'est pas le pouvoir pour le pouvoir, mais la protection des peuples. Kahlan, tu dois comprendre que je poursuis le même but en usant de moyens différents. Je veux aider les gens, pas les opprimer. Mais j'ai eu le cœur brisé de devoir agir ainsi.

Un silence de mort régna un long moment dans les catacombes.

— Richard, quand j'ai lu ta lettre, ça m'a d'abord assommée. J'ai hérité d'une mission sacrée, comprends-tu ? Entrer dans l'histoire comme l'Inquisitrice qui a perdu les Contrées du Milieu me terrorisait. Mais sur le chemin de Tanimura, un collier autour du cou, j'ai eu tout le temps de réfléchir.

» Ce soir, les Sœurs de la Lumière se sont comportées très noblement. Au nom de leur mission – aider les gens, justement –, elles ont sacrifié un héritage vieux de trois mille ans. Je ne suis pas ravie de ce que tu as fait, et il te reste pas mal de détails à m'expliquer. Mais je t'écouterai avec un cœur plein d'amour – pour toi, bien sûr, et pour les peuples des Contrées.

» Pendant mon voyage forcé, j'ai compris que nous devions vivre pour l'avenir, pas dans le passé. Je veux que le futur soit paisible et sûr, et ça compte plus que tout au monde. Te connaissant, je sais que tu n'as pas agi pour des raisons égoïstes.

Richard tendit une main et caressa la joue de sa compagne.

— Je suis fier de toi, Mère Inquisitrice.

— Plus tard, dit Kahlan en lui embrassant les doigts, quand personne ne tentera de nous tuer, je te foudroierai du regard, les bras croisés, et je taperai du pied comme il se doit pour une Mère Inquisitrice agacée. Tremblant de peur, tu balbutieras des justifications qui me feront plisser le front. En attendant ces jours heureux, on ne pourrait pas se dépêcher de sortir d'ici ?

Rassuré, Richard sourit et recommença à ramper le long des rangées d'étagères. La barrière de lumière, au-dessus de leurs têtes, semblait couvrir toutes les catacombes. Et le Sourcier, à présent, avait une petite idée sur sa nature.

Kahlan avançant près de lui, il s'arrêta au bout de chaque étagère, humant l'air en quête d'un danger. Mû par son instinct, il fit un détour chaque fois qu'un sentiment de péril imminent l'enveloppait. Même si ces intuitions étaient le fruit de son imagination, le jeune homme préférait en tenir compte. Avec le temps, il avait appris à se fier à ses pressentiments, y compris et surtout en l'absence de preuves.

Quand ils entrèrent dans la petite salle du fond, il ne lui fallut pas longtemps pour repérer le grimoire qu'il cherchait. Hélas, il était rangé en hauteur, au-dessus du niveau de la barrière lumineuse. Après ce qui était arrivé aux hommes du Sang de la Déchirure, tendre la main ne lui parut pas une idée très judicieuse.

Avec l'aide de Kahlan, il secoua l'étagère jusqu'à ce qu'elle tombe à la renverse. Quand le vieux meuble percuta la table, les livres en dégringolèrent. Hélas, celui que visait Richard atterrit au seul endroit qui ne l'arrangeait pas : sur la table, justement – et à quelques pouces sous la barrière lumineuse.

Richard leva un bras et passa sa main bien à plat le long du plateau de la table, les poils hérissés par la proximité de la magie. Du bout des doigts, il parvint à ramener le grimoire vers lui.

— Richard, quelque chose ne va pas..., murmura Kahlan.

Le jeune homme s'empara du grimoire et le feuilleta rapidement pour s'assurer que c'était le bon. Malgré ses nouvelles compétences en haut d'haran, il n'eut pas le temps de s'attarder sur le sens des phrases.

— Qu'est-ce qui ne va pas ?

— Regarde la barrière lumineuse ! Quand nous sommes entrés, elle était à la hauteur de tes hanches. Maintenant, constate par toi-même !

En moins de deux minutes, l'étrange phénomène flottait désormais juste au-dessous du niveau de la table.

— Suis-moi et ne traîne pas ! dit Richard en glissant le livre dans sa ceinture.

Kahlan sur les talons, le Sourcier rampa vers la sortie de la grande salle. Si le phénomène lumineux les touchait, pas besoin d'une imagination débordante pour deviner ce qui se passerait.

Entendant sa compagne crier, Richard se retourna et la vit étendue à plat ventre sur les dalles.

— Que t'arrive-t-il ?

L'Inquisitrice tenta d'avancer en se propulsant sur les coudes. En vain.

— Quelque chose me retient par la cheville !

Richard rampa en arrière et saisit le poignet de la jeune femme.

— Je suis libre ! Dès que tu m'as touchée, cette... chose... m'a lâchée.

— Alors, accroche-toi à ma jambe et sortons d'ici !

— Richard, attention !

Dès que le Sourcier avait touché l'Inquisitrice, la barrière lumineuse avait recommencé à descendre, comme si la magie, grâce à ce contact, avait repéré sa proie et se lançait à sa poursuite.

Le menton touchant presque le sol, les deux jeunes gens continuèrent à avancer. Alors qu'ils atteignaient l'arche, la ligne brillante s'abaissa de nouveau.

— Aplatis-toi encore ! cria Richard, quand il sentit une étrange chaleur se diffuser sur sa nuque.

Collés au sol, ils repartirent et arrivèrent devant l'arche. Usant de mille précautions, Richard se plaça sur le dos, avec des gestes aussi lents et précis que ceux d'un équilibriste.

La barrière lui frôlait le front.

— Que faisons-nous, à présent ? demanda Kahlan.

Saisissant la chemise de Richard, elle se tira à son niveau à la force du poignet.

Le Sourcier regarda la plaque de métal. La ligne brillante lévitait désormais au-dessous du système d'ouverture. Pour l'actionner, il devrait passer à travers la lumière tueuse.

— Si nous ne sortons pas, nous finirons comme les soldats. Je vais me lever.

— Tu es fou ! Ne fais pas ça !

— J'ai toujours ma cape de mriswith… Si je m'enveloppe dedans, la lumière ne me repérera peut-être pas.

— Non ! cria Kahlan.

Pour le retenir, elle jeta un bras sur la poitrine du jeune homme.

— Si je ne tente rien, je mourrai, et toi aussi.

— Non !

— Tu as une meilleure idée ? Parce que nous n'avons pas la vie devant nous, au cas où ça t'aurait échappé.

Kahlan rugit de fureur et tendit un bras vers la porte. Un éclair bleu jaillit de son poing et percuta la pierre. Des filaments d'énergie crépitèrent sur toute sa surface, puis autour de l'arche.

Sans effet notable, sinon que la barrière lumineuse se rétracta, comme si le contact de la magie de l'Inquisitrice lui était douloureux.

Profitant de ce répit, Richard se leva d'un bond et abattit sa main sur la plaque de métal.

Aussitôt, la porte pivota sur ses gonds. Simultanément, les éclairs bleus de Kahlan se dissipèrent.

La lumière tueuse avança de nouveau.

Le Sourcier prit sa compagne par la main, la tira derrière lui et parvint à se faufiler dans un entrebâillement minimal.

Une fois dehors, ils se laissèrent tomber sur le sol, à bout de souffle, et se serrèrent l'un contre l'autre.

— La Rage du Sang…, murmura Kahlan. Tu étais en danger, alors ma magie s'est éveillée.

Dès que la porte se fut entièrement ouverte, la ligne de lumière s'infiltra dans le couloir et flotta vers eux.

— Il faut sortir du bâtiment ! cria Richard en se relevant.

Ils avancèrent dans le couloir en surveillant du coin de l'œil leur étrange poursuivant. Un rude contact contre un bouclier invisible leur arracha à tous les deux un cri de surprise et de douleur. Tâtonnant désespérément, Richard ne parvint pas à trouver une brèche dans ce champ de force-là. Et derrière eux, la lumière flottante approchait toujours.

Sans réfléchir, Richard tendit les bras et s'abandonna à la fureur qui montait en lui.

Tels des fragments de vide faisant irruption dans un univers de vie et de lumière, des éclairs aussi noirs que la mort elle-même fusèrent de ses doigts. Un roulement de tonnerre assourdissant salua cette irruption de la Magie Soustractive dans le royaume des vivants. Les tympans à deux doigts d'exploser, Kahlan dut se couvrir les oreilles.

Au centre des catacombes, la ligne de lumière sembla s'embraser. Richard sentit sa poitrine vibrer en harmonie avec le sol.

Derrière eux, les étagères s'écroulèrent, les livres qu'elles contenaient furent dévorés par des flammes jaillies de nulle part avant même de toucher le sol. La barrière lumineuse hurlait maintenant comme si elle était vivante.

Immobile comme une statue, Richard sentait encore l'éclair noir qui avait explosé en lui pour créer dix filaments de lumière négative. Une puissance bien au-delà de son imagination, véhiculée par son corps, se déchaînait à présent dans les catacombes.

Désespérée, Kahlan le tira par la manche.

— Richard ! Richard ! Il faut partir ! Écoute-moi ! Cours !

Dans sa stupeur, le Sourcier se demanda qui l'appelait. Et pourquoi cette voix lui semblait-elle venir d'un autre monde ?

La voix de Kahlan !

Les éclairs noirs moururent comme la flamme d'une bougie soufflée par une bourrasque. Balayant le vide qui avait envahi sa conscience, la réalité s'imposa de nouveau dans l'esprit de Richard, redevenu un être vivant comme les autres.

Un pauvre mortel terrifié...

Le champ de force qui leur barrait le chemin ayant disparu, le Sourcier prit Kahlan par la main et courut. Derrière eux, la lumière hurlait de plus en plus fort et brillait comme une étoile dans un ciel dégagé.

*Esprits du bien vénérés,* pensa Richard, *qu'ai-je encore fait ?*

Ils remontèrent des corridors aux murs nus, gravirent plusieurs escaliers et traversèrent de longs couloirs et des halls de plus en plus luxueux à mesure qu'ils s'éloignaient des sous-sols.

Leurs ombres s'allongèrent comme sous un soleil de midi. Ce n'était pas à cause des lampes, omniprésentes dans les étages supérieurs, mais du raz-de-marée de lumière vivante qui déferlait sur leurs talons.

Une ultime porte franchie, ils déboulèrent dans une cour où des soldats en cape pourpre affrontaient d'étranges guerriers que Richard ne parvint pas à identifier. Le crâne le plus souvent rasé, des barbes broussailleuses leur mangeant le visage, tous ces hommes portaient un anneau à la narine gauche. Vêtus de peaux de bêtes, d'énormes ceintures hérissées de piques autour de la taille, ces combattants ressemblaient à des barbares, et leur façon de lutter ne démentait pas cette impression. Un sourire dément révélant leurs dents jaunâtres, ils chargeaient à l'aveuglette.

Taillant en pièces leurs adversaires avec leurs haches, leurs épées et leurs rondaches munies d'une pique centrale, ils semblaient prendre un plaisir fou à cette tuerie.

Bien qu'il n'en eût jamais vu, Richard comprit qu'il avait devant lui des soudards de l'Ordre Impérial.

Il zigzagua entre les belligérants, trop occupés pour s'intéresser à deux fuyards, et guida Kahlan jusqu'au pont le plus proche.

Les rares soldats de l'Ordre qui tentèrent de les arrêter ne pesèrent pas lourd face au Sourcier, même s'il ne brandissait pas son épée. À coups de pied, de poing ou de coude, il eut tôt fait de les mettre hors de combat.

Au centre du pont est, le plus court chemin vers le bois de Hagen, une demi-douzaine d'hommes du Sang de la Déchirure ferraillaient contre une poignée de guerriers de l'Ordre. Quand une épée vola vers lui, Richard se baissa pour l'éviter, faucha les jambes du soldat qui la maniait et l'envoya prendre un bain forcé dans le fleuve. La brèche ainsi ouverte lui suffit pour traverser la zone de combat.

Derrière les deux jeunes gens, le hurlement de la lumière parvenait déjà à couvrir le fracas de l'acier et les cris des agonisants.

Richard et Kahlan continuèrent à courir, certains de fuir un danger beaucoup plus terrible que des couteaux et des haches.

Alors qu'ils prenaient pied sur l'autre rive du fleuve, une lueur aveuglante explosa au-dessus du palais, illuminant les rues de Tanimura comme en plein jour.

Accroupis derrière une boutique au rideau de fer tiré, les deux jeunes gens reprirent leur souffle un moment. Quand il jeta un coup d'œil à l'angle du bâtiment, Richard vit la lumière mortelle danser derrière toutes les fenêtres du palais, y compris celle des plus hautes tours. Les yeux plissés, il crut voir qu'elle s'insinuait déjà entre les jointures des murs de pierre.

— Tu peux encore avancer, Kahlan ?

— Si ça ne tenait qu'à moi, je ne me serais pas arrêtée.

Connaissant parfaitement le chemin à suivre pour gagner le bois de Hagen, le Sourcier guida sa compagne à travers les rues envahies de citadins qui couraient en tous sens, certains que la fin du monde approchait.

À mi-pente d'une des collines qui entouraient la ville, Richard sentit le sol trembler si fort, après une explosion, qu'il faillit s'écrouler, les jambes coupées. Sans regarder en arrière, il passa un bras autour des épaules de Kahlan et plongea avec elle dans la première crevasse qu'il repéra sur le sol rocheux. Trempés de sueur et morts de fatigue, les deux fugitifs se serrèrent l'un contre l'autre tandis que le séisme se déchaînait.

Ils relevèrent la tête à temps pour voir la lumière faire exploser les tours et les bâtiments du Palais des Prophètes. Puis l'île de Kollet entière sembla éclater comme un fruit trop mûr. Des arbres et des massifs de fleurs volèrent dans les airs en compagnie de blocs de pierre de toutes les tailles. Un terrible éclair propulsant devant lui une masse compacte de débris, les ponts furent fauchés comme des châteaux de cartes et l'eau du fleuve s'évapora plus vite que si elle bouillait dans un chaudron géant.

Le rideau de feu et de lumière s'étendit telle une couronne d'invincible destruction. Pourtant, la cité, autour de l'île, résista à sa fureur aveugle.

Au-dessus des ruines du palais, le ciel rougeoyait comme si la voûte céleste s'était également embrasée, gagnée par l'incendie qui ravageait le sol. Telle la queue d'une comète, des tentacules de lumière jaillissaient de ce dôme de feu pour aller s'écraser à des lieues de Tanimura. Richard reconnut les limites du grand champ de force qui l'avait empêché de fuir quand il portait un Rada'Han.

— Le messager de la mort..., souffla Kahlan. J'ignorais que tu pouvais déclencher de tels cataclysmes.

— Moi aussi..., avoua Richard.

Le souffle de l'explosion atteignit la colline et la balaya, arrachant au passage les buissons et les arbustes. Les deux jeunes gens baissèrent la tête pour laisser passer ce mur volant de sable et de poussière.

Quand le calme fut revenu, ils sortirent de leur refuge.

La nuit ayant repris ses droits, Richard ne parvint pas à distinguer grand-chose à l'endroit où aurait dû se dresser l'île de Kollet. Mais il savait que le Palais des Prophètes n'existait plus.

— Tu l'as fait, Richard..., dit Kahlan.

— *Nous* l'avons fait, rectifia le Sourcier, les yeux rivés sur la zone obscure qu'entouraient toujours les lumières de la ville.

— Tout bien pesé, je suis contente que tu aies récupéré ce livre. S'il raconte autre chose sur toi, je tiens à savoir quoi... (L'Inquisitrice eut un petit sourire.) Ce pauvre Jagang devra se trouver une autre résidence...

— Ça vaudrait mieux pour lui... Tu vas bien ?

— Aussi bien que possible. Mais je suis contente que ce soit fini.

— Hélas, j'ai peur que ça commence à peine... Viens, la sliph nous conduira en Aydindril.

— Richard, tu ne m'as toujours pas dit ce qu'est une sliph.

— Tu ne me croirais pas... Mais tu ne tarderas pas à la voir de tes yeux.

— Très impressionnant, sorcier Zorander, lâcha Anna avant de se détourner de la scène de désolation.

— Je n'y suis pour rien, très chère.

Soulagée que le vieil homme ne puisse pas la voir dans l'obscurité, la Dame Abbesse essuya les larmes qui ruisselaient sur ses joues.

— Vous n'avez pas jeté la torche, c'est vrai, dit-elle d'une voix qu'elle parvint par miracle à contrôler, mais c'est vous qui avez préparé le bûcher. Je répète, c'était très impressionnant. J'ai déjà vu une Toile de Lumière dévaster une pièce, mais là...

— Anna, je suis désolé, fit Zedd, une main sur l'épaule de la vieille femme.

— Eh bien, on ne fait pas d'omelettes sans casser des œufs...

— Mais là, nous en avons cassé beaucoup... Je me demande qui a jeté la torche, comme vous dites ?

— Les Sœurs de l'Obscurité contrôlent la Magie Soustractive. L'une d'elle a dû embraser accidentellement la Toile.

— Accidentellement ? Voilà qui m'étonnerait.

— Il n'y a pas d'autre explication, sorcier Zorander.

— Ça, c'est vous qui l'affirmez !

Étonnée par le ton du vieil homme – où s'entendait un mélange de fierté et d'inquiétude –, Anna tenta d'en savoir plus.

— Vous pourriez être plus précis ?

— Nous ferions mieux de chercher Nathan, éluda Zedd.

— C'est vrai, dit Anna, se souvenant soudain du Prophète. (Elle serra un peu plus fort la main de Holly.) Nous l'avons laissé ici. Il ne peut pas être loin.

Anna sonda les collines environnantes. Sur une route, une longue colonne de cavaliers se dirigeait vers le nord, ouvrant la voie à un coche et à des piétons. Malgré la distance, Anna sentit qu'il s'agissait des Sœurs de la Lumière. Grâce en soit rendue au Créateur, Verna avait réussi à les sauver !

— Vous ne pouvez pas le trouver avec votre foutu collier ? demanda soudain Zedd.

— Si, et ça m'apprend qu'il ne doit pas être loin. (Anna sonda les buissons, sur leur droite.) L'onde de choc l'a peut-être blessé. Pour que le sort soit détruit, il a dû accomplir sa part du travail, sur le bouclier extérieur. Aidez-moi à le chercher.

Holly participa à la battue, mais sans trop s'éloigner de sa protectrice. Intrigué par une piste de branches et de buissons cassés, Zedd se dirigea vers une sorte de clairière. Il devait être au centre du « nœud », là où le pouvoir était concentré.

— Anna ! appela-t-il soudain avant de s'agenouiller.

Holly sur les talons, la Dame Abbesse le rejoignit.

Le vieux sorcier tendit un doigt.

Planté bien droit dans une fissure, au sommet d'une grosse pierre, un objet reconnaissable entre mille reflétait la douce lumière de la lune. Annalina se pencha pour le ramasser.

— C'est le Rada'Han de Nathan, souffla-t-elle, incrédule.

— Anna, il est peut-être mort, gémit Holly. Et si la magie l'avait tué ?

La Dame Abbesse examina le collier, hermétiquement fermé.

— Ne t'inquiète pas, ma chérie. S'il était mort, nous aurions trouvé son corps, ou au moins des traces de sang. Mais par le Créateur, qu'est-ce que ça signifie ?

— Vous voulez un dessin ? ricana Zedd. Ce bon Nathan s'est libéré, et il a laissé le collier en évidence pour vous faire un pied de nez ! Ce sacré Prophète s'est débarrassé tout seul de son Rada'Han, sans doute en le liant à l'énergie dégagée par le nœud. Très chère, je vous parie que ce vieux filou est déjà très loin d'ici. Bien, si vous me libériez, maintenant ?

— Il faut retrouver Nathan..., soupira Anna.

— Enlevez-moi ce maudit truc, et vous pourrez vous lancer à ses trousses. Sans moi, bien sûr. Mais est-il besoin de le préciser ?

— Vous m'accompagnerez, lâcha Anna, désormais plus furieuse que surprise.

— Fichtre et foutre, femme, il n'en est pas question !

— Vous venez, un point c'est tout !

— Vous vous parjureriez, Dame Abbesse ? Un joli exemple pour cette gamine !

— Je tiendrai parole, Zedd. Vous serez libre dès que nous aurons récupéré Nathan. Si vous saviez les troubles que cet homme peut provoquer...

— Et en quoi ça me regarde ?

— Pas de discussion ! Vous venez avec moi, que ça vous plaise ou non. Quand nous l'aurons trouvé, je vous libérerai. Ce n'est pas négociable !

Laissant le vieux sorcier à son indignation, Anna partit chercher leurs chevaux. Au loin, les Sœurs de la Lumière continuaient à avancer vers le nord.

Quand elles furent près des montures, Anna s'agenouilla devant Holly.

— Ma chérie, j'ai une première mission à te confier, et elle est très importante. Mais je sais que tu es une novice hors du commun.

— Que faut-il faire, Anna ? demanda l'enfant avec une gravité déconcertante.

— Zedd et moi devons retrouver Nathan. J'espère que ça ne sera pas long, mais nous allons partir avant qu'il ait trop d'avance.

— Trop d'avance ! ricana Zedd dans le dos de la Dame Abbesse. Voilà des heures qu'il a filé ! Et nous n'avons pas la moindre idée de la direction qu'il a prise. C'est fichu, ma chère !

— Il faut le rattraper, lâcha Anna en jetant un coup d'œil furibard au vieil homme. Holly, je n'ai pas le temps d'aller parler aux Sœurs de la Lumière qui avancent sur cette route, là-bas. Rejoins-les et raconte à sœur Verna tout ce que tu as vu et entendu depuis que nous sommes ensemble.

— Il ne faut rien lui cacher, Anna ?

— Pas le plus petit détail, non... Elle doit être informée de tout. Dis-lui que Zedd et moi sommes à la poursuite de Nathan. Nous les rattraperons plus tard, mais le Prophète est notre priorité. Surtout, ordonne-lui de continuer vers le nord, afin d'échapper à l'Ordre Impérial.

— J'ai compris, Anna.

— Pour les rattraper, prends la route qui longe la crête de cette colline. Comme elle débouche sur celle que suit Verna, tu ne risqueras pas de te tromper. Ton cheval t'aime bien, et il veillera sur toi. Dans deux heures, tu seras avec les sœurs, qui t'aimeront et te protégeront, comme moi. Verna saura que faire, n'aie aucune inquiétude.

— Rejoins-nous vite, Anna, dit Holly, des sanglots dans la voix. Tu me manqueras tellement !

Anna serra l'enfant dans ses bras.

— Toi aussi, tu me manqueras, ma chérie. J'aimerais t'emmener avec nous, pour que tu me soutiennes, mais nous devrons galoper à un train d'enfer. Les sœurs, et surtout la Dame Abbesse Verna, doivent savoir ce qui est arrivé. C'est une mission de confiance, mon petit cœur.

— Tu peux compter sur moi, Dame Abbesse, dit bravement Holly.

Anna l'aida à monter en selle et lui posa un baiser sur les doigts quand elle lui tendit les rênes. Puis, agitant la main, elle la regarda s'éloigner au petit trot.

— Zedd, dit-elle lorsque l'enfant eut disparu, il faut nous mettre en route. Allons, ne faites pas cette tête. Dès que nous aurons mis la main sur Nathan, je vous retirerai le collier. C'est juré, cette fois !

# Chapitre 52

Même si le bois de Hagen lui parut aussi sombre et hostile qu'à l'accoutumée, Richard se consola en pensant qu'il ne risquait plus d'y rencontrer des mriswiths. Alors qu'ils cheminaient entre les arbres, il n'avait pas capté la présence d'un seul de ces monstres. Leur ancien fief, toujours aussi peu engageant, était désormais désert.

Le Sourcier frissonna en pensant à ce que cela impliquait pour Aydindril.

Kahlan, elle, soupirait nerveusement et se tordait les mains, peu à l'aise devant le visage pourtant souriant de la sliph d'argent.

— Richard, avant notre… voyage…, j'ai quelque chose à te dire, au cas où ça tournerait mal. Je sais ce qui est arrivé pendant que tu étais prisonnier au palais, et je ne t'en veux pas. Tu étais seul, et convaincu que je ne t'aimais plus. N'importe qui aurait agi comme toi.

— Je peux savoir de quoi tu parles ? Qu'ai-je donc fait, d'après toi ?

— Merissa m'a tout raconté…

— Merissa ?

— Oui. Je comprends, et je ne te blâme pas. Tu pensais ne jamais me revoir…

— Là, je ne te suis plus ! Merissa est une Sœur de l'Obscurité, et elle rêve de se baigner dans mon sang.

— À l'époque, elle était simplement ton professeur. Et elle a dit que… Tu sais, je l'ai trouvée très belle… Tu te sentais seul, et… Ces choses-là arrivent.

Richard prit Kahlan par les épaules et la força à se détourner de la sliph.

— J'ignore ce que Merissa t'a raconté, mais ouvre bien tes oreilles, parce que je vais te dire la vérité : depuis notre rencontre, je n'aime que toi ! C'est compris ? Quand tu m'as forcé à accepter un Rada'Han, et laissé partir loin de toi, je me suis senti seul, c'est vrai. Mais je n'ai jamais trahi ton amour, même quand j'ai cru l'avoir perdu. Ni avec Merissa, ni avec quelqu'un d'autre. C'est clair ?

— Vraiment ?

— Vraiment !

Ravie, Kahlan gratifia son compagnon du sourire « spécial Richard » qui le faisait fondre.

— Adie a essayé de me convaincre de la même chose… Richard, j'ai peur de ne pas survivre à ce voyage, et je voulais te répéter que je t'aime, envers et contre tout. La sliph me terrifie. Je crains de me noyer dans ce puits.

— Elle a assuré que tu vivrais en elle… Ton pouvoir émarge un peu de la Magie Soustractive. C'est indispensable pour ne pas se noyer, comme tu dis. Tout ira bien, je te le jure ! Tu n'as rien à craindre, et c'est une expérience fabuleuse. On y va ?

— On y va…

Kahlan enlaça Richard et le serra si fort qu'il en eut le souffle coupé.

— Si je dois me noyer, n'oublie jamais à quel point je t'aimais !

Le Sourcier aida sa compagne à monter sur le muret, puis jeta un dernier coup d'œil aux arbres et aux bosquets qui entouraient les ruines. Était-ce son imagination, ou les épiait-on vraiment ? Dans une végétation si dense, voir briller des pupilles pouvait être une simple illusion d'optique. Ou non…

Cela dit, il ne sentait toujours pas la présence d'un seul mriswith. Allons, ses précédentes mésaventures dans le bois de Hagen devaient l'angoisser !

— Nous sommes prêts, sliph. Sais-tu si ce voyage sera long ?

— Je suis assez longue pour arriver à destination…

*À question stupide, réponse idiote !* pensa Richard, résigné.

— Suis à la lettre nos instructions, dit-il à Kahlan avant de lui prendre la main. (La jeune femme prit une ultime inspiration et hocha la tête.) N'aie pas peur, je serai avec toi.

Un bras de vif-argent souleva les deux jeunes gens et les plongea dans une nuit plus noire que toutes celles qu'ils avaient connues.

Se souvenant du mal qu'il avait eu à prendre sa première inspiration, lors de son baptême de la sliph, Richard serra la main de sa compagne. Quand elle lui rendit cette tendre pression, il comprit que tout se passerait bien.

Dans le vide où n'existaient ni le temps ni l'espace, le Sourcier eut le sentiment étrange de plonger *et* de dériver. On eût dit que les quatre dimensions, étroitement mêlées, se confondaient par moments. Comme la première fois, il n'éprouva aucune sensation de chaleur, de froid ou d'humidité, bien qu'il évoluât dans le corps de vif-argent de la sliph. Ses yeux embrassant l'obscurité et la lumière dans le même battement de cils, il sentit ses poumons se délecter de son essence liquide plus douce que de la soie.

Ravi parce qu'elle continuait à lui serrer la main, le jeune homme comprit que sa bien-aimée partageait l'extase de cette expérience. Le voyage vers Aydindril, à la fois lent et rapide, aurait pu ne jamais finir sans qu'ils le regrettent vraiment…

Richard commença à nager dans le vif-argent, l'Inquisitrice accrochée à ses chevilles pour ne pas être séparée de lui.

Dans la sliph, la notion de durée n'avait aucun sens. Une seconde ou mille ans, quelle importance quand on était si bien ?

À la vitesse d'une flèche qui déchire l'air, Richard émergea soudain du puits.

La pièce ravagée, dans la Forteresse, tourna d'abord follement devant ses yeux. Sachant à quoi s'attendre, il ne s'inquiéta pas.

*Respire*, lui souffla mentalement la sliph.

Expirant à fond, Richard vida ses poumons de l'essence délicieuse de la créature. Puis il les emplit d'un air qui lui parut totalement étranger.

Kahlan creva la surface derrière lui. Dans le silence absolu de la dernière demeure du pauvre Kolo, il l'entendit se vider à son tour les poumons, puis respirer à fond.

Rassuré, Richard se propulsa vers le haut, referma les mains sur le bord du muret, se hissa dessus et sauta à terre. Là, il se retourna pour aider la Mère Inquisitrice.

Et vit Merissa lui sourire de toutes ses dents.

Un instant pétrifié, il recouvra vite sa lucidité.

— Où est Kahlan ? Merissa, tu es liée à moi ! Et tu as prêté serment.

— Kahlan ? répéta la Sœur de l'Obscurité de sa voix mélodieuse. Elle est là. (Elle plongea un bras dans le vif-argent.) Mais tu n'auras plus besoin d'elle, Richard Rahl ! Parce que je suis là à cause d'un serment – celui que je me suis fait à moi-même !

La tenant par le col de sa chemise, la servante du Gardien tira Kahlan du vif-argent. Avec son pouvoir, elle la fit léviter hors du puits et la laissa tomber sans douceur sur le sol.

La poitrine de la jeune femme ne se soulevait toujours pas.

Avant que Richard puisse courir à son secours, Merissa frotta contre la pierre les trois lames d'un *yabree*. Pétrifié par cette douce musique, le jeune homme fixa en silence le merveilleux visage de la servante du Gardien.

— Le *yabree* chante pour toi, Richard, et il t'appelle.

Merissa se laissa dériver près du muret, approchant le *yabree* de sa proie. Puis elle le brandit, tentatrice, devant les yeux du jeune homme, soudain submergé par un désir comme il n'en avait jamais éprouvé.

Le chant de l'arme envahit son corps, prélude à une métamorphose qu'il devina inéluctable.

Merissa lui tendit le *yabree*, garde en avant. Quand ses doigts se refermèrent dessus, Richard pensa qu'il avait vécu pour atteindre cet instant précis. Le reste n'avait aucune importance. Ivre d'extase, il serra plus fort le manche de l'étrange couteau.

Triomphante, Merissa sortit une seconde arme du vif-argent.

— Ce n'est que la première moitié du bonheur, Richard. Accepte donc la seconde !

Avec un rire de gorge, la sœur frotta le nouveau *yabree* contre la pierre. Aveuglé de désir, Richard tendit un bras pour s'emparer du magnifique objet. Luttant pour empêcher ses genoux de se dérober, il avança, se pencha au-dessus du muret et tendit avidement la main.

Merissa lui fit un sourire moqueur, mais il s'en ficha, une seule idée dans la tête : s'emparer de l'autre *yabree*.

— Respire ! dit la sliph.

Arraché à sa concentration, Richard jeta un coup d'œil derrière lui. La créature de vif-argent s'adressait à une femme qui gisait sur le sol, près du muret. Le jeune homme voulut dire quelque chose, mais la Sœur de l'Obscurité frappa de nouveau l'autre *yabree* contre la pierre.

Richard tituba et dut se retenir au muret avec la main qui tenait le premier couteau à trois lames.

— Respire…, répéta la sliph.

Malgré le chant qui retentissait dans sa tête, Richard lutta pour se remémorer l'identité de la femme évanouie. C'était très important, lui semblait-il, mais pourquoi ? Enfin, de qui s'agissait-il ?

Merissa fit de nouveau chanter le *yabree* et éclata d'un rire cristallin.

Richard gémit d'extase et de désir.

— Respire ! insista la sliph.

Alors, les deux syllabes d'un prénom, dans la tête du Sourcier, firent voler en éclats les notes de la mélodie de l'arme.

Kahlan !

La femme qu'il aimait ne respirait toujours pas. Une voix intérieure lui hurla de voler à son secours.

Mais le *yabree* chanta de plus belle, et il baissa les yeux, les muscles du cou devenus incapables de tenir sa tête droite.

Son regard se posa sur un objet enfoncé dans la pierre.

Animée par le besoin, sa main droite se tendit et se referma sur la garde d'une épée. À ce contact, un sentiment familier l'envahit.

Fou de colère, le Sourcier tira l'Épée de Vérité de sa gaine de pierre. Une nouvelle chanson retentit et couvrit la mélodie du *yabree*.

Merissa tenta de le faire tinter plus fort.

— Tu vas mourir, Richard Rahl ! J'ai juré de me baigner dans ton sang, et je tiendrai promesse !

Mobilisant jusqu'à sa dernière étincelle d'énergie, Richard se hissa sur le muret et plongea la lame de son épée dans le vif-argent.

Merissa hurla comme si elle était tombée dans un bain d'huile bouillante. Des veines d'argent saillirent sous sa peau. Sans cesser de crier, elle leva les bras et tenta de s'accrocher au muret pour échapper à l'étreinte mortelle de la sliph. Mais il était trop tard. La métamorphose lancée, Merissa brilla soudain aussi vivement que sa geôlière, statue d'argent immergée dans une mare de liquide aux reflets gris acier. Puis son visage fondit, et ce qui avait été un être humain se liquéfia dans le puits de vif-argent.

— Respire ! lança la sliph à Kahlan.

Richard jeta le *yabree* au loin et courut s'agenouiller près de la jeune femme. La prenant dans ses bras, il la souleva du sol, alla la déposer sur le muret et lui appuya sur la poitrine.

— Respire ! Kahlan, respire ! Fais-le pour moi, je t'en prie !

La Mère Inquisitrice expira le vif-argent et prit une inspiration hésitante. Puis une autre, et une troisième…

— Richard, soupira-t-elle en se serrant contre lui, tu avais raison ! C'était si merveilleux, que j'ai oublié de respirer. Tu m'as sauvée !

— Mais il a tué l'autre femme, dit la sliph. Je l'avais prévenu, au sujet de son épée. Ce n'est pas ma faute.

— De quoi parlez-vous ? demanda Kahlan à la créature magique.

— L'autre femme est une part de moi, désormais…

— Merissa…, souffla Richard à sa compagne. Tu n'y es pour rien, sliph. J'ai dû l'exécuter, sinon elle nous aurait abattus tous les deux.

— Alors, ma responsabilité est dégagée. Merci, maître.

— Qu'est-il arrivé ? demanda Kahlan, les yeux baissés sur l'Épée de Vérité. Et que vient faire Merissa dans cette histoire ?

Richard défit le lacet de la cape et se débarrassa à jamais du maudit vêtement.

— Elle nous a suivis dans la sliph. Elle a tenté de te tuer, et elle voulait… prendre un bain avec moi.

— Quoi ?

— Maître, corrigea la sliph, elle désirait se baigner dans ton sang.

— Et que s'est-il passé ? lâcha Kahlan, troublée.

— Elle est en moi, à présent, répondit la sliph. Pour l'éternité.

— Bref, elle est morte, dit Richard. Je t'expliquerai plus tard. (Il se tourna vers la créature magique.) Merci de ton aide, sliph. Maintenant, j'aimerais que tu dormes.

— Comme tu voudras, maître. Je vais me reposer…

Le visage de la sliph se brouilla puis se fondit dans le bain de vif-argent. Guidé par son instinct, Richard croisa les poignets. Le liquide brilla un peu plus fort, puis s'enfonça dans les entrailles du puits. Prenant de plus en plus de vitesse, il disparut bientôt dans les ténèbres.

— Richard, je crois que tu as beaucoup de choses à m'expliquer, fit Kahlan, l'air pas commode.

— Dès que nous aurons le temps, c'est promis…

— Et où sommes-nous ?

— Dans les sous-sols de la Forteresse, au pied d'une tour.

— Mais encore ?

— Sous les bibliothèques…

— Impossible ! Personne ne peut y aller. Depuis des millénaires, les champs de force empêchent les sorciers de passer !

— Pourtant, nous y sommes bien… Mais ce n'est pas le moment de nous étendre sur le sujet. Il faut aller en ville…

Ils sortirent du tombeau de Kolo… et se plaquèrent contre la paroi. Dans la mare d'eau croupissante, derrière la balustrade, la reine rouge des mriswiths, les ailes déployées sur des centaines d'œufs gros comme des melons, venait de hurler de rage en les apercevant.

À la chiche lumière qui filtrait de l'ouverture, dans la voûte, Richard devina qu'on était en fin d'après-midi. Il leur avait donc fallu moins d'une journée pour atteindre Aydindril. Et la reine trônait déjà sur une petite montagne d'œufs.

— C'est la souveraine des mriswiths, expliqua Richard en enjambant la balustrade. Je dois détruire les œufs !

Kahlan lui cria de rester où il était. Sans l'écouter, il sauta dans la vase, l'épée au poing, et, enfoncé dans le limon jusqu'à la taille, avança vers l'amas de rochers où s'était perchée l'abominable créature.

La reine se dressa sur ses pattes antérieures, tendit le cou et claqua des mâchoires. Richard frappa instantanément. Vive comme l'éclair, la reine rétracta le cou et lâcha à la figure du Sourcier un nuage d'haleine à l'odeur acide dont le sens profond ne lui parut pas difficile à comprendre.

Richard se força à avancer encore. Le monstre ouvrit la gueule sur une rangée de crocs acérés.

Le Sourcier ne pouvait pas livrer Aydindril aux mriswiths. Et s'il ne détruisait pas les œufs, il y en aurait davantage à tailler en pièces.

— Richard, j'ai essayé de lancer un éclair bleu ! cria Kahlan. Mais ça ne marche pas, ici !

La reine tendit de nouveau le cou et attaqua. Richard zébra l'air avec son épée. Il ne toucha pas sa cible, mais parvint à la tenir à distance alors qu'il se hissait sur les rochers glissants de vase.

L'Épée de Vérité brandie, il fit reculer la reine et profita d'un bref répit pour abattre sa lame sur les œufs. Une puanteur infernale lui agressa les narines dès que quelques coquilles eurent éclaté.

Folle furieuse, la reine battit des ailes et s'éleva dans les airs, juste assez pour être hors de portée de l'arme du Sourcier. Sa queue fouetta l'air, contraignant le jeune homme à délaisser un instant sa mission de destruction.

Décidée à sauver ses petits, la créature rouge plongea sur sa proie. Richard se fendit et perça la peau écailleuse de la pointe de son arme. La blessure, bien que superficielle, fit hurler le monstre de douleur. Le vent généré par ses battements d'ailes frénétiques expédia le Sourcier à la renverse. Gardant son sang-froid, il roula sur le côté pour esquiver une attaque vicieuse de la reine, aux mâchoires grandes ouvertes.

Bombardé de coups de queue furieux, il oublia momentanément les œufs et se concentra sur son duel. S'il tuait la reine, la suite serait un jeu d'enfant…

Le monstre hurla de nouveau, enragé. Du coin de l'œil, Richard vit Kahlan, armée d'une planche – sans doute un morceau de la porte du tombeau de Kolo –, s'efforcer d'écrabouiller les œufs.

Il rampa sur la roche glissante et se plaça entre la jeune femme et la reine rouge. Une position qu'il devrait tenir malgré les assauts des mâchoires, de la queue et des pattes de son adversaire, résolue à le faire basculer dans l'eau.

— Tiens-la à l'écart, dit Kahlan, qui piétinait dans de la bouillie d'œufs jaunâtre. Je me charge du reste !

Richard détestait voir la jeune femme s'exposer ainsi. Mais elle défendait sa ville, et il n'avait pas le droit de l'en empêcher. De plus, il avait besoin de son aide. Dès qu'ils en auraient fini ici, il faudrait nettoyer les rues d'Aydindril.

— Dépêche-toi, souffla-t-il entre deux attaques.

La reine se jeta sur lui, décidée à l'écrabouiller contre le roc. Il s'écarta presque à temps, sans pouvoir éviter qu'elle s'écrase sur une de ses jambes. Hurlant de douleur, il flanqua dans l'air des coups d'épée désordonnés censés repousser la créature enragée qui remontait lentement le long de son corps.

La planche de Kahlan s'abattit soudain sur l'excroissance de chair qui couronnait le crâne grotesque du monstre.

Ivre de souffrance, la reine rouge lâcha sa proie et recula.

La Mère Inquisitrice glissa un bras sous l'aisselle de Richard pour l'aider à se relever. Ensemble, ils reculèrent dans la vase puante.

— Je les ai tous réduits en bouillie, annonça la jeune femme. Filons d'ici !

— Non ! Si je ne la tue pas, elle en pondra d'autres !

Hélas, la reine rouge, consciente que tous ses petits étaient détruits, opta pour la fuite. Elle battit des ailes, s'éleva dans l'air, s'accrocha au mur et, telle une salamandre, rampa verticalement en direction d'une grande ouverture, très haut au-dessus d'eux.

Richard et Kahlan sortirent de la vase et reprirent pied sur la passerelle circulaire. Le Sourcier étudia un moment l'escalier en colimaçon qui lui aurait permis de poursuivre sa proie. Hélas, quand il tenta de s'appuyer sur sa jambe blessée, elle refusa de le porter. Il s'écroula, foudroyé par la douleur.

— Tu ne peux rien faire pour le moment, dit Kahlan en l'aidant à se relever. Les œufs sont détruits, et nous nous occuperons d'elle plus tard. Ta jambe est brisée ?

Les yeux rivés sur la reine rouge, qui continuait son ascension, le jeune homme se tâta prudemment le mollet.

— Non, juste un peu fracassée… Kahlan, nous devons aller en ville !

— Mais tu ne peux pas marcher !

— Ça ira, ne t'inquiète pas… La douleur se calme déjà. On y va ?

Le Sourcier s'empara d'un globe lumineux pour éclairer leur chemin. Kahlan le soutenant, ils sortirent des entrailles de la Forteresse et traversèrent des salles et des couloirs qu'elle n'avait jamais vus. Pour franchir les boucliers et déjouer les pièges, Richard dut tenir la jeune femme dans ses bras, lui répéter sans cesse de ne rien toucher, et lui indiquer où poser les pieds.

L'Inquisitrice accabla son compagnon de questions. Elle lui obéit néanmoins, non sans marmonner qu'elle n'avait jamais soupçonné l'existence de ces endroits dans le bâtiment.

Quand ils atteignirent le niveau supérieur, la jambe du jeune homme allait beaucoup mieux. Bien qu'elle fût encore douloureuse et un peu raide, il pouvait désormais marcher seul.

— Au moins, je sais où nous sommes, souffla Kahlan alors qu'ils longeaient les bibliothèques. J'avais peur que nous ne trouvions jamais la sortie.

Richard prit la direction qui les conduirait hors de la Forteresse. Kahlan affirmant que ce n'était pas la bonne, il l'assura avoir pris plus d'une fois ce chemin. À contrecœur, la jeune femme capitula.

Lorsqu'il fallut franchir l'ultime bouclier, ils se réjouirent d'avoir un prétexte pour se serrer l'un contre l'autre.

— C'est encore loin ? demanda Kahlan.

— Non. La porte est au bout de cette salle.

Lorsqu'ils débouchèrent dans la cour, l'Inquisitrice fit deux tours complets sur elle-même, stupéfaite.

Tirant sur la chemise de Richard, elle désigna la porte qu'il venait de franchir.

— Tu es entré par là ? Vraiment ? Plusieurs fois ?

— C'est là que conduit le chemin de pierre…

Furieuse, Kahlan désigna l'inscription, sur le linteau de la porte.

— Tu vois ce que ça dit ? Et tu es entré quand même ?

— Désolé, mais je ne déchiffre pas cette langue…

— *Tavol de ator Mortado*, lut la jeune femme à haute voix. Le Chemin de la Mort !

Richard jeta un coup d'œil aux autres portes, puis au sol, sous lequel avait rampé une créature inconnue.

— C'était la plus grande entrée, se justifia-t-il, et le chemin y menait directement. J'ai supposé que c'était le plus simple… De toute façon, c'est assez logique, puisque les prophéties me surnomment « le messager de la mort ».

Kahlan n'en crut pas ses oreilles.

— Nous avions peur que tu t'aventures dans la Forteresse, et que tu y laisses la vie. Par les esprits du bien, je me demande comment tu t'en es sorti ! Aucun sorcier ne se serait risqué à passer par là. Le premier bouclier m'aurait déjà arrêtée, ou carbonisée, si tu n'avais pas été avec moi. C'est déjà une indication des périls que tu as bravés ! Je peux me jouer de tous les champs de force, sauf ceux qui défendent les endroits mortellement dangereux.

Richard entendit crisser les graviers. Puis il vit le sol onduler. Vif comme l'éclair, il poussa Kahlan au milieu de la rampe de pierre.

— Que se passe-t-il ?

— Quelque chose approche…

Nonchalante, l'Inquisitrice quitta leur refuge pour aller gambader dans les graviers.

— Tu n'as pas peur de *ça*, j'espère ? lança-t-elle en… caressant… les cailloux au moment où la créature passait sous ses pieds.

— Quelle mouche te pique ? s'étonna Richard.

Kahlan taquina joyeusement la monstruosité qui évoluait sous le sol. On eût dit qu'elle jouait avec un chaton.

— Ce n'est qu'un chien de pierre, mon pauvre Richard, soupira-t-elle. Le sorcier Giller l'avait invoqué pour décourager une bonne femme qui n'arrêtait pas de lui casser les pieds. Ainsi, elle avait peur de traverser les graviers, et aucune personne saine d'esprit ne se serait aventurée sur le Chemin de la Mort. (Kahlan se releva.) Richard, je t'en prie, dis-moi que tu n'as pas eu peur de cette inoffensive créature ?

— Pas vraiment, mais…

Agacée, l'Inquisitrice plaqua les poings sur ses hanches.

— Tu t'es engagé sur le Chemin de la Mort, puis tu as traversé tous ces boucliers, parce que tu redoutais un animal de compagnie ? Un chien magique, je veux bien, mais quand même… C'est pour ça que tu n'as pas emprunté les autres portes ?

— Kahlan, comment aurais-je su ? Je n'avais jamais vu le sol se soulever comme ça… (Le jeune homme se gratta le coude.) Bon, d'accord, j'ai eu peur de ton cabot de pierre. Pour une fois que je me suis montré prudent, tu ne vas pas m'en faire un plat ? En plus, je n'ai pas su lire l'inscription, sur le linteau…

Accablée, la Mère Inquisitrice leva les yeux au ciel.

— Richard, tu aurais pu…

— Je ne suis pas mort dans la Forteresse, j'ai déniché la sliph et je suis venu à ton secours. Alors, n'en parlons plus ! Et allons en ville, par les esprits du bien !

Kahlan passa un bras autour de la taille du jeune homme.

— Tu as raison, concéda-t-elle. Je suis un peu nerveuse à cause de… (elle tendit un bras vers la porte)… ce qui s'est passé là-dedans. La reine des mriswiths m'a terrorisée. Merci d'avoir su faire face, Richard.

Enlacés, ils remontèrent le tunnel d'accès et s'apprêtèrent à franchir la herse.

À cet instant, une queue rouge jaillit de l'angle du mur et les frappa. Le souffle coupé, Richard vit des ailes battre au-dessus de lui. Puis des pattes s'abattirent sur lui et des griffes lui déchirèrent l'épaule. Un nouvel aller-retour expédia Kahlan au sol.

Alors que les griffes enfoncées dans sa chair l'attiraient inexorablement vers la gueule du monstre, le Sourcier dégaina son épée. Stimulé par la colère, il frappa une aile à la texture de cuir, la fendant sur presque toute sa longueur.

La reine rouge recula et lui lâcha l'épaule. La magie de son arme l'aidant à ignorer la douleur, Richard se releva d'un bond.

De la pointe de son épée, il tint en respect le monstre qui claquait des mâchoires, avide de le déchiqueter. Animée par une fureur au moins aussi aveugle que celle du Sourcier, la reine chargea, masse d'ailes, de crocs et de griffes qui eût été mortelle pour n'importe quel autre adversaire.

Richard abattit son arme sur le bras droit de la créature. Couinant de douleur, elle recula, se plaça de trois quarts et décocha un fabuleux coup de queue qui propulsa le jeune homme contre un mur. Bien que sonné, il parvint à riposter et coupa le bout de l'appendice rouge.

La reine recula encore, jusqu'à se placer sous la herse. Conscient que ce serait sa seule chance de l'emporter, Richard plongea sur le mécanisme de commande et abaissa le plus gros levier.

Dans un abominable bruit de ferraille, la grille garnie de piques sur sa partie inférieure sortit de son logement et tomba sur le monstre.

Rapide comme l'éclair, la reine rouge s'écarta. La herse lui frôla le dos, épinglant au passage une aile qui se retrouva clouée au sol.

Une sueur froide ruissela entre les omoplates de Richard quand il vit que Kahlan gisait… de l'autre côté de la herse. Dès qu'elle l'aperçut, la souveraine des mriswiths tira son aile de sous la grille. Même si elle la déchira en plusieurs endroits, elle semblait trop enragée pour se soucier de sa propre souffrance.

— Kahlan, cours ! cria Richard.

Encore sonnée, l'Inquisitrice tenta de ramper loin du danger. Mais la reine bondit et la retint par une jambe. Triomphante, elle souffla en direction de Richard un nuage d'haleine fétide. L'heure de la vengeance avait sonné, et elle le manifestait sans ambiguïté.

Le jeune homme se précipita vers la roue qui actionnait la herse. Pouce après pouce, la grille s'éloigna du sol en grinçant.

Hélas, la bête monstrueuse s'éloignait déjà sur la route en tirant Kahlan par la jambe.

Richard lâcha la roue. Animé par la fureur de sa magie, il abattit l'Épée de

Vérité sur les barreaux de la herse. Dans une gerbe d'étincelles et d'éclats de métal, il recommença, visant toujours le même point. Le troisième coup fut le bon. Le Sourcier écarta le barreau brisé d'un coup de pied et plongea par l'ouverture.

Il courut derrière la reine rouge, qui avait pris pas mal d'avance. Le ventre raclant le sol, Kahlan y enfonçait ses ongles avec l'espoir – futile – de se libérer.

Quand elle eut atteint le pont, la bête sauta sur le parapet et défia du regard le pauvre humain qui se ruait vers elle.

Histoire de lui rappeler qu'elle pouvait voler, elle battit légèrement des ailes.

Richard hurla de rage impuissante quand il la vit se préparer à sauter.

Lorsque le Sourcier s'engagea sur le pont, la queue rouge zébra l'air. Il en coupa six bons pieds de long d'un seul coup d'épée.

La reine se retourna, en prenant Kahlan par une jambe, comme une poupée de chiffon. Sa lucidité balayée par la rage, Richard abattit son épée au moment où la créature lui sautait dessus. Arrosé par un flot de sang puant, il trancha la moitié d'une aile, coupant l'os en même temps que la peau parcheminée.

La reine battit de son aile intacte et voulut lui faire exploser la tête d'un coup de son moignon de queue.

Kahlan s'étira au maximum, les mains tendues. Après avoir enfoncé sa lame dans le ventre rouge de la bête, Richard lança en avant son bras libre. Au moment où il allait saisir les poignets de Kahlan, la reine la tira violemment en arrière.

Le Sourcier trancha en deux l'autre aile du monstre. Derrière un rideau de sang, la souveraine se tortilla en tous sens pour essayer de blesser son adversaire. Ainsi occupée, elle ne céderait pas, pour l'instant, à son désir évident de déchiqueter Kahlan.

Dès qu'il en eut l'occasion, Richard coupa un autre morceau de la queue rouge qui s'agitait comme un serpent devenu fou. Enragée par cette nouvelle mutilation, la reine multiplia les attaques désordonnées et offrit de précieuses ouvertures à son adversaire – qui en profita pour la larder de coups.

Enfin, Richard plongea en avant, saisit le poignet de l'Inquisitrice, qui referma ses doigts sur le sien, et planta sa lame jusqu'à la garde dans la poitrine de la bête.

Une terrible erreur !

Même touchée à mort, la reine des mriswiths ne lâcha pas la jambe de Kahlan. Très lentement, comme dans un cauchemar, elle tituba puis bascula dans le vide.

Richard serra de toutes ses forces le poignet de l'Inquisitrice. Quand le monstre percuta le tablier du pont, la violence du choc faillit lui faire lâcher prise.

Certain qu'il ne soutiendrait pas longtemps un poids pareil, il passa son bras libre au-dessus du parapet et trancha net le membre rouge accroché à la jambe de Kahlan. Sans se soucier des hurlements du monstre, parti pour une chute de plusieurs milliers de pieds, il banda ses muscles et tenta de tirer sa bien-aimée en sécurité.

Leurs peaux poisseuses de sang glissaient l'une contre l'autre. Déséquilibré, le jeune homme força au maximum sur ses cuisses pour ne pas tomber à son tour dans l'abîme.

Enfin, il réussit à soulever un peu Kahlan.

— Accroche-toi au parapet ! cria-t-il. Ta main glisse dans la mienne !

La jeune femme réussit à passer un bras autour de la rambarde. Soulagé d'une partie de la traction, Richard jeta son épée sur le sol et réussit à saisir l'épaule de sa compagne. Luttant ensemble, ils parvinrent à grignoter pouce après pouce la distance qui les séparait de la sécurité.

Dès qu'elle fut revenue sur le pont, Kahlan hurla comme une possédée :

— Enlève-moi cette horreur ! Richard, je t'en prie !

Le Sourcier ouvrit une à une les griffes qui serraient encore le mollet de l'Inquisitrice, puis il jeta le bras rouge dans le vide.

Trop épuisée pour parler, Kahlan se blottit contre lui.

— Pourquoi n'as-tu pas recouru à la Rage du Sang ? demanda Richard quand ils eurent un peu récupéré.

— Près de la herse, j'ai essayé de lancer un éclair, mais ça n'a pas marché. Ici, j'étais trop étourdie par ma chute, et la suite de mes mésaventures. Et toi, pourquoi n'as-tu pas utilisé tes éclairs noirs ?

— Je n'en sais rien, avoua Richard après une courte réflexion. En fait, j'ignore comment influer sur mon don. C'est une affaire d'instinct, pas de volonté… (Les yeux fermés, il caressa les magnifiques cheveux de sa compagne.) Je donnerais cher pour que Zedd soit là ! Il m'aiderait à maîtriser ma magie. Et de toute façon, il me manque terriblement.

— Je sais, Richard…

Des cris et des cliquetis métalliques retentissaient au loin. Soudain, Richard s'avisa qu'une odeur de fumée planait dans l'air.

Malgré leurs blessures et leur fatigue, les deux jeunes gens coururent jusqu'à un tournant qui offrait une vue plongeante sur la ville.

Quand ils s'arrêtèrent au bord du gouffre, Kahlan ne put s'empêcher de crier.

— Chers esprits du bien, gémit Richard, tombé à genoux, qu'ai-je donc fait ?

# Chapitre 53

— C'est le seigneur Rahl ! beuglèrent d'une seule voix une multitude de soldats. Il vient combattre avec nous ! C'est le seigneur Rahl !

Entendant l'appel malgré le vacarme de la bataille, des milliers d'hommes reprirent ce cri de ralliement.

— Seigneur Rahl ! Seigneur Rahl ! Seigneur Rahl !

La mine sombre, Richard se frayait un chemin à travers les lignes arrière d'haranes. Des blessés couverts de sang se relevèrent péniblement pour emboîter le pas à la colonne qui le suivait déjà.

À travers la fumée acide, Richard regarda loin devant lui, au pied de plusieurs rues en pente, où se déroulait l'essentiel de la bataille. Submergés par un raz-de-marée d'hommes en cape pourpre, les guerriers d'harans en uniforme noir reculaient vers le cœur de la cité. Les fanatiques du Sang de la Déchirure, déchaînés, évoquaient vraiment une déferlante de mort, de haine et de violence...

— Ils doivent être plus de cent mille, dit Kahlan – à haute voix, mais comme si elle se parlait à elle-même.

Richard avait envoyé une force équivalente à la recherche de la Mère Inquisitrice. À des semaines d'Aydindril, ces hommes ne reviendraient jamais à temps. Les défenses de la ville affaiblies, les fanatiques de feu Brogan tiraient parti d'une erreur stratégique de débutant.

Cela dit, il aurait dû rester assez de poitrines d'haranes pour repousser cette attaque. Quelque chose clochait terriblement.

Avec son escorte de blessés, le Sourcier gagna la zone arrière de ce qui semblait être le principal engagement. Ici, les guerriers du Sang de la Déchirure déboulaient de tous les côtés, et des colonnes de flammes illuminaient le ciel à l'aplomb de l'avenue des Rois. Apparemment, les défenseurs s'étaient regroupés autour du Palais des Inquisitrices, résolus à tenir le nouveau fief de leur seigneur.

Des officiers coururent à la rencontre de leur chef, la joie de le voir nettement atténuée par le désastre en cours.

À bout de nerfs à force d'entendre des cris d'agonie monter de tous les secteurs de la ville, Richard fut étonné de s'entendre parler avec un calme glacial.

— Que se passe-t-il ? Ces hommes sont des vétérans d'harans. Pourquoi reculent-ils ainsi ? Les forces étant à peu près équilibrées, nos adversaires ne devraient pas s'être autant enfoncés en ville.

— Les mriswiths..., répondit simplement un commandant aux cheveux blancs.

Richard serra les poings. Contre ces monstres, des soldats normaux n'avaient aucune chance. En une minute, un mriswith pouvait étriper dix guerriers sans récolter une égratignure. Et des centaines d'entre eux avaient plongé dans la sliph...

Les rangs des D'Harans s'éclaircissaient et le phénomène serait irréversible.

Les voix des esprits tapis dans l'Épée de Vérité retentissaient déjà aux oreilles du Sourcier, couvrant les cris de douleur des mortels. À voir la position du soleil, derrière le rideau de fumée, il ne ferait pas nuit avant deux heures.

— Vous, là, lança Richard à trois lieutenants, réunissez le nombre d'hommes que vous jugerez nécessaires et conduisez la Mère Inquisitrice, ma future reine, en sécurité entre les murs du palais !

L'expression de maître Rahl renseigna les trois officiers sur l'importance de la mission, et les sanctions que leur vaudrait un éventuel échec.

Kahlan s'apprêtant à protester, Richard dégaina son épée.

— Exécution !

Les lieutenants ne se le firent pas dire deux fois. Insensibles à ses cris, ils entraînèrent la Mère Inquisitrice loin de la boucherie en cours.

Richard ne regarda pas la jeune femme et ne chercha pas à comprendre ce qu'elle lui hurlait.

La rage de sa magie faisant bouillir son sang, ses yeux brillaient d'une détermination et d'un pouvoir qui n'étaient plus tout à fait humains. Impressionnés, les hommes qui l'entouraient reculèrent en silence.

Le Sourcier passa la lame de son épée sur le sang à demi coagulé qui couvrait toujours son bras gauche. Le contact du fluide vital décupla sa fureur.

Il regarda autour de lui – les yeux de la mort en quête de leurs prochaines victimes. Pris entre la rage primale de l'épée et sa propre colère, le Sourcier n'entendait plus rien, sinon le pouvoir qui lui hurlait son désir de se déchaîner. Conscient que ce n'était pas encore assez, il abattit les ultimes digues qui retenaient sa magie et s'unit aux esprits de tous ceux qui avaient manié son arme avant lui.

Il était le vrai Sourcier... et beaucoup plus que cela.

L'incarnation vivante du messager de la mort !

Un seul corps, mais tant d'esprits et tellement de haine...

En silence, il avança et vint se mêler aux vétérans d'harans occupés à ferrailler contre des tueurs en cape pourpre assez téméraires pour avoir tenté une percée. Dans l'invraisemblable mêlée, il vit du coin de l'œil d'honorables commerçants, épée au poing, s'efforcer de défendre leur ville malgré leur estomac replet et leurs médiocres talents d'escrimeurs. À leurs côtés, de jeunes civils brandissaient des piques sans trembler. Prêts à tout pour les soutenir, des gamins, sans doute leurs petits frères, levaient péniblement des gourdins bien trop lourds pour eux.

Le regard rivé devant lui, le Sourcier daignait seulement étriper les fanatiques du Sang de la Déchirure qui tentaient de lui barrer le chemin. Ce menu fretin ne l'intéressait pas. Et les ennemis qu'il cherchait ne s'étaient pas encore montrés…

Il sauta par-dessus un chariot renversé, au milieu du champ de bataille. Autour de lui, des héros anonymes ferraillaient pour éloigner le danger de leur maître.

S'ils avaient su vers quelles proies il fondait ainsi !

Devant lui, un océan de capes pourpres se déversait aveuglément sur des centaines de cadavres en uniforme noir. Les pertes, dans son camp, étaient épouvantables. Mais ces visions d'horreur, loin de le décourager, ajoutaient de l'huile sur le feu qui dévorait de l'intérieur le messager de la mort.

Au fond de son esprit, un être qu'il ne reconnaissait plus – peut-être l'enfant qu'il était jadis – pleurait sur ces vies soufflées en un instant, comme la flamme d'une bougie à l'heure du coucher. Mais les vents de la colère hurlaient trop fort pour qu'il prêtât l'oreille à ces sanglots.

Il sentit la présence des mriswiths avant de les voir. Ouvrant la voie aux soldats du Sang de la Déchirure, les monstres étripaient les D'Harans sans leur laisser le temps d'esquisser un geste.

Richard leva son épée et plaqua contre son front la lame rouge de sang.

— Mon épée, murmura-t-il, combats pour la vérité, aujourd'hui !

*Fuer grissa ost drauka…*

— Viens danser avec moi, la mort, je suis prêt.

Les bottes du Sourcier martelèrent les pavés tandis qu'il courait vers ses proies. Désormais, les esprits de ses prédécesseurs ne faisaient plus qu'un avec le sien. Armé de leurs connaissances, de leur expérience et de leur talent, il n'était plus seulement un homme, mais le symbole vivant de toute l'histoire douloureuse de l'humanité.

Se laissant guider par la magie, elle-même chauffée au fer rouge de sa colère, et par sa volonté, le Sourcier céda à la soif de tuer pour se faufiler entre les grappes de soldats acharnés à s'étriper.

Dès qu'il eut repéré sa première cible, un mriswith mordit la poussière à tout jamais.

*Ne gaspille pas ta force à abattre ceux que tes frères d'armes peuvent transpercer de leurs lames*, soufflèrent les esprits dans sa tête. *Concentre-toi sur les proies qu'ils sont incapables d'éliminer.*

Suivant ce conseil, Richard se fia à l'étrange pouvoir qu'il s'était découvert dans le bois de Hagen, quelque temps plus tôt. Capable de localiser les mriswiths, y compris ceux qui recouraient à la magie de leur cape, il dansa avec la mort, parfois si rapidement que certains monstres moururent sans voir d'où venait le coup fatal.

Économe de ses efforts et soucieux de ne pas émousser sa lame, il fit en sorte que chacune de ses frappes soit définitive.

Se faufilant entre les combattants humains, il faucha une à une les ignobles créatures qui dirigeaient désormais les illuminés du Sang de la Déchirure.

Dans chaque rue qu'il traversa, l'impitoyable chasseur vit des bâtiments en feu qui renforcèrent sa détermination. Les oreilles pleines de leurs cris d'agonie, il finit par ne plus sentir que l'odeur immonde du sang de ses victimes.

Tuer. Traquer. Tuer et traquer encore... Passerait-il le reste de sa vie à étriper des monstres ?

Même si c'était le cas, ça ne suffirait pas. Aussi angoissante que fût cette idée, il dut l'accepter, bien que sa rage lui hurlât de ne pas en tenir compte. Il était le seul apte à éliminer les mriswiths. À la première erreur, aussi minuscule soit-elle, il n'y aurait plus personne, dans le camp d'haran, pour se charger de cette vitale besogne. Autant vouloir se débarrasser d'une colonie de fourmis en les écrasant une par une !

Des *yabree* sifflaient déjà plus près de lui qu'il ne l'aurait voulu. Deux fois, leur ignoble chant avait laissé dans sa chair de longs sillons rouges. Pire encore, ses hommes, autour de lui, tombaient comme des mouches. Et les soldats du Sang de la Déchirure ne laissaient aucune chance aux blessés, les achevant alors qu'ils rampaient dans la poussière pour se mettre à l'abri.

Richard jeta un coup d'œil au ciel et constata que la nuit tombait. Combien de D'Harans, demain, verraient le soleil se lever ? Une poignée, peut-être. Quelques survivants dont, à l'évidence, il ne ferait pas partie...

Sentant une lame frôler ses côtes, le Sourcier se tourna et décapita le mriswith qui venait de le manquer de peu. Comme c'était prévisible, il se fatiguait et ses ennemis en profitaient pour le serrer de près. Bientôt, il aurait également perdu de sa précision. Alors, la fin ne serait plus très loin.

En attendant, il ouvrit le ventre d'un mriswith et en égorgea un autre.

Kahlan... Pour elle comme pour lui, le soleil ne se lèverait pas demain. Ils étaient des morts en sursis, et la nuit se préparait à devenir leur linceul.

Non sans effort, Richard chassa de son esprit le souvenir de sa bien-aimée. La moindre distraction, désormais, risquait de lui être fatale.

Tuer. Traquer. Tuer et traquer encore...

Dans sa tête, les voix continuaient à le guider, et il ne prenait plus le temps de réfléchir à leurs conseils avant de les appliquer.

Malgré quelques escarmouches victorieuses de-ci de-là, la bataille tournait au désastre. À force d'être poussés vers le cœur de la cité, ses hommes et lui – la première ligne de défense ! – n'étaient plus qu'à cinq cents pas du Palais des Inquisitrices. Dans moins d'une heure, les mriswiths l'investiraient. Alors, tout serait perdu.

Son attention attirée par un incroyable vacarme, le Sourcier tourna la tête et découvrit un spectacle aussi étrange que réconfortant. Jaillissant d'une série de rues en étoile, des centaines de D'Harans venaient de prendre en tenaille un gros détachement de soldats en cape pourpre. Coincés sur une grande place, et trop nombreux pour pouvoir manier efficacement leurs armes, les soudards de feu Brogan tombèrent d'abord comme des mouches.

Le commandant qui avait imaginé ce plan, et trouvé le moyen de piéger l'ennemi sur un terrain aussi défavorable, aurait mérité une décoration. Hélas, dans moins d'une demi-heure, il ne serait probablement plus vivant...

Dès qu'ils se seraient réorganisés, leurs rangs assez éclaircis pour leur restituer une bonne liberté de manœuvre, les piégés deviendraient les piégeurs, car ils conservaient, et de loin, l'avantage du nombre.

Le Sourcier se pétrifia quand il aperçut, déboulant d'une des rues, Kahlan à la tête d'une horde de domestiques des deux sexes armés de bric et de broc. À Ebinissia, se souvint-il, peu avant la fin, la population s'était jointe aux défenseurs.

Que fichait Kahlan ici ? Au palais, elle aurait au moins eu un sursis. Là, elle finirait encerclée par des soudards qui la déchiquetteraient comme une meute de chiens…

Non… Consciente du danger, elle ordonnait déjà à ses hommes de battre en retraite en laissant beaucoup de cadavres ennemis derrière eux. Un plan brillant, et génialement exécuté !

Une fraction de seconde avant que son *yabree* ne l'étripe, Richard décapita proprement un mriswith.

Bon sang, alors qu'il la croyait repartie vers le palais, voilà que Kahlan jaillissait d'une autre rue, son absurde régiment sur les talons.

Dès que les soldats du Sang de la Déchirure se furent tournés vers la nouvelle menace, un autre groupe vint les attaquer sur le flanc. Alarmés par le succès inattendu de ces manœuvres, les mriswiths coururent au secours de leurs alliés et éclaircirent aussitôt les rangs des attaquants.

Sans quitter la Mère Inquisitrice des yeux, Richard fonça dans la mêlée et s'ouvrit un chemin sanglant au milieu des fanatiques en cape pourpre. Après une interminable série de duels contre des mriswiths, affronter des humains lents et maladroits lui sembla presque reposant. Au début, en tout cas…

Quand il rejoignit enfin la jeune femme, ses bras lui faisaient mal et ses jambes menaçaient de ne plus le porter.

— Kahlan, tu es devenue folle ? cria-t-il en prenant la jeune femme par le poignet. Je t'avais envoyée au palais !

L'Inquisitrice se dégagea et brandit de nouveau son épée rouge de sang.

— Je ne mourrai pas égorgée après m'être cachée sous mon lit pendant la bataille ! Comme toi, j'ai le droit de combattre pour ma vie. Et ne t'avise plus jamais de me parler sur ce ton !

Sentant la présence d'un mriswith dans son dos, le Sourcier se retourna et frappa.

Kahlan se baissa pour éviter un flot de sang et d'entrailles. Dès qu'elle se fut relevée, elle ordonna à ses improbables guerriers de repasser à l'attaque.

— Alors, souffla Richard, assez bas pour qu'elle n'entende pas qu'il n'avait plus d'espoir, nous mourrons ensemble, ma douce reine…

Pressés par une horde de mriswiths et d'hommes du Sang de la Déchirure, les défenseurs étaient désormais acculés aux jardins du palais. Il y avait tant de monstres que le Sourcier ne parvenait plus à les distinguer individuellement. On eût dit qu'une masse compacte d'horreurs à la peau écailleuse avançait vers eux.

Dans le lointain, une étrange colonne de poussière aux reflets verts approchait de la ville. Mais de quoi pouvait-il s'agir ?

Richard poussa Kahlan à l'écart en plaquant une main entre ses omoplates. Les protestations de la jeune femme moururent quand son compagnon chargea la grappe de mriswiths qui venaient de se matérialiser devant eux. Comme un danseur, le Sourcier virevolta entre ses adversaires, les fauchant à une vitesse hallucinante.

Du coin de l'œil, sans cesser de frapper, il vit un autre phénomène qu'il ne parvint pas à s'expliquer. Le ciel était constellé de petits points noirs. S'il en était déjà à avoir ce genre de troubles de la vue, la fin de son aventure ne devait pas être loin.

Un *yabree* sifflant à un pouce de sa tête, il hurla de rage et trancha net le bras qui le maniait. Pour faire bonne mesure, dans le même élan, il décapita aussi le monstre. Évitant un nouveau coup, il enfonça son couteau dans le ventre d'un autre agresseur et dut en repousser un d'une ruade avant d'avoir pu dégager sa lame.

D'une lucidité glaciale, il comprit que les créatures avaient enfin identifié le seul ennemi menaçant pour eux. Ils l'encerclaient, décidés à en finir. Hors de ce cercle de mort, il entendit Kahlan crier son nom.

Le Sourcier ne pouvait plus rien faire, et il n'aurait pas pu fuir, même s'il l'avait voulu. Des couteaux à trois lames chantèrent, certains laissant des zébrures rouges sur sa peau.

Les monstres étaient trop nombreux. Par les esprits du bien, nul ne pouvait vaincre autant d'adversaires !

Autour de lui, il n'apercevait plus l'ombre d'un D'Haran. Prisonnier d'une muraille de mriswiths, il devrait uniquement compter sur sa magie pour s'obtenir un ultime répit.

Au lieu de crier comme un crétin, pourquoi n'avait-il pas plutôt dit à Kahlan qu'il l'aimait ?

Du coin de l'œil, le Sourcier vit une masse sombre se déplacer à la vitesse de l'éclair.

Un mriswith hurla de douleur. Pourtant, il n'avait pas levé ses armes... Troublé, il se demanda s'il n'était pas en train de mourir sans le savoir, l'imagination et la réalité se mêlant dans son esprit. À force de pivoter comme un danseur et de trancher des chairs, la tête lui tournait...

Une énorme masse tomba sur le sol, non loin de lui. Une autre la suivit presque aussitôt. Pour voir ce qui se passait, le Sourcier essuya le sang de mriswith qui lui maculait le visage.

Partout, les monstres hurlaient à la mort.

Alors, Richard vit d'immenses ailes sombres et des pattes couvertes de fourrure. Déchaînées, de grandes bêtes ailées déchiquetaient impitoyablement les mriswiths. La puanteur de leur sang, pourtant insoutenable, caressait les narines du jeune homme comme un doux parfum.

Le Sourcier recula quand un énorme garn se posa devant lui, juste à temps pour égorger un mriswith qu'il n'avait pas vu venir.

Gratch !

Le champ de bataille grouillait de garns et d'autres continuaient d'arriver. Il y avait bien eu des points dans le ciel...

Gratch jeta sa première victime sur un petit groupe de soldats du Sang de la Déchirure, puis il se rua dans la mêlée. Les autres garns avaient déjà fait un massacre, et des renforts atterrissaient carrément sur le dos des porteurs de *yabree*.

Conscients de courir au désastre, les mriswiths s'enveloppèrent dans leurs capes. Une précaution inutile, car l'invisibilité n'empêchait pas les garns de les repérer.

Les monstres étaient piégés !

Son épée brandie à deux mains, Richard remercia les esprits du bien. Puis il éclata de rire, sa voix mêlée aux rugissements des garns et aux cris d'agonie des mriswiths.

Kahlan se serra contre son dos, les bras autour de sa taille.

— Je t'aime, souffla-t-elle. J'ai cru que ma dernière heure allait sonner, et je n'avais pas eu le temps de te le redire.

Richard tourna la tête et plongea son regard dans les yeux verts brouillés de larmes de la Mère Inquisitrice.

— Je t'aime aussi.

Des cris couvrirent presque le vacarme de la bataille. La « colonne de poussière aux reflets verts » qu'il avait vue un peu plus tôt était en réalité une armée de plusieurs milliers d'hommes qui chargeaient à présent les lignes arrière du Sang de la Déchirure. Les D'Harans qui entouraient Richard, débarrassés des mriswiths, se lancèrent spontanément à l'assaut. Pris en tenaille, les fanatiques de Brogan auraient bientôt rejoint leur chef dans le royaume des morts…

Une avant-garde de guerriers en uniforme vert se frayait un passage dans les rangs ennemis, se dirigeant vers Richard. Sur les flancs de ces braves, des dizaines de garns se chargeaient d'éliminer les mriswiths. Omniprésent, Gratch volait au-dessus des monstres pour les pousser vers ses semblables.

Afin de mieux suivre les événements, Richard sauta sur une fontaine. Quand il eut tendu une main à Kahlan pour l'aider à le rejoindre, des D'Harans formèrent autour d'eux un cercle défensif impénétrable.

— Ces soldats sont des Keltiens, dit la jeune femme.

Elle avait raison, et le général Baldwin en personne conduisait la charge. Quand il aperçut les deux jeunes gens, il se détacha du gros de ses forces, cria quelques ordres et se lança au galop, une petite escorte sur les talons.

Renversés par les destriers et hachés menus par les épées de ces braves – dont celle du général en personne –, les fanatiques du Sang de la Déchirure n'opposèrent qu'une résistance symbolique.

Baldwin prit de l'avance sur ses hommes et atteignit le premier la fontaine. Dès qu'il eut rengainé son épée, il s'inclina respectueusement sur sa selle. Puis il se redressa et se tapa du poing sur le cœur.

— Seigneur Rahl, je vous salue. Et vous aussi, ma reine.

— Votre quoi ? s'écria Kahlan.

Le général s'empourpra du cou jusqu'au sommet de son crâne chauve.

— Veuillez me pardonner… Ma glorieuse, estimée et vénérée reine, noble Mère Inquisitrice des Contrées du Milieu.

Avant qu'elle ait pu répliquer, Richard tira Kahlan par le dos de sa chemise.

— Au fait, j'ai oublié de te dire… Suite à une requête du général Baldwin, je t'ai nommée reine de Kelton.

— Reine de…

— Exactement ! s'exclama le général. C'était le seul moyen d'assurer l'unité du royaume et de ne pas revenir sur notre reddition. Dès que le seigneur Rahl m'a informé que nous aurions l'honneur, comme Galea, d'être guidés par la Mère Inquisitrice en personne, j'ai décidé de ramener une armée en Aydindril pour vous protéger, mon seigneur et ma reine, et participer au combat contre l'Ordre Impérial. Il fallait bien vous montrer, convenez-en, que nous étions prêts à faire notre part du travail.

— Merci, général, dit Kahlan, un peu revenue de sa surprise. Vous êtes arrivé juste à temps, et je vous en félicite.

Baldwin retira ses longs gantelets noirs et les glissa dans sa ceinture.

— Si Sa Majesté veut bien m'excuser, je dois retourner près de mes hommes. La moitié du corps expéditionnaire attend à l'extérieur de la ville, au cas où ces salauds tenteraient de s'enfuir. (Baldwin s'empourpra de nouveau.) Ma reine, veuillez pardonner les écarts de langage d'un vieux militaire.

Alors que le général s'en retournait vers le combat, Richard jeta un regard circulaire sur le champ de bataille. Toujours en quête de mriswiths à déchiqueter, les garns en trouvaient de moins en moins. Et ils ne mettaient pas longtemps à s'en débarrasser.

Depuis leur séparation, Gratch avait encore grandi d'un bon pied. Désormais, il n'aurait plus à avoir de complexes devant les autres mâles de sa race. De fait, il semblait diriger les opérations. De quoi étonner encore plus le Sourcier...

Soulagé par la tournure des événements, il ne pouvait pourtant pas se réjouir, accablé par l'étendue du massacre.

— Tu m'as nommée reine de Kelton ? lança soudain Kahlan. Moi, la Mère Inquisitrice ?

— Sur le coup, ça semblait une bonne idée. Et le seul moyen de garder ce royaume dans notre giron...

— Très bien raisonné, seigneur Rahl, approuva la jeune femme avec un petit sourire.

Tandis qu'il rengainait son épée, Richard aperçut trois silhouettes vêtues de rouge dans la masse d'uniformes noirs d'harans. Agiel au poing, les Mord-Sith couraient vers la fontaine. Aujourd'hui, même leurs tenues rouges ne parvenaient pas à dissimuler qu'elles étaient couvertes de sang.

— Seigneur Rahl ! Seigneur Rahl !

Berdine bondit sur son maître comme un écureuil qui se jette d'une branche, le ceintura proprement et le fit basculer du muret. Déséquilibré, le Sourcier tomba comme une pierre dans le bassin plein de neige fondue.

— Seigneur Rahl, vous l'avez fait ! cria la Mord-Sith, assise sur l'estomac de son maître. Vous avez jeté la cape, comme je vous l'ai conseillé ! Vous m'aviez donc entendue ?

Berdine se coucha sur la poitrine de Richard, l'enlaça et l'enfonça impitoyablement sous l'eau glacée. Bien qu'il eût préféré un bain chaud, le jeune homme se félicita d'avoir l'occasion de se laver. Le sang de mriswith empestait tellement !

Quand il manqua d'air, Berdine le tira par sa chemise, l'assit dans l'eau et se lova confortablement sur ses genoux.

— Mon amie, j'ai une épaule blessée... Essaye d'être plus délicate.

— Ce n'est rien du tout ! s'écria la jeune femme, fidèle au mépris de la douleur typique des Mord-Sith. Nous étions si inquiets, seigneur. Quand l'ennemi a attaqué la ville, nous avons cru ne jamais vous revoir. Nous pensions avoir échoué, puisque notre mission est de vous protéger.

Kahlan se raclant fort peu discrètement la gorge, Richard se décida à faire les présentations.

— Kahlan, ce sont mes gardes du corps, Cara, Raina et Berdine. Nobles dames, veuillez saluer Kahlan Amnell, ma future épouse.

Sans faire mine de quitter les genoux de son seigneur, Berdine sourit à la Mère Inquisitrice.

— Je suis sa préférée...

Le regard sombre, Kahlan croisa lentement les bras.

— Berdine, laisse-moi me lever...

— Vous puez plus qu'un mriswith, seigneur, dit la Mord-Sith. (Elle le plongea de nouveau dans l'eau, puis le tira vers elle pour le renifler.) C'est mieux... Seigneur, si vous filez de nouveau comme un voleur, sans m'écouter, je ne me contenterai pas de vous donner un bain !

— Richard, tu peux me dire pourquoi toutes les femmes veulent se baigner avec toi ? demanda Kahlan, dangereusement sereine.

— Désolé, mais je n'en sais rien... (Le Sourcier leva la tête pour suivre l'évolution de la bataille, qui faisait toujours rage. Puis, de son bras indemne, il serra la Mord-Sith contre lui.) J'aurais dû t'écouter, mon amie. Le prix de ma stupidité est trop élevé !

— Vous allez bien ? lui souffla Berdine à l'oreille.

— Je serai en pleine forme dès que tu ne me pèseras plus sur le ventre...

La jeune femme se laissa glisser sur le côté.

— Dans son journal, Kolo dit que les mriswiths sont des sorciers ennemis qui ont troqué leur pouvoir contre l'invisibilité.

— J'ai failli les imiter..., lâcha Richard en se relevant.

Il tendit une main à Berdine et l'aida à se remettre debout. Dressée sur la pointe des pieds, elle écarta le col du jeune homme et inspecta sa nuque.

— C'est parti... Seigneur, vous ne risquez plus rien. Kolo décrit la métamorphose étape après étape, et ces rougeurs en sont le premier signe. Il précise qu'un de vos ancêtres, Alric Rahl, a créé une arme pour affronter les mriswiths. (Elle tendit un bras vers le champ de bataille.) Les garns !

— Vraiment ?

— Il leur a conféré le pouvoir de les repérer, même quand ils sont invisibles. C'est ça qui fait briller leurs yeux... Tous les garns sont interconnectés par cette magie, et ceux qui traitent directement avec les sorciers dominent les autres. Comme des généraux nommés par un souverain, si vous voulez... Très respectés par leurs semblables, ces « intermédiaires » les ont poussés à combattre pour la cause du Nouveau Monde, et à refouler les mriswiths dans l'Ancien.

— Rien que ça ? Que dit d'autre notre ami Kolo ?

— Je n'ai pas pu aller plus loin... Nous avons été plutôt occupés, depuis votre départ.

— Combien de temps suis-je resté absent ? demanda Richard à Cara.

Les muscles raides, il sortit prudemment de la fontaine.

— Près de deux jours, seigneur. À l'aube, des sentinelles sont venues nous prévenir que l'armée du Sang de la Déchirure fondait sur la ville. L'attaque n'a effectivement pas tardé, et les combats durent depuis ce matin. Jusqu'à l'arrivée des mriswiths, tout se passait plutôt bien...

Kahlan approcha de Richard et lui passa un bras autour de la taille pour le soutenir.

— Je suis navré, Cara, dit le Sourcier. J'aurais dû être avec vous. Ce carnage est ma faute...

— J'ai tué deux monstres, annonça Raina sans tenter de cacher sa fierté.

Passant devant le cercle de défenseurs, Ulic et Egan ralentirent à peine.

— Seigneur Rahl, lança Ulic par-dessus son épaule, quelle joie de vous voir ! Nous avons entendu les acclamations, mais impossible de vous mettre la main dessus.

— Sans blague ? fit Cara, un sourcil levé. Beaucoup de muscles, mais pas de cervelle, je l'ai toujours dit !

Ulic roula de gros yeux et continua à courir vers le champ de bataille.

— Ils sont toujours comme ça ? demanda Kahlan à voix basse.

— Non... Mais ils donnent le meilleur d'eux-mêmes en ton honneur...

Des drapeaux blancs flottaient désormais au-dessus des lignes ennemies. Apparemment, personne ne s'en souciait.

— Les D'Harans ne font jamais de quartier, expliqua Cara devant l'air troublé de son seigneur. Ces chiens tomberont jusqu'au dernier !

Richard partit à grandes enjambées, son escorte sur les talons.

— Que comptes-tu faire ? demanda Kahlan dès qu'elle l'eut rattrapé.

— Mettre un terme à cette tuerie.

— Tu ne peux pas ! Nous avons juré d'exterminer les soldats de l'Ordre Impérial et leurs alliés. N'interviens pas, je t'en prie. S'ils avaient vaincu, ces soudards ne nous auraient pas épargnés.

— Ce n'est pas la bonne façon de procéder, Kahlan. Si nous massacrons ces hommes, nos adversaires suivants ne se rendront jamais, puisqu'ils n'auront aucun espoir de survivre. Si nous faisons des prisonniers, ça encouragera les vocations. Face à des ennemis qui capitulent, chaque victoire nous coûtera un peu moins cher, et nous serons plus forts. Alors, nous triompherons !

Richard cria des ordres qui circulèrent rapidement de position en position. Le vacarme cessant peu à peu, des milliers d'yeux se tournèrent vers lui.

— Qu'ils approchent ! lança-t-il à un commandant.

Il retourna près de la fontaine, sauta sur le muret et regarda les officiers du Sang de la Déchirure conduire leurs hommes jusqu'à lui. Les rangs de D'Harans, armes toujours au poing, s'écartèrent pour laisser passer les vaincus.

— Acceptez-vous notre reddition ? demanda un officier en saluant Richard.

— C'est à voir... Me parlerez-vous à cœur ouvert ?

L'homme jeta un rapide coup d'œil à ses soldats couverts de sang.

— Oui, seigneur Rahl.

— Qui vous a ordonné d'attaquer la ville ?

— Les mriswiths, seigneur... Beaucoup d'entre nous ont été influencés par celui qui marche dans les rêves.

— Et voudriez-vous être libérés de lui ?

Tous les survivants hochèrent la tête ou murmurèrent leur assentiment. Ils acceptèrent aussi de révéler à Richard tout ce qu'ils savaient des plans de l'Ordre Impérial.

— Si vous voulez vous rendre et vivre sous les lois d'haranes, agenouillez-vous et jurez-moi fidélité.

Sous la pâle lueur du crépuscule, les anciens fanatiques de Brogan s'inclinèrent devant leur nouveau chef et récitèrent les dévotions que leur soufflaient des D'Harans venus les rejoindre.

D'une seule voix qui porta très loin dans la cité d'Aydindril, ils firent allégeance à Richard.

— Maître Rahl nous guide ! Maître Rahl nous dispense son enseignement ! Maître Rahl nous protège ! À sa lumière, nous nous épanouissons. Dans sa bienveillance, nous nous réfugions. Devant sa sagesse, nous nous inclinons. Nous existons pour le servir et nos vies lui appartiennent.

Tous les vaincus se débarrassèrent de leur cape pourpre et la jetèrent dans les flammes tandis que des D'Harans les guidaient hors de la ville.

— Tu viens de changer les règles de la guerre, Richard, dit Kahlan. Il y a déjà eu tant de morts…

— Beaucoup trop…, souffla le Sourcier en regardant les hommes du Sang de la Déchirure, désarmés, marcher au milieu des soldats qu'ils tentaient de tuer une demi-heure plus tôt.

Était-il fou de leur faire confiance ?

— « Dans sa bienveillance, nous nous réfugions », cita Kahlan. C'est peut-être mieux qu'il en soit ainsi, Richard. (Elle tapota tendrement le dos du jeune homme.) Moi, ça me semble… comment dire… un dénouement heureux et juste.

À quelques pas de là, maîtresse Sanderholt, un hachoir rouge de sang au poing, sourit pour manifester son approbation.

Des garns approchèrent de la fontaine, leurs yeux plus brillants que jamais. La morosité de Richard se volatilisa dès qu'il aperçut le sourire toujours aussi effrayant de Gratch.

Kahlan et lui sautèrent de la fontaine et coururent vers leur ami. Le garn enlaça son frère humain et le fit tournoyer dans les airs.

— Gratch, mon vieux, si tu savais comme je t'aime !

— Grrrratch aaaime Raaach aard.

Kahlan partagea le bonheur des deux amis, puis eut droit à des effusions spéciales.

— Gratch, je t'adore ! Tu as sauvé Richard ! Comment te rembourser un jour ma dette ?

Le garn couina de satisfaction tout en caressant les cheveux de la Mère Inquisitrice.

Richard sursauta quand il entendit une mouche bourdonner près de sa tête.

— Gratch, tu as des mouches à sang ? C'est formidable !

Le sourire du garn s'élargit. Les mouches aidaient ses semblables à débusquer leur proie. Jusque-là, il en avait été privé.

Richard n'aurait pour rien au monde écrasé une des petites compagnes de son ami. Mais elles devenaient plus qu'agaçantes, lui piquant sans cesse la nuque.

Gratch se pencha, passa une patte dans les entrailles d'un mriswith mort et se barbouilla l'abdomen de sang, à l'endroit où sa peau était rose comme celle d'un bébé. Dociles, les insectes vinrent festoyer sur leur propriétaire.

L'air étonné, Richard jeta un regard circulaire sur les dizaines de garns massés autour de lui.

— Mon vieux Gratch, on dirait que tu as eu de sacrées aventures ! C'est toi qui as rassemblé cette armée ? (Le garn hocha fièrement la tête.) Et tu la diriges ?

Gratch se tapa fièrement sur la poitrine. Puis il se tourna vers ses guerriers et émit un grognement que tous reprirent en chœur. Alors, leur chef sourit, dévoilant ses crocs.

— Gratch, où est Zedd ?

Son sourire disparu, le garn baissa les épaules et regarda tristement la Forteresse.

— Je comprends... L'as-tu vu mourir ?

Gratch ébouriffa la fourrure de son crâne – une façon très imagée de décrire le vieil homme –, désigna la Forteresse et se posa les pattes sur les yeux, sa manière de décrire les mriswiths...

Grâce à ses mimiques, Richard reconstitua les événements. Après que le garn eut déposé Zedd sur les remparts, des mriswiths les avaient attaqués. Avant de basculer dans le vide, Gratch avait vu le vieux sorcier étendu sur le sol, le crâne ouvert.

Ses ailes lui évitant de s'écraser des milliers de pieds plus bas, il était allé chercher de l'aide pour affronter les mriswiths et protéger le Sourcier. Trouver ses semblables et les convaincre de le suivre lui avait pris pas mal de temps...

Les deux amis s'étreignirent de nouveau. Quand ils se séparèrent, Gratch recula un peu et se tourna vers ses guerriers.

— Vieux frère, tu restes avec moi, n'est-ce pas ? demanda Richard, une boule dans la gorge.

Gratch désigna son ami, puis Kahlan, et leur fit signe de se rapprocher. Après s'être frappé sur la poitrine, il tendit un bras vers un garn un peu plus petit que lui.

Quand son semblable l'eut rejoint, Richard comprit qu'il s'agissait d'une femelle.

— Gratch, tu es amoureux ? Comme moi de Kahlan ?

Le garn sourit et se martela la poitrine des deux poings.

— C'est formidable, vieux frère ! Tu as mérité de vivre avec celle que tu aimes, parmi tes nouveaux amis. Mais ça ne t'empêchera pas de venir nous voir, pas vrai ? Tes compagnons et toi serez toujours les bienvenus.

Gratch sourit de toutes ses dents.

— Mon vieux, tu peux faire une dernière chose pour moi ? C'est important ! (Le garn aplatit les oreilles, concentré au maximum.) Demande à tes compagnons de ne plus dévorer les humains. Nous ne chasserons pas les garns et ils ne nous mangeront plus. Marché conclu ?

Gratch se tourna vers ses troupes et leur débita un petit discours dans une langue gutturale. Ils lui répondirent, puis commencèrent à marmonner entre eux.

Gratch haussa le ton et se martela la poitrine de coups de poing. Impressionnés, ses semblables cessèrent de protester.

Apparemment, le garn avait appris plus vite que Richard les ficelles du métier de chef...

Satisfait, il se tourna vers son ami humain et hocha la tête.

Kahlan avança et le prit dans ses bras.

— Prends garde à toi, et viens nous voir aussi souvent que possible. Gratch, je te serai éternellement reconnaissante. Je t'aime, mon ami. Nous t'aimons tous les deux !

Après une dernière étreinte silencieuse avec Richard, Gratch battit des ailes et s'envola, suivi par sa bien-aimée et ses guerriers.

Kahlan à ses côtés, Richard les regarda partir, entouré par ses gardes, son armée... et une accablante montagne de cadavres.

# Chapitre 54

Richard se réveilla en sursaut. Kahlan dormait toujours, le dos contre sa poitrine. Son épaule blessée lui faisait un mal de chien malgré le bandage qu'un médecin militaire lui avait posé.

La veille, mort de fatigue, il s'était laissé tomber sur le lit de la chambre qu'il occupait depuis son arrivée au palais. Il n'avait même pas pris le temps d'enlever ses bottes. Une sensation très désagréable, à sa hanche, lui indiqua qu'il s'était endormi avec son épée.

Kahlan s'étira dans ses bras. Heureux de la sentir près de lui, il savoura sa présence jusqu'à ce que l'image des milliers de morts s'imposât à son esprit. Et tous ces hommes avaient péri à cause de lui !

En un éclair, sa joie se volatilisa.

— Bonjour, seigneur Rahl ! lança une voix guillerette.

Levant la tête, Richard aperçut Cara et lui répondit d'un grognement. Éblouie par la lumière du jour, Kahlan battit plusieurs fois des paupières.

— Vous savez, ça marche encore mieux quand on se déshabille, fit la Mord-Sith, malicieuse.

— De quoi parles-tu ? marmonna Richard.

— Eh bien… Certaines activités, si vous voyez ce que je veux dire, sont plus… divertissantes… quand on n'est pas vêtus. (Cara plaqua les poings sur ses hanches.) J'aurais cru que vous le saviez !

— Cara, que fiches-tu ici ?

— Ulic veut vous voir, mais il n'osait pas entrer. Alors, je m'y suis collée. Pour une brute épaisse, il est parfois d'une timidité…

— Tu devrais prendre des leçons auprès de lui, lâcha Richard, maussade. Que veut-il ?

— Il a trouvé un cadavre.

— Ça n'a pas dû être très difficile, fit Kahlan en s'asseyant dans le lit, comme son compagnon.

Cara sourit mais se reprit dès que Richard la foudroya du regard.

— Celui-là, il l'a découvert au pied de la montagne, juste à l'aplomb de la Forteresse.

— Pourquoi ne l'as-tu pas dit plus tôt ? s'écria Richard en se levant d'un bond.

Kahlan sur les talons, il sortit dans le couloir, où Ulic l'attendait.

— C'était le corps d'un vieil homme ? demanda-t-il abruptement.

— Non, seigneur. Celui d'une femme.

— Une femme ? Laquelle ?

— Elle était en très mauvais état, après tout ce temps, mais j'ai reconnu sa vieille couverture et ses dents écartées. Il s'agit de Valdora, la vieille qui nous a vendu des gâteaux au miel.

— Valdora ? répéta Richard en massant son épaule endolorie. C'est étrange... Comment s'appelait la fillette, déjà ?

— Holly, seigneur. Nous ne l'avons pas trouvée. Il n'y avait aucun autre corps. Mais avec la neige, et les bêtes sauvages qui rôdent dans le coin... Nous ne dénicherons peut-être jamais rien de plus.

Incapable de parler, Richard se contenta de hocher la tête. Où qu'il aille, il sentait peser sur lui le linceul de la mort.

— Seigneur, dit Cara d'une voix compatissante, on allumera bientôt les bûchers funéraires. Voulez-vous être présent ?

— Quelle question idiote ! (Posant une main sur son dos, Kahlan lui fit comprendre qu'il devait se calmer un peu.) Je dois y être. Ces malheureux sont morts à cause de moi.

— Seigneur, ils ont été victimes du Sang de la Déchirure, et de l'Ordre Impérial. Je...

— Nous le savons, Cara, coupa Kahlan. Dès que j'aurai vérifié le bandage de Richard, et que nous aurons fait notre toilette, nous vous rejoindrons pour la cérémonie...

Il fallut des jours pour brûler les vingt-sept mille victimes de la bataille. Devant les flammes, Richard eut le sentiment qu'elles consumaient son âme en même temps que les défunts. Il resta tout le temps, récita les paroles rituelles avec l'assistance et monta la garde toutes les nuits devant les feux, jusqu'à ce que le dernier s'éteigne.

*De la lueur de ces flammes jusqu'à la Lumière, bon voyage vers le royaume des esprits, mes amis...*

Loin de guérir, l'épaule du Sourcier devint violacée, boursouflée et de plus en plus raide.

Son humeur non plus ne s'améliora pas.

Errant dans les couloirs du palais, il se campait parfois devant une fenêtre, mais ne parlait quasiment à personne. Le suivant comme son ombre, Kahlan le réconfortait de sa présence et attendait patiemment qu'il décide de revenir dans le monde des vivants.

Incapable de chasser l'image des cadavres de son esprit, Richard était obsédé par le nom que lui donnaient les prophéties : le messager de la mort.

Un jour, alors que son épaule commençait à guérir, il s'assit à la table qu'il utilisait comme bureau et entreprit de regarder dans le vide, ainsi qu'il le faisait de plus en plus souvent.

Une vive lumière le fit sursauter. Kahlan venait d'entrer, et il ne l'avait pas remarquée jusqu'à ce qu'elle tire les tentures de la fenêtre.

— Richard, je commence à m'inquiéter pour toi.

— Je sais, mais je n'arrive pas à oublier…

— Le manteau du pouvoir est toujours lourd à porter, Richard, mais tu ne dois pas lui permettre de t'écraser.

— Facile à dire… Ces hommes sont morts à cause de moi.

Kahlan s'assit en face du jeune homme. Du bout d'un index, elle lui releva le menton.

— Tu le penses pour de bon ? Ou pleures-tu seulement des milliers de malheureux ?

— Kahlan, j'ai été stupide ! Un crétin qui agit sans jamais réfléchir. Si j'avais utilisé mon cerveau, ces pauvres gens seraient peut-être toujours vivants.

— Tu as suivi ton instinct. Si je me souviens bien, c'est comme ça que fonctionne ton don, le plus souvent ?

— Mais je…

— Tu veux bien jouer un peu au jeu des « si » ? Que se serait-il passé si tu avais pris d'autres décisions ?

— Vingt-sept mille hommes verraient encore le soleil se lever.

— Tu es sûr ? Tu triches, Richard ! Le jeu des « si » demande plus de réflexion que ça. Si tu n'avais pas recouru à la sliph, comme ton instinct te le dictait, que serait-il arrivé ?

— Eh bien… (Richard caressa le genou de sa compagne.) Je n'en sais rien, mais les choses auraient été différentes.

— Bien vu, jeune homme ! Tu aimerais en savoir plus ? Allons-y ! Présent au palais dès le début de l'attaque, tu serais allé affronter les mriswiths beaucoup plus tôt, et ils auraient fini par te tuer avant l'arrivée des garns. Que feraient tes fidèles s'ils n'avaient plus leur cher seigneur Rahl ?

— C'est assez logique, admit Richard. (Il réfléchit un moment.) Et sans mon voyage dans l'Ancien Monde, Jagang vivrait paisiblement au Palais des Prophètes, assuré de régner des siècles sur le monde. En plus, il aurait les prophéties à sa disposition… (Il se leva, alla se camper devant la fenêtre et admira une splendide journée de printemps.) Et sans moi, personne ne serait plus protégé de l'influence de celui qui marche dans les rêves…

— Bref, depuis la bataille, tu laisses tes sentiments dominer ton intelligence.

Richard revint s'asseoir, prit les mains de sa compagne et remarqua de nouveau à quel point elle était belle.

— La Troisième Leçon du Sorcier : la passion domine la raison. Kolo dit que c'est une règle insidieuse. Je l'ai oubliée… simplement en pensant que je l'avais oubliée !

— Alors, tu te sens un peu mieux ? demanda Kahlan avant d'enlacer son bien-aimé.

— Tu m'as ouvert les yeux, avoua Richard avec son premier sourire depuis des jours. Zedd me faisait ce coup-là tout le temps. À présent, il faudra que je compte sur toi pour m'aider.

— J'espère bien, souffla Kahlan.

Richard lui donna un petit baiser. Il s'apprêtait à lui en offrir un autre, plus passionné, quand les trois Mord-Sith entrèrent en trombe dans la chambre.

— Elles ne frappent jamais ? gémit l'Inquisitrice.

— Rarement..., souffla Richard. Savoir jusqu'où aller est leur passe-temps préféré. Elles ne s'en lassent jamais.

Cara avança d'un pas et vint se camper devant les deux jeunes gens.

— On garde toujours ses vêtements, seigneur Rahl ?

— Vous semblez toutes en pleine forme, ce matin...

— On pète le feu, seigneur ! répondit Cara. C'est une chance, parce que nous avons du travail.

— Du travail ?

— Dès que vous aurez cinq minutes, il serait judicieux de recevoir les émissaires qui viennent d'arriver en Aydindril.

— Sans parler de ce travail-là ! dit Berdine en brandissant le journal de Kolo. Ce texte nous a déjà beaucoup servi, et la traduction est loin d'être finie. Vous devez m'aider.

— Une traduction ? répéta Kahlan. Je parle beaucoup de langues... De laquelle s'agit-il ?

— Du haut d'haran, précisa Berdine en mordant à belles dents dans une poire. Le seigneur Rahl est devenu bien meilleur que moi !

— Vraiment ? fit l'Inquisitrice. Je suis impressionnée... Peu de gens maîtrisent le haut d'haran, qu'on dit très compliqué...

— Nous y avons travaillé ensemble, lança Berdine. Toutes les nuits.

— Si nous allions voir les émissaires, proposa Richard, visiblement gêné.

Il prit Kahlan par les hanches et la força à se relever.

— Le seigneur Rahl a de grandes mains, dit Berdine avec un sérieux imperturbable. Elles conviennent parfaitement à mes seins.

— Sans blague ? demanda Kahlan, un sourcil levé.

— C'est prouvé ! confirma la Mord-Sith. Un jour, il nous a forcées à lui montrer nos poitrines.

— Vraiment ? Toutes les trois ?

Cara et Raina ne bronchèrent pas. Accablé, Richard se cacha le visage derrière un bras.

— Et ses mains étaient idéales pour mes seins, insista Berdine.

— Les miens sont plus petits que les tiens, lâcha Kahlan en se dirigeant vers la porte. (Elle ralentit en passant devant Raina.) À mon avis, les mains de Raina leur conviendraient à merveille.

Berdine s'étrangla avec la bouchée de poire qu'elle venait de prendre. Royale, l'Inquisitrice sortit sans se retourner.

Un petit sourire flotta sur les lèvres de Raina.

Cara éclata de rire et flanqua une grande claque dans le dos de Richard.

— Je l'adore, seigneur ! Vous pouvez la garder !

— Merci, Cara. Je m'estime chanceux d'avoir ton approbation.

— Et vous avez rudement raison, fit la Mord-Sith, le plus sérieusement du monde.

Richard sortit de la chambre et dut courir pour rattraper sa compagne.

— Comment as-tu su, à propos de Berdine et Raina ? demanda-t-il.

Kahlan le dévisagea, ébahie.

— N'est-ce pas évident ? Il suffit de voir comment elles se regardent. Tu ne t'en es pas aperçu tout de suite ?

— Hum... à vrai dire... (Richard jeta un coup d'œil derrière lui pour s'assurer que les trois femmes n'étaient pas déjà sur leurs talons.) Tu seras ravie d'apprendre que Cara t'apprécie. Elle m'a même autorisé à te garder.

— J'aime bien tes amies aussi, avoua Kahlan, un bras autour de la taille du Sourcier. Tu ne pourrais pas avoir des gardes du corps plus efficaces.

— Et c'est censé me réconforter ?

— Peut-être pas... Mais moi, ça me rassure.

Richard jugea judicieux de changer de sujet.

— Allons écouter ce que ces émissaires ont à nous dire. Notre avenir et celui du monde en dépendent.

Vêtue de sa robe blanche, Kahlan trônait sur le Prime Fauteuil. Richard avait pris place près d'elle, sous les images de Magda Searus, la première Mère Inquisitrice, et de son sorcier, le digne Merritt.

Escortés par le général Baldwin, plus rayonnant que jamais, les ambassadeurs Gartham de Lyfany, Theriaut d'Herjborgue et Dezancort de Sanderia avancèrent d'un pas assuré vers l'estrade. Tous parurent ravis de voir la Mère Inquisitrice à la droite du nouveau maître Rahl.

— Noble reine, seigneur Rahl..., salua Baldwin en s'inclinant.

— Bien le bonjour, général, fit Kahlan avec un grand sourire.

— Messires, dit Richard, j'espère que tout va pour le mieux dans vos royaumes. Qu'avez-vous décidé ?

— Après consultation de nos dirigeants, déclara Gartham en lissant sa barbe blanche, nous avons conclu, suivant en cela l'exemple de Galea et de Kelton, que vous incarnez l'avenir, seigneur Rahl. Nous vous apportons les documents signés. Comme requis, notre reddition sera inconditionnelle. Nous désirons rejoindre D'Hara et vivre sous votre bienveillante coupe.

— Bien que cette décision soit irrévocable, intervint Dezancort, nous espérons que la Mère Inquisitrice l'approuvera.

Kahlan dévisagea un moment les trois hommes.

— Ce n'est pas dans le passé, mais dans l'avenir que vivront nos enfants. À leur époque, Magda Searus et son sorcier ont fait ce qu'ils jugeaient bénéfique pour leur peuple. La Mère Inquisitrice actuelle, et son sorcier, Richard, agiront de la même manière. Le monde a changé, nous imposant de prendre un nouveau chemin. Mais nous luttons pour la paix, comme ils le firent jadis. Le seigneur Rahl nous donnera la force indispensable pour la conquérir. Il nous ouvrira la voie, et nous le suivrons. La Mère Inquisitrice, partie prenante de cette nouvelle union, est heureuse de vous y accueillir.

Sentant la main de Kahlan serrer la sienne, Richard lui rendit cette douce pression.

— La Mère Inquisitrice continuera à veiller sur nous, dit-il. Car nous aurons toujours besoin de sa sagesse et de ses conseils...

Quelques jours plus tard, par un bel après-midi de printemps, Richard et Kahlan, main dans la main, allèrent se promener dans les rues d'Aydindril. Après le déblaiement des gravats, de courageux citadins s'attelaient déjà à la reconstruction.

Frappé par une idée, Richard se tourna vers sa compagne.

— J'ai exigé la reddition de tous les royaumes des Contrées... et j'ignore toujours leur nombre exact et leurs noms.

— Alors, il me reste encore pas mal de choses à t'apprendre. On dirait que tu vas devoir me garder...

— J'ai besoin de toi, Kahlan, aujourd'hui et jusqu'à la fin de mes jours. (Richard caressa la joue de la jeune femme.) J'ai du mal à croire que nous sommes enfin ensemble. (Il jeta un coup d'œil aux cinq D'Harans qui ne les quittaient pas d'une semelle.) Si on pouvait aussi être seuls, de temps en temps...

— Une façon subtile de nous congédier, seigneur Rahl ? demanda Cara, un sourcil levé.

— Non, c'est un ordre !

— Désolé, mais nous ne pouvons pas obéir. En ville plus qu'ailleurs, vous avez besoin de protection, seigneur. Mère Inquisitrice, savez-vous que nous devons parfois lui dire quel pied lever pour continuer à marcher ? De temps en temps, il a besoin de nous pour les choses les plus simples...

Kahlan ne put retenir un soupir résigné. Regardant derrière Cara, elle s'adressa à l'un des deux colosses.

— Ulic, tu as installé les verrous supplémentaires sur la porte de notre chambre ?

— Oui, Mère Inquisitrice.

— Parfait... (Kahlan se tourna vers Richard.) On rentre ? Je suis épuisée...

— Désolée, mais il faudra vous marier d'abord ! lança Cara. Le seigneur Rahl a interdit sa chambre à toutes les femmes, à part son épouse.

— J'ai dit « à part ma *future* épouse », précisa Richard, le regard noir. Donc, nous pouvons rentrer !

Cara jeta un coup d'œil à l'Agiel accroché à une petite chaîne, autour du cou de Kahlan. C'était celui de Denna. Richard l'avait offert à sa bien-aimée dans l'étrange lieu entre les mondes où le spectre de la Mord-Sith les avait aidés à se retrouver. Pour la Mère Inquisitrice, l'arme était devenue une sorte de talisman. Cara, Berdine et Raina n'en avaient jamais parlé, mais elles s'en étaient aperçues dès leur rencontre avec Kahlan. À coup sûr, ce symbole était aussi important à leurs yeux que pour les deux jeunes gens.

— Seigneur, vous nous avez chargées de protéger la Mère Inquisitrice. Cela incluait sa vertu, je suppose ?

Kahlan sourit de voir que la Mord-Sith, pour une fois, avait réussi à agacer vraiment son seigneur.

Au point qu'il dut prendre une grande inspiration pour se calmer.

— Et vous vous en sortez très bien, il faut le dire. Pour sa vertu, pas d'inquiétude, je jure que nous serons bientôt mariés.

— Richard, tu te souviens de notre promesse aux Hommes d'Adobe ? Nous devions être unis chez eux, par l'Homme Oiseau. Et il y a la magnifique robe que Weselan m'a confectionnée… Tu serais d'accord pour que nous allions là-bas ?

Avant que le jeune homme puisse répondre que c'était son plus cher souhait, une bande de gamins fondit sur eux. Tirant Richard par ses manches, ils l'implorèrent de « venir voir », comme il le leur avait promis.

— De quoi parlent-ils ? demanda Kahlan, ravie d'être entourée d'enfants.

— Du Ja'La, répondit Richard. Petit, passe-moi ton ballon !

Quand l'enfant le lui eut lancé, le jeune homme le tendit à sa compagne. Intriguée, elle le fit tourner entre ses mains et contempla longuement la lettre *R* cousue dessus en fil d'or.

— Eh bien ?

— Avant, ils jouaient avec un ballon si lourd, le broc, qu'ils se blessaient tout le temps. J'ai demandé aux couturières du palais de leur en fabriquer de plus légers. Depuis, les gamins peuvent s'amuser sans risques. Parce que l'habileté compte désormais plus que la force…

— Et que signifie le *R ?*

— J'ai annoncé que tous ceux qui se convertiraient à cette nouvelle forme du jeu recevraient un broc officiel, offert par le palais. Le *R* est l'initiale de mon nom, afin d'attester qu'il s'agit bien d'un ballon Rahl. Depuis que j'ai modifié les règles, tout le monde parle de « Ja'La Rahl ».

— Eh bien, fit Kahlan en lançant le broc aux gamins, puisque le seigneur Rahl tient toujours ses promesses…

— Il a juré de venir nous voir, si on utilisait son broc ! cria un des enfants.

— Il ne tardera pas à pleuvoir, dit le jeune homme après un rapide coup d'œil au ciel. Mais il reste assez de temps pour une petite partie…

Enlacés, les deux jeunes gens suivirent la petite bande d'enfants.

— Si Zedd était avec nous, tout serait parfait…, soupira Richard.

— Tu crois qu'il est mort sur les remparts de la Forteresse ?

— Tu sais ce qu'il disait toujours ? « Accepter une possibilité, c'est lui permettre de se réaliser. » Jusqu'à preuve du contraire, j'ai décidé de refuser l'idée qu'il n'est plus de ce monde. Kahlan, je crois en lui. Je parierais qu'il se porte comme un charme, et qu'il mobilise tout son talent pour casser les pieds à quelqu'un…

Une fois n'est pas coutume, l'auberge semblait confortable et paisible. Pas comme les établissements douteux qu'ils avaient fréquentés jusque-là, bruyants et infestés d'ivrognes…

Et la danse ? Pourquoi les gens tenaient-ils à se tortiller au son de la musique dès que le soir tombait ? Cette lamentable caractéristique de la nature humaine consternait le vieil homme. Hélas, la nuit et la gambille semblaient aller ensemble, comme les abeilles et les fleurs… ou les mouches et les étrons.

Des dîneurs occupaient les tables les plus proches du comptoir. Au fond de la salle, un groupe de vieux bonshommes jouaient aux dames en fumant la pipe et en sirotant de la bière. Peu concentrés sur leur partie, ils bavardaient comme des pies.

Le vieux sorcier entendit les mots « seigneur Rahl » revenir plusieurs fois dans leur conversation.

— Je parle, dit Anna, et vous n'ouvrez pas la bouche.

Un couple à l'air amical, campé derrière le comptoir, sourit aux deux nouveaux clients.

— Bien le bonsoir, amis.

— Bien le bonsoir, répondit Anna. Nous voudrions louer une chambre. Le garçon d'écurie affirme que vous en avez de très belles.

— Et il a raison, noble dame. C'est pour vous et votre…

Anna ouvrit la bouche, mais Zedd la battit sur le fil.

— ... Frère, brave aubergiste. Je suis son frère… Ruben Rybnik, pour vous servir. Et voilà ma sœur, Elsie. (Le vieil homme agita théâtralement une main.) Je suis un célèbre devin qui lit dans les nuages. Peut-être avez-vous entendu parler de moi : Ruben Rybnik, le grand devin.

La femme de l'aubergiste ouvrit et ferma plusieurs fois la bouche, comme un poisson rouge.

— Eh bien… hum… à présent que vous le dites… ce nom ne m'est pas étranger.

— Tu vois, Elsie, fit Zedd en tapotant le dos d'Annalina, partout où nous passons, les gens me connaissent. (Il s'appuya au comptoir et baissa la voix.) Elsie croit que j'en rajoute, mais elle a été si longtemps coupée du monde, dans cet établissement bourré de malheureuses qui entendent des voix et qui parlent aux murs.

L'aubergiste et son épouse rivèrent des yeux ronds sur Anna.

— J'y travaillais, improvisa la Dame Abbesse. Je soignais ces malheureuses, pour tout dire…

— C'est ça, oui…, fit Zedd. Et tu t'en tirais à merveille. Je n'ai jamais compris qu'on t'ait laissé partir. (Il se tourna vers le couple muet de saisissement.) Depuis qu'elle a démissionné, je lui fais visiter un peu le monde, vous comprenez ?

— Oui, répondirent en chœur les aubergistes.

— Au fait, ajouta Zedd, nous prendrons plutôt deux chambres. Une pour ma chère sœur, et l'autre pour moi. (Il plissa le front.) Elle ronfle comme un sonneur, voyez-vous, et il me faut un sommeil paisible. Lire dans les nuages est un boulot épuisant.

— Nous avons de très belles chambres, dit la femme, qui reprenait un peu de couleurs. Je suis sûre que vous dormirez comme un bébé.

— Ne lésinez pas sur le prix, surtout ! Elsie a de quoi payer. Son défunt oncle lui a tout laissé, et il était plein aux as.

— Son oncle ? répéta l'homme, soupçonneux. N'était-il pas aussi le vôtre ?

— Évidemment, mais il ne pouvait pas me sentir. J'ai toujours eu des difficultés avec ce vieux schnock. C'était un fichu excentrique, vous comprenez ? Du genre à porter des bas de laine en plein été. Je n'ai jamais compris pourquoi, mais Elsie était sa préférée.

— Les chambres..., marmonna Anna en foudroyant Zedd du regard. Ruben a besoin de se reposer. Pour bien lire les nuages, il faut se lever tôt. Et quand il ne dort pas assez, son cou le démange terriblement, le matin. Vous verriez ça, j'en ai le cœur serré...

La femme sortit de derrière le comptoir.

— Dans ce cas, je vais vous accompagner...

— Dites-moi, noble dame, lança Zedd, est-ce bien un fumet de canard rôti qui monte à mes narines ?

— Oui, c'est le plat de résistance, ce soir. Canard rôti, salsifis, oignons et sauce au jus de cuisson. Ça vous tente ?

— Par le ciel, cet arôme est ensorcelant. Pour rôtir convenablement un canard, il faut du talent, et mon nez m'affirme que vous l'avez, gente dame. Pas de doute là-dessus !

La femme rougit jusqu'aux oreilles.

— En fait, je suis célèbre pour mon canard rôti...

— C'est appétissant, reconnut Anna. Auriez-vous l'obligeance de nous servir en chambre ?

— Évidemment... Ce sera même un plaisir.

L'aubergiste s'engagea dans le couloir.

— Tout bien réfléchi, dit Zedd, monte donc toute seule, Elsie. Je sais que tu détestes manger en public... Gente dame, je dînerai en salle. Et je boirai volontiers du thé.

Avant de suivre l'aubergiste, Anna jeta un regard noir au vieux sorcier, qui sentit chauffer le collier, autour de son cou.

— Ne t'attarde pas, Ruben. Nous partirons tôt, demain.

— Pas d'inquiétude, Elsie. Le temps de manger, de faire une partie ou deux avec ces gentilshommes, et j'irai me coucher comme un brave garçon. À demain, très chère ! Je brûle de continuer à te montrer le monde.

— Bonne nuit, Ruben, lâcha Anna, sinistre.

— Surtout, n'oublie pas de payer notre charmante hôtesse ! Et ajoute un bon pourboire, pour l'énorme portion de canard rôti que je vais engloutir. (Zedd tendit le cou vers la Dame Abbesse, prit un air rusé et ajouta :) Avant de te coucher, pense à écrire dans ton journal.

— Mon journal ?

— Ton carnet noir de voyage ! Je sais que tu aimes consigner nos aventures, et tu ne l'as pas tenu à jour, ces derniers temps. Il serait judicieux de t'y remettre.

— Oui... Je n'y manquerai pas, Ruben.

Quand Anna eut disparu, non sans avoir averti plusieurs fois le sorcier du regard, les joueurs de dames, qui avaient entendu toute la conversation, invitèrent Zedd à leur table.

Le vieil homme s'empressa de les rejoindre.

— Comme ça, vous lisez dans les nuages ? demanda un des vieux types dès qu'il se fut assis.

— On ne trouve pas meilleur expert sur le marché, assura Zedd en agitant un index squelettique. Les rois ne jurent que par moi.

Des murmures admirateurs coururent autour de la table.

— Le feriez-vous pour nous, maître Ruben ? demanda un autre joueur en retirant une pipe d'écume de sa bouche. On se cotisera pour vous payer.

— Désolé, mais c'est impossible. (Zedd marqua une pause, pour que ses interlocuteurs se désolent tout leur soûl.) Je ne puis accepter votre argent. Vous révéler ce que les nuages ont à dire sera un plaisir, mais je n'accepterai pas une pièce.

— C'est très généreux de votre part, Ruben, fit un des hommes.

— Et que disent les nuages ? demanda un grand costaud.

La femme de l'aubergiste vint poser une assiette fumante de canard devant le sorcier, détournant son attention.

— Le thé arrive, dit-elle avant de repartir vers la cuisine.

— Les nuages sont intarissables sur les vents du changement, mes amis. Les dangers, les améliorations possibles, le glorieux seigneur Rahl… Laissez-moi me délecter de ce canard, et je vous raconterai tout.

— Régalez-vous, Ruben, dit un autre joueur de dames.

Zedd prit une bouchée, la savoura et soupira de satisfaction sous le regard fasciné de ses nouveaux amis.

— Vous avez un curieux collier, Ruben, dit le fumeur de pipe.

— Ce modèle n'est plus fabriqué, hélas…

Les yeux plissés, l'homme pointa le tuyau de sa pipe sur le collier.

— On ne voit pas de système d'ouverture. Comment l'enlevez-vous ?

Zedd ouvrit le collier, le retira et fit fonctionner les deux parties articulées.

— Vous voyez, il y a bien un moyen de l'ouvrir ! Du joli travail, non ? On ne voit rien, tellement c'est bien fait. Du grand artisanat ! On ne trouve plus ça de nos jours !

— Je le répète tout le temps, fit le fumeur de pipe, le travail bien fait n'existe plus !

— Exactement, approuva Zedd en remettant le collier autour de son cou.

— Aujourd'hui, dit un homme aux joues creuses assis en face de lui, j'ai vu un étrange nuage. Il ressemblait à un serpent, et il ondulait dans le ciel.

— Vous l'avez vraiment vu ? demanda Zedd à voix basse.

Tous tendirent le cou vers lui.

— Qu'est-ce que ça signifie, Ruben ?

— Selon certains, il s'agit d'un nuage-espion, lié à un homme par un sorcier.

Les exclamations de son public sonnèrent comme une douce musique aux oreilles du vieil homme.

— Pour quelle raison ? demanda le grand costaud, les yeux exorbités.

Avant de répondre, Zedd fit mine de s'assurer que les autres clients ne l'écoutaient pas.

— Pour le suivre partout et savoir où il va…

— Mais notre homme repérerait le nuage, surtout s'il ressemble à un serpent !

— On m'a dit qu'il y avait un truc, souffla Zedd. (Il leva sa fourchette pour illustrer son propos.) Le nuage baisse toujours la tête vers sa proie, qui aperçoit à peine un petit point noir. Comme quand on vous pointe une canne dessus. Mais ceux qui sont à droite ou à gauche la voient en entier…

Pendant que les joueurs de dames assimilaient ces révélations, Zedd s'attaqua sérieusement à son canard rôti.

— Ruben, vous en savez plus long sur les vents du changement ? demanda enfin le fumeur de pipe. Et sur le nouveau seigneur Rahl ?

— Lirais-je les nuages pour les rois, si ces choses-là m'échappaient ? (Zedd brandit de nouveau sa fourchette.) C'est une histoire fascinante, s'il vous chante de l'écouter.

Tous se penchèrent derechef en avant.

— Elle commence il y a très longtemps, à l'époque de l'Antique Guerre, souffla Zedd. Pour être plus précis, au moment où furent créés ceux qui marchent dans les rêves…

TERRY GOODKIND

# LE TEMPLE DES VENTS

L'Épée de Vérité - Livre Quatre

Achevé d'imprimer en septembre 2008
N° d'impression L 72430
Dépôt légal, septembre 2008
Imprimé en France
91437088-8